改訂9版

会社規程総覧

模範実例

経営書院

はじめに

企業は、社会に役立つ商品・サービスを生産・販売することによって利益を上げることを目的とする組織である。

どの業界においても、企業間の競争にはきわめて激しいものがある。そのような状況の中で企業が利益を創出するためには、役員・従業員が一定の基準にしたがって組織的・計画的に行動することが必要である。

役員・従業員が、個人的にはいくら優秀であっても、各人がそれぞれバラバラに行動したのでは、企業全体としての生産・販売コストがいたずらに高くなり、利益を上げることは不可能である。

企業を構成する役員・従業員が組織的・計画的に行動するためには、「行動の拠りどころとなる基準」が存在し、その基準が構成員に周知徹底されていなければならない。その「行動の拠りどころ」となるものを文章で体系的に表現したものが、「社内規程」「会社規程」である。企業経営を効率的・組織的に展開していくうえで、「社内規程」「会社規程」はきわめて重要である。

社内規程・会社規程は、役員・従業員の行動を律し、職場の秩序を維持するものであるから、合理的に作成されることが求められる。

また、複数の社内規程・会社規程が作成される場合には、それぞれの規程が相互に整合的でなければならない。

社内規程・会社規程に合理性・整合性が欠けると、「職場の秩序が乱れる」、「生産・販売コストが上昇する」、「勤労意欲が低下する」、「トップの指示命令が正しく従業員に伝わらない」など、さまざまな支障が生じる。

さらに、当然のことながら、社内規程・会社規程は、法令に即したものでなければならない。「人件費を少しでも軽くしたい」「優れた人材の流出を防ぎたい」といって、法

はじめに

令に違反する規程を作成することは、絶対に許されない。

法令に違反した内容の規程を作成すると、企業の責任を問われると同時に、企業の社会的信用を失墜させる。

規程を作成するときは、その規程に関連した法令の内容を精査し、法令に違反しないようにしなければならない。

本書は、企業において実際に使用されている、模範的な規程を紹介したものである。

規程は、従業員規模や業種など、企業の実態に即して作成することが望ましい。規程は、役員・従業員に適用されるものであるから、企業の実態から遊離した規程を作成しても、あまり意味はない。

本書が社内規程の作成および見直しにおいて、少しでも参考になり、役に立つことができれば誠に幸いである。

経 営 書 院

本書を利用される方に

◆ 諸規程の必要性

"○○規程" "○○規則"と呼ばれる企業内の諸規程（諸規定）諸規則は何のために必要か。それは、企業というものが多くの人々がそれぞれの任務に従って業務を執行する組織体の集団であるからである。それぞれ任務をもった人々が共同の目的達成のためには、一定の秩序に従って合理的に行動するためのルールがなければならない。このルールが諸規程、諸規則ということになる。企業で諸規程、諸規則を作成することは、企業規模の大小を問わず、どのような企業にも、大なり小なり要求されるものである。

企業内の諸規程、諸規則の合理的な運用に当たっては、規定されている内容がきわめて重要な意義をもっているが、企業をとりまく環境の変化、社会情勢、経済状況の変化とともに時々刻々と動きつつあることはいうまでもないことである。

この「模範実例会社規程総覧」は、このような企業運営関係の諸制度を、あらゆる分野にわたって、その時々の最新の諸規程、諸規則をとらえて収録し、情勢に対応した。諸規程、諸規則の制定、改訂、検討に際しての参考指針、実務手引として役立たしめることを目的に、編集、刊行したものである。

なお、近代経営においては「健全な労使関係」が必要であることはいうまでもない。労使関係は人間と人間の関係であって、その健全な発展のためには、労使双方の安定化への不断の努力が何よりも必要なことであり、長期にわたる基本的ルールの集大成に向けてのとりきめが、労働協約、協定となっているものである。本書は、最近のこれらの各種、協定を多く収録して読書の参考に供していることは一つの特色といえよう。

◆ すぐ利用できる配慮で編集

本書は、中小企業経営者、中堅企業の経営者および総務・人事・労務担当者あるいは労働組合役員の方々を主要な読者に想定して収録したものである。多忙をきわめておられるこれらの実務家の皆様には、理論よりも実例の方が役に立つという要望に応えて、煩雑な解説や難解な理論はとりあげず、あえて多くも収録することに必要な諸規程や労使関係に必要な諸規程、諸規則を一編でも多く収録することを目的とした。したがって、諸規程、諸規則の背景となる諸条件とか法令などについては、本書はあえて不適というもないことである。

◆ 本書の利用方法

本書に収録した諸規程、諸規則、諸協定類は、いずれも実在の企業のものである。したがって、実在の企業を隠蔽して表記し、企業の業種や規模を付記したが、その特種性は可能な限り出さないようにしてある。それぞれ、ごく一般的な普遍性の高い実例として、利用できるものと思われる。

なお、収録したものは、それぞれの企業で作成されたもので、できるだけ原文の体裁そのままの形で掲げることとし、とくに統一はしなかった。ただし、横組みの規程は、すべて縦組みとしたため、編集上多少の変更を加えた個所もある。だからモデル的な諸規程、諸規則であるが、モデルとしたものではない。極端な利用法としては、そのままコピーして、企業名と具体的な日付や数値だけを書き替えれば、そのまま利用できることもあるだろう。しかし、このような利用方法は奨める

本書を利用される方に

わけにはいかない。それぞれの企業や労使関係には、そこに培かわれてきた諸条件や歴史的な過程などがあるからである。もし、コピーして利用する場合は、どこまでも参考資料として十分検討のうえ利用されたい。

として、「読んでいただく」ために編集し、読みやすくする目的から縦書きにしたものである。なお、同じ目的から条文の中にも算用数字を多用してある。

実際に諸規程、諸規則の作成、改正される場合には、なるべく横書きにし、社内諸規程および社内文書の取扱いの形式なども統一されることを奨めたい。

◆ 文書、用語について

前項の形式のほか、文書の形式（文体）、用語や文字の使い方も、実在の諸規程、諸規則はさまざまである。最近の傾向としては、次のとおりである。

① 文語体は使わず口語体とする

② 法律用語やその専門語法はなるべく避け、日常用語の語法を使う

③ 常用漢字、現代かなづかいに従う

なお、諸規程、諸規則作成の留意点として、最初にコメントとして説明してあるので参考されたい。

◆ 総合規程と個別規程

諸規程、諸規則の中には、多くのテーマを総括的に収録した総合規程と、個別規程（例、就業規則、賃金規程、退職金支給規程）が現存している。本書では重複することを避けずに、総合規程を加えて、活用度の高い個別規程も数多く収録した。

各企業では実情に応じて、必要なものを総合規程にまとめるなり、あるいは個別規程に分割するなり自由に利用されたい。

◆ 関係法令との関係

企業の諸規程、諸規則の制定あるいは改訂に当たっては十分注意をしなければならないことがある。それは諸規程、諸規則が法令の制約を受けることがある。通常、諸規程、諸規則は、絶対的必要記載事項、相対的必要記載事項、任意事項から構成されている。

例えば、「定款」では、会社法の数多くの絶対的記載事項があり、かつ相対的必要記載事項もある。「就業規則」も同様で、絶対的必要記載事項と相対的必要記載事項からなっている。

実在の諸規程、諸規則のなかには、明らかに法令違反の条文があることも事実であろう。本書に収録するに当たっては、精査のうえ法令違反にならないで、かつまた条文体系の整ったものを選んである。

◆ 形式について

本書の編集に当たって、参考として集めた実在の諸規程、諸規則は、約九〇％が横書き形式であった。とくに新しい諸規程、諸規則は、ほとんどが横書きになっている。本書は、あくまでも「規程づくり」の参考

【模範実例】・会社規程総覧　目次

はじめに…………2
本書を利用される方に…………4

I 社是・社訓・経営理念…………15

〈コメント〉社是・社訓・経営理念…………16
社是・社訓とは／制定のメリット／社是・社訓と会社の社会的責任

- ヤマトホールディングス…………17
- 新井組…………17
- 東レ…………18
- 三菱重工…………18
- 日清食品株式会社…………18
- 東芝グループ…………19
- 熊谷組…………19
- 小田急グループ…………19
- 相鉄グループ…………20
- セコム…………21

II 企業行動憲章…………22

〈コメント〉企業行動憲章…………23
企業行動憲章とは／企業行動憲章の内容／原因の究明と再発の防止／説明責任と関係社員の処分

- ヤマトホールディングス…………23
- 新井組…………24
- 東レ…………24
- 日本郵船…………25
- 阪神電気鉄道…………26
- 鹿島…………27

III 株主総会・取締役会等に関する規程…………31

〈コメント〉株主総会・取締役会等に関する規程…………32
定款／株主総会規程／取締役会規程／常務会規程

- 定款〔IG堂・スーパー・従業員一、五〇〇人〕…………33
- 株主総会議事規則〔HJ工業・電子光学・従業員一、五〇〇人〕…………35
- 株主総会規程〔KK情報サービス・情報システム業・従業員二四〇人〕…………38
- 株主総会規程〔SH屋・小売業・従業員四二〇人〕…………40
- 取締役会規程〔MS機械・機械製造・従業員三二〇人〕…………42

目次

Ⅳ 役員制度に関する規程

〈コメント〉役員制度に関する規程／役員の選任 ……51

- 取締役会規程〔TU不動産・不動産業・従業員一二〇人〕 ……43
- 取締役会規程〔WAビルサービス・ビル管理業・従業員四五〇人〕 ……44
- 常務会規程〔KU製薬・製薬業・従業員一、三〇〇人〕 ……46
- 常務会規程〔ITツーリスト・旅行業・従業員一二九〇人〕 ……47
- 常務会規程〔GZ商事・商社・従業員八〇〇人〕 ……47
- 役員の執務規則〔SP電子・電子部品製造・従業員六〇〇人〕 ……52
- 役員就業規則〔TK商社・商社・従業員四〇〇人〕 ……53
- 役員規程〔YKホール・ウエディング・パレスおよび外食・従業員四五〇人〕 ……56
- 役員勤務規程〔CD堂・出版・従業員三八〇人〕 ……58
- 取締役規程〔RE産業・機械製造業・従業員三〇〇人〕 ……63
- 取締役規程〔KK運輸・運輸業・従業員二、三〇〇人〕 ……65
- 監査役規程〔NK商事・小売業・従業員五六〇人〕 ……67
- 監査役会規程〔FD建物・不動産業・従業員二、八〇〇人〕 ……70
- 会計参与規程〔SA警備・警備業・従業員八〇〇人〕 ……71
- 会計参与規程〔KO建設・建設業・従業員四五〇人〕 ……73

Ⅴ 役員報酬・退職金等に関する規程

〈コメント〉役員報酬・退職慰労金報酬／退職慰労金 ……74

- 役員報酬規程〔DE社・繊維・従業員四五〇人〕 ……77
- 役員の報酬・賞与に関する規程〔AM商事・商社・従業員三〇〇人〕 ……78
- 役員退職慰労金支給規程〔AD電気・電気機械・従業員五〇〇人〕 ……79
- 役員退職慰労金支給規程〔PO電機・電気機械製造・従業員二五〇人〕 ……79
- 役員退職慰労金支給規程〔SG金属・金属製品・従業員三五〇人〕 ……81
- 役員退職慰労金支給規程〔KE工業・精密機械・従業員一二八〇人〕 ……81
- 役員退職慰労金規程〔MJ薬品・製薬・従業員八〇〇人〕 ……82
- 役員旅費規程〔GS製作所・金属製品製造・従業員六〇〇人〕 ……83
- 役員・社員社葬取扱要項 ……84

Ⅵ 執行役員に関する規程

〈コメント〉執行役員に関する規程／執行役員制度の趣旨／執行役員制度の効果／執行役員の役位 ……87

- 執行役員規程〔TN産業・商社・従業員三〇〇人〕 ……91
- 執行役員規程〔ZS出版・出版業・従業員一二三〇人〕 ……92
- 執行役員就業規則〔NSビジネス・情報処理・従業員五二〇人〕 ……93
- 執行役員職務権限規程〔KN銀行・金融業・従業員六八〇人〕 ……95
- 執行役員退職慰労金規程〔AS食品・製造業・従業員一七〇人〕 ……97

目次

- 執行役員退職慰労金規程〔SK百貨店・小売業・従業員四二〇人〕 …… 101
- 執行役員報酬・退職慰労金規程〔KG警備保障・サービス業・従業員六六〇人〕 …… 102
- 執行役員会規程〔WU放送・放送業・従業員三四〇人〕 …… 103

Ⅶ 経営組織運営に関する規程 …… 105

〈コメント〉経営組織運営に関する規程 …… 106
組織編制と業務分掌／職位と職務権限／意思決定の手続き／職能資格制度

- 経営計画作成および管理規程〔NC工業・輸送機械・従業員一、八〇〇人〕 …… 107
- 規程管理規程〔SK精工・精密機械製造・従業員八五〇人〕 …… 108
- 組織規程〔AK電子・電子部品製造・従業員五〇〇人〕 …… 111
- 業務分掌規程〔KT鉄工・鉄工機械製造・従業員一、七〇〇人〕 …… 113
- 職能資格規程〔MHベルト・皮革・従業員五〇〇人〕 …… 122
- 職能規程〔OM機械・機械製造・従業員一、二〇〇人〕 …… 126
- 決裁規程〔TK鉄工・鉄工業・従業員一、七〇〇人〕 …… 138
- 稟議規程〔YZ精機・精密機器製造・従業員四〇〇人〕 …… 150
- 印章管理規程〔FD電算機センター・計算センター・従業員三〇〇人〕 …… 159
- 職務権限規程〔TK繊維・繊維製造・従業員七〇〇人〕 …… 166
- 職務分掌規程〔〃〕 …… 170
- 資格規程〔AIC電機・計器製造・従業員五、〇〇〇人〕 …… 172
- 社長印使用規程〔SH商事・商社・従業員三〇〇人〕 …… 174
- 文書取扱規程〔KJ電子・電子工業・従業員六〇〇人〕 …… 174
- 秘密文書取扱規程〔RS化学・化学製品製造・従業員七〇〇人〕 …… 176
- 報告書管理規程〔JD機器・輸送機器・従業員七〇〇人〕 …… 177
- 会議規程〔MI金属・金属製品製造・従業員七〇〇人〕 …… 180
- 部長会議規程〔HM・精密機械製造・従業員一、五〇〇人〕 …… 183
- 内部監査実施規程〔SW電機・電気機器製造・従業員三、二〇〇人〕 …… 183
- 得意先等への慶弔金支給基準 …… 186

Ⅷ 雇用管理に関する規程 …… 189

〈コメント〉雇用管理に関する規程 …… 190
絶対的記載事項／相対的記載事項／任意記載事項

- 就業規則〔複線型雇用関係〕〔HN不動産・不動産・外食サービス業・従業員四五〇人〕 …… 191
- 就業規則〔YS機器・機械機器具製造・従業員八〇人〕 …… 205
- 就業規則（モデル）〔㈳全国労働基準団体連合会作成〕 …… 217
- 嘱託規程〔SM機器・機器・従業員二五〇人・うち嘱託一五人〕 …… 222
- 定年嘱託規程〔RD自動車部品・輸送用機器・五〇〇人・内嘱託三〇人〕 …… 225
- 嘱託規程〔HJ商事・商事会社・従業員一四〇人・内嘱託一五人〕 …… 225
- 早期退職優遇制度規程〔TS商事・商事・従業員三五〇人〕 …… 226
- 社員配置および登用規程〔MK化成・化学工業・従業員一、五〇〇人〕 …… 227
- 出向規程〔YK電機・測器製造・従業員一、七五〇人〕 …… 230
- 海外出向規程〔OS商事・商社・従業員六〇〇人〕 …… 231

8

目次

- 参考①会社間の出向協定書（給与は出向元支払） ... 235
- 参考②会社間の出向協定書（給与は出向先支払） ... 236
- 参考③会社間および本人、三者の出向協定書（出向に関する覚書） ... 237
- 参考④会社間の派遣協定書（派遣に関する覚書） ... 238
- 転勤取扱規程〔TR工業・機械製造・従業員三、〇〇〇人〕 ... 239
- 配置転換取扱規程〔株式会社SK堂・薬品小売業・従業員六〇人〕 ... 241
- 人事考課規程〔SH光学・光学機械・従業員三、〇〇〇人〕 ... 242
- 自己申告制度要綱〔MD工業・精密機械・従業員八〇〇人〕 ... 245
- 報賞懲戒規程〔HK興行・サービス業・従業員二五〇人〕 ... 250
- 表彰規程〔TC機械・機械製造・従業員三〇〇人〕 ... 254
- 賞罰委員会規程〔RK商事・商社・従業員一、三五〇人〕 ... 256
- 人事考課規程〔AS電子・電子部品製造・従業員一八〇人〕 ... 257
- 新型コロナウィルス等感染症対策規程〔YK証・証券業・従業員四五〇人〕 ... 258
- 新型コロナウィルス等感染予防規程〔YS商事・小売業・従業員二三〇人〕 ... 259
- 新型コロナウィルス等の感染規程〔KK組・土木建設業・従業員三六〇人〕 ... 260

IX 育児休業・介護休業等に関する規程 ... 263

〈コメント〉育児休業／介護休業 ... 264

- 育児休業規程〔KU電気・製造業・従業員二、一〇〇人〕 ... 265
- 育児休業に関する労使協定〔KU電気・製造業・従業員二、一〇〇人〕 ... 267
- 育児休業規程〔RMトラベル・旅行業・従業員三七〇人〕 ... 267
- 育児短時間勤務規程〔OW広告・広告業・従業員一四〇人〕 ... 269
- 育児従業員時間外労働免除規程〔YS銀行・金融業・従業員三五〇人〕 ... 270
- 通院休暇規程〔FFホーム・社会福祉施設・従業員一二五人〕 ... 270
- 看護休暇規程〔KU電気・製造業・従業員二、一〇〇人〕 ... 271
- 看護休暇に関する労使協定〔KU電気・製造業・従業員二、一〇〇人〕 ... 271
- 配偶者出産休暇規程〔SS情報・ソフト開発・従業員二〇〇人〕 ... 272
- 介護休業規程〔KU電気・製造業・従業員二、一〇〇人〕 ... 272
- 介護休業に関する労使協定〔KU電気・製造業・従業員二、一〇〇人〕 ... 274
- 介護休業規程〔FDコンサルタント・サービス業・従業員二八〇人〕 ... 274

X パートタイマーに関する規程 ... 277

〈コメント〉パートタイマー雇用のメリット／雇用管理上の留意点 ... 278

- パートタイマー就業規則〔MK電子・電子部品製造・従業員一八〇人・内パート二五人〕 ... 279
- パートタイマー就業規則〔SS機器・機器製造・従業員二五〇人・内パート四〇人〕 ... 286
- 準社員就業規則〔CIC技研・従業員三八〇人・内パート四〇人〕 ... 294
- 再雇用規程〔TIデパート・小売業・従業員三、五〇〇人〕 ... 298

目次

XI 賃金・退職金・出張に関する規程

- 再雇用規程〔MB出版・出版業・従業員一四〇人〕……298
- 定時社員協定〔SM堂・小売業・従業員二、一〇〇人〕……299
- パートタイマー賃金規則〔AS商事・流通業・従業員三八〇人・内パート三〇人〕……300
- パートタイマー退職金規程〔SY精密機械・従業員一八〇人・内パート四〇人〕……303
- 賃金・退職金・出張に関する規程……305
- 〈コメント〉賃金・退職金・出張に関する規程……306
  就業規則と賃金・退職金/記載しなければならない事項/賃金規程作成の留意点/退職金規程作成の留意点
- 給与規程〔ST電子・電子部品・従業員七〇〇人〕……307
- 給与規則〔HN不動産・不動産業・従業員四五〇人〕……314
- 賃金規程〔AK商会・事務用品販売・従業員四〇人〕……322
- 昇給取扱規程〔SW油機・油圧機器製造・従業員一二五人〕……325
- 営業社員給与細則〔AM建設・建設・不動産業・従業員六〇人〕……328
- 扶養手当支給規程〔TK光学・光学機械・従業員一、五〇〇人〕……331
- 別居手当支給規程〔SKゴム・ゴム製造・従業員一、五〇〇人〕……332
- 作業手当支給規程〔RT自動車機器・自動車部品製造・従業員八〇〇人〕……333
- 寒冷地手当支給規程〔SK薬品・薬品製造販売・従業員五〇〇人〕……339
- 通勤手当支給規程〔KS建設・建設業・従業員四〇〇人〕……339
- 通勤手当支給規程（新幹線利用を含む）〔SRケミカル・化学・従業員七〇〇人〕……341
- 新幹線通勤定期券支給規程〔AJ不動産・不動産業・従業員三〇〇人〕……342
- 住宅手当支給規程〔FS商事・商社・従業員五〇〇人〕……343
- 管理職手当支給規程〔MR商事・商社・従業員三〇〇人〕……344
- 営業マン時間外取扱規程〔BH製薬・薬品製造販売・従業員三〇〇人〕……345
- 外勤手当支給基準〔MS皮革・皮革製造・従業員一二〇人〕……345
- 賞与支給規程〔BM食品・食品製造販売・従業員六五〇人〕……346
- 賞与に関する規程〔AK精機・精密機械製造・従業員八〇人〕……348
- 成果配分規程〔SMスーパー・小売業・従業員一、三〇〇人〕……349
- 退職金支給規程（大企業）〔SM化学・化学製造業・従業員一、五〇〇人〕……351
- 退職金支給規程（社内規程と中退金併用の場合）〔TP電子・電子工業・従業員九〇人〕……352
- 退職金規程（中小企業退職金共済事業集団契約によるもの）〔AK商事・卸売業・従業員三〇人〕……353
- 退職金支給規程（社内規程と企業年金の併用）〔AS染織・染色業・従業員四〇〇人〕……354
- 退職金規程（企業年金制度による場合）〔FK建設・建設業・従業員四〇〇人〕……356
- 退職金支給規程（ポイント方式）〔SR製本・製本業・従業員八〇人〕……358
- 退職金規程（ポイント方式）〔FD電子・電子部品製造・従業員一八〇人〕……359
- 退職年金規程〔FM精工・精密機械・従業員三、八〇〇人〕……361
- 出張旅費規程〔MT信用組合・金融業・従業員二〇〇人〕……368

目次

XII 福利厚生に関する規程

〈コメント〉福利厚生の効果／福利厚生の種類 ……………………… 383

- 社宅管理取扱規程〔HD工業社・機械器具・従業員八〇〇人〕 ……………………… 384
- 家族寮管理規程〔〃〕 ……………………… 385
- 寄宿舎規則（寮規則）〔TS商店・卸売業・従業員二〇〇人〕 ……………………… 397
- 賃貸社宅規程〔BX化学・化学工業・従業員一、六〇〇人〕 ……………………… 406
- 独身寮管理規程〔TKグループ物品販売・従業員八五〇人〕 ……………………… 409
- 持家借上げ取扱規程〔SG工業・機械・従業員七〇〇人〕 ……………………… 412
- 厚生貸付金規程〔TN機器・機械製造・従業員一五〇人〕 ……………………… 415
- 慶弔見舞金規程〔EF食品・食品製造販売・従業員二〇〇人〕 ……………………… 417
- 社内預金管理規程〔TM自動車・自動車製造・従業員四、〇〇〇人〕 ……………………… 417
- 制服貸与規程〔SP機械・機械製造・従業員三、〇〇〇人〕 ……………………… 419
- 住宅資金貸付規程〔WK硝子・硝子製造・従業員四五〇人〕 ……………………… 423
- 財産形成貯蓄制度規程〔FS・金属製品製造・従業員五五〇人〕 ……………………… 425
- 財産貯蓄住宅融資規程〔AB電機・電気機器製造・従業員五〇〇人〕 ……………………… 426
- 厚生年金転貸融資制度規程〔HI薬品・薬品製造・従業員一、三〇〇人〕 ……………………… 428
- 従業員持株制度約款〔MK電子・電子部品製造業・従業員六五〇人〕 ……………………… 431
- 社員持株会規程〔SS土地建物・不動産・従業員四三〇人〕 ……………………… 434
- 一般資金貸付規程〔UT機械製造・製造業・従業員六三〇人〕 ……………………… 437
- 労災特別補償規程〔FS興業・自動車部品製造業・従業員五六〇人〕 ……………………… 438
- スポーツ・文化等クラブ活動支援規程〔KH情報サービス・情報業・従業員五五〇人〕 ……………………… 440
- クラブ活動補助金規程〔CA建設・建設業・従業員三二〇人〕 ……………………… 441
- 社員食堂利用規則〔KK包装工業・製造業・従業員三六〇人〕 ……………………… 442
- 社員食堂管理委員会規程〔OK銀行・金融業・従業員八七〇人〕 ……………………… 442
- 海外渡航規程 ……………………… 443
- 海外駐在員規程〔SS商事・食品製造販売・従業員三〇〇人〕 ……………………… 371
- 海外出張規程〔PR食品・食品製造販売・従業員四〇〇人〕 ……………………… 375
- 380

XIII 共済・互助に関する規程

〈コメント〉共済・互助に関する規程 共済・互助会規約（会則）作成の留意点 ……………………… 445
- 生涯福祉共済会規約〔YH生涯福祉共済会・会員三、〇〇〇人〕 ……………………… 446
- 共済制度運営委員会規程〔YHグループ・会員三、〇〇〇人〕 ……………………… 447
- 遺族・障害共済制度規程〔〃〕 ……………………… 451
- 疾病共済制度運営規約〔〃〕 ……………………… 453
- 458

目次

XIV 能力開発等に関する規程

- AS会会則〔AS会・会員八〇人〕 …… 461
- 親睦会会則〔GS製作所・会員一八〇人〕 …… 463
- ST共済会規約〔ST・従業員二〇〇人〕 …… 466
- JSR体育文化会規約〔JSR体育文化会・会員一、五〇〇人〕 …… 467
- 障害年金規程〔NG共済会・会員二、〇〇〇人〕 …… 472
- 遺族給付制度実施要綱〔FF共済会・会員三、五〇〇人〕 …… 473
- 家族療養見舞金支給規程〔TS商事互助会・会員四三〇人〕 …… 475
- 人間ドック実施に関する規程〔〃〕 …… 476
- 〈コメント〉能力開発等に関する規程 …… 477
- 人材養成・能力開発の教育訓練の実態と対応／自己啓発の促進援助／能力開発と規程 …… 478
- 教育規則〔HY電子・電子製品製造・従業員七五〇人〕 …… 479
- 社員教育実施規程〔NK電機・電気機器・従業員一、四〇〇人〕 …… 481
- 新入社員現場教育実施要項〔OH精機・精密機械・従業員三〇〇人〕 …… 487
- キャリア開発研修手続規程〔KM化学・化学製品製造・従業員六〇〇人〕 …… 490
- 中央研修会等参加者取扱要領〔TK技研〕 …… 493
- 人材育成委員会規程〔SD精工・精密機器・従業員八〇〇人〕 …… 494
- 研修休職規程〔TIデパート・小売業・従業員三、五〇〇人〕 …… 495
- 通信教育制度要項〔HD工業・機械器具・従業員八〇〇人〕 …… 496
- 公的資格取得報奨規定〔DN精機・精密機械・従業員八〇〇人〕 …… 497
- 自己啓発援助制度〔ST電機・電気機器製造業〕 …… 502
- 自己啓発援助規程〔TR食品・食料製造販売〕 …… 504
- 自己啓発援助規程〔YS電機・電気機器製造・従業員三五〇人〕 …… 506
- 自己申告制度運営要領〔YS電機・電気機器製造・従業員八〇〇人〕 …… 510
- 外国留学規程〔TS製綱・鉄鋼業・従業員一五、〇〇〇人〕 …… 511
- 提案規程〔MB事務器・事務用品製造・従業員八〇〇人〕 …… 515
- 提案規程〔KW機器・冷暖房機器製造・従業員三八〇人〕 …… 516
- 提案委員会規程〔PS化成・化学製品製造・従業員二五〇人〕 …… 517
- 開発規程〔US鉄工・金属製品製造・従業員七〇〇人〕 …… 520
- 発明考案取扱規程〔〃〕 …… 521
- 工業所有権管理規程〔MB事務器・事務用品製造・従業員八〇〇人〕 …… 524
- 資格免許取扱規程〔TY化学・化学製品製造・従業員六〇〇人〕 …… 525
- 品質管理委員会規程〔KP機械・機械器具製造・従業員四〇〇人〕 …… 526
- 生産協議会規程〔KB発動機・発動機製造・従業員三〇〇人〕 …… 527
- 事務合理化委員会規則〔YSW社・電気機械製造・従業員二、八〇〇人〕 …… 529

XV 安全・衛生に関する規程

目次

〈コメント〉安全・衛生に関する規程
安全衛生管理に関する規程 ………………………………………………… 530
● 安全衛生管理規程〔MB事務器・事務用機器製造・従業員八〇〇人〕 ………………………………………………… 531
● 安全衛生委員会規程〔US鉄工・金属製品製造・従業員七〇〇人〕 ………………………………………………… 537
● 産業用ロボット安全規則〔MBS電機・電気機器製造・従業員一五、〇〇〇人〕 ………………………………………………… 538
● 産業用ロボット「安全マニュアル」〔YS電機・電気機器製造・従業員六、〇〇〇人〕 ………………………………………………… 545
● 快適職場推進委員会規程〔HN興産・金属製品製造・従業員九〇人〕 ………………………………………………… 549
● 安全衛生標識規程〔RM自動車工業・自動車製造・従業員一、三〇〇人〕 ………………………………………………… 550
● 防火管理規則〔YP機械・機械製造・従業員三〇〇人〕 ………………………………………………… 554
● 非常災害防衛規程〔CG化学・化学工業・従業員七〇〇人〕 ………………………………………………… 556
● 業務災害附加給付規程〔TO化学・化学製品製造・従業員四五〇人〕 ………………………………………………… 557
● 通勤災害見舞金支給規程〔TC薬品・製薬・従業員七五〇人〕 ………………………………………………… 559

XVI 自動車に関する規程 ………………………………………………… 561
〈コメント〉自動車に関する規程
自動車管理規程の必要性／規程に盛り込む内容／マイカー通勤規程 ………………………………………………… 562
● 車輛管理規程〔TB販売・美容機器用品販売・従業員四〇〇人〕 ………………………………………………… 563
● 自動車管理規程〔SK商事・卸売業・従業員三五〇人〕 ………………………………………………… 565
● マイカー通勤規程〔TE精密・製造業・従業員五三〇人〕 ………………………………………………… 567
● 通勤車両管理規程〔TC薬品・製薬業・従業員七五〇人〕 ………………………………………………… 568
● マイカー業務使用規程〔DM商事・卸売業・従業員四一〇人〕 ………………………………………………… 570
● 駐車場管理規程〔EG製薬・製造業・従業員二九〇人〕 ………………………………………………… 571
● 交通事故処理手続規則〔TB販売・美容機器用品販売・従業員四〇〇人〕 ………………………………………………… 572
● 事故処理委員会規則（〃） ………………………………………………… 574
● 自動車運転免許に関する規程〔SW食品・食品流通業・従業員二五〇人〕 ………………………………………………… 575

XVII 個人情報の管理に関する規程 ………………………………………………… 577
〈コメント〉個人情報の管理に関する規程
個人情報保護法の施行／個人情報管理規程の作成 ………………………………………………… 578
● 顧客情報管理規程〔KO商事・小売業・従業員六七〇人〕 ………………………………………………… 579
● 顧客情報取扱規程〔BMサービス・サービス業・従業員一一〇人〕 ………………………………………………… 581
● 顧客リスト管理規程〔YS電器・小売業・従業員八〇〇人〕 ………………………………………………… 583
● お客さま個人情報苦情処理規程〔TM薬品・小売業・従業員四八〇人〕 ………………………………………………… 586
● 顧客情報廃棄規程〔スーパーCO・小売業・従業員四五〇人〕 ………………………………………………… 588
● 顧客情報流出対策規程〔KK住宅販売・不動産業・従業員六〇人〕 ………………………………………………… 588
● 社員人事情報取扱規程〔KY信用金庫・金融業・従業員三四〇人〕 ………………………………………………… 589
〔FS機械・建設機械製造業・従業

XVIII 働き方の多様化に関する規程

〈コメント〉働き方の多様化に関する規程
働き方の多様化の背景／働き方の変化の例／制度実施の効果 ………………………………… 595

- 社員マイナンバー管理規程〔MNシステム開発・情報処理業・従業員七八〇人〕………………………………… 590
- フレックスタイム規程〔GD薬品工業・製造業・従業員三、三〇〇人〕………………………………… 596
- フレックスタイム規程〔KH商事・総合商社・従業員二、一〇〇人〕………………………………… 597
- 選択勤務時間規程〔OS情報開発・情報処理業・従業員二一〇人〕………………………………… 600
- 勤務時間インターバル規程〔RE経済研究所・調査研究業・従業員八〇人〕………………………………… 601
- 年休計画的付与規程〔OK建設・建設業・従業員二四〇人〕………………………………… 602
- 失効年休買上規程〔SA通信・広告取扱業・従業員九〇人〕………………………………… 602
- 失効年休積立規程〔NK興業・サービス業・従業員一一〇人〕………………………………… 602
- 裁判員休暇規程〔UY工業・自動車部品製造業・従業員六五〇人〕………………………………… 604
- リフレッシュ休暇規程〔EW商業・卸売業・従業員四六〇人〕………………………………… 604
- ボランティア休暇規程〔KI銀行・金融業・従業員一、一〇〇人〕………………………………… 605
- 社会貢献休暇規程〔CH放送・放送業・従業員三七〇人〕………………………………… 606
- 災害復旧支援休暇規程〔SS倉庫・倉庫業・従業員二八〇人〕………………………………… 606
- 子どもメモリアル規程〔TR船舶・海運業・従業員八五〇人〕………………………………… 607
- テレワーク規程〔DS製薬・製造業・従業員一、五五〇人〕………………………………… 607
- リモートワーク規程〔HF電機・製造業・従業員二、一〇〇人〕………………………………… 608
- クールビズ・ウォームビズ規程〔HGシステム・情報処理業・従業員一五〇人〕………………………………… 609
- 旧姓使用規程〔KK証券・証券業・従業員三三〇人〕………………………………… 609
- フリーアドレス規程〔RE不動産販売・不動産販売業・従業員九〇人〕………………………………… 610

Ⅰ 社是・社訓・経営理念

〈コメント〉 社是・社訓・経営理念

1 社是・社訓とは

 会社経営の基本方針を単語あるいは短い文章で簡潔に表現したものを、一般に「社是」「社訓」という。
 このほか、「経営理念」「経営信条」「会社綱領」「要諦」あるいは「スローガン」と呼ばれることもある。
 社是・社訓は、会社の創業時に、創業者の強い信念や思想に基づいて作られることもあれば、創業後ある程度の期間が経過してから、これまでの経営の歩みを確認する形で作られることもある。

2 制定のメリット

 会社は、複数の人間が集まって、経済活動を行う組織である。年齢や出身地・出身校などが異なる複数の人間が、相互に良好な人間関係を維持し、しかも、仕事に充実感を感じるためには、共通した「行動の拠りどころ」が求められる。それが存在しないと、長期にわたって組織の一体性と相互の連帯感を保つことが難しい。
 社是・社訓は、経営の基本方針を示すものである。従業員に対して、行動基準を明確にするものである。
 社是・社訓は、従業員の行動を律するものであるから、分かりやすく、かつ、簡潔に表現されなければならない。
 経営方針が明確に表現されることにより、従業員も、行動の拠りどころが得られ、日々の仕事で充実感を感じることができるようになる。
 会社は、基本的には、利益を上げるための経済的な組織体である。しかし、ただ単に利益を上げるための存在では、一般社会の信用・信頼や共感を得ることはできない。それどころか、「利益ばかりを追求し、社会への配慮が欠けている」として、批判や非難の対象となる。
 しかし、「誠実」「奉仕」「貢献」あるいは「創意工夫」「共存共栄」「革新」といった経営方針を掲げ、全従業員一体となってその実現に努めれば、一般社会の信用と共感を得ることができる。

 このように、広く社会と消費者の信用と共感を得られることも、社是・社訓のメリットである。

3 社是・社訓と会社の社会的責任

 社是・社訓は、会社経営の基本方針を内外に示すものである。このため、社是・社訓を制定し、それを公表した以上は、会社として、その実現に最大限の努力をしなければならない。
 例えば、社是を「消費者への奉仕」と定めたときは、品質に優れ、かつ、価格の安い商品を安定的・継続的に提供することにより、消費者に奉仕しなければならない。生活の役に立たないものや、品質の劣るものを生産したり、販売したりすることは絶対に許されない。
 社是・社訓で示された会社経営の基本方針の実現に努めることは、会社の社会的な責任である。

I 社是・社訓・経営理念

ヤマトホールディングス

ヤマトグループの企業としての力を生み出します。この「自分自身＝ヤマトという意識を持ちなさい」という言葉は、ヤマトグループの全員経営の精神を表しています。

社訓

一、ヤマトは我なり
一、運送行為は委託者の意思の延長と知るべし
一、思想を堅実に礼節を重んずべし

社訓に込められた基本精神

●「一、ヤマトは我なり」
ヤマトグループは、お金や設備以上に、「人」が最大の資本となって成り立っている会社です。社員を単なる「人材」ではなく、会社の財産としての「人財」と考え、何よりも「人を尊重」します。社員一人ひとりの「和」の力、「協力・結束・調和」が、社会生活に欠くことのできない公共性の高いサービスに従事するヤマトグループの社員は、一人ひとりが、"いかに社会や生活のお役に立てるか？"ということを、常に念頭におかなくてはなりません。そのために、「礼節（礼儀と節度）」を重んじ、社会の一員としてコンプライアンス（法令、企業倫理等の遵守）を実践していきます。

●「一、運送行為は委託者の意思の延長と知るべし」
ヤマトグループは、運送サービスを通して、お客様（委託者）のこころを受け継ぎ、責任と誠意とまごころをもって、迅速かつ正確に運び、お届けすることを事業の目的のひとつとしています。この言葉は、ヤマトグループの社員一人ひとりが"どうすれば、お客様にもっと満足していただけるか？"という「興味と熱意」を常に持つことの大切さを示しています。

●「一、思想を堅実に礼節を重んずべし」
社会生活に欠くことのできない公共性の高いサービスに従事するヤマトグループの社員は、一人ひとりが、"いかに社会や生活

新井組

基本方針（経営理念）

新井組は、建設事業を通じて新たな価値を創造し、社会に貢献することを誇りとする。

社会のニーズに豊かな発想で応え、企画力・技術力・組織力と誠実をもって、お得意の満足と信頼を得る。

会社の繁栄を通じて、社員の幸運を実現する。

社員の個性を尊重し、自由闊達で品格ある企業を目指す。

―行動指針―

進んで学び議論を尽くす知性と創造性を磨く

誠実

I　社是・社訓・経営理念

東レ

企業理念

わたしたちは
新しい価値の創造を通じて
社会に貢献します

経営基本方針

お客様のために……新しい価値と高い品質の
製品とサービスを
社員のために……働きがいと公正な機会を
株主のために……誠実で信頼に応える経営を
社会のために……社会の一員として責任を
果たし相互信頼と連携を

質実剛健
大いなる夢と志を持つ
明朗・活発・さわやかに
挑戦と革新
指導者・経営者としての自覚と誇りを持つ
公私の別を明らかにする
鋭いビジネス感覚を持つ

三菱重工

社　是

一、顧客第一の信念に徹し、社業を通じて社会の進歩に貢献する。
一、誠実を旨とし、和を重んじて公私の別を明らかにする。
一、世界的視野に立ち、経営の革新と技術の開発に努める。

社是制定趣旨

昭和四五年六月一日

当社の発祥は遠く明治三年（一八七〇年）にさかのぼるが、当社の今日あるのはひとえに創業者岩崎彌太郎を始め歴代の経営者、従業員のたゆまぬ努力の所産である。これら諸先人の残された数々の教訓は今なお我々の脳裡に刻まれているが、今これらの先訓を思い起こし、当社の将来への一層の飛躍に備え、伝統ある当社にふさわしい社是を制定せんとするものである。

このたびの社是の文言は直接には第四代社長岩崎小彌太（いわさきこやた）の三網領——所期奉公、処事光明、立業貿易——の発想に基づくものであるが、さらにこれを会社の基本的態度、従業員のあるべき心構えそしてまた将来会社の指向すべき方向をこの三つの観点から簡明に表現したものである。時あたかも三菱創業百年を迎え、激動する七〇年代の幕開けに際し、当社は時勢に応じ、絶えず新し

い意欲を持って前進したいと思う。ここに新たな感覚を盛込んだ社是を制定する所以である。

日清食品株式会社

企業理念

食足世平「食が足りてこそ世の中が平和になる」

食は人間の命を支える一番大切なものです。文化も芸術も思想も、すべては食が足りてこそ語られるものです。食のあり様が乱れると、必ず国は衰退し、争いが起こります。食が足りて初めて世の中が平和になるのです。日清食品の事業は、人間の根源から出発しています。

食創為世「世の中のために食を創造する」

企業にとって最も大切なものは、創造的精神です。創造とは、新しい発想と技術によって革新的な製品を生み出す力です。食を創り、世の中につくす。日清食品は、世の中に新しい食の文化を創造し、人々に幸せと感動を提供します。

美健賢食「美しく健康な身体は賢い食生活から」

空腹を満たし、味覚を満足させたいと思うことは、人間共通の欲求です。しかし、食に

I 社是・社訓・経営理念

社訓

求められるのはそれだけではありません。美しい体をつくり、健康を維持することが、食品のもつ大切な機能なのです。美しく健康な体は賢い食生活から作られます。日清食品は、食の機能性を追求し、世の中に「賢食」を提唱します。

食為聖職「食の仕事は聖職である」
食は人々の生命の根源を支える仕事です。食の仕事に携わる者は、社会に奉仕するという清らかな心をもって、人々の健康と世界の平和に貢献していかなければなりません。食の仕事は聖職なのです。安全で美味しくて体にいい食品を世の中に提供していくことが、日清食品の使命です。

東芝グループ

東芝グループ経営理念

人と、地球の、明日のために

東芝グループは、人間尊重を基本として、豊かな価値を創造し、世界の人々の生活・文化に貢献する企業集団をめざします。

熊谷組

社業の発展を欲せば先ず信用の昂揚に努められたし
工事施工に当たりては親切を旨とし得意先の不安の除去に努められたし
相互に共存共栄を基とし一致協力して業を励み成績向上に努められたし

小田急グループ

経営理念

小田急グループは、お客さまの「かけがえのない時間(とき)」と「ゆたかなくらし」の実現に貢献します

2 経営姿勢
【経営姿勢は、相鉄グループの各社が基本理念に基づき、お客様、株主、社員、社会などにどのように関わっていくかを明確にしています。】

(1) 徹底したお客様視点の実践
お客様の期待を上回る商品・サービスを提供していくために、常に徹底したお客様の視点での改善に努めます。

(2) グループ連結利益の最大化
グループ各社の自立経営を前提とした連携によりグループの総合力を発揮し、連結利益の最大化をはかります。

(3) 活力ある企業風土の醸成
社員一人ひとりが力を伸ばし、チャレンジ精神にあふれた活力ある企業活動を大切にします。

(4) よりよい社会への貢献
よき企業市民として責任ある企業活動を行ない、よりよい社会の創造に貢献します。

相鉄グループ

1 基本理念

【基本理念は、相鉄グループの存在理由と社会に対して提供していくべき価値について定義しています。】
相鉄グループは、快適な暮らしをサポートする事業を通じてお客様の喜びを実現し、地域社会の豊かな発展に貢献します。

3 行動規範

【行動規範は、相鉄グループのすべての社員が基本理念と経営姿勢を実践する際の拠り所となるキーワードです。】
「その行動は、お客様の喜びにつながっていますか?」

セコム

運営基本一〇カ条

1 セコムは社業を通じ、社会に貢献する。それゆえにセコムは、社会にとって有用不可欠な企業体でなければならない。セコムは、社会の利益に反したり、社会の利益にならない事業を決して行わないことはもちろん、すべての企業行動について、反社会的な行動をしてはならない。

2 セコムは、社会に貢献する事業を発掘、実現しつづける責任と使命を有する。セコムは、常に社会の事象、社会の方向を凝視し、敏感でなければならない。その発掘のため、あくなき可能性を追求し、いかなる困難も乗り越える旺盛な革新と実現へのエネルギーを有すること。額に汗し、努力の結果以外の利益は、受けない。

3 社会は一人ひとりの人間によって構成される。セコムも同様に一人ひとりの社員によって構成される組織体である。いうまでもなく、一番重要なことは、社員一人ひとりが、活き活きと価値ある人生を送ることである。セコムの組織内にあってはもちろんであるが、組織外であっても、人間尊重が基本であり、いかなる場合においても、いささかも人間の尊厳を傷つけてはならない。

5 セコムは他企業、他組織体であっても同様である。競争は正々堂々とセコムらしく行うべきである。

6 すべてのことに関して、セコムの判断の尺度は、「正しいかどうか」と「公正であるかどうか」である。

7 セコムは、常に革新的でありつづける。そのため、否定の精神、現状打破の精神を持ちつづけ絶やさない。

8 セコムは、すべてに関して礼節を重んずる。

9 セコムは、その時々の風潮に溺れず、流されず、常に原理原則に立脚し、凛然と事を決する。

10 セコムの社員は、いかなることに関しても、自らの立場、職責を利用した言動をしてはならない。

セコムの要諦

1 セコムは、安全文化を創造する。
2 セコムは、常に新しく革新的である。
3 セコムは、自らの手で自らを変化させ、誰もが変革の担い手である。
4 セコムは、よく考える集中力と、より早く行動する習慣を育む。
5 セコムは、強靭な意思と明快なシステム思考を重視する。
6 セコムは、妥協を排し、正しさを追求する。
7 セコムは、最高の安全を提供する。
8 セコムは、顧客に心の平和を与える。
9 セコムは、プロフェッショナルであることを真価とする。
10 セコムは、可能性に挑戦する。

（注）事例はすべて各社のホームページによる。

II 企業行動憲章

Ⅱ 企業行動憲章

〈コメント〉 企業行動憲章

1 企業行動憲章とは

会社は、すべての法令を誠実に遵守するとともに、社会的な良識に基づいて行動することが必要である。

しかし、現実には、会社同士の競争が激しいこともあり、法令に違反したり、社会的な良識に反する行為をしたりすることがある。会社が法令違反をすると、刑事責任を問われるのみならず、官庁との取引停止、業務の停止命令など、行政処分の対象となる。さらに、「会社法に定める忠実義務に違反している」として、役員が株主代表訴訟の対象とされ、裁判所から多額の損害賠償を命令される可能性もある。

会社の経営方針、行動基準を具体的に明記した文書を「企業行動憲章」という。

会社は、行動憲章を作成し、会社の内外に対して、「すべての法令を誠実に遵守するとともに、社会的な良識に基づいて行動する」と宣言することが望ましい。

2 企業行動憲章の内容

企業行動憲章にどのような内容を盛り込むかは、もとより各社の自由であるが、一般的には、次のようなものが盛り込まれている。

- 行動憲章を作成し、その内容を会社の内外に周知徹底することは、組織ぐるみの不正・不祥事を防止し、一般の市民や消費者や株主等から信頼と共感を得るための基本的な方策といえる。
- 安全で品質の良い商品・サービスを提供すること
- 商品・サービスの内容を正しく表示すること
- 公正な取引を行うこと
- 政治および行政との間で健全な関係を保つこと
- 経営情報を適宜適切に開示すること
- 環境問題に積極的に取り組むこと
- 社員の安全と健康の確保に努めること

当然のことではあるが、行動基準を定めた以上は、それに従って公正に行動することが必要である。

3 原因の究明と再発の防止

万一、企業行動憲章に違反する事案が生じたときは、社長を先頭に、組織を挙げて問題の解決に当たり、原因の徹底究明、再発の防止に努めることを明示する。

4 説明責任と関係社員の処分

会社において不正や不祥事が生じたときに、「社会的な信用が低下するから」「営業にマイナスの影響が出るから」「マスコミに叩かれるから」などの理由で、それをひた隠しに隠す会社が少なくない。しかし、そのような行動は好ましくない。会社には、説明責任があるからである。

行動憲章に違反する事案が生じたときは、社外に対してその内容を公表し、謝罪するとともに、関係社員を厳正に処分するべきである。

Ⅱ 企業行動憲章

ヤマトホールディングス

企業姿勢

企業姿勢は、経営理念を達成し実現していく上で、私たちヤマトグループが社会に約束し、常に実行していく基本となる考えです。
ヤマトグループは、公平、公正な競争を通じて利潤を追求するとともに、法令、国際ルール、社会規範とその精神を遵守し、常に高い倫理観をもって行動することで、持続可能な社会の発展に貢献していきます。

1　お客様満足の追求
ヤマトグループは、常にまごころを込めた良質なサービスを提供し、お客様に満足をお届けします。また、常に革新に挑戦し、社会の課題解決と生活利便性を向上する新しいサービスを開発します。

2　お客様に対する誠実な対応
ヤマトグループは、商品・サービスの情報を適切に提供します。また、お客様から謙虚に学ぶ姿勢を大切にし、常にお客様の声に耳を傾け、迅速かつ誠実に対応します。

3　人命の尊重と安全の確保
ヤマトグループは、人命の尊重を最優先し、交通安全はもとより、安全な職場環境づくりに取り組みます。

4　働く喜びの実現
ヤマトグループは、社員が安心して働ける環境を整え、互いの人格を尊重し多様性を認め合い、活発なコミュニケーションを通じて、一人ひとりが自発性を発揮し働く喜びにあふれる企業をめざします。

5　法の遵守と公正な行動
ヤマトグループは、事業活動を行うすべての国・地域で適用される法令・ルール、社会規範とその精神を遵守し、高い倫理観をもって公正・誠実に行動します。万一、企業不祥事が発生したときは、経営者自らが、率先し責任をもって原因究明と再発防止を実行します。

6　地域社会から信頼される企業
ヤマトグループは、地域社会から信頼される事業活動を行うとともに、豊かな地域づくりに貢献します。特に、障がいのある方を含む社会的弱者の自立支援を積極的に行います。

7　事業を通じた社会への貢献と環境保全の推進
ヤマトグループは、人類共通の課題である環境問題に対して、事業を通じて解決を図り、持続可能な社会の実現に積極的に貢献します。

8　パートナー・取引先との公正な関係
ヤマトグループは、パートナーや取引先を、客観的情報に基づく総合的な判断と社会規範に則って適正に選定するとともに、公正で透明な取引関係を確保し、共存共栄をめざします。また、反社会的勢力との関係は一切もちません。

9　会社資産管理と情報開示
ヤマトグループは、社会から信頼される企業をめざし、会社資産の管理・保護を徹底するとともに、会社情報を適切かつ公平に開示します。

Ⅱ 企業行動憲章

新井組

10 個人情報の保護
ヤマトグループは、個人情報保護に関する方針を自主的に定め、適切な管理と保護を徹底します。

11 適正な記録作成と情報の管理
ヤマトグループは、業務に関連する記録・報告を適正に行うとともに、会社の情報資産について、法令や社内ルールに従って適切に管理します。

12 ステークホルダーとの共存共栄
ヤマトグループは、あらゆる事業活動において人権を尊重するとともに、すべてのステークホルダーとの積極的なコミュニケーションを通じて、共存共栄を実現します。

行動憲章

1 社会的に有用な技術やサービスを安全性や情報保護に十分配慮して、開発・提供し、顧客の満足と信頼を獲得する。

2 公正・透明・自由な競争と適正な取引を行い、また政治、行政との健全かつ正常な関係を保つ。

3 株主はもとより広く社会に企業情報を積極的かつ公正に開示する。

4 従業員の個性等を尊重し、安全で働き易い職場を確保し、ゆとりと豊かさを実現する。

5 環境問題は企業の存在と活動に必須の要件であることを認識し、自主的積極的に行動する。

6 「良き企業市民」として、積極的に社会貢献活動を行う。

7 反社会的勢力や団体とは毅然として対決する。

8 経営トップはこの憲章の遵守を率先垂範し、実効ある社内体制を整備し、企業倫理の徹底を図る。

9 この憲章に反する事態には経営トップ自ら解決にあたる姿勢を内外に明らかにし、原因究明・再発防止に努める。
社会への迅速かつ的確な情報の公開と説明責任を遂行し、権限と責任を明確にした上、自らを含めて厳正な処分を行う。

東レ

企業行動指針

安全と環境
安全・防災・環境保全を最優先課題とし社会と社員の安全と健康を守るとともに持続可能な社会の実現に貢献します。

倫理と公正
社会的規範の遵守はもとより、高い倫理観と強い責任感をもって公正に行動し社会の信頼と期待に応えます。

お客様第一
お客様に価値の高いソリューションを提供しお客様の満足と世界最高水準の品質を追求します。

革新と創造
企業活動全般にわたる継続的なイノベーションを図りダイナミックな進化と発展を目指します。

現場力強化
相互研鑽と自助努力により企業活動の基盤となる現場力を強化します。

連携と共創
グループ内の有機的な連携と外部との戦略的な提携により新しい価値を創造して社会とともに発展します。

日本郵船

企業行動憲章

私たちは、一八八五年の創立以来、幾多の困難を乗り越えて、世界海運のリーダーとして健全なる発展を重ねてきました。

私たちは、これからも、世界経済・文化の発展の礎として、人および物の広汎な交流の重要性を認識し、安全・確実なサービスの提供にまい進します。

私たちは、海・陸・空にまたがるグローバルな総合物流企業グループとして、安全の確保と環境への取り組みを最優先し、社会的に有用なサービスの向上に向けて、たゆまぬ研鑽に励み、また、お客様の要望に謙虚に耳を傾け、その期待と信頼に応えます。

私たちは、国の内外において、事業活動に関わる全ての人々の人権を尊重し、諸法令、国際ルール、およびそれらの精神に則った事業活動を営むことにより、社会の持続可能な発展に向けて、高い倫理観をもって社会的責任を果たします。

こうした認識のもとに、ここに『日本郵船グループ企業行動憲章』を定めます。

1　誠実な事業活動

贈収賄などのあらゆる形態の腐敗を許さず、各国の競争法を遵守し、公正、透明、自由な競争ならびに適正な取引を行い、株主および投資家をはじめステークホルダーとの良好な関係を築き、長期安定的な成長を通じ企業価値の向上を目指します。

2　安全の確保と環境への取り組み

安全の確保と環境への取り組みを企業の存在と活動に必須の要件として、主体的に行動します。あらゆる事業活動を通じ安全対策の拡充および海洋・地球環境、自然生態系の保全に努め、持続可能な成長を目指し、環境にやさしい安全輸送技術の向上のために研鑽します。

3　保安体制の強化

非合法活動による国際物流ネットワークの遮断や悪用、また情報への不正なアクセスおよび漏洩などを防止するため、保安の確保とその維持に努めます。

4　諸法令の遵守と人権の尊重

企業は社会の一員であることを自覚し、正義と公正を旨として、各国の法令の遵守、人権を含む各種の国際規範の尊重はもとより、地域の善良な文化や習慣、ステークホルダーの関心に配慮し、善良なる社会倫理規範にもとることのない企業活動を遂行します。

5　反社会的勢力の排除

市民生活の秩序や安全に脅威を与える反社会的勢力および団体とは、断固として対決し、関係遮断を徹底します。

6　社会とのコミュニケーションと情報開示・情報保護

株主はもとより、広く社会とのコミュニケーションを図り、企業情報を積極的かつ公正に開示します。また、お客様をはじめ事業活動に関わる全ての人々の個人情報保護や各種情報管理の徹底に努めます。

7　社会貢献活動

良き企業市民として、社会貢献活動を積極的に推進します。

8　良好な職場環境の保全等

多様な人材が活躍できるよう、社員の多様性、個性および人間性を尊重し、良好な職場環境の保全に努めます。

経営トップは、本憲章の精神の実現を自ら率先垂範し、日本郵船株式会社ならびにそのグループ会社にその徹底を

人材重視

社員に意欲をもって能力を発揮できる職場環境を提供し人と組織に活力が溢れる風土をつくります。

情報開示

企業情報の適切な開示とステークホルダーとのコミュニケーション促進により経営の透明性を維持します。

人権尊重

良き企業市民として人権尊重の責任を果たします。

阪神電気鉄道

コンプライアンスに関する役職員の行動基準

当社の役員、社員その他すべての従業員は、経営理念及び企業行動指針を十分理解するとともに、様々な利害関係者の期待に応えるため、法令、会社の定める諸規則その他企業倫理に則り、企業行動指針に基づく以下の行動基準に従って、誠実に行動します。

1　法令等の遵守

(1) 事業活動を行ううえで関係する法令の趣旨及び内容を理解し、法令を遵守しましょう。

(2) 社会の一員としての責務として、企業倫理（企業が遵守すべき社会の良識・常識、モラルなどの社会規範をいいます。）に則って行動し、これに反する行動は厳に慎みましょう。

(3) インサイダー情報を知って、株式の売買等を行うことは、絶対にやめましょう。

2　安全の確保

当社にとって、安全の確保は最も重要なことです。商品・サービスを提供するに当たり、常にお客様の安全への配慮と予測される危険の除去を心掛けましょう。

3　人権の尊重

すべての人の人権を尊重し、不当な差別や嫌がらせ等の人権を侵害する行為は、絶対にやめましょう。

4　環境保全への積極的な取組み

(1) 法令等による種々の環境規制や事業活動による環境への影響を認識しましょう。

(2) 無駄な資源やエネルギーの消費をしないよう、また、少しでも消費を減らすよう一人ひとり、日ごろから取り組みま

しょう。また、万一、法令違反や不祥事、その他本憲章に反する重大な事態や緊急事態が発生した場合、経営トップは迅速かつ的確に原因究明と問題解決に努め、さらに再発防止に責務を負います。

(4) 当社の保有する商標、著作物等の知的財産の維持・保全に努めるとともに、他者の知的財産を尊重し、誤って不正使用をしないようにしましょう。

(5) 就業規則、職制規程、業務分掌規程その他社内の諸規則を遵守して、業務を行いましょう。

(6) 稟議規程に定める決裁権限を遵守し、部署内における報告・連絡・相談を欠かさないようにするとともに、関係する他部署とのコミュニケーションの促進も図り、円滑かつ効率的な組織運営を行いましょう。

5　顧客満足の向上

(1) お客様に対しては、常に誠実かつ公正な対応を心掛けましょう。

(2) 宣伝・広告物作成に当たっては、お客様に誤解を与える内容となっていないかに注意しましょう。

6　取引先との信頼関係の構築

(1) 取引先に対しては、常に誠実かつ公正な対応を心掛け、信頼関係を築くよう心掛けましょう。

(2) 取引先に対しては、契約を適切に履行するとともに、優越的地位の濫用などの不公正な取引方法や談合などの不当な取引制限は絶対に行わないようにしましょう。

7　地域社会への貢献

(1) 当社は地域に密着した企業であり、常にそのことを自覚し、地域の発展にも努めましょう。

(2) 明るく住みやすい社会となることを目指し、企業の立場だけでなく、一人の市民としても地域社会に貢献できるよう努めましょう。

8　良好な職場環境の確保

(1) お互いの人権やプライバシーを尊重しましょう。

(2) セクシャルハラスメント・パワーハラスメントは絶対に行わないようにしま

しょう。

Ⅱ　企業行動憲章

図るとともに取引先に促し、実効ある社内体制を確立します。

II 企業行動憲章

(3) 職場内の禁煙や分煙を守るとともに、健康増進にも配慮しましょう。

(4) 職場内の日々の整理・整頓に努めましょう。

9 会社情報・個人情報の適正な取扱い

(1) 会社情報の重要性を認識し、外部への漏えい等がないよう、その収集、利用、保管及び廃棄のすべてのプロセスにおける管理を徹底しましょう。

(2) 文書の保存年限を遵守するほか、重要な文書を紛失したりしないよう、文書の適切な保存及び管理に努めましょう。

(3) 個人情報は、適正に取得・利用するほか、外部への漏えい等がないよう、厳重に管理しましょう。

10 会社情報の適切な開示

インサイダー情報や会社の信用に関わる情報等は、一定の基準に従い、その都度、開示する必要がありますので、情報開示の必要性にも十分注意して業務に取り組みましょう。

11 政治・行政との健全な関係

(1) 利害関係のある議員等の政治家や公務員に対して、金銭、物品等を贈与することは一切やめましょう。

(2) 政治活動に関する寄付又は政治資金パーティ券の購入については、一定の制限がありますので、注意しましょう。

12 反社会的勢力への姿勢

(1) 反社会的勢力・団体に対しては断固たる行動をとり、一切の関係を遮断しましょう。

(2) 反社会的な団体等の行為により被害を被った場合には、直ちに、警察に届け出るなど毅然とした対応を採りましょう。

13 その他

(1) 会社財産を業務以外の目的で私的に流用することは、絶対にやめましょう。

(2) 会社の備品は大切に使い、日ごろから適切な管理を行いましょう。

鹿島

企業行動規範

I 公正で誠実な企業活動

(1) 法令の遵守

① 法令の遵守

国の内外を問わず、すべての法規、国際ルール及びその精神を遵守する。

② 良識ある行動

社会の疑惑を招くような行為、社会の常識とかけ離れた行為を行わない。

(2) 社会のニーズと顧客満足の重視

社会のニーズに合った技術開発を促進するとともに、経営の合理化と生産性の向上を図り、誠実に事業に取り組むことにより、顧客の満足する安全、安心かつ良質な建設生産物、商品、サービスを適正価格で提供する。

(3) 公正、透明、自由な競争ならびに適正な取引

① 公正、透明、自由な競争

違法な行為による受注や利益を求めず、国の内外、公共・民間を問わず、建設工事の入札等の営業活動に際しては、公正、透明、自由な競争ならびに適正な取引を阻害する行為を一切行わないとともに、産業を疲弊させるダンピング受注を排除する。

② 協力会社との対等な関係の保持

協力会社とは、透明、公正かつ適正な契約を締結するとともに、互いの立場を尊重し、対等な関係を保持する。

(4) 他者の知的財産、その他の権利・財産等の尊重

他者の知的財産をはじめとする権利、財産、名誉、信用、営業秘密等を、不正又は不当に侵害・毀損せず、また他者の業務を不正又は不当に妨害する行為を行わない。また、個人情報や顧客情報その他、事業活動を行う上で取り扱う他者の情報につき、収集、利用、開示、保管、廃棄のすべてのプロセスにおいて細心の

II 企業行動憲章

(1) 社会との調和
当社グループが事業活動を行う地域社会との良好な関係の構築

② 注意を払い、管理の徹底を図る。
当社グループの権利、財産等の保護として積極的な社会貢献活動を推進し、社会との良好な関係の構築と維持に努める。

(5) 政治・行政との透明な関係
政治・行政との関わりについては、政治資金規正法、公職選挙法、建設業法、国家公務員倫理法等関係法令の趣旨を踏まえ、透明で公正、健全かつ正常な関係を保つ。

(6) 反社会的行為の根絶
暴力団対策法等の趣旨に則り、暴力団等からの不当な要求に応じたり、あるいは暴力団等を利用する反社会的行為は行わないことはもとより、市民に脅威を与える反社会的勢力・団体とは断固として対決する。

(7) 企業会計の適正性確保
違法な支出を行わない等不正経理を排除するのはもとより、一般に公正妥当と認められる基準に従って、会社の取引や資産状況を正確かつ適正に会計処理し、記録及び報告することにより、企業会計の適正性と透明性、健全性を確保する。

② あらゆる国、地域における文化、慣習の尊重
国内・海外を問わず、その国、地域の文化や慣習を十分に尊重し、相互信頼を基盤とした事業活動を推進し、その国、地域の文化、経済の発展に貢献するよう努める。

(3) 適時、適切な開示とコミュニケーション
株主、投資家、得意先、地域社会その他の利害関係者とのコミュニケーションを図るとともに、当社グループの事業活動と経営状況に関する情報を、適時、適切かつ公平に開示する。また、インサイダー取引は行わない。

III 人間尊重

(1) 差別や不当な取扱いの禁止
人を大切にする企業として、人道主義に基づき、雇用管理や処遇を含め、職場におけるあらゆる差別や不当な取扱いを禁止する。

(2) 安全で働きやすい職場環境の確保
安全で働きやすい職場環境を確保し、ゆとりと豊かさを実現する。

(3) 能力、個性を尊重した人材育成
多様な人材が個々の能力を十分に発揮できる人事処遇を心掛けるとともに、個性を

尊重した人材育成を図る。

(4) 児童労働・強制労働の禁止
児童労働・強制労働は認めない。

IV 環境への責任

(1) 環境問題への取り組み
環境問題への取り組みは人類共通の課題であり、地域レベルのみならず地球規模の観点に立ち環境保全、環境創造に取り組む。

V 企業行動規範の運用

(1) 教育と啓蒙
当社グループの役員、従業員が本規範について十分な理解を得るために必要な教育・研修を反復して実施し、企業倫理の徹底を図る。

(2) 実効ある社内体制の整備
経営理念や本規範に違背する事態を未然に防止するため、経営トップ自らの責任において、内部通報窓口の設置その他の実効ある社内体制の整備を行う。

VI 違背する事態が発生した場合

(1) 再発防止と説明責任
本規範に違背する事態が生じた場合は、経営トップ自らが問題解決に当たり、原因究明、再発防止に努める。また、社会への迅速かつ的確な情報の公開と説明責任を遂行する。

(2) 厳正な処分
本規範に違背する事態が生じた場合は、経営トップが権限と責任を明確にした上で、

法令又は社内規定に則り厳正な処分を行う。

以　上

付　則

1　適用範囲

本規範は、当社グループのすべての役員、従業員に適用する。

当社グループとは、当社、会社法及び会社法施行規則に定める当社の子会社、並びに会社法及び会社法施行規則に定める当社の関連会社のうち重要な影響力を行使できる状況にありかつ行使すべき会社として社長が指定したものをいう。

2　制定・改定

本規範は、当社の企業行動委員会の審議を経て取締役会が制定し、当社グループ各社においては各社の取締役会の決議により発効する。

当社グループ各社は、当社の事前承認のもと、各国・各地域の法令・規則、慣習、事業形態などに応じて本規範の内容を一部変更し、あるいは独自の規範を制定することができる。ただし、いかなる場合も本規範に反する内容を定めることはできない。

本規範は、社会情勢の変化などにより必要が生じた場合には、制定と同様の手続きを経て改定することができる。

（注）事例はすべて各社のホームページによる。

III 株主総会・取締役会等に関する規程

III 株主総会・取締役会等に関する規程

〈コメント〉

1 定款

定款は、会社の商号、事業目的、本店所在地、株式、株主総会、役員及び計算などを定めたものである。定款は、株式会社の自治規範として、株主等会社内部の者を拘束する機能を有している。

会社法は、「株式会社を設立するには、発起人が定款を作成し、その全員がこれに署名し、又は記名捺印しなければならない」（第26条）と規定し、すべての株式会社に対して定款の作成を義務付けている。

定款の記載事項には、

- 絶対的記載事項（必要最小限の事項として記載が求められている事項）
- 相対的記載事項（記載することによって一定の法律関係が生じる事項）
- 任意的記載事項

がある。

なお、定款を作成したときは、公証人の認証を受けなければならない。公証人の認証を受けない定款は無効である（会社法第30条第1項）。

2 株主総会規程

株主総会は、株式会社の最高の意思決定機関である。このため、総会が整然と開催されるよう、その議事の進行等について合理的な基準を定めておくことが望ましい。

規程には、

- 株主総会に出席できる者の資格
- 議長の選出方法
- 開会、閉会の方法
- 議事の進行（議事の順序、議案の上程、株主の発言、動議の取扱いなど）
- 採決の時期、方法

などを盛り込むのがよい。

3 取締役会規程

取締役会は、会社の経営方針を決定し、その方針が確実に執行されているかどうかを監督する重要な機関である。会社法の規定を踏まえ、その構成、種類、招集及び運営等の基準を規程として明文化しておくことが望ましい。

規程には、

- 取締役会の構成
- 取締役会の種類
- 取締役会の招集権者
- 取締役会の招集手続き
- 取締役会の議長
- 取締役会の付議及び決定事項
- 取締役会の決議の方法

などを盛り込むのがよい。

4 常務会規程

役付の役員から構成される会を一般に常務会と呼ぶ。取締役会とは別に常務会を設け、ここで経営方針を議論したり、個々の取締役の業務執行を監督したりしている会社が少なくない。常務会制度は、肥大化して本来の機能を発揮できなくなった取締役会を補完して、経営の効率性と迅速な意思決定を確保するための日本的な工夫といえる。

常務会を設けている会社は、その構成、招集及び運営等の基準を明確にしておくことが望ましい。

III 株主総会・取締役会等に関する規程

定款

（○○年○月○日改正）

（IG堂
・スーパー
・従業員一、二〇〇人）

第1章 総則

（商号）
第1条 当会社は株式会社IG堂と称し、英文ではI.G.D Co., Ltdと表示する。

（目的）
第2条 当会社は次の事業を営むことを目的とする。

① 生鮮魚介類の飼育・加工並びに販売
② 青果物及び蔬菜類の栽培、加工並びに販売
③ 鳥類及び獣畜類と飼育加工並びに食肉、精肉及びその加工品の販売
④ 和洋菓子及び清涼飲料水の販売
⑤ 酒類、塩、たばこ、米穀、古物及び切手・印紙の販売
⑥ その他一般食料品の製造並びに販売
⑦ 医薬品、医薬部外品、医療用具、毒薬物、劇薬物、農薬、肥料、高圧ガス、石油類その他家庭用燃料及び計量器の販売
⑧ 化粧品、衣料品及び雑貨品の販売
⑨ 生花、園芸植物及び園芸用品の販売
⑩ 食料品、日用品雑貨類、衣料品等海外商品の輸入代理業及び輸出入業
⑪ 薬局の経営
⑫ スーパーマーケット、スーパーストアに対する経営指導及び業務委託
⑬ 自動車損害賠償法に基く保険代理業及び損害保険代理業
⑭ クリーニング業及びその代理業
⑮ 不動産の売買、管理及び賃貸借に関する事業
⑯ 前各号に附帯する一切の事業

（本店）
第3条 当会社は本店を東京都のSG区に置く。

（公告の方法）
第4条 当会社の公告は東京都において発行する日本経済新聞に掲載する。

第2章 株式

（発行する株式の総数）
第5条 当会社が発行する株式の総数は額面普通株式一億株とする。

（発行する株式）
第6条 当会社は取締役会の決議により額面株式又はその双方を発行することができる。当会社の発行する額面株式の一株の金額は五〇円とする。当会社は額面株式もしくは無額面株式を無額面株式に、又は無額面株式を額面株式に変更することができる。

（一単位の株式の数）
第7条 当会社の一単位の株式の数は一〇〇株とする。

（株式取扱規程）
第8条 当会社の株券の種類、株式の名義書

Ⅲ 株主総会・取締役会等に関する規程

換、質権の登録及びその抹消、信託財産の表示及びその抹消、株券の再交付、単位未満株式の買取り、その他株式に関する取扱については、取締役会の決議によって定める株式取扱規程による。

（名義書換代理人）
第9条　当会社につき名義書換代理人を置く。
2　名義書換代理人及びその事務取扱場所は取締役会の決議によって選定し、これを公告する。
3　第8条の規程に基づき当会社に提出すべき書類は、名義書換代理人に提出するものとする。

（株主名簿の閉鎖）
第10条　当会社は毎年四月一日から四月三十日まで株主名簿の記載の変更を停止する。
2　前項のほか、臨時株主総会の招集その他必要があるときは取締役の決議により、予め公告して、一定期間株主名簿の記載変更を停止し、又は基準日を定めることができる。

第3章　株主総会

（株主総会の招集）
第11条　定時株主総会は毎年四月一日から三か月以内に招集し、臨時株主総会は必要があるときに随時招集する。

2　前項の定時株主総会において権利を行使すべき株主は、前年三月三十一日の最終の株主名簿に記載された株主とする。
3　株主総会は、法令に別段の定めがある場合を除き、取締役会の決議により、代表取締役が招集する。
ただし、代表取締役に事故あるときは、予め取締役会の定めた順序にしたがい、他の取締役がこれに当たる。

（総会の議長）
第12条　株主総会の議長は代表取締役がこれに当たり、代表取締役に事故あるときは、予め取締役会の定めた順序により、他の取締役がこれに当たる。

（決議の方法）
第13条　株主総会の決議は、出席した株主の議決権の過半数をもってこれを行う。但し、法令に別段の定めがあるときはこの限りでない。

（議決権の代理行使）
第14条　株主又はその法定代理人は、当会社の議決権を行使できる他の株主一人を代理人として、その議決権を行使することができる。
ただしこの代理人は、代理権を証明する書面を当会社に提出しなければならない。

（議事録）
第15条　株主総会の議事はその経過の要領及び結果を議事録に記載し、議長及び出席取

締役がこれに記名押印する。
2　株主総会の議事録はその原本を決議の日から一〇年間本店に備え置き、その謄本を五年間支店に備え置く。

第4章　取締役、監査役及び取締役会

（役員の定員）
第16条　当会社には一五名以内の取締役及び三名以内の監査役を置く。

（取締役、監査役の選任）
第17条　取締役及び監査役は株主総会において選任する。
2　取締役及び監査役の選任については、議決権ある株式総数の三分の一以上に当たる株式を有する株主が出席し、その議決権の過半数でこれを行う。
3　取締役の選任については、累積投票によらないものとする。

（取締役、監査役の任期）
第18条　取締役の任期は就任後二年以内の最終の決算期に関する定時株主総会の終結の時までとする。
2　監査役の任期は四年とする。
3　増員として選任された取締役又は任期の満了前に退任した取締役の補欠として選任された取締役の任期は、他の在任取締役の任期の満了すべき時までとする。
4　任期の満了前に退任した監査役の補欠と

して選任された監査役の任期は、退任した監査役の任期の満了すべき時までとする。

（代表取締役及び役付取締役）
第19条　当会社は取締役会の決議により代表取締役を定める。
2　取締役会の決議により、取締役会長、代表取締役社長を置くほか、取締役副社長、専務取締役及び常務取締役を各若干名置くことができる。

（常勤監査役）
第20条　監査役はその互選により常勤監査役を定める。

（取締役会の招集）
第21条　取締役会は法令に別段の定めがある場合を除き代表取締役社長がこれを招集し、その議長となる。
2　代表取締役があらかじめ定めた順位に従って他の取締役がこれに代わる。
3　取締役会の招集通知は、会日から三日前に各取締役及び各監査役に対して発する。但し、緊急の場合には、これを短縮することができる。

（取締役会の権限）
第22条　取締役会は、法令又はこの定款に別段の定めある場合のほか、重要な業務執行を決定する。

（取締役会の決議方法）
第23条　取締役会の決議は、取締役の過半数

が出席し、その議決権の過半数をもってこれを行う。

（取締役及び監査役の報酬）
第24条　取締役及び監査役の報酬は、それぞれ株主総会の決議によりこれを定める。

第5章　計　算

（営業年度）
第25条　当会社の営業年度は毎年四月一日から翌年三月三十一日までとし、営業年度末日に決算を行う。

（利益配当金）
第26条　利益配当金は毎決算期における最終の株主名簿に記載された株主又は登録質権者に対しこれを支払う。

（中間配当）
第27条　当会社は取締役会の決議により毎年九月三十日現在の最終株主名簿に記載された株主又は登録質権者に対して、中間配当として金銭の分配をすることができる。

（転換社債の転換と配当金）
第28条　転換社債の転換により発行された株式に対する最初の利益配当金または中間配当金は、転換の請求が四月一日から九月三十日までになされたときは四月一日に、十月一日から翌年三月三十一日までになされたときは十月一日に、それぞれ転換があったものとみなしてこれを支払う。

（除斥期間）
第29条　利益配当金及び中間配当金が支払確定の日から満三年を経過しても受領されないときは、当会社は支払の義務を免れる。

第6章　附　則

1　この定款に規程のない事項はすべて法令の定めるところによる。
2　この定款の変更は株主総会において決議された日から実施する。但し第6条（発行する株式）1項、2項、第7条（一単位の株式の数）、第9条（名義書換代理人）3項、第15条（議事録）2項、第20条（常勤監査役）の新設並びに第8条、第14条、第17条2項及び第21条1項の一部変更は○○年○月○日より施行する。
3　この定款の変更が株主総会において決議された日前に選任された取締役の任期は当該株主総会の終結の時までとする。

株主総会議事規則

HJ工業
・電子光学
・資本金　一〇億円
・従業員　一、五〇〇人

Ⅲ 株主総会・取締役会等に関する規程

第1章 総　則

（目的）
第1条　この規則は、株主総会（以下「総会」という）の議事の方法を定め、もってその議事の円滑な運営を図ることを目的とする。

（株主の入場）
第2条　株主は、開会前会場に入るものとする。ただし、開会後においても、会場に入りその後の議事に参加することを妨げない。

2　前項ただし書きの定めは、株主がこの勤務の定めによる退場処分を受けた場合には適用しない。

（株主資格の調査）
第3条　総会に出席した株主について、その資格に疑いがあるときは、議長は必要な調査を行うことができる。

（株主以外の者の出席等）
第4条　会社の取締役及び監査役のほか、法律顧問、株式事務担当者その他あらかじめ会社の定めた者は、総会に出席することができる。

2　株主ならびに前項に掲げる者以外の者は、あらかじめ議長の許可を得たうえ会場に入り、議事を傍聴することができる。

第2章 議　長

（議長の選出）

〔甲案〕
第5条　議長は総会の決議をもって選出する。

〔乙案〕
第5条　株主総会の議長は、取締役社長がこれにあたる。

2　取締役社長に事故あるときは、あらかじめ取締役会が定めた順序にしたがい他の取締役がこれにあたる。

（議長資格者）
第6条　定款に定めがある場合、それを移す。

（仮議長）
第7条　次の場合においては、議長の職務は仮議長が行う。
① 議長がない場合に総会を開会するとき。
② 議長を選出するとき。

2　仮議長は、取締役社長またはあらかじめ取締役会が定めた他の取締役がこれにあたる。

（議長不信任の動議）
第8条　第5条の規定（乙案の場合）にかかわらず、株主はいつでも議長不信任の動議を提出することができる。

2　議長不信任の動議が可決されたときは、直ちに新議長を選出しなければならない。議長信任の動議が可決されたとき、または議長不信任の動議が否決されたときは、その後に発生した事由に基づかなければ議長不信任の動議を提出することができない。

第3章 開　会

（開会の宣言）
第9条　開会予定時刻が到来したときは、議長は、株主の出席状況を確認したうえ、開会の宣言をしなければならない。

（開会時刻の繰下げ）
第10条　議長は、次の事情があるときは、総会の開会時刻を繰下げることができる。
① 会場の整備が十分でないとき
② 株主の出席が著しく少ないとき
③ 取締役、監査役の出席が少ないとき
④ その他総会を開会するに重大な支障があると認められるとき

2　前項の場合において、その事情がなくなったとき、または相当な時間が経過したときは、議長は、開会の宣言をしなければならない。

（出席状況の報告）
第11条　議長は、開会の宣言をした後、議事に入る前に、株主の出席状況を会場に報告しなければならない。

第4章 議事

（議事の順序）
第12条　総会の議事は、議事進行に関する事項を除いて、招集通知に記載された議事日程の順序によるものとする。ただし、数個の議案を一括して審議することを妨げない。

2　議事進行に関する動議は、他の議案の審議に先立って審議採決しなければならない。

（株主の発言）
第13条　株主は、開会宣言後でなければ、議事について発言することができない。

2　株主の発言は、挙手して議長にその旨を告げ、許可を得た後、その席または議長の指定した場所において行うものとする。

（議案の上程）
第14条　議長は議案を上程するときは、その旨を宣言し、とくに必要がないと認める場合を除き、その趣旨を自ら説明し、または他の者をして説明させなければならない。

（発言の時期）
第15条　議案に対する株主の発言は、その議案が上程された後でなければ、することが

できない。

（議事進行の動議）
第16条　株主はいつでも議事進行に関する動議を提出することができる。

2　前項の動議提出のために発言を求めるときは、株主はその旨を議長に告げなければならない。

（発言の順序）
第17条　二人以上の者が挙手して発言を求めたときは、議長は先挙手者と認めた者を指名して発言させるものとする。ただし、議事進行に関する動議提出のための発言を求める者があるときは、これを優先させなければならない。

（発言内容及び時間の制限）
第18条　株主の発言は議事進行に関するものを除き、付議された議案に関係あるものでなければならない。

2　株主が議事進行に関する発言を求め、これを許されたときは議案に関する発言をしてはならない。

3　株主の発言はすべて簡明にしなければならない。

4　一つの議案につき数人から発言の申出があるときは、議長は各株主の発言時間を制限することができる。

（発言制限違反に対する処置）
第19条　株主の発言が前条の規程に違反すると認めるときは、議長は必要な注意を与え、

またはその発言を中止させることができる。

（休　憩）
第20条　議事の進行上適当と認めるときは、議長は休憩を宣言することができる。

（質問に対する答弁）
第21条　株主から質問があったときは、議長は、自ら答弁し、または他の者をして答弁させなければならない。

（答弁不必要の告知）
第22条　前条の場合において、その質問が答弁の必要のないものであるときは、議長は株主にその旨を告知すれば足りる。

（審議の打切り）
第23条　付議された議案について、質疑または討論が続出して容易に終結しないときは、株主は審議を打切り直ちに採決に付すべき旨の動議を提出することができる。

第5章 採　決

（採決の時期）
第24条　議長は、付議された議案について審議を終わったとき、または審議打切りの動議が可決されたときは、直ちにその採決をしなければならない。

（採決の方法）
第25条　議案の採決は、各議案ごとに行わなければならない。ただし一括して審議した

議案は、一括して採決することを妨げない。

2 採決には、条件をつけることができない。

（採決結果の確認）

第26条 議長は、採決の結果を宣言しなければならない。

第6章 閉会

（閉会、延会及び継続会）

第27条 議長は、議事日程において予定した議案のすべての審議を終了したとき、または第2項の決議があったときは、閉会を宣言しなければならない。

2 総会は、閉会、延会または継続会の決議をすることができる。

（散会）

第28条 議長が閉会を宣言したときは、総会は直ちに散会するものとする。

第7章 雑則

（器物持込みの制限）

第29条 会場に入ろうとする者は、審議に支障を生ずるおそれのある物を持込んではならない。

2 前項の規定に違反した者があるときは、議長はその物を会場外へ持出すことを命じることができる。

（退場処分）

第30条 議長は、次の者に対して、会場からの退去を命じることができる。

① 株主として出席した者であって、その資格を有しないことが判明した者

② 前条第2項の定めによる議長の命令に従わない者

③ その他、議長の指示に従わず総会の審議を妨げた者

（異常事態における措置）

第31条 議事の途中において火災その他総会を継続しがたい事故が発生したときは、議長は閉会を宣言することができる。

2 議長は、不穏当な言動によって総会の審議を妨害する者があるときは、その者の言動を制止し、かつ会場からの退去を命じることができる。

（会場内の警備等）

第32条 前条第2項の場合において、必要と認めるときは、議長は、警備員に制止の措置をとらせ、または警察官に対して事態の収拾を要請することができる。

（施行）

第33条 この規定は○○年○月○日より施行する。

株主総会規程

ＳＨ屋
（小売業・従業員四二〇人）

第1章 総則

（目的）

第1条 この規程は、株式会社ＳＨ屋株主総会（以下、「総会」という）の議事の円滑な運営を図ることを目的として、その議事の方法を定める。

（出席資格者）

第2条 総会に出席することができる者は、次のとおりとする。

(1) 株主

(2) 会社の役員

(3) 会社の法律顧問

(4) 会社の株式事務担当者その他会社が認めた者

2 議長は、総会に出席した株主について、その資格に疑いがあるときは、必要な調査を行うことができる。

（株主の入場）

第3条 株主は、開会前に会場に入場するも

株主総会規程

のとする。但し、開会後においても、会場に入場し、その後の議事に参加することを妨げない。

2　会場に入る者は、危険物を持ち込んではならない。

第2章　議長

（議長）

第4条　議長は、取締役社長がこれに当たる。

2　取締役社長に事故あるときは、あらかじめ取締役会が定めた順序に従い、他の取締役がこれに当たる。

（議長不信任の動議）

第5条　株主は、前条の規定にかかわらず、いつでも議長不信任の動議を提出することができる。

2　議長不信任の動議が可決されたときは、直ちに新議長を選出するものとする。

第3章　開会

（開会の宣言）

第6条　議長は、開会予定時刻が到来したときは、株主の出席状況を確認し、開会を宣言しなければならない。

（開会時刻の繰り下げ）

第7条　議長は、前条の規定にかかわらず、次の場合には、総会の開会時刻を繰り下げることができる。

(1) 株主の出席が定足数を満たしていないとき

(2) 取締役、監査役が出席していないとき

(3) 会場の整備が十分でないとき

(4) その他総会を開催することについて重大な支障があると認められるとき

2　議長は、前項の場合において、その事情がなくなったとき、又は相当の時間が経過したときは、開会の宣言をしなければならない。

（出席状況の報告）

第8条　議長は、開会の宣言をした後、議事に入る前に、出席者に対し、株主の出席状況を報告しなければならない。

2　前項の報告は、株式事務担当者に行わせることができる。

第4章　議事

（議事の順序）

第9条　総会の議事は、議事進行に関する事項を除いて、招集通知に記載された議事日程の順序に従うものとする。ただし、総会で承認されたときは、数個の議案を一括して審議することができる。

（議事進行に関する動議）

第10条　議事進行に関する動議が上程されたときは、その動議を他の議案に先立って審議しなければならない。

（議案の上程）

第11条　議長は、議案を上程するときは、その旨を宣言した後、その趣旨を自ら説明し、又は他の取締役をして説明させなければならない。但し、その必要がないと認めるときは、この限りでない。

（株主の発言）

第12条　株主は、発言するときは、挙手し、議長の許可を得た後に、その席または議長の指定した場所において行うものとする。

2　議長は、二人以上の者が挙手して発言を求めたときは、先に挙手したと認められる者から発言させるものとする。ただし、議事進行に関する動議提出のための発言をする者がいるときは、これを優先させなければならない。

3　議長は、一つの議案について二人以上の者から発言の申出があったときは、一人の発言時間を合理的な範囲内において制限することができる。

（発言内容等）

第13条　株主の発言は、付議された議案に関係するものでなければならない。

2　発言は、簡明に行わなければならない。

3　議案に対する株主の発言は、その議案が上程された後でなければ行うことができない。

（発言違反に対する措置）

議・採決しなければならない。

Ⅲ 株主総会・取締役会等に関する規程

第14条　議長は、株主の発言が前条に違反するときは、必要な注意を与え、またはその発言を中止させることができる。

2　議長は、前項の場合において、その者が議長の制止に従わないときは、その者に対し、退場を命令することができる。

（議事進行の動議）
第15条　株主は、いつでも議事進行に関する動議を提出することができる。

2　株主は、前項の動議を提出するときは、議長にその旨を告げなければならない。

（質問への答弁）
第16条　議長は、株主から質問が出されたときは、自ら答弁し、又は他の者に答弁させなければならない。

2　前項の規定にかかわらず、答弁の必要がないと認められる質問については、議長は、株主にその旨を告げれば足りるものとする。

（審議打切りの動議）
第17条　株主は、付議された議案について質疑又は討論が続出して容易には終結しないと判断されるときは、審議を打ち切り直ちに採決すべき旨の動議を提出することができる。

（休憩）
第18条　議長は、議事の進行上適当であると認めるときは、休憩を宣言することができる。

（不穏当な言動への措置）
第19条　議長は、不穏当な言動によって議事の進行を妨げる者が出たときは、その者の

第5章　採　決

（採決の時期）
第20条　議長は、付議された議案について審議が終了したとき、または審議打切りの動議が可決されたときは、直ちにその採決を行わなければならない。

（採決の方法）
第21条　議案の採決は、各議案ごとに行わなければならない。ただし、一括して審議した議案は、一括して採決することができる。

（採決結果の報告）
第22条　議長は、採決が行われたときは、直ちにその結果を報告しなければならない。

第6章　閉　会

（閉会）
第23条　議長は、次の場合には、閉会を宣言しなければならない。
(1)　議事日程において予定されていた議案のすべての審議を終了したとき
(2)　次項の決議が有効に行われたとき

2　総会は、閉会、延期又は継続会の決議を

（散会）
第24条　議長が閉会を宣言したときは、総会は直ちに散会するものとする。

（付則）
この規程は、○○年○月○日から施行する。

株主総会規程

KK情報サービス
（情報システム業・従業員二四〇人）

（目的）
第1条　この規程は、会社の株主総会の議事の円滑な運営を図ることを目的として定める。

2　株主総会に関してこの規程に定めのない事項は、会社法の定めるところによる。

（株主総会の開催）
第2条　定時株主総会は、毎事業年度の終了後一定の時期に開催し、臨時株主総会は、必要がある場合に開催する。

（出席資格者）
第3条　株主総会に出席できるのは、株主、会社の役員および会社が認めた者とする。

（出席者への通知）

第4条　株主総会を開催するときは、出席者に対し、予め、次の事項を書面で通知する。
(1)　日時
(2)　場所
(3)　議題
(4)　その他会社法で定める事項
（株主の入場）
第5条　株主は、開会前に会場に入場するものとする。ただし、開会後において、会場に入場し、その後の議事に参加することができる。
（手荷物品の検査）
第6条　会社は、必要に応じて、会場に入る者について、手荷物品の検査を行う。
2　危険物を保持している者については、入場を認めない。
（議事録の作成・保存）
第7条　株主総会を開催したときは、会社法の定めるところにより議事録を作成し、これを一〇年間本店に備え置く。
（議長）
第8条　議長は、取締役社長がこれを務める。取締役社長に事故あるときは、予め、取締役会が定めた順序に従い、他の取締役がこれに当たる。
（議長の権限）
第9条　議長は、株主総会の秩序を維持し、議事を整理する。
（議長不信任の動議）

第10条　株主は、前条の規定にかかわらず、いつでも議長不信任の動議を提出することができる。
2　議長不信任の動議が可決されたときは、直ちに新議長を選出するものとする。
（開会の宣言）
第11条　議長は、開会予定時刻が到来したときは、株主の出席状況を確認し、開会を宣言しなければならない。
2　議長は、株主の出席が定足数を満たしていないとき、その他総会を開催することについて重大な支障があると認められるときは、開会時刻を繰り下げることができる。
（出席状況の報告）
第12条　議長は、開会の宣言をした後、議事に入る前に、出席者に対し、株主の出席状況を報告しなければならない。
（議事の順序）
第13条　総会の議事は、議事進行に関する事項を除いて、招集通知に記載された議事日程の順序に従うものとする。ただし、総会で承認されたときは、複数の議案を一括して審議することができる。
2　議事進行に関して動議が提出されたときは、その動議を他の議案に先立って審議・採決しなければならない。
（議案の上程）
第14条　議長は、議案を上程するときは、その旨を宣言した後、その趣旨を自ら説明し、

または他の取締役をして説明させなければならない。ただし、その必要がないと認めるときは、この限りでない。
（株主の発言）
第15条　株主は、発言するときは、挙手し、議長の許可を得た後、自分の席または議長の指定した場所において行うものとする。
2　議長は、二人以上の者が挙手して発言を求めたときは、先に挙手したと認められる者から発言させるものとする。ただし、議事進行に関する動議提出のための発言をする者がいるときは、これを優先させなければならない。
（発言内容等）
第16条　株主の発言は、付議された議案に関係するものでなければならない。
（議事進行の動議）
第17条　株主は、いつでも議事進行に関する動議を提出することができる。
（質問への答弁）
第18条　議長は、株主から質問が出されたときは、自ら答弁するか、または他の者に答弁させなければならない。
2　前項の規定にかかわらず、答弁の必要がないと認められる質問については、議長は、

Ⅲ 株主総会・取締役会等に関する規程

株主にその旨を告げれば足りるものとする。

（審議打切りの動議）
第19条 株主は、付議された議案について質疑または討論が続出して容易には終結しないと判断されるときは、審議を打ち切り、直ちに採決すべき旨の動議を提出することができる。

（不穏当な言動への措置）
第20条 議長は、不穏当な言動によって議事の進行を妨げる者が出たときは、その者の言動を制止することができる。その者が議長の制止に従わないときは、その者に対し、退場を命令することができる。

（採決）
第21条 議長は、付議された議案について審議が終了したとき、または審議打切りの動議が可決されたときは、直ちにその採決を行わなければならない。
2 採決は、各議案ごとに行わなければならない。ただし、一括して審議した議案は、一括して採決することができる。
3 議長は、採決が行われたときは、直ちにその結果を報告しなければならない。

（閉会）
第22条 議長は、議事日程において予定されていた議案のすべての審議を終了したとき、または閉会、延会もしくは継続会の決議が有効に行われたときは、閉会を宣言しなければならない。

（散会）
第23条 議長が閉会を宣言したときは、総会は直ちに散会するものとする。
2 出席者は、株主総会が散会したときは、速やかに会場から退出しなければならない。

（付則）この規程は、〇〇年〇月〇日から施行する。

取締役会規程

MS機械
・機械製造
・資本金 一億五千万円
・従業員 三二〇人

（目 的）
第1条 この規程は、当会社の定款に基づき、取締役会の招集および運営上の必要事項について定める。

（招 集）
第2条 ① 取締役会は定時と臨時に分かち、定時会は毎月初日、臨時会は必要に応じこれを招集する。
② 取締役会は、代表取締役社長が招集する。代表取締役社長に事故あるときは、専務取締役が招集する。

（招集通知）
第3条 ① 取締役会を招集するには、会日より五日前に、各取締役に対して、通知を発しなければならない。
② 前項の通知は、会議の日時、場所および会議の主な目的事項を記載した書面をもってしなければならない。
③ 取締役会は、取締役及び監査役の全員の同意があるときは、第1項の規定にかかわらず、招集手続きを経ずして開くことができる。

（議 長）
第4条 ① 取締役会の議長は、代表取締役社長があたり、代表取締役社長に事故あるときは、専務取締役がこれにあたる。
② 前項において、代表取締役社長および専務取締役ともに事故あるときは、出席取締役の互選によって議長を定める。

（議決権）
第5条 ① 取締役は、各一個の議決権を有する。ただし、当該議事につき、特別の利害関係を有する取締役は、その議決に

42

取締役会規程

TU不動産
（不動産業・従業員一二〇名）

（総則）
第1条　この規程は、取締役会の構成、種類、招集および運営等に関する基準を定める。
2　この規程に定めのない事項は、法令または定款の定めるところによる。

（構成）
第2条　取締役会は、すべての取締役をもって構成する。

（種類）
第4条　取締役会は、次の二種類とする。
(1)　定例取締役会
(2)　臨時取締役会

2　定例取締役会は、毎月一回、第一月曜日に本社において開催する。当日が休日にあたるときは、その翌日とする。

3　臨時取締役会は、必要あるときに臨時に開催する。

（招集権者）
第5条　取締役会は、取締役社長がこれを招集する。取締役社長に事故あるときは、取締役会において定められた者が、定められた順序でこれに当たる。

（招集の請求）
第6条　取締役は、議題およびその理由を記載した書面を招集権者に提出することにより、取締役会の招集を請求することができる。

（招集の手続き）
第7条　取締役会招集の通知は、開催日の一週間前までに各取締役および各監査役に対して発する。ただし、定例取締役会および緊急を要する場合は、この招集手続きを省略して開催する。

（議長）
第8条　取締役会の議長は、取締役社長が務

（決議）
第6条　取締役会の決議は、すべての取締役の過半数が出席し、出席取締役の過半数で行うものとする。

（報告等の請求）
第7条　①　取締役は、代表取締役社長に対し、業務執行に関する報告ならびに関係帳簿および書類の提出を請求することができる。
②　前項の請求は、正当な事由なくして、これを拒むことはできない。

（代表取締役への委任）
第8条　①　当会社の業務に属する事項の決定は、法令および定款に定めるもののほか、代表取締役にこれを委任する。
②　業務に属さない事項であって、特に緊急を要する場合には、代表取締役社長においてこれを専行し、次回の取締役会においてその承認を受けなければならない。

（取締役会への報告）
第9条　代表取締役社長は、会社の業務執行の状況および重要と認められる事項について、次回の取締役会にこれを報告しなければならない。

（欠席の届出）
第10条　取締役は、やむを得ざる事由により取締役会に出席できないときは、会日の前日までに代表取締役社長に届け出なければならない。

（議事録）
第11条　取締役会の議事録には、議事の経過の要領およびその結果を記載し、出席取締役が署名押印しなければならない。

付　則　この規程は、○○年○月○日から施行する。

と認めるときは意見を述べなければならない。

②　取締役は、代理人によって議決権を行使することはできない。

第3条　監査役は、取締役会に出席し、必要

（監査役の出席義務）

III 株主総会・取締役会等に関する規程

める。取締役社長に事故あるときは、取締役会において定められた者が、定められた順序でこれを務める。

(付議・決定事項)

第9条 取締役会の付議および決定事項は、次のとおりとする。

(1) 株主総会に関する事項
　① 株主総会の招集に関すること
　② 株主総会の付議事項に関すること
　③ 計算書類および付属明細書に関すること
　④ その他株主総会に関する重要事項

(2) 取締役に関する事項
　① 代表取締役の選定に関すること
　② 取締役の役位の決定に関すること
　③ 取締役の業務分担に関すること
　④ 取締役の報酬、賞与および退職慰労金に関すること
　⑤ その他取締役に関する重要事項

(3) 資産および財務に関する事項
　① 重要な資産の得失、賃貸借および権利の設定に関すること
　② 多額の借入および債務保証に関すること
　③ 新株の発行に関すること
　④ 社債の募集に関すること
　⑤ その他資産および財務に関する重要事項
　業務運営に関する事項

(4) 業務運営に関する事項
　① 重要な規程の制定、改廃に関すること
　② 重要な組織の新設、統廃合に関すること
　③ 重要な人事に関すること
　④ 社員の賃金その他重要な労働条件に関すること
　⑤ その他会社経営に関する重要事項

(取締役の報告義務)

第10条 取締役は、取締役会に対し、職務の執行状況を報告しなければならない。

(決議の方法)

第11条 取締役会の決議は、取締役の過半数が出席し、かつ、出席取締役の過半数をもって行う。

2 取締役会の決議について特別の利害関係を有する取締役は、その議決権を行使することはできない。

(書面決議)

第12条 取締役が提案した議題について取締役（その事項について議決に加わる者に限る）の全員が書面または電磁的記録で同意の意思表示をし、かつ、監査役がその提案について異議を述べなかったときは、その提案を可決する旨の決議が行われたものとみなす。

(議事録)

第13条 取締役会を開催したときは、その都度議事録を作成し、議事の経過および結果その他法務省令で定める事項を記載する。

2 議事録には、出席した取締役および監査役全員が署名捺印する。

3 議事録は一〇年間保存する。

(規程の改定)

第14条 この規程の改定は、取締役会の決議によって行う。

(付則) この規程は、〇〇年〇月〇日から施行する。

取締役会規程

WAビルサービス
（ビル管理業・従業員四五〇名）

第1章 総則

(総則)

第1条 この規程は、取締役会について定める。

2 この規程に定めのない事項は、次に定めるところによる。
　(1) 法令
　(2) 定款

（構成）
第2条　取締役会は、すべての取締役をもって構成する。
（監査役の出席義務）
第3条　監査役は、取締役会に出席しなければならない。
2　必要と認めるときは意見を述べなければならない。

第2章　取締役会の招集

（種類）
第4条　取締役会は、定例取締役会および臨時取締役会の二種類とする。
（定例取締役会）
第5条　定例取締役会は、毎月一回、第一月曜日に本社において開催する。当日が休日にあたるときは、その翌日とする。
（臨時取締役会）
第6条　臨時取締役会は、必要あるときに臨時に開催する。
（招集権者）
第7条　取締役会は、取締役社長がこれを招集する。取締役社長に事故あるときは、取締役副社長がこれにあたり、取締役副社長に事故あるときは、専務取締役がこれにあたる。
（招集の請求）
第8条　取締役は、議題およびその理由を記載した書面を招集権者に提出することによ
り、取締役会の招集を請求することができる。
（招集の手続き）
第9条　取締役会招集の通知は、開催日の一週間前までに各取締役および各監査役に対して発する。ただし、定例取締役会および緊急を要する場合は、この招集手続きを省略して開催する。
（欠席届）
第10条　取締役および監査役は、やむを得ない事情で取締役会に出席できないときは、あらかじめ招集権者に届け出なければならない。

第3章　取締役会の運営

（議長）
第11条　取締役会の議長は、取締役社長が務める。取締役社長に事故あるときは、取締役副社長がこれを務め、取締役副社長に事故あるときは、専務取締役がこれを務める。
（役員以外の出席）
第12条　取締役会は、必要と認めたときは、取締役および監査役以外の者を出席させて意見を聴くことができる。
（付議・決定事項）
第13条　取締役会の付議および決定事項は、次のとおりとする。
(1) 株主総会に関する重要事項
(2) 取締役に関する重要事項
(3) 資産に関する重要事項
(4) 財務に関する重要事項
(5) 業務運営に関する重要事項
(6) その他会社経営に関する重要事項
（取締役の報告義務）
第14条　取締役は、取締役会に対し、自らの職務の執行状況について報告しなければならない。
（決議の方法）
第15条　取締役会の決議は、取締役の過半数が出席し、かつ、出席取締役の過半数をもって行う。ただし、取締役会の決議について特別の利害関係を有する取締役は、その議決権を行使することはできない。
（書面決議）
第16条　取締役の全員が取締役会の決議事項について書面または電磁的記録によって同意したときは、その決議事項を可決する旨の取締役会の決議があったものとみなす。ただし、監査役がその提案について異議を述べたときは、この限りではない。

第4章　議事録

（議事録の作成）
第17条　取締役会を開催したときは、その都度議事録を作成し、議事の経過および結果

常務会規程

（KU製薬 製薬業・従業員一、三〇〇名）

（総則）
第1条　この規程は、常務会の構成、開催および運営等について定める。

（任務）
第2条　常務会は、取締役会で決定された経営方針に基づいて社長が業務を執行するにあたり、業務に関する重要事項を協議する。

（構成）
第3条　常務会は、役付役員をもって構成する。

（関係者の出席）
第4条　常務会は、必要と認めるときは、議事に関係する者を出席させ、その意見を聴き、もしくは説明を求めることがある。

（開催）
第5条　常務会は、原則として毎週月曜日に開催する。当日が休日のときは、その翌日に開催する。ただし、必要ある場合は、臨時に開催する。

（欠席届）
第6条　役付役員は、やむを得ない事情で常務会に出席できないときは、あらかじめ社長に届け出なければならない。

（議長）
第7条　常務会の議長は社長が務める。社長に事故あるときは、副社長が務める。

（付議事項）
第8条　常務会への付議事項は、次のとおりとする。
(1)　取締役会の招集および提出議案に関する事項
(2)　取締役会で決定された経営方針の執行に関する事項
①　生産計画に関すること
②　販売計画に関すること
③　購入計画に関すること
④　資金計画に関すること
⑤　要員計画に関すること
⑥　期末決算方針に関すること
(3)　重要な財産の取得、処分に関する事項
(4)　重要な職制・組織の変更、新設に関する事項
(5)　重要な人事・労務に関する事項
(6)　重要な規則・規程の制定、改廃に関する事項
(7)　関係会社の管理に関する重要事項
(8)　重要な契約に関する事項
(9)　その他会社経営上重要な事項

（決定）
第9条　常務会に付議された案件は、その協議を経て社長が決定する。ただし、緊急を要する事項については、書類による持ち回り協議を行い、次の常務会において承認を求めることができる。

（報告）
第10条　社長は、常務会への付議事項および協議事項について、その実施経過および結果を常務会に報告するものとする。

（議事録）
第11条　常務会を開催したときは、その都度議事録を作成し、議事の経過および結果を記載し、出席者が署名捺印する。

（事務局）
第12条　常務会の事務は、総務課が所管する。

（付則）この規程は、〇〇年〇月〇日から施行する。

常務会規程

（ITツーリスト　旅行業・従業員二九〇名）

（総則）
第1条　この規程は、常務会について定める。

（任務）
第2条　常務会は、業務に関する重要事項を協議する。

（構成）
第3条　常務会は、次の者をもって構成する。
取締役会長
取締役社長
取締役副社長
専務取締役
常務取締役

（関係者の出席）
第4条　常務会は、必要と認めるときは、議事に関係する者を出席させ、その意見を聴き、もしくは説明を求めることがある。

（開催）
第5条　常務会は、原則として毎週月曜日に開催する。当日が休日のときは、その翌日に開催する。ただし、必要ある場合は、臨時に開催する。

（議長）
第6条　常務会の議長は社長が務める。社長に事故あるときは、次に掲げる者が次に掲げる順序でこれを務める。
(1) 取締役副社長
(2) 筆頭専務取締役

（付議事項）
第7条　常務会への付議事項は、次のとおりとする。
(1) 取締役会の招集および提出議案に関する事項
(2) 取締役会で決定された経営方針の執行に関する事項
(3) 重要な財産の取得、処分に関する事項
(4) 重要な職制・組織の変更、新設に関する事項
(5) 重要な人事に関する事項
(6) 重要な労働条件、労使関係に関する事項
(7) 重要な規則の制定、改廃に関する事項
(8) その他会社経営上重要な事項

（決定）
第8条　常務会に付議された案件は、その協議を経て社長が決定する。ただし、緊急を要する事項については、書類による持ち回り協議を行い、次の常務会において承認を求めることができる。

（報告）
第9条　社長は、常務会への付議事項および協議事項について、その実施経過および結果を常務会に報告するものとする。

（議事録）
第10条　常務会を開催したときは、その都度議事録を作成し、議事の経過および結果を記載する。
2　議事録には、出席者が署名捺印する。

（付則）この規程は、○○年○月○日から施行する。

常務会規程

（GZ商事　商社・資本金　一二億円・従業員　八〇〇人）

1　総則
取締役会の決定した基本方針に基づいて全般的業務執行方針及び計画に重要な業務の実施に関し協議する常務会を設置する。

2　主催
常務会は社長が主催する。
社長に事故がある時は副社長のうちの一名が代行する。

3　構成
常務会は社長、副社長、常務取締役で構

Ⅲ 株主総会・取締役会等に関する規程

成し別に幹事二名を置く。幹事は社長室担当取締役または企画担当取締役をあてる。

4 方針及び計画に関する協議

常務会で協議する方針及び計画は次の通りとする。

① 経営計画に関する基本方針
② 経営に関する長期計画並びに年度計画
③ 予算に関する基本方針
④ 資金の調達及び運用に関する基本方針
⑤ 機構制度に関する基本方針
⑥ 営業及び製品需給に関する基本方針
⑦ 人員配置基準、人事、給与、労働条件等に関する基本方針
⑧ 事業設備の取得処分、建設改修及び運用に関する基本方針
⑨ 資材、燃料の購入、貯蔵、消費に関する基本方針
⑩ 関係会社に関する基本方針、計画
⑪ その他重要な方針、計画

業務の実施に関する協議

左記に掲げる事項は常務会の協議を経なければならない。

5
① 取締役会に付議する事項
② 毎期の予算（損益予算、生産予算、資金計画）の決定
③ 支社、支店、地方営業所及び業務機関並びに主要な事務所の新設、廃止
④ 前号以外の重要な施設の新設、変更、廃止
⑤ 重要な規定の制定、改廃
⑥ 社員の採用異動及び賞罰、ただし別に指定するものに限る
⑦ 従業員の給与及び労働条件
⑧ 労働組合との重要な協約、協定の締結、改廃
⑨ 業務に重大なる影響を及ぼす契約
⑩ 重要な訴訟
⑪ ○○○万円以上の大口の受注売買契約
⑫ 社債の発行、資金の借入及び投資
⑬ りん議金額○○○○万円以上のものただし、○億円未満のもので、発注先及び契約金額の限度について既に事案として承認を受けたものについてはこの限りではない。
⑭ 資材燃料購入及び請負に関する重要な単価契約
⑮ 設備工事及び修繕工事に関する予算外支出
⑯ 設備工事及び修繕工事に関する一件○○○万円以上の予算で超過額が○○○万円を超える金額の支出
⑰ その他特に重要なるもの及び異例に属するもの

6 報告

社長室担当取締役または企画担当取締役は次の事項を報告しなければならない。
① 担当業務に関する重要事項
② 決裁事項
ただし決裁事項の報告については別に定める様式による。

7 会議
① 常務会の会議は原則として構成役員中五名以上の出席を要し毎週火曜日に開催する。
ただし必要ある時は随時開催するものとして、また緊急を要する案件についてやむを得ない場合は持回りで会議開催に代えることができる。
② 社長室担当取締役または企画担当取締役は必要に応じ常務会に出席して担当業務に関し説明または意見を述べる。

8 下部機構
賞罰委員会、統計委員会、生産総合計画委員会、生産性向上委員会、コンピューター運営委員会、職能組織合理化委員会、業務機関等新設改廃審議委員会は常務会の下部機関とし、委員会において決定した事項は本規則第4条及び第5条の定めるところに従い常務会の協議を経なければならない。

9 常務会幹事
① 常務会で審議する事案、稟議報告は幹事が上程する。
② 幹事は各室及び下部委員会から提出された事案稟議報告を総合調整し常務会事

48

③ 幹事は常務会に欠席した役員に対してその議事内容を報告しなければならない。

④ 幹事の事務処理は幹事の指揮を受けて社長室と企画室が当たる。

付　則

1　常務会の役員は別に定める所により各室の業務を指導するものとする。

2　社長室担当取締役または企画担当取締役は第5条各号に掲げる事項以外の社長決裁事項について決裁、執行する事ができる。

3　本規則は○○年○月○日から実施する。

案議案として提出する。

Ⅳ 役員制度に関する規程

Ⅳ 役員制度に関する規程

〈コメント〉 役員制度に関する規程

1 取締役

取締役は、会社経営の最高の責任者である。会社法は、「株式会社は、一人または二人以上の取締役を置かなければならない」と規定している（第三二六条第一項）。

会社と取締役との関係は委任関係である。このため、取締役には、民法の定めるところにより、善良な管理者の注意をもって委任契約を遂行する義務が課せられている。

しかし、現実的には、取締役の権限行使をチェックする権限が与えられている株主には、取締役の権限行使をチェックするのは相当難しい。

会社法は、会社法の規定を踏まえ、取締役の就任、退任、服務規律、勤務条件および報酬等について、合理的なルールを定めることが望ましい。合理的なルールの作成とその公正な適用は、経営の健全性・公正性を確保するための重要な条件といえる。

なお、会社法は、取締役の任期について、

① 取締役の任期は、選任後二年以内に終了する事業年度のうち最終のものに関する定時株主総会の終結の時までとする

② 非公開会社（定款で株式の譲渡を制限している会社）は、任期を選任後一〇年以内に終了する事業年度のうち最終のものに関する定時株主総会の終結の時まで伸長することができる

と規定している

と規程として明文化しておくことが望ましい。なお、会社法は、監査役の任期について、

① 監査役の任期は、選任後四年以内に終了する事業年度のうち最終のものに関する定時株主総会の終結の時までとする

② 非公開会社は、監査役の任期を選任後一〇年以内に終了する事業年度のうち最終のものに関する定時株主総会の終結の時まで伸長することができる

③ 会社は、任期満了前に退任した監査役の補欠として選任された者の任期を、退任した監査役の任期の満了する時までとすることができる

と規定している（第三三六条第一項、第二項、第三項）。

3 会計参与

取締役と共同して貸借対照表や損益計算書等の計算書類を作成することを任務とする役員を「会計参与」という。

会社法は、「取締役会設置会社は、監査役を置かなければならない。ただし、公開会社でない会計参与設置会社については、この限りでない」と規定している（第三二七条第二項）。

非公開会社の場合、会計参与を置けば監査役は置かなくても差し支えないのである。

会計参与の設置は、会社にとって、「計算書類作成の業務を合理化・迅速化できる」「計算書類に対する取引先の信頼性を高められる」などのメリットがある。

会計参与を置く場合には、会社法の規定を踏まえ、その選任、退任、服務および報酬等の基準を規程として明文化しておくことが望ましい。

4 役員の選任

会社法は、「役員（取締役、会計参与、監査役）は、株主総会の決議によって選任しなければならない」と定めている（第三三九条第一項）。

2 監査役

監査役は、取締役の職務の執行を監査する役員である。

会社法は、「株式会社のうち、公開会社は、取締役会を置かなければならない」と規定したうえで、「公開会社でない会計参与設置会社は、監査役を置かなければならない。ただし、公開会社でない会計参与設置会社は、この限りではない」と規定している（第三二七条第一項、第二項）。

監査役を置く会社の場合は、その就任、退任、服務および報酬等を

52

Ⅳ 役員制度に関する規程

役員就業規則

TK商社
・資本金　五億円
・従業員　四〇〇人

第1章　総則

（目的）
第1条　当社役員の就任、責務、規律、勤務及び休暇、業務処理、進退、並びに報酬等に関することは、法令、定款、株主総会、取締役会の決議その他、別段の定めのない限り、本規則による。

2　前項の規程は、社会通念又は定款及び法令上の取扱いを排除するものではない。

（役員の定義）
第2条　本規則で役員とは、次の者をいう。
(1) 取締役
(2) 監査役

（適用範囲）
第3条　本規則は、原則として、常勤の取締役及び監査役に適用する。

2　第9条より第12条までの規定は非常勤取締役及び非常勤監査役にも適用する。

3　非常勤の取締役若しくは任務につき、又は出張する場合は、必要に応じて、この規則を準用する。

（部・店・課長兼務役員の責務）
第4条　部長、店長、課長その他の職務を委嘱されている役員は、その職務の執行に当たり、従業員の責任をも負う。

（役員台帳）
第5条　役員の就任、進退、並びに報酬等について、「役員台帳」を設け、これに、その要項を記入する。

2　人事関係の書類の整理については、社員と同様の取扱いをなし、その事務は、本社総務課が、これを行う。

（改廃）
第6条　本規則の改廃は、取締役会にはかって、これを行う。ただし、監査役関係は監査役の意見を聴して行う。

第2章　就任及び服務

（役員候補者の推薦）
第7条　役員候補者は、取締役会の決議に基づき、社長がこれを推薦する。

（就任手続）
第8条　役員が就任を承諾したときは、別に定める書式に従い、本人自筆の「就任承諾書」（誓約書）を作成、署名、捺印の上、遅滞なく、これを提出しなければならない。

2　前項の規定は、役員が重任した場合にも、当然これを適用する。

3　役員としての就任は、株主総会決議の日付とするも、役員の待遇は、原則として前項の「就任承諾書」を会社が受理した日から、これを受けるものとする。
ただし、「就任承諾書」が、遅れた場合、役員としての就任も遅れることになる点に留意。

Ⅳ 役員制度に関する規程

4 従業員が役員に就任したときは、退職とする。この場合においては、従業員の退職金を精算する。

（忠実義務）
第9条 役員は、社長の指示、並びに、社規社則及び内規の定めるところに従い、その管掌する業務を行うと共に、その業務執行に際し、社員を指導、教育、監督しなければならない。

2 役員は、その職務の遂行に当たっては、特に下記の点に留意しなければならない。

(1) 組織上定められた職責を十分に自覚し、責任をもって積極的に仕事に当ること。

(2) 会社経営上、又は、業務上の事項は、率先して積極的にこれを研究し、その能力の開発、発揮に努めること。

(3) 会社の方針と計画に基づき、所管業務を確実に処理すること。

(4) 取締役会で決定した方針及び社長の業務上の指示命令に従うこと。

(5) 部、店、課内の統一、業務の管理に留意することはもちろん、関係会社、他部門との連絡、調整に努めること。

(6) 自己の管掌する業務はもちろん、会社業務の全般に亘り、商品価格の決定、仕入先との契約料金若しくは、代金の決定、並びに販売の促進及び、販売代金の回収等に当たっては、常に会社の利益になるよう配慮することはもちろん、能率の向上及び経費の節減に努めること。

(7) 部下に対しては、自己の苦情、利害、体面に捉われることなく、公平無私に接し、広く意見を聞き賞罰を明らかにすること。

（服務規律）
第10条 役員は、次の事項を守らなければならない。これに違反するときは、退任又は降格を求められることがある。

(1) およそ、会社の不利益となるような言動はもちろん社内、社外の関係者に不安感、不信感をいだかせ、又は動揺を起こさせるような言動をしないこと。

(2) 関係業者、仕入先、得意先、その他の出入りの者に対し、名儀のいかんを問わず、リベート、手数料等を求め、又は、受取るような行為をしないこと（リベート、手数料等の受取りに準ずる行為を求め、又は受けるような行為も、同様とする）。

(3) 会社の承認なくして、職務上の立場を利用し、同業者又は、出入りの仕入業者等に対し、直接、間接、名儀のいかんを問わず、出資、融資、並びに取引の斡旋その他これらに準ずる行為をしないこと。

(4) 社員を扇動して、他の企業へ就職させ、又は当社社員に対する他の企業からの引抜きを幇助し、若しくは、幇助することとなるような行為をしないこと。

(5) 在任中はもちろん、退任後も会社の機密を漏洩しないこと。

(6) 社内の者、若しくは、退任者若しくは、あった者、又は、会社と関係ある者若しくは、あった者との間において、風紀上問題となるような行為をしないこと。

（損害賠償）
第11条 役員がその故意又は過失により、会社に損害をかけたときは、当該役員にその全部又は一部を賠償させる。

2 役員が、第9条第2項第6号又は、第10条に違反する行為をして会社に損害をかけたときもまた同様とする。

（個人利益の返還）
第12条 役員が業務に関し、不正不当な個人的利益を得たときは、その利益（金銭若しくは、物品）を返還させる。

第3章 勤 務

（緊急処置）
第13条 役員は緊急、重要な事態が発生したときは、臨機に迅速、適確な処置又は行動をとらなければならない。

（勤務時間）
第14条 常勤役員は、所定の勤務時間中に勤務することはもちろん、その職責上、一日

二四時間勤務の精神をもって業務に精励しなければならない。

2 役員が、遅刻、欠勤、早退等をするときは、その旨あらかじめ社長又は本社総務課長に連絡しなければならない。

3 非常勤の役員は、取締役会に出席し、若しくは、特別の用件がある場合は出勤する。

（出張、長時間外出中の報告義務）
第15条 役員が長時間にわたり、外出し又は出張したときは、その外出中又は出張中必要に応じ、職務上のことはもちろん、行動及びその予定を会社に逐次連絡しなければならない。

（出張）
第16条 役員が出張する場合はあらかじめ、社長にその旨を届け出て、その承認を受けなければならない。また、帰任後は、その結果を報告しなければならない。報告の様式は別に定める。

（特別休暇）
第17条 役員の特別休暇は一事業年度（一か年）につき二〇日間とし、あらかじめ、社長の承認を得て、これをとることができる。事後、申し出があっても、これを特別休暇としては取扱わない。

（休職）
第18条 役員の任期中に休職を必要とする事項が発生した場合、原則として、「就業規則」の第5章、第2節の休職、第33条～第35条

を準用する。

① 経営計画・予算及び実績表

長に提出しなければならない。

第4章 職務遂行

（職務遂行の原則）
第19条 社長より提示された命令、指示、課題は、社長の意を体し、忠実かつ積極的に、これを処理しなければならない。

（職務処理の報告）
第20条 前条の命令、指示、課題を処理したときは、速やかに、その結果を社長に報告しなければならない。

2 前項の報告は、原則として報告書の作成をしなければならない。ただし、緊急の場合、あるいは、事項の内容が極めて軽易な場合、その他社長が特に認めた場合はこの限りでない。

（月次予定表等提出）
第21条 役員は、その所管業務につき、毎月○日までに翌月度の業務運営方針及び行動予定表を提出しなければならない。

2 前項の行動予定表に訂正、追加等の変更があるときは、変更予定表を作成し、これを社長に提出しなければならない。

（月次業務報告書の作成）
第22条 役員はあらかじめ提出した月次、業務運営方針と、行動予定表の実施の結果を次の如く、報告書にとりまとめ、これを社

第5章 役職および退任

（役位の決定）
第23条 役員の役位の決定及び変更は、取締役会にはかって、これを決定する。ただし、緊急の必要がある場合は、代表取締役社長が、これを決定する。この場合、次回の取締役会に報告し、その承認を求める。

（退任）
第24条 役員は任期満了、辞任又は株主総会の決議による解任によって退任する。

（任期満了）
第25条 役員は任期満了の時に、自動的に役員として身分を失う。ただし、法令又は定款に特別の定めがあるときは、これによる。

（辞任）
第26条 役員が辞任しようとするときは、原則として、三か月前に理由を付して社長に申し出なければならない。

（違反行為による辞任）
第27条 役員が本規則に違反し、又は役員として、不正・不当の行為があるときは、当該役員に辞任を求める。

2 前項の辞任を求められた役員は、遅滞なく「辞任届」を提出しなければならない。

（株主総会による解任）

Ⅳ　役員制度に関する規程

第28条　取締役及び監査役は、株主総会の決議によって解任される。

第6章　定　年

（定年）
第29条　役員の定年は、当分の間次の通りとする。
(1) 社長　　七三歳
(2) 専務　　七〇歳
(3) 常務　　六五歳
(4) 取締役　六五歳
(5) 監査役　六五歳

2　前項の定めは、取締役会の決議により変更することができる。

3　役員が定年に達したときは、次期総会にて退任するものとする。

第7章　報酬、賞与、退職慰労金等

（報酬）
第30条　取締役の報酬は株主総会で承認された範囲内において、取締役会において代表取締役社長がこれを決定する。

2　監査役の報酬は、株主総会で承認された範囲内において監査役の協議において決定する。

（報酬の支払方法）
第31条　役員の報酬は、毎月二七日にこれを

支給する。

2　支給は役員の希望する金融機関に振込みとする。

（賞与）
第32条　取締役及び監査役の賞与は毎期利益金処分案に計上し、株主総会の承認を得た上で、これを支給する。

2　前項の賞与の取締役に対する割当については、取締役会にはかって代表取締役社長がこれを定める。

3　監査役の賞与は、監査役の協議によって決定する。

（休職給）
第33条　役員が休職したときは、別に定める「管理職に対する休職給の取扱規程」に準拠して、休職給を支給する。

（慶弔）
第34条　役員に慶弔あるときは、当分の間、別に定める「役員慶弔取扱規程」による。

（出張旅費）
第35条　役員の出張旅費は、別に定める「出張旅費規程」により、これを支給する。

（退任慰労金）
第36条　役員の退任に伴なう退任慰労金は、別に定める「役員退職慰労金規程」により、これを支給する。

付　則

第37条　この規則は、〇〇年〇月〇日より、

これを実施する。

制定　××年〇月〇日
改定　△△年〇月〇日
改定　〇〇年〇月〇日

役員の執務規則

SP電子
・電子部品製造
・資本金　三億円
・従業員　六〇〇人

（役員の責務）
第1条　SP電子株式会社の経営理念は民主的運営にある。従って役員はその精神に則り、社業の堅実なる発展に尽力することにより、従業員の幸福を求め、同時に企業活動を通じて、広く社会に貢献しなければならない。本執務規則は、定款に基き取締役の任務に関する基本的事項を定めたものである。ここに定めたる以外の事項は、法令、定款ならびに代表取締役の決定に従うものとする。

（行動指針）
第2条　役員は定款、取締役会規程、その他の法令に通暁し、業務組織に従い確固たる信念をもって職務を遂行するを要す。また常日頃より上位の職責を果たし得る能力、

役員の執務規則

知識、教養などを涵養すると同時に、従業員には温容と忍耐をもって指導し、業務の指令に当っては、信念をもって実行を要求する。また役員間にあっては常に礼節を弁え、相互に信頼と尊敬をもって行動し、とくに代表取締役社長は会社の最高責任者であり、役員の責務を垂範完遂しなければならない。

（役員の心得）

第3条　前条をうけて、役員は下記の心得を遵奉しなければならない。

1. 創立者の創業精神を継承する。
2. いつ、いかなる時においても、誠心誠意、最善の努力を払う。
3. 役員は、会社の進路を決める重要な地位にあることを十分に心して業務にあたる。
4. 経営に関する役員の意志決定によって、従業員とその家族、商取引関係者、また社会に、なんらかの影響がでることを自覚する。
5. 役員は互いに足らざるを補い、切磋琢磨する。ただし私情や、面子などにこだわってはならない。
6. 会社の発展のため、役員がお互いに批判することは止むを得ないとしても、人格を傷つける言動は慎む。
7. 報告、連絡は互いに緊密にし、独断専

行、越権行為などで社内秩序を乱すような言動は、厳に慎む。

8. 役員は、代表取締役社長のもとに結束する。

（役員の定義）

第4条　この規則における役員とは、この規則に定める条項による当社の役員として就任し、引続き担当業務に従事している者をいう。

（適用範囲）

第5条　この規則は原則として、当社において勤務する常勤取締役及び監査役（以下単に「役員」という。）に適用し、非常勤役員についてはこの規則を準用するほか細部についてはこれを別に定める。

（役員の種別）

第6条　役員は次のとおりとする。

(1) 代表取締役社長
(2) 専務
(3) 取締役
(4) 監査役

（記録）

第7条　役員の人事に関する事項については、役員台帳を備え、これに必要事項を記入するものとし、この事務は総務課で所掌する。

（役員の就任）

第8条　役員の就任は、社長又は取締役会の推せんを受け、株主総会の決議により決定する。

（就任承諾書の提出）

第9条　役員の就任を承諾したときは、速やかに「役員就任承諾書」を社長に提出しなければならない。

（役員の退任）

第10条　役員の退任は任期満了、辞任、又は解任による。

（任期満了）

第11条　役員は、その任期が満了したとき自動的に役員たる資格を失う。ただし定款その他別に定めのあるときはこれによる。

（辞任）

第12条　役員の辞任は、辞任理由の如何にかかわらずその自由を妨げないが、原則として3か月前に社長に届け出るものとする。

2　役員を辞任する場合は、業務上の引継を完了し、かつ辞任後といえども、その責任に係る業務について責任を持たなければならない。

（解任）

第13条　役員の解任は、株主総会の決議による。

（定年）

第14条　役員の定年を次のとおり定める。

1. 代表取締役社長　七〇歳

Ⅳ　役員制度に関する規程

2. 専務、常務等の役付役員　六七歳
3. 取締役　六五歳
4. 監査役　六五歳
5. 会長（代表権の有無を問わない）終身

ただし、取締役会が、その必要がないと判断し、株主総会の承認を得た場合はこの限りではない。

（勤務時間）
第15条　役員の就業時間は社員の「就業規則」に準拠する。

（休日、休暇、時間外）
第16条　役員の休日、休暇、時間外勤務は「就業規則」に準ずるも、休日・時間外勤務手当等は支給されない。

（出張）
第17条　役員が出張するときは、あらかじめ「出張伺書」を代表取締役社長に提出し承認を得なければならない。なお出張したときには別に定める「旅費規程」に基づき手当等を支給する。又当該出張終了後速やかに旅費の精算をするものとする。

（出退）
第18条　役員は、定められた始業時間には執務を開始し、又終業時間前に退社するようなことがあってはならない。

（欠勤、遅刻、早退等の連絡義務）
第19条　役員が欠勤、遅刻、早退等をする場合は、事前に総務課に届け出なければならない。又業務に支障のないように努めるものとする。

（禁止事項）
第20条　役員は、次の事項を行なってはならない。

(1) 職務上の地位を利用して、手数料やリベート又は饗応を受けること。
(2) 会社の承諾なくして、在任中に事業を営むとか、その他内職等兼業を為すこと。
(3) 会社の機密を漏らし、又は会社の不名誉、不利益となるような行為。
(4) 会社の方針に反したり、又は商法に定める役員の義務に反するようなこと。

（役員の報酬）
第21条　役員の報酬は、その総額を株主総会において定める。

2 取締役の報酬は前項の総額の範囲内で取締役会に諮り、取締役社長が各人ごと決定する。

3 監査役の報酬は第一項の監査役総額の範囲内で、監査役の協議により決定する。

（報酬の支払）
第22条　役員報酬の支払は「社員給与規程」に準拠して行なう。

（役員賞与）
第23条　会社の営業成績により、特別賞与を決算終了後に支給することがある。各自への配分は第21条に準じて行う。

（退職慰労金）
第24条　役員が退任するときは、その業務上の功労により、株主総会の議決を経て退職慰労金を支給する。

（慶弔見舞）
第25条　役員が、慶弔見舞に該当するような事項があるときは社員の「慶弔見舞金支給規程」を適用する。

（制定及び改廃）
第26条　この規則の制定、改廃は取締役会で協議のうえ、代表取締役社長がこれを行なう。ただし、監査役に関する事項は監査役の意見を聴して行う。

　付　則
第27条　この規則は○○年○月○日から実施する。

役員規程

YKホール
ウェディング・パレスおよび外食
（・資本金　三億円
　・従業員　四五〇人）

第1章　総　則

（目的）

第1条　この規程は株式会社YKホール（以下「会社」という。）の役員の就任、服務、報酬、退任等に関する基本的事項を定めるものである。

2　この規程に定める事項以外の事項については、法令並びに定款あるいは取締役会の決定に従うものとする。

（役員）

第2条　この規程で役員とは、定款の定めにより株主総会で選任された取締役及び監査役をいう。

（適用範囲）

第3条　この規程は、原則として当社において勤務する常勤取締役及び監査役（以下「役員」という。）に適用する。

2　非常勤役員及び役員待遇者についてはこの規程を準用するほか、細部については別にこれを定める。

（役員記録）

第4条　役員の人事等に関する事項については、役員台帳を備え、これに必要事項を記入するものとし、この事務は人事担当課で所掌する。

（規程の遵守）

第5条　役員はこの規程を遵守し、協力して誠実に就業し、もって社業の発展に努めなければならない。

第2章　就　任

（役員の選任）

第6条　役員の選任は、取締役社長又は取締役会の推薦を受け、株主総会の決議により決定する。

2　役員は法定の要件を備え、人格並びに識見ともに優れ、その職責を全うすることのできる者でなければならない。

（就任承諾書の提出）

第7条　役員に選任された者が、就任を承諾したときは、速やかに「役員就任承諾書」を会社に提出しなければならない。

2　前項の規定は、役員が重任した場合にも、当然これを適用する。

（就任手続）

第8条　役員としての就任は、株主総会決議の日付とするが、役員の待遇は、原則として前条の「就任承諾書」を会社が受理した日から、これを受けるものとする。

第3章　退　任

（退任）

第9条　役員が次の各号の一に該当する場合は退任とし、役員としての身分を失う。

① 任期満了
② 辞任
③ 死亡
④ 解任
⑤ 資格喪失
⑥ 役員定年に達したとき

（任期満了）

第10条　役員はその任期が満了したとき自動的に役員たる資格を失う。ただし、法令又は定款その他に定めのあるときはこれに従うものとする。

（辞任）

第11条　役員の辞任は、辞任理由の如何にかかわらずその自由は妨げないが、原則として六か月前に会社に届け出るものとする。

2　役員を辞任する場合は、業務上の引継を完了し、かつ辞任後といえども、その責任に係る業務について責任を持たなければならない。

（辞任勧告）

第12条　役員として不正あるいは背任に疑わしい行為があった時又は適格性のない役員に対して、取締役会は辞任勧告を行うことができる。

（解任）

第13条　役員は、株主総会の決議により、これを解任することがある。

（資格喪失）

第14条　取締役が監査役に就任した場合は取締役の資格を喪失する。

2　監査役が取締役に就任した場合は、監査

Ⅳ 役員制度に関する規程

役の資格を喪失する。

3 取締役又は監査役が商法又は定款の定める欠格事由に該当した場合には、その資格を喪失する。

(定年)
第15条 役員の定年は、原則として次に定めるとおりとし、株主総会における選任のための推薦に当たってはこれを斟酌する。

① 会長、社長………………………………七五歳
② 副社長、専務、常務等の役付役員……七五歳
③ 取締役……………………………………六五歳
④ 監査役……………………………………六五歳

2 株主総会において、定年年齢を超えた者を選任したときは、その選任された者については本条は適用しない。

3 第1項の定年年齢は原則としての上限を示すものであり、現にその職にある者がその年齢まで当然に留任するものではない。

(定年と任期)
第16条 任期中に定年年齢に達した場合は、任期中は引続きその任に当たるものとし任期満了日をもって退任の日とする。

(定年の延長)
第17条 役員の定年は、機能的弾力的に運用するものとし、本人の能力及び健康がその職に耐え得る場合は定年を延長することができる。

2 定年の延長は、役員会議に諮って代表取締役社長が決定する。

(退任後の処遇)
第18条 退任する役員には、在任中の役位又は功績等を勘案し取締役会に諮り、任期○年を限度として相談役・顧問・参与のいずれかを委嘱することができる。

2 手当は、常勤の場合は退任時報酬の○％以内、非常勤の場合は○％以内とし、任期については必要に応じて延長することがある。

第4章 服　務

(役員の責務)
第19条 取締役は、次の点に留意して所管業務の運営に当たるものとする。

① 会社の方針及び代表取締役社長の指示に基づき、業務を計画的に処理すること。
② 職制に定める職責を十分に自覚し、責任をもって仕事に当たること。
③ 会社及び部門の統一と部下の監督、教育を行い、他部門との連絡を密にすること。
④ 自己の担当する業務はもとより、全社的事項の処理に当たり、会社の実績向上、利益の増強、人の和の醸成に努めること。

(機密の保持)
第20条 役員は会社の機密を保持し、会社の不名誉あるいは不利益となる行為又は言動

(禁止事項)
第21条 役員は、職務上の地位を利用して自己又は第三者のために取引をなし、若しくは手数料、リベート等を収受してはならない。

2 役員は、会社の承認なくして在任中に事業を営み、又は他の職務を兼任してはならない。

3 役員は、商法に定める役員としての義務及び第19条に定める役員の責務に背反する行為をしてはならない。

(個人利益の返還)
第22条 役員が業務に関し、不正不当な個人的利益を得たときは、その利益(金銭若しくは物品)を返還させる。

(損害賠償)
第23条 役員が故意又は過失により、会社に損害をかけたときは、当該役員にその全部又は一部を賠償させることがある。

2 役員が、この規程に違反する行為をして会社に損害をかけたときもまた同様とする。

(執務時間)
第24条 役員の就業時間は、社員の「就業規則」に準拠するものとする。

(欠勤、遅刻、早退等の連絡義務)
第25条 役員が欠勤、遅刻、早退等をする場合は、事前に人事担当課に届け出るものと

をしてはならない。

し業務に支障のないように努めるものとする。

（出張）
第26条　役員が出張するときは、あらかじめ「出張申請書」を社長に提出し承認を得なければならない。なお出張したときは別に定める「役員旅費規程」に基づき旅費等を支給する。

（休暇）
第27条　役員の休暇については、社員の「就業規則」を準用する。

（災害補償）
第28条　役員が業務上負傷し又は罹病した場合は、社員の災害補償に準じ補償を行うものとする。

（福利厚生）
第29条　役員の福利厚生については、原則として社員の「就業規則」を準用する。

（慶弔）
第30条　役員の慶弔に関しては、別に定める「役員慶弔規程」による。

第5章　報　酬

（報酬額の決定）
第31条　役員の報酬は、世間水準及び経営内容、社員給与とのバランスを考慮して次の方法により決定する。
① 取締役の報酬は、株主総会が決定した報酬総額の限度内において取締役会で決定する。
② 監査役の報酬は、株主総会が決定した報酬額の限度内において監査役の協議で決定する。

（報酬の構成）
第32条　役員の報酬は、原則として役員報酬一本とする。ただし、役員報酬の算定に当たって、基本報酬と役員手当に分離することができる。
2　非常勤役員の報酬は、役員報酬一本とする。

（報酬の基準）
第33条　役員報酬は、社員給与の最高額を基準とし、次に掲げる区分により役位別に定める。
① 取締役
　代表取締役社長………………〇％前後
　専務取締役……………………〇％前後
　常務取締役……………………〇％前後
　取締役…………………………〇％前後
② 監査役
　常任監査役……………………〇％前後

（兼務取締役の報酬）
第34条　取締役が社員職務を兼務していると
きは、その兼務の状況によって、役員報酬と社員給与に区分して支給する場合がある。

（通勤費の取扱い）
第35条　役員のうち乗用車による送迎を行う者以外は、その通勤の実費を支給するか、その費用を会社が負担する。

（支給方法）
第36条　役員報酬は、月額で設定し、社員給与の支給日に支給する。ただし、支給日当日が休日の場合は、前日に繰り上げて支給することにつ
いて、本人から申し出のあった前払金・貸付金・立替金等とする。

（報酬からの控除）
第37条　毎月の役員報酬から控除されるものは、所得税、地方税、社会保険料及び控除することにつ
いて、本人から申し出のあった前払金・貸付金・立替金等とする。

（報酬の改訂）
第38条　役員報酬に対しては、定期昇給は行わない。ただし、同一人が再任される場合には、その任期の更改期に報酬額の増減を行うことがある。
2　役位の変更があった場合には、前項にかかわらず新役位就任の月の翌月から改訂を行うものとする。

（報酬とベースアップ）
第39条　社員給与がベースアップされるに伴い、役員報酬との間に、著しい不均衡が発生するような場合には、社員給与の

ベースアップ時期に合わせて役員報酬の増額改訂を行うことがある。

（減額の措置）
第40条　取締役の報酬については、必要に応じて取締役会において臨時に業績その他の理由により減額の措置をとることがある。
　　　ただし、本人の同意を必要とする。

（賞与）
第41条　役員の賞与は、会社の営業成績に応じて、益金処分として取締役及び監査役に区分し、株主総会の議を経て決定する。

（賞与の配分基準）
第42条　役員賞与の配分は、次に掲げる基準により行う。
　① 取締役については、取締役会で決定する。
　② 監査役については、監査役の協議により決定する。
　2　役員賞与の配分は、役員としての個々の業務執行状況を評価して決定する。

第6章　退職慰労金

（退職慰労金）
第43条　役員の退職慰労金は、役員が退任する場合に、その在任期間中の功労に報いるために、株主総会の承認を得て支給する。
　2　役員が死亡により退任する場合は、その遺族に対して弔慰金を株主総会の承認を得て支給する。

（降格に伴う退職慰労金）
第44条　役員が分掌変更等により大幅に降格して、その受ける報酬が二分の一以下となった場合は、株主総会の承認を得て退職慰労金を支給することができる。

（退任の時期）
第45条　この規程で「退任」とは、最終的に取締役又は監査役の地位を離れることをいう。
　2　取締役であった者が任期満了後引き続いて監査役に選任され、又は監査役であった者が任期満了後引き続いて取締役に選任された場合も、取締役又は監査役としての任期満了の時を「退任」とする。

（金額の範囲）
第46条　退職慰労金は、次の各号に定める金額のいずれかの範囲とする。
　① この規程に基づき計算し、取締役会又は監査役の協議において決定のうえ株主総会において承認された額。
　② この規程に基づき計算すべき旨の株主総会の決議に従い、取締役会又は監査役の協議において決定した額。

（基準額）
第47条　退職慰労金の基準額は、役位別の最終報酬月額に役位ごとの在任期間の年数を乗じ、更に、次条に定める役位別倍率を乗じて算出した金額の合計額とする。

　2　前項に定める在任期間に一年未満の端数がある場合は、月割で計算し、一か月未満の端数がある場合は一か月に切り上げる。

（役位別倍率）
第48条　退職慰労金の役位別倍率は、次のとおりとする。
　① 取締役
　　　代表取締役社長‥‥‥‥‥‥‥‥○倍
　　　専務取締役‥‥‥‥‥‥‥‥‥‥○倍
　　　常務取締役‥‥‥‥‥‥‥‥‥‥○倍
　　　取締役‥‥‥‥‥‥‥‥‥‥‥‥○倍
　② 監査役
　　　常勤監査役‥‥‥‥‥‥‥‥‥‥○倍

（兼務取締役）
第49条　この規程により支給する退職慰労金には、使用人兼務取締役に対する使用人分の退職金は含まれないものとする。

（功労加算）
第50条　在任中特にその功績が顕著であったと取締役会で認めた役員については、退職慰労金の額に、次の限度で加算することができる。
　① 最高位が社長であった者‥‥‥‥最高○％まで
　② 最高位が副社長であった者‥‥‥最高○％まで
　③ 最高位が専務取締役であった者‥最高○％まで
　④ 最高位が常務取締役であった者‥

役員勤務規程

> CD堂
> ・出版
> ・従業員
> 資本金　八千万円
> 従業員　三〇〇人

第1章　総　則

（業務の執行）
第1条　役員は本規定に基づいて業務の執行にあたるものとし、その適用範囲は原則として、日常当社において勤務する常勤役員とする。
　尚、非常勤役員は服務を除き本規程を準用する。

（規程の改廃）
第2条　本規程の制定改廃は取締役会の決議によるものとする。
　ただし、監査役に関する事項は監査役に諮って行う。

（役員の種類）
第3条　役員とは常勤取締役と非常勤取締役及び監査役である。

第2章　服　務

（役員の職務）
第4条　役員は社規、社則の定めるところに従い所管業務を担当し所轄の社員を指導してその業務の執行及び管理を行う。

（役員の職務）
第5条　役員は常に下記要項によって所管の業務にあたらなければならない。

1　会社の方針と社長の指示に基づき業務を計画的に処理すること。
2　職制に定める職責を充分自覚し責任をもって仕事にあたること。
3　部門の統一、部内の指導をはかり他部との連絡を密にすること。
4　自己の業務はもちろん、すべての処理に積極的にあたり、生産性の向上、仕事の合理化、原価の低減、利益の増進を旨とし努力すること。
5　感情にとらわれず部下に対しては公平無私、広く意見を聞き入れ賞罰をあきらかにすること。
6　役員は社長の承認なくしては、他の会社の役員となってはならない。
7　会社と業務上の関連あるものから贈与を受けたり、又は金品を借用しないこと。

（兼務役員の職責）
第6条　役員にして部長を兼ねる場合には、役員の立場と部長の職務を明確に区別し、あくまでも責任ある行動をもって業務にあたること。

（減額）
第51条　会社の名誉を毀損し、あるいは会社に著しい損害等を与えたため退任する役員に対する退職慰労金は、取締役会の決議又は監査役の協議により相当な減額を行うことができる。

⑤　前各号以外の者……………………○％まで……○％まで

（支給方法等）
第52条　役員の退職慰労金の支給期日及び支給方法等は次による。

① 取締役の退職慰労金は、株主総会の決議に従い取締役会が決定する。
② 監査役の退職慰労金は、株主総会の決議に従い監査役の協議において決定する。

附　則

（適用）
第53条　この規程は、〇〇年〇月〇日からこれを適用する。

（規程の改廃）
第54条　この規程の改廃は、取締役会の決議を経なければならない。
　ただし、監査役に関する事項は監査役の意見を聴するものとする。

（損害賠償）
第7条　役員としての立場で職務の執行にあたり、故意又は重大なる過失により会社に損失を生ぜしめたときは、代表取締役社長はその全部又は一部を賠償させることがある。

（出退勤）
第8条　役員は社長の定める時間に出社又は退社して業務にあたること。

（時間外の職責）
第9条　役員は、就業時間外と云えども、その業務上の責任を負わなければならない。

（出張）
第10条　役員が出張しようとする場合は、あらかじめ社長に承認をもとめなければならない。

（外出の処置）
第11条　役員は外出又は長時間離席する場合は、必ずその直属の部下又は他の役員に連絡して行動しなければならない。

（役員の休暇）
第12条　役員の休暇は、すべて社長の承認を得なくてはならない。
社長不在の時は関係役員に届け出所在を出来る限り明かにすること。
社長の休暇も又同じである。

第3章　進　退

（役員の選任、解任）
第13条　役員の選任、解任は株主総会の決議により、これを決定する。

（退任、辞任）
第14条　役員の退任は任期満了又は辞任による。

（辞任の手続き）
第15条　役員の辞任は本人の都合その他の事由をあらかじめ代表取締役社長に申し出なければならない。代表取締役社長はこれを取締役会に付議して決定し、株主総会の承認を得る。

（役員の定年）
第16条　役員の定年を次の通り定める。
1　兼務役員（平取締役）　満六五歳
2　常務取締役以上常勤取締役　満六七歳
3　非常勤役員　満七〇歳
定年に達したる場合は、次期総会にて退任するものとする。但し留任の必要ある時は株主総会の承認を得て延長することができる。

（役付任免）
第17条　役員の役付任命及び担当業務任命、変更は代表取締役社長が決め、取締役会の承認を得る。

第4章　給　与

（役員の報酬総額）
第18条　役員報酬の総額は、取締役および監査役に区分して株主総会においてこれを定める。取締役各員に対する割当については代表取締役社長が決定する。
2．監査役については、監査役協議のうえ決定する。

（役員報酬の内容）
第19条　役員の報酬は、基本報酬と責任報酬の二本立てとし合算した報酬を年俸とし月月分割して支払う。但し中途退任の場合、年俸の分割残額は支給しない。役員が他社の役員を兼務し主力が他社であったり、病気の為一か月以上欠勤したり、経営不振により見通しが赤字決算になりそうな時は、責任報酬は支給しない。

第5章　賞与及び慰労金

（役員の賞与）
第20条　役員の賞与は業務の実績により毎期利益処分案に計上し、株主総会の決議を経て決定する。
各員に対する割当は第18条に準じて行う。

（役員の退職慰労金）
第21条　退任が決定した役員には第26条により退職慰労金を支払う。

64

第6章 見舞金及慶弔金

（見舞金）
第22条 役員が火災、風水害、その他の災害を被ったときは見舞金を贈る。その金額は取締役会で決定する。

（弔慰料）
第23条 役員が在任中死亡したるときは、会社が適当と認める遺族に対し、弔慰料（香典）を贈る。その金額は取締役会で決定する。尚功労ありたる者は取締役会に諮り、社葬としてとり行うことがある。この場合供物は遺族に贈り、諸費用はすべて会社の負担とする。但し戒名料は負担しない。

（慶弔見舞金）
第24条 役員の慶弔（本人を除く）及び見舞金については別に定める。

第7章 諸 則

（出張旅費）
第25条 役員の出張旅費、日当については別に定める。

第26条 役員の退任慰労金運用基準
1 退任慰労金は本人の退任期における基本年俸を算定基礎として算出支給する。
2 役員の任期を一期（二年）つとめたものに、下記の通り支給する。

イ 取締役（平取締役）……基本年俸の五〇％
ロ 常務取締役……基本年俸の六〇％
ハ 専務取締役……基本年俸の七〇％
ニ 代表取締役社長……基本年俸の八〇％

3 役員の任期を二期以上一期ますごとに、基本年俸の六分の一を加算する。但し、中途退任のときは、月割とする。
4 常勤役員が退任又は非常勤役員となり基本年俸が二分の一未満になるときは、退任慰労金を算出し支給する。
5 其の他特に功労のありたる者又は非常勤役員は、その功績を取締役会でその評価を検討し、金額を決定する。その金額は株主総会の承認を得て功労金として支給する。
6 役員勤務規程第7条の行為あるときは、第26条の規定は適用しない。
7 役員が死亡したるときは、会社が適当と認める遺族に対しこれを贈る。
8 経営状態によっては退任慰労金、功労金を分割して支給することもある。
9 本条の規定はCO堂・SM株式会社間に於ける人事移動あるとき、前任事業所より勤続を引継ぐものとし、その負担額については、両社にて協議する。

付 則

（施行）
第27条 この規程は〇〇年〇月〇日より施行する。

取締役規程

RE産業
（機械製造業・従業員三八〇名）

第1章 総 則

（総則）
第1条 この規程は、取締役の就任、退任、服務規律、勤務条件および報酬等について定める。
2 この規程に定めのない事項は、法令、定款、株主総会決議または取締役会決議による。

（適用範囲）
第2条 この規程は、常勤取締役に適用する。
2 非常勤取締役については、第5章を除き、この規程を準用する。

第2章 就任

（選任）
第3条 取締役は、株主総会の決議により選任する。

（取締役候補者の決定）
第4条 株主総会に推薦する取締役候補者は、社長が取締役会に諮って決定する。

（資格）
第5条 法令に定める取締役の欠格事由に該当する者は、取締役になることができない。

（任期）
第6条 取締役の任期は、選任後二年以内の最終の事業年度に関する定時株主総会の終結の時までとする。

2 増員により、または補欠として選任された取締役の任期は、他の在任取締役の任期の満了すべき時までとする。

（就任承諾書）
第7条 取締役に就任することを承諾した者は、速やかに会社に就任承諾書を提出しなければならない。

（代表取締役の選定）
第8条 取締役会は、取締役会の決議により、代表取締役を選定する。

2 代表取締役は、会社を代表し、会社の業務を執行する。

第3章 退任

（退任の要件）
第9条 取締役は、任期満了、辞任、死亡、解任、または資格喪失によって退任する。

（任期満了）
第10条 任期が満了したときは、自動的に取締役としての資格を失う。

（辞任）
第11条 取締役を辞任しようとするときは、原則として三か月前までに社長に申し出なければならない。

（解任）
第12条 取締役の解任は、株主総会の決議による。

（資格喪失）
第13条 取締役が法令に定める欠格事由に該当したときは、取締役としての資格を失う。

（退任後の処遇）
第14条 会社は、退任した取締役を相談役または顧問に委嘱することがある。

第4章 服務規律

（忠実義務）
第15条 取締役は、次に掲げるものを誠実に遵守し、会社のためにその職務を遂行しなければならない。
(1) 会社法その他の法令
(2) 定款
(3) 株主総会の決議
(4) 取締役会の決議

（不正な利益の禁止）
第16条 取締役は、その地位を利用して不正に個人的な利益を得てはならない。

2 不正に個人的な利益を得たときは、会社にその利益を返還しなければならない。

（競業および利益相反取引の制限）
第17条 取締役は、次に掲げる場合には、取締役会において、その取引について重要な事実を開示し、その承認を受けなければならない。
(1) 自己または第三者のために会社の事業の部類に属する取引をしようとするとき
(2) 自己または第三者のために会社と取引をしようとするとき
(3) 会社が取締役以外の者との間において、会社とその取締役との利益が相反する取引をしようとするとき

2 前項各号の取引をした取締役は、その取引終了後、速やかに、その取引についての重要な事実を取締役会に報告しなければならない。

（会社に対する損害賠償責任）
第18条 取締役は、その任務を怠ったことにより会社に損害を与えたときは、その損害

取締役規程

KK運輸
（運輸業・従業員二、三〇〇名）

第1章 総則

（目的）
第1条 この規程は、取締役の就任、退任、服務規律、勤務条件および報酬等について定める。

2 この規程に定めのない事項は、次に掲げるものによる。
　(1) 会社法その他の法令
　(2) 定款
　(3) 株主総会の決議
　(4) 取締役会の決議

（適用範囲）
第2条 この規程は、常勤取締役に適用する。

2 非常勤取締役については、第5章を除き、この規程を準用する。

（会社との関係）
第3条 会社と取締役との関係は、委任に関

行う。

2 会社に損害を与えた取締役は、引責辞任することによってその賠償責任を免れることはできない。

（責任の一部免除）
第19条 会社は、前条第一項の規定にかかわらず、取締役が職務を行うにつき善意でかつ重大な過失がないときは、取締役会の決議により、賠償の責任を負う額から法令に定める最低責任限度額を控除して得た額を限度として免除することがある。

（第三者に対する損害賠償責任）
第20条 取締役は、その職務を行うについて悪意または重大な過失によって第三者に損害を与えたときは、その損害を賠償しなければならない。

第5章 勤務条件

（勤務時間・休日・休暇等）
第21条 取締役の勤務時間、休日および休暇等の勤務条件は、社員就業規則に準拠するものとする。

（出張）
第22条 取締役は、出張するときは、あらかじめ社長に届け出なければならない。

（災害補償）
第23条 会社は、取締役が業務上災害を負ったときは、社員の労働災害に準じて補償を

行う。

第6章 報酬・賞与・退職慰労金等

（報酬の決定手続き）
第24条 取締役の報酬は、株主総会で決議された総額の範囲内で、社長が取締役会に諮って決定する。

2 報酬は、取締役報酬一本とし、月額で定める。

（報酬の支払い）
第25条 取締役の報酬は、毎月二五日に支払う。当日が休日のときは、その前日に支払う。

（報酬からの控除）
第26条 報酬の支払いにあたり、次のものを控除する。
　(1) 所得税、住民税
　(2) 社会保険料
　(3) その他必要なもの

（賞与の支給）
第27条 取締役に対し、夏季および年末に、株主総会で決議された総額の範囲内で、賞与を支給する。

（退職慰労金の支給）
第28条 退任する取締役で会社に功労のあった者に対しては、株主総会に諮って退職慰労金を支給する。

付則 この規程は、〇〇年〇月〇日から施行する。

Ⅳ　役員制度に関する規程

する規定に従う。

第2章　就任

（選任）
第4条　取締役は、株主総会の決議により選任する。

（資格）
第5条　会社法に定める取締役の欠格事由に該当する者は、取締役になることができない。

（任期）
第6条　取締役の任期は、選任後二年以内の最終の事業年度に関する定時株主総会の終結の時までとする。

（就任承諾書）
第7条　取締役に就任することを承諾したときは、速やかに会社に就任承諾書を提出しなければならない。

（就任日）
第8条　取締役の就任日は、株主総会で選任された日とする。

（代表取締役の選定）
第9条　取締役会の決議により、代表取締役を選定する。
2　代表取締役は、会社を代表し、会社の業務を執行する。

（役付取締役の選定）
第10条　取締役会は、その決議により、取締役会長一名を選定するほか、必要に応じ、次の役付取締役を選定することができる。
(1) 取締役会長　一名
(2) 取締役副社長　若干名
(3) 専務取締役　若干名
(4) 常務取締役　若干名

第3章　退任

（退任の要件）
第11条　取締役が次のいずれかに該当するときは退任とする。
(1) 任期が満了したとき
(2) 辞任を申し出て取締役会で承認されたとき
(3) 死亡したとき
(4) 株主総会で解任されたとき
(5) 会社法第三三一条第一項に定める取締役の欠格事由に該当したとき
2　定款で定めた員数を欠くときは、任期満了または辞任により退任した取締役は、新たに選任された取締役が就任するまで、なお取締役としての権利義務を有する。

（辞任）
第12条　取締役を辞任しようとするときは、原則として三か月前までに社長に申し出なければならない。社長は、これを取締役会に諮って決定する。

（退任取締役の心得）
第13条　取締役を退任するときは、業務の引継ぎを完全に行い、かつ、退任後においても、在任中に担当した業務について責任をもたなければならない。

第4章　服務規律

（忠実義務）
第14条　取締役は、次に掲げるものを誠実に遵守し、会社のために忠実にその職務を遂行しなければならない。
(1) 会社法その他の法令
(2) 定款
(3) 株主総会の決議
(4) 取締役会の決議

（取締役会への出席義務）
第15条　取締役は、取締役会に出席しなければならない。

（取締役会への報告義務）
第16条　取締役は、取締役会に対し、職務の執行状況を正確に報告しなければならない。

（競業および利益相反取引の制限）
第17条　取締役は、次に掲げる場合には、取締役会において、その取引について重要な事実を開示し、その承認を受けなければならない。
(1) 自己または第三者のために会社の事業の部類に属する取引をしようとするとき

(2) 自己または第三者のために会社と取引をしようとするとき

(3) 会社が取締役の債務を保証することその他取締役以外の者との間において、会社とその取締役との利益が相反する取引をしようとするとき

2 前項各号の取引をした取締役は、その取引終了後、速やかに、その取引についての重要な事実を取締役会に報告しなければならない。

(監査役への報告義務)
第18条 取締役は、会社に著しい損害を及ぼすおそれのある事実があることを発見したときは、直ちに、その事実を監査役に報告しなければならない。

(会社に対する損害賠償責任)
第19条 取締役は、その任務を怠ったことにより会社に損害を与えたときは、その損害を賠償しなければならない。

2 前項の規定にかかわらず、職務を行うにつき善意でかつ重大な過失がないときは、取締役会の決議により、賠償の責任を負う額から法令に定める最低責任限度額を控除して得た額を限度として、賠償責任を免除することがある。

(責任限定契約)
第20条 会社は、法令の定めるところにより、社外取締役との間において、賠償責任額を限定する契約を締結することがある。ただ

し、その契約に基づく賠償責任限度額は、次のうち、いずれか高い額とする。
(1) 〇〇〇万円
(2) 法令に定める最低責任限度額

(第三者に対する損害賠償責任)
第21条 取締役は、その職務を行うについて悪意または重大な過失によって第三者に損害を与えたときは、その損害を賠償しなければならない。

2 取締役が、次に掲げる行為をしたときも、前項と同様とする。ただし、その行為をするに際して注意を怠らなかったことを証明したときは、この限りでない。

(1) 株式、新株予約権、社債若しくは新株予約権付社債を引き受ける者の募集をする際に通知しなければならない重要な事項についての虚偽の通知、またはそれらの募集のための説明資料についての虚偽の記載若しくは記録

(2) 計算書類、事業報告、附属明細書および臨時計算書類に記載・記録すべき重要な事項についての虚偽の記載・記録

(3) 虚偽の登記

(4) 虚偽の公告

第5章 勤務条件

(勤務時間・休日)
第22条 取締役の勤務時間および休日は、社員と同じとする。

(休暇)
第23条 取締役の休暇は、年間一二〇日とする。

2 休暇を取得するときは、あらかじめ社長に届け出るものとする。

(出張)
第24条 取締役は、出張するときは、あらかじめ社長に届け出なければならない。

(災害補償)
第25条 会社は、取締役が業務上災害を負ったときは、別に定めるところにより補償を行う。

第6章 報酬・退職慰労金等

(報酬の決定手続き)
第26条 取締役の報酬は、株主総会で決議された総額の範囲内で、社長が取締役会に諮って決定する。

(報酬の支払)
第27条 報酬は、月額で定め、毎月二五日に支払う。

(通勤費)
第28条 取締役のうち、乗用車で送迎を行う者以外の者に対しては、通勤費の実費を支給する。

(退職慰労金の支給)
第29条 退任する取締役に対しては、取締役で会社に功労のあった者に対しては、株主総会に諮って退職慰

監査役規程

NK商事
（小売業・従業員五六〇名）

（総則）
第1条　この規程は、監査役の就任、退任、服務および報酬等について定める。

2　この規程に定めのない事項は、次に掲げるものによる。
(1)　会社法その他の法令
(2)　定款
(3)　株主総会の決議

（会社との関係）
第2条　会社と監査役との関係は、委任に関する規定に従う。

（選任）
第3条　監査役は、株主総会の決議によって選任する。

（資格）
第4条　会社法に定める監査役の欠格事由に該当する者は、監査役になることができない。

2　監査役は、会社・子会社の取締役または社員を兼ねることはできない。

（任期）
第5条　監査役の任期は、選任後四年以内に終了する事業年度のうち最終のものに関する定時株主総会の終結の時までとする。

2　任期の満了前に退任した監査役の補欠として選任された者の任期は、退任した者の任期の満了時までとする。

（退任の要件）
第6条　監査役が次のいずれかに該当するときは退任とする。
(1)　任期が満了したとき
(2)　辞任を申し出て取締役会で承認されたとき
(3)　死亡したとき
(4)　株主総会で解任されたとき
(5)　会社法に定める欠格事由に該当したとき

（辞任）
第7条　監査役を辞任しようとするときは、原則として三か月前までに社長に申し出なければならない。社長は、これを取締役会に諮って決定する。

（監査の範囲）
第8条　監査役は、会計に関する事項を監査する。

（会計帳簿の閲覧等）
第9条　監査役は、いつでも、会計帳簿を閲覧し、コピーすることができる。

2　監査役は、いつでも、取締役および社員に対して会計に関する報告を求めることができる。

3　監査役は、職務上必要であるときは、業務および財産の状況を調査することができる。

（監査報告書）
第10条　監査役は、監査を行ったときは監査報告書を作成し、これを取締役社長に提出しなければならない。

（株主総会への提出議案の調査）
第11条　監査役は、取締役が株主総会に提出しようとする会計に関する議案、書類その他のものを調査し、その調査の結果を株主総会に報告しなければならない。

（会社に対する損害賠償責任）
第12条　監査役は、その任務を怠ったことにより会社に損害を与えたときは、その損害を賠償しなければならない。

（第三者に対する損害賠償責任）
第13条　監査役は、その職務を行うについて悪意または重大な過失によって第三者に損害を与えたときは、その損害を賠償しなければならない。

2　監査役が監査報告に虚偽の記載をしたときも、同様とする。

（報酬）

労金を支給する。

（付則）　この規程は、○○年○月○日から施行する。

2　監査役の任期は、選任後四年以内に

監査役規程

（FD建物・不動産業
従業員二、八〇〇名）

第1章　総　則

（総則）
第1条　この規程は、監査役の就任、退任、服務および報酬等について定める。
2　この規程に定めのない事項は、次に掲げるものによる。
(1)　会社法その他の法令
(2)　定款
(3)　株主総会の決議

（会社との関係）
第2条　会社と監査役との関係は、委任に関する規定に従う。

第2章　就　任

（選任）
第3条　監査役は、株主総会の決議により選任する。

（監査役の資格）
第4条　会社法に定める監査役の欠格事由に該当する者は、監査役になることができない。
2　監査役は、会社または子会社の取締役または社員を兼ねることはできない。

（監査役の選任に関する監査役会の同意）
第5条　取締役会は、監査役の選任に関する議案を株主総会に提出するときは、あらかじめ監査役の同意を得るものとする。

（任期）
第6条　監査役の任期は、選任後四年以内の最終の決算期に関する定時株主総会の終結の時までとする。
2　任期の満了前に退任した監査役の補欠として選任された監査役の任期は、退任した監査役の任期の満了する時までとする。

（就任承諾書）
第7条　監査役に就任することを承諾したときは、速やかに会社に就任承諾書を提出しなければならない。

（就任日）
第8条　監査役の就任日は、株主総会で選任された日とする。

第3章　退　任

（退任の要件）
第9条　監査役は、次のいずれかに該当するときは退任とする。
(1)　任期が満了したとき
(2)　辞任を申し出て取締役会で承認されたとき
(3)　死亡したとき
(4)　株主総会で解任されたとき
(5)　会社法に定める監査役の欠格事由に該当したとき

（辞任）
第10条　監査役は、辞任するときは、原則として三か月前までに社長に申し出なければならない。社長は、これを取締役会に諮って決定する。

（解任）
第11条　監査役の解任は、株主総会の決議による。

（株主総会での意見の陳述）
第12条　監査役は、株主総会において、解任

第14条　監査役の報酬は、株主総会で決議する。
2　報酬は、月額で定める。

（報酬の支払い）
第15条　報酬は、毎月二五日に支払う。当日が休日のときは、その前日に支払う。

（退職慰労金）
第16条　監査役が退任するときは、株主総会に諮って退職慰労金を支給する。

（付則）この規程は、〇〇年〇月〇日から施行する。

IV 役員制度に関する規程

または辞任について意見を述べることができる。

2 監査役を辞任した者は、辞任後最初に招集される株主総会に出席して、辞任した旨およびその理由を述べることができる。

第4章 服務

（独立性等）
第13条 監査役は、常に公正不偏の態度および独立の立場を保持して、その職務を遂行しなければならない。

（意思疎通）
第14条 監査役は、その職務を適切に遂行するため、取締役および社員との意思疎通を図り、情報の収集および監査環境の整備に努めなければならない。

（監査の範囲）
第15条 監査役は、取締役の職務の執行を監査する。

2 監査役は、いつでも、取締役および社員に対して事業の報告を求め、または会社の業務および財産状況の調査をすることができる。

（監査報告書）
第16条 監査役は、取締役の職務の執行を監査したときは、監査報告を作成し、これを取締役社長に提出しなければならない。

（取締役会への報告義務）
第17条 監査役は、取締役が不正の行為をし、若しくは不正の行為をするおそれがあると認めるとき、または法令もしくは定款に違反する事実もしくは著しく不当な事実があると認めるときは、遅滞なく、その旨を取締役会に報告しなければならない。

（取締役会への出席義務）
第18条 監査役は、取締役会に出席し、必要があると認めるときは、意見を述べなければならない。

（株主総会に対する報告義務）
第19条 監査役は、取締役が株主総会に提出しようとする議案、書類その他のものを調査しなければならない。

2 調査において、法令若しくは定款に違反し、または著しく不当な事項があると認めるときは、その調査の結果を株主総会に報告しなければならない。

（取締役の行為の差止め）
第20条 監査役は、取締役が法令若しくは定款に違反する行為をし、またはこれらの行為をするおそれがある場合において、その行為によって会社に著しい損害が生ずるおそれがあるときは、その取締役に対し、その行為をやめることを請求することができる。

（会社と取締役との間の訴えにおける会社の代表）
第21条 次に掲げる場合には、監査役が会社を代表する。

(1) 会社が取締役（取締役であった者を含む。以下この条において同じ。）に対して訴えを提起する場合

(2) 取締役が会社に対して訴えを提起する場合

(3) 株主から取締役の責任を追及する訴えを提起されたとき

（会社に対する損害賠償責任）
第22条 監査役は、その任務を怠ったことにより会社に損害を与えたときは、その損害の全額を賠償しなければならない。

2 前項の規定にかかわらず、監査役が職務を行うにつき善意でかつ重大な過失がないときは、取締役会の決議により、賠償責任額から、法令に定める最低責任限度額を控除して得た額を限度として免除することができる。

（第三者に対する損害賠償責任）
第23条 監査役は、その職務を行うについて悪意または重大な過失によって第三者に損害を与えたときは、その損害を賠償しなければならない。

2 監査役が監査報告に記載すべき重要な事項について虚偽の記載をしたときも、同様とする。

第5章 報酬等

会計参与規程

（SA警備・従業員八〇名　警備業）

（総則）
第1条　この規程は、会計参与の選任、退任、服務および報酬等の基準について定める。
2　この規程に定めのない事項は、法令、定款または株主総会の決議による。

（会社との関係）
第2条　会社と会計参与との関係は、委任関係とする。

（選任）
第3条　会計参与は、株主総会の決議により選任する。

（任期）
第4条　会計参与の任期は、選任後二年以内に終了する事業年度のうち最終のものに関する定時株主総会の終結の時までとする。

（退任の要件）
第5条　会計参与は、任期満了、辞任、死亡、解任または資格喪失により退任する。

（辞任）
第6条　会計参与を辞任しようとするときは、原則として三か月前までに社長に申し出なければならない。

（職務の範囲）
第7条　会計参与は、取締役と共同して、計算書類およびその附属明細書（以下、「計算書類」という）を作成する。

（会計参与報告書）
第8条　会計参与は、計算書類を作成したときは、会計参与報告書を作成し、これを社長に提出しなければならない。

（会計帳簿等の閲覧権等）
第9条　会計参与は、いつでも会計帳簿を閲覧し、複写することができる。
2　会計参与は、いつでも取締役および社員に対して、会計に関する報告を求めることができる。

（業務・財産の調査）
第10条　会計参与は、その職務上必要があるときは、会社の業務および財産の状況を調査することができる。

（計算書類等の備置き）
第11条　会計参与は、計算書類および会計参与報告書を、定時株主総会の一週間前の日から5年間、会計参与が定めた場所に備え置かなければならない。
2　会計参与は、株主または債権者から、計算書類および会計参与報告書の閲覧または複写を請求されたときは、その請求に応じなければならない。

（報酬の決定手続き）
第12条　会計参与の報酬は、株主総会の決議によって定める。

（費用等の請求）
第13条　会計参与は、その職務の執行について、会社に対して費用の前払いを請求することができる。

（付則）この規程は、〇〇年〇月〇日から施行する。

（報酬）
第24条　監査役の報酬は、株主総会で決議された総額の範囲内で、監査役が協議して決定する。

（報酬の支払い）
第25条　報酬は、毎月二五日（当日が休日のときは、その前日）に支払う。

（退職慰労金の支給）
第26条　監査役が退任するときは、株主総会の決議を得て退職慰労金を支給する。

（付則）この規程は、〇〇年〇月〇日から施行する。

会計参与規程

KO建設
（建設業・従業員四五名）

（総則）
第1条 この規程は、会計参与の選任、退任、服務および報酬等の基準について定める。
2 この規程に定めのない事項は、法令、定款または株主総会の決議による。

（会社との関係）
第2条 会社と会計参与との関係は、委任関係とする。

（選任）
第3条 会計参与は、公認会計士または税理士の資格を有する者とし、株主総会の決議により選任する。

（任期）
第4条 会計参与の任期は、選任後二年以内に終了する事業年度のうち最終のものに関する定時株主総会の終結の時までとする。

（退任の要件）
第5条 会計参与が次のいずれかに該当するときは、退任とする。
(1) 任期満了
(2) 辞任
(3) 死亡
(4) 解任
(5) 資格喪失

（職務の範囲）
第6条 会計参与は、取締役と共同して、計算書類およびその附属明細書（以下、「計算書類」という）を作成する。

（会計参与報告書）
第7条 会計参与は、計算書類を作成したときは、会計参与報告書を作成し、これを取締役社長に提出しなければならない。
2 会計参与報告書には、次の事項を記載しなければならない。
(1) 会計参与の職務遂行について会社と合意した主な内容
(2) 計算書類のうち、取締役と会計参与が共同して作成したものの種類
(3) 計算書類の作成のために採用している会計処理の原則、手続きおよび表示方法その他計算書類の作成のための基本となる事項
(4) 計算書類の作成に用いた資料の種類その他計算書類の作成の過程および方法
(5) その他法務省令で定められている事項

（会計帳簿等の閲覧権等）
第8条 会計参与は、いつでも会計帳簿を閲覧し、複写することができる。
2 会計参与は、いつでも取締役および社員に対して、会計に関する報告を求めることができる。

（業務・財産の調査）
第9条 会計参与は、その職務および財産の状況を調査することができる。

（株主総会における意見の陳述）
第10条 会計参与は、計算書類または会計参与報告書の作成に関する事項について取締役と意見を異にするときは、株主総会において意見を述べることができる。

（計算書類等の備置き）
第11条 会計参与は、計算書類および会計参与報告書を、定時株主総会の一週間前の日から五年間、会計参与が定めた場所に備え置かなければならない。
2 会計参与は、株主または債権者から、計算書類および会計参与報告書の閲覧または複写を請求されたときは、その請求に応じなければならない。

（会社に対する損害賠償責任）
第12条 会計参与は、その任務を怠ったことにより会社に損害を与えたときは、その損害を賠償しなければならない。
2 前項の規定にかかわらず、会計参与が職

務を行うにつき善意でかつ重大な過失がないときは、株主総会の決議により、賠償責任額から法令に定める最低責任限度額を控除して得た額を限度として免除することがある。

（第三者に対する損害賠償責任）
第13条　会計参与は、その職務に関して悪意または重大な過失によって第三者に損害を与えたときは、その損害を賠償しなければならない。

2　会計参与が計算書類および会計参与報告書に虚偽の記載をしたときも、同様とする。

（報酬）
第14条　会計参与の報酬は、株主総会の決議によって定める。

2　報酬は、毎月二五日（当日が休日のときは、その前日）に支払う。

（費用等の請求）
第15条　会計参与は、その職務の執行について、会社に対して費用の前払いを請求することができる。

（付則）この規程は、○○年○月○日から施行する。

V 役員報酬・退職金等に関する規程

Ⅴ 役員報酬・退職金等に関する規程

〈コメント〉

1 報酬

報酬は、「役員としての職務執行の対価」として支払われるものである。

報酬は、株主総会において承認された総額の範囲内において、取締役会において決定するものとする。

報酬の決め方には、

・年額で定める
・半期額で定める
・月額で定める

などがある。

一般的にいえば、月額で定め、毎月一定の期日に支払うのが妥当である。

報酬は、次の事項を総合的に勘案して決定するのが合理的である。

① 業務遂行の困難さ
② 責任の程度
③ 会社の業績
④ 社員給与とのバランス
⑤ 同業他社の報酬の金額

2 退職慰労金

(1) 退職慰労金の趣旨

退職慰労金は、「在任中の功労に対する報酬」という性格を有する。

退職慰労金は、「在任中会社の業績向上に尽力してくれたことの見返りとして支給されるものである。

最近は、役員制度改革の一環として退職慰労金制度を廃止する会社が増えているが、全体としては、支給しているところが多い。

退職慰労金を支給している会社は、その取扱いの基準を合理的に決め、それを規程として明文化しておくことが望ましい。

(2) 退職慰労金の算定方法

退職慰労金の算定方式としては、次のようなものが使用されている。

① Σ（役位別報酬×役位別在任期間）方式

これは、役位ごとの報酬に、役位別の在任期間を乗じたものの総和をもって、退職慰労金とするというものである。

② Σ（役位別報酬×役位別功績倍率×役位別在任期間）方式

これは、「役位別の報酬」に、「役位別の功績倍率」を掛け、さらに「役位別の在任期間」を乗じたものの総和をもって、退職慰労金とするというものである。

③ 退任時報酬×Σ（役位別功績倍率×役位別在任期間）方式

これは、「役位別の功績倍率」に「役位別の在任期間」を乗じたものの総和を求め、その総和に「退任時の報酬」を乗じることによって、退職慰労金を算定するというものである。

④ 退任時報酬×役員在任期間×退任時役位別功績倍率方式

これは、「退任時の報酬」、「役員在任全期間」および「退任時役位別功績倍率」の三つを乗じることによって、退職慰労金を算定するというものである。

⑤ 退任時報酬×役員在任期間方式

これは、「退任時の報酬」に「役員在任全期間」を乗じることによって、退職慰労金を算定するというものである。

(3) 功労加算

退職慰労金について、功労加算を行っている会社が多い。功労加算は、「役員退職慰労金の30％以内」とするのが適切である。

役員報酬規程

```
DE社
・繊維
・資本金　四億円
・従業員　四五〇人
```

（目 的）
第1条　この規程は、役員の報酬に関する事項を定める。

（役員報酬の意義）
第2条　この規程において役員の報酬とは、会社が役員に対し、取締役または監査役としての業務執行の対価として支払うものをいう。

（報酬の決定）
第3条　① 役員報酬は、株主総会において取締役および監査役ごとに定められた総額の範囲内とする。
② 各取締役への配分は、職務・資格等を勘案して取締役会において決定する。
③ 前項にかかわらず、各取締役への配分額は、取締役社長に一任して決定することがある。
④ 監査役への配分は①の範囲内で監査役協議のうえ決定する。

（支 給）
第4条　役員報酬は、月給制とし、毎月二十五日に支給する。ただし、支給日が会社の休日にあたるときは、前日に繰り上げて支給する。

（控 除）
第5条　役員報酬から控除されるものは、所得税、地方税および社会保険料とする。

（手 当）
第6条　① 役員には、月額報酬のほか、通勤手当および出張手当を支給する。
② 前項の手当の支給方法は、別に定める。

（役員賞与）
第7条　会社は、当期の営業成績により、株主総会の承認を得て、益金処分として役員賞与を支給する。ただし、各役員への配分額および支給方法は、第3条（報酬の決定）に準じて行う。

（退職慰労金）
第8条　① 役員が退任するときは、別に定める退職慰労金規程に基づき、退職慰労金を支給する。
② 前項の支給は、株主総会において決議し、取締役会または代表取締役社長がその細則を決定する。

（兼務役員の給与）
第9条　① 役員が管理職を兼務しているときは、その兼務の状況によって、役員報酬と管理職給与に区分して支給する。
② 役員賞与および退職慰労金は、役員としての個々の業務執行状況を評価して決定する。
③ 前2項の区分および評価は、取締役社長が行う。
④ 管理職が兼務のまま役員に就任するときは、その就任の前日をもって、従業員退職金規程による退職金を算定し、これを支給または本人の債権として保留する。
⑤ 前項の場合は、以後の管理職給与の部分については、従業員給与規程の適用を除外する。

付　則
この規程は、〇〇年〇月〇日から施行する。

役員の報酬・賞与に関する規程

```
AM商事
・商社（紙卸売業）
・資本金　二億円
・従業員　三〇〇人
```

第1章　総　則

（目 的）
第1条　この規程はAM商事株式会社（以下会社という）の取締役及び監査役（以下役

員という）の報酬その他の事項を定めたものである。

（役員の種類と適用範囲）
第2条　役員とは、株主総会で選任された取締役及び監査役をいう。
2．役員待遇の相談役、顧問、嘱託等について、この規程を準用する。

第2章　役員の報酬

（役員報酬の決定基準）
第3条　役員の報酬は、株主総会が決定する取締役および監査役ごとの範囲内とする。
2．取締役の報酬は第一項の範囲内で世間水準及び対従業員給与とのバランスを考慮して、取締役会で決定する。
3．監査役の報酬は第一項の範囲内で前項に準じ監査役が決定する。

（役員報酬の表示）
第4条　役員の報酬は、原則として役員報酬一本で表示する。但し、役員報酬算定にあたって、基本報酬額と重役手当に分離して表示することはさしつかえない。
2．従業員役員の報酬については、原則として基本報酬額と重役手当にわけて表示する。

（通勤費の取扱い）
第5条　役員のうち乗用車による送迎を行なう者以外は、その通勤の実態に応じて、その実費を支給するか、その費用を会社が負担する。

（役員報酬の支払いと控除）
第6条　役員報酬は暦月計算とし、従業員給与の支給日に支給する。
2．税金、社会保険料等の控除及び本人から申し出のあった前払金、貸付金、立替金、積立金等は、毎月の報酬から控除して支給する。

（出向役員の報酬）
第7条　出向役員の報酬は、現給補償を建前とし、会社と出向先との協議によって、負担区分や支給方法を決定する。

（派遣役員の報酬）
第8条　関係会社、金融機関等から派遣される役員の報酬は原則として会社の同一役位者とのバランスで決定する。

（昇格、降格等による報酬の変更）
第9条　常勤役員が、昇格または、降格した場合、あるいは、監査役に就任したときの報酬については、その重役手当に相応する金額の分を増減額して決定する。
2．常勤役員が、非常勤役員に就任したときは、その服務の実態に応じて新しく報酬額を決定する。

（長欠役員の報酬）
第10条　役員が病気その他の事由によって長欠した場合の報酬は、その任期が満了するまでは原則として減額しない。

第3章　役員報酬の増減額

（役員報酬の増減額）
第11条　役員報酬に対しては、定期昇給は行なわない。但し、同一人が再任される場合には、その任期の更改期に報酬額の増減を行なうことがある。

（役員報酬とベースアップ）
第12条　従業員給与がベースアップされるに伴って、役員報酬との間に、著しい不均衡が発生するような場合には、従業員給与のベースアップ時期に合わせて役員報酬の増額改訂を行なうことがある。

第4章　役員賞与

（役員賞与の決定基準）
第13条　役員の賞与は、会社の営業成績に応じて、益金処分として、株主総会の議を経て決定する。
2．各役員ごとの賞与の配分については、第3条（役員の報酬決定基準）に従って決定する。

（従業員役員の賞与）
第14条　従業員役員の賞与（常務以上の役員を除く）に対して、その従業員分の賞与を、従業員

役員退職慰労金支給規程

AD電気
・電気機械
・資本金　二億円
・従業員　五〇〇人

（目的）
第1条　この規程は、当会社の取締役または監査役（以下「役員」という）が退職した際に、株主総会の決議を経て支給する役員退職慰労金について定める。

（支給）
第2条　退職した役員に対しては、この規程の定めに従って、株主総会の決議に基づき、取締役会の決議により退職慰労金を支給する。

（退職慰労金の額）
第3条　① 役員の退職慰労金の額は、退任当時の賞与を含まない年額報酬に、次項の役付係数を乗じ、これに役員在職年数を乗じて算出する。

② 役付係数は、退任当時の役位区分に従い、次の各号のとおりとする。
(1) 取締役会長　六〇％
(2) 取締役社長　六〇％
(3) 取締役副社長　五五％
(4) 専務取締役　五〇％
(5) 常務取締役　四五％
(6) 取締役（常勤）　四〇％
　〃　（非常勤）　三五％
(7) 監査役（常勤）　四〇％
　〃　（非常勤）　三五％

（加算）
第4条　特に功績の顕著であった役員に対しては、前条により計算した額にその三〇％以内の金額を加算した額を支給する。

（死亡役員の退職慰労金）
第5条　役員がその任期中に死亡により退職したときは、任期の残存期間の有無にかかわらず、死亡当時の賞与を含む年額報酬に、第3条第2項の役付係数を乗じ、これに役員在職年数を乗じて算出した額の退職慰労金を、その遺族に対して支給する。

（使用人兼務取締役の使用人退職金）
第6条　この規程により支給する退職慰労金には、使用人兼務取締役に対する使用人分の退職金は含まれないものとする。

（適用除外）
第7条　株主総会において役員の退職慰労金の額を決議したときは、この規程は適用しない。

（規程の改正）
第8条　この規程は、取締役会の決議により、改正することができる。

付　則
1　この規程は、○○年○月○日から施行する。
2　この規程施行前の株主総会において退職慰労金の支給額を決議したときは、それによる。

きは、当該従業員役員の賞与は、重役手当分に対応した額を役員分賞与として支給する。

付　則
（施　行）
第15条　この規程は、○○年○月○日より施行する。

役員退職慰労金支給規程

PO電気
・電気機械製造
・資本金　八千万円
・従業員　二五〇人

（支給範囲）
第1条　会社の取締役または監査役（以下「役員」という）が退任または死亡したときは、株主総会の決議により、この規程に基づき退職慰労金を支給する。

（基本支給額）
第2条　退職慰労金の基本支給額は、各役位ごとの在任最終報酬月額にそれぞれ各役位

役員退職慰労金支給規程

SG金属
・金属製品
・資本金　一億二千万円
・従業員　三五〇人

（総　則）
第1条　本規程は、退職した取締役または監査役（以下「役員」という）の退職慰労金について定める。

（退職慰労金額の決定）
第2条　退職した役員に支給すべき退職慰労金は、次の各号のうち、いずれかの額の範囲内とする。

① 本規程に基づき取締役会が決定し、株主総会において承認された額
② 本規程に基づき計算すべき旨の株主総会の決議に従い、取締役会が決定した額

（退職慰労金の額の算出）
第3条　退職慰労金は、当該役員の退職時の報酬月額に、別表の役員在任年数に対する支給率と、第6条に掲げる最終役位係数を乗じて得た額とする。

（報酬月額）
第4条　前条の報酬月額とは、名目のいかんを問わず、毎月定まって支給されるものの総額をいう。

（在任期間）
第5条　在任期間の計算は、役員就任の日より退任の日までとし、歴月によって計算する。

別の在任年数（一か月未満の日数は一か月として計算）を乗じて得た金額の合計額とする。

（功労加算額）
第3条　在任中に特に功労が顕著であったと認められる者に対しては、その功労に応じ第2条により計算した基本支給額の一〇〇％の範囲内において加算を行うことができるものとする。

（受給権者）
第4条　退職慰労金の受給者である役員が死亡したときは、第2条および第3条の規定により計算された退職慰労金は、当該受給者または計算された役員の死亡当時その者と生計を維持していた遺族に支給する。前項の遺族の範囲および支給順位については、従業員退職給与規程に準ずる。

（在任期間）
第5条　在任期間の計算は、役員就任の日より退任の日までとし、歴月によって計算する。

（支給時期および方法）
第6条　退職慰労金は、株主総会における承認の日より一か月以内に、退任役員または第4条によって定められた受益権者の指定した方法により支払う。

（施　行）
第7条　この規程は○○年○月○日より施行する。

（非常勤期間）
第5条　役員に非常勤期間がある場合は、第3条の在任年数の計算に当たって、その期間を除くものとする。ただし、特別の場合は、取締役会で別に定めることができる。

（役位係数）
第6条　①役位係数は次のとおりとする。

会　長　二・八
社　長　三・二
専　務　二・六
常　務　二・三
取締役　二・〇
監査役　一・五

（別　表）

在任年数	支給率	在任年数	支給率	在任年数	支給率
2年未満	1	8年以上	8	15年以上	17
2年以上	2	9年〃	9	16年〃	18
3年〃	3	10年〃	12	17年〃	19
4年〃	4	11年〃	13	18年〃	20
5年〃	5	12年〃	14	19年〃	21
6年〃	6	13年〃	15	20年〃	24
7年〃	7	14年〃	16	21年〃	25

役員退職慰労金支給規程

KE工業
- 精密機械
- 資本金　七千万円
- 従業員　二八〇人

(目的)
第1条　この規程は、役員の退職または死亡に際し慰労金を支給し、もって役員在任中の功労に報い、退職後における役員または遺族の生活の安定に寄与することを目的とする。

(適用の範囲)
第2条　① この規程は取締役・監査役の全役員に適用し、役員待遇の相談役・顧問・嘱託等についてはこれを準用する。
② 役員退職慰労金は、役員として円満に勤務し、死亡・定年または自己の都合により退職した者に支給する。
③ 次の各号の一に該当する場合は、第3条の役員退職慰労金を減額し、または支給しないことがある。
(1) 退職に当たり所定の手続きおよび事務処理等をなさず、会社業務の運営に支障をきたした場合
(2) 退職に当たり会社の信用を傷つけ、または在任中に知り得た会社の機密をもらすことによって会社に損害を与えるおそれのある場合
(3) 在任中不都合な行為があり、役員を解任された場合
(4) その他前各号に準ずる行為があり、役員会で減額ないしは不支給を適当と認めた場合

(役員退職慰労金の算定基準)
第3条　役員退職慰労金の算定は、次表の各役位別在任一か年当たりの金額を基本額とし、これに各役位の在任年数を乗じて得た額の累計額とする。(○○年度平均)。

各役位別在任一か年当たり基本額

役　位	基本額（円）
会長・社長	2,000・2,400 万円
副　社　長	2,100
専　　　務	1,700
常　　　務	1,450
取　締　役	1,150
非常勤取締役	―
監　査　役	1,000

(在任期間の計算)
第4条　① 在任年数は、就任の月から起算し死亡または退任の月までとする。
② 在任年数に一年未満の端数があるときは月割計算とし、年度中に役位に異動を生じたときは、異動の月から新しい役位を適用する。

② 役位に変更があった場合は、役員在任中の最高役位を以て計算する。
③ 役位の変更によって報酬月額が減少した場合は、役員在任中の最高報酬月額を以て計算する。

(特別功労金)
第7条　取締役会は、とくに功績顕著と認められる役員に対しては、第3条により算出した金額に、その三〇％を超えない範囲で加算することができる。

(支払時期および方法)
第8条　退職慰労金の支払時期は、株主総会直後の取締役会から二か月以内とする。ただし、経済界の景況、会社の業績いかん等により、当該役員と協議の上、支給の時期、回数、方法を別に定めることがある。

付　則
本規程は、○○年○月○日より実施する。

V 役員報酬・退職金等に関する規程

（特別功労金）
第5条　取締役会は、退職役員の功績を評価し、第3条に定める退職慰労金の功労金のほかに、その二割を超えない範囲で、功労金を支給することができる。

（特別功労金）
第6条　取締役会は、会社の創立あるいは会社再建等の時期に格別の功績があった者には、前条の功労金に加え、第3条に定める退職慰労金の三割を超えない範囲で、特別功労金を支給することができる。

（退職慰労金の支払い）
第7条　役員退職慰労金・功労金・特別功労金は、完全に引継ぎを完了し、かつ会社に対して債務のある場合はその債務を返済した者に対し、以後一か月以内に支払うことを原則とする。

（在任中の地位の変動に伴う退職慰労金の取扱い）
第8条　役員の分掌変更等により地位が大幅に変動し、その報酬月額がおおむね従前の五〇％以下に減少する場合は、その役員の申出によって、変動時までの退職慰労金を支給することができる。ただし、この場合は、その後の在任期間については、原則として退職慰労金を支給しない。

（例外扱い）
第9条　本規程による役員退職慰労金は、当該期の会社の営業成績により、支給基準お

よび支払方法を変更することができる。

（協議事項）
第10条　本規程に定めのない事項については、取締役会において協議決定する。

付　則
本規程は、〇〇年〇月〇日より施行する。

役員旅費規程

MJ薬品
・製薬
・資本金　三億円
・従業員　八〇〇人

第1章　総　則

（目的）
第1条　この役員旅費規程（以下「規程」という）は、役員規程第17条により、役員が業務のため出張する場合の旅費の支給に関する事項を定める。

（出張区分および旅費の種類）
第2条　この規程で、役員の出張区分は、国内出張、外国出張、の二区分とする。
2　前項の区分に従い、出張旅費の種類は、国内出張旅費および外国出張旅費とする。

（旅費の計算）

第3条　旅費の計算に際し、発着場所は原則として勤務場所とし、最短経済路により旅行し、それを基準として順路に従い旅費を計算する。ただし、業務の都合、天災、傷病その他やむをえない事由によって迂回し、または滞在したことを会社が承認したときは、実際に通過した経路およびこれに要した日数に応じて旅費を支給する。

（旅費の概算払と精算）
第4条　旅費は、出張前に予定額の範囲内で前渡しをするものとする。
ただし、第7条の近距離の日帰り出張は精算払いとする。
2　旅費の前渡しを受けた者は、帰任または着任後三日以内（外国出張の場合は五日以内）に精算をしなければならない。ただし、打切り旅費の支給を受けた場合は、この限りでない。

（旅費の実費払い）
第5条　出張の用件または出張地の状況その他特別の事由によって、所定の旅費をもって支弁し難い場合は実費を支給する。この場合には、可能な範囲での支払証明書を必要とする。

第2章　国内出張旅費

（国内出張の区分）
第6条　国内出張の場合は、日帰り出張およ

及び宿泊出張に区分する。

第1節　日帰り出張

（日帰り出張）
第7条　日帰り出張とは、会社を出発して通常日帰りで往復できる地域の出張をいう。

2　日帰り出張の地域は、新幹線利用可能地域を除き、おおむね二五〇キロメートル以内を目安とし、つぎのとおりとする。

① 東海道新幹線方面……名古屋市まで
② 中央本線方面……松本市まで
③ 東北新幹線方面……仙台市まで
④ 上越新幹線方面……新潟市まで
⑤ 常磐線方面……平市まで
⑥ 外房・内房線方面……房総地方全域
⑦ 長野新幹線方面……長野市まで
⑧ その他の方面……前各号に準じて都度決定する。

（宿泊出張取扱い）
第8条　日帰り出張において、その地域が山間へき地であるか、または交通機関が充分でないなどのため、日帰りが困難の場合もしくは、用務の都合で宿泊を要する場合は、宿泊出張の取扱いとする。

（航空機利用の場合）
第9条　第7条第2項以遠の宿泊出張地出張が、航空機、自動車等を利用したため日帰りとなる場合は、原則として日帰り出張を適用する。

（日帰り出張旅費）
第10条　日帰り出張の旅費は、交通費および弁当料とし、つぎによって支払う。

等級	交通費			弁当料
	鉄道	汽船	航空機	
代表役員	グリーン	グリーン	ファースト	5時間以上 3,000円
役員	グリーン	グリーン	エコノミー	5時間未満 2,000円

（注）① 交通費はそれぞれ実費。
② 弁当料は会社が認めたとき。
③ タクシー代は会社が認めたとき実費。
④ 定期乗車券もしくは、回数券に代える場合は交通費を支給しない。
⑤ 会社の自家用車を利用したときは、交通費を支給しない。
⑥ 会社が承認したマイカー利用の場合は、燃料費および修理費等を支給し、交通費を支給しない。

第2節　宿泊出張

（宿泊出張）
第11条　宿泊出張は、その距離が第7条以遠の地域の出張をいい、通常宿泊を要する地域の出張をいう。

（宿泊出張の特例）
第12条　宿泊出張地の出張であっても、用務の内容、利用交通機関、もしくは所要時間によって、これを日帰り出張とすることがある。この場合、弁当料に代えて、第15条の日当を支給する。

（宿泊出張旅費）
第13条　宿泊出張旅費は、交通費、日当、宿泊料とし、つぎのとおり支給する。

等級	交通費（等級）					日当	宿泊費	
	新幹線	在来線	寝台車	汽船	航空機		甲地	乙地
代表役員	グリーン	グリーン	A	グリーン	ファースト	12,000	22,000	18,000
役員	グリーン	グリーン	A	グリーン	エコノミー	10,000	19,000	15,000

(注)①甲地……六大都市・札幌市・北九州市
　②乙地……甲地以外の地域
　③該当等級を運行していない路線の場合は，下位の等級の実費とする。
　④急行料金，特急料金，寝台車料金は用務の必要上利用した場合に支給する。
　⑤タクシー代は会社が認めたとき，実費を支給する。
　⑥会社の自家用車を利用した場合は，交通費を支給しない。
　⑦会社が承認したマイカー利用の場合は，燃料費および修理費等を支給し，交通費を支給しない。

（交通費）
第14条　前条の交通費は、それぞれの等級の実費とする。

（日当）
第15条　日当は、旅行した日数に応じ、旅行一日につき、一日分の割合で支給する。ただし、正午から午前〇時までの間に出発したとき、または正午以前に帰着したとき、出発または帰着した日については日当は二分の一とする。

（宿泊費）
第16条　宿泊料は、旅行中宿泊した場合に、宿泊一回につき一日分の宿泊料を支給する。ただし、つぎの各号に該当する場合は、それぞれ、つぎのとおり取扱う。
　①　午前〇時以後に出発し、または午前〇時以前に帰着した日については宿泊料を支給しない。
　②　夜行列車を利用した場合で、寝台車を使用しない場合は、寝台料金相当額（Aクラス料金）を支給する。
　2　会社が指定するホテル、旅館および会社の施設で、会社が宿泊料を支払っている場合は宿泊料を支給しない。
（講習会、研究会、招待会等の参加）
第17条　講習会、研究会、業界の会合等に参加するために出張する場合の会費の中に本人の旅費に相当するものを含む場合には当該出張旅費は支給しない。

2　メーカー、その他の招待による出張の場合で、社外から旅費の全部または一部の支給を受けるときは、その部分の旅費は支給しない。

（長期滞在）
第18条　役員が同一地に引続いて滞在する場合は、最初の二〇日間は所定の日当および宿泊料の全額を支給する。二〇日を超える部分については、その八〇％とする。ただし、特別の事情があると認められた場合は、期間を定めて日当および宿泊料を所定額まで支給する。

（出張中の事故）
第19条　役員が出張中、負傷、疾病、天災その他やむをえない事故のため、日程以上滞在した場合は、その間の日当および宿泊料を支給する。

第3章　外国出張旅費

（外国出張旅費）
第20条　外国出張旅費とは、役員が外国に出張した場合に支給する旅費である。
　2　外国出張の途中、国内旅行を要する場合の旅費はすべて国内出張旅費とする。
　3　外国出張の旅費は、交通費、日当、滞在費および支度金とする。

（交通費）
第21条　交通費の支給基準額はつぎのとおり

等級	航空機運賃	鉄道運賃	船舶運賃
代表役員	ファースト	グリーン	1等
役員	エコノミー	グリーン	1等

とする。

注 ①所定等級を運行しない路線の交通費は，その下位の等級による。
②業務上の必要で上位の等級によることが妥当と認められた場合については，その上位の等級による。
③滞在費を受ける者には，タクシー代は支給しない。

等級	日当	滞在費		
		甲地	乙地	丙地
代表役員	10,000	20,000	18,000	17,000
役員	9,000	17,000	16,000	15,000

注 航空機，鉄道あるいは船舶の中で宿泊する場合は，滞在費は支給しない。

（滞在費）
第22条 滞在費は，出張先の宿泊区分に応じ，つぎの基準によって支給する。

等級	甲地	乙地	丙地
代表役員	220,000	200,000	180,000
役員	170,000	150,000	140,000

注 ①出張期間が1か月未満の場合は90％とする。
②出張期間が3か月を超える場合は120％とする。
③帰国後1年以内に再度出張する場合，支度金は支給しない。

（長期滞在費）
第23条 役員が，外国に出張中，同一地域に引続き滞在するときは，最初の三〇日間は所定の日当および滞在費を支給する。三〇日を超える場合は，その八〇％とする。ただし，特別の事情があるときは，この限りでない。

（海外出張中の事故）
第24条 役員が，外国に出張中，負傷，疾病，天災その他やむをえない事故のため途中で日程以上滞在した場合は，その間の日当および滞在費を支給する。

（支度金）
第25条 役員が外国へ出張する場合は，つぎの区分によって支度金を支給する。

（地区区分）
第26条 第22条（滞在費）および前条（支度金）に規定する地区の区分はつぎのとおりとする。
①甲地区……アメリカ，ヨーロッパ，カナダ，オーストラリア，ロシア
②乙地区……甲および丙地区に含まれない地区
③丙地区……中国，台湾，韓国，東南アジア地区およびこれらに準ずる国

付　則

（施行）
第27条 この規程は，○○年○月○日から施行する。

（制定）　××年○月○日
（改定）　××年○月○日
（改定）　△△年○月○日

役員・社員社葬取扱要項

GS製作所
金属製品製造
資本金　三億円
従業員　六〇〇人

（総則）
第1条 会社は社業に功労のあった取締役・

Ⅴ 役員報酬・退職金等に関する規程

（決定）
第2条 この要項による社葬の実施は取締役会がこれを決定する。

2 社葬に該当する死亡者の遺族より辞退する旨の申し出があった場合は、実施しない。

（名称）
第3条 前条により執行される葬儀中第4条に定める第1号より第3号該当を株式会社GS製作所葬といい、第4号および第5号該当者は株式会社GS製作所協力葬という。

（執行の基準）
第4条 社葬に該当する者が死亡したときは、次の各号に基づきこれを執行する。
① 社業の為に殉職したもの
② 現職の会長・社長
③ 会長、社長又は相談役として通算五年以上の在職歴を有し、退職後五年以内のもの
④ 現職の副社長・専務・常務として通算五年以上の在職歴を有するもの
⑤ その他、特に社業に功労のあった現職又は退任取締役及び社員で取締役会が決定したもの

（社葬費用の範囲）
第5条 前条による各号の社葬費用の範囲を次の通りとする。但し、費用の額についてはこの要項ではこれを設定しない。
① 社葬（第4条第1号～3号）……死亡時より葬儀（社葬）終了時までの総費用
但し、戒名料を除く。
② 協力葬（第4条第4号）……死亡時より葬儀（社葬）終了時までの費用中、布施又はこれに類似する費用を除いたもの。
③ 協力葬（第4条第5号）……社葬当日（社葬通夜を行う場合はこれを含む）の諸費用。

2 遺族より社葬辞退の申し出があった場合は、葬儀に要した費用は、前記各項に準じて支払われるものとする。

3 合同社葬其の他の場合は、その都度、関係先と協議の上決定するが、会社の負担する費用の範囲は本条1項1、2、3号に準ずるものとする。

（葬儀委員長及び葬儀委員）
第6条 社葬は、特別の場合を除いて、会長又は社長が葬儀委員長となり、葬儀委員長は取締役及び社員の中から若干名（三〜五名）の葬儀委員を任命する。

（葬儀委員長及び実行委員）
第7条 葬儀委員長は葬儀実行委員長を任命し、葬儀実行委員長は実行委員を選任する。

（葬儀委員長の責務）
第8条 葬儀委員長は葬儀に関する一切を総括する。

（葬儀委員の責務）
第9条 葬儀委員長を補佐し、葬儀の円滑な運営を図り葬儀委員長に事故あるときは直ちに代行者を選任する。

（葬儀実行委員長の職務）
第10条 葬儀委員長の命により葬儀実行委員会を主宰し、社葬の実質的な企画・運営を行い、その完遂を図る。

（葬儀実行委員の職務）
第11条 葬儀実行委員長を補佐し、社葬遂行上の実際的な業務に当る。

（葬儀実行委員の補佐）
第12条 社葬を実施するに当り、葬儀の運営を補助するために必要数の人員を各部署に割り当てる。割り当てられた社員は、葬儀実行委員長の指揮下に入るものとする。

（社葬による休日振替）
第13条 社葬執行に当っては社葬当日を除いては社葬当日は振替休日とする。

（広告）
第14条 社葬および協力葬を実施する場合は、会社は有力新聞に広告を掲載する。

（社葬の服装）
第15条 社葬当日の服装は、次のとおりとする。

88

元取締役及び社員が死亡したとき、会社は社葬若しくは会社協力葬（以下単に「社葬」という）を以てこれを遇し、全社を挙げて葬儀に当りこの要項によって運用する。

① 役　員　社葬当日は喪服、其の他はダークスーツ

② 実行委員　男性はダークスーツ又は黒味がかった服装何れも黒ネクタイ、黒靴着用
女性はダークスーツ、黒靴、又は華美にわたらぬ服装
夏季酷暑の場合は上白色、下黒色、喪章着用

③ 一般社員　実行委員に準じ、華美にわたらぬ平服、喪章着用

（香典供花等の取扱い）

第16条　本要項による社葬（第4条第1号〜3号）については、葬儀当日に於ける香典供花類は原則として一切これを辞退する。但し、協力葬（第4条第4号〜5号）及び合同社葬の場合はこの限りでない。

（施行）

第17条　この要項は○○年○月○日より施行する。

――**参考**――
第12条「葬儀実行委員の補佐」および第13条「社葬による休日振替」については、GS製作所労働組合との間に「了解事項」となっている。

VI 執行役員に関する規程

Ⅵ 執行役員に関する規程

〈コメント〉

1 執行役員制度の趣旨

取締役会は、本来的に、取締役全員で会社の経営方針や経営計画を討議し、決定を下すための機関である。しかし、現状は、取締役の大半がいわゆる「兼務役員」であるため、「会社を管理監督する機能」と「一定の事業を執行する機能」とが混在している。

また、取締役全員で経営方針や経営計画を徹底的に討議し、一定の結論を下すためには出席者が一定人数以下であることが必要である。取締役が三〇人も四〇人もいては、自由闊達な議論や、相互のディスカッションはとても期待できない。

現状をみると、取締役の人数があまりにも多いために、取締役会が形骸化・形式化している会社が少なくない。議論らしい議論をすることなく、ただ単に取締役社長の報告を聞くだけで散会している。経営をめぐる環境が厳しい中で会社を成長発展させるためには、意思決定機関である取締役会を活性化させる必要がある。

また、現在、経営の健全性・透明性の確保（コーポレートガバナンス）が強く求められているが、コーポレートガバナンスの面からも、「会社を管理監督する機能」と「一定の事業を執行する機能」とを明確に分離することが望ましいといわれる。

こうした問題意識から企画されたのが「執行役員制度」である。

執行役員制度は、

- 総合的、大局的見地から経営方針を議論し、かつ、会社全体を管理監督する者（取締役）
- 大きな権限を与えられて一定の事業や業務を責任をもって遂行する者（執行役員）

とを人事面で明確に区分することにより、経営の効率化、意思決定の迅速化およびコーポレートガバナンスの実現を期するというものである。

2 執行役員制度の効果

執行役員制度は、

- 経営の健全性・公正性の確保
- 経営の効率化、意思決定の迅速化
- 業務執行区分の明確化
- 取締役会の機能の強化
- 業務の遂行に優れた人材の登用
- 会社の競争力の強化、業績の向上

などの効果が期待できる制度である。このため、ここ数年、執行役員制度を導入する会社が増えている。

3 執行役員の役位

執行役員の役位については、

- 専務執行の役員、常務執行役員、執行役員の3区分とする
- 上級執行役員、執行役員の2区分とする

などがある。

VI 執行役員に関する規程

執行役員規程

（TN産業・商社・従業員 三〇〇人）

第1章 総則

（目的）
第1条 この規程は、執行役員の就業条件と服務規律について定める。

2 この規程に定めのない事項は、次に掲げるものによる。
(1) 社員就業規則
(2) 労働基準法その他の労働法令
(3) 取締役会の決議

第2章 就任

（選任の基準）
第2条 執行役員の選任の基準は、次のとおりとする。
(1) 豊かな業務経験を有すること。業務に精通していること
(2) 経営感覚が優れていること
(3) 指導力、統率力、行動力および企画力に優れていること
(4) 人格、識見に優れていること
(5) 心身ともに健康であること

（任期）
第3条 任期は二年とする。ただし、再任を妨げないものとする。

（就任承諾書）
第4条 執行役員に就任することを承諾したときは、すみやかに会社に就任承諾書を提出しなければならない。ただし、留任の場合は省略することができる。

第3章 服務規律

（忠実義務）
第5条 執行役員は、法令、会社の規則・規程ならびに社長および取締役会の指示命令を遵守し、会社のために忠実にその職務を遂行しなければならない。

（禁止事項）
第6条 執行役員は、次の事項を行ってはならない。
(1) 職務上の地位および権限を利用して取引先から個人的に経済的利益を受けること
(2) 会社の承認を受けることなく、自ら事業を営み、または他社の役員・社員に就任すること
(3) 会社の機密を洩らすこと
(4) 会社の信用と名誉を汚すこと
(5) 会社の経営方針を批判すること
(6) 会社の経営方針に反する言動をすること

（業務報告）
第7条 執行役員は、担当する業務の遂行状況を適宜適切に社長に報告しなければならない。

2 取締役会から求められたときは、取締役

93

Ⅵ 執行役員に関する規程

会に出席して業務の遂行状況を報告しなければならない。

（社長への届出）
第8条　執行役員は、次に掲げるときは、あらかじめ社長に届け出なければならない。
(1) 欠勤するとき
(2) 年次有給休暇を取得するとき
(3) 出張するとき

（損害賠償責任）
第9条　執行役員は、故意または重大な過失によって会社に損害を与えたときは、その損害を賠償しなければならない。
2　前項の規定にかかわらず、その情状により、賠償責任の全部または一部を免除することがある。

第4章　報　酬

（報　酬）
第10条　報酬は、月額をもって定める。
2　報酬は、次の事項を勘案して決定する。
(1) 職務の内容（遂行の困難さ、責任の重さ）
(2) 社員給与の最高額
(3) 取締役の報酬
3　取締役が執行役員を兼任する場合、取締役分の報酬は別に支払う。

（支払日）
第11条　報酬は、毎月二五日に支払う。当日が休日のときは、その前日に支払う。

（控　除）
第12条　報酬の支払いに当たり、次のものを控除する。
(1) 所得税、住民税
(2) 社会保険料
(3) その他必要なもの

（通勤手当）
第13条　公共交通機関を利用して通勤する執行役員に対しては、交通費の全額を支給する。

（賞　与）
第14条　会社の決算時に、営業成績により賞与を支給する。支給額は、その都度決定する。
2　取締役が執行役員を兼任する場合、取締役分の賞与は別に支払う。

（慶弔金）
第15条　執行役員に慶弔があるときは、慶弔金を支給する。その額は、社員に対する支給額に準じ、社長が取締役会に諮って決定する。

第5章　退　任

（退任の要件）
第16条　執行役員が次のいずれかに該当するときは退任とする。
(1) 任期が満了したとき
(2) 辞任を申し出て取締役会で承認されたとき
(3) 定年に達したとき
(4) 死亡したとき
(5) 取締役会で解任されたとき

（辞　任）
第17条　執行役員を辞任しようとするときは、原則として三か月前までに社長に申し出なければならない。社長は、これを取締役会に諮って決定する。

（定　年）
第18条　執行役員の定年は六五歳とする。任期中に定年に達したときは、任期満了後に退任する。

（解　任）
第19条　執行役員が次のいずれかに該当するときは、取締役会の決議により、その職を解任することがある。
(1) 会社の信用と名誉を傷つける行為のあったとき
(2) 会社の営業上の秘密を他に漏らしたとき
(3) 故意または重大な過失によって、会社に損害を与えたとき
(4) 合理的な理由がないのに、社長の指示に従わないとき
(5) 業務上の成績が著しく不振であるとき
(6) 健康を害し、その任に堪えないと認められるとき

執行役員規程

（ZS出版
・出版業
・従業員　二三〇人）

第1章　総則

（目　的）
第1条　この規程は、執行役員の就業に関する事項について定めたものである。ここで定める以外の事項は、労働基準法その他の法令、定款ならびに取締役会の決定に従うものとする。

（定　義）
第2条　執行役員とは、次の二区分をいい、取締役会で選任されたものを言う。

① 上級執行役員
取締役の任期満了後、もしくは解任後に取締役の業務の執行の補佐を専ら行うもの、又は一般執行役員で業績貢献大であると認められたもの。

② 一般執行役員
取締役会の決議によって選任され、それまで取締役に委任されたことがないもので、取締役の業務執行を補佐するもの。

（適用範囲）
第3条　この規程は、原則として、当社に勤務する執行役員の就業に適用する。

2　一部正社員の就業規則を準用する。

第2章　就　任

（執行役員の選任）
第4条　執行役員の選任は、取締役会の決議による。

（就任承諾書の提出）
第5条　執行役員への就任を承諾したときは、速やかに執行役員就任承諾書を社長に提出し、執行役員雇用契約を締結する。

（雇用期間）
第6条　執行役員の雇用期間は、これを一年以内とする。但し、契約の更新はこれを妨げない。

第3章　退　任

（執行役員の退任）
第7条　執行役員の退任は、次の事由によるものとする。

① 雇用期間が満了し、再契約の意思がないとき

② 自己都合により退職を申し出て、承認されたとき

③ 雇用期間の途中もしくは満了の時点で

(7) その他前各号に準ずる不都合な行為のあったとき

第6章　退職慰労金

（退職慰労金の算定基準）
第20条　執行役員を退任するときは、退職慰労金を支給する。退職慰労金の算定は次の算式による。

退職慰労金＝退任時報酬月額×執行役員在任年数

2　取締役が執行役員を兼任する場合、取締役分の退職慰労金は別に支給する。

（支給日）
第21条　退職慰労金は、その全額を執行役員退任後一か月以内に支給する。

2　前項の規定にかかわらず、会社の都合により、二回以上に分割して支給することがある。

（功労加算）
第22条　在任中特に功労のあった者に対しては、退職慰労金の三〇％の範囲内で功労加算を行うことがある。

（付則）この規程は、〇〇年〇月〇日から施行する。

Ⅵ 執行役員に関する規程

　本人の責に帰すべき重大な過失により解雇されたとき
　④ 定年となったとき
　⑤ 死亡したとき
　⑥ その他前各号に準じ退職するとき

第4章　服　務

（心　得）
第8条　執行役員は、業務の執行にあたっては次の事項を遵守しなければならない。
　① 取締役会の決議によって任命される所管業務を執行すること
　② 会社の方針及び社長の指示に基づき業務を計画的に処理すること
　③ 所管部門の統一を図り、他部門との連絡を密にすること
　④ 部下に対しては、公平無私を旨とし、賞罰を明らかにすること

（禁止事項）
第9条　執行役員は、次の行為をしてはならない。
　① 会社の承諾を得ないで、他の会社の役員又は使用人となること
　② 会社の承諾を得ないで、事業経営又は内職等をすること
　③ 職務上の地位を利用して、手数料・リベート・饗応を受ける等、職務の公正を害し、又は害するおそれのある行為をする

こと
　④ 会社の機密を漏らし、又は会社の不名誉・不利益となる行為をすること
　⑤ 前各号に準ずる不都合及び正社員の就業規則に定める禁止事項を行うこと

（勤務時間）
第10条　執行役員の勤務時間は、正社員の就業規則に準ずる。

（休日、休暇、時間外勤務）
第11条　執行役員の休日、休暇、時間外勤務は、正社員の就業規則に準ずるが、労働基準法における管理者としての適用除外により、休日・時間外勤務手当等は支給されない。

（欠勤、早退等の連絡義務）
第12条　執行役員が欠勤、遅刻、早退等をする場合は、事前に総務部に連絡しなければならない。

第5章　報酬・賞与

（報酬・賞与）
第13条　執行役員の報酬・賞与は、別に定める執行役員報酬賞与規程による。

第6章　出張旅費

（出張旅費）
第14条　執行役員の国内・外国出張の旅費等

は、別に定める執行役員出張旅費規程による。

第7章　慶弔見舞金

（慶弔見舞金）
第15条　執行役員に対する慶弔見舞金は、別に定める執行役員慶弔見舞金規程による。

第8章　定　年

（定　年）
第16条　執行役員の定年は、満六五歳とする。
　2　満六五歳を超えて雇用契約の更新を行わない。

第9章　退職慰労金

（退職慰労金）
第17条　執行役員の退職慰労金は、別に定める執行役員退職慰労金規程による。

付則
（制定・改廃）
第18条　この規程の制定及び改廃は、取締役会の決議による。但し、従業員の過半数を代表する者の意見を聴取する。

（施　行）
第19条　この規程は、〇〇年〇月〇日より施行する。

執行役員就業規則

（NSビジネス
情報処理
・従業員 五二〇人）

（目的）
第1条　この就業規則は、執行役員の就業条件と服務規律について定める。
2　この規則に定めのない事項は、社員就業規則、労働基準法その他の労働法令または取締役会の決議による。

（選任の基準）
第2条　執行役員の選任の基準は、次のとおりとする。
(1) 豊かな業務経験を有すること。業務に精通していること
(2) 経営感覚が優れていること
(3) 指導力、統率力、行動力および企画力に優れていること
(4) 執行役員にふさわしい人格、識見を有すること
(5) 心身ともに健康であること

（任期）
第3条　任期は二年とする。ただし、再任を妨げない。

（退任の要件）
第4条　執行役員が次のいずれかに該当するときは退任とする。
(1) 任期が満了したとき
(2) 辞任を申し出て取締役会で承認されたとき
(3) 定年に達したとき
(4) 死亡したとき
(5) 取締役会で解任されたとき

（辞任）
第5条　執行役員を辞任しようとするときは、原則として三か月前までに社長に申し出なければならない。社長は、これを取締役会に諮って決定する。

（定年）
第6条　執行役員の定年は六五歳とする。任期中に定年に達したときは、任期満了後に退任する。

（解任）
第7条　執行役員が次のいずれかに該当するときは、取締役会の決議により、その職を解任することがある。
(1) 会社の信用と名誉を傷つける行為のあったとき
(2) 会社の営業上の秘密を他に漏らしたとき
(3) 故意または重大な過失によって、会社に損害を与えたとき
(4) 会社の指示命令に従わないとき
(5) 業務上の成績が著しく不振であるとき
(6) 職務上の地位または権限を利用して不当に個人的な利得を図ったとき
(7) 部下を差別的に取り扱ったとき
(8) その他前各号に準ずる不都合な行為のあったとき

（職位）
第8条　執行役員の職位は、次のとおりとする。
(1) 専務執行役員
(2) 常務執行役員
(3) 執行役員

（忠実義務）
第9条　執行役員は、法令、会社の規則・規程ならびに社長および取締役会の指示命令を遵守し、会社のために忠実にその職務を遂行しなければならない。

（禁止事項）
第10条　執行役員は、次の事項を行ってはならない。
(1) 職務権限を濫用すること
(2) 職務上の地位または権限を利用して取引先から個人的に経済的利益を受けること
(3) 会社の承認を受けることなく、自ら事業を営み、または他社の役員・社員に就任すること
(4) 会社の機密を洩らすこと
(5) 会社の信用と名誉を汚すこと
(6) 部下を差別的に取り扱うこと
(7) 公私混同すること

執行役員職務権限規程

KN銀行
（金融業・従業員六八〇人）

（総則）
第1条 この規程は、執行役員の職務権限について定める。

（専務執行役員）
第2条 専務執行役員の職務権限は、次のとおりとする。
(1) 会社の経営方針を踏まえ、担当部門の業務を統括すること
(2) 担当部門を代表すること
(3) 担当部門の業務の執行方針を立案し、取締役会に決裁を求めること
(4) 担当部門の事業計画および事業予算を立案し、取締役会に決裁を求めること
(5) 担当部門の事業計画および事業予算を実施すること
(6) 担当部門の事業計画および事業予算の実施について、部下を指揮命令すること
(7) 自己の職務権限を部下に代行させること
(8) 部下に指揮命令した事項、代行させた事項について、部下から報告を求めること

（勤務時間・休日・休暇）
第11条 執行役員の勤務時間、休憩時間、休日および休暇は、社員と同一とする。

（業務報告）
第12条 執行役員は、担当する業務の遂行状況を適宜適切に社長に報告しなければならない。

2 取締役会から求められたときは、取締役会に出席して業務の遂行状況を報告しなければならない。

（損害賠償）
第13条 会社は、執行役員が故意または重大な過失によって会社に損害を与えたときは、その全部または一部を賠償させることがある。

（報酬）
第14条 報酬は「執行役員報酬」一本とし、月額をもって定める。

（支払日）
第15条 報酬は、毎月二五日に支払う。当日が休日のときは、その前日に支払う。

（支払方法）
第16条 報酬は、執行役員が届け出た口座に振り込むことによって支払う。

（控除）
第17条 報酬の支払いに当たり、所得税、住民税、社会保険料、その他必要なものを控除する。

（通勤手当）
第18条 公共交通機関を利用して通勤する執行役員に対しては、交通費の全額を支給する。

（賞与）
第19条 会社の決算時に、営業成績により賞与を支給する。支給額は、その都度決定する。

（慶弔金）
第20条 執行役員に慶弔があるときは、慶弔金を支給する。

（退職慰労金の算定基準）
第21条 執行役員を退任するときは、退職慰労金を支給する。退職慰労金の算定は次の算式による。

退職慰労金＝退任時報酬月額
　　　　　　×執行役員在任年数

2 退任時の報酬月額が在任時の最高報酬月額を下回るときは、最高報酬月額をもって退任時報酬月額とする。

（退職慰労金の支払）
第22条 退職慰労金は、その全額を執行役員退任後1か月以内に支払う。

（功労加算）
第23条 在任中特に功労のあった者に対しては、退職慰労金の三〇％の範囲内で功労加算を行うことがある。

（付則）この就業規則は、〇〇年〇月〇日から施行する。

第3条　常務執行役員の職務権限は、次のとおりとする。

（常務執行役員）
(1) 会社の経営方針を踏まえ、担当部門の業務を統括すること
(2) 担当部門を代表すること
(3) 担当部門の業務の執行方針を立案し、取締役会に決裁を求めること
(4) 担当部門の事業計画および事業予算を立案し、取締役会に決裁を求めること
(5) 担当部門の事業計画および事業予算を実施すること
(6) 担当部門の事業計画および事業予算の実施について、部下を指揮命令すること
(7) 自己の職務権限を部下に代行させること
(8) 部下に指揮命令した事項、代行させた事項について、部下から報告を求めること
(9) 部下の業務遂行を監督すること
(10) 担当部門の定員、組織および分掌の変更を立案し、取締役会に決裁を求めること
(11) 担当部門における人員配置、異動を決定すること
(12) 部下に時間外勤務、休日勤務、出張を命令すること
(13) 部下の昇進を会社に上申すること
(14) 部下の賞罰を会社に上申すること
(15) 部下の人事考課を行うこと
(16) 一件当たり〇万円以下の経費を支出すること
(17) 一件当たり〇万円以下の交際費を支出すること
(18) 一件当たり〇万円以下の取引先慶弔見舞金を支出すること
(19) 担当部門内各課の業務の調整を行うこと
(20) 他部門との業務の調整を行うこと
(21) その他前各号に準ずること

（執行役員）
第4条　執行役員の職務権限は、次のとおりとする。
(1) 会社の経営方針を踏まえ、担当部門の業務を統括すること
(2) 担当部門を代表すること
(3) 担当部門の業務の執行方針を立案し、取締役会に決裁を求めること
(4) 担当部門の事業計画および事業予算を立案し、取締役会に決裁を求めること
(5) 担当部門の事業計画および事業予算を実施すること
(6) 担当部門の事業計画および事業予算の実施について、部下を指揮命令すること
(7) 自己の職務権限を部下に代行させること
(8) 部下に指揮命令した事項、代行させた事項について、部下から報告を求めること
(9) 部下の業務遂行を監督すること
(10) 担当部門の定員、組織および分掌の変更を立案し、取締役会に決裁を求めること
(11) 担当部門における人員配置、異動を決定すること
(12) 部下に時間外勤務、休日勤務、出張を命令すること
(13) 部下の昇進を会社に上申すること
(14) 部下の賞罰を会社に上申すること
(15) 部下の人事考課を行うこと
(16) 一件当たり〇万円以下の経費を支出すること
(17) 一件当たり〇万円以下の交際費を支出すること
(18) 一件当たり〇万円以下の取引先慶弔見舞金を支出すること

Ⅵ 執行役員に関する規程

(12) 部下に時間外勤務、休日勤務、出張を命令すること
(13) 部下の人事考課を行うこと
(14) 部下の昇進を会社に上申すること
(15) 部下の賞罰を会社に上申すること
(16) 一件当たり〇万円以下の経費を支出すること
(17) 一件当たり〇万円以下の交際費を支出すること
(18) 一件当たり〇万円以下の取引先慶弔見舞金を支出すること
(19) 担当部門内各課の業務の調整を行うこと
(20) 他部門との業務の調整を行うこと
(21) その他前各号に準ずること

(特別の権限の付与)
第5条 会社は、経営上必要であると認めるときは、取締役会の決定により、この規程において定められている権限以外の権限を執行役員に付与することがある。

(権限行使の心得)
第6条 執行役員は、自らの職務権限を会社のために適切、かつ、有効に行使しなければならない。

(権限の代行)
第7条 執行役員は、業務上必要であると認めるときは、自らの職務権限の一部を部下に代行させることができる。

2 職務権限を代行させたときは、代行させた権限が適切、かつ、有効に行使されているかを監督しなければならない。

3 部下に代行させた職務権限が適切に行使されなかったときは、執行役員はその責任を負わなければならない。

(権限侵害の禁止)
第8条 執行役員は、他の執行役員の職務権限を侵害してはならない。

(報告義務)
第9条 執行役員は、自らの職務権限の行使状況を適宜適切に社長に報告しなければならない。

(緊急時の措置)
第10条 執行役員は、緊急やむを得ない事情があるときは、職務権限を有しない事項についても臨機の措置を講ずることができる。

2 前項の定めに従い臨機の措置を講じたときは、その内容を速やかに社長に報告しなければならない。

(付 則)
1 この規程は、〇〇年〇月〇日から施行する。

2 執行役員の権限の範囲は、二年ごとに見直しを行う。

3 この規程の改廃は、取締役会の決議による。

執行役員退職慰労金規程

（AS食品 製造業・従業員一七〇人）

(総 則)
第1条 この規程は、執行役員の退職慰労金の支給基準について定める。

(退職慰労金の算定基準)
第2条 執行役員が任期満了等により円満退職するときは、退職慰労金を支給する。退職慰労金は、退任時の報酬月額に在任年数および功績倍率を乗じて得られる額とする。

退職慰労金 ＝ 退任時報酬月額
　　　　　　 × 在任年数 × 功績倍率

2 退任時報酬月額は、退任一か月前に得ていた報酬月額とする。

3 在任年数は、執行役員に就任した月から起算し、退任の月までとする。一年未満は月割計算とする。一か月未満については、一五日以上は一か月とし、一五日未満は切り捨てる。

4 功績倍率は、次のとおりとする。

（功績倍率）一・四

執行役員退職慰労金規程

（SK百貨店　小売業・従業員四二〇人）

（総則）
第1条　この規程は、執行役員の退職慰労金の支給基準について定める。

（退職慰労金の算定方法）
第2条　退職慰労金は、「役位別報酬月額」に「役位別在任年数」および「役位別倍率」を乗じて得られる額の累計額とする。

退職慰労金＝Σ（役位別報酬月額×役位別在任年数×役位別倍率）

（役位別報酬月額）
第3条　退職慰労金の算定において「役位別報酬月額」は、各役位ごとの在任最終報酬月額とする。

（在任年数）
第4条　退職慰労金の算定において「役位別在任年数」は、その役位へ就任した月から起算し、退任の月までとする。

2　在任年数の計算において、一年未満は月割計算とする。

3　執行役員就任後、改選によって役位に異動の生じたときは、異動の月から新しい役位を適用する。

（役位別倍率）
第5条　退職慰労金の算定において「役位別倍率」は次のとおりとする。

専務執行役員　一・七
常務執行役員　一・五
執行役員　　　一・三

（功労金）
第6条　在任中特に功労のあった者に対しては、退職慰労金の三〇％の範囲において功労金を支給することがある。

（減額等）
第7条　在任中会社に重大な損害を与えた者については、退職慰労金を減額し、または支給しないことがある。

（支給時期）
第8条　退職慰労金は、退職した日から一か月以内に一時金として支給する。ただし、次のいずれかの場合は、この限りではない。
(1) 業務の引継ぎを行わないとき
(2) 会社に対して返済すべき債務を返済しないとき
(3) 退職後に在職中の不祥事が発覚したとき

（死亡のときの取扱い）
第9条　執行役員が死亡したときは、退職慰労金はその遺族に支給する。

2　遺族の範囲とその順位は、労働基準法施行規則の定めるところによる。

（付則）
1　この規程は、〇〇年〇月〇日から施行する。
2　この規程の改廃は、取締役会の決議による。

執行役員退職慰労金規程

（功労金）
第3条　在任中特に功労のあった者に対しては、退職慰労金の三〇％の範囲において功労金を支給することがある。

（減額等）
第4条　在任中会社に重大な損害を与えた者については、退職慰労金を減額し、または支給しないことがある。

（支給時期）
第5条　退職慰労金は、業務の引継ぎを完了させ、かつ、会社に対して返済すべき債務があるときはその債務を返済した日から一か月以内に、一時金として支給する。

（死亡のときの取扱い）
第6条　執行役員が死亡したときは、退職慰労金はその遺族に支給する。

2　遺族の範囲と支給順位は、労働基準法施行規則の定めるところによる。

（付則）
この規程は、〇〇年〇月〇日から施行する。

（功労金）
第6条　在任中特に功労のあった者については、取締役会の決定により、退職慰労金の基準額の三〇％の範囲において功労金を支給することがある。

（減額等）
第7条　在任中会社に重大な損害を与えた者については、取締役会の決定により、退職慰労金の基準額を減額し、または支給しないことがある。

Ⅵ 執行役員に関する規程

執行役員報酬・退職慰労金規程

（KG警備保障
サービス業
・従業員六六〇人）

第1章 総則

（目 的）
第1条 この規程は、執行役員の報酬、賞与および退職慰労金の取扱いについて定める。

（適用範囲）
第2条 この規程は、すべての執行役員に適用する。

第2章 報酬

（報 酬）
第3条 報酬は「執行役員報酬」一本とし、月額をもって定める。
2 取締役が執行役員を兼任する場合、取締役分の報酬は別に支払う。

（決定基準）
第4条 報酬は、次の事項を総合的に勘案して決定する。
(1) 職務の遂行の困難性
(2) 職務上の責任の重大性
(3) 社員給与の最高額
(4) 取締役の報酬

（計算期間）
第5条 報酬の計算期間は、次のとおりとする。
（計算期間）一日～末日

（支払日）
第6条 報酬は、毎月二五日に支払う。当日が休日のときは、その前日に支払う。

（控 除）
第7条 報酬の支払いに当たり、次のものを控除する。
(1) 所得税、住民税
(2) 社会保険料
(3) その他必要なもの

（欠勤控除等）
第8条 執行役員については、遅刻・早退・欠勤等の不就業に伴う報酬控除はいっさい行わないものとする。

（通勤手当）
第9条 公共交通機関を利用して通勤する者に対しては、交通費の全額を支給する。

（休職時の取扱い）
第10条 疾病その他やむを得ない事由によって休職するときは、報酬の半額を支払う。ただし、6か月を限度とする。

（減額措置）
第11条 会社業績の状況その他必要に応じ、取締役会の決定に基づき、臨時に報酬の減額措置を講ずることがある。

第3章 賞与

（賞 与）
第12条 会社の決算時に、営業成績に応じて賞与を支給する。
2 取締役が執行役員を兼任する場合、取締役分の賞与は別に支給する。

（支給額）
第13条 賞与の支給額は、次の事項を勘案して決定する。
(1) 会社全体の営業成績
(2) 担当部門の営業成績

（支給日）
第14条 賞与の支給日は、その都度決定する。

第4章 退職慰労金

（退職慰労金の支給基準）
第15条 執行役員が退職するときは、退職慰労金を支給する。退職慰労金は、「役位別報酬月額」および「役位別在任年数」に「役位別倍率」を乗じて得られる額の累計額とする。

退職慰労金＝Σ（役位別報酬月額×役位別在任年数×役位別倍率）

執行役員会規程

（WU放送　放送業・従業員三四〇人）

（総則）
第1条　この規程は、執行役員会について定める。

（目的）
第2条　執行役員会の目的は、次のとおりとする。
(1) 社長が執行役員から業務の執行状況について報告を受けること
(2) 執行役員相互において情報交換を行うこと
(3) 取締役会に対し、必要に応じ、進言すること
(4) 社長が執行役員に対し、取締役会の決定事項を伝達すること
(5) その他執行役員の業務執行に関することと

（構成）
第3条　執行役員会の構成は、次のとおりとする。
(1) 執行役員
(2) 社長、副社長、専務取締役

（役位別報酬月額）
第16条　退職慰労金の算定において「役位別報酬月額」は、役位ごとの最終報酬月額とする。

（役位別在任年数）
第17条　退職慰労金の算定において「役位別在任年数」は、役位ごとに、その役位へ就任した月から起算し、退任の月までとする。

2　執行役員就任後、昇格等によって役位に異動の生じたときは、異動の月から新しい役位を適用する。

3　在任年数の計算において、一年未満は月割計算とする。

（役位別倍率）
第18条　退職慰労金の算定において「役位別倍率」は次のとおりとする。

執行役員　　　　　一・三
常務執行役員　　　一・五
専務執行役員　　　一・七

（功労金）
第19条　在任中特に功労のあった者に対しては、退職慰労金の基準額の三〇％の範囲において功労金を支給することがある。

（減額等）
第20条　在任中故意または重大な過失により会社に重大な損害を与えた者については、退職慰労金の基準額を減額し、または支給しないことがある。

（支給時期）
第21条　退職慰労金は、会社が指名した後任者との間で業務の引継ぎを完全に終了させた日から、二か月以内に一時金として支給する。

（死亡のときの取扱い）
第22条　執行役員が死亡したときは、退職慰労金はその遺族に支給する。遺族の範囲とその順位は、労働基準法施行規則の定めるところによる。

（社員退職金の取扱い）
第23条　社員から執行役員に昇格する場合は、社員分退職金を、執行役員を退任するときに、執行役員退職慰労金と合わせて支給する。

2　社員分退職金の計算において、社員勤続年数は、社員として会社に採用された日から執行役員に昇格する日までとし、執行役員昇格後の年数は、社員勤続年数に通算しない。

執行役員退任時の退職金＝執行役員退職慰労金＋社員分退職金

（付則）この規程は、○○年○月○日から施行する。

Ⅵ 執行役員に関する規程

（業務報告）
第4条 執行役員は、執行役員会において、担当する業務の執行状況を正確に報告しなければならない。
（情報交換）
第5条 執行役員は、執行役員会において、会社経営に関する情報を相互に交換し、業務の執行に役立てなければならない。
（進 言）
第6条 執行役員会は、必要に応じ、あるいは役員会の求めに応じ、役員会に対し、経営政策、経営戦略を進言する。
（取締役会の報告）
第7条 社長は、執行役員会において、取締役会の決定事項を報告する。
（会議の種類）
第8条 執行役員会の種類は、次の二種類とする。
(1) 定例執行役員会　第一月曜日（当日が休日のときは、その翌日）に開催する。
(2) 臨時執行役員会　必要に応じ開催する。
2　執行役員は、執行役員会に出席できないときは、あらかじめ議長に届け出なければならない。
（議 長）
第9条 執行役員会の議長は、専務執行役員が務める。専務執行役員に事故あるときは、常務執行役員が務める。

（議事録の作成）
第10条 執行役員会を開催したときは、議事録を作成する。
2　議事録は、議長が指名した者が作成する。
（事務局）
第11条 執行役員会の事務は、総務課で執り行う。
（付則）この規程は、〇〇年〇月〇日から施行する。

104

Ⅶ 経営組織運営に関する規程

Ⅶ　経営組織運営に関する規程

〈コメント〉

1　組織編制と業務分掌

会社の経営は、業種のいかんや規模の大小を問わず、合理的・効率的に行われることが必要である。このため、業務内容と経営規模を踏まえて、組織編制（例えば、製造部、研究開発部、営業部、企画部、総務部・・・）を合理的に決めるとともに、各部門が行うべき業務内容を明確にすることが求められる。

各部門の業務内容を定めたものを、一般に「業務分掌」という。業務分掌は、具体的に定められる必要がある。業務分掌の定めがあいまいであると、「その部門が本来的に行うべき業務を行わない」「その部門が行うべきでない業務に手を出す」という事態を招き、経営に支障・損害を与える可能性が出る。

なお、最近は、取引先や消費者のニーズの高度化・多様化に対応するために、取扱商品の見直しを行ったり、あるいは事業内容の拡大（または一部事業の縮小）を実施しているところが増加している。このように取扱商品や事業内容の変更を行うときは、あらかじめ組織編制を変更するとともに、業務分掌の見直しを行う。

2　職位と職務権限

製造部、研究開発部、営業部等々の部門を設けた場合、各部門の業務は、組織的・効率的に行われることが必要である。部門の業務が組織的かつ効率的に遂行されるようにするため、部門ごとに役職者（例えば、部長、課長、係長）を置くのが一般的である。

部長は、会社の経営方針に沿って、部下を指揮命令して、部門の業務を確実に遂行する責任を負う。また、課長は、部の運営方針に沿って、部下を指揮命令して、課の業務を確実に遂行する責任を負う。

職位を設けるときは、各役職者の職務上の権限を明確にする。職位（部長、課長、係長）は、部門の社員数に応じて合理的に決める必要がある。職位が多すぎると、意思決定に時間がかかり、業務の

円滑な遂行が困難となる。逆に、社員数に比較して職位が少ないと、役職者の負担が重くなる。

役職者の職務上の権限（職務権限）は、明確かつ具体的に定められる必要がある。権限の範囲が狭いと、部門の業務の効率的な遂行が困難となる。

なお、「代理」「補佐」「副」「待遇」などという呼称の役位を設けるときは、その職務内容と権限をあらかじめ明確にしておくことが望ましい。

3　意思決定の手続き

会社は、さまざまな場面において、意思決定を迫られる。例えば、「新しい商品を開発すべきか」「仕入れ価格の上昇に対し、販売価格を引き上げるべきか」などである。

「経営は意思決定の連続である」といわれる。意思決定が適切でないと、業績が低迷し、場合によっては重大な経営危機に陥る。意思決定の手続きを明確に定めることは、きわめて重要である。意思決定をどのように行うかは、もとより各社の自由であるが、「稟議制度」を採用している会社が多い。これは、事案の所管部門が対応の原案を作成し、関係各部門、関係各役職者の意見を求め、最終的に社長が決済するというものである。

4　職能資格制度

職務の遂行能力は、社員一人ひとりよって異なる。高い能力を有している者もいれば、そうでない社員もいる。

職務遂行能力のレベルを基準にして10前後の資格等級を設ける制度を、一般に「職能資格制度」という。例えば、社員1級、社員2級、社員3級・・・というように資格を設定する。そして、社員一人ひとりについてその能力を評価し、いずれかの資格等級に格付けし、給与、役職等の処遇を行う。

VII 経営組織運営に関する規程

経営計画作成および管理規程

制定　△△・△・△
改定　○○・○・○
　　　○○・○・○

NC工業
（輸送機械・従業員一、八〇〇人）

第1条　この規程は、当社の事業の安定と発展を確実かつ長期的に実現するための経営計画の策定とその実施管理について定める。

第2条　経営計画は左の項目により構成する。
(1) 経営基本方針
(2) 長期計画
(3) 短期計画　事業年度単位

第3条　経営基本方針は長期方針及び短期方針に区分して、各部分ごとにその大綱を策定する。
(1) 経営方針の策定は取締役会において行う。
(2) 策定に要する資料は総務部長に命じて各部長から提出させる。
(3) 基本方針策定については、次の要素が基本となる。
イ　利益計画　総資本利益率、売上利益率、資本回転率
ロ　販売目標
ハ　生産コスト目標
ニ　設備目標
ホ　新製品開発目標

第4条　長期計画は、各部門の基本方針に基づき、担当部長が中心となって自己部門内の計画を作成する。

第5条　短期計画は、長期計画の具体的実施計画である。従って長期計画の決定と共に

各部門業務組織に従い（部～課～係）計画を作成する。

第6条　長期計画及び短期計画の期間ならびに作成の時期は左記のとおりとする。
(1) 長期計画
イ　毎年○月を始期とする○年間
ロ　作成時期毎年○月末日まで
(2) 短期計画
イ　毎年○月～○月及び○月～翌○月の各○か月単位とする。
ロ　作成期間　○月末日及び○月末日

第7条　経営計画策定の項目及び担当、提出先は左記の通りとする。
(1) 経営基本方針……取締役会
イ　営業関係～販売部門
ロ　製造関係～生産部門
ハ　管理関係～管理部門
ニ　研究開発関係～技術開発部門
ホ　人事方針～総務部門
(2) 長期計画
〈作成担当〉　　〈提出先〉
イ、営業計画　　総務部（社長室）
　　第一営業部長
　　第二〃
　　第三〃
ロ、製造計画　　総務部（社長室）
　　第一製造部長
　　第二〃
　　第三〃

VII 経営組織運営に関する規程

八、設備計画　　総務部（社長室）
　　管理部長
ニ、人事計画　　総務部（社長室）
　　総務部長
ホ、研究計画　　総務部（社長室）
　　技術部長
ヘ、資本計画　　総務部（社長室）
　　総務部長
ト、資金計画　　総務部
　　総務部長
チ、事業収支計画　〃　総務部
　　（社長室）
リ、財務計画　　〃
　　総務部長
　　（社長室）
（予定貸借対照表
　予定損益計算書）

（3）項目は長期計画と同じとする。ただし、部内の組織に従い、細分化した計画を作成する。

第8条　長期計画の策定は、次の順序により行う。

(1) 各部門から提出された長期計画により、総務部長は自己担当の諸計画を作成し、部門間の調整または総合的な調整を

必要とする事項がある場合は、総務部長案による調整事項を付記して社長へ回付する。

(2) 社長は回付された全部門の諸計画及び総務部長の調整案を議題として作成担当者を招集し、最終的な調整を行った後、その結果を付して取締役会へ提出する。

(3) 取締役会は、総務部長及び各部長を出席せしめ、必要な場合は意見を聴取し、長期計画の審議決定を行い、総務部長を経て各部長へ通達する。

第9条　短期計画の策定は長期計画の策定の順序で行う。

第10条　長期計画は、毎年〇月を始期として〇年間にわたる期間につき策定されるが短期計画の実情ならびに実施一か年の一般情勢に基づき必要なる変更を加えて策定する。

第11条　短期計画は、当該事業年度の業務執行予算となる。従って、各部門は毎月実績との比較検討を行い、予算と実行との自主的調整管理を行う。

第12条　総合的な実行管理は総務部において行う。予算と実行との状況に応じ各部門に対して適当な助言を行い当該年度予算の実行につき万全を期する。（予算統制に関する規程は別に定める）。

第13条　短期計画の変更を必要とする場合は、変更を必要とする部門の部長より変更

規程管理規程

SK精工
精密機械製造
・資本金　五億円
・従業員　八五〇人

第1章　通則 (1)

（目的）(2)
第1条　この規程は、当社の諸規程の起案、作成および調整について定め、もって会社業務の円滑なる運営をはかることを目的とするものである。

（規程の定義）
第2条　「規程」とは、その形式、名称、公布範囲のいかんを問わず、経営、業務、職務等に関して定めたもので、かつ成文化されたものをいう。

（疑義の裁定）
第3条　この規程の効力または解釈について疑義が生じたるときは、総務部長が関係部門の責任者と協議の上これを裁定する。

案を総務部長に提出し、総務部長は担当者を招集して審議し、結果を付して取締役会の承認決議を経て関係部長へ伝達する。

第2章　規程の分類

（規程の種類）
第4条　当社の規程を、次の五種に分ける。
① 基本規程
② 組織規程
③ 管理規程
④ 業務規程
⑤ 基準・規格

（基本規程の内容）
第5条　基本規程は定款とその付属規程、規程管理総則の3種とし、それぞれ次の通りの内容を規定する。

① 定款とその付属規程
会社の営業範囲や経営の基本となる事項を定める。

② 就業規則とその付属規程
会社と従業員の権利義務について定める。

③ 規程管理総則
規程の起案、作成および運用について定める。

（組織規程の内容）
第6条　組織規程は、組織分業規程、職務権限規程、会議・委員会規程の3種とし、それぞれ次の内容を規程する。

① 組織分業規程
業務組織単位の設置と、その業務範囲を定める。
② 職務権限規程
業務組織単位の業務執行責任者の職階と職務権限を定める。
③ 会議・委員会規程
会議・委員会の組織と、その運営手続を定める。

（管理規程の内容）
第7条　管理規程は、各業務の主管部門を統制する組織、基準、手続について定める。

（業務規程の内容）
第8条　業務規程は、管理規程に基づいて関係部門が業務を処理する手続について定める。

（基準・規格）
第9条　基準・規格は、これを業務基準、物品規格の種類とし、それぞれ次の内容を規程する。

① 業務基準
業務規程に定められた業務処理手続の具体的な方法、手段を定めるもので、マニュアルと呼ぶこともある。
② 物品規格
製作または使用する物品の型状、寸法、品質を定める。

（通達と規程の関係）
第10条　通達は、規程に関連して次の事項について行う。

① 諸規程の部分的改正
② 一時的な業務上の処理
③ 規程の説明、解釈
④ 規程の施行に必要な措置や準備

第3章　制定および改廃手続

（定款および付属規程）
第11条　定款とその付属規程の制定および改廃は次の手続による。
① 定款は社長が立案し、株主総会でこれを決定する。
② 取締役会規則、株主取扱規則および定款付属規程は社長が立案し、取締役が決定する。

（就業規則および付属規程）
第12条　就業規則とその付属規程の制定、改廃は次の手続による。
① 就業規則は社長が立案し取締役会で決定する。
② 給与規程および就業規則の付属規程は次による。
(a) 全社に適用するものは関係業務主管部長が立案し、社長がこれを決定する。
(b) 本社に適用するものは関係業務主管課長が立案し、関係業務主管部長の査閲の後、社長の承認を経て実施する。

（会社規程管理総則）
第13条　会社規程管理総則の制定、改廃は、

VII 経営組織運営に関する規程

社長が立案し、取締役会で決定する。

（組織分掌規程）
第14条　組織分掌規程で全社および本社に適用するものは社長が立案し、取締役会で決定する。

（職務権限規程）
第15条　職務権限規程で全社および本社に適用するものは社長が立案し、取締役会で決定する。

（会議・委員会規程）
第16条　会議・委員会規程で全社および本社に適用するものは会議・委員会の主管部長が立案し社長が決定する。

（管理規程）
第17条　管理規程で全社および本社に適用するものは本社の関係業務主管部長が立案し、社長が決定する。

（業務規程）
第18条　業務規程で全社および本社に適用するものは本社の関係業務主管課長が立案し、関係業務主管部長が決定する。

（基準・規格）
第19条　基準・規格で全社および本社に適用するものは本社の関係業務主管課長が立案し、関係業務主管部長が決定する。

第4章　規程の効力

（拘束順位）
第20条　基本規程、組織規程、管理規程、業務規程、基準・規格は、以下の順位により、その下位にあたる規程を拘束し、上位の規程に反する条項は効力を有しないものとする。

限は次の通りとする。
①　規程の起案、作成、公布、施行を本総則に基づいて統制する。
②　規程の様式について基準を制定し、これに基づいて統制する。
③　規程の制定・改廃案について、事前に会議を受け、この規程に基づいて原案の訂正を求める。
④　この規程に定めるところにより各組織単位に規程を制定したときまたは改廃したときは、その写しの提出を受けるものとする。
⑤　会社規程集を編集し原本を保管管理する。

（効力の発生）
第21条　規程の効力は、その規程に定められた施行期日から発生する。

（効力の消滅）
第22条　規程を廃止して新規程を制定した場合、旧規程の効力は特別に規定した場合を除き、新規程施行の日に消滅する。

2　規程を単に廃止する場合は、規程効力消滅の日は公布者が通達で定める。

（周知徹底の義務）
第23条　規程類が公布発行されたときは、各管理者は所属員にその内容を周知徹底させなければならない。

2　規程の周知不徹底、遵守義務の不十分などにより、業務処理に不都合が生じたときは、その管理者の責任とし、相応の処分を行うことを原則とする。

第5章　規程の統制

（規程の統制）
第24条　規程の統制は総務部長がこれを行う。

2　総務部長の規程統制にあたっての職務権

（付則）
第25条　この規程は、○○年○月○日から実施する。

（制定・△△・○・○）

組織規程

```
AK電子
・電子部品製造
・従業員　五〇〇人
```

第1章　総則

（目的）
第1条　この規程は、AK電子株式会社（以下会社という）の経営組織、職務分掌および職務権限に関する基本事項を定め、業務の能率的運営および責任体制の確立をはかることを目的とする。

（組織の構成）
第2条　組織は、組織機構、職務分掌事項、職位および職務権限からなる。

（組織機構）
第3条　組織機構は、部・工場、室、課、班、チーム等の部門から構成され、それをあらわす組織図は、［図1］による。（図省略）

（職務遂行の原則）
第4条　各職位は、組織機構を尊重し定められた職務を責任をもって遂行し、かつ相互に関連のある業務については関係部門と協調し、業務活動が効率的に行なわれるよう努めなければならない。

第2章　取締役会および役員

（取締役会）
第5条　会社の業務執行の基本方針を決定する機関として取締役会をおく。
　取締役会の運営については、別に定める取締役会規程による。

（社長）
第6条　社長は会社業務執行の最高責任者として会社を代表し、取締役会の定める基本方針にもとづき会社業務を統括する。

（専務、常務および他の取締役ならびに担当役）
第7条　① 専務、常務および他の取締役は、会社の業務執行全般について社長を補佐するほか、社長が委嘱する部門の業務を担当するとともに社長に事故あるときは、上席順にその職務を代行する。
　② 専務、常務および他の取締役が、担当役員としての任にあるときは、その基本的役割をつぎのとおりとする。
　(1) 担当職務に関し、方針・政策を立案し、社長に建言もしくは取締役会の決定、承認をうること。
　(2) 担当職務に関する執行責任者である部長に対し、職能上の指導、援助、調整および勧告を行なうこと。
　(3) 社長からの特命事項等に関し自らそれを処理すること、もしくはそれを処理するために関連担当部門の執行責任者たる部長に対し、社長にかわって、指揮監督をすることがあること。

（監査役）
第8条　監査役は会社の業務・会計監査を行なう。

第3章　職務分掌

（職務分掌）
第9条　各組織機構およびその部門が分掌する主要業務の範囲は［表1］に掲げる。（表省略）

（部門の長）
第10条　各組織機構および部門の長として、つぎの管理職位をおく。
　本社―部長、室長、課長、班長
　事業所―事業所長、課長、班長
　工場―工場長、課長、班長
　支店―支店長

第4章　職位

（部長）
第11条　部に部長をおく。部長は社長の命を受け、所属員を指揮監督し、その部の業務

Ⅶ 経営組織運営に関する規程

を統轄するとともに、第7条第2項の担当役員の職務権限にもとづいて、担当役員の指導、助言を受けることがある。室長、事業所長、工場長についても、部長に準じる。

(課長)
第12条 部および課に課長をおく。課長は部長(もしくは室長、事業所長、工場長)の指揮命令に従い、所属員を指揮監督し、その課の業務を処理する。

(支店長)
第13条 支店に支店長をおく。支店長は営業部長の命を受け、所属員を指揮監督し、その支店の業務を統轄する。

(班長)
第14条 班に班長をおく。班長は課長(もしくは工場長)の指揮命令に従い、所属員を指揮監督し、その班の業務を遂行する。

(代理職位)
第15条 必要により代理職位をおくことがある。

第5章 職務権限

(各職位の責任と職務権限の遂行)
第16条 各職位はその職務権限の遂行については責任を負い、かつその遂行に必要な権限を有する。

(責任)
第17条 責任とは、各職位に課せられた職務分掌にもとづいての責任であって、会社の経営方針ならびに諸規程にもとづくつぎの責任を負う。

① 積極的に分担された職務を遂行すべき責任
② 職務遂行の結果に対する責任
③ 職務遂行の結果について、報告もしくは連絡をなすべき責任

(権限)
第18条 権限とは、会社の経営方針ならびに諸規程にもとづき、積極的に職務を遂行することができる権能の範囲であって、つぎの権限を有する。

① 立案し決裁を求める権限
② 立案もしくは申請事項の内容等につき審議することの権限
③ 自由裁量により自己の責任において決定する権限
④ 決定したことを自ら実施し、または直属の下位職位(等級者)に指示命令し、実施させる権限
⑤ 所管事項に関し、他の決定・命令権限のある職位に対し、専門的技術的立場より助言、勧告を行なう権限
⑥ 職務遂行の結果を確認するために、報告もしくは連絡を求める権限

(権限の尊重)
第19条 各職位は組織を尊重し、他の職位の職務および権限を侵してはならない。

(権限の行使)
第20条 権限は原則として職務を遂行する立場にある職位の者が、自ら行使するものとする。

(権限の委譲)
第21条 各職位は、自己の職務の一部をその職務遂行に必要な権限とともに下位職位(等級者)に委譲することができる。但し、その職務遂行状況ならびに結果に対する監督責任を免れることはできない。

(権限の代行)
第22条 前条の権限の委譲を受けた職位は、自己の職名をもってその権限を代行するものとする。代行者は、権限代行の結果に対する責任を負うとともに、その経過ならびに結果を委譲者に報告しなければならない。

(報告)
第23条 各職位は、その職務権限を行使した結果をその上位職位者および関連する他部門の職位に報告しなければならない。

第6章 会議体

(会議体)

業務分掌規程

KT鉄工
鉄工機械製造業
（・従業員 一、七〇〇人）

（目的）
第1条　会社における各組織単位の業務分掌はこの規程の定めるところによる。

（企画管理室）
第2条　企画管理室はトップマネジメントのスタッフとして経営活動の効率を高めるため経営について次の業務をつかさどる。
① 中、長期経営計画の立案
② 予算編成方針の立案
③ 組織の基本方針の立案
④ 国内外経済、産業の調査研究
⑤ 製品需要動向の調査
⑥ 常務会特命事項の処理
⑦ 関係会社に対する連絡
⑧ 幹部会事務局の業務

（総務部）
第3条　総務部は庶務、人事、経理及び他部の分掌に属さない総括業務をつかさどる。

（庶務課）
第4条　庶務課は次の業務をつかさどる。
① 株式、株主、総会、定款、配当
② 社内通知
③ 受付案内
④ 郵便物の受付発送
⑤ 事務用品及び什器備品の購入並びに管理
⑥ 新聞雑誌及び図書の購入並びに保管
⑦ 諸団体への申込、加入及び脱退
⑧ 全社的広告及び宣伝
⑨ 交際（寄付、賛助を含む）及び他部課係に属さない一般の対外交渉連絡
⑩ インターネット通信
⑪ 所管設備（会議室、応接室、社用乗用車）の運用管理
⑫ 固定資産（土地、建物及び構築物）の管理
⑬ 保安
⑭ 会社行事
⑮ 不用品の売却
⑯ 不動産その他重要なる権利の保全
⑰ 環境整備及び清掃
⑱ 火災保険、自動車保険、生命保険
⑲ 電話設備の取得、配備、保全、処分
⑳ 役員秘書
㉑ 社則の管理
㉒ 諸官庁への調査、報告
㉓ 信用調査の手続及び保管
㉔ プロパンガスの購入
㉕ その他他部課係の分掌に属さない事項

（人事係）
第5条　人事係は次の業務をつかさどる。
① 人事計画及び統制
② 従業員の募集、採用、配属、任命、異動及び服務
③ 資格及び給与
④ 人事考課及び賞罰
⑤ 離職及び退職金
⑥ 社内の慶弔見舞

第24条　業務運営に関する重要事項について、必要に応じ委員会・会議等の会議体を設置することができる。各会議体の目的、組織・形態および運営については、〔表2〕に定める。（表省略）

（会議体の責任と権限の遂行）
第25条　各会議体における責任および権限は、第17条および第18条に準じて負い、かつ有するものとする。この場合においても主たる責任者と従たる責任者を明確にし、その任務を遂行するものとする。

（会議体の改廃）
第26条　各会議体は、毎年度初めに継続、改廃を含め見直しを行ない、そのむね社長室に届け出るものとする。

付　則

（施行期日）
第27条　この規程は、〇〇年〇月〇日から施行する。

VII 経営組織運営に関する規程

⑦ 福利厚生施設（寮を含む）の企画、管理
⑧ 安全衛生
⑨ 勤怠及び出張
⑩ 社会保険及び労災保険
⑪ 企業年金、従業員預金
⑫ 旅費及び通勤費
⑬ 給与計算及び支給
⑭ 給与査定基準
⑮ 労働組合との折衝連絡及び労使交渉
⑯ 労働条件に関する実施案の作成及び調整
⑰ 新入社員及び一般社員の教育訓練
⑱ 技能検定
⑲ 従業員の給食及び作業服貸与
⑳ ZD及び提案の表彰
㉑ 社内報
㉒ 住民税及び源泉所得税
㉓ 従業員台帳の作成保管

（経理係）
第6条 経理係は次の業務をつかさどる。
① 会社印及び社長印の保管
② 総括予算の編成及び実行
③ 月次、年次総括決算（貸借対照表、損益計算書及び決算付属諸表の作成）
④ 資金計画及び統制
⑤ 資金の調達及び運用
⑥ 金銭及び有価証券の出納並びに保管
⑦ 法人税務及び地方税務に関する事項
⑧ 内部監査
⑨ 公認会計士及び関係会社の監査に関する事項
⑩ 有価証券報告書の作成
⑪ 関係会社及び諸法令に基づく経理関係提出書類の作成
⑫ 固定資産会計
⑬ 原価計算業務（原価関係決算諸表の作成を含む）
⑭ 予実算比較及び分析

（営業部）
第7条 営業部は繊維機械、空気圧縮機及び産業機械に関する業務をつかさどる。

（事務係）
第8条 事務係は次の業務をつかさどる。
① 文書の受発信
② 部の営業会議資料の作成
③ 売上に関する帳票の作成保管
④ 売掛金の請求及び回収事務
⑤ 信用限度の管理
⑥ 部内他課係に属さない事項

（営業一課）
第9条 営業一課は繊維機械に関する次の業務をつかさどる。

（販売係）
① 販売方針並びに計画
② 販売予算の編成
③ 市場調査
④ 販路の開拓、広告宣伝
⑤ 取引先の信用調査と信用限度の申請
⑥ 見積及び契約
⑦ 製造指図書の発行
⑧ 売掛金の請求並びに回収
⑨ 製品の在庫調整
⑩ 見本品、返品、支給品、預り品等
⑪ 取引先よりの苦情処理
⑫ 製品のアフターサービス
⑬ 販売原価及び販売価格の調査検討

（営業二課）
第10条 営業二課は空気圧縮機に関する次の業務をつかさどる。

（業務一係）
業務一係は遮断機以外の業務をつかさどる。
① 経費予算の編成
② 販売資料の作成
③ 広告宣伝
④ 仕込品販売計画の立案及び製造指図書の発行
⑤ 仕込品の納期及び販売調整
⑥ 製品の在庫調整
⑦ 補用部品の管理
⑧ 取引先よりの苦情処理
⑨ 製品のアフターサービス
⑩ 販売原価及び販売価格の調査検討
⑪ 営業所、出張所との業務連絡

（業務二係）
業務二係は遮断機に関する業務をつか

業務分掌規程

さどる。

(販売係)

販売係は遮断機以外の販売に関する業務をつかさどる。

① 販売方針並びに計画
② 販売予算の編成
③ 経費予算の編成
④ 市場調査
⑤ 販路の開拓、広告宣伝
⑥ 取引先の信用調査と信用限度
⑦ 見積及び契約
⑧ 製造指図書及び出荷指図書の発行
⑨ 売掛金の請求並びに回収
⑩ 委託品の管理
⑪ 見本品の返品、支給品、預り品等
⑫ 仕込品の生産計画の立案
⑬ 仕込品の納期及び販売調整
⑭ 製品の在庫調整
⑮ 製品原価及び販売価格の調査検討

第11条　営業三課は産業機械に関する次の業務をつかさどる。

(営業三課)

① 販売計画及び販売予算の作成
② 市場及び業況調査
③ 得意先の信用調査及び信用限度の申請
④ 代理店教育及び販売督励
⑤ 得意先との連絡接渉
⑥ 販売に関する変更
⑦ 受注、試作、仕込、見積、契約並びに各指図書の発行、台帳の整理
⑧ 製品の在庫調査並びに調整
⑨ 納期の監視及び調整
⑩ サービス資料の作成並びに処理
⑪ 製品に関する苦情受付並びに処理
⑫ 販売報告並びに販売資料の作成検討
⑬ 製品原価及び販売価格の調査検討
⑭ 仕込品、支給品、預り品の充当及び台帳の整理
⑮ 売掛金の請求及び回収

(東京営業所)

第12条　東京営業所はその定められた地区における繊維機械、空気圧縮機及び産業機械に関する次の業務をつかさどる。

① 所印、所長印の押印及び保管
② 文書の受発信
③ 交際（寄付、賛助を含む）
④ 事務用品及び什器備品の管理

⑤ 経費予算の編成
⑥ 販売方針及び計画
⑦ 市場調査
⑧ 販路開拓、販売促進
⑨ 取引先の信用調査と信用限度の申請
⑩ 見積及び契約
⑪ 製造指図書及び出荷指図書の発行
⑫ 売掛金の請求並びに回収
⑬ 委託品及び部品在庫の管理
⑭ 見本品、返品、支給品、預り品等の処理
⑮ 取引先よりの苦情処理
⑯ 製品のアフターサービス
⑰ その他所内庶務事項

(名古屋営業所)

第13条　名古屋営業所はその定められた地区における空気圧縮機の販売に関する業務をつかさどる。

① 所印、所長印の押印及び保管
② 文書の受発信
③ 交際（寄付、賛助を含む）
④ 事務用品及び什器備品の管理
⑤ 経費予算の編成
⑥ 所内人事管理
⑦ 福利厚生施設の管理
⑧ 所内の経理

Ⅶ 経営組織運営に関する規程

⑨ 販売方針及び計画
⑩ 市場調査
⑪ 販路開拓、販売促進
⑫ 取引先の信用調査と信用限度の申請
⑬ 見積及び契約
⑭ 製造指図書及び出荷指図書の発行
⑮ 売掛金の請求並びに回収
⑯ 委託品及び部品在庫の管理
⑰ 見本品の返品、支給品、預り品等の処理
⑱ 取引先よりの苦情処理
⑲ 製品のアフターサービス
⑳ その他所内庶務事項

（資材部）

第14条　資材部は資材の購入、申請、調整、調査、統計、在庫管理に関する業務をつかさどる。

（購買係）

① 購買計画及び購買予算の編成
② 市場調査及び購入先調査検討
③ 購入先との連絡接渉及び指導
④ 見積依頼及び検討
⑤ 購入契約及び発注
⑥ 生産計画に基づく納期督促並びに納入統制
⑦ 支払請求明細書の作成並びに納期検収による支払手続及び調整
⑧ 購入実績に関する諸表の作成検討
⑨ 関係他部門に対する市況報告

（倉庫係）

① 関係規格の作成
② 準備表（含出庫伝票）に基づく請求に対する在庫品引当調査及び購入手続
③ 常備品に対する不足分の購入手続
④ 特定部品の納品受付並びに素材検査依頼
⑤ 入庫、出庫、保管
⑥ 入庫、出庫に関する帳票の整理
⑦ 倉庫台帳の作成、保管
⑧ 棚卸並びに在庫統制
⑨ 鋼材の切断
⑩ 廃材の整理及び保管
⑪ 関係規格の作成
⑫ 倉庫日誌等の作成

（技術部）

第15条　技術部は試験研究、開発、特許、設計製図、検査等に関する業務をつかさどる。

（開発課）

第16条　開発課は次の業務をつかさどる。
① 常務会の決定による新製品、製品改良の研究並びに開発に対する計画と実施
② 技術研究資料の収集発行、整理、保管
③ 技術説明検討会の運営
④ 市場調査
⑤ 発明、考案、特許等の調査申請
⑥ 製品及び部品の標準化
⑦ 特定機種に関する原価予算の作成並びに実績原価検討

（技術一課）

第17条　技術一課は繊維機械に関する次の業務をつかさどる。
① 設計及び出図計画の作成及び実施
② 部品リスト、材料、買入部品表、製造仕様書の作成
③ 図面検討会の主催
④ 原図の保管
⑤ 営業用図面の作成及び仕様の決定
⑥ 見積資料の作成
⑦ 取扱説明書の作成
⑧ 技術資料、研究資料の収集発行、整理保管
⑨ 製品の研究、改造
⑩ 発明、考案、特許等の調査申請
⑪ 立会検査の準備及び立会
⑫ 苦情調査及び試作品のアフターサービス
⑬ 基礎研究及び試作品の実用化
⑭ 試験室の管理
⑮ 関係規格の作成
⑯ その他特命事項及び関連書類作成

（技術二課）

第18条　技術二課は圧縮機及びその関連機器に関する次の業務をつかさどる。

（技術係）

技術係は圧縮機本体及び標準付属機器に関する次の業務をつかさどる。
① 設計及び出図計画の作成及び実施

業務分掌規程

① 設計出図並びに図面の管理
② 図面検討会の主催
③ 材料、買入部品表、製造仕様書の作成
④ 原図の保管
⑤ 営業用図面の作成及び仕様の決定
⑥ 見積資料の作成
⑦ 取扱説明書の作成
⑧ 技術資料、説明資料の収集発行及び保管
⑨ 製品の研究、改造
⑩ 発明考案特許等の調査申請
⑪ 苦情調査
⑫ 試作研究及び実用化
⑬ 関係規格の作成

（設計係）
設計係は技術係以外の主として受注設計に関する次の業務をつかさどる。
① 設計及び出図計画の作成及び実施
② 図面検討会の主催
③ 材料、買入部品表、製造仕様書の作成
④ 原図の保管
⑤ 営業用図面の作成及び仕様の決定
⑥ 取扱説明書の作成
⑦ 関係規格の作成

（技術三課）
第19条 技術三課は押出機、食品機械その他産業機械に関する次の業務をつかさどる。

（第一係）
第一係は押出機に関する次の業務をつかさどる。

（第二係）
第二係は食品機械その他産業機械に関する次の業務をつかさどる。
① 設計及び出図計画の作成及び実施
② 図面検討会の主催
③ 買入部品表、製造仕様書の作成
④ 営業用図面、資料の作成
⑤ 作成原図の保管
⑥ 見積資料の作成
⑦ 取扱説明書の作成
⑧ 製品の研究及び改造
⑨ 製品に関する事故、苦情の調査及び対策
⑩ 各種資料の調査及び作成

（検査課）
第20条 検査課は次の業務をつかさどる。

（検査一係）
検査一係は繊維機械に関する次の業務を分担する。
① 納入品の受付
② 部品又は完成機器に対する精度、機能、発送状況の検査
③ 検査成績書、損傷票の作成配布
④ 検収業務
⑤ 特別採用の処置及び連絡
⑥ 不合格品の連絡及び処置
⑦ 検査規格及び要領書の作成
⑧ 客先及び官庁検査立合
⑨ 計測器及び検査設備の保管
⑩ 検査日程計画の作成及び配布

（検査二係）
検査二係は空気圧縮機に関する次の業務を分担する。
① 納入品の受付
② 部品又は完成機器に対する精度、機能、商品価値、発送状況の検査
③ 検査成績書、損傷票の作成配布
④ 検収業務
⑤ 特別採用の処置及び連絡
⑥ 不合格品の連絡及び処置
⑦ 検査規格及び要領書の作成
⑧ 客先及び官庁検査立合
⑨ 計測器及び検査設備の保管
⑩ 検査日程計画の作成及び配布
⑪ 水圧検査

（工場管理室）
第21条 工場管理室は工場長のスタッフとして生産管理に関する次の業務をつかさど

Ⅶ 経営組織運営に関する規程

① 総合生産計画、人員計画、設備計画の立案
② 生産能力の調査及び向上
③ 工場試験研究の総括
④ 技術標準化の総合的推進
⑤ 生産管理方式の調査研究
⑥ 生産技術の調査、改善及び新生産技術の導入
⑦ 生産施設の新設、改廃、技術的検討
⑧ 提案制度及びZDに関する事項
⑨ その他工場長特命事項の処理

第22条 第一生産部は繊維機械、空気圧縮機の生産に関する業務をつかさどる。

(製造一課)
第23条 製造一課は繊維機械に関する次の業務をつかさどる。

(工務係)
① 生産計画並びに生産統制
② 工程計画の作成及び推進
③ 日程計画の作成及び推進
④ 作業伝票の発行及び保管
⑤ 作業日報、時間報告、残業報告書の作成
⑥ 外注先の調査連絡並びに指導
⑦ 内外注区分の決定及び外注契約
⑧ 加工外注の見積依頼及び検討
⑨ 材料及び部品の出庫請求
⑩ 外注先への材料、図面、工具等の支給

手配
⑪ 完成品の引渡及び返送依頼
⑫ 製造技術及び品質管理の研究実施
⑬ 作業改善及び作業標準の設定
⑭ 標準時間及び標準原価の設定
⑮ 安全衛生管理
⑯ 検査不合格品の連絡保管及び返却
⑰ 損傷票の発行及び保管
⑱ 製品に関する苦情調査及び対策

(作業係)
① 仕上組立、塗装作業の実施
② 係内作業の進行及び報告
③ 不良及び異常状報告
④ 材料及び製品の受渡
⑤ 所属施設機器類の管理保全

(サービス係)
① 製品に関するアフターサービス
② 製品に関するクレームの処理
③ その他課内特命事項

(製造二課)
第24条 製造二課は圧縮機に関する次の業務をつかさどる。

(工務係)
① 生産計画並びに統制
② 工程計画の作成及び推進
③ 日程計画の作成及び推進
④ 作業伝票の発行及び保管
⑤ 残業報告書の作成
⑥ 外注先の調査連絡並びに指導

⑦ 内外注区分の決定及び外注契約
⑧ 加工外注の見積依頼及び検討
⑨ 材料及び部品の出庫請求
⑩ 外注先への材料、図面、工具等の支給

手配
⑪ 製品倉庫への部品、製品の入庫
⑫ 完成品の引渡及び発送依頼
⑬ 製造技術及び品質管理の研究実施
⑭ 作業改善及び作業標準の設定
⑮ 標準時間及び標準原価の設定
⑯ 安全衛生管理
⑰ 損傷票の発行及び保管
⑱ 製品に関する苦情調査及び対策
⑲ 納入計画並びに統制

(作業係)
① 仕上、組立、熔接作業の実施
② 係内作業の進行及び報告
③ 不良及び異常の報告
④ 材料及び製品の受渡
⑤ 所属施設機器類の管理保全
⑥ 作業日報の作成発行

(第二生産部)
第25条 第二生産部は押出機、食品機械等各種産業機械に関する次の業務をつかさどる。

(製造一課)
第26条 製造一課は押出機及びその付属機器に関する次の業務をつかさどる。

(作業係)

業務分掌規程

① 工場総括に関する事項
② 実行予算及び収益予算
③ コスト低減対策の立案推進
④ 内外注区分の決定及び外注要求
⑤ 注文主との折衝及び連絡
⑥ 材料並びに納入部品類の受渡及び保管
⑦ 材料並びに部品購入の依頼、督促
⑧ ロット部品の管理、払出及び保管
⑨ 標準図面の管理保管
⑩ 技術研究事項

（組立係）
① 製品の仕上、組立作業並びに運転調整
② 技術教育訓練並びに職場管理
③ 安全衛生
④ 所属諸施設機器類の管理保全
⑤ 係内人事並びに労務管理
⑥ 作業方法の改善に関する事項

第27条　製造二課は食品機械その他産業機械に関する次の業務をつかさどる。

（工務係）
① 生産計画、工事量調整その他総合企画の立案
② 部品表の作成発行
③ 図面の管理保全
④ 材料の受渡
⑤ 工事に関する購入、他部門への依頼督促等調達諸手配事項
⑥ 諸調査資料の作成

（作業係）
① 工事総括に関する事項
② 実行予算、収益予算
③ 注文主との折衝連絡
④ コスト低減対策の立案推進
⑤ 組立計画、時数計画、発送計画の立案推進
⑥ 工程計画の立案推進並びに統制
⑦ 内外注区分の決定及び外注要求
⑧ 技術研究事項
⑨ 納入部品類の受渡、保管

（組立係）
① 製品の仕上組立作業並びに運転調整
② 技術教育訓練並びに職場管理
③ 安全衛生
④ 所属施設機器類の管理、保全
⑤ 係内人事並びに労務管理
⑥ 作業方法の改善に関する事項

第28条　輸送課は次の業務をつかさどる。

（輸送課）
① 輸送計画及び予算の作成
② 製品の荷造、発送の計画、統制及び実施
③ 荷造及び輸送の見積依頼並びに検討
④ 荷造及び輸送の外注契約
⑤ 輸送保険に関する手続
⑥ 梱包材料の納品受入及び保管
⑦ 荷造及び運送方法の調査研究
⑧ 物品の工場内外への運搬

⑨ 運搬車輌、天上クレーン、貨物自動車の運転、配車並びに管理
⑩ 所管臨時労務者の配置並びに監督
⑪ 荷造及び輸送に関する苦情調査並びに対策
⑫ 梱包規格に関する事項
⑬ 社内営繕関係対策管理
⑭ 製品入出庫、倉庫管理及び在庫報告
⑮ 戻り品に関する事項
⑯ 各課使用運賃の計算
⑰ 塵埃処理、焼却炉管理及び浴場の清掃管理
⑱ 場内整理、作業屑運搬

第29条　機工課は機械作業に関する次の業務をつかさどる。

（外注係）
① 外注先の調査、連絡及び指導
② 加工外注の見積依頼並びに検討
③ 内外注区分の決定及び外注契約
④ 納入計画及び統制
⑤ 材料及び部品の出庫請求
⑥ 外注先への材料、図面、工具等の支給並びに貸与
⑦ 損傷票の発行及び保管
⑧ 検査不合格品の外注先への連絡、不合格品の処理

（作業係）
① 工程計画の作成及び推進

Ⅶ 経営組織運営に関する規程

② 日程計画の作成及び推進
③ 機械作業の実施
④ 作業日報、時間報告、残業報告書の作成
⑤ 材料及び製品の受渡し
⑥ 損傷票の発行及び保管
⑦ 加工技術及び品質管理の研究実施
⑧ 作業改善及び作業標準の設定
⑨ 標準時間の設定
⑩ 安全衛生管理
⑪ 所属施設機器類の管理保全
⑫ 関係規格の作成

(設備課)
第30条 設備課は機械設備、治工具、電気、水道に関する次の業務をつかさどる。

(保全係)
① 保全係は機械設備、治工具、に関する次の業務をつかさどる。
② 購入に必要な市場調査及び購入先の調査検討
③ 機械設備、治工具の購入計画並びに予算の作成
④ 見積依頼並びに検討
⑤ 納入計画並びに統制
⑥ 機械設備及び治工具の製作、保全並びに改修の計画と実施
⑦ 設備用図面管理
⑧ 機械設備治工具の検査(受入検査及び日常又は定期検査を含む)
⑨ 関係規格の作成
⑩ 不良及び異常の報告
⑪ 作業日報、時間報告、残業報告書の作成

(工具係)
⑫ 工具係は工具に関する次の業務をつかさどる。
① 工具及び計測器並びに工場消耗品の購入計画並びに予算の作成
② 購入に必要な市場調査及び購入先の調査検討
③ 購入先との連絡接渉並びに購入請求
④ 見積依頼並びに検討
⑤ 納入計画並びに統制
⑥ 作業伝票の発行並びに保管
⑦ 作業日報、時間報告、残業報告書の作成
⑧ 購入品の納入受付
⑨ 関係規格の作成
⑩ 工具、計測器及び工場消耗品の管理(検査を含む)
⑪ 棚卸及び在庫統制
⑫ 修理及び廃却手続

(電気係)
① 電気保全、運転操作基準の設定
② 電気工事の設計、計画、予算作成、検

③ 収
④ 特設水道、水源設備の保全及び水質管理
⑤ 電気設備(自動火災報知設備を含む)の検査並びに保全管理
⑥ 機械設備及び屋内外の電気配線工事
⑦ 製品の電装工事
⑧ 納品の受付及び検査
⑨ 購入先との連絡接渉並びに購入請求
⑩ 購入に必要な市場調査及び購入先の調査検討
⑪ 電気関係の苦情調査及び対策
⑫ 関係諸官庁及び電力会社との連絡折衝
⑬ 図面の整理保管
⑭ 設備、器具、資材の管理
⑮ 作業日報、作業伝票、残業報告書の作成

(鋳造課)
第31条 鋳造課は鋳造に関する次の業務をつかさどる。

(工務係)
① 生産計画の立案
② 日程計画の作成及び推進
③ 鋳造日報の発行及び保管
④ 外注先の調査決定及び価格、納期、品質の管理
⑤ 外注先よりの納品に関する受入、検査並びに処理

120

⑥ 吹上品の出庫業務
⑦ 鋳造材料の購入請求
⑧ 支払伝票の作成
⑨ 月別各種統計表の作成
⑩ 鋳造技術及び品質管理の研究実施
⑪ 安全衛生管理
⑫ 所属施設機器類の管理保全
⑬ 製品に対する苦情受付、調査及び対策
⑭ 関係規格の作成

（作業係）
① 造型、芯取、熔解、砂処理、製品処理作業の実施
② 所属施設、機器類の管理保全
③ 不良品及び異常報告

（木型班）
① 木型製作、修理、検査作業の実施
② 木型、金型外注に関する見積依頼並びに検討及び外注先の決定
③ 木型用材の購入手続
④ 木型用図面の整理保管
⑤ 不良及び異常報告
⑥ 所属施設機器類の管理保全
⑦ 木型の整理保管

（付則）
① この規程は〇〇年〇月〇日から実施する。
② この規程の実施にともない現行業務分掌規程（△△年〇月〇日制定）は廃止する。

職務分掌規程

KT鉄工
（鉄工機械製造業・従業員 一、七〇〇人）

（目的）
第1条　この規程は会社業務執行の責任体制を確立し、業務運営の有機的能率化を図るため各職位の職務権限を明確に定めることを目的とする。

2　この規程において従業員とは正規の手続を経て雇用された常備の社員をいう。

（用語の定義）
第2条　本規程における主要なる用語の定義は次の通りとする。

① 職位　会社内で割当てられた職制上の地位

② 職能　職位の果すべき仕事の領域（職能は会社内におけるその職位の役割を示すものである）

③ 職務　職能に含まれる一つの仕事（職務は広義の責任と同義語である）

④ 権限　職務を遂行するために決定を行うことのできる権利（職制上の地位並びに職務上の指揮命令系統の序列）

第3条　職制上の地位並びに職務上の指揮命令系統の序列は次のとおりとする。

① 職制上の地位

イ　本社

社長―管掌取締役―工場長―副工場長―部長―次長―課長―係長―作業長―班長―社員

部長―次長

② 職務上の指揮命令系統の序列

(1) 本社

部長―次長―課長―係長―社員

(2) 営業所、出張所

所長―課長―係長―社員
室長―室員

ロ　工場

工場長―副工場長―部長―次長―課長―作業長―班長―社員
課長―係長―社員
係長―作業長―班長―社員

ハ　営業所、出張所

所長―課長―係長―社員
室長―室員

③ 前号に掲げる職には必要により代理職を設け或は実員を配さないことがある。

④ 前項の規定により代理職を設けた場合の責任並びにその権限は該当職の責任並びに権限と同様とする。

⑤ 各職制には必要により待遇職を設ける

職務分掌規程

ことがある。

⑥ 前項の規定により待遇職を設けた場合の職制上の地位はこれを該当職とする。

（職務権限）

第4条 各職位はこの規程の定めるところにより、所属上長の職務上の命令に従って誠実にその職務を遂行するとともに所属上長の職務上の命令に基づく場合のほか、その権限をこえて行動することはできない。

ただし、所属上長不在その他止むを得ない理由により所属上長の権限を代行する場合には事後速かに報告してその承認を得なければならない。

2 前項ただし書の規定により所属上長の権限を代行する場合の代行権の範囲は予め定められた範囲内とする。

3 各職位の権限行使にともなう引責者の範囲は次のとおりとする。

(1) 従業員がその固有の権限を直接行使する場合は直接行使者

(2) 上長の権限を代行する場合は代行権の範囲内で代行者

(3) 上長の命をうけて行動する場合は命令者

4 各職位は上長の職務上の命令が同一事項に関して矛盾する場合はその直属上長の命令に従うものとする。

5 副工場長及び次長はそれぞれ所属上長を補佐し、不在または事故あるときその職能を代理して工場及び部の業務遂行の円滑な処理を期するとともに特定の業務につきその業務を分担し責に任ずる。

（全般経営層）

第5条 業務執行の全般管理の職位については次のとおりとする。

社長は取締役会の委任をうけ、取締役会で決定された経営方針を実現するため、常務取締役及び常務会の協力を経て次の任務を行なう。

(1) 全般的執行方針の樹立
(2) 経営管理組織の確立、維持
(3) 人事管理
(4) 会社の執行活動の統制
(5) 対外的代表責任者としての任務
(6) 取締役会に対する報告提案
(7) 決裁規程に定める事項の決裁
(8) 常務会及び常勤取締役会を招集し之を主宰する。

2 常務取締役は社長を補佐し、社長より委任された業務の執行を管掌するとともに常務会を通じて会社全般にわたる活動を管理する。

（本社部長及び室長）

第6条 本社部長及び室長は社長の命をうけ、管掌取締役の指示に従い部及び室の業務を主管し所属従業員を指揮監督してその担当業務の企画立案及びそれに必要な調査研究をし、所定の手続を経てこれを各関係先に通達し、その実施について常に関係先と密接に連絡してこれを監督し次に掲げる事項を処理してその責に任ずる。

(1) 部内予算の収支に関すること（室長については室内）
(2) 部内組織の分掌に関すること（室長については室内）
(3) 所属課（課のないときは係）間における業務の調整に関すること（室長については室内）
(4) 所属従業員の部内課係間における人事の異動に関し立案すること（室長については室内）
(5) 担当事項に関する諸規則（規程を含む）の細則の制定又は改廃に関し立案すること
(6) 所属従業員の任免、解雇並びに賞罰に関し立案すること
(7) 所属従業員の昇給賞与の額について立案すること
(8) 所属従業員の勤務評定並びに教育訓練に関すること
(9) 所属従業員の安全衛生に関すること
(10) 所属従業員に出張を命ずること
(11) 所属従業員の採用に関し立案すること
(12) 関係文書に閲覧印及び出金伝票（部、室内予算の範囲内における出金）に認証印を与えること
(13) 所属従業員に時間外勤務を命ずること

VII 経営組織運営に関する規程

(14) 所属従業員に休暇を認めること
(15) 前各号のほか所属従業員の意見具申、申請その他会社諸規程に定める権限内の事項を処理すること

（工場長）
第7条 工場長は社長の命を受け所属従業員を指揮監督して工場を総合管理業務の遂行について常に本社各部長と密接に連絡し次に掲げる事項を処理してその責に任ず。
(1) 工場内予算の収支に関すること
(2) 工場に適用する諸規則（規程を含む）の制定又は改廃に関し審議すること
(3) 工場の組織並びに分掌に関すること
(4) 所属従業員の工場内における人事の異動及び任免、解雇並びに賞罰に関し調整または審議すること
(5) 従業員の採用に関し調整または審議すること
(6) 直属部課係間の業務調整に関すること
(7) 所属従業員の昇給、賞与の審査に関すること
(8) 所属従業員の勤務評定並びに教育訓練に関すること
(9) 所属従業員の安全衛生に関すること
(10) 所属部長以上並びに直属室、課、係長に出張を命ずること
(11) 所属部長以上並びに直属室、課、係長の休暇を認めること
(12) 前各号のほか所属従業員の意見具申、申請その他会社諸規程に定める権限内の事項を処理すること

（工場部長及び工場管理室長）
第8条 工場部長及び工場管理室長は工場長の命をうけ部及び室の業務を主管し所属従業員を指揮監督して所管業務に関する実施方針の企画立案、調査研究、実施状況の監督に参画し、工場長を補佐するとともに次の事項を執行してその責に任ず。
(1) 部、室内予算の収支に関すること
(2) 所属部課係間の業務の調整に関すること
(3) 部内雇用量に関し工場長に意見を具申すること（室長については室内）
(4) 所属従業員の所属課係間における人事の異動に関し立案すること
(5) 所属従業員の任免、解雇、賞罰に関し立案すること
(6) 所属従業員の昇給及び賞与の額について立案すること
(7) 所属従業員の勤務評定並びに教育訓練に関すること
(8) 所属従業員の安全衛生に関すること
(9) 所属課係長、室員の休暇を認めること
(10) 所属課係長、室員に出張を命ずること
(11) 所属課組織、分掌に関し工場長へ意見を具申すること
(12) 関係文書に閲覧印及び出金伝票（部、室内予算の範囲内における出金）に認証印を与えること
(13) 前各号のほか所属従業員の意見具申、申請その他会社諸規程に定める権限内の事項を処理すること

（東京営業所長及び名古屋出張所長）
第9条 東京営業所長及び名古屋出張所長は所属上長の命をうけ、所の業務を主管し、所属従業員を指揮監督してその担当業務の基本方針の企画立案及びそれに必要な調査研究をし、常に本社各関係先と密接に連絡し次に掲げる事項を処理してその責に任ずる。
(1) 所内予算の収支に関すること
(2) 所内のみに適用する諸規則（規程を含む）の細則の制定又は改廃に関し所属上長に意見を具申すること
(3) 所内業務の調整に関すること
(4) 所属従業員の所内における人事の異動及び任免、解雇並びに賞罰に関し意見を上申すること
(5) 従業員の採用に関し意見を上申すること
(6) 所属従業員の昇給及び賞与の額の審査並びに上長へ意見を具申すること
(7) 所属従業員の勤務評定並びに教育訓練に関すること
(8) 所属従業員の安全衛生に関すること
(9) 所属従業員に時間外勤務を命ずること
(10) 所属従業員に出張を命ずること

第10条　課長は所属上長の命をうけ、その補佐に任ずるとともに所属従業員の指揮監督して担当業務の円滑な遂行をはかり次の事項を執行してその責に任ずる。

(1) 課内雇用量に関し所属上長に上申すること
(2) 課内課係間の業務の調整に関すること
(3) 課内予算の収支に関すること
(4) 課内組織分掌の変更を上申すること
(5) 所属従業員の所属課内における人事の異動に関し意見を上申すること
(6) 所属従業員の任免、解雇、賞罰に関し意見を上申すること
(7) 所属従業員の昇給及び賞与の額について所属上長に意見を具申すること
(8) 所属従業員の勤務評定並びに教育訓練に関すること
(9) 所属従業員の安全衛生に関すること
(10) 所属従業員に時間外勤務を命ずること
(11) 所属従業員に出張を命ずること
(12) 所属従業員の休暇を認めること
(13) 関係文書に閲覧印及び出金伝票(課内予算の範囲内における出金)物品要求書、倉出伝票に認証印を与えること
(14) 前各号のほか所属従業員の意見具申、申請その他会社諸規程に定める権限内の事項につきこれを処理し又は上申すること

(係長)
第11条　係長は所属上長の命をうけてその補佐に任ずるとともに所管業務の円滑な遂行について所属従業員の直接の指揮監督者として次の事項を担当しその責に任ずる。

(1) 担当業務の企画立案、調査研究を行ない、これを所属上長に上申し又は実施すること
(2) 所属従業員の業務執行状況の監査に関すること
(3) 所属従業員の職務分担の決定並びに業務に対する適否の査定に関すること
(4) 所属従業員の業務の調整に関すること
(5) 所属従業員に会社諸規則の遵守並びに解釈につき必要な知識を与えること
(6) 所属従業員の任免、異動、解雇、賞罰に関し所属上長に意見を具申すること
(7) 所属従業員の昇給及び賞与の額について所属上長に意見を具申すること
(8) 所属従業員の勤務評定並びに教育訓練に関すること
(9) 所属従業員の安全衛生に関すること
(10) 班長からの時間外勤務の申請を審査し、これを所属上長に上申すること(但し所属課長のないときは係長が許可するものとする)
(11) 係内雇用量に関し所属上長に意見具申すること
(12) 前各号のほか、所属従業員の意見具申、申請その他会社諸規程に定める権限内の事項につきこれを処理し又は上申すること

(作業長)
第12条　作業長は所属上長の命をうけてその補佐に任ずるとともに所管業務の円滑な遂行について所属従業員の指揮監督者として次の事項を担当しその責に任ずる。

(1) 作業計画の企画立案を行ないこれを所属上長に上申しまたは実施すること
(2) 所属従業員の作業執行状況の監査に関すること
(3) 所属従業員の職務分担の決定並びに業務に関する適否の査定に関すること
(4) 所属従業員の作業の調整に関すること
(5) 所属従業員に会社諸規則の遵守並びに解釈につき必要な知識を与えること
(6) 所属従業員の任免、異動、解雇、賞罰に関し所属上長に意見を具申すること
(7) 所属従業員の昇給及び賞与の額について所属上長に意見を具申すること
(8) 所属従業員の勤務評定並びに教育訓練に関すること

VII 経営組織運営に関する規程

(8) 作業用具、設備の改善、充足その他作業環境、作業条件等に関し作業長に意見を具申すること
(9) 所属従業員の時間外勤務を作業長に申請すること
(10) 前各号のほか所属従業員の希望及び意見を作業長に具申すること。

（一般従業員）
第14条 一般従業員は所属上長の命をうけてその業務に専念する。

（付則）
第15条 この規程は ○○年○月○日から実施する。
2 この規程の実施にともない現行職制規程（△△年○月○日制定）は廃止する。

(9) 所属従業員の安全衛生に関すること
(10) 班長からの時間外勤務の申請を審査し、これを所属上長に上申すること（但し所属課長のないときは作業長が許可するものとする）
(11) 係内雇用量に関し所属上長に意見を具申すること
(12) 前各号のほか所属従業員の意見具申請その他会社諸規程に定める権限内の事項につきこれを処理しまたは上申すること

（班長）
第13条 班長は作業長の命をうけ担当作業に関し係員と密接に連絡して所属従業員を指揮監督するとともに率先作業に従事し次に掲げる事項を担当してその責に任ずる。
(1) 作業計画の打合せに関すること
(2) 作業計画の実施に関して所属従業員に指示しその確実な遂行に努力すること
(3) 担当作業に対する雇用量の適否並びに充足に関し作業長に意見を具申すること
(4) 作業方法、作業機械器具の改善を作業長に提案すること
(5) 所属従業員の作業の適否並びに異動、任免、解雇、昇給、賞罰その他給与に関し必要な事項を作業長に内申すること
(6) 所属従業員の勤務評定並びに教育訓練に関すること
(7) 所属従業員の安全衛生に関すること

職務権限規程

（TK繊維
・繊維製造
・従業員七〇〇人）

第1章 通　則

第1条（目的）
この規程は業務の機構と分掌、権限及び責任、業務の運営に関する基準を明確にし、役員並びに管理職（部課長）、準管理職（係長）の基本的な職務を規程して、業務の能率的運営を計ることを目的とする。

第2条（定義）
この規程における主な用語及び定義は、次のとおりとする。
(1) 職能
経営目的を完遂するため、専門的に分化した業務の領域をいう。
(2) 組織
経営目的を完遂するため、系統的に編成される業務処理の機構をいいその構成単位を組織単位という。
(3) 分掌
前号の組織単位に与えられる業務の所管範囲をいう。
(4) 責任及び権限
それぞれの組織単位の長（職位）に与えられる責任事項と、それを遂行するために与えられる権能をいう。

第2章 組　織

第3条（組織の構成）
組織は、職能の分化に応じて区分される組織単位によって構成するのを原則とする。組織単位は部・課・係の三段階とす

職務権限規程

第4条 (組織単位の長)
各組織の単位には、それぞれ長を置く。長となる段階に至る期間に付されるが、長としての責任権限は同じである。また必要に応じ「代理」を置くことができる。
「心得」は長としての責任権限は同じであるが、また必要に応じ「代理」を置くことができる。

第5条 (命令系統の統一)
組織は、命令または指示の経路を明らかにし、その運営にあたっては命令系統の統一により、業務処理の責任と能率の向上を計る。
同一職位に命令し、または指示すべき直接の監督者は常に一人とし、各組織単位は厳にこれを守り、みだすことがあってはならない。

第6条 (次長職)
部長を補佐するため、次の場合に限り部次長をおくことができる。
(1) 非常に異なる職能の業務をやむを得ず同一部に所管させる場合。
(2) 多数の人員を擁する部で、管理上不都合である場合。
(3) 部長の出張その他で不在が極めて多い場合。

る。但し製造部においては、これをさらに作業管理に適当した単位に分類することができる。
組織単位は、前項のほかに商品開発室、電算室並びに出張所を置く。

第7条 (担任職)
部長の諮問機関として、次に掲げる業務の計画、立案または統制の部面を担当させる場合に限り、部付担任をおくことができる。
(1) 事業計画または管理計画の業務。
(2) 高度の専門的知識、または技術を必要とする業務。
(3) 多くの課を擁し、その調整が必要とされる場合。

第8条 (管理職・準管理職の区分)
部課長 (含心得・代理) を管理職とし、係長 (含心得・代理) を準管理職とする。

第9条 (委員会)
業務は、すべて組織単位によって分掌処理することを原則とするが、次に掲げることを原則とする場合に、社長の決定を得て委員会は設置されるものとする。ただし業務上の連絡または調整のため恒例的に開かれる会議はこれを含まない。
(1) 社長または他の取締役の責任事項のうち、特に重要であり、広範に関係する企画事項について諮問を必要とする場合 (役員の諮問委員会)
(2) 全社的な事項であって、それが組織間の協調または統制を必要とする場合 (合同委員会)
(3) その事項が、特に合議による審査を必要とする場合 (賞罰・功労その他)

別表1 組織表

役員会 — 社長
　　　　├ 専務
　　　　│　├ 製造部 (足利工場)
　　　　│　│　├ 原動課
　　　　│　│　├ 梳毛課
　　　　│　│　├ 紡毛課
　　　　│　│　├ 工務課
　　　　│　│　└ 倉庫課
　　　　│　├ 管理部
　　　　│　│　├ 総務課
　　　　│　│　├ 電算室
　　　　│　│　├ 経理課
　　　　│　│　├ 人事課
　　　　│　│　└ 総務課
　　　　│　├ 営業部
　　　　│　│　├ 大阪出張所
　　　　│　│　├ 両毛出張所
　　　　│　│　├ ジャージ課
　　　　│　│　├ 原糸課
　　　　│　│　└ 原料課
　　　　│　└ 開発事業部
　　　　│　　　├ 商品開発グループ
　　　　│　　　├ 研究開発グループ
　　　　│　　　├ 調査拡販グループ
　　　　│　　　└ 製作加工グループ
　　　　└ 相談役

関連企業
東京AG株式会社
有限会社AS修整所
株式会社ANM

第3章 分　掌

第10条　（組織表）
組織表及び組織単位は、別表1のとおりとする。

第11条　（原則）
各組織単位は、それぞれの職能に応じてきめられた範囲の分掌業務を処理するものとする。
各組織単位は、所定の分掌限界を認識し、相互の重複または間げきを生じないように努めなければならない。

第12条　（相互協調）
各組織単位は、常に業務活動が有機的に行なわれるよう、相互の関連業務について協調しなければならない。

第13条　（分掌業務の範囲）
各組織単位の分掌業務の範囲は別表2のとおりとする。（表省略）

第4章　責任及び権限

第14条　（職位の責任権限）
各職位には、明確な範囲の責任事項と、その遂行に必要な権限が与えられなければならない。

第15条　（権限の内容及び形態）
権限の内容及び形態を明らかにするため、その主なる権限について、次のとおり定義する。

(1) 命　令
これは定められた命令系統に基づいて、部下に包括または特定の業務の遂行を命ずることをいう。

(2) 決　定
これは自由裁量により、自らの責任において決定または許可することをいう。

(3) 承　認
これは効力の発生が保留されている決定に対し、効力発生の要件を与えることをいう。

(4) 勧　告
これは決定、命令の権限ある職位に対し、専門的、技術的立場より勧告することをいう。

(5) 助　言
これは決定、命令の権限ある職位に対し、専門的、技術的立場より進言し、または助力することをいう。

(6) 審　査
これは一定の基準に照らし、申請の内容要件その他につき調査し、判定することをいう。

第16条　（権限行使の基準）
権限は、その行使につきあらかじめ設定され、または指示された方針もしくは基準がある場合には、これに従って行使されなければならない。権限ある職位が、会社の利益を損い、または名誉を汚すが如き行使、または公私混同と見做されることは、厳にいましめなければならない。

第17条　（権限の行使者）
権限は、原則として責任事項を処理する立場にある職位の者が、自ら行使するものとする。

第18条　（権限の代行）
権限を行使すべき者が、出張、病欠その他の事故により、その権限を行使することができない場合には、直近上長が自ら代行し、もしくは、あらかじめ、またはその都度指名して代行させることができる。
前項の定めにかかわらず、現職のまま長期間にわたって不在となる場合には、別に専任の取扱者を任命して代行させることができる。

第19条　（権限の委任）
業務その他の都合により、責任事項の一部を委任する場合は、その遂行に必要な権限も合せて委任しなければならない。
前項の場合、委任者は当該事項を委任したことによって、その責任及び処理についての監督の責任を免れるものではない。また受任者は委任者に対して、経過及び結果

第5章　基本職務

第20条　（委任する責任権限の範囲）

各管理職の責任事項及び権限のうち、委任してはならない事項については、別にこれを定める。

について、必ず報告しなければならない。

第21条　（取締役社長の職務）

取締役社長（以下「社長」という）は、定款及び取締役会の決定に基づき会社を代表し、会社の業務を総括管理する。

社長の主なる職務は、次のとおりとする。

(1) 取締役会で決定した経営の基本方針に基づき、事業計画を決定すること。

(2) 各部の業務活動を統轄し、調整すること。

(3) 年度総合予算を決定し、その実行を監督または予算外支出の決定をすること。

(4) 重要な契約、その他会社を代表すべき責任事項を処理すること。

(5) 毎期事業報告、その他株主総会に決定すること。

(6) 株主総会に出席して議長の職務を行なうこと。

(7) 組織、分掌及び定員の基本方針を決定すること。

(8) 諸規程の制定改廃を決定すること。

(9) 係長以上の人事を決定すること。

(10) 賞罰の基本方針を決定すること。

(11) 重要な財産の得喪を決定すること。

(12) 労働組合との団体交渉、労使協議会に参加し、重要事項について決定すること。

(13) その他稟議事項を決定すること。

第22条　（専務取締役の職務）

専務取締役（以下「専務」という）は、社長不在時にその職務を代理するほか、社長を補佐し、助言するとともに、社長の職務のうち、委嘱された事項について代行する。また特命事項については、取締役会で決定し、担当役員として職務を遂行する。

第23条　（常務取締役及び取締役の職務）

常務取締役（以下「常務」という）、及び常勤の取締役は、社長を補佐し助言するとともに、社長の職務のうち委嘱された事項について代行する。また特命事項については、取締役会で決定し、担当役員として職務を遂行する。

第24条　（工場長の職務）

工場長は、担当役員の意をうけて、これを補佐し、第25条の部長職務を遂行する。とくに当該工場の製造に関する職務と共に、その管理業務事項について担当各部長と緊密な連携をとり、工場運営の全般的な管理を行なう。

第25条　（部長の職務）

部長は、担当役員の意をうけ、所管部を統轄し、当該部の所管業務を処理する。部長の主なる職務は次のとおりとする。

(1) 所管業務に関し、事業方針の立案に参画し、社長または担当役員を補佐し、助言すること。

(2) 事業方針に基づき、部事業計画を作成し、担当役員の決定をうけ、その実行を命ずること。

(3) 各課業務計画を決定し、各課の業務活動を調整し、その実行を監督すること。

(4) 所管業務に関し、他の部長または工場長、出張所長に対し、助言及び勧告すること。

(5) 各課予算案を統括調整して、部予算案を申請すること。並びに実行予算内の重要支出を承認し、予算の実行を監督すること。

(6) 部内組織、分掌及び定員の変更を担当役員に申請すること。

(7) 部内所属員の昇進、降格、転勤及び転職を申請すること。

VII 経営組織運営に関する規程

(8) 部内所属員の国内出張を命ずること。
(9) 部内人事考課の評価を調整すること。及び直接被監督者を評価すること。
(10) 部事業報告その他経営計画及び監査に必要な資料を担当役員に提出すること。
(11) 部内各課長その他の直接被監督者を指導監督すること。及び部内管理者、準管理者層の教育を計画し、実施すること。

第26条 (部次長の職務)
部次長は、部長の命を受け、予め委任された事項について、これを代行するほか、部長不在時にその職務を代理し、部長を補佐し、助言する。

第27条 (部付担任の職務)
部付担任は部長を補佐し助言するとともに、担任業務に関し部長を補佐し助言すること、部内各課長に対し助言をする。

第28条 (課長の職務)
課長は、部長の命をうけて所管課を統轄し、その課の所管業務を処理する。課長の主な職務は次のとおりとする。
(1) 所管業務に関し、部事業計画に参画し、または部長を補佐し助言すること。
(2) 部事業計画に基づき、課業務計画を作成し、部長の決定をうけてその実行を命じ、また監督すること。
(3) 課予算案を部長に提出すること、及び実行予算内の軽度の支出を承認すること。
(4) 課内組織、分掌及び定員の変更を部長に

申請すること。
(5) 課内所属員の昇進、昇格、降格、転職及び転勤を部長に申請すること。
(6) 課内所属員の表彰及び懲戒を申請すること。
(7) 課内所属員の人事考課を評定すること。
(8) 課内所属員の国内出張を命ずること。
(9) 所管業務に関する法令、社内諸規則の履行につき監督すること。
(10) 課内係長、その他直接被監督者を指揮監督すること、及び職場教育計画を決定し、その実行を監督すること。
(11) 課業務の報告、その他の業務資料を部長に提出すること。

第29条 (出張所長の職務)
出張所長の基本職務は、前条の規定を準用する。

第30条 (係長の職務)
係長は課長の命をうけて、所管係を統轄し、その係の所管業務を処理するものとする。係長の主なる職務は、次のとおりとする。
(1) 所管業務に関し、課業務計画の立案に参画し、また課長を補佐し、助言すること。
(2) 課業務計画及び予算に基づき、業務の割当及び日程計画を決定し、課長の承認をうけ、その実行を命じ監督すること。
(3) 業務手順を改善し、業務基準を設定すること。

(4) 経費、資材及び時間の節減につき指揮監督すること。
(5) 係内所属員の昇進、昇格、降格及び転職を課長に申請すること。
(6) 係内所属員の人事考課を評定すること。
(7) 係内所属員の欠勤及び休暇等の請求を承認すること。並びに課長の承認を得て定時外勤務を命ずること。
(8) 係内所属員の苦情を処理し、職場士気を高めること。
(9) 経営の基本方針並びに事業方針、社命、社令その他社内諸規則及び関係法令を周知させ、その履行を監督すること。
(10) 課業務報告その他業務資料を課長に提出すること。
(11) 施設及び備品の保全、並びに火気取締を監督すること。
(12) 係内所属員を指導監督すること、及び教育計画を立案し、実施すること。

2 製造部門の係長の職務については、前項各号に掲げる係長の職務のうち、第2号より第4号までの各号、第11号及び第12号を次のとおりとする。
(1) 製造計画及び予算に基づき、係作業計画を決定し、課長の承認をうけ、各作業単位にその実行を命じ、監督すること。
(2) 作業方法、設備機械及び治工具を改善することまたは改善を課長に提案すること、並びに作業基準を設定すること。

130

(3) 作業面よりの品質の維持向上、及び原価の引下げにつき立案し、課長の承認をうけ、その実行を命じ監督すること。

(4) 設備、機械及び治工具の保全、安全衛生委員会の方針に基づいて、所属員の災害防止（とくに行動災害）に努め、火気取締りにつき指導監督すること。

(5) 所属内の組織、職長、見廻り等の役付者を指導監督すること。及び係内所属員の教育計画を立案し実施すること。またはその実施を命じ監督すること。

第6章 雑　則

第31条（本規程の疑義解決）
本規程の各条項について、解釈に疑義が生じたときは、管理部長が中心となって、関係組織単位の長を招集して審議し、取締役会に提議し、社長の決定を受ける。

第32条（本規程の改廃）
本規程の改廃は、管理部長が立案し、取締役会に提議の上、社長が決定する。

第33条（本規程の実施）
本規程は、○○年○月○日より実施する。

（附）権限内容

役員及び部課長・係長の権限内容に関する見方について

管理部

1　項目の設定

会社業務には、予め設定された職務（職務分掌または作業基準）があるが、業務監査、経営分析のために上長に報告して、その決定を受けなければならない事項や、組織上内部索制により他の部・課責任者の同意または承認を受けなければならない事項がある。

これらの項目について明示したものが、別紙の項目である。これらの項目は、性質上、中分類して項目の性格付けをした。

2　各役職者上のマーク（◎・○・△）及び金額について

指揮命令系統の統一と共に、権限内容を明確にすることは各役職者の職務遂行上、不可欠の要件である。社長の意を体して、他社水準を上廻る権限委譲を行ない、別紙のように立案した。しかしながら権限の委譲が大きくなればなる程、各担当者は、直属上長ないし関係役員、関係部課に対する「決定」の報告を従前以上に行なう責任が生じていることを銘記しなければならない。報告の仕方については、各役職者が上長と相談の上、ルール化する必要がある。

① マークの意味

◎…最終決定権のある職位を示す。
一項目に◎が二人以上あるのは、項目の具体的内容により、一人に絞ることができる。しかしながら上席者に◎があるときは、「決定」前に事前相談する必要がある。この場合上席者は「助言者」となるときと「最終決定者」なるときと、項目の性質により異なる。

○…立案に承認権のある職位を示す。効力の発生が保留されている「決定」に対し、効力発生の要件を与える権限をもつ。しかしながら一般に決定権者（◎）の下位にあるので保留されている原因が、会社に対して重大な影響を与えるかどうかを判断する義務があることを理解する必要がある。○が二人以上あるときは、前期と同じ。

△…具体的最終立案ないし提言権と実行権を有する職位を示す。部下または関係部課のデーター助言をまとめて、自己の全能力を傾けて最終立案、提言をなし、「決定」後の具体的実行をなす。△が二人以上あるときは、前記と同じ。

② 金額は、その項目についての各職位「決定」権を示す。従って票議事項による場合も、それ以上の職位の決定（捺印）の必要はない。

（注）権限内容のうち管理部長欄に営とある

VII 経営組織運営に関する規程

役員及び部課長・係長の権限内容
○印最上段は取締役会議事項目

凡例:
- 総＝総務
- 人＝人事
- 経＝経理
- 電＝電算
- 営＝営業担当
- 製＝製造担当
- 総＝工場総務
- 工＝工務
- 倉＝倉庫
- 主企＝主任企画員
- 担当＝担当各課

は営業部長を示す。以下次のとおり。

	項目	社長	専務	常務	管理部長	工場長	課長	係長	備考
①	重要計画と事業の予算及び決算	○							
	1 年度並びに四半期の総合経営計画 月次の経営計画	◎	○	○	○○	○	△経		稟議
	2 各部予算及び総合予算（年度並びに四半期）各部予算及び総合予算（月次）	◎	○	○	○○	○	△経	△経	稟議
	3 決算	◎	○				△経	△経	
	4 年度並びに四半期月次資金計画	◎	◎	○○	○○	◎◎	△経		
	5 製品の生産計画（年度、四半期、月次）	◎	○	○○	○○営	○○	△工、製主企	△営主企	
	6 販売、"回収計画（年度、四半期、月次）	◎	○	○○	○○営		△営、製主企	△営主企	
	7 総合設備計画	◎	○	○	○	○	△製総㊞		稟議
	8 総合開発計画	◎	○		○		△主企		稟議
②	会計及び業務の監査	○							
	9 会計監査、業務監査及び特命による監査の実施		◎		△		△経		
③	社規・社則・通達の制度改廃	○							
	10 社内組織の制定、改廃	◎			△				稟議
	11 社規・社則の制定、改廃	◎			○		△総		稟議
	12 社内（または工場、出張所）全般にわたる令達	◎			◎	◎	◎担当		

職務権限規程

項目	社長	専務	常務	管理部長	工場長	課長	係長	備考
④ 労働組合関係								
13 所管事項遂行のための部内または管轄内にわたる訓令	◎		◎	◎	◎	担当		
14 労働協約の原案	◎	○		△		人		
15 団体交渉に基づく契約の締結並びに重要な意思表示	◎	○	△	△	△	人㊞		
16 労働協約に基づく組合との細部協定	◎			◎	◎	人㊞		
17 組合の日常活動折衝及び打合せ処理	◎	◎		◎	◎	人㊞		
18 労使協議会	◎	◎	◎	◎	△	△人㊞		
⑤ 重要契約及び工事処理								
19 販売に関する取引先との取引改廃（輸出を含む）					◎営	営	△営	
20 一般契約（工事契約を除く）の締結、解除	○					△総		
21 請負契約の締結解除	一件50万超	一件20万超50万	一件20万超50万	一件20万以下	〃一件	一件10万以下		稟議一件10万超
22 建物の新増改築、補修の施工並びに土木電気工事及び汽缶その他重要機器の工事施工並びに請負契約の締結解除	一件50万超	一件20万超50万	一件20万超50万	一件20万円以下	一件	一件10万円以下		稟議
23 土地建物の取得貸借及び処分	○	○	◎	△				稟議
24 外注委託加工の契約締結	◎		◎		◎	△製工主企	△主企、工	稟議
25 損害保険（火災、自動車等）の加入解除	◎	◎		◎	◎	△総㊞	△総㊞	稟議
⑥ 購入・調達・保転								
26 原材料の輸入	◎一件50万超			◎一件50万超営		◎一件50万以下		稟議

Ⅶ 経営組織運営に関する規程

項目	社長	専務	常務	管理部長	工場長	課長	係長	備考
27 生産副資材の調達	◎五〇万超一件	◎五〇万超一件		◎五万以下一件	◎五万以下一件	△一〇万以下一件	△	稟議一〇万超 計画購買は全部
28 機械の購入	◎五〇万超一件	◎五〇万超一件	◎五〇万超一件	◎五万以下一件	◎五万以下一件	△製	△㊞	稟議
29 生産副資材の配分	○				◎		△㊞	稟議
30 用度品の調達		◎一〇万超一件	◎一〇万超一件	○一〇万以下一件	○一〇万以下一件	二万以下一件	△	稟議一〇万超
31 機械、器具、用度品の補修		◎五〇万超一件	◎五〇万超一件	○五〇万以下一件	○五〇万以下一件	一〇万以下一件	△	稟議一〇万超
32 機械、器具・の転売、貸与	◎	○	○	◎	◎	△経、総	△㊞	稟議
33 原料の転売				◎営	○	○	△㊞	稟議
⑦ 資金繰り財務								
34 投融資	○	○		△				稟議
35 社債発行	○	○		△				稟議
36 債務の保証	○	○		△				稟議
37 金融機関よりの借入及び取引銀行の改廃	◎	○		○				
38 手形割引業務	◎			△		経	経	稟議
39 手形発行			○	○		経	経	稟議
40 財産処分（不要品を含む）	◎二〇万超一件	◎五万超二〇万一件	五万超二〇万一件	五万以下一件	五万以下一件	二万以下一件	△	稟議
41 債権の整理		◎		◎	◎	担当	△担当	稟議
42 資産の除却		◎		◎		○経	△経	稟議
⑧ 価格と原価								
43 標準原価						◎経	△経	

職務権限規程

項目	社長	専務	常務	管理部長	工場長	課長	係長	備考
44 製品の販売価格				◎営		◎営	△営	
45 原材料の買入価格				営		営	△営	
⑨ 標準規格の設定								
46 事務制度及び事務諸標準の制度改廃			◎	◎	○	○電、総	△電、総	
47 生産標準規格設定改廃					◎	○工、製	△製	
48 作業標準設定、改廃					◎	○製	△製	
49 原材料及び製品の検査試験規格					◎	○製、工	△製	
⑩ 人事と労務	○							
50 定員		◎	◎	○	○	△人		稟議
51 次長、課長、係長を除いた部内所属員の業務分担			◎	○	○	△人、担当		
52 採用方針		◎		○	○	△人	△	稟議
53 求人活動				◎	○	△人、総	△総	
54 社員の任命及び異動 四等級以上三等級以下（含嘱託）	◎			◎	◎	△人、総	△総	辞令交付
55 社員の昇進、昇格 係長以上	◎			◎◎	◎	△△人、総		
56 社員の昇進、昇格 一般社員	◎			◎◎	◎	△△人、総		
57 給与、賞与、昇給（含嘱託）一般社員	◎	○		◎◎	◎	△△人、総		
58 賞与額並びに支給基準 昇給総額並びに昇給基準	◎	○		◎	◎	△△人、総		
59 人事考課基準	◎			◎	◎	△人、総	△総	
60 賞罰	◎			◎	◎	△人、総	△総	

VII 経営組織運営に関する規程

項目		社長	専務	常務	管理部長	工場長	課長	係長	備考
⑪ 福利厚生									
61	社員の教育訓練（但し催し物）	五〇万超			一〇万以下		一万以下	△	稟議一〇万超
62	安全衛生				◎	◎	総㊞人	△	
63	社会保険				◎	◎	㊞人	◎	
64	人事相談、教育訓練				◎	◎	担当	◎担当	
65	退職金、企業年金				◎		○人	◎	
66	従業員の保険衛生施設		一〇万超	一〇万超	一〇万以下	一〇万以下	五万以下	△	稟議一〇万超
67	団体生命保険、その他保険		一〇〇万超	一〇〇万以下	一〇万以下	一〇万以下	総㊞	△	
68	体文会活動、慰安旅行その他各種催し		一〇〇万超	一〇〇万以下	一〇〇万以下	一〇万以下	総㊞一件一万以下	◎	
69	社宅、寮の利用管理		◎			○	△人	◎	
70	教育訓練				◎	◎	総㊞	◎	
⑫ 広告、宣伝、PR									
71	会社案内、営業案内	一〇〇万超	一〇〇万以下	一〇〇万以下	一〇万以下	一〇万以下	総、担当	△㊞	
72	入社案内				◎	○	△人	◎	
73	官公報、新聞、雑誌、図書類の購入				◎五千円超一件	◎五千円超一件	◎五千円一件以下	△㊞	稟議
⑬ 交際、寄付、賛助									
74	負担金及び寄付金	一件一〇万超	一件一〇万以下	一件五万以下	一件五万以下	一件一万以下	一件二千以下	△	稟議
75	関係団体への加入脱退	○	◎	規定外		◎	○担当	△	
76	社外慶弔見舞				◎	◎	総㊞	△㊞	

職務権限規程

項目	社長	専務	常務	管理部長	工場長	課長	係長	備考
77 来客の接待（交際費）	総額五万超	総額三万超	総額三万以下	総額二万以下	総額二万以下	総額一万以下		事前申告
⑭ 会社登記、登録、訴訟並びに願、届出								
78 一般登記。工場財団の組成及び変更登記・許申請	○			○		△総		禀議
79 訴訟一般	○			○		△総		禀議
80 諸官庁への重要な願届出／諸官庁への通常な願届出	○			◎○	◎○	○△担当		
⑮ 事業場の設置								
81 工場並びに事業場設置及び開発	○	○	○	△	△			禀議
82 事業区域の設定並びに変更	◎	◎	◎	△	△			
⑯ 会議及び異例の取扱								
83 株主総会の招集	◎					総		
84 取締役会の招集	◎							
85 定例業務会議		◎	◎	◎		△経営、担当		記録簿記入
86 代表取締役印の代行押印		◎	◎			◎経		同右
87 銀行印（社長印）の代行押印		◎	◎	◎		◎工場長付 ◎◎営		
88 工場長印の代行押印		◎				◎営		
89 営業部印の代行押印				○		◎総		
90 重要印鑑の新規作成	◎					◎担当		
91 認可予算に基づく経費支出		△		△	◎	◎担当		禀議
92 当月予算の範囲内を超える支出		◎	△	△		△担当		禀議
93 月別予算の繰上げまたは繰下げ使用		◎		△		△担当		

Ⅶ 経営組織運営に関する規程

項目	社長	専務	常務	管理部長	工場長	課長	係長	備考
⑰								
94 その他重要または必要と認める事項	◎	△	△	△	△	△担当		
95 コンピューターシステム化計画				◎		電	△電	
96 クレーム防止と処理	◎30万超	◎30万超	◎30万超	◎営30万超	◎30万以下	○営、製、工	△営、製、工	稟議
97 在庫品の有効管理					◎	○倉		
98 生産工程管理（含外注）					◎	○工、製		
99 公害対策処理	○			◎		○原、製		
100 原料屑、廃品売却処理	○			◎		◎倉総		
101 与信限度	○	○	○	◎		△営		稟議

資格規程

AIC電機
計器製造
・従業員 五、〇〇〇人

第1章 総則

第1条（目的）

この規程は、AIC電機株式会社（以下会社という）社員の資格について定め、年功および業務遂行能力にもとづく現在と将来の社内の位置づけを明示することによって社員の安定感と労働意欲の高揚を図るとともに能力向上と発揮を誘導し、併せて配置・昇進など職務との対応関係の適正化を図ることを目的とする。

第2条（適用範囲）

この規程は、社員および特別社員（以下本規程では社員という）に適用する。

第3条（用語の定義）

この規程に使用する主要な用語の定義は次のとおりとする。

① 資格

資格とは、会社における社員の年功及び業務遂行能力による社員層の区分及び社員序列をいい、資格区分、資格段階を総称する。

② 資格区分

資格区分とは、社員を業務遂行上の機能、態様により区分したもので、執務、要務、主務、主査、主事、副主幹、参事、主幹の区分をいう。

③ 資格段階

資格段階とは、資格区分をその程度により段階に区分したものをいう。

④ 職能区分

職能区分とは、資格区分、資格段階をさらに職務遂行能力の種類とその程度により区分したものをいい、職能系統、職能段階を総称する。

⑤ 職能系統

資格規程

⑥ 職能段階
職能段階とは、職務遂行能力をその程度により段階に区分したものをいう。

⑦ 資格スライド段階
資格スライド段階とは、全資格を一本の段階にまとめたものをいい、これにより各資格区分、資格段階、相互の関係位置を示す。

⑧ 職能コース
職能コースとは、将来期待される職能分野の種類と程度に応じて設定された職能系統および職能段階の基本的な昇格経路をいう。

⑨ 資格基準点
資格基準点とは、職能区分毎に定められた昇格点の基準となる資格系数の累計をいう。

⑩ 資格系数
資格系数とは、資格査定により、職能コース別、職能系統別に設定された基準に従って与えられる昇格の基礎となる点数をいう。

⑪ 昇格
昇格とは、格付された職能区分（職能段階または職能系統）が上昇することをいい、同時に資格（資格段階または資格区分）の上昇を伴う。

⑫ モデル年齢
モデル年齢とは、通常の学歴年齢に正規入社者の勤続年数を加えた年齢で、資格制度運営上の基準となる年齢をいう。

第4条（規程の改廃）
この規程は、職務管理規程第○条に定める職務・資格制度委員会（以下委員会という）の協議にもとづき決定する。なお、専門職対応資格にかかわる事項については専門職規程第○条による。

第2章　業務分担

第5条（委員会）
委員会は資格制度の適正な運営をはかるため、次の任務を行なう。

① 選抜昇格試験、職能コース転換試験の選考基準、選考方法の決定ならびに選考を行なうこと。
② 必要に応じ資格査定の審議調整を行なうこと。
③ 本規程の制定、改廃に関する審議調整を行なうこと。
④ 資格格付に関する苦情の審議、調整を行なうこと。
⑤ その他資格制度の運用に関する諸事項の審議調整を行なうこと。

2 前項1号ないし2号および事項の審議等については原則としてこれに準ずる会社側

委員のみをもって委員会を構成するものとする。

3 委員会事務局は職務管理規程第○条の規定に準じて人事部人事調査室がその任にあたる。

第6条（職制）
資格制度の円滑な運営をはかるため職制の長は次の任務を行なう。

① 人事考課実施要領の規定に従い、資格査定のための原資料の作成および調査を行なうこと。
② コース転換、選抜昇格候補者の推薦を行なうこと。
③ 中途入社者の初任格付に際し、技能認定を行なうこと。
④ 資格格付に関する苦情を受付け職務管理規程の格付苦情に関する規定に準じて苦情処理をすること。
⑤ その他資格規程細則に定める業務を行なうこと。

第7条（人事部）
資格制度の適正な維持、運営をはかるため人事部は次の任務を行なう。

① 資格管理のために必要な諸資料の整備保管を行なうこと。
② コース転換試験、選抜昇格試験等の資格管理に必要な実務を行なうこと。
③ 入社者の初任格付のための調査、事務処理を行なうこと。

139

VII 経営組織運営に関する規程

④ 職制の長が資格格付に関する苦情処理を行なう際、必要に応じてその援助を行なうこと。

⑤ 人事考課実施要領の規定に従い、資格査定のための総合資料の作成を行なうこと。

⑥ その他資格規程細則に定める業務を行なうこと。

第8条（主事以上の資格管理機関）主事以上の資格管理機関は、第5条の委員会にかえ社長が任命した機関とし職制の長および人事部は必要に応じ、第6条から第7条の業務を分担する。

第9条（組合）AIC労働組合（以下組合という）が苦情を受け付けた場合には、担当部門の職制へ苦情処理の手続を依頼するものとする。

2 組合は前項による苦情処理の結果を調査・検討して異議ある場合には人事部長に通知して委員会による苦情処理を申請するものとする。

第3章　資格体系

第10条（資格体系）資格の資格区分、資格段階及び職能区分は次のとおり定め、社員は必ず各職能区分に格付されることを通じて、いずれかの資格区分および資格段階に格付されるものとする。

資格区分	資格段階	資格	職能区分	職能段階	職能系統
執務		7 6 5 4 3 2 1	資格スライド段階	一般作業系統 熟練作業系統 技術作業系統 主査実技系統 要務工技系統 主務工技系統 主事工技系統 実務（技術）系統 一般事務系統 主事特技系統 実務特技系統 主査特技系統	
主務		2 1			
主務		3 2 1			
副主	主	3 2 1			
参事	幹	3 2 1			
主事	幹	11 10 9 8 7 6 5 4 3 2 1		SS S 4 3 2 1	

第11条（職能コース）職能コースとして、Aコース、Bコース、Cコースの三コースを設け、社員は必ずいずれかに属するものとする。

職能コース	定　義
A	将来上級管理者又は同等の高度な専門職能の発揮が期待される者のコース。
B	将来中堅管理・監督者としての職能の発揮が期待される者のコース。
C	将来基幹従業員として後進の指導監督又は専門技能の発揮が期待される者のコース。

第4章　資格管理

第12条（資格格付）社員の資格格付は各職能区分への格付を通じて行なうものとし、正規入社者、中途入社者の入社時は次の各号により格付を行なう。

① 正規入社者の初任格付
正規入社者は一年間は初任格付期間として各職能コースにより次の基準により格付を行なう。但し、この期間中は資格系数の付与は行なわない。

コース	初任格付職能区分	初任格付資格
A	実務特技(1)・一般作業(1)・一般技術(1)・一般事務(1) のいずれか	執務 一級
B	同　右	同　右
C	一般事務(1)・一般特技(1) のいずれか	執務 二級

② 正規入社者の初任格付期間満了後の格

付正規入社者の初任格付期間満了後の資格格付は次のとおりとする。

③

コース	格付職能区分	格付資格
A	一般作業(1)・実務特技(1)・一般事務(1)・一般技術(1) のいずれか	執務 一級
B	一般作業(1)・実務特技(1)・一般事務(1)・一般技術(1) のいずれか	執務 二級
C	一般作業(2)・実務特技(2)・一般事務(2)・一般技術(2) のいずれか	執務 三級

中途入社者の格付

中途入社者の初任格付は人事部による経歴調査および担当職制による技能認定により、換算モデル年齢、職能コース、職能系統を決定し、その許容幅の範囲で格付を行なう。

換算モデル年齢は社外経験年数に所定の換算率を乗じ、学歴年齢を加えて算出する。

換算率は社外経験年数により次のとおりとする。

社外経験年数	換算率
三年未満	一〇〇%
三年以上	六〇%以上

第13条（資格系数）

資格系数は資格査定により職能コース別、職能系統別に次のように定める。

① Aコース

資格査定段階 \ 職能系統	一般作業・実務・実務特技	熟練一般・作業技術・一般特技	要務・要務・要務工事技術	主務・主務・主務工事技術	主査	主事・副主幹
A	2.6	2.0	0.8	0.8	0.8	0.8
B	2.3	1.7	0.7	0.7	0.7	0.7
C	2.0	1.3	0.6	0.6	0.6	0.6
D	1.7	1.1	0.4	0.4	0.4	0.4
E	1.4	0.9	0.3	0.3	0.3	0.3

② Bコース

資格査定段階 \ 職能系統	技術一般・一般・作業技術特技	要務・要務・要務工事技術	主務・主務・主務工事技術	主査	主事・副主幹	参事・主幹
A	2.3	1.2	1.2	1.2	1.2	1.2
B	2.1	1.0	1.0	1.0	1.0	1.0
C	1.8	0.8	0.8	0.8	0.8	0.8
D	1.4	0.6	0.6	0.6	0.6	0.6
E	1.1	0.5	0.5	0.5	0.5	0.5

③ Cコース

資格査定段階 \ 職能系統	一般事務 一般技術 一般特技	要務事務 要務技術	主務事務 主務技術	主査	主事 副主幹	参事 主幹
A	4.5	1.7	1.7	1.7	1.7	1.7
B	3.8	1.5	1.5	1.5	1.5	1.5
C	3.2	1.2	1.2	1.2	1.2	1.2
D	2.6	1.0	1.0	1.0	1.0	1.0
E	2.0	0.8	0.8	0.8	0.8	0.8

第14条（公的資格取得者の取扱）

技能士又はこれに準ずる公的資格取得者については次のとおり資格系数を加算する。但し、同一資格による加算は一職能系統に限る。

① 技能士加算

(1) 二級技能士取得者は職能コース（この場合Aコース又はBコースのみ、一級技能士の場合も同様）、職能系統ごとに定められた資格査定段階(A)に相当する資格系数を加算する。但し要務各系統以上についてはこの限りではない。

(2) 一級技能士取得者は職能コース、職能系統ごとに定められた資格査定段階(A)に相当する資格系数に一・五を乗じた資格系数（小数第二位以下切上げ、以下本号については同様）を加算する。但し、既に二級技能士による加算を受けている者については〇・五を乗じた系数を加算するものとする。

② その他の公的資格加算

技能士に準ずる公的資格取得者の加算は前号を準用する。

第15条（資格基準点）

各職能区分ごとの資格基準点は次のとおりとする。

職能段階 \ 職能系統	一般作業・実務特技	熟練作業・一般特技・一般技術作業	要務工技・要務事務・要務技術	主務工技・主務事務・主務技術	主査	主事	参事
一	六	七	五	五	五	五	五
二	二一	一七	一〇	一〇	一〇	一〇	一〇
三	四〇	二八	一五	一五	一五	一五	一五
四		四七					

第16条（昇格）

自動昇格の種類および条件は次のとおりとする。

① 同一職能系統内自動昇格

同一職能系統内で取得した自動昇格は当該職能系統内で取得した資格系数の累計が前条に定める資格基準点以上になった場合に前条の表の範囲内でその職能系統内の上位職能段階へ格付することにより行なう。

② 自動系統転換昇格

自動系統転換昇格は次の場合に行ない、職能系統転換と同時に資格スライド段階の一段階上昇を伴なうものとする。

資格規程

③ 自動系統転換（続き）

自動系統昇格の種類	自動系統昇格の条件
作業系統から一般実務系統・一般特技系統・熟練系技術系統への転換	昇格前の職能系統で四六点以上取得した場合
一般事務・特技・一般技術・要務・工技系統から要務技術系統への転換	Aコース
一般事務・特技・一般技術・要務・工技系統から要務技術系統への転換	Bコース　昇格前の職能系統で四七点以上取得した場合
一般事務・特技・一般技術・要務・工技系統から要務技術系統への転換	Bコース　同右但し本人の希望があったとき
一般事務・特技・一般技術・要務・工技系統から要務技術系統への転換	Cコース　昇格前の職能系統で二八点以上取得した場合

③ 自動系統転換

自動系統転換は次の場合に行ない、資格スライド段階の上昇を伴なわない職能系統転換により行なうものとする。

自動系統転換の種類	自動系統転換の条件
技術(S)から要務工技(2)一般特技への転換	Bコース　本人の希望があった場合
要務事務(2)から主務技術(2)への転換、要務事務(1)から技術事務(2)主務事務(1)への転換	Cコース　転換前の職能区分数累計が二点以上となった場合
主査技術(2)から主査事務(1)・主務技術(1)・主務事務(1)への転換	Cコース　転換前の職能区分数累計が六点以上となった場合

2　選抜昇格

選抜昇格の種類および条件は次のとおりとする。

① 系統内選抜昇格

系統内選抜昇格の種類	系統内選抜昇格の条件
熟練作業(S)から技術作業(SS)へ、一般特技(S)から一般特技(SS)への昇格	所定の社内認定(SS認定)に合格した場合
熟練作業(S)から熟練作業(4)へ、技術作業(S)から技術作業(4)へ、一般特技(S)から一般特技(4)への昇格	所定の社内認定(S認定)に合格した場合

② 系統転換選抜昇格

系統転換選抜昇格は次のとおりとし、昇格前の職能系統での資格系数累計が昇格前に属していた職能区分の資格基準点以上の場合に限り資格スライド段階の上昇を伴なうものとする。但し、主務以上の各職能系統に昇格した場合は第17条の規定により算出した資格系数と資格基準点の比較により昇格後の職能段階を決定するものとする。

系統転換選抜昇格の種類	系統転換選抜昇格の条件
一般作業系統から熟練作業系統への転換	所定の社内認定(熟練認定)に合格した場合
実務系統から一般技術系統・一般特技系統・一般事務系統への転換	所定の社内試験(一般試験)に合格した場合
熟練作業系統から、要務・工技系統・一般技術系統・要務各系統への転換、要務各系統から主務各系統への転換	所定の社内試験(要務試験)に合格した場合
主務各系統から主事系統への転換	所定の社内試験(主事試験)に合格した場合
主事系統から参事系統への転換	所定の社内試験(参事試験)に合格した場合
要務・工技系統技能専門員(1)一般への昇格	所定の社内認定(技能専門員(1)認定)に合格した場合
要務・工技系統技能専門員(2)特務への昇格	所定の社内認定(技能専門員(2)認定)に合格した場合

③ 実技試験の免除

格付職務に関連ある職種で、すでに一級技能士またはこれに準ずる公的資格を取得した者があらたに技能専門員(1)の受験資格を満たした場合には、社内認定に必要な実技試験を免除する。

3　格付系統転換

格付への系統転換は次の条件を満たし、かつ専門職規程によって主査相当職務へ格付された場合に行なうものとする。

格付系統転換の種類	格付系統転換の条件
主務事務(1)主務技術(2)主査事務(1)主査技術(2)から主査工技への転換、主務工技から主務事務(1)主務技術(2)への転換	A・Bコース　転換前の職能系統で取得した資格区分数累計が三点以上となった場合

VII 経営組織運営に関する規程

第17条（資格系数の累計及び付与） 資格系数の累計は原則として同一職能コースにおける同一職能系統に限り行なう。但し、次に定める場合は所定の資格系数を付与するものとする。

資格系数付与の条件	付与すべき資格系数
一般作業技能専門員(2)特作業技能専門員(2)技術作業実技主査(2)から熟練技能への転換(1) A・Bコース	転換前の職能区分資格系数累計が七点以上となった場合で累計数
中途採用者の初任格付を行なった場合	各職能区分の持点許容範囲年齢別に認定し定めるモデル系数
自動昇格、資格スライドの上昇を伴わず、段階の自動昇格が行なわれた場合	昇格後、一系統内の同一系統に必要な資格基準点に相当の系数
要務試験(4)技術・作業(S)特技・熟練(4)一般(4)作業合・各系統へ転換しまたは要務(4)一作業技(S)特技・熟練一般系合・各系統へ転換した場合	転換した職能区分で取得し資格系数累計×5/12により算出し、小数第二位以下切上げ、但し最高一〇系以下
要務試験(4)技術一作業(S)特技・熟練(4)一般(4)作業合・各系統一般系統(2)から転換により自主務(S)特技・熟練一各系統へ転換した場合	転換した職能区分で取得した資格系数累計×5/13により算出し、小数第二位以下切上げ、但し最高一二系以下
主務試験(2)により一系統から主務各系統へ転換した場合	転換前の資格系数区分で取得した×7/13により算出し、小数第二位以下切上げ、但し最高一〇系未満

主事試験(2)により主事系統各系統へ転換した場合	同右
主事試験(3)参事への転換により参事系統へ転換した場合	同右
社内認定（技能専門員）により一般系統(2)・(3)から特作業技能・実務(2)(2)技作業段階の自動昇格が行なわれたい場合 資格スライドに伴なわない	転換前の資格系数区分で取得した数×7/15により算出し、小数第二位以下切上げ
社内認定により一般系統(3)から特作業技(3)・実務(3)(3)技作業段階の自動昇格が行なわれたい場合 資格スライドに伴なわない	転換前の資格系数区分で取得した数×10/19+7により算出し、小数第二位以下切上げ
Cコースでの新規入社者の一般(2)・一般(3)に初任格付が終了した場合・技術(2)に格付された場合	七
自動昇格(2)転換により主査各系統へ転換しまたは付された場合各系統へ転換した場合	転換前の職能区分で取得した数×7/13により算出し、小数第二位以下切上げ、但し最高一〇系未満
自動昇格(7)転換により主査執務各系統へ転換しまたは付された場合各系統へ転換した場合	転換前の職能区分で取得した数×4/13により算出し、小数第二位以下切上げ、但し最高一〇系未満
主事試験(1)により主事系統から主事、(1)主へ各系統転換した場合	転換前の資格系数区分で取得した数×0.7により算出し、小数第二位以下切上げ、小数第二位以下小さく

主事試験(2)により主事系統から主査各系統へ転換した場合	転換前の資格系数区分累計で取得した数×0.7+5により算出、小数第二位以下切上げ
主事試験(3)により主査各系統から主査系統へ転換した場合	転換前の資格系数区分累計で取得した数×0.7+10により算出、小数第二位以下切上げ、但し最高一三系未満
社内認定（技能専門員）(1)から熟練技能(1)へ転換した場合、技能専門員(1)から一般作業技能特技へ転換した場合技能専門員合技能・一般作業技能・特技	転換前の資格系数区分累計で取得した数×13/5でにより算出、小数第二位以下切上げ

第18条（昇格の時期）
昇格は昇格に必要な条件を満足した者について毎年一一月一日付をもって行なう。

第19条（職能コースの転換）
① 職能コースの転換は所定のコース転換試験に合格した者について昇格の時期に行なうものとする。
② 主査への昇格の時期は次のとおりとする。

昇格の条件	昇格の時期
第16条第3項による主査への昇格の場合	A・Bコース その都度

第20条（資格査定）
資格系数決定のための資格査定については人事考課実施要領に定める。

第21条（試験制度）

第16条第2項および第19条に定める選抜昇格試験、コース転換試験の受験資格、概要については別表(1)のとおりとし、その詳細については委員会においてその都度定める。

第5章　苦情処理

第22条（苦情処理）
資格格付に関する苦情の申し出および苦情処理については、職務管理規程第○条ないし第○条の格付苦情に関する規定を準用する。

付　則

1 この規程は○○年○月○日付実施する。
（制定（△△・○・○）
2 この規程に定める昇格、コース転換に関する諸手続は資格規程細則に定める。
3 この規程の実施に伴なう移行措置については別に定める資格制度移行措置要領により行なう。

資格規程細則

① （自動昇格手続）
人事部は人事考課実施要領に定める資格査定の結果をチェックし、規程第15条

別表(1)　試験の種類・概要・受験資格

試験の種類		試験の概要	受験資格	
			第 1 条 件	第2条件
選抜昇格試験	社内認定	熟練認定	昇格すべき職能区分に必要な実技試験	一般作業系統で6点以上取得の者	各職制の推薦を受けた者
		S 認 定	同　上	熟練作業系統又は技術作業系統又は一般特技系統で43点以上取得の者又は要務工技系統（現業一般職掌の者に限る）で5点以上取得の者	
		SS認定	同　上	S認定に合格した後13点以上取得の者又は要務工技系統（現業一般職掌の者に限る）で10点以上取得の者	
	社内試験	一般試験	昇格すべき職能区分に必要な基礎学科ならびに実務および常識に関する筆記試験	実務系統又は実務特技系統で6点以上取得の者	
		要務試験	昇格すべき職能区分に必要な実務および常識に関する筆記試験	熟練作業系統，技術作業系統，一般事務（技術特技）系統で28点以上取得の者	
		主務試験	同　上	要務各系統で5点以上取得の者	
		主事試験	昇格すべき職能区分に必要な事項に関する論文試験および面接試験	主務各系統で5点以上取得の者	
		参事試験	同　上	主事系統で10点以上取得の者	
コース転換試験	AコースからBコースへの転換試験		高等学校卒業程度の学力に関する筆記試験	Aコースでの勤続が4年以上経過していること。但し受験回数が3回を超える場合には連続して受験することは出来ない。	同　上
	BコースからCコースへの転換試験		大学卒業程度の学力に関する筆記試験	Bコースでの勤続が5年以上経過していること。但し受験回数が3回を超える場合には連続して受験することは出来ない。	

Ⅶ 経営組織運営に関する規程

に定める資格基準点を満足し、自動昇格の対象となるものについては人事考課表をもって職制および職制を通じ本人に昇格通知を行なう事とする。

② 本条および次条の手続実施にあたって資格査定結果に疑義あるときは人事部長は委員会に付議する事が出来る。

2 （選抜昇格手続）

① 人事部は人事考課実施要領に定める資格査定の結果をチェックし規程第21条に定める選抜昇格試験の受験資格第一条件を満足するものについては人事考課表をもって職制に選抜昇格受験者の推薦依頼を行なう事とする。

② 職制は別に定める資格基準に照して妥当であると認めたものについては意見を付して人事部に推薦するものとする。

③ 人事部は、受理した推薦にもとづき、本人への通知、選考のための準備を行なう。

④ 委員会は、人事部長の報告にもとづき、受験者の選考を行なう。

⑤ 人事部は、選考結果を職制及び職制を通じ本人に通知するとともに、結果を記録する。

② 人事部は、有資格者から受験の申込みを受付け、リストを作成するとともに、職制に推薦を依頼する。

③ 職制は、推薦依頼のあったリストの中から、妥当と認められる者について、推薦意見を付し推薦する。

④ 人事部は、受理した推薦にもとづき、本人への通知、選考のための準備を行なう。

⑤ 委員会は、人事部長の報告にもとづき、受験者の選考を行なう。

⑥ 人事部は、選考結果を職制及び職制を通じ本人に通知するとともに、結果を記録する。

4 （職能コースの特則）

次の者の職能コースは規程第10条ないし第12条に準じて次のとおり取扱いを定める。

(1) 短大卒業程度以上の基礎知識、学力を有する者。

(2) 初任格付は一般事務(1)、従って執務二級とする。

(3) 資格系数は B（男子）と見做す。初任格付終了後は資格系数四・五とする。

① 職能コースはBと見做す。

② 工業高等専門学校卒業程度の基礎知識、学力を有する者。

(1) 職能コースはCと見做す。

3 （コース転換試験手続）

① 人事部は、職能コース転換試験を行なうにあたり、規程第21条に定める有資格者にその旨を公示する。

(2) 初任格付は一般事務・技術(1)、従って執務二級とする。

(3) 資格系数はCと見做す。但し、初任格付期間終了後の二年間の資格査定段階別の資格系数はA三・八、B三・七、C三・六、D三・五、E三・四とする。

資 格 規 程

職 能 区 分 定 義

職能区分		一　般　定　義	職能区分		一　般　定　義
実務系統	1	中学校卒業程度の一般的基礎知識および初歩的な実務経験的知識を習得し単純な日常定型的職務を上司の直接的指導のもとに遂行し得る能力を有する。		4	得し，一機能の担当者として複雑な日常定型的職務を適確に遂行しうる能力，または高度な専門的基礎知識およびやや高度な実務経験的知識を習得し一般的な研究・開発・調査・企画等の職務を上司の一般的な方針・指導のもとに遂行しうる能力を有する。
	2	一般的基礎知識および一般的な実務経験的知識を習得し一般的な日常定型的職務を上司の一般的指導のもとに遂行しうる能力を有する。	要務事務 (技術)系統	1	限定された部門（課単位）の一部についての広範な知識を習得し課業務の一機能の主担当者として所轄業務の枠内で日常準判定的職務を遂行しうるとともに定型的職務を指導しうる能力，または高度な専門的基礎知識およびやや高度な実務経験的知識を習得し一般的な研究・開発・調査・企画等の職務を上司の一般的な方針・指導のもとに遂行しうる能力を有する。
	3	一般的基礎知識および高度の実務経験的知識を習得し，やや複雑な日常定型的職務を上司の一般的指導のもとに遂行しうる能力を有する。			
一般事務 (技術)系統	1	高等学校卒業程度の事務技術的基礎知識および担当業務内の初歩的な実務経験的知識を習得し，業務処理基準の明確な日常定型的職務を上司の直接的指導のもとに遂行しうる能力を有する。			
	2	高等学校卒業程度以上の事務技術的基礎知識および担当業務内の一般的な実務経験的知識を習得し，業務処理基準のやや多様な日常定型的職務を上司の一般的指導のもとに遅滞なく遂行しうる能力を有する。		2	限定された部門（課単位）の一部についての広範かつ高度な知識を習得し，課業務の一機能の主担当者として所轄業務の枠内で日常判定的職務を遂行しうるとともに定型的職務を指導しうる能力，または高度な専門的基礎知識および高度な実務経験的知識を習得しやや高度な研究・開発・調査・企画等の職務を上司の一般的方針のもとに独自で遂行しうる能力を有する。
	3	高度な事務技術的基礎知識および限定された部門（課単位）の一機能についての系統的な実務経験的知識を習得し，複雑な日常定型的職務を上司の一般的指導のもとに遅滞なく遂行しうる能力または大学卒業程度の専門的基礎知識および一般的な実務経験的知識を習得し，一般的な開発・研究・調査・企画等の職務を上司の個別的方針・指導のもとに遂行しうる能力を有する。	主務事務 (技術)系統	1	限定された部門（課単位）の広範な知識を習得し課業務の一部の総括者として所轄業務の枠内で日常判定的職務を遂行しうるとともに準判定的職務を指導しうる能力または高度な専門的基礎知識および高度な実務経験的知識を習得しやや高度な研究・開発・調査・企画等の職務を上司の一般的方針のもとに独自で遂行しうる能力を有する。
		高度な専門的基礎知識および限定された部門（課単位）の一部についての広範な実務経験的知識を習			限定された部門（課単位）の広範かつ高度な知識を習得し，課業務の一部の総括者として所轄業務の

職能区分		一般定義	職能区分		一般定義
主務事務（技術）系統	2	枠内で日常高度な判定的職務を遂行しうるとともに準判定的職務を指導しうる能力，または高度な専門的基礎知識および高度な実務経験的知識を習得し，高度な研究・開発・調査・企画等の職務を上司の一般的な方針のもとに適確に遂行し得るとともに他の指導をしうる能力を有する。		4	技術的基礎知識および豊富な現場経験的知識，高度な現場経験的技能を習得し，上司の一般的業務指示にもとづき，熟練を要する非定型的技能職務を遂行するとともに他を指導しうる能力を有する。
一般作業系統	1	中学卒業程度の一般的基礎知識および短期の習熟による技能を習得し，上司の直接的指導監督のもとに定型反復的技能職務を誤りなく遂行しうる能力を有する。		S	技術的基礎知識および関連知識を含めたきわめて豊富な現場経験的知識，きわめて高度な現場経験的技能を習得し上司の一般的業務指示にもとづき，熟練を要する非定型的技能職務を遂行するとともに他を指導しうる能力を有する。
	2	一般的基礎知識および現場経験的知識，比較的短期の習熟による現場経験的技能を習得し，上司の直接的指導監督のもとに定型反復的技能職務を独自に遂行しうる能力を有する。		SS	技術的基礎知識および関連知識を含めたきわめて豊富な現場経験的知識，特定分野における第一人者としてのきわめて高度な現場経験的技能を習得し，上司の一般的業務指示にもとづき熟練を要する非定型的技能職務を遂行するとともに，他を指導しうる能力を有する。
	3	一般的基礎知識および現場経験的知識，比較的短期の習熟による現場経験的技能を習得し，上司の一般的な業務指示にもとづき定型的技能職務を遂行するとともに他を指導しうる能力を有する。	技術作業系統	1	高校卒業程度の技術的基礎知識および初歩的な現場経験的技能を習得し，上司の直接的指導監督のもとに，工作技術知識を主体とする定型的な技能職務を誤りなく遂行しうる能力を有する。
熟練作業系統	1	一般的基礎知識および初歩的な現場経験的知識・技能を習得し上司の直接的指導監督のもとに熟練を要する定型的技能職務を誤りなく遂行しうる能力を有する。		2	技術的基礎知識および一般的な現場経験的知識・技能を習得し，上司の一般的指導監督のもとに工作技術知識を主体とする定型的な技能職務を独自に遂行しうる能力を有する。
	2	一般的基礎知識および現場経験的知識，かなりの習熟による技能を習得し，上司の一般的指導監督のもとに熟練を要する定型的技能職務を独自に遂行するとともに，比較的簡単な作業については他を指導しうる能力を有する。		3	技術的基礎知識および豊富な現場経験的知識，一般的な現場経験的技能を習得し，上司の一般的業務指示にもとづき工作技術知識を主体とする定型的な技能職務を遂行するとともに他を指導しうる能力を有する。
	3	一般的基礎知識および豊富な現場経験的知識，高度な現場経験的技能を習得し，上司の一般的業務指示にもとづき熟練を要する定型的技能職務を遂行するとともに他を指導しうる能力を有する。		4	広範な技術的基礎知識および豊富な現場経験的知識，高度な現場経験的技能を習得し，上司の一般的

職能区分		一般定義	職能区分		一般定義
技術作業系統		業務指示にもとづき、工作技術知識を主体とする非定型的な技能職務を遂行するとともに他を指導しうる能力を有する。		2	上司の一般的指示をうけ、限定された部門（係単位）の監督者として、所轄部門に含まれる広範な知識ならびに関連知識を有し担当業務遂行のため必要とされる創造力・判断力・指導力・折衝力を発揮し業務を顕著に遂行しうる能力を有する。
	S	広範な技術的基礎知識および関連知識を含めたきわめて豊富な現場経験的知識、高度な現場経験的技能を習得し、上司の一般的業務指示にもとづき、工作技術知識を主体とする非定型的な技能職務を遂行するとともに他を指導しうる能力を有する。	執務特技系統	1	中学卒業程度の一般的基礎知識および簡単な手続・約束ごとに関する知識を習得し、上司の直接的指導監督のもとに、補助的用務を誤りなく遂行しうる能力を有する。
	SS	広範な技術的基礎知識および関連知識を含めたきわめて豊富な現場経験的知識、高度な現場経験的技能を習得し、特定分野における第一人者として上司の一般的業務指示にもとづき工作技術知識を主体とする非定型的な技能職務を遂行するとともに、他を指導しうる能力を有する。		2	一般的基礎知識および短期の習熟を要する特殊技能およびそれにともなう知識を習得し、上司の一般的業務指示のもとに定型反覆的な特殊技能職務を遅滞なく遂行しうる能力を有する。
要務工技系統	1	上司の一般的指示をうけ、限定された部門（班単位）の監督者として所轄部門に含まれる広範な知識、技能を有し、担当業務遂行のため必要とされる創造力・判断力・指導力を発揮するとともに自ら技能作業を行ない業務を標準的に遂行しうる能力を有する。		3	一般的基礎知識および、かなりの習熟を要する特殊技能および専門技術知識を習得し、上司の一般的業務指示のもとに定型的な特殊技能職務を遅滞なく遂行しうる能力を有する。
	2	上司の一般的指示をうけ、限定された部門（班単位）の監督者として所轄部門に含まれる広範な知識・技能を有し、担当業務遂行のため必要とされる創造力・判断力・指導力を発揮するとともに自ら技能作業を行ない業務を顕著に遂行しうる能力を有する。	一般特技系統	1	高校卒業程度の技術的基礎知識および特殊分野の初歩的な専門知識・技能を習得し、上司の直接的指導監督のもとに、定型的な特殊技能職務を誤りなく遂行しうる能力を有する。
主務工技系統	1	上司の一般的指示をうけ、限定された部門（係単位）の監督者として、所轄部門に含まれる広範な知識ならびに関連知識を有し担当業務遂行のため必要とされる創造力・判断力・指導力・折衝力を発揮し業務を標準的に遂行しうる能力を有する。		2	技術的基礎知識および特殊分野の一般的な専門知識・技能を習得し、上司の一般的業務指示のもとに、定型的な特殊技能職務を遂行しうる能力を有する。
				3	大学卒業程度の技術的基礎知識および特殊分野の高度な専門知識技能を習得し、上司の一般的業務指示のもとに、定型的な特殊技能職務を遂行しうる能力を有する。
				4	広範な技術的基礎知識および特殊分野の高度な専門知識および技能を習得し、上司の一般的業務指

職能区分	一　般　定　義	職能区分	一　般　定　義
一般特技系統	示のもとに定型的な特殊技能職務を遂行しうる能力を有する。		型的な特殊技能職務を遂行するとともに他を指導しうる能力を有する。
S	広範な技術的基礎知識および特殊分野の非常に高度な専門的知識技能を習得し，上司の一般的業務指示のもとに，非定型的な特殊技能職務を遂行するとともに他を指導しうる能力を有する。		
SS	広範な技術的基礎知識および特殊分野の非常に高度な専門的知識技能を習得し，第一人者として上司の一般的業務指示のもとに，非定		

職能資格規程

（施行　○○・○・○）
（制定　△△・○・○　○○改定）

MHベルト（皮革・従業員　五〇〇人）

1　総　則

1　（目的）

職能資格制度は、当社における人事管理上の規範となる制度であって、公正に評価された職務遂行能力にみあう職能等級への格付けを通じ、社員の適正な処遇を行うとともに、社員自らの能力開発と人材育成を促進することを目的とする。

2　（適用の範囲）

この制度は社員に適用する。この規程において社員とは、社員就業規則の規定による。

3　（用語の定義）

① 職　務…各人に課される仕事のあつまりをいう。

② 職能能力…職務を遂行するために必要な能力をいう。

③ 職　位…職務の組織上の地位をいう。

④ 職　掌…職務を遂行するに必要とする知識・技能など職務遂行能力の共通性・類似性および人事管理上同一の基準が適用される職務群をいう。

⑤ 昇　格…社員を現有職能等級より上位の等級に格付けすることをいう。

⑥ 降　格…社員を現有職能等級より下位の等級に格付けすることをいう。

⑦ 在級年数…同一等級に滞留する年数をいう。

⑧ 昇級点数…昇格基準の要件の一つにして、上位の職級に昇格するに必要とする点数の累計をいう。

⑨ 職能等級…職務遂行能力と職務内容により段階を設け、社員の処遇上の区分をいう。

2　職能等級および職掌

1　（職能等級の区分）

職能等級は、職能段階に応じて次の一二等級に区分する。「職能等級の等級基準」は別表1—(1)(2)(3)による。

職能資格規程

3 新規採用者の格付け

1 (初任格付けの基準)

① 定期学卒採用者

定期学卒採用者の格付けは次のとおりとする。

職 能	等級	職 能	等級
一 般 職	1	指導・監督職	7
	2		8
	3	管理・専門職	9
	4		10
指導・監督職	5		11
	6		12

2 (職能等級への格付け)

社員を職務遂行能力の程度によって職能等級に格付けする。

3 (職掌の区分)

職掌は、職務内容によって八職掌に区分し、一般定型職は一般職掌とし、指導・監督者は、技能職掌、営業・事務職掌、技術職掌ならびに監督職掌とし、管理・専門職は、企画職掌、専任職掌ならびに管理職掌とする。職掌区分の詳細は別表2のとおり。

② 定期学卒者以外の者

格付基準	格付		
	等級	在級年数	持点
中学校卒業者	1	0	0
高校卒業者	2	0	0
高校卒業後職業訓練校1年修了の者	2	1	3
高専・短大の卒業者	3	0	0
大学卒業者	4	0	0
大学院修士課程の修了者	4	2	6
大学院博士課程の修了者	5	0	0

とする。

定期学卒者以外の者の初任格付けについては、2、1職能等級区分にしたがって、年齢・学歴・経験・従事する職務および在籍者との均衡を考慮して決める。あわせて、格付けされた等級における在級年数と昇格持ち点数を決定する。なお、当社入社までの職務経験年数(=ブランク年数)は、次表によって次の勤続年数(=換算年数)とみなす。

ブランク年数	1	2	3	4	5	6	7〜8	9〜10
換算年数	0	1	2	3	4	5	6	7
ブランク年数	11〜12	13〜14	15〜16	17〜19	20〜22	23〜25	26〜	
換算年数	8	9	10	11	12	13	14	

(注) 1. ブランク年数の起算日は入社日直前の4月1日とする。
2. 1年未満のブランク期間は切捨てる。

3 (初任格付けの方法)

初任格付けは、人事部長が上申し、社長の決裁を得て行う。

3 (初任格付けの時期)

初任格付けは、本採用の日をもって行う。

4 昇格および降格

1 (昇格の原則)

昇格は、現に在級する等級が必要とする職務遂行能力を十分満たしたと認められ、一つ上位の等級が必要とする条件を満たした場合に行う。

2 (昇格の基準)

昇格の基準となる職務遂行能力の判定は、在級年数、人事考課ならびに昇格認定試験等をそれぞれ勘案して行う。「昇格基準」は別表3による。

3 (昇格判定の項目)

VII 経営組織運営に関する規程

① 在級年数
職能資格 1〜8 等級までのものについて、同一等級に次の年数在級することを必要とする。
定期学卒採用者の在級年数の起算は、入社日にかかわらず入社年の四月一日より起算する。

等級	期間	等級	期間
1	3年	3	2年
2	2年	4	4年

等級	期間	等級	期間
5	3年	7	3年
6	3年	8	3年

(注) 9等級以上は必要在級年数を定めない。

② 人事考課
同一等級における在級期間内において、一定水準の能力考課および業績考課の評定を得ることを必要とする。能力考課と業績考課とを次のウエイトをもって評価し、付与した評点の累計点をみる。

③ 昇格認定試験
5等級および9等級への昇格候補者については、職務遂行能力を判定するための認定試験を必要とする。受験は、5等級昇格試験は必須とし、9等級昇格試験は選択とする。

④ 総合認定
昇格判定は、在級年数、人事考課ならびに昇格認定試験の各項目を合格基準に照らし、これらを総合的に勘案した上、昇格を判定する。

評語	D	C	B	A	S
	D C₂ C₁	B₂	B₁	A₂	A₁
評点	1点	2点	3点	4点	5点

(注) 1. 8等級以上は、評語S(A_1)、A(A_2)、B(B_1)の場合のみを評点の累計対象とする。
2. 昇格点数の計算方法は、次のおりとする。
(1) 業績考課の年間評点は、当年度に行った評語評点2回分を算術平均して算出し、小数点以下の端数は四捨五入する。
(2) 能力考課と業績考課の各評語評点にウエイトを乗じて出た小数点以下の端数は四捨五入する。

4 (昇格の時期)
昇格は毎年三月一日を定期昇格とし、定期昇格に伴う適用は毎年四月一日から行う。

5 (昇格の手続)
昇格試験実施要領は別途定める。
昇格は、人事部長が昇格候補者を選定し、その中から昇格選考を行った者を上申し、社長の決裁を得て行う。

6 (降格)
降格は原則として行わない。ただし、やむを得ず降格させる場合は、人事部長が上申し、社長の決裁を得なければならない。

5 異動に伴う職能資格および職掌の取扱い

1 (職掌の転換)
職掌転換は、昇格または職務内容の変更によって行う。職務内容の変更によって起こる職掌転換は、本人の適性、能力、自己申告および要員計画からみて必要な場合、職掌転換を行う。

2 (職掌の単一性)
職掌は一人一職掌とする。職務の兼任などにより職掌が二つ以上にまたがる場合といえども、主たる職務の属する職掌とする。

3 (職掌転換の時期)
職掌転換は、異動発令の都度行う。

4 (職掌転換の手続)
職掌転換の方法は、事業部長もしくは本社部(室)長の人事決裁書にもとづいて行う。

5 (異動に伴う職能資格)
異動に伴い職掌の異なる業務へ配置転換

職能資格規程

された場合においても、職能等級は変更しない。

6 （臨時に異なる業務に従事する場合）応援等臨時に特殊な業務に従事する場合には、職掌・職能等級の変更はしない。

6 職能等級と処遇

1 （職能資格名称の使用）
職能等級に職能資格名称が付されている場合は、社内における社員処遇上の呼称として用いる。

2 （異動・配置の要件）

	12等級	11等級	10等級
職能資格の名称	参事	副参事	主事
	主管研究員	主席研究員	副主席研究員

	9等級	8等級	7等級
職能資格の名称	副主事	主任	副主任
	主任研究員	副主任研究員	研究員

(注) 職能資格名称は、職務内容により上記のいずれかを使い分ける。

要員の異動・配置に際しては、該当者の職能等級と配置しようとする職務の内容とを比較検討し、適正な対応関係を維持するよう配慮するものとする。

3 （賃金の決定）
賃金は、本人給と職能等級に応じた職能給を賃金表にもとづいて決定する。

4 （職能等級と処遇）
入社後本採用までの試用期間中の職能等級は、格付予定の職能等級でもって処遇する。

7 職能等級に関する苦情処理

1 （苦情の申し立て）
格付けあるいは昇格など、職能等級の取扱いに関する苦情は、苦情処理委員会事務局を通じ、文書をもってその旨を苦情処理委員会へ申し立てることができる。

2 （苦情処理の手続き）
① 苦情処理委員会の開催
次の構成員によって苦情処理委員会を開催のうえ、申し立ての苦情に関する内容の検討および処理案の作成を行う。なお、委員会は、必要に応じて参考人を呼ぶことができる。
委員会は、処理等の決定を合議でもって決定し、合議の整わない場合は委員長が決定する。

② 苦情の処理
委員会でまとめられた苦情処理案に関して上申より決定までの手続きは次のとおりとする。

対象者(等級)	上申者	決定者
7～12	人事部長	社長
1～6	人事部課長または労務担当課長	人事部長

対象者(等級)	構成員		委員長
	会社側	組合側	
7～12	所属部長	本部書記長(組合員のみ)	人事部長
1～6	所属課長(6級以下は係長も可)	支部書記長	人事部課長

制定改廃履歴
□□年○月○日　制定施行　社員資格規程
××年○月○日　全面改正　職能等級規程
△×年○月○日　制　定　社員資格規程
△△年○月○日　一部改正　職能資格規程
○△年○月○日　一部改正　〃
○○年○月○日　一部改正　〃

別表1(1)　職能等級の等級基準

等　級	一　般　職　掌
1	1　一般的な実務上の知識・技能を有し 2　上級者の一般的指示にしたがいながら 3　作業・技術・販売・事務・サービスなどの通常の業務に従事し 4　定型的業務を正確に遂行しうる能力がある者
2	1　一般的な実務上の知識・技能を有し 2　上級者の一般的指示にしたがいながら 3　作業・技術・販売・事務・サービスなどの通常の業務に従事し 4　定型的業務を正確に遂行しうる能力がある者
3	1　基礎的な実務上の知識・技能を有し 2　上級者の一般的指示にしたがいながら 3　作業・技術・販売・事務・サービスなどの通常の業務に従事し 4　定型的業務を迅速・正確に遂行しうる能力がある者
4	1　基礎的な実務上の知識・技能を有し 2　上級者の一般的指示にしたがいながら 3　作業・技術・販売・事務・サービスなどの通常の業務に従事し 4　ある程度経験を必要とする比較的複雑な定型的業務を遂行しうる能力がある者

別表1（2）　職能等級の等級基準

等級＼職掌	監督職掌	技能職掌	営業・事務職掌	技術職掌
5	1　経営に関する一般的な知識を有するほか，所管業務については専門的知識・経験・技量を有し，また関連部門についても一般的知識を有し 2　所属長の指示のもとに所属員を直接指導，監督し 3　担当業務の推進について処理をなしうる能力がある者	1　業務遂行に必要な実務的知識・経験・技量を有し 2　所属長の指示のもとに 3　製造・試験・検査・荷造・運搬などの業務に直接従事し 4　業務を十分遂行しうる能力がある者	1　実務上の専門的知識・技能および経験を有し 2　所属長の指示のもとに 3　販売・事務などの業務に直接従事し 4　定型的・非定型的日常業務を遂行するとともに 5　業務を十分遂行しうる能力がある者	1　実務上の専門的知識・技術および経験を有し 2　所属長の指示のもとに 3　技術・研究開発などの業務に直接従事し 4　定型的・非定型的日常業務を遂行するとともに 5　業務を十分遂行しうる能力がある者
6	1　経営に関する一般的な知識を有するほか，所管業務については専門的知識・経験・技量を有し，また関連部門の業務についても一般的知識を有し 2　所属長の指示のもとに所属員を直接指導・監督し 3　担当業務の推進についてほぼ的確な判断ならびに処理をなしうる能力がある者	1　業務遂行に必要な実務的知識・経験・技量を有し 2　所属長の指示のもとに 3　製造・試験・検査・荷造・運搬などの業務に直接従事し 4　必要に応じほぼ的確な判断ならびに処理をなしうる能力がある者	1　業務上の専門的知識・技能および経験を有し 2　所属長の指示のもとに 3　販売・事務などの業務に直接従事し 4　定型的・非定型的日常業務を遂行するとともに 5　必要に応じほぼ的確な判断ならびに処理をなしうる能力がある者	1　実務上の専門的知識・技術および経験を有し 2　所属長の指示のもとに 3　技術・研究開発などの業務に直接従事し 4　定型的・非定型的日常業務を遂行するとともに 5　必要に応じほぼ的確な判断ならびに処理をなしうる能力がある者
7	1　経営に関する一般的な知識を有するほか，所管業務については専門的知識・経験・技量を有し，また関連部門の業務についても一般的な実務知識を有し 2　所属長の指示のもとに所属員を直接指導・監督し 3　担当業務の推進について的確な判断ならびに処理をなしうる能力がある者	1　業務遂行に必要な実務的知識・経験・技量を有し 2　所属長の指示のもとに 3　製造・試験・検査・荷造・運搬などの業務に直接従事し 4　必要に応じ的確な判断ならびに処理をなしうる能力がある者	1　実務上の専門的知識・技能および経験を有し 2　所属長の指示のもとに 3　販売・事務などの業務に直接従事し 4　定型的・非定型的日常業務を遂行するとともに 5　必要に応じ的確な判断ならびに処理をなしうる能力がある者	1　実務上の専門的知識・技術および経験を有し 2　所属長の指示のもとに 3　技術・研究開発などの業務に直接従事し 4　定型的・非定型的日常業務を遂行するとともに 5　必要に応じ的確な判断ならびに処理をなしうる能力がある者
8	1　経営に関する一般的な知識を有するほか，所管業務については専門的知識・経験・技量を有し，また関連部門の業務についても一般的な実務知識を有し 2　所属長の指示のもとに所属員を直接指導・監督し 3　分掌業務の運営を総合的に調整し効率的に推進しうる能力がある者	1　業務遂行に必要な実務的知識・経験・技量を有し 2　所属長の指示のもとに 3　製造・試験・検査・荷造・運搬などの業務に直接従事し 4　複雑，困難な職務もほとんど自らの判断で処理しうる能力がある者	1　実務上の専門的知識・技能および経験を有し 2　所属長の指示のもとに 3　販売・事務などの業務に直接従事し 4　定型的・非定型的日常業務を遂行するとともに 5　複雑，困難な職務もほとんど自らの判断で処理しうる能力がある者	1　実務上の専門的知識・技術および経験を有し 2　所属長の指示のもとに 3　技術・研究開発などの業務に直接従事し 4　定型的・非定型的日常業務を遂行するとともに 5　複雑，困難な職務もほとんど自らの判断で処理しうる能力がある者

別表1(3)　職能等級の等級基準

等級＼職掌	管理職掌	企画職掌	専任職掌
9	1　経営に関する包括的な知識を有するほか，所管業務については高度な専門的知識および経験・技量を有し，また関連部門の業務についても一般的な実務知識を有し 2　組織の長として所属員を指導・監督して 3　分掌業務の運営を総合的に調整し効率的に推進しうる能力がある者	1　専門的知識・実務的知識および経験・技量と経営に関する包括的な知識を有し 2　特定部門の業務計画上重要な事案について 3　単独または補助者を指導して 4　業務活動もしくは特定の専門的事項につき企画・調査・研究活動を行うとともに 5　所属部門あるいは関連部門に対し協力・助言・勧告などを行い 6　また業務遂行に伴う困難な社内外折衝業務を処理しうる能力がある者	1　特定の業務について専門的知識および豊富な経験・技量を有し 2　技術上あるいは業務遂行上困難な業務について 3　組織の長の一般的な指導・監督のもとに 4　担当の業務を達成することができるとともに 5　下級者を指導することができる能力がある者
10	1　経営に関する包括的な知識を有するほか，所管業務については高度な専門的知識および経験・技量を有し，また関連部門の業務についても体系的かつある程度の実務的知識を有し 2　組織の長として所属員を指導・監督し 3　分掌業務の運営を統轄し 4　きわめて例外的に発生する業務を除いては自己の計画と判断により処理しうる能力がある者	1　高度な専門的知識および経験・技量と経営に関する包括的な知識を有し 2　経営計画上重要な，または特定部門の業務計画上特に重要な事案について 3　単独または補助者を指導して 4　業務活動もしくは特定の専門的事項につき企画・調査・研究活動を行うとともに 5　所属部門あるいは関連部門に対し協力・助言・勧告などを行い 6　また，業務遂行に伴う困難な社内外折衝業務を処理しうる能力がある者	1　特定の業務について高度な専門的知識および豊富な経験・技量を有し 2　技術上あるいは業務遂行上複雑，困難な業務について 3　組織の長の一般的な指導・監督のもとに 4　担当の業務を完全に達成することができるとともに 5　下級者を指導することができる能力がある者
11	1　経営に関する広範な知識および経験・技量を有し 2　組織の長として所属員を指導・監督し 3　所管業務の運営を統轄するとともに 4　組織目標と計画に従って業務の運営を組織的・効率的に推進しうる能力がある者	1　相当高度な専門的知識および経験・技量と経営に関する広範な知識を有し 2　経営計画上相当重要な，または複雑，困難な事案について 3　単独または補助者を指導して 4　業務活動もしくは特定の専門的事項につき企画・調査・研究活動を行うとともに 5　所属部門あるいは関連部門に対し協力・助言・勧告などを行い 6　また，業務遂行に伴う複雑，困難な社内外折衝業務を処理しうる能力がある者	1　特定の業務について相当高度な専門的知識および豊富な経験・技量を有し 2　技術上あるいは業務遂行上相当複雑，困難な業務について 3　組織の長の一般的な指導・監督のもとに 4　担当の業務を完全に達成することができるとともに 5　下級者を指導することができる能力がある者
12	1　経営に関する高度かつ広範な知識および豊富な経験・技量を有し 2　組織の長として所管部門を高度な統率力をもって所属員を指導・監督し 3　業務の運営を統轄するとともに 4　全社的に定められた目標と計画に従って長期的視野から業務の運営を組織的・効率的に推進しうる能力がある者	1　きわめて高度な専門的知識および経験・技量と経営に関する広範な知識を有し 2　経営計画上きわめて重要な，または複雑，困難な事案について 3　単独または補助者を指導して 4　業務活動もしくは特定の専門的事項につき企画・調査・研究活動を行うとともに 5　所属部門あるいは関連部門に対し協力・助言・勧告などを行い 6　また，業務遂行に伴いきわめて複雑，困難な社内外折衝業務を処理しうる能力がある者	1　特定の業務についてきわめて高度な専門的知識および豊富な経験・技量を有し 2　技術上あるいは業務遂行上きわめて複雑，困難な業務について 3　組織の長の一般的な指導・監督のもとに 4　担当の業務を完璧に達成することができるとともに 5　下級者を指導することができる能力がある者

別表2　職掌の区分基準

職　掌	区　分　基　準	具体的な職務
管　理	組織の長として高い管理能力のもとに，所属員を管理し所管業務を組織的・効率的に遂行することを主要な職務内容とする。	部長，次長，課長
企　画	所属長の指示のもとに高度に専門的な知識・技能および実務的経験ならびに経営に関する広範な知識を生かして，高度な専門性，権威性，学問的，理論的習得が強く要求される企画・調査・研究などの専門的業務を遂行し，その成果が経営や部門管理の効率化のための戦略的な価値増大に結びつけることを職務内容とする。	
専　任	所属長の指示のもとに高度な専門知識・技能および処理能力と豊富な経験さらには自己努力にもとづき，自らの専門的業務を遂行することと他に対する指導を主要な職務内容とする。	
監　督	所属長の指示のもとに監督者として，所属員を直接指導・監督しながら担当業務を推進することを主要な職務内容とする。	課長，係長，組長，班長
技　術	所属長の指示のもとで，機械，電気，物理，化学等の自然科学系統の専門的な知識をもとにして行なう生産に直接的な関連のある技術的な研究，企画，設計，調査，試験，技術指導もしくは設備の点検，保全，改良等の業務を遂行することを主要な職務内容とする。	
営業事務	所属長の指示のもとで，実務上の専門的知識・技能をもちいて販売・事務に携わり，定型的・非定型的日常業務を遂行するとともにその範囲内の販売促進・事務改善を推進する。	
技　能	所属長の指示のもとで実務上得た知識・技能をもちいて，製造，試験検査，荷造運搬に直接従事し，またはそれに必要な設備・装置の保守・運転などの作業的業務を遂行することを主要な職務内容とする。	製造作業員，物流作業員，施工作業員，検査員
一　般	管理者，監督者のもとで，業務全般にわたる定型的日常業務を遂行することを主要な職務内容とする。	一般事務員，一般技術員，一般作業員

別表3　昇　格　基　準

昇格する等級	昇　格　基　準	必要在級年数	人事考課	昇格試験
11→12	11等級の経験者で人事考課の成績が優秀であり，12等級の職務遂行能力が十分期待できる者		昇格点数 12点	
10→11	10等級の経験者で人事考課の成績が優秀であり，11等級の職務遂行能力が十分期待できる者		昇格点数 12点	
9→10	9等級の経験者で人事考課の成績が優秀であり，10等級の職務遂行能力が十分期待できる者		昇格点数 20点	
8→9	8等級3年以上の経験者で人事考課の成績が優秀であり，9等級昇格試験に合格し，9等級の職務遂行能力が十分期待できる者	8等級 3年	昇格点数 15点	合　格
7→8	7等級3年以上の経験者で，その期間の人事考課の成績が優れ，8等級の職務遂行能力が十分期待できる者	7等級 3年	昇格点数 15点	
6→7	6等級3年以上の経験者で，その期間の人事考課の成績が優れ，7等級の職務遂行能力が十分期待できる者	6等級 3年	昇格点数 15点	
5→6	5等級3年以上の経験者で，その期間の人事考課の成績が優れ，6等級の職務遂行能力が十分期待できる者	5等級 3年	昇格点数 15点	
4→5	4等級4年以上の経験者で，その期間の人事考課の成績が優れ，5等級昇格認定試験に合格し，5等級の職務遂行能力が十分期待できる者	4等級 4年	昇格点数 10点	合　格
3→4	3等級2年以上の経験者で，勤務態度良好な者	3等級 2年	昇格点数 4点	
2→3	2等級2年以上の経験者で，勤務態度良好な者	2等級 2年	昇格点数 4点	
1→2	1等級3年以上の経験者で，勤務態度良好な者	1等級 3年	昇格点数 6点	

（注）　1.　在級年数　① 大学院修士課程終了の4等級格付者には格付時に2年の在級年数を認める。
　　　　　　　　　　② 出向・公務・組合専従ならびに公傷休業による休職期間は，在級年数に算入する。
　　　　　　　　　　③ 試用期間は，在級年数に算入する。
　　　　2.　人事考課　① 能力考課と業績考課とを次のウェイトづけをもって評価する。
　　　　　　　　　　② 考課の評語によって次の評点を付与しその累計点をみる。

評語	D	C	B	A	S
評点	1	2	3	4	5

職級＼考課	能力	業績
9～12	20%	80%
7～8	40	60
5～6	60	40
1～4	80	20

職能規程

OM機械
機械製造
・資本金 一五億円
・従業員 一、二〇〇人

（目的）
第1条 この規程は就業規則第〇条および労働協約第〇条別紙（その1）の〇の規程による社員の職能について定める。

（職能）
第2条 社員の職能は職級によりあらわす。

（職掌）
第3条 職級は職掌別に設ける。
職掌とは職務内容の類似性にもとづいて分類された職位のグループをいう。
2 職掌分類基準は次の通りとする（別表1）。

（職級）
第4条 職掌別の職級は次の通りとする（別表2）。

（職級格付基準）
第5条 職掌別の職級格付基準は次の通りとする（別表3～8）。

別表1　職掌分類基準

職掌	定　義	具体例
技能職	管理監督職の監督のもとに、生産物の生産される現場（補助部門を含む）において、技能を用いて生産業務に従事する者、並びに生産業務に密接な関連ある職務に従事する者。ただし役職者は除く。	溶解、造型、加工、倉庫作業、製品梱包などの作業者、分析作業者、リフト運転者
事務職	管理監督職の監督のもとに、一般的基礎知識と経験にもとづく限定された職務知識および技能を用いて定められた手順またはその都度指示された手順に従って、一般事務業務を行なうことを主要職務内容とする者。	秘書、企画事務員、文書発受、出納、営業事務、経理、総務などの事務作業者
営業職	販売先との折衝、連絡、サービス等の仕事を主体とする職務に従事する者。	営業員
専門職	各専門分野において、上司よりテーマの委譲を受け一分野の調査、分析、研究、開発、企画を行なう者。また高度な経験的理論的な知識にもとづいて、創造的な能力を駆使して、複雑な調査、分析、研究、開発、企画の指導を行ないいわゆる高級スタッフ職務に従事している者。	各部門におけるスタッフ（技術、企画、販売計画、営業計画、人事等のスタッフ）
管理監督職	企業内において、組織単位の長として、また長の補佐として、部下を統轄指導し、自らも困難な業務を遂行する職務に従事している者。	作業長、係長、課長代理、課長、所長、次長、室長、部長、事業部長
特殊職	特殊な知識、経験、技能資格にもとづいて、社会的に定型化された特殊分野の職務に従事している者。	電話交換手、乗用車運転手、守衛、大工、看護師、キーパンチャー、輸送トラック運転手

別表2　職掌と職級

職　　　掌	職　　　　　　　　　　　　　級										
	1	2	3	4	5	6	7	8	9	10	11
技　能　職	○	○	○	○	○	○	○				
事　務　職	○	○	○	○	○	○	○				
営　業　職	○	○	○	○	○	○	○				
専　門　職				○	○	○	○	○	○	○	○
管理監督職				○	○	○	○	○	○	○	○
特　殊　職	○	○	○	○	○	○	○				

別表3　技　能　職

職級	定　　　　　　　義	格　付　基　準
1	日常の定型的、反覆的単純作業を行なう職務を遂行し得る能力を有する者。 （単純定型職、単純補助職）	①中卒者にして20歳未満の者。
2	若干の経験と知識を必要とし、日常の定型的反覆的単純作業を行なう職務を遂行し得る能力を有する者。 （単純定型職）	①18歳以上の者。ただし1職級における最近1年間の昇給時人事考課がB以上でなければならない。 ②20歳以上の者。 ③高卒者および短大事務系卒者。
3	かなりの経験を生かし、複雑な定型的作業を行なう職務を遂行し得る能力を有する者。 （複雑定型職）	①22歳以上の者。ただし2職級における最近2年間の昇給時人事考課平均が、B以上でなければならない。 ②26歳以上にして、2職級に5年以上滞留する者で最近1年間の昇給時人事考課がB以上の者。 ③大卒者、工専及び短大技術系卒者。
4	○○技能士準2級に相当するかなり高度の熟練技能を必要とする、複雑困難な作業を行なう職務を遂行し得る能力を有する者。 （定型技能職）	①3職級に5年以上滞留し、最近2年間における昇給時人事考課平均がA以上の者。 ②3職級に7年以上滞留し、最近2年間における昇給時人事考課平均がB以上の者。 ③○○技能士準2級以上合格者にして、3職級における最近2年間の昇給時人事考課平均がB以上の者。 ④定義に相応する能力を有する者。
5	○○技能士2級に相当する高度の知識技能を必要とする、複雑困難な作業を行なう職務を遂行し得る能力を有する者。 （定型技能職）	①4職級に5年以上滞留し、最近2年間における昇給時人事考課平均がA以上の者。 ②4職級に7年以上滞留し、最近2年間における昇給時人事考課平均がB以上の者。 ③○○技能士2級以上合格者にして、4職級における最近2年間の昇給時人事考課平均がB以上の者。 ④定義に相応する能力を有する者。

職級	定　　　義	格　付　基　準
6	○○技能士準1級に相当する高度の知識技能を必要とする、複雑困難な作業を行なう職務を遂行し得る能力を有する者。 （高度技能職）	①5職級に5年以上滞留し、最近2年間における昇給時人事考課平均がA以上の者。 ②5職級に7年以上滞留し、最近2年間における昇給時人事考課平均がB以上の者。 ③○○技能士準1級以上合格者にして、5職級における最近の2年間の昇給時人事考課平均がB以上の者。 ④定義に相応する能力を有する者。
7	技能的に最高の熟練を有するかまたは具体的に計画された方針のもとで、分担範囲内の技術的、人間的特色を把握し、他部門との関係を考えながら分担業務の遂行を円滑ならしむるに必要な技術的、管理的手続をとると共に、明確に定められた作業慣行や手続に従って作業する従業員を指導し得る能力を有する者。 （特別技能職）	①6職級に5年以上滞留し、最近2年間における昇給時人事考課平均がA以上の者。 ②6職級に7年以上滞留し、最近2年間における昇給時人事考課平均がB以上の者。 ③○○技能士1級合格者にして、6職級における最近2年間の昇給時人事考課がA以上の者。 ④○○技能士1級合格者にして、6職務に5年以上滞在し、最近2年間における昇給時人事考課平均がB以上の者。 ⑤定義に相応する能力を有する者。

別表4　事　務　職

職級	定　　　義	格　付　基　準
1	日常の定型的、反覆的作業を行なう職務を遂行する能力を有する者。 （単純定型的事務職）	①中卒者にして20歳未満の者。
2	上司より業務の処理方法について細部にわたり、指示、指導を受け、定められた手続に従い、定型業務を処理するか、また単純補助業務を遂行し得る能力を有する者。 （単純定型的事務職）	①18歳以上の者。ただし1職級における最近1年間の昇給時人事考課がB以上でなければならない。 ②20歳以上の者。 ③高卒者および短大事務系卒者。
3	上司の指示、指導を受け、普通程度の創意と判断に基づいて、細部にわたって定められた手続に従い、やや複雑な定型業務を行なう職務を遂行し得る能力を有する者。 （複雑定型的事務職）	①22歳以上の者。ただし2職級における最近2年間の昇給時人事考課平均がB以上でなければならない。 ②26歳以上にして、2職級に5年以上滞留する者で最近1年間の昇給時人事考課がB以上の者。 ③大卒者、工専及び短大技術系卒者。
4	上司の指導の下にやや複雑な定型的、繰り返し的業務を遂行するグループの中にあって、自らも業務を担当すると共に、主導的役割を行ない得る能力を有する者。 （複雑定型的、判断的事務職）	①3職級に5年以上滞留し、最近2年間における昇給時人事考課平均がA以上の者。 ②3職級に7年以上滞在し、最近2年間における昇給時人事考課平均がB以上の者。 ③定義に相応する能力を有する者。
5	上司の一般的監督の下に業務の方針並びに処理方法の要点について、指示を受け、予め細部にわたり定められた方針、手続に基づき、自ら判断して困難な業務を処理する職務を遂行し得る能力を有する者。（判断的事務職）	①4職級に5年以上滞留し、最近2年間における昇給時人事考課平均がA以上の者。 ②4職級に7年以上滞留し、最近2年間における昇給時人事考課平均がB以上の者。 ③定義に相応する能力を有する者。

職級	定義	格付基準
6	上司の一般監督の下に業務の方針について、指示を受けるが、その処理方法については、方針と異なる場合を除いて、殆んど指示を受けることなくその専門分野における事務およびそれに関連する原案的企画、立案、研究、調査を行ない得る能力を有する者。 （判断的、企画的事務職）	①5職級に5年以上滞留し、最近2年間における昇給時人事考課平均がA以上の者。 ②5職級に7年以上滞留し、最近2年間における昇給時人事考課平均がB以上の者。 ③定義に相応する能力を有する者。
7	係責任者と同等程度の職務能力を要する高度の業務において、高度な専門知識および実務知識に基づいて、広範且つ複雑な事務及びそれに関連する企画、立案、研究、調査を行なう職務を遂行し得る能力を有する者。 （企画的事務職）	①6職級に5年以上滞留し、最近2年間における昇給時人事考課平均がA以上の者。 ②6職級に7年以上滞留し、最近2年間における昇給時人事考課平均がB以上の者。 ③定義に相応する能力を有する者。

別表5　営業職

職級	定義	格付基準
1	日常の定型的、反覆的作業を行なう職務を遂行し得る能力を有する者。 （営業見習職）	①中卒者にして20歳未満の者。
2	細部にわたり指導監督を受け、指示に従って販売業務を行なう見習程度の職務を遂行し得る能力を有する者。 （営業見習職）	①18歳以上の者。ただし1職級における最近2年間の昇給時人事考課がB以上でなければならない。 ②20歳以上の者。 ③高卒者および短大事務系卒者。
3	直接的指導監督を受け、定められた手順の範囲で販売を行なう能力を有する者。 （定型的営業職）	①22歳以上の者。ただし2職級における最近2年間の昇給時人事考課平均がB以上でなければならない。 ②26歳以上にして、2職級に5年以上滞留する者で、最近1年間の昇給時人事考課がB以上の者。 ③大卒者、工専および短大技術系卒者。
4	一般的指示に従い、定められた手順に従って販売を行なうと共に、得意先の動向を予知し、販売の安定性を保持し得る程度の能力を有する者。 （複雑定型的営業職）	①3職級に5年以上滞留し、最近2年間における昇給時人事考課平均がA以上の者。 ②3職級に7年以上滞留し、最近2年間における昇給時人事考課平均がB以上の者。 ③定義に相応する能力を有する者。
5	一般的指示監督を受けるが、自らの判断によって製品の販売を行なうと共に、得意先の信用状態、需要予測等を活用し、販売の維持拡大をはかり得る能力を有する者。 （判断的営業職）	①4職級に5年以上滞留し、最近2年間における昇給時人事考課平均がA以上の者。 ②4職級に7年以上滞留し、最近2年間における昇給時人事考課平均がB以上の者。 ③定義に相応する能力を有する者。
6	一般的指示監督を受けるが、自らの判断によって製品の販売を行なうと共に、得意先の信用状態、需要予測等を活用し、販売の維持拡大をはかり得る能力を有すると共に、当社製品の集団的ＰＲを行ない得る者。	①5職級に5年以上滞留し、最近2年間における昇給時人事考課平均がA以上の者。 ②5職級に7年以上滞留し、最近2年間における昇給時人事考課平均がB以上の者。 ③定義に相応する能力を有する者。

職能規程

職級	定義	格付基準
	（判断的、指導的営業職）	
7	係責任者と同等程度の職務能力を有し、営業業務を遂行するグループの中にあって、自らも営業業務を担当すると共に、課長あるいは所長の代行をし得る能力を有する者。 （指導的営業職）	①6職級に5年以上滞留し、最近2年間における昇給時人事考課平均がA以上の者。 ②6職級に7年以上滞留し、最近2年間における昇給時人事考課平均がB以上の者。 ③定義に相応する能力を有する者。

別表6　専門職

職級	定義	格付基準
3	企画、立案、研究業務の補助を行なう職務を遂行し得る能力を有する者。 （専門補助職）	①22歳以上の者、ただし2職級における最近の2年間の昇給時人事考課平均がB以上でなければならない。 ②26歳以上にして、2職級に5年以上滞留する者で最近1年間の昇給時人事考課がA以上の者。 ③大卒者、工専および短大技術系卒者。
4	高度な専門的知識を要する企画、調査業務のやや複雑な補助的役割を果たし、上級職を補佐する職務を遂行し得る能力を有する者。 （専門補佐職）	①3職級に5年以上滞留し、最近2年間における昇給時人事考課平均がA以上の者。 ②3職級に7年以上滞留し、最近2年間における昇給時人事考課平均がB以上の者。 ③定義に相応する能力を有する者。
5	業務の方針並びに処理方法の要点について指示を受け、専門的知識と経験に基づく判断と創意により専門分野における定型的企画、研究、調査を行なう職務を遂行し得る能力を有する者。 （定型専門職）	①4職級に5年以上滞留し、最近2年間における昇給時人事考課平均がA以上の者。 ②4職級に7年以上滞留し、最近2年間における昇給時人事考課平均がB以上の者。 ③定義に相応する能力を有する者。
6	業務の方針について指示を受けるが、その処理方法については、方針と異なる場合を除いて殆んど指示を受けることなく、高度の専門分野における原案的企画、立案、研究、調査を単独または補助者を指導しながら、行ない得る能力を有する者。 （複雑専門職）	①5職級に5年以上滞留し、最近2年間における昇給時人事考課平均がA以上の者。 ②5職級に7年以上滞留し、最近2年間における昇給時人事考課平均がB以上の者 ③定義に相応する能力を有する者。
7	係長と同等程度の職務能力を有し、高度な研究、調査、企画、対内外折衝が出来る能力を有する者。 （高度専門職）	①6職級に5年以上滞留し、最近2年間における昇給時人事考課平均がA以上の者。 ②6職級に7年以上滞留し、最近2年間における昇給時人事考課平均がB以上の者。 ③定義に相応する能力を有する者。

職級	定義	格付基準
8	課長と同等程度の職務能力を有し、高級な研究、調査、企画、対内外折衝が出来る能力を有する者。 （高級専門職）	①定義に相応する能力を有する者。
9	ある部門全般の業務運営および政策に関する十分な理解を要し、部長の補佐を行なう職務を遂行し得る能力を有する者。 （高級専門職）	①定義に相応する能力を有する者。
10	部長と同等程度の職務能力を有し、高級な研究、調査、企画、対内外折衝が出来る能力を有する者。 （高級専門職）	①定義に相応する能力を有する者。
11	本社部長と同等程度の職務能力を有し、高級な研究、調査、企画、対内外折衝が出来る能力を有する者。 （高級専門職）	①定義に相応する能力を有する者。

別表7　管理監督職

職級	定義	格付基準
4〜5	単一のグループ作業実施の監督者として、部下の指導調整および監督を行なう職務を遂行し得る能力を有する者。	①定義に相応する能力を有する者。
6	数個のグループ作業実施の監督者として、部下の指導調整および監督を行なう職務を遂行し得る能力を有する者。	①定義に相応する能力を有する者。
7	係程度の業務運営に関する広い知識を必要とし、通常少ない監督を受けて、業務企画を立て、部下を指揮監督する職務を遂行し得る能力を有する者。	①定義に相応する能力を有する者。
8	課程度の業務運営および政策案に関する十分な理解を要し、部門内の他の課との業務上の関係に対する広範な知識を必要とし、課の業務を監督し、課内外との種々の業務上の折衝をし、主として職務に関する自己の能力によって円滑な課内業務の運営をはかる職務を遂行し得る能力を有する者。	①定義に相応する能力を有する者。
9	ある部門全般の業務運営および政策等に関する十分な理解を要し、部長の補佐を行なう職務を遂行し得る能力を有する者。	①定義に相応する能力を有する者。

10	部内における業務運営および方針に関する十分な理解を要し、社内の他の部門との業務上の関係の折衝を行ない、部内に対して会社の政策あるいは方針についての説明をし、会社の政策の範囲内において、自己の部内の業務の全般的な企画管理を行なう職務を遂行し得る能力を有する者。	①定義に相応する能力を有する者。
11	社長を補佐し、担当部門業務の執行を統轄すると共に、他の部門に対し職務上の指示を行ない、もしくは助言と勧告を行なう能力を有する者。	①定義に相応する能力を有する者。

(備考) 管理監督職の各職級に最も多く対応する役職は次の通りである。
　　　6職級・7職級（作業長・係長），8職級（課長），9職級（次長），10職級（部長），11職級（本社部長）

別表8　特　殊　職

特殊職の職級は他の職掌別職級を勘案し7職級まで設定する。
② 前項の〇〇技能士の定義は次の通りとする。
1　〇〇技能士準2級とは次のいずれかの条件を満たした者をいう。
　(1)　社内検定2級に合格した者
　(2)　国家検定2級技能士の資格を有する者
2　〇〇技能士2級とはいずれかの条件を満した者をいう。
　(1)　社内検定2級に合格し、且つ国家検定2級実技に合格した者
　(2)　国家検定2級技能士の資格を有し、社内検定2級の試験（専門知識は免除）に合格した者
3　〇〇技能士準1級とは次のいずれかの条件を満たした者をいう。
　(1)　社内検定1級に合格した者
　(2)　国家検定1級技能士の資格を有する者
4　〇〇技能士1級とは次のいずれかの条件を満たした者をいう。
　(1)　社内検定1級に合格し、且つ国家検定1級実技に合格した者
　(2)　国家検定1級技能士の資格を有し、社内検定1級の試験（専門知識は免除）に合格した者
　　　専門職又は管理監督職の職掌に格付されている者で、技能系と認定された者が〇〇技能士に合格した場合、本条第1項の技能職4職級以上の③（7職級は③・④）の格付基準を準用する。

（初任職級格付）
第6条　定期採用者の社員昇給時の格付は第5条の職級格付基準に基づき、次の通り格付する。
　1職級　中卒および職業訓練所卒
　2職級　高卒および短大事務系卒
　3職級　大卒、工専および短大技術系卒
2　途中採用の社員昇格時の格付は、第5条の職給格付基準に基づき、原則として1職級または2職級に格付する。
　ただし、特に有能な者はその前職歴、国家検定資格等を考慮して、3職級以上に格付する場合がある。

（職掌の変更）
第7条　職掌の変更があった場合はその都度変更する。

（職級の進級）
第8条　職級の進級は第5条の職級格付基準に基づき、審査の上毎年10月1日に行う。
2　格付基準が2つ以上該当する時は職級の高い方をとる。
3　格付基準にある年齢および滞留年数は審査の翌年4月1日現在にて算定する。
4　格付基準にある学歴は確定したものでなければならない。
5　進級に伴う職能手当の変更は10月1日に行う。ただし、職能給の是正は翌年4月1日に行う。

VII 経営組織運営に関する規程

（職級の降級）
第9条 昇級時の人事考課が2年連続してDの者が、3年目の昇給時人事考課もDに相当する場合はEとし、当年10月1日に降級を行なう。但しその後の昇給時の人事考課がA以上又は2年平均B以上の場合は、元の職級に復帰する。

2 降級に伴う職能手当の変更は10月1日に行なう。但し職能給の是正は翌年4月1日に行なう。

3 本条第1項の降級及び進級の基準は第5条の格付基準に優先する。

（職級の決定者）
第10条 8職級以上については社長が、7職級以下については人事担当部長が決定する。

（職級と昇給・賞与）
第11条 職能給の昇給および賞与の査定は昇級により、賞与支給資格者認定日における職級別、ランク別に行なう。ただし10月1日進級者はその年の12月賞与に限り、進級前の職級にランク査定する。

2 定期採用者については、入社後1回の昇給および2回の賞与の査定は一律に行なう。

（実施）
第12条 この規程は○○年○月○日より一部改定実施する。

（△△年○月○日制定実施）

決裁規程

制定 △△・△・△
改正 ○○・○・○
    ○○・○・○
    TK鉄工
（鉄工業・従業員 一、七〇〇人）

（目的）
第1条 この規程は別表に定める事項を実施するためその決裁方法に関する諸段階並びに手続を定め、業務運営の円滑を期するを目的とする。

（決裁区分）
第2条 決裁区分は社長（常務会）決裁、管掌常務取締役決裁、部長決裁の三種類とし、その決裁事項並びに決裁者は別表のとおりとする。

（社長（常務会）決裁事項）
第3条 社長（常務会）決裁事項は主管部課において決裁書を作成し、常務会事務局経由社長（常務会）に提出する。

（管掌常務取締役及び部長決裁事項）
第4条 管掌常務取締役及び部長決裁事項は主管部課において決裁書を作成し、管掌常務取締役または部長に提出する。

2 決裁者が必要と認めたときは社長（常務会）決裁にすることができる。

3 管掌常務取締役及び部長の決裁した事項は必ず次回常勤取締役会に報告するものとする。

（実施の経過並びに結果の報告）
第5条 この規程により決裁を受けた事項はその経過並びに結果を決裁者に報告しなければならない。但しその報告形式は口頭又は文書何れにても可とする。

（関係部課との協議）
第6条 決裁書の立案に当っては案件の目的、実施方法、時期、効果等について十分研究調査の上、必要に応じて関係部課と予め協議し、決定後における実施の円滑をはかるものとする。

（決裁書の作成）
第7条 決裁書の作成に当っては、所定の決裁用紙に必要に応じ次の事項を記載するものとする。
イ 起案部課名
ロ 件　名
ハ 起業費予算或は経費予算との関係
ニ 予算総額
ホ 案件の主旨
（理由、計画の内容、着工及び完工予定時期、品名、数量、単価、構造、型式、寸法、能力及び金額、見積先又は注文先等）

（実行の着手）
2 決裁書の提出部数は二部とする。

決裁規程

第8条　決裁を受けたときは主管部課長は関係部課長と連絡を密にし、遅滞なく実行に着手しなければならない。
但し特に指示されたときはその指示に従う。

（通達）
第9条　社長（常務会）決定事項の通達は総務部長がこれを行うものとする。

（決裁書の保存）
第10条　決裁書は総務部に於て保存する。

（予算超過の場合の手続）
第11条　決裁を受けたのち実行予算が予算を超過するおそれある場合は事前に理由を付して再び決裁を求めるものとする。

（内容変更の場合の手続）
第12条　決裁を受けたのち、その内容に重要な変更を要するとき又は実行を中止しようとするときは改めて決裁を必要とする。

（付則）
1　この規程は〇〇年〇月〇日より改正・実施する。（制定△△年〇月〇日）

Ⅶ 経営組織運営に関する規程

分類	決裁項目	社長（常務会）	管掌常務取締役	部長
経営に関する事項	1 取締役会に付議すべき議案（株主総会，決算承認その他）	○		
	2 経営方針の策定変更	○		
	3 中長期計画の策定変更	○		
	4 予算の制定変更　1) 予算編成方針	○		
	2) 収益予算	○		
	3) 資金予算	○		
	4) 起業費予算，試験研究予算	○		
	5 新技術及び新製品に関する基本方針	○		
	6 組織に関する基本方針	○		
	7 人事制度，給与制度に関する基本方針	○		
	8 人事計画及び採用に関する基本方針	○		
	9 労働協約の締結及び重要な労働条件	○		
	10 福利厚生に関する基本方針	○		
	11 部長に関する重要な人事	○		
	12 関連企業に関する基本方針並びに重要事項	○		
取引契約に関する事項	1 業務に重要な影響を及ぼす取引に関する一切	○		
	2 質権，抵当権並びに工業所有権の得喪		○	
	3 訴訟行為	○		
	4 不良債権の処理	○		
	5 保証債務の負担	○		
	6 前渡金，又は融資に関する事項	○		
	7 信用貸限度の設定	○		
資金及び財務に関する事項	1 投資及びその回収並びに有価証券の運用	○		
	2 銀行との取引の開始及び廃止	○		
	3 取引金融機関以外よりの資金借入	○		
	4 質権，抵当権の設定及び内容変更	○		
資産に関する事項	1 固定資産の取得，拡張，改造，補修			
	1) 1件50万円をこえるもの	○		
	2) 1件10万円をこえ50万円以内のもの		○	
	3) 1件10万円以内のもの（但し3万円未満のものを除く）			○
	2 固定資産の処分			
	1) 1件10万円をこえるもの	○		
	2) 1件10万円以内のもの		○	
	3 固定資産の配備変更（但し軽易なものを除く）		○	
	4 不動産，動産の貸借			
	1) 不動産の貸借	○		
	2) 動産の貸借			
	イ 工事及び商取引に必要なものの貸借		○	
	ロ その他のもの	○		
	5 不用資材（但し作業屑を除く）の社外への売却譲渡及び社外との物々交換			
	1) 1件50万円をこえるもの	○		
	2) 1件10万円をこえ50万円以内のもの		○	
	3) 1件10万円以内のもの			○

分類	決裁項目	社長(常務会)	管掌常務取締役	部長
人事、組織、業務、運営に関する事項	1 社規社則制度の制定改廃			
	1) 全社に適用するもの	○		
	2) 部のみに適用するもの			○
	2 委員会の設置，廃止	○		
	3 部内組織の変更に関する事項		○	
	4 新卒の全社的要員計画に基づく採用	○		
	5 従業員の採用，解雇，任免，異動，出向，資格異動に関する事項			
	1) 社員，準社員に関するもの	○		
	2) 雇員に関するもの		○	
	6 従業員の賞罰に関する事項	○		
	7 従業員融資及び住宅に関する事項	○		
	8 顧問，嘱託の招へい，解任と給与の決定	○		
	9 給与制度の改訂に関する事項	○		
	10 従業員の海外出張			
	1) 取引契約に基づくもの		○	
	2) その他のもの	○		
	11 社長名で表彰する個人または団体の決定	○		
	12 従業員の昇給，賞与の額の決定	○		
部の運営並びに試作研究事項	1 部業務計画及び運営の基本方針の立案並びに変更		○	
	2 原価計算に関するチャージの決定	○		
	3 見込生産，試作及び研究の実施	○		
	4 営業所，出張所，連絡所等の開設，閉鎖	○		
	5 不良仕掛品の処理			
	1) 1件10万円をこえるもの	○		
	2) 1件10万円以内のもの		○	
	6 特許権（実用新案，商標及び意匠登録を含む）の申請		○	
	7 広告宣伝に関する事項			
	1) 1件10万円をこえるもの	○		
	2) 1件5万円をこえ10万円以内のもの		○	
	3) 1件5万円以内のもの			○
庶務に関する事項	1 全社的行事の実施	○		
	2 諸団体への入会，退会並びに臨時特別会費の支出	○		
	3 寄付金，賛助金，謝礼金の支出			
	1) 1件5万円をこえるもの	○		
	2) 1件5万円以内のもの		○	
	4 什器備品の購入に関する事項			
	1) 1件10万円をこえるもの	○		
	2) 1件10万円以内のもの（但し1件3万円未満または1個5千円未満のものを除く）		○	

稟議規程

YZ精機
精密機器製造
資本金　一億円
・従業員　四〇〇人

第1条（目的）　この規程は、稟議事項およびその手続きを定め、業務の円滑な処理を図ることを目的とする。

第2条（定義）　この規程における用語の定義は、次のとおりとする。

(1) 稟議　各部課長の権限をこえる事項で関係部門との合議を経て、社長、専務もしくは担当取締役の決定を受けること。

(2) 主管部課　組織分掌にもとづき、当該業務の主管として定められた部課であって、稟議の起案部課をいう。

(3) 合議部課　稟議事項に関し、関連機能を有するもので、主管部課が意見を徴する必要ありと判断した部課をいう。

第3条（稟議事項）　稟議事項および決定基準は、前記「権限内容」のうち、稟議と記録されたものとする。ただし他の規程により個別に稟議事項として定めたものを含む。

第4条（稟議処理上の原則）　稟議処理にあたっては、次の諸原則によるものとする。

(1) 所定用紙による申請のこと。

(2) 他の文書に優先して迅速適切に処理すること。

(3) 口頭もしくは、略式の文書によりあらかじめ承認を得た場合は、事後直ちに承認月日および決定者を明記の上、正規の手続きをとること。

第5条（起案）　稟議の起案者は、稟議事項について決定を必要とする主管部課の課長または担当者とする。

2　稟議書には、下記事項を記載、もしくは添付しなければならない。

(イ) 稟議事項の趣旨、目的、理由および効果（簡潔・明確に）

(ロ) 要決定期日、要執行期日

(ハ) 支払いを伴うものは、支払先、金額、支払方法、設置場所等（いずれも具体的に）

(ニ) 対策（処置）

(ホ) 添付を必要とする書類、図面、資料、サンプル

第6条（経路）　稟議の経路はつぎのとおりとする。

```
決定取締役
  ↑
担当取締役 ←── 経理
  ↑           │
合議部課       │
  ↑           │
主管部課 ──── 総務
       経理処理を要するもの
```

2　起案者は、部課名記入捺印の上、上長の承認印を得て合議部課に回付し、合議審査を経て、賛成の場合は、所定欄に捺印を受け、異議あるときは、意見書を附して捺印の上、管理部総務課長（以下総務課長とする）に回付する。総務課長は形式的要件の具備を確かめ、備付台帳に必要事項を記入し、速やかに決定取締役まで回付するものとする。

3　経理処理を要する稟議は、総務課より経理課へ回付する。

第7条（調整）　稟議の内容に関し、主管部課、合議部課の意見が相違する場合は、主管部課長が調整するものとする。

2　意見の調整ができない場合は、その相違点を明示し、決定を受けるものとする。

第8条（決定）　決定は、決定権のある取締役が決定し、その執行について命令したものとみなす。決定者が長期不在の場合は、職務執行規定第○条により行うものとする。ただし稟議事項が定例的または緊急を要する場合は、この限りでない。

第9条（決定の種類）　決定は、次の2種とする。

(1) 決定または承認　原案どおり決定または承認する場合、および原案に部分的修正または条件を付して承認する場合。

稟議規程

第10条（決定の通知） 決定が終了したときは、総務課長が備付台帳に所定事項を記入した後、速やかに、主管部課に通知するものとし、主管部課は、合議部課に決定の内容を通知するものとする。

(2) 保留または否認　原案の執行を保留または否認する場合。

第11条（決定の効力） 決定された稟議事項は、主管部課において、決定内容を遵守し、遅滞なく実施しなければならない。

2　実施に際し、決定内容を変更する必要がある場合は、改めて修正もしくは変更の稟議を起案し、決定をうけなければならない。

3　6か月をこえても実施されない決定は、その効力を失う。

第12条（事後処理） 稟議の決定および実施後の事後処理は、次のとおり行う。

(1) 決定取締役の上に、上席取締役がいるときは、職務執行規定第○条により、その経過および結果について必ず報告がなされなければならない。

(2) 稟議書の正本は、管理部総務課で保管し、副本は主管部課で保管する。

(3) 主管部課起案者は、実施後の効果について、決定取締役に後日報告しなければならない。

第13条（疑義解釈） 本規定の各条項について、解釈に疑義が生じたときは、管理部長が中心となって関係部課の長を招集して審議の上決定する。必要あるときは取締役会に上程する。

第14条（改廃） 本規程の改廃は、管理部長が立案し、取締役会に提議の上、社長が決定する。

第15条（実施） 本規程は、○○年○月○日より実施する。

印章取扱規程

第1条（目的） 社用印章の新規作成、改廃、管理、捺印の取扱いは本規程による。

第2条（種類、管理責任者） 社用印章の種類、管理責任者は次の各号に定めるところによる。

種　類	事業場	管理責任者
(1) 登記済代表取締役印	本　社	管　理　部　長
取締役社長印（銀行印）	〃	〃
〃	工　場	経理課長
(2) 工場長印・工場印	工　場	総務課長
(3) 営業部印	本　社	営業部長

社用印章は原則として耐火金庫に保管する。ただし、日常使用度頻繁のものは手提金庫に入れて施錠保管し、鍵は捺印者（管理責任者）が所持する。

第3条（作成・改廃） 社用印章をあらたに作成しまたは改廃しようとするときは、管理責任者からの申請にもとづき、管理部長が社長の承認を得て行う。

第4条（台帳の備付、登録） 管理部長は社用印章台帳を備え付け新規作成、改廃の都度、所定事項を台帳に登録および記録しなければならない。

第5条（捺印者） 社用印章の捺印者は次の者に限る（次表参照）。

第6条（捺印手続） 代表取締役印、社印、割印の捺印を受けようとするときは、管理責任者のもとに備え付けある捺印簿に必要事項を記載し、各職場責任者検印の上、捺印者に依頼する。

印章管理規程

（FD電算機センター
・計算センター
・従業員 三〇〇人）

（目的）
第1条　この規程は、社用の印章の種類およびその制定、登録、押印等の基準について定め、これを統一的に管理することを目的とする。

（印章の定義）
第2条　この規程で印章または印とは、会社が発行しまたは受理する文書証拠書類等（以下「書類」という）で、権利義務の行使もしくは履行または官庁への申請、届出等に際し、会社名または職名で証明のために押す印章をいう。

（印章の種類と管理）
第3条　印章の種類および印章の保管・押印に関する責任者（以下「保管押印責任者」という）は別表1のとおりとする。

（制定、改廃の決定）
第4条　社印および役員の印の制定および改廃については総務部長が決定する。その他の印章の制定および改廃についても総務部長が決定する。

（制定の手続）
第5条　あらたに印章を制定する必要を生じたときは、当該印章の押捺に関する事項を所管する部長、営業所長は、次の各号に規定する事項を記載した申請書を総務部長に提出するものとする。
① 印章名
② 使用目的および制定の理由
③ 彫刻する文字
④ 形状、寸法
⑤ 使用開始予定日
⑥ 保管押印責任者の職名

（廃印の手続）
第6条　印章を廃印とするときは、次の各号に規定する事項を記載した申請書に当該印章を添えて総務部長に提出するものとする。
① 印章名
② 登録日
③ 廃印の理由

この場合、廃印の申請を行なう者については、前条の規定を準用する。

（改刻の手続）
第7条　第5条の規定は、摩滅その他の理由

役員の印の制定および改廃に際しては事前に当該役員の承認を得るものとする。

種　　　類	事業場	捺印者	捺印代行者	万やむを得ない場合委任された事項についてのみ 捺印代行者
(1)登記済代表取締役印 　　取締役社長印（銀行印）	本　社 〃	社　　長 〃	専務取締役 管理部長	管理部長 経理課長
〃	工　場	専務取締役	常務取締役	経理課長
(2)工場長印，工場印	工　場	工場長	総務課長または 工場長付課長	
(3)営業部印	本　社	営業部長	営業課長	営業係長

付　則

この規程は〇〇年〇月〇日から施行する。

（制定　△△年〇月〇日）

別表1（第3条）

種類	保管押印責任者	表示内容
社　印（第1号）	秘書室長	社名
〃　　（第2号）	総務部長	〃
社長印（第1号）	〃	役職名
〃　　（第2号）	秘書室長	〃（銀行印）
その他の代表取締役印	総務部長	氏名役職名
取締役印	〃	〃
各部印	所管課長	社名,部名
各部長印	〃	役職名
各支社（営業所）印	支社（営業所）長	支社（営業所）名
各支社（営業所）長印	〃	役職名

別表2（第10条）

押印必要書類	使用印	
1　官庁への認可申請，伺書	社印②	社長印①
2　官庁への請求書，領収証	社印②	社長印①
3　決算書類等官庁への提出書類ならびに送り状	社印②	社長印①
4　その他官庁への提出書類	社印②	社長印①
5　会社名をもってする，念書,顛末書	社印②	社長印①
6　各種取引の契約書	社印②	社長印①
7　会社の代理権を付与する委任状	社長印②	
8　印鑑証明の申請書	社長印①	
9　一般商取引の請求書，領収証	社印②	総務部長印
10　辞令	社長印②	
11　身分証明書，通勤証明書	社印②	社長印①
12　支社（営業所）で行う商取引契約書	支社印	支社長印
13　同　請求書，領収証	支社印	責任者印
14　銀行取引に関する書類	社長印②	

により印章を改刻する場合に準用する。ただし、印章の文字、形状、寸法等が従来の印章とまったく同様であるときは、前条の規定を準用するものとし、この場合は、前条第3号の「廃印の理由」を「改刻の理由」と読み替えるものとする。

（登録）

第8条　印章の制定および改廃に際しては、すべて印章登録台帳に登録するものとする。登録の事務は、総務部がこれに当る。

（管理の方法）

第9条　印章の押印は所定の場所で行なうものとする。

保管押印責任者は、印章の厳正な使用に留意し、印章を使用しないときは、施錠場所に格納しなければならない。

（印章の使用範囲）

第10条　印章の使用範囲は、別表2のとおりとする。

（印章の使用手続）

第11条　印章の使用の手続は次の各号に規定するところによる。

① 社印および役員の印を押印する場合には、所定の押印申請票に必要事項を記入し、所属長の承認の印を得たうえ、押印すべき書類を添えて総務部長に押印を申請するものとする。ただし定例的な書類等で印章の押印について、あらかじめ所属長の承認を得ているものについては、担当者より直接総務部長に申請することが出来る。

② 社印および役員の印以外の印章については、所属長の承認を得た上で、押印すべき書類を添えて、各保管押印責任者にその押印を申請するものとする。

③ 前2号に規定するところにより押印の申請を受けた保管押印責任者は、その適否を判定のうえ押印の必要を認めたときは、当該書類にその請求を受けた印章を押印し、印章押印申請票に自己の承認の印を押すものとする。

前項の規定による印章の使用手続について、実際の押印事務に関しては、事務取扱者に命じてその事務を行なわせることができる。

（全般的な管理）

第12条　総務部長は印章の制定、改刻等について全般的な管理の総括を行なう。

印章について紛失その他の事故が発生し

VII 経営組織運営に関する規程

たときは、印章の種類に従って保管押印責任者はすみやかに理由を付して総務部長に届け出なければならない。

（実施）
第1条　この規程は〇〇年〇月〇日から実施する。

付　則

社長印使用規程

（SH商事　商社・従業員　三〇〇人）

（制定・△△・〇・〇）

第1条　本規程は社長印使用に関する取扱、保管、請求手続其他の事項を定める。
第2条　本規程に於ける社長印とは登記済の取締役社長の職印をいう。
第3条　社長印使用は当社に於て発行する文書、証憑書類、又は間接に権利義務を発生させるための証とするものに使用し押捺には朱肉以外のものを使用せず。
第4条　社長印の保管は総務部長とする。
第5条　社長印押捺を必要とする場合は社長印請求書に記入し担当者が認印の上担当部長の決裁を経て総務部長へ押捺を請求するものとする。
但急を要する場合に限り担当部長不在にして部長決裁不能の場合は担当部長に変り総務部長に説明の上総務部長へ押捺を請求することができる。
第6条　社長印請求書の保管は庶務課長とする。
第7条　庶務課長は随時又は週末に社長印請求書を社長に提出し認印を受けるものとす。
第8条　社長印請求に関し担当部長以外の部長の決裁を受けたる場合請求者は事後速かに担当部長に了解を受けるものとす。
第9条　本規程は〇〇年〇月〇日より実施し事後の改変はその都度総務部に於いて行う。

文書取扱規程

（KJ電子　電子工業・従業員　六〇〇人）

第1章　総　則

（目的）
第1条　本規程は事務の組織的、能率的運営を図るため文書の作成、取扱業務全般にわたって規定し、文書事務の正確、迅速を期することを目的とする。
（定義）
第2条　この規程において文書とは業務上往復する文書、電報その他各種の記録、報告及び刊行物（図書として整理するものを除く）並びに成案文書等をいう。
第3条　この規程において事業所とは本社、工場、出張所をいう。
（適用範囲）
第4条　文書の取扱については別に定める場合を除いてすべてこの規程による。
（担当課）
第5条　事業所は文書の発信及び集配を処理する担当課（係）を定めなければならない。
（優先処理）
第6条　緊急の表示がある文書はすべて他に先だち処理すること。

第2章　文書の書き方

（原則）
第7条　文書は一件につき一文書とするのを原則とする。
（記載要件）
第8条　文書にはその性質上必要としないものを除いてすべて左記事項を表示しなけれ

文書取扱規程

ばならない。

① 発信記番号
② 発信年月日
③ 発信者名
④ あて先
⑤ 件名
⑥ 担当者及び担当責任者の捺印

(使用文体と文字)
第9条 文体は口語体を使用し、仮名は平仮名を用いる。

(敬語の省略)
第10条 社外に対する特殊なものを除き事業所相互間に往復する文書には前文、末文並びに不必要な敬語を省略する。

(電文)
第11条 電文は簡潔明瞭を旨とし、親展及び至急報の濫用を慎しむものとする。

第3章 受信及び発信

(受信及び回付)
第12条 文書は郵便物あるいは手渡文書の別を問わず、担当課（係）において受付けるものとする。

第13条 担当課（係）においては普通郵便物、電報、速達、書留郵便物その他特殊郵便物の別に受信簿に記録し、親展郵便物及び私用とみなされる個人あての郵便物を除いて開封の上担当課（係）長を経てそれぞれ業務の関係部課（係）へ回付する。

第14条 文書の回付を受けて関係部長は必要と認められるものを上司に提出する。

第15条 文書を回付する場合は関係課毎に区分し当該文書を処理保存すべき課名を記した板ばさみに整理の上前二条の経路により回付するものとする。

(発信)
第16条 文書の発信はすべて受信の場合と同様の区別をもって担当課（係）において発信簿に記録の上発送するものとする。

第17条 発送文書は必ず控を取り責任者の押捺を受けて保存すること。但し上長においてその必要を認めないときはこの限りでない。

第18条 社内外を問わず発信名は特別の必要がある場合を除いて個人名を用いてはならない。

(各種印章の押捺)
第19条 社外文書で社長印請求簿に必要事項を記入し、当該文書とともに社長印保管者へ提出するものとする。

第20条 社印押捺を必要とする場合も前項に準ずる。

第21条 本社以外の事業所における事業所印及び事業所長印の押捺請求の手続も前二条に準じてこれを行うものとする。

第4章 社内通信

(達示)
第22条 社内全員に通達する文書は達示をもって行う。達示は社長名をもって、一連番号を附し、本社総務部総務課で発行する。

第23条 達示の通達を受けた事務所長（本社においては総務部長）はこれを所属従業員に周知させなければならない。

(常例的な通達)
第24条 達示を必要としない常例的な通達は掲示又は回覧の方法により事業所長名（本社においては総務部長名）をもってこれを行うことができる。

(通牒)
第25条 通牒は常任役員あるいは事業所長又は部長の名をもって行い主として下達に用いる。

(指示)
第26条 指示は業務上の必要事項に関し職制により適宜文書又は口頭により下達するものとする。

(通知)
第27条 通知は平易な事項に関し上下達及び相互連絡のため文書をもってこれを行う。

(報告及び具申)
第28条 報告及び意見の具申は職制により適宜文書又は口頭によりこれを行う。

VII 経営組織運営に関する規程

（回覧）

第29条　文書を回覧する場合はその運行を円滑にするため発行者又は取扱者が回覧先を指示し閲覧を終った者が次の閲覧者に回付する場合は必ずその文書に閲覧済の注記を行うか若しくは自己の該当欄に印を押し最終回覧者は発行者又は取扱者に返還するものとする。

　　　第5章　整理保管

（整理番号）

第30条　文書に整理番号を必要とするものは原則として毎年四月一日にこれを更新する。

（整理保管）

第31条　文書はすべてその内容による関係部課（係）において整理、分類の上必要に応じて保管しなければならない。

（保存期間）

第32条　文書は法令その他別段の規定があるもののほかは永久保存、一〇年保存、三年保存、一年保存の四種とし、文書完結の翌月より起算する。

第33条　各種文書の保存期間及びその標準は左記による。

(1) 永久保存

（イ）重要な権利義務及び財産の得喪変更に関する書類、その他効力の永続する書類。

（ロ）主務官庁の重要指令、指定及び許可書類。

（ハ）規程、内規及び例規となるべき書類。

（ニ）登記に関する書類。

（ホ）商業帳簿及び営業に関する重要書類並びに予算決算に関する書類。

（ヘ）その他重要な記録、書類、帳簿及び図表。

(2) 一〇年保存

普通の書類及び帳簿。

(3) 三年保存

満期又は解約となった契約書。

(4) 一年保存

軽易な書類、帳簿及び図表。

（廃棄処分）

第34条　保存期間満了の文書は毎事業年度終了後、各主管者の責任においてこれを廃棄処分する。

（以下略）

　　　付　則

（施行）

第35条　本規程は〇〇年〇月〇日より施行する。

（制定・△△・〇・〇）

秘密文書取扱規程

（RS化学　化学製品製造・従業員　七〇〇人）

（目的）

第1条　この規程は、会社の秘密に属する文書の取り扱いについて定めるものであって、従業員は、それぞれの職分に応じて自らの秘密および公表文書の規律を遵守するよう努めなければならない。

（定義）

第2条　この規程に定める秘密文書とは、特にその内容を他に漏洩してはならない文書で、次の各号の一に該当する事項を記載したものをいう。

① 会社の重要政策または人事に関する事項

② 重要会議の議事に関する事項

③ 〇〇その他会社製品に関する重要な事項

④ 契約、協定または申し合わせによる事項

⑤ 規程、命令をもって特に指定した事項

（種類）

第3条　秘密文書はその取り扱いの程度により

り次の四種に分ける。

① 秘　管理者、監督者および業務上の関係者以外に公表を禁ずるもの
② 社外秘　会社の経営上社外に公表を禁ずるもの
③ 極秘　管理者ならびに業務上関与する監督者およびその指名する発行に関与する最小限の取扱者以外に公表を禁ずるもの
④ 機密　業務上関係する管理者およびその指名する発行に関与する最小限の取扱者以外に公表を禁ずるもの

（認定）
第4条　秘密文書およびその種類の認定については、原則として作成発行する部門の管理者が行なうものとする。ただし、役員および企画室長は、その変更を命ずることができる。

（発行）
第5条　秘密文書は、当該業務所管部門の管理者の責任において発行するものとする。

（取り扱いおよび保管）
第6条　秘密文書はそれぞれ種別を朱記し、取り扱いおよび保管は、これが送達を受けた者が自ら行なわなければならない。

（送達）
第7条　秘密文書の発行部門は、秘密文書送達簿を備え、前条による送達のつど必ず名宛人の受領印を受けなければならない。

（発送）
第8条　SM工場、駐在員および本社の間で往復託送または郵送する場合、親展書をもってし、必要がある場合はさらに書留便とするものとする。

（授受）
第9条　社内における秘密文書の授受は、責任者が自ら携行する場合以外は、必ず封書または秘の覆を付した板付クリップを用いて行なわなければならない。

（写し）
第10条　秘密文書は発行責任部門の管理者の許可を受けた後でなければその写しを作成してはならない。
前項より秘密文書の写しを作成したときは、発行責任部門でその部数を原本または控えに明記し、第7条に定める送達簿によって所在を明らかにしなければならない。

（社外配布）
第11条　秘および社外秘の秘密文書は、管理者の責任において必要な代理店または協力工場に配布することができる。

（特別配布）
第12条　第3条および前条に定める秘密文書の配布の他特に必要とする場合、社内については企画室長、社外については社長の決裁によって、特別に秘密文書を配布することができる。

（廃却）
第13条　秘密文書およびこれに関する草案、反古その他不用物件の廃却は、一定の期日を定め、各課長の責任において焼却その他廃却の処置をとることができる。

（施行）
第14条　この規程は○○年○月○日より施行する（制定・△・△・△）。

報告書管理規程

第1章　総則

（目的）
第1条　この規程は、報告書の登録制度を定めて、報告書の登録を通じその種類、内容及び様式を整備統一するとともに、報告書提出の管理手続を明らかにして、報告書の提出・処理の的確化をはかり、業務能率を向上させることを目的とする。

（用語の定義）
第2条　この規程において報告書とは、業務に関する定例的かつ計数的報告で、各課及

VII 経営組織運営に関する規程

び営業所からその業務の主管課に文書をもって提出されるものをいう。

2 次の各号に掲げる報告書は、これを含まないものとする。
(1) 各課及び営業所が直接外部に提出するもので、その様式等を会社外部の機関が指定し、当社の統制外にある報告書
(2) 特に通知をそのつど発して提出を請求する報告書

第2章 報告書の登録

（登録）
第3条 新たに報告書の提出を請求しようとするときは、この規程の定める所により、報告書の登録を受けなければならない。

2 前項の登録は二年間有効とする。

3 第1項の登録の有効期間満了の後、引続き報告書の提出を請求しようとするときは、更新の登録を受けなければならない。

（登録の申請者）
第4条 報告書の登録申請は、その報告書の提出を請求する課の課長（以下「登録申請者」という）が所属部長の承認を得て行う。ただし営業第一課及び第二課に共通する報告書の登録申請者は営業部次長とする。

2 一件の報告書類が二以上の課において使用される場合の登録申請者は、その報告書を最初に受理する課の課長とする。

（登録の申請）
第5条 登録申請書は、次に掲げる事項を記載した登録申請書及び添付書類を総務課長に提出しなければならない。
(1) 報告書の提出を請求する部署名
(2) 報告書の名称
(3) 報告書の作成基準日
(4) 報告書の提出期限
(5) 報告書を提出させる目的及び利用方法
(6) 添付書類
  (イ) 報告書様式（用紙）二部
  (ロ) 報告書の作成要領説明書

（登録の実施及び登録の通知）
第6条 第5条の規定による登録の申請があった場合においては、第8条の規定により登録を拒否する場合を除くの外、総務課長は遅滞なく第5条各号に掲げる事項並びに登録年月日及び登録番号を報告書登録簿（以下「登録簿」という。帳票No.○○○─○）に登録し総務部長の認証を受けるものとする。

2 総務課長は、前項の規定による登録をした場合は直ちにその旨を当該登録申請者に通知しなければならない。

（無登録報告請求の禁止）
第7条 第6条の規定による登録を受けない報告書はこの提出を請求することは出来ない。

（登録の拒否）
第8条 総務課長は登録申請を受けた報告書が次に掲げる欠格要件の一に該当するとき、または登録申請書及び添付書類に重要な事実の記載が欠けているときは、その登録を拒否しなければならない。
(1) 利用目的の不明確なもの。
(2) 利用目的に対し、報告内容が合目的的でないもの。
(3) 利用度に比較してその作成・処理に要する事務量の著しく大きいもの。
(4) 報告内容が既存の報告書と重複し、整理統合が可能なもの。
(5) 不当に自己の労力を節減する目的で、下部組織に提出を請求するもの。
(6) 提出期間がその利用度に比し、不当に短期間のもの。
(7) 様式（用紙の規格・文体・書式・用字・記載項目の配列等）が適当でないもの。

2 総務課長は登録申請を審査する場合において、前項各号に掲げる基準を適用するに当たっては、報告書の簡素化、事務能率の向上の線に沿うようにつとめなければならない。

3 総務課長は第1項の規定による登録の拒否をした場合は、総務部長に報告するとともに遅滞なくその理由を付してその旨登録申請者に通知するか、登録に不適格である事由を排除する措置を勧告しなければなら

（変更等の届出）
第9条　登録申請者は、第5条各号に掲げる事項について変更しようとするときは、遅滞なくその旨の変更届書を総務課長に提出しなければならない。
2　第6条第1項の規定及び第8条の規定は前項の規定による変更の届出があった場合に準用する。

（廃止の届出）
第10条　登録申請者は、その登録した報告書を廃止する場合においては、遅滞なくその旨を総務課長に届出なければならない。

（登録の抹消）
第11条　総務課長は次の各号に掲げる場合には、登録簿について当該報告書の登録を抹消し、総務部長の認証を受けるものとする。
(1)　前条の規定による届出があった場合
(2)　第3条第1項の規定による登録の有効期間満了の際、更新の登録の申請がなかった場合
(3)　第12条の規定により登録を取消した場合

（登録の取消）
第12条　総務課長は登録を受けた報告書が次の各号の一に該当するときは、その登録を取消す措置を講じなければならない。
(1)　登録を受けてから六ヵ月以内に報告書

提出の請求をせず、または引続いて六ヵ月以上請求を中止した場合
(2)　第8条第1項各号に規定する欠格要件が生じたと認められるとき
(3)　第10条の規定による届出をしない場合

（登録報告書の監査）
第13条　総務課長は、登録を受けた報告書の利用状況につき、監査することができる。

第3章　報告書提出手続の管理

（報告書管理表）
第14条　総務課長は、毎会計年度の末日までにその翌会計年度において提出すべき報告書の登録番号・表題・提出先・作成基準日・提出期限を登録簿に基づいて別に定める報告書管理表（提出者用A帳票No.○○○―○・B○○○―○）に記載し、報告書請求先の課及び営業所へ送付しなければならない。
2　総務課長はまた、前項に準じて登録を受けた報告書の一覧表を作成し、本部各室、課へ送付しておかなければならない。
3　報告書の提出の請求を担当する課長（以下「請求担当者」という）は、その所管する報告書につき報告書管理表（請求者用帳票No.○○○―○）を作成し備付けて置かなければならない。

（報告書提出の手続）

第15条　前条の規定に基づいて報告書の作成提出を請求された部署の長（以下「報告責任者」という）は、必ずその報告書を所定の期限までに作成、提出しなければならない。
2　報告責任者が報告書を提出するに当たっては、報告書管理表（提出者用）の所定欄に発送月日を記入する。
3　請求担当者が報告書の提出を受けたときは、報告書管理表（請求者用）の所定欄に受信月日を記入する。

（報告責任者の管理）
第16条　報告責任者は、報告書管理表を管理し、提出期限の遅延または提出もれの無いように注意し、またもし遅延を生じたときは遅延をくり返さないよう自主的措置を講じなければならない。

（提出遅延に対する措置）
第17条　報告書の提出の遅延が一会計年度内において三回以上に達した場合は、請求担当者は遅滞なく原因究明の措置及び対策を講じ総務課長に報告しなければならない。
2　前項の規定に基づいて報告を受けた場合、総務課長は必要と認めるときは総務部長に報告し、総務部長はこれに対し適切な措置を講ずるものとする。

VII 経営組織運営に関する規程

第4章 雑則

（諸様式）
第18条 この規程の実施に必要な様式のうち次の各号に掲げるものは総務部長の定める所による。
(1) 報告書登録・登録変更申請書
　（帳票No.○○○－○）
(2) 報告書登録簿
　（帳票No.○○○－○）
(3) 報告書管理表
　（帳票No.○○○－○～○）

（施行）
第19条 この規程は○○年○月○日より実施する（制定・△△・・・）。

会議規程

（△△年○月○日制定）
（○○年○月○日改訂）

JD機器
・輸送機器
・従業員 七○○人

1 目的
　この規程は、当社における会議の一般原則を明確にし、その開催・運営・記録の要領を定め、会議の効率化をはかることを目的とする。

2 適用範囲
　この規程に定める一般原則は、社内で開かれるすべての会議に適用する。開催・運営・記録の要領は、別表の「定例会議一覧表」に掲げるものに適用するが、その他の会議もこれに準ずることとする。

3 一般原則
① 開催数節減の原則
(1) 会議・打合せは各担当が十分に検討することによって、また関係者間の個別連絡のみによって、迅速適切に処置できる場合、安易に開かないこと。
(2) 出席者はできるだけ少数に限定するため、事前の意見聴取・検討結果の連絡を十分行なうこと。

② 時間厳守の原則
(1) 主催者・司会者は、あらかじめ重要関係者と打合せを終えて、開始五分前に着席すること。
(2) 開始予定時刻には、会議を一応開始すること。中途の参加者に対しては、必要があれば司会者が経過の要点を示すこと。
(3) 終了予定時刻までには、会議を終了するように進行させること。

③ 開催通知の明確性の原則
(1) 開催通知には ①月日・曜日 ②開始時刻 ③終了時刻 ④場所 ⑤出席者を明記すること。なお、必要に応じて備事項等も記入すること。⑥議題 ⑦準
(2) 開始時刻は、厳密に表現すること。
(3) 構内放送による開始時刻の連絡は、主催者が庶務課に依頼して五分前に行なうこと。

④ 遅刻欠席の事前連絡の原則
(1) やむを得ず遅刻欠席する場合は、必ず事前に主催者へ連絡すること。
(2) 来客に対しては、できるだけ事前に応対時間を定めるよう心がけるほか、電話を含めて社外の人の都合が社内の会議を妨げる結果を来たさないように、そのつど臨機の処置をとること。

⑤ 能率性の原則
(1) 会議を能率的に運営するため、主催者と司会者は机上に司会立札を置き、責任をもって議事を進行し、結論づけるようにすること。
(2) 議事を記録する必要ある場合、司会者から指名された書記は机上に書記立札を置き、責任をもって議事の要点を正確に記録すること。
(3) 議事録の配布要否は司会者が判断し、開催時にあらかじめ出席者に伝達すること。
(4) 会議に必要な資料は、できるだけ事前に（原則として二日前までに）配布

会議規程

4 開催手続の要領

① 開催日時・場所の決定

翌月の開催日程は、原則として別表「定例会議一覧表」に従い、各担当課長からあらかじめ庶務課に申し出られたものを調整し、毎月二〇日までの部課長会議で決定する。

② 月間会議予定表の公示

決定した日程に基づき、庶務課では「月間会議予定表」を作成し、構内所定場所に掲示するとともに各課に配布する。各課では掲示または回覧により所属員の徹底をはかること。

③ 開催通知発行の特例

「月間会議予定表」で日時・場所が明示されている場合においても、出席者がそのつど変更になる場合、議題その他詳細を予告したい場合など必要に応じて開催通知は構内所定場所に掲示することができる。

④ 開催日程変更の通知

日時・場所変更のあった場合は、すみやかに構内所定場所に掲示する。時間的に余裕がない場合は、構内放送または個別連絡による。

(5) 出席者の発言は要領よく簡潔に行なうこと。

し、検討時間を節約するように心がけること。

5 運営の要領

① 会議のすすめ方

「能率性の原則」によるほか、別掲の「会議のすすめ方」を参考にして、常に効率的な会議運営を心がける。

6 記録の要領

① 機密事項の明示

重要な機密事項その他取扱上の注意については、主催者の指示により書記が明記する。

② 議事録の用紙規格

議事録は印刷する必要ある場合のほか、原則として所定の「会議打合せ記録」用紙を用い、必要あればコピー複写する。

③ 議事録原本の保管

議事録原本は、担当事務局が責任をもって整理保管し、閲覧またはコピー発行の便宜をはかる。

④ 議事録の記載心得

日時・場所、出席者、議事に関して簡潔、明瞭に記載する。議事に関しては原則として結論を冒頭に記載する。その他強調事項についてはアンダーラインを付す。

(参考) 会議のすすめ方

1 会議の準備

第1段階 会議のアウトラインを描く

① 目的をきめる。
② 討議事項を準備する。
③ 強調事項を準備する。

第2段階 議事のすすめ方の腹案をたてる。

① すすめ方を研究して計画してておく。何をいうか、どんな風にいうか、話題や要点をどんな風に導入するか、討議をどうしてうまく捌くか。
② 討議事項に時間の配分をしておく。会議の所要時間と各問題に要する時間を見積っておく。

第3段階 必要な資料を準備する。

① パンフレット、事例、シート、討議資料。
② チャート、図式、グラフ、ポスター、フィルム。
③ 実演用具、筆記具等。

第4段階 会議場を整える。

① 全員が見、または聞けるような配置にする。
② 全員がくつろげるようにする。
③ 椅子、テーブルを十分に用意する。
④ 照明、温度を適当にして騒音を防ぐ。

2 議事のすすめ方

第1段階 開会する。

① 開会の辞をのべる——参加者を気楽に。
② 会議の目的ないし到達すべき目標を示す。

③ 会議の背景または前会議の復習をする。

第2段階　問題を示す。
つぎの方法のいずれかにより議事に入る。
① 討議の方法を意見を聞いて決める。
② 議題を告げる。
③ 意見を述べる。
④ 必要な資料、用具をつかう。
⑤ 事実を述べる。

第3段階　討議させる。
① 積極的に意見を交換させ、皆を参加させる。
② 会議を統制する。
③ 個人的感情にならぬように、話を独占させぬように。
④ 質問をする。──全体にまたは直接に。
⑤ 十分討議する。
⑥ 討議の進行を分析し、時々要約する。

第4段階　まとめる。
① 到達した結論を整理する。
② 黒板に結論をかく。
③ メンバーの承認を得る。

第5段階　しめくくりをする。
① 意見、提案、経験を評価し、会議の高潮的の場面を示す。
② 結論を実施に移す手筈をきめる。
③ 意図する結論に達する。
④ 積極的協力とその労を謝す。

3　会議指導者自己評価表
① 会議指導上必要な準備はすべて整えたか。
　a　会議のアウトラインは描いたか。
　b　議事の進め方について腹案はたてたか。
　c　資料は整備したか。
　d　会議場は整えたか。
② 会議の目的または到達目標は示したか。
③ 討議の方法はきめたか。
④ 強調事項や要点は余さず述べ討議を誘発することができたか。
⑤ 必要な資料、用具は効果的に使ったか。
⑥ メンバーにあきさせず活発に意見を交換させたか。
⑦ 誰一人傍観者もないように皆に考えさせたか。
⑧ 会議の統制はうまくいったか。
ａ　感情的にならなかったか。
ｂ　一人で話を独占させなかったか。
ｃ　時間配分通りにいったか。
⑨ 皆に最後のまとめをし、意図する結論を出したか。
⑩ 決定事項の実施への手筈をきめたか。

（別表）　定例会議一覧表

1　企画会議
2　部課長会議
3　部課長懇談会
4　資金会議
5　生産合理化委員会
6　提案審査委員会
7　原価低減小委員会
8　職務分掌小委員会
9　標準化小委員会
10　生産会議
11　製品別対策会議（空圧・油圧）
12　クレーム会議
13　ＺＭＣ議長会議
14　ＺＭＣ運営小委員会
15　課長補佐懇談会
16　安全衛生管理者会議
17　中央安全衛生委員会
18　公害防止委員会
19　公害防止専門委員会
20　工程会議
21　自機の集い取材委員会
22　給食委員会

Ⅶ　経営組織運営に関する規程

部長会議規程

（MI金属　金属製品製造・従業員 七〇〇人）

第1条　本社に部長会議を置く。

第2条　部長会議は原則として本社在勤の部長（副部長を含む。以下同じ）で組織する。

第3条　部長会議は管理業務の最終責任者の会議機関として、会社業務の執行に関し必要な審議を行うとともに、会社意思の決定に対する補助機関として、社長の諮問にこたえ、または必要な意見具申を行う。

第4条　左の事項は部長会議にこれを付議する。

(1) 社長からの諮問事項
(2) 社長への意見具申事項
(3) 各部の共同審議を要する事項
(4) 各部に関係ある新規の計画及びその実施方策
(5) 各部所管業務の実績報告
(6) 各部所管業務の連絡事項
(7) その他部長会議が必要と認めた事項

第5条　部長会議は毎週一回これを開催する。ただし、部長の要請があったときはその他臨時に必要のあるときは随時これを開催することができる。

第6条　必要があるときは、部長会議に部長以外の役付社員の出席を求めることができる。
役付社員以外の社員につき意見を聞きまたは報告をさせる必要のあるときも同様とする。

第7条　総務部長は会議の招集、議案の収集及び整備、必要な記録の作成及び保管その他部長会議に関する要務をつかさどる。

付　則　この規程は〇〇年〇月〇日より施行する。

内部監査実施規程

（HM株式会社　精密機械製造・従業員 一,五〇〇人）

第1章　総　則

第1条　本規程はHM株式会社における監査課の行うべき内部監査の基準を定むるものとする。

第2条　本規程の目的は正確なる会計監査を実施して公認会計士監査の受入体制を整えると共に経営監査を実施して経営の合理化及び経営能率増進を計るものとする。

第3条　内部監査の実施は特に本規程において定むるものの外は総て経理規程に準じて会計処理がなされているか否かを監査するものとする。

第4条　本規程はその内容を次の如く区分す。

① 会計監査
② 経営監査

第5条　前条に定める監査はこれを事業年度の途中及び最終日において行うものとする。

第2章　会計監査

第1節　基礎監査

第6条　全ての現金及び銀行預金の収入、支出に関する処理及び記録の正確性をその証憑、伝票、帳簿及び手許現在高銀行在高証明書との照合により調査し現金取引に関する不正の有無、記録の正否を監査する。

第7条　原材料、機械、器具、準備品等の購入に関する手続及び記録の正否を証憑書類、帳簿、物品との照合により行う。

第8条　製品、半製品、副産物、作業屑等の

Ⅶ 経営組織運営に関する規程

第9条 原材料、貯蔵品の入庫、出庫、棚卸に関する手続及び記録の正否は証憑書類、伝票及び帳簿の照査により監査する。なお決算月毎に立会の上棚卸検査を励行し在庫品の確認をなす。

第2節　財務諸表監査

1　貸借対照表監査

第10条　貸借対照表監査の目的は作成された貸借対照表の作成手続、形式及び資産評価が経理規程に準拠してなされているや検討すると共に対照表上の資産及び負債につき調査するものとする。

第11条　貸借対照表の作成手続きに関する監査は対照表上の各勘定科目の金額が総勘定元帳の各勘定科目残高及び補助帳残高と一致するや確めると共に総勘定元帳及び補助帳の記帳整理を監査する。

第12条　貸借対照表の形式に関する監査は対照表の科目の分類配列等の形式が会社の定める規程に従ってなされているや確める。

第13条　貸借対照表中資産の評価は経理規程によりなされているや確める。特に売掛金、手形につき貸倒償却をなしたものについてはその当否を確め、固定資産については資本的支出と損益支出との会計処理上の適否を監査し、また減価償却費計算の適否を監査する引当金及び繰延勘定はその処理及び金額に就き適否を調べ棚卸資産、固定資産の評価損益の処理をなしたるものはその手続、内容の適否を確める。

第14条　貸借対照表上の資産及び負債の監査は次の方法による。

A　現金、受取手形、有価証券等の監査は監査時の手持高につきこれを行う。

B　銀行預金は銀行よりの残高証明書により行う。

C　売掛金は帳簿を照合し、場合により取引先より確認書をとり確める。

D　固定資産の監査は台帳と元帳との照合により行い適宜台帳に基き若干の実査をする。

E　買掛金、未払金等の監査は、帳簿と証憑とにより照査する外、必要に応じ債権者に確認を求めるものとする。

2　損益計算書監査

第15条　損益計算書監査の目的は、損益計算書の作成手続、形式、内容等が経理規程に基き作成されているや監査するものとする。

第16条　損益計算書の作成手続に関する監査は、計算書上の各勘定科目の金額が総勘定元帳の各勘定科目残高及び補助帳残高と一致するや確める。

第17条　損益計算書の形式に関する監査は、計算書の科目の分類、配列等の形式が会社の定める規程によるか確める。

第18条　損益計算書の内容に関する監査は次の如く行う。

A　製品の売上高に就き帳簿金額を伝票証憑等と照合し記載金額の正否を確むること。

B　売上品に対する製造原価及び一般管理費、販売の内容検討

C　営業外損益の正否調査

3　剰余金計算書その他

第19条　剰余金計算書、剰余金処分計算書、その他附属諸表の作成手続及び内容は経理規程に基づいて作成せられしや確める。

4　試算表

第20条　毎月末作成の試算表は右1～3に準じて試算表内容を監査する。

第3節　原価計算書監査

第21条　原価計算書（製造勘定表）監査の目的は作成せられた原価計算書の原価要素より製造原価の構成まで原価計算手続、及び内容が原価計算規定に準じて記録されしや調査する。

第22条　原価要素監査についてはA原材料は消費高、消費額の正否を帳簿、伝票、証憑により、B労務費は賃金給料、雑給、賞与、手当を賃率、労働時間又は作業量等支払高の正否を帳簿、伝票、証憑等により、C経費は経費の各原価要素別に正否を帳

184

第3章　経営監査

第25条　経営監査とは一定期間の経営計画による制度及び能率の監査とす。

第26条　経営監査は次の如くする。
① 組織及び制度監査
② 経営能率監査

第1節　組織及び制度監査

第27条　制度監査とは経営における諸制度の適否、及びその運営が社則及び諸規程に準じてなされたかを監査することとす。経営管理、経営上の組織、制度の実施に関し確実性を保持して経営上内部統制の効果あらしむるを目的とする。

第28条　会計管理組織に関する制度監査は次の如し。

A　内部牽制組織の監査
　内部牽制組織についての組織、運営、効果を調査す

B　経理及び原価計算制度の監査
　原価計算の制度及び経理規程は適切にして規程通り実施せられているやを調査する

C　予算統制、標準原価、統計に関する諸制度が有効適切にして規程通り運用されているかを監査する

第29条　前条の会計管理組織の外、次の制度監査をも行う。

A　金銭管理組織の適否及び規程通り実施されているかの検討

B　購買計画の樹立、受注方法、信用調査、市場調査等の販売制度及び規程の適否並びに実施状況の監査

なお、第28条、29条両条については、第2章会計監査と併合して行う場合がある。

第2節　経営活動能率監査

第30条　経営活動能率監査とは個別取引の経済性及び合理性の監査、月次及び期末財務諸表、原価計算書、諸統計資料による経営分析及び比較の方法による経営活動の能率性の監査をいう。

第31条　個別取引の監査は次による。

A　金銭（現金預金）の出納に関する金銭及び時期の適否

B　仕入取引に関しては仕入の品目、数量、価格及び時期の適否

C　販売取引に関しては販売の品目、数量、価格及び時期の適否

D　物品管理に関しては払出物品の用途、品目、数量等の監査

E　固定資産に関しては、保全、管理、除却、処分の適否

第32条　経営分析及び比較の方法による経営活動の監査は貸借対照表、損益計算書を資料とする財務分析及び比較と原価計算書を資料とする原価分析及び比較とに区別する。

第33条　財務分析及び比較は、財務の経済性及び安全性の程度を検討し、合理的な財務予算編成の基準の資料とする。

第34条　原価分析及び比較は原価計算書により原材料費、労務費、経費を検討し、実際原価を批判すると共に合理的な標準原価の資料とする原価分析及び比較の資料とする。

付　則

1　この規程は○○年○月○日から実施する。
（制定△△・○・○）
2　本規程に定める以外の事項については、別に細則の定めるところによる。

簿、伝票、証憑等により照合検討する。

第23条　部門共通費に関しては配賦、計算の正否を監査する。

第24条　製品別原価計算の監査は製品、半製品の種別生産高、仕掛品在高の棚卸の正否及び評価の適否、製造原価の賦課（等価比率）計算の正否、副産物、作業屑の発生高の正否及び評価の適否等を監査する。

得意先等への慶弔金支給基準

SW電気
電気機器製造
（・従業員 三、二〇〇人）

（目的）
第1条 得意先等の慶弔時における慶弔金（交際接待費）については本規程の基準を目安とする。

（適用）
第2条 当社との取引高、業界におけるポスト、その会社内における職位、あるいは当社との親密度などを考慮し、妥当と思われるランクを適用する。

（慶事）
第3条
① 会社・団体
A 新会社（合併など）の設立、新工場の落成、営業所などの新設、子会社としての独立など又はこれと同等と見なされるもの。
 a 一〇〇、〇〇〇円
 b 五〇、〇〇〇円
 c 三〇、〇〇〇円
B 会社や工場などの増設、改築又はこれと同等と見なされるもの。
 a 一〇〇、〇〇〇円
 b 五〇、〇〇〇円
 c 三〇、〇〇〇円
C 創立記念、増資記念その他行事又はこれと同等とみなされるもの。
 a 五〇、〇〇〇円
 b 三〇、〇〇〇円
 c 二〇、〇〇〇円
② 個人
A 昇格・昇進の祝い金、叙勲祝い金、転勤などの餞別
 a 五〇、〇〇〇円
 b 三〇、〇〇〇円
 c 二〇、〇〇〇円
B 結婚祝金
 a 五〇、〇〇〇円
 b 三〇、〇〇〇円
 c 二〇、〇〇〇円
C 出産祝金
 a 三〇、〇〇〇円
 b 二〇、〇〇〇円
 c 一〇、〇〇〇円

（弔事）
第4条
① 死亡（本人）弔慰金
 a 一〇〇、〇〇〇円
 b 五〇、〇〇〇円
 c 三〇、〇〇〇円
② 家族の死亡に対する弔慰金
 配偶者、父母、子
 a 五〇、〇〇〇円
 b 三〇、〇〇〇円
 c 二〇、〇〇〇円

＊花代については花環にするか生花にするかは宗派や葬儀方法によって異なるので喪主あるいは葬儀委員などと相談の上決めること。金額については葬儀にもよるのでその都度決定する。

（見舞い）
第5条
① 会社・団体
建物、構築物の火災および事故による損傷、またはこれらに類似するもの。
 a 一〇〇、〇〇〇円
 b 五〇、〇〇〇円
 c 三〇、〇〇〇円
② 個人
A 家屋の火災および損傷
 a 五〇、〇〇〇円
 b 三〇、〇〇〇円
 c 二〇、〇〇〇円
B 傷病見舞い
 a 三〇、〇〇〇円
 b 二〇、〇〇〇円
 c 一〇、〇〇〇円

（寄付・賛助）
第6条
① 寄付金、その他これに類似するもの。

得意先等への慶弔金支給基準

支出先、支出内容により都度決定する。

② ゴルフコンペなどへの賛助金、その他これに類似するもの。

（その他）

第7条　上記以外で、これらに類似するような事例が発生した時は、その内容に応じて妥当と思われるものを適用する。年賀、中元、歳暮のような慣例となっているものは、この規定からは除かれるが、特に例年を大幅に上回るような特別なケースが発生した時は支出伺いをすること。

（承認）

第8条　「得意先への慶弔金支出伺書」に支出先、支出額、事由等を記入し上長の承認を得る。

付　則

（施行）

第9条　この基準は〇〇年〇月〇日より施行する。

a　五〇、〇〇〇円
b　三〇、〇〇〇円
c　二〇、〇〇〇円

VIII 雇用管理に関する規程

VIII 雇用管理に関する規程

〈コメント〉

多数の従業員を使用している企業では、組織的、能率的に企業活動を行うためには、始業および終業の時刻、休憩、休日、休暇などの労働条件について統一的な基準を作る必要がある。また、多数の従業員を使用して事業活動を行うに当っては、企業内の秩序を保持するために職場規律を設けることも必要となる。

労働基準法は、常時一〇人以上の従業員を使用する使用者に対して、就業規則の作成と、行政官庁への届出を義務づけている（同法第八九条）。

絶対的記載事項

① 就業時間に関すること

始業および終業の時刻、休憩時間、休日、休暇ならびに従業員を二組以上に分けて交替に就業させる場合においては就業時転換に関する事項（第一号）

② 賃金に関すること

賃金の決定、計算および支払の方法、賃金の締切および支払の時期ならびに昇給に関する事項（第二号）

③ 退職に関すること

退職に関する事項（第三号）……雇用契約満了の場合、任意退職のほか、使用者の雇用関係解除の解雇等

相対的記載事項

① 退職手当や賞与に関すること

退職手当その他の手当（第三の二号）、賞与および最低賃金の定めをする場合においては、これに関する事項（第四号）……その支給条件、支給額の計算方法、支給期日等が具体的に明確に規定される必要がある。

② 食費や作業用品代に関すること

従業員に食費、作業用品その他の負担をさせる定めをする場合においては、これに関する事項（第五号）……「その他の負担」とは、社宅費、寮費、共済会費など、従業員に経済的負担を課す場合

③ 安全・衛生に関すること

安全および衛生に関する定めをする場合においては、これに関する事項（第六号）

④ 職業訓練のこと

職業訓練に関する定めをする場合においては、これに関する事項（第七号）……職業訓練の種類、職種等訓練の内容、訓練期間、訓練を受ける者の資格、訓練終了者に対し特別の処遇の場合の事項

⑤ 災害補償のこと

災害補償および業務外の傷病扶助に関する定めをする場合においては、これに関する事項（第八号）

⑥ 表彰や制裁のこと

表彰および制裁の定めをする場合においては、その種類および程度に関する事項（第九号）

⑦ その他のこと

その他、その事業場のすべてに適用される定めをする場合においては、これに関する事項（第一〇号）

任意記載事項

前述の絶対的記載事項および相対的記載事項以外の事項を記載することは自由である。このことを任意記載事項と呼んでいる。例えば、「会社の方針」「社是」「社訓」「経営理念」「改正手続の方法」「従業員の心構え」「職階制」「資格制度」「就業規則の制定趣旨」などである。また、賃金、退職金、安全衛生、災害補償、出張旅費、慶弔見舞金、育児休業規程など別規程にして差支えない。全般的には別規程制度が多い。これは、当然就業規則の一部として取扱われることとなる。

VIII 雇用管理に関する規程

就業規則（複線型雇用関係）

HN不動産
・不動産・外食・サービス業
・資本金　一億円
・従業員　四五〇人

まえがき

この就業規則は、HN不動産株式会社が、企業の目的達成のために、社員の採用、服務および労働条件を定めたものである。

社員は、経営の基本方針をわきまえて、職務上の責任を重んじて業務に精励しなければならない。所属長は所属社員の人格を尊重して親切にこれを指導教育し、同僚は互いに助け合い、この規則を尊重して業務に励み、以て社業の発展に寄与しなければならない。

第1章　総　則

（目的）
第1条　この就業規則（以下「規則」という。）は、HN不動産株式会社（以下「会社」という。）の社員の就業に関する基本的事項を定めることを目的とする。

2　この規則及びこれに付属する別規程に定めのない事項については、労働基準法その他法令の定めるところによる。

（規則の遵守）
第2条　会社及び社員は、この規則を遵守して、相ともに協力し、社業の発展に務めなければならない。

（社員の定義）
第3条　この規則で社員とは、第3章の採用に関する手続きを経て会社に採用された者をいう

① 総合職

② 社　員
社員とは第17条の試用期間（見習社員）を経て、本採用された者をいう

③ 嘱　託
嘱託とは高年齢者で嘱託として採用された者と、第29条（定年）の退職者で引き続き嘱託として再採用された者をいう

（所属長の定義）
第4条　所属長とは、職制上当該社員を指揮監督する権限を有する者をいう。

（適用範囲）
第5条　この規則は、会社の社員に適用する。但し、嘱託については、労働条件の一部を別の雇用契約書に定める。定めのない事項については、この規則を適用する。

2　臨時・パートタイマー・アルバイト及び契約社員については別規程による。

第2章　職種及び職制

（職種）
第6条　会社における社員の職種は次のとおりとする。

① 総合

及び第29条第2項・第3項により引き続き雇用されたつぎの各号の者をいう。

① 見習社員
見習社員とは第17条の試用期間中の者をいう。

Ⅷ 雇用管理に関する規程

② 定型職

（総合職）
第7条　総合職は、会社の総合（主として基幹的）業務を遂行する任に当たる者をいう。
2　総合職は、本社及び事業場において勤務するものとし、業務の必要に応じて、勤務場所及び業務の異動または関連企業に、出向することがある。

（定型職）
第8条　定型職は、総合職の補助的業務、定型的業務、単純的業務に従事する者をいう。
2　定型職は、本社及び事業場において勤務するものとし、部門間の異動はあるが、原則として勤務場所の異動はない。

（職制…総合職）
第9条　会社は、会社の組織命令系統を明確にするために職制を設ける。
2　総合職の社員の職層を管理職、一般職に区分する。
3　職層を明確にするために、職能資格等級を8等級に分け、それに対応する職位を命ずる。
4　資格等級、職層、職位は次の表の通りとする。

等級	職層	職位
8等級	管理職	部長・支配人
7等級	管理職	部長・支配人・部次長
6等級	管理職	支配人・部次長・課長・副支配人
5等級	管理職	課長・副支配人
4等級	管理職	係長
3等級	一般職	主任・上級職
2等級	一般職	中級職
1等級	一般職	初級職

（職制…定型職）
第10条　定型職の社員の職層を管理職、一般職に区分する。
2　職層を明確にするために、職能資格等級を4等級に分け、それぞれ対応する職位を命ずる。
3　資格等級、職層、職位は、次の表のとおりとする。

等級	職層	職位
4等級	管理職	係長・主任職
3等級	管理職	主任・上級職
2等級	一般職	中級職
1等級	一般職	初級職

（昇格・降格）
第11条　会社は必要に応じて社員の職務遂行能力、責任感、判断力、企画力、勤務成績等勘案のうえ、第9条（職制…総合職）及び第10条（職制…定型職）の昇格及び昇給を行うことがある。
2　会社は、社員の職務遂行能力において不適格と認められる場合及び第75条第4号（懲戒）に該当する場合は第9条（職制…総合職）及び第10条（職制…定型職）の降格及び降級を行う。

第3章　人　事

第1節　採　用

（採用）
第12条　会社は、満15歳となって以後の最初の四月一日に達する者で入社を希望する者に「総合職」及び「定型職」のメニューを提示して、それぞれのコース選択者の中から採用試験に合格し、所定の手続きをした者を社員として採用する。

2 会社は、人員配置の都合で「総合職」あるいは「定型職」に区分して募集し、採用することがある。

第13条 (採用試験) 採用試験は、入社希望者に対して、つぎの書類の提出を求め筆記試験または口頭質問による選考を行い、その成績ならびに社員としての適格性の順位により合格者を決める。

① 履歴書
② 学校卒業証明書または卒業見込み証明書
③ その他会社が必要とする書類

2 前項の提出書類は、都合によって一部を免除することがある。

第14条 (採用者提出書類) 前条の採用試験に合格し、新たに社員として採用された者は、採用後10日以内に、次の書類を提出しなければならない。

① 雇用契約書（会社指定のもの）（省略）
② 誓約保証書（会社指定のもの）（省略）
③ 住民票記載事項証明書
④ 世帯家族届および通勤方法（会社指定のもの）
⑤ 前職のあった者については、厚生年金保険者証及び雇用保険者証
⑥ 入社年に給与所得のあった者については源泉徴収票
⑦ その他会社が必要とする書類

(記載事項異動届)
第15条 社員は、前条に定める提出書類に異動を生じた場合には、遅滞なく会社に届出るものとする。

(労働条件の明示)
第16条 会社は、社員の採用に際しては、この規程を提示し、労働条件の説明を行い、雇用契約を締結するものとする。

2 雇用契約の締結に際しては、会社は雇用する者に、次の事項について文書を交付するものとする。

① 賃金に関する事項
② 雇用契約の期間に関する事項
③ 就業の場所及び従事する業務に関する事項
④ 始業及び就業の時刻、休憩時間、休日休暇並びにシフト制の場合の就業時、転換に関する事項
⑤ 退職に関する事項

3 前項の文書は、「雇用契約書」に明示するる。

(試用期間)
第17条 新たに社員として採用された者は、入社の日より3か月間を試用期間とする。

2 会社は、前項の試用期間の途中において、あるいは終了の際、本人の人柄・知識・技能・勤務態度・健康状態等について審査し社員として不適格と認められる場合は解雇する。

但し、入社後14日を経過した者については、第33条（解雇）の手続きによる。

3 試用期間を終えて本採用された者は、試用開始の日をもって入社したこととし、勤続年数に通算する。

(試用期間を設けない特例)
第18条 会社は業務の都合により、他の企業に勤務中の者等を要請入社させた場合、あるいは関連企業より転籍入社させた場合、並びにこれに準ずる場合は、試用期間を設けないで社員とすることがある。

第2節 異　動

(異動)
第19条 会社は、社員に対して業務の都合または社員の健康状況により必要ある場合は、社員の就労場所または従事する業務を変更することがある。

2 前項について、社員は正当な理由なく拒むことはできない。

(出向)
第20条 会社は、総合職の社員に対して、業務の都合により関連企業に出向を命ずることがある。社員はこれを正当な理由なく拒むことはできない。

2 会社は、業務の都合により定型職の社員の了解を得て、関連企業に出向を命ずることがある。

(転籍)

VIII　雇用管理に関する規程

第21条　会社は、社員に対して業務の都合で、社員の同意を得て関連企業に転籍を命ずることがある。

(昇級及び昇格)

第22条　会社は、社員に対して業務上必要ある場合または成績優秀な場合は、職能資格等級の昇級や昇格を行い職位(役職)の任命を行うことがある。

第3節　休　職

(休職)

第23条　社員が、次の各号の一に該当する場合は、休職を命ずる。

① 業務外の傷病により、引き続き3か月を越えて欠勤したとき
② 自己の都合で1か月を越えて欠勤したとき
③ 会社の承認を得て、公職に就任したとき
④ 会社の命令により、会社外の職務に就任したとき
⑤ 刑事事件に関し起訴されたとき
⑥ 前各号に準じ、会社が必要と認めたとき

(休職期間)

第24条　前条に定める休職の期間は、次のとおりとする。

① 第1号の場合

　欠勤開始時の勤続年数　　休職期間

　　3年未満　　　　　　　　　9か月
　　3年以上5年未満　　　　　15か月
　　5年以上10年未満　　　　21か月
　　10年以上　　　　　　　　27か月

② 第2号の場合　　　　　　1か月
③ 第3号第4号　　　　　　その期間
④ 第5号　　　　　　　　その都度会社が決める
⑤ 第6号の場合　　　　　その都度会社が決める

(休職期間延長の特例)

第25条　前条の定めにかかわらず、会社は業務の都合により、必要ある場合は期間を延長することがある。

(休職期間中の給与)

第26条　休職期間中の給与は原則として支給しない。
但し、第23条第4号(会社外の職務就任)の場合は、出向(派遣)先との協定により支給することがある。

2　第23条第1号(私傷病休職)の場合は健康保険の傷病手当金に移行するものとする。

(休職期間中の勤続年数)

第27条　休職期間中は原則として勤続年数は通算しない。
但し、第23条第4号、第5号、第6号については通算することがある。

(復職)

第28条　休職期間中に、休職事由が消滅した場合は、本人の申出により原職務に復帰させる。

2　前項の申出が、第23条第1号(私傷病休職)の場合は医師の証明書を提出しなければならない。

3　原職務に復帰させることが困難である場合または不適切である場合、就労の場所または従事する業務を変更することがある。

第4節　定年・退職及び解雇

(定年)

第29条　社員の定年は60歳とし、定年に達した日をもって自然退職とする。

2　会社は業務の都合により、特に必要があると認めた者には、勤務延長をすることがある。

3　会社は定年に達した者が希望するときは、期間を定めて嘱託として再雇用する。

4　前項の勤務延長及び再雇用の年齢上限は六五歳までとする。本人の健康状態を見極め七〇歳まで延長することがある。

(退職)

第30条　社員が、次の各号の一に該当した場合は退職とし、社員としての身分を失う。

① 死亡したとき
② 本人から退職の申出があり、所定の手続きが完了したとき
③ 期間を定める雇用が満了したとき
④ 第24条(休職期間)の期間が満了し、復職しないとき
⑤ 前条の定年に達したとき

（自己都合退職の手続）
第31条　社員が、自己の都合で退職しようとする場合は、少なくとも14日前迄に退職の事由並びに期日を明記した所定の退職願書を提出しなければならない。
2　前項により退職願書を提出した者は、会社の承認有るまで従前の業務に服さなければならない。但し、退職願書提出後14日を経過した場合はこの限りではない。

（解雇）
第32条　会社は、社員が次の各号の一に該当する場合は解雇する。
① 精神または身体の障害若しくは虚弱、老衰、疫病の為業務に耐えられないと認められるとき
② 能力が著しく劣り、または就業に適さないと認められるとき
③ やむをえない業務上の都合で必要が生じたとき（業務縮小等の場合）
④ 天災、事変その他やむをえない事由の為事業の継続が不可能となったとき
⑤ 第17条（試用期間）の者について、社員として不適当と認められるとき
⑥ 刑事事件に関し第24条第4号（休職期間中）にかかわらず、就業が不適当と認められるとき
⑦ 第85条の業務上の災害で、同条第6号（傷病補償年金）を給付されるに至り、療養開始後3か年以上経過したとき
⑧ その他前各号に準ずるやむをえない事由があるとき

（解雇予告及び解雇予告手当）
第33条　前条により解雇する場合は、会社は少なくとも30日以前に予告するか、30日分の平均賃金を支給して解雇する。
但し、解雇予告日数は、平均賃金を支払った日数だけ短縮することができる。
2　前項の場合、次の一に該当する者は除く。
① 日々雇用する者
② 2か月以内の期間を定めて雇用する者
③ 第17条（試用期間中）の者で14日以内の者

（解雇の制限）
第34条　社員が業務上の傷病による療養開始後休業する期間及びその後30日間。但し、業務上の傷病に基づく第85条第6号の傷病補償年金を受けている場合若しくは3年を経過した同日後において傷病補償年金を受けることになった場合、または天災事変等の事由で事業の継続が不可能となった場合は除くものとする。

（物品等の返納）
第35条　退職または解雇された者は、遅滞なく身分証明書、健康保険証、会社より貸与されたユニフォーム等を取揃えて返納しなければならない。

第36条　会社は、退職または解雇された者より、退職証明書あるいは離職証明書の請求のあった場合には、遅滞なくこれを交付する。
2　退職証明書は、次の事項とする。
① 使用期間
② 業務の種類
③ 地位
④ 賃金
⑤ 退職の事由（解雇の場合にあってはその理由を含む）
3　前項の証明書は退職者が指定した事項のみ証明するものとする。

（退職証明書、離職証明書の交付）

第4章　勤務

第1節　勤務時間

（始業・終業・休憩時刻）
第37条　社員の勤務時間は、原則として1日につき1時間の休憩時間を除き、実働7時間とする。
① 始業　午前9時
② 休憩　正午より1時間
③ 終業　午後5時
2　交通事情その他やむをえない事情のある場合は、全部または一部の者について前項に定める時刻を変更することがある。

（交替制）

第38条 会社は、業務上の必要により、交替制の勤務をとることがある。この場合の始業、終業、及び休憩時間は、前条に準じて行う。
(変形労働時間制)
第39条 会社は、業務の必要性により、1か月単位の変形労働時間制を行うことがある。
2 1週の所定労働時間は1か月を平均して35時間とする。
3 変形労働時間制を行う場合の起算日は、毎月21日とする（給与計算日に合わせる）
4 変形労働時間制を行う場合は、少なくとも2週間前に勤務表で、勤務日、休日、勤務時間、休憩時間を明示する。
(休憩時間中の行動等)
第40条 社員は、休憩時間を自由に利用することができる。
但し、休憩時間中に外出する場合には、所属長に届けるものとする。
2 食事は休憩時間中にとるものとする。
(出張者の勤務時間)
第41条 社員が出張その他会社の用務を帯び、会社外の勤務で勤務時間の算定し難い場合には、第37条の勤務時間で勤務したものとみなす。
但し、所属長より予め別段の指示があった場合は、この限りではない。

第2節 休 日

(休日)
第42条 社員の休日は、つぎのとおりとする。
① 日曜日（法定休日）
② 国民の祝日および国民の休日
③ 土曜日
④ 年末年始（12月30日～1月4日）
⑤ その他会社が必要と認めた日
(休日の振替)
第43条 前条の休日は、会社の業務の都合、その他やむをえない事由のある場合には、全部または一部の者について他の日に振り替えることがある。
(災害時の勤務)
第44条 災害その他避けることのできない事由によって臨時に必要がある場合には、労働基準法第33条の定めにより、その必要の限度において、第37条の勤務時間を延長し、または第42条の休日に勤務を命ずることがある。

第3節 時間外及び休日勤務等

(時間外、休日、深夜勤務)
第45条 会社は、社員に対し、次の各号の一に該当する場合には、第37条（始業・終業・休憩時間）及び第42条（休日）の規定にかかわらず、時間外（早出・残業）又は休日に勤務させることがある。
① 必要やむをえない業務上の事由があるとき
② 災害その他避けることのできない事由で、臨時に必要を生じたとき
③ その他時間外勤務及び休日勤務を必要とするとき
2 会社の業務の都合で前項の勤務時間が深夜にわたることがある。
3 第1項の時間外勤務並びに休日勤務は、所轄労働基準監督署長に届出した社員の過半数を代表する者との「時間外労働及び休日労働協定」の範囲内とする。
4 前項の協定に際して、時間外勤務の上限は次の範囲内とする。

期　　間	限度時間
1週間	15時間
2週間	27時間
4週間	43時間
1か月	45時間
2か月	81時間
3か月	120時間
1年間	360時間

5 時間外勤務及び休日勤務を命ぜられたものは、正当な理由なく拒むことはできない。
(年少者の時間外勤務等)
第46条 前条の規程は、満18歳未満の年少者

には法定外休日を除き適用しない。

(妊産婦の時間外、休日、深夜勤務の制限)
第47条 妊産婦の社員が申し出た場合は、前条の規程にかかわらず、時間外勤務及び休日勤務並びに深夜勤務はさせない。

(休業)
第48条 会社は業務の都合により、社員の全部または一部の者について休業をさせることがある。

(適用除外)
第49条 次の各号の一に該当する社員については、この章に定める就業期間、休憩及び休日に関する定めは、その一部を適用しないことがある。
① 管理監督の地位にある者及び機密の業務を取り扱う者
② 監督又は断続的業務に従事する者で、所轄労働基準監督署長の許可を受けた者

第4節 休 暇

(年次有給休暇)
第50条 従業員が6か月間継続勤務し、全勤務日の8割以上出勤した場合には、次の1年間において、勤続年数に応じ、次に掲げる日数の年次有給休暇を与える。

勤続年数	6か月	1年6か月	2年6か月	3年6か月	4年6か月	5年6か月	6年6か月以上
年次有給休暇付与日数	10日	11日	12日	14日	16日	18日	20日

2 前項の計算方式は、一斉管理方式(4月1日～3月31日)とし、勤務6か月未満は6か月とみなして切り上げて計算する。よって、その取り扱いは次のとおりとする。

3 9月30日以前新規入社者は初年度だけ2回切替えとする。

ア 4月1日～9月30日入社者
 10月1日に 10日

イ 10月1日～3月31日入社者
 4月1日 11日

4 新規入社で試用期間(2か月)を過ぎ、一斉管理方式の日(10月1日・4月1日)に達するまで3か月以上の者には2日の年次有給休暇を付与する。

5 第1項の出勤率の算定にあたり、次の各号の期間は出勤したものとして取り扱う。
① 業務上の傷病による休暇期間
② 産前産後の休業期間
③ 育児・介護休業制度に基づく休業期間
④ 会社の都合による休業期間
⑤ その他慶弔休暇および特別休暇
⑥ 年次有給休暇の期間

6 年次有給休暇は本人の請求のあった場合に与える。
但し、会社は事業の正常な運営上やむを得ない場合は、その時季を変更させることがある。

7 年次有給休暇を請求しようとする者は、所定の手続きにより事前に会社に届け出るものとする。

8 当該年度の年次有給休暇の全部または一部を取得しなかった場合は、その残日数は翌年に限り繰り越すこととする。

9 年次有給休暇については、通常給与を支給する。

10 年次有給休暇は別途定める労使協定の定

VIII 雇用管理に関する規程

めるところにより、計画的に付与することがある。

11 年年次有給休暇のうち5日については、労働基準法の定めるところにより、時季を指定して付与する。ただし、計画的に付与した日数または本人が時季を指定して取得した日数があるときは、その日数を控除する。

（慶弔休暇）
第51条 社員が次の各号の一に該当する事由により、休暇を申請した場合には、慶弔休暇を与える。
① 本人の結婚のとき　　　　　　　　　　5日
② 子女及び兄弟姉妹結婚のとき　　　　　1日
③ 子女出産のとき　　　　　　　　　　　1日
④ 服喪のつき（本人が喪主のときは下記の日数に2日を加える）
　ア　配偶者のとき　　　　　　　　　　3日
　イ　子女及び父母のとき　　　　　　　2日
　ウ　配偶者の父母のとき　　　　　　　2日
　エ　祖父母・兄弟姉妹のとき　　　　　1日
2 慶弔休暇に対しては通常の給与を支給する。

（特別休暇）
第52条 社員が、次の各号の一に該当する事由により、休暇を申請した場合は、特別休暇を与える。
① 女性社員の就業が著しく困難な場合　　必要日数
② 女性社員の生理日の出産休暇
　ア　産前6週間（多胎の場合は14週間）産後8週間
　　但し、産後6週間を経過し、医師が支障ないと認め、本人が希望する場合は就業させる。
③ 選挙権を行使する場合　　必要時間
④ 証人・鑑定人・参考人として裁判所、警察に出頭するとき　必要時間及び日数
⑤ 社員が天災・水災・風震災その他の災害により、住居が罹災したとき
　　日数はその都度決定
⑥ 交通機関の罷業、交通事故による交通遮断のとき　　必要時間及び日数
2 前各号の給与は、第1号及び第2号は無給とし、第3号、第4号及び第6号は有給とする。第5号はその都度決定する。

（業務上傷病休暇）
第53条 社員が業務上負傷し、又は疾病にかかった場合は、医師が必要と認めた期間、休暇を与える。
2 休暇を与える期間は、3年を経過し、労働者災害補償保険法（以下「労災法」という。）による傷病補償年金を受給するまでの期間とする。
3 休暇中に対する給与は、第85条第2号（休業補償給付）による。但し、最初の3日間は平均賃金を支払う。

（休暇の手続）
第54条 社員が慶弔休暇及び特別休暇を受けようとする場合は、予め所属長の承認を得て、所定様式によって、その事由と予定日数を記入の上、慶弔あるいは特別休暇願を申し出なければならない。
但し、緊急時で所定の手続きができない場合は、電話その他の方法によって連絡し、事後速やかに届出るものとする。
2 第52条第2号（出産休暇）、第3号（公民権行使）、第4号（裁判所等出頭）、第5号（罹災）については、事実を証明する書類を提出しなければならない。

（育児休業等）
第55条 社員のうち、一歳（特別な事情がある場合は2歳）に達する日（誕生日の前日）の子の養育を必要とする者は、会社に申し出て育児休業、育児短時間勤務または育児深夜業免除措置の適用を受けることができる。
2 育児休業、育児短時間勤務または育児深夜業免除措置に関する対象者、手続き等必要な事項については、別に定める「育児休業規程」による。

（介護休業等）
第56条 社員のうち対象家族の介護を必要とする者は、会社に申し出て介護休業、介護短時間勤務、または介護深夜業免除措置の適用を受けることができる。
2 介護休業、介護短時間勤務、または介護深夜業免除措置に関する対象者、手続き等介護

必要な事項については、別に定める「介護休業規程」による。

(母性健康管理)

第57条　妊娠中の女性には、次に定める妊娠週数の区分に応じた回数、保健指導又は健康審査を受けるために必要な時間を確保すること。但し、医師等がこれと異なる指示をしたときは、その指示に従う。

妊娠23週まで……………………4週間に1回
妊娠24週から35週まで…………2週間に1回
妊娠36週から出産まで…………1週間に1回
産後1年以内の女性については、医師等が指示するところにより、保健指導又は健康審査を受けるために必要な時間を確保する。

2　妊娠中及び出産後の女性についてて、医師等の指示があった場合には、それぞれ次のような措置を講じる。

① 妊娠中
通勤緩和の申出……時差通勤、勤務時間短縮等の必要な措置
つわり、妊娠中毒、回復不全等の症状に関する申出……作業の制限、休憩時間に関する申出……休憩時間の延長、回数の増加等の必要な措置

② 妊娠中及び出産後
妊娠中又は出産後の女性から申出があった場合には、それぞれ次のような措置を講じる。

3　妊娠中及び出産後の女性から申出があった場合には、それぞれ次のような措置を講じる。

4　医師等の指導事項が正確に女性労働者に対する指導事項が正確に伝達されるよう

※「母性健康管理指導事項連絡カード」は省略

に「母性健康管理指導事項連絡カード」を使用する。女性労働者は医師等に同カードに記入してもらい、会社に措置を申請すること。

第5節　出退勤

(出退勤)

第58条　社員は、始業及び終業の時刻を厳守し、出退勤は必ず所定の場所より行うものとする。

2　始業時刻前に出勤し、所定の場所においてタイムカードまたは出勤簿に記録しなければならない。

3　退勤は、終業合図とともに書類、機械、器具等を整頓した後に行い、所定の場所においてタイムカードまたは出勤簿に記録しなければならない。

4　出退勤の際タイムカードまたは出勤簿の記録は、これを他人に代行せしめ、または他人の代行することはできない。

(入場禁止及び退場)

第59条　社員が次の各号の一に該当する場合は、入場を禁止し、退場を命ずることがある。

① 職場内の風紀、秩序を乱すと認められる者

② 凶器その他業務に必要のない危険物を携帯する者

③ 精神病、伝染病の疾病又は就業の為病勢の悪化するおそれがある病気にかかり、就業に適さないと認められる者及び安全衛生上有害と認められる者

④ 業務を妨害し、かつまたその恐れのある者

⑤ 職場内で暴力を振るったとき、またはその恐れのある者

⑥ 第75条第3号の懲戒処分で出勤停止中の者

⑦ その他前各号に準じ、公序良俗に違反した者

(業務外用件の入場及び残留)

第60条　社員は、勤務時間以外に、業務に関係する用件以外で入場する場合は、会社の許可を必要とする。

(欠勤)

第61条　社員が、病気その他の事由により欠勤する場合は、前もってその事由と予定日数を所定の様式により届出なければならない。但し、事前に届出る余裕のない緊急の場合には、電話その他で事前に連絡し、事後速やかに届出なければならない。

2　病気欠勤10日以上に及ぶ場合には、医師の診断書を提出しなければならない。

3　欠勤は、本人の申出により、年次有給休暇の残存限度により、これを振替ることが

VIII 雇用管理に関する規程

できる。

（遅刻・早退・私用外出）

第62条 社員が、やむをえない事由により遅刻、早退する場合は、予め所属長に届出て承認を受けなければならない。

但し、事前に承認を受けることができない場合には、遅滞なく電話等で連絡のうえ承認を受けなければならない。

2 やむをえず、前項の承認を受けることができない場合は、会社に入場と同時に届出て承認を受けるものとする。

3 私用の為外出しようとする者は、予め所属長の承認を受け、会社に届出をしなければならない。

（直行・直帰）

第63条 社員が、出張により直行または直帰する場合は、事前に所属長の承認を受けなければならない。

但し、緊急の場合で、事前に承認を受ける余裕がない場合には、電話等で連絡し、所属長の承認を得なければならない。

第5章 給与等

（給与）

第64条 社員に対する給与の決定、計算及び支払いの方法、締切及び支払いの時期並びに昇給に関する事項、賞与に関する事項は、別に定める「給与規程」の定めるところによる。

（退職金）

第65条 社員が退職し、死亡した場合の退職金は、適用される社員の範囲、退職金の決定、計算および支払の方法、支払の期日を別に定める「退職金規程」により、退職金を支給する。

（出張旅費）

第66条 社員が、会社の業務により出張する場合は、別に定める「出張旅費規程」により、出張旅費を支給する。

（慶弔見舞金）

第67条 社員の、慶弔禍福、罹災の場合は、別に定める「慶弔見舞金規程」により、慶弔見舞金を支給する。

第6章 服務規律

（服務の原則）

第68条 社員は、この規則に定めた事項の他、所属長の指示命令に従い、自己の業務に専念し、創意を発揮して能力向上に努力すると共に、互いに協力して職場の秩序を維持しなければならない。

2 所属長は、その所属社員の人格を尊重し、誠意をもってこれを指導し率先してその職責を遂行しなければならない。

（服務の心得）

第69条 社員は職場の秩序を保持し、業務の正常な運行を図るため、次の各号の事項を守らなければならない。

① 常に健康に留意し、元気はつらつな態度をもって勤務すること

② 職務の権限を越えて専断的な事を行わないこと

③ 自己の職務は、これを正確かつ迅速に処理し、常にその能率化をはかり自己の創造性を高めること

④ 業務遂行にあたっては、会社の方針を尊重し、常に同僚と互いに助け合い円滑な運営を期すること

⑤ 消耗品は、常に節約し、商品並びに帳票類は丁寧に取り扱いその保管は充分注意すること

⑥ 業務遂行上不都合な服装などしないこと

⑦ 背信の行為により、会社の体面を傷つけ、または会社全体の不名誉となるような行為をしないこと

⑧ 会社の内外を問わず業務上の秘密事項のほか、会社の不利益となる事項を他に洩らさないこと

⑨ 会社の施設、車両、事務機械、販売器具などの物品をみだりに使用したり、または許可なく私用に用いないこと

⑩ 会社と利害関係のある取引先との間に私事の事由で貸借関係を結んだり、または金品並びに飲食などのもてなしを受け

就業規則

⑪ 会社の許可なく、他の会社の役員に就任し、または社員として雇用契約を結んだり、みだりに職場を離れ、または他の者の業務を妨げないこと、或いは営利を目的とする業務を行わないこと

⑫ 勤務時間中は、定められた業務に専念し、みだりに職場を離れ、または他の者の業務を妨げないこと

⑬ 会社の許可なく、社内に於いて宗教活動または政治活動など業務に関係のない活動を行わないこと

⑭ 会社の許可なく、社内に於いて、業務に関係のない集会、文書掲示、配付または放送などの行為をしないこと

⑮ 会社の許可なく、他社の事業に従事または就職してはならない

⑯ 勤務に必要な物品以外の物品をもちこみまたは存置してはならない。会社の物品を持ち出すときは所定の手続きにより、会社の許可を受けなければならない

⑰ 自己の職務の範囲に属する事柄に関して発明、考案及び工夫をしたときは、その調書をつくり、所属長を経て会社に提出しなければならない

⑱ 会社が正常な秩序維持のため、入場及び退場において所持品の検査をすることがある。社員は正当な理由なくしてこれを拒むことはできない

⑲ セクハラ、パワハラおよびマタハラ等のハラスメントをしてはならない。

⑳ 前各号の他、これに準ずるような社員としてふさわしくないような行為をしないこと

(執務態度のあり方)

第70条 社員の日常に於ける執務態度は、常に服装及び言語に気をつけなければならない。

2 電話その他の接遇においてもサービス業であることに意を配り、必要以上の冗長に流れる雑談に陥ることのないよう、謙虚な心掛けを忘れてはならない。

3 社員は、特別の場合を除き、執務中は会社が貸与した所定の被服を着用しなければならない。

(業務命令・指示・報告)

第71条 社員はこの規則に基づいて、会社の発する業務上の命令指示に従い、報告しなければならない。

2 前項の命令指示は、正当な理由なく拒むことはできない。

第7章 表彰及び懲戒

(表彰)

第72条 社員が次の各号の一に該当し他の模範とするに足ると会社が認めた時はこれを表彰する。

① 永年誠実に勤務して会社に功労のあった者

② 品行方正、業務に誠実で衆の模範になる者

③ 会社発展の為に特に功績があった者

④ 災害を未然に防止し、または非常災害の際特に功績があった者

⑤ 国家的、社会的功績があり会社または社員の名誉となるような行為のあった者

⑥ その他前各号に準ずる篤行または功労のあった者

(表彰の方法)

第73条 表彰の方法は次のとおりとし、その功績により二以上併せ行うこともある。

① 賞状授与
② 賞品授与
③ 賞金授与
④ 褒賞授与

(懲戒事由)

第74条 社員が次の各号の一に該当する行為を行った場合は懲戒に処する。

○ (誠実勤務に違反する事項)

① 故意または重過失により業務上重大な失態があったとき

② 正当な理由なく就業を拒んだとき

③ 正当な理由なくしばしば遅刻・早退または私用外出をしたとき

④ 無届欠勤3日以上13日にわたったとき

⑤ 出勤が著しく常でないとき

⑥ 正当な理由なく会社の行う教育を拒

Ⅷ　雇用管理に関する規程

⑦　許可なく労働時間中、自己の受持以外の仕事をしたとき
⑧　その他、著しく自己の職責を怠り、誠実に勤務しないとき
○（会社の秩序保持に違反する事項）
⑨　会社の定める諸規則に従わないとき
⑩　著しく自己の権限をこえて専断の行為があり、失態を招いたとき
⑪　重要な経歴を詐り、その他、詐術を用いて雇入れられたとき
⑫　許可なく在籍のまま他に就職し、または自己の営業を乱す流言をしたとき
⑬　会社の秩序を乱す流言をしたとき
⑭　みだりに会社の職制を中傷または誹謗し、若しくは職制に対して反抗したとき
⑮　許可なく会社施設内で、演説、集会、示威行為、貼紙、掲示、図書、印刷物の配布その他これに類する行為のあったとき
⑯　故意に会社の掲示を汚損、抹消、改変または破棄したとき
⑰　故意に作業能率の低下または作業の阻害を図ったとき
⑱　タイムカードの打刻または出勤票の提出を他人に依頼し、または依頼に応じたとき
⑲　タイムカード・社員身分証明書その他の証明書を偽造、変造もしくは濫用したとき
⑳　許可なく外来者を事業場内に誘い入れ、または外来者と面接したとき
㉑　事業場内で暴行・脅迫・監禁その他これに類する行為をしたとき
㉒　会社の行う催物・行事を妨害したとき
㉓　懲戒に処せられたにもかかわらず、始末書を提出しないなど、懲戒に服する意志が全く認められないとき
㉔　素行不良で著しく会社内の秩序又は風紀を乱したとき（セクハラ、パワハラ、マタハラ等ハラスメントによるものを含む）
㉕　その他会社の秩序風紀を著しく乱す行為があったとき
○（会社所有物の尊重義務に違反する事項）
㉖　火災・風水害その他、非常災害が発生し、または発生する恐れがあるとき、これに対する防止の努力を怠ったとき
㉗　故意または重過失により会社の設備・機械・什器その他の物品を毀損滅失したとき、若しくは重大な災害事故を発生させたとき
㉘　会社の所有物を許可なく私用に供し、または盗んだとき
○（不利益行為の禁止に違反する事項）
㉙　会社の秘密を洩らしたとき
㉚　在籍のまま競争関係にある他の会社の為に便宜をはかり、またはその意図で会社の不利になる行為をしたとき
㉛　不正行為により賃金・補償等の給与ま

たは給付、若しくはその他の利益を得たとき
㉜　会社の名義を濫用し、若しくは職制を利用して不当の金銭・物品の授受その他私利をはかったとき
（再度の違反）
㉝　再度懲戒処分を受け、なお改悛の情が認められないとき
（その他）
㉞　前各号に準ずる程度の不都合な行為をしたとき

（懲戒の程度および種類）
第75条　懲戒は、その情状により、次の6つの区分に従って行う。
①　譴　責　　始末書をとり、将来を戒める
②　減　給　　始末書をとり、給与を減じて将来を戒める
　　但し、減給1回の額が平均給与の半日分、または当該給与支払い期間の給与総額の10分の1を越えない範囲内とする。
③　出勤停止　始末書をとり、14日以内出勤を停止し、その期間中の給与は支給しない。
④　降　格　　始末書をとり、役付を

⑤ 諭旨退職

免じ若しくは引き下げる。この場合、職能資格の等級を引き下げる。退職願を提出するよう勧告を行う。これに従わない場合は次号の懲戒解雇とする。

⑥ 懲戒解雇

予告期間を設けることなく即時解雇する。この場合においては所轄労働基準監督署長の「解雇予告除外認定申請書」の承認を受けた場合は、第33条の解雇予告手当を支給しない。

（管理監督責任）

第76条 所属する社員が懲戒に該当する行為があった場合には、当該管理監督者は監督責任について懲戒を受けることがある。

但し、管理監督者がこれを防止する方法を講じていた場合においては、情状により懲戒を免ずることがある。

（損害賠償）

第77条 社員が故意または過失によって、会社に損害を与えた場合には、その全部または一部を賠償させることがある。

但し、これによって第75条の懲戒を免れるものではない。

第8章 安全及び衛生

（災害予防）

第78条 会社は災害予防のため必要な安全施設並びに安全規則を設けて作業環境の整備を図るものとする。社員もまた安全規則を守り会社と協力して災害予防のため努めなければならない。

2 会社並びに社員とも食品衛生、環境衛生もしくは防災に関し監督官庁等より指示のあった事項は厳重にこれを守らなければならない。

（安全及び防火管理）

第79条 各責任者は前条の目的達成のため安全管理者及び防火管理者を兼務し各職場よりそれぞれ安全管理者及び防火管理者の代理者を任命し下記の事項を遂行せしめる。

① 災害防止のための教育訓練
② 安全装置、消防器具及び救急品の所在箇所並びにその使用方法を周知させる。
③ 火気、電気、ガスその他火災発生の危険に対して常に注意を怠らず異状を認めたときは直ちに臨機の処置をとると共に管理責任者に連絡しその被害を最小限度に止める。
④ 障害事故が発生したときは業務上と否とを問わず臨機の処置をとると共にその軽重にかかわりなく管理者に報告しその指示を受けて善処する。

（健康診断）

第80条 社員は採用時に健康診断を行う。その後毎年1回定期健康診断を行う他、必要に応じて社員の全部または一部に対し臨時に健康診断を行う。

2 健康診断の結果特に必要ある場合は就業を一定期間禁止しまたは予防注射または職務の配置替えをすることがある。

（保菌検査）

第81条 飲食関係の業務に従事する社員には定期的に保菌検査を行う。社員は前条及び本条の事項を理由なく拒否してはならない。

（疫病による就業禁止）

第82条 社員が次の疫病に罹っていることが明らかになった場合には就業を禁止する。

① 法定伝染病及びその他の伝染性疾病
② 精神障害の疾病
③ 就業のため病勢悪化のおそれのある疾病

（法定伝染病発生時の措置）

第83条 社員の自宅・近隣に法定伝染病が発生し、若しくは疑いがあるとき、または伝染患者に接したとき、あるいは、法定伝染病による隔離が解除されたときは、直ちに、会社に届け出、勤務についての指示を受けなければならない。

（安全衛生教育）

第84条 会社は、社員に対して、業務に必要な安全及び衛生のための教育訓練を行う。こ

の場合、社員は進んでこれを受けなければならない。

第9章　災害補償

（業務上災害）

第85条　社員が、業務上で負傷し、または疾病に罹り障害または死亡したときは疾病に罹り障害または死亡したときは労災保険法の定めるところにより、次の補償を受ける。

① 療養補償

社員が業務上の疾病にかかり必要な治療を受けたときは労災保険法の定めるところにより療養補償給付を受ける

② 休業補償

社員が、業務上の傷病により療養の為休業するときは労災保険法の定めるところにより、休業補償給付を受ける。但し、休業後最初の3日間は3日分の平均賃金を支給する

③ 障害補償

社員は、業務上の傷病が治癒してもなお身体に障害が残るときは、労災保険法の定めるところにより、障害補償給付を受ける

④ 遺族補償

社員が、業務上の事由によって死亡したときは、その遺族は労災保険法に定めるところにより、遺族補償給付を受ける

⑤ 葬祭料

社員が、業務上の事由によって死亡したときは、葬祭料の給付を受ける者に対しては労災保険法の定めるところにより、葬祭を行う者に対しては葬祭料の給付を受ける

⑥ 傷病補償年金

業務上の傷病が、療養開始後1年6か月またはそれ以上を経過したとき、労災保険法の定めるところにより、傷病補償年金を受ける

⑦ 介護補償給付

社員が業務上の傷病により介護が必要な場合は、介護補償等給付を受ける。

2　前項の補償が行われるときは、会社は労働基準法上の補償の義務が免れる。

（通勤災害）

第86条　社員が、通勤途上において負傷または疾病に罹り、障害または死亡したときは、労災保険法の定めるところにより、つぎの給付をうける。

① 療養給付
② 休業給付
③ 障害給付
④ 遺族給付
⑤ 葬祭給付
⑥ 傷病年金
⑦ 介護給付

2　給付の内容は、前条の補償給付と同一である。

3　通勤途上であるか否かの判断は、所轄労働基準監督署長の認定による。

第10章　雑　則

（教育訓練）

第87条　社員の人格を陶冶し、知識を高め技能を錬磨するために、会社は教育計画に基づき教育訓練を実施する。

2　社員は、会社の行う教育訓練を進んで受けなければならない。

（育児時間）

第88条　会社は、生後1年に達しない生児を育てる女子社員が予め申出た場合は、所定休憩時間の外に、1日について2回、それぞれ30分間の育児時間を与える。

（宿日直）

第89条　会社は、業務の必要上、所定時間外または休日に宿直または日直の業務を命ず

就業規則

YS機器
・機械器具製造
・資本金　八千万円
・従業員　八〇人

まえがき

この就業規則（以下「規則」という。）は、YS機器株式会社（以下「会社」という。）と社員が相互信頼の上に立ち、会社の秩序を維持し、業務の円滑をはかり、もって会社の発展と社員の地位の向上を期するためのものである。

社員は社是にのっとり、社訓をわきまえて職務上の責任を重んじて業務に精励しなければならない。上長は所属社員の人格を尊重して親切にこれを指導し、同僚は互に助け合い、この規則を遵守して業務に励み、もって社業の発展に寄与しなければならない。

社　訓

　　至誠進取

一、誠実は信用の基
一、努力は発展の基

一、反省は向上の基
一、健康は幸福の基
一、質素は安定の基

第1章　総則

（目的）
第1条　この規則は、会社社員の就業その他に関する基本事項を定めたものである。

2　社員の就業に関する事項は、この規則ならびに関係諸規程のほか、労働基準法およびその他の法令の定めるところによる。

（社員および所属長の定義）
第2条　この規則において社員とは、第2章（人事）の手続きを経て、会社に採用された者および第19条第3項（再雇用）により引続き雇用された者をいう。

（規則遵守の義務）
第3条　会社および社員は、この規則およびその他諸規程を遵守し、各々その義務を履行し、相協力して、事業の発展に務めなければならない。

2　社員は、この規則ならびに関係諸規程を知らないことを理由にして、違反の責を免れることはできない。

（適用の範囲）
第4条　この規則は、会社の社員に適用する。

2　嘱託については、「嘱託雇用契約書」に明記した労働条件以外は適用する。

るることがある。

2　前項の勤務要員は、満18歳以上の社員とする。

3　宿直に関する事項については、別に定める「宿日直規程」による。

（物品貸与）
第90条　会社は、社員に業務上必要な被服その他物品を貸与する。

2　貸与に関する事項については、別に定める「物品貸与規程」による。

付　則

（施行）
第91条　この就業規則は、〇〇年〇月〇日より施行する。

（制定）　□□年〇月〇日
（改定）　××年〇月〇日
（改定）　××年〇月〇日
（改定）　△△年〇月〇日

VIII 雇用管理に関する規程

第2章 人　事

第1節 採　用

（採用）

第5条　会社は、入社を希望する者の中から、採用試験に合格し、所定の手続きを経た者を社員として採用する。

（採用試験）

第6条　採用試験は、入社希望者に対して、つぎの書類の提出を求め、面接口頭試問による選考を行い、その成績ならびに社員としての適格性の順位により合格者をきめて採用する。

① 履　歴　書
② 入社希望書
③ 学校卒業証明書または卒業見込証明書
④ 学校成績証明書

2　前項各号の提出書類は、都合によって一部免除することがある。

（労働条件の明示）

第7条　会社は、社員の採用に際しては、この規程を提示し、労働条件の説明を行い、雇用契約を締結するものとする。

2　雇用契約の締結に際しては、会社は雇用する者に、次の事項について文書を交付するものとする。

① 賃金に関する事項
② 雇用契約の期間に関する事項
③ 就業の場所及び従事する業務に関する事項
④ 始業及び就業の時刻、休憩時間、休日休暇並びにシフト制の場合の就業時、転換に関する事項　時間外労働の有無
⑤ 退職に関する事項

（採用者提出書類）

第8条　採用試験に合格し、新たに社員として採用された者は、採用後14日以内につぎの書類を提出しなければならない。

① 住民票記載事項証明書
② 誓約保証書（会社指定のもの）
③ 雇用契約書（会社指定のもの）
④ 住所の略図および通勤の方法（会社指定のもの）
⑤ 前職のあった者は厚生年金保険被保険者証および雇用保険被保険者証
⑥ 入社の年に給与所得のあった者は源泉徴収票
⑦ その他会社が必要とする書類

（記載事項変更届）

第9条　前条の提出書類の記載事項に異動のあった場合には、その都度すみやかに、文書をもって届出なければならない。

（試用期間）

第10条　新たに採用された社員は、入社の日より3か月間を試用期間とする。ただし、会社が認めた場合は、試用期間を短縮または免除することがある。

2　試用期間の途中において、あるいは終了の際、入社後14日を経過した者については、第23条の手続によって社員として不適当と認められる者は解雇する。

3　試用期間を終えて本採用された者は、試用期間を勤続年数に通算する。

（試用期間を設けない特例）

第11条　会社は、業務の都合により他企業に勤務中の者等の要請入社した場合等については、試用期間を設けないで社員とすることがある。

第2節 異　動

（異動・出向）

第12条　会社は、社員に対して、業務の都合または社員の健康状態により必要ある場合は、社員の就労の場所または従事する業務を変更することがある。

2　会社は、業務の部分により社員を関連企業に出向を命ずることがある。この場合出向する社員の了解を得て行う。

第3節 休　職

（休職）

第13条　社員が、つぎの各号の一に該当する

場合は、休職を命ずる。

① 自己の都合（傷病は除く）により、欠勤が1か月以上に及んだとき……（私事休職）

② 公職に就任し、会社の業務と両立しないと会社が認めたとき……（公職休職）

③ 業務外の傷病により、欠勤日数がつぎに達したとき……（傷病休職）
　ア 勤続1年未満の者　　2か月
　イ 勤続1年以上5年未満の者　3か月
　ウ 勤続5年以上の者　　4か月

④ 会社の命令により、社外の業務に従事するとき……（出向休職）

⑤ 刑事事件に関し起訴されたとき……（刑事休職）

⑥ 前各号に準じ、会社が休職を相当と認めたとき……（特別休職）

（休職期間）
第14条　前条に定める休職期間は、つぎのとおりとする。

① 第1号のとき　　3か月
② 第2号のとき　　その就任期間
③ 第3号のとき

勤続年数区分	休職期間
1年未満	6か月
1年以上5年未満	12か月
5年以上	18か月

④ 第4号のとき　　その期間

⑤ 第5号のとき　　未決期間

⑥ 第6号のとき　　その都度会社がきめる

（休職期間延長の特例）
第15条　前条の定めにかかわらず、会社の業務上の都合により必要ある場合は、期間を延長することがある。

（休職期間中の給与）
第16条　休職期間中の給与は、原則として支給しない。
　ただし、第13条第4号（出向休職）の場合は、出向（派遣）先との協定により支給することがある。

2　第13条第3号（傷病休職）による場合は、健康保険の傷病手当金に移行するものとする。

（休職期間中の勤続年数）
第17条　休職期間中は、原則として勤続年数に算入しない。
　ただし、第13条第4号（出向休職）、第5号（刑事休職）、第6号（特別休職）についてはその都度きめる。

（復職）
第18条　休職期間中に、休職事由が消滅した場合は、本人の申出により原職務に復帰させる。

2　原職務に復帰させることが困難である場合、または不適当である場合は、就労の場所または従事する業務を変更することがある。

第4節　定年・退職および解雇

（定年）
第19条　社員の定年は60歳とし、定年年齢に達した誕生日をもって定年退職とする。

2　会社は、業務の都合により、とくに必要があると認めた者には、前項の定めにかかわらず勤務延長することがある。

3　会社は、定年に達した者が希望するときは、嘱託として65歳まで再雇用する。

（退職）
第20条　社員が、つぎの各号の一に該当した場合には、退職とし、社員としての身分を失う。

① 死亡したとき

② 本人から退職の申出（自己都合退職）があり、所定の手続を完了したとき

③ 前条の定める雇用が満了したとき

④ 期間を定める雇用が満了したとき

⑤ 第14条（休職期間）の期間が満了して復職しないとき

⑥ 第22条の解雇のとき

⑦ 第63条第6号の懲戒解雇のとき

（自己都合退職の手続）
第21条　社員が、自己の都合で退職しようとする場合は、できる限り1か月以前に退職願を提出し、引き継ぎその他の業務に支障をきたさないようにしなければならない。
　ただし、やむをえない事由により1か月

VIII 雇用管理に関する規程

前に退職願を提出できない場合は、少なくとも14日前までにこれを提出して承認を受けなければならない。

（解　雇）

第22条　社員が、つぎの各号の一に該当する場合には解雇する。

① 身体または精神の障害により、業務に堪えないと認められるとき。
② 能率がいちじるしく劣り、または技能上達の見込みのないとき。
③ 第10条（試用期間）の者について、社員として不適格と認められるとき。
④ 第14条（休職期間）の定めが満了し、復職できないとき。
⑤ 業務の縮小、設備の変更等により、剰員を生じたとき。
⑥ 天災事変その他やむをえない事由により事業の継続が不可能になったとき。
⑦ 刑事事件に関し、第13条第5号（刑事休職）の休職期間中の者で、会社および社員の信用失墜その他社会通念上重大な事故のため社員として不適格と認められるとき。
⑧ 業務上の災害により、職場復帰できないときで、第69条第6号（傷病補償年金）が給付されることになり、療養開始後3年以上経過したとき。
⑨ その他前各号に準ずるやむをえない事由があるとき。

（解雇予告および解雇予告手当）

第23条　会社は、社員を解雇する場合は、30日前に予告するかまたは30日分の平均賃金を支払う。

2　なお、予告期間を短縮する場合には、短縮した日数1日につき平均賃金の1日分を予告手当として支給する。

3　つぎの場合は、前項の定めを適用しない。
① 行政官庁の認定を受けたとき。
② 第10条（試用期間）の者で14日以内に採用を取り消したとき。
③ 日々雇用する者。
④ 2か月以内の期間を定めて雇用する者。

（解雇制限）

第24条　社員が、つぎの各号の一に該当する場合は、その期間は解雇しない。

① 業務上負傷し、または疾病にかかり休業している期間およびその後30日間。
ただし、療養の開始後3年を経過した日において第69条第6号の傷病補償年金を受けているときはこの限りでない。また、同日後においてその支払決定を受けたときも同様とする。
② 産前産後の女性社員が、第44条第3号の定めにより、特別休暇中の期間およびその後30日間。
③ 第72及び73条（育児・介護休業）の期間中およびその後30日間

2　天災地変その他やむをえない事由のため、事業の継続が不可能となった場合で、行政官庁の認定を受けた場合は、前項の規定は適用しない。

（証明書の交付）

第25条　会社は、解雇又は退職した者（以下「退職者」という）が請求した場合は、次の事項に限り証明書の交付を遅滞なく行う。
① 使用期間
② 業務の種類
③ 地位
④ 賃金
⑤ 退職の事由（解雇の場合にあってはその理由を含む）

2　前項の証明書は退職者が指定した事項のみ証明するものとする。

（退職・解雇者の業務引継ぎ）

第26条　社員が、退職しまたは解雇された場合は、会社が指定する日までに、会社が指定した者に完全に業務を引継がなければならない。

（物品・債務の返済等）

第27条　退職者は、会社からの貸与品は直ちに返納し、会社に債務のある場合は、退職または解雇の日までに完済しなければならない。

（退職後の義務）

第28条　退職者は、その在職中に行った自己の責に属すべき職務に対する責任は逃れな

2 退職者は、在職中に知り得た機密を他に漏洩してはならない。

第3章 勤務

第1節 勤務時間

（始業、終業、休憩時間）
第29条 勤務時間は、1日につき1時間の休憩を除き、実働7時間10分とする。
① 始業　午前8時50分
② 休憩　正午より1時間
③ 終業　午後5時

（始業、就業時刻の変更）
第30条 業務上その他必要がある場合は、全部または一部の者について前条に定める始業、終業、休憩時刻を変更することがある。ただし、この場合においても1日の勤務時間が8時間を超えないものとする。

（変形勤務時間制）
第31条 指定業務については、毎月第一月曜日を起算日とする4週単位の1週平均35時間50分の変形労働時間制によるものとする。
2 変形勤務該当者には、前月25日までに各人に勤務表を配布する。

（休憩時間中の行動等）
第32条 社員は、休憩時間を自由に利用することができる。

ただし、休憩時間中に遠方に外出する場合は、所属上長に届出るものとする。
2 食事は休憩時間中にとるものとする。

（出張者の勤務時間）
第33条 社員が、出張その他会社の用務を帯びて会社外で勤務する場合で、勤務時間の算定しがたい場合は、第29条の通常の勤務をしたものとみなす。

ただし、所属長があらかじめ別段の指示をした場合は、この限りでない。

第2節 休日

（休日）
第34条 休日は、毎年1月1日を起算日として、次のとおりとする。
① 日曜日
② 土曜日
③ 国民の祝日および休日
④ その他会社が定める日
2 前項の休日は、前年12月10日までに、翌年（1月1日～12月31日）分をとりまとめて、「年間休日カレンダー」で明示する。

（休日の振替）
第35条 前条の休日は、会社の業務の都合、その他やむをえない事由のある場合、全部または一部の者について他の日に限り振り替えることがある。
2 休日を振り替える場合は、1週間以内とし、あらかじめ振り替える日を指定して行

い、あらかじめ振り替える日を指定して行

（災害時の勤務時間）
第36条 災害その他避けることのできない事由によって臨時の必要がある場合においては、労働基準法第33条の定めにより、その必要の限度において、第29条の勤務時間を延長し、または第34条の休日に勤務させることがある。

（適用除外）
第37条 管理監督の地位にある者には、この章に定める、勤務時間、休憩、休日、時間外勤務および休日勤務に関する定めは適用しない。

第3節 時間外および休日勤務等

（時間外・休日勤務）
第38条 会社は、業務の都合により必要ある場合は、社員に時間外または休日に勤務させることがある。

（年少者の時間外および休日勤務）
第39条 前条の規定は、満18歳未満の者には適用しない。

ただし、日曜日および土曜日以外の休日は除くものとする。

（時間外および休日勤務協定）
第40条 第38条の時間外および休日勤務は、行政官庁に届出した、社員の過半数を代表する者との「時間外労働および休日労働協定」の範囲内とする。

2　前項の協定に際して、時間外労働の上限は次の範囲内とする。

期　　　間	限度時間
1週間	15時間
2週間	27時間
4週間	43時間
1か月	45時間
2か月	81時間
3か月	120時間
1年間	360時間

3　時間外および休日勤務が深夜（午後10時〜午後5時）にわたることがある。

（深夜勤務）
第41条　業務上必要ある場合は、第38条の時間外および休日勤務を命ぜられた社員は、正当な理由なく拒むことはできない。

2　満18歳未満の者は前項の勤務をさせることはできない。

第4節　休　　暇

（年次有給休暇）
第42条　社員が6か月間継続勤務し、全勤務日の8割以上の出勤者には、次表に掲げる年次有給休暇を与える。

付与日数	継続勤務日数
10日	6か月
11日	1年6か月
12日	2年6か月
14日	3年6か月
16日	4年6か月
18日	5年6か月
20日	6年6か月以上

2　新たに入社した者で、試用期間（3か月）を過ぎ年次有給休暇の権利の発生する3か月間に2日の休暇を与える。

3　第1項の出勤率の算定にあたり、次の各号の期間は出勤とみなして取り扱う。
　①　業務上の傷病による休業期間
　②　産前産後の休業期間
　③　育児・介護休業制度に基づく休業期間
　④　会社の都合による休業期間
　⑤　その他慶弔休暇および特別休暇
　⑥　年次有給休暇の期間

4　年次有給休暇は本人の請求のあった場合に与える。
　ただし、会社は事業の正常な運営上やむを得ない場合は、その時季を変更させることがある。

5　年次有給休暇を請求しようとする者は、所定の手続により事前に会社に届け出るものとする。

6　当該年度の年次有給休暇の全部または一部を取得しなかった場合は、その残日数は翌年に限り繰り越すこととする。

7　年次有給休暇については、通常給与を支給する。

8　年次有給休暇のうち5日については、労働基準法の定めるところにより、時季を指定して付与する。ただし、計画的に付与した日数または本人が時季を指定して取得した日数があるときは、その日数を控除する。

9　第1項にかかわらず、労使協定を締結した場合には、会社は各人の有する年次有給休暇のうち5日を超える部分については、当該協定の定めるところにより計画的に年次有給休暇を付与することができるものとする。

10　年次有給休暇は労使協定の定めるところにより、計画的に付与することがある。

（慶弔休暇）
第43条　社員が、つぎの各号の一に該当する事由により、休暇を申請した場合は慶弔休暇を与える。
　①本人結婚のとき　　　　　　　　5日
　②配偶者の出産のとき　　　　　　1日
　③服喪のとき
　　ア　配偶者死亡のとき　　　　　5日
　　イ　子女死亡のとき　　　　　　3日
　　ウ　父母死亡のとき
　　　㋐　喪主の場合　　　　　　　5日
　　　㋑　喪主でない場合　　　　　3日
　　エ　祖父母、配偶者の父母または兄弟死

び第3号は無給とする。第5号はその都度有無給について会社が決定する。

(入場禁止および退場)
第47条 社員が、つぎの各号の一に該当する場合は、入場を禁止し、退場を命ずることがある。
① 職場内の風紀、秩序を乱すと認められること。
② 凶器その他業務に必要でない危険物を携帯するとき。
③ 精神病、伝染病の疾病または就業のための病勢の悪化するおそれがある疾病にかかり、就業に適しないと認められる者および安全衛生上有害と認められるとき。
④ 業務その他業務を妨害し、かつまたそのおそれのあるとき。
⑤ 第63条第3号(懲戒・出勤停止)に該当しているとき。
⑥ その他会社が必要ありと認めたとき。

(業務外用件の入場および残留)
第48条 社員は、勤務時間外に仕事に関係する用件以外で入場する場合および残留する場合は、会社の許可を必要とする。

(欠勤)
第49条 社員が病気その他やむをえない事由により欠勤する場合は、前もってその事由と予定日数を所定の様式により届出なければならない。ただし、事前に届出る余裕のない緊急の

亡のとき
㋐喪主の場合 2日
㋑喪主でない場合 1日
④その他前各号に準じ、会社が必要と認めたとき……必要と認めた日数
2 前各号に対しては通常の給与を支給する。

(特別休暇)
第44条 社員が、つぎの各号の一に該当する事由により、休暇を申請した場合は、特別休暇を与える。
ただし、第1号の場合の遅刻、早退、外出については、所定の勤務時間を勤務したものとみなす。
① 選挙権その他公民としての権利を行使する場合、または証人、鑑定人、参考人として裁判所または警察等に出頭する場合。
② 女性社員の生理日の勤務がいちじるしく困難なとき……必要日数
③ 女性社員の出産で、産前6週間以内で休暇を申請したとき(多胎の場合は14週間)、および産後8週間経過後(医師の就業証明あるときは6週間経過後)
④ 天災地変その他やむをえない事由により会社が必要と認めたとき……必要日数
⑤ その他前各号に準じ会社が必要と認めたとき……必要日数
2 前各号の特別休暇のうち、第1号および

(休暇の手続)
第45条 社員が、第43条(慶弔休暇)および前条(特別休暇)の休暇を受けようとする場合は、あらかじめ所属上長の承認を得て、所定様式によって、その理由と予定日数を届出なければならない。
ただし、所定の手続きができない場合は、電話その他の方法で連絡し、事後すみやかに届出るものとする。
2 第44条第1号(公民権行使等)および第3号(産前産後休暇)については、事前に証明する書類を提出しなければならない。

第5節 出退勤

(入退場)
第46条 社員は、始業および終業の時刻を厳守し、出退勤は必ず所定の場所より行うものとする。
2 始業開始前に出勤し、所定の場所において各自のタイムカードに記録しなければならない。
3 退場は、所定の時間とともに、書類、機械器具など整頓した後行い、所定の場所において各自のタイムカードに記録しなければならない。
4 出退勤の際のタイムカード記録は、これを他人に代行せしめ、または他人の代行す

第4号は通常の給与を支給し、第2号および
ることはできない。

場合は、電話その他で連絡し、事後すみやかに届出なければならない。

2 病気欠勤5日以上におよぶ場合は、医師の診断書を提出しなければならない。

（遅刻・早退・私用外出）
第50条 社員が、やむをえない事由で、遅刻、早退、私用外出する場合は、あらかじめ所属上長に届出て承認を受けなければならない。

ただし、事前に承認を受けることができない場合は、遅滞なく電話等で連絡し、事後すみやかに届出なければならない。

2 勤務時間中に、私用のため外出しようとする場合は、あらかじめ所属上長の承認を受けなければならない。

（直行・直帰）
第51条 社員が、出張により、直行または直帰する場合は、事前に所属上長の承認を受けなければならない。

ただし、緊急の場合で、事前に承認を受ける余裕のない場合は、電話等で連絡しなければならない。

第4章　給与等

（給与）
第52条 社員に対する給与の決定、計算および支払の方法、締切および支払の時期ならびに昇給に関する事項および賞与支給に関する事項は、別に定める「給与規程」による。

（退職金）
第53条 社員が退職しましたまたは死亡の場合の退職金は適用される社員の範囲、退職金の決定、計算および支払の方法、支払の期日を別に定める「退職金支給規程」により、退職金を支給する。

（出張旅費）
第54条 社員が、会社の業務により出張する場合は、別に定める「出張旅費規程」により出張旅費を支給する。

（慶弔見舞金）
第55条 社員の慶弔禍福、罹災の際は、別に定める「慶弔見舞金支給規程」により、祝金、見舞金、弔慰金を支給する。

第5章　服務規律

（服務の原則）
第56条 社員は、この規則に定める事項のほか、上長の指示命令に従い、自己の業務に専念し、創意を発揮して能力向上に努めるとともに、互いに協力して職場の秩序を維持しなければならない。

2 上長は、その所属社員の人格を尊重し、誠意をもってこれを指導し、率先してその職責を遂行しなければならない。

（服務態度のあり方）

第57条 社員の日常における執務態度は、つねに服装および言語に気をつけなければならない。

2 電話その他の接遇においても、意を配り、必要以上の冗長に流れる雑談に陥ることのないよう、謙虚な心がけを忘れてはならない。

3 社員は、特別の場合を除き、執務中は会社が貸与した所定の被服を着用しなければならない。

（服務の心得）
第58条 社員は職場の秩序を保持し、業務の正常な運営を図るため、つぎの各号の事項を守らなければならない。

① 常に健康に留意し、元気溌剌な態度をもって就業すること。

② 職場の権限を超えて専断的なことを行わないこと。

③ 常に品位を保ち、会社の名誉を害し信用を傷つけるようなことをしないこと。

④ 会社の業務上の機密事項および会社の不利益になるような事項を他にもらさないこと。

⑤ 会社の車両、機械、器具その他備品を大切にし、消耗品を節約し、製品および書類その他会社の物品を丁寧に取り扱い、その保管を厳にすること。

⑥ 会社の許可なく、職務以外の目的で、会社の設備、車両、機械、器具その他の

就業規則

⑦ 職場の整理整頓に努め、常に清潔を保つようにすること。
⑧ 勤務時間を励行し、また職場を離れるときは所在を明らかにし、また作業を妨害し、または職場の風紀を乱さないこと。
⑨ 職務に関し、不当な金品の借用または贈与もしくは供応の利益を受けないこと。
⑩ 喫煙に際しては、防火に留意し、指定された場所以外では喫煙しないこと。
⑪ 酒気を帯びて就業しないこと。
⑫ 社内において、政治活動、宗教活動をしないこと。
⑬ 社内において許可なく業務に関係のない集会をし、印刷物を配布しまたは掲示等はしないこと。
⑭ 許可なく他の会社の役員もしくは従業員となり、または会社の利益に反するような業務に従事しないこと。
⑮ 許可なく社用以外の目的で社名を用いないこと。
⑯ 会社の業務の破壊を目的とする宣伝煽動または反抗行為を企てるような行為をしないこと。
⑰ 会社内の善良な慣習を破り、または社員たる体面を汚すような行為をしないこと。
⑱ 職場での性的な言動によって他の社員に不快な思いをさせることや職場の環境を悪くすることのないよう努めること。
⑲ 勤務中に他の社員の業務に支障を与えるような性的な行為をしかけるなどのことはしないこと。
⑳ 前号のほか、これに準ずるような社員としてふさわしくないような行為をしないこと。

（業務命令・指示）
第59条　社員は、この規則に基づいて、会社の発する業務上の指示命令に従わなければならない。
2　前項の命令指示は、正当な理由なく拒むことはできない。

第6章　表彰および懲戒

（表　彰）
第60条　社員が、つぎの各号の一に該当する場合は、審査または選考のうえ表彰する。
① 技術優秀、業務に誠実で社員の模範と認められるとき。
② 業務上有益な発明・改良・考案または工夫をしたとき。
③ 災害を未然に防止し、または非常災害の際とくに功労があったとき。
④ 会社または社員の名誉となるような社会的な功労のあったとき。
⑤ 販売、サービス、商品の選定、業務運営などに関して顕著な功績があったとき。
⑥ 永年精勤したとき。
　ア　満5年
　イ　満10年
　ウ　以下5年ごとの永年勤続者
⑦ その他前各号に準ずる程度に善行または功労があると認められるとき。

（表彰の種類方法）
第61条　前条の表彰は、つぎの3種類とし、一または二以上あわせて行う。
① 賞状の授与
② 賞品の授与
③ 賞金の授与

（懲戒事由）
第62条　社員が次の各号の一に該当する行為を行ったときは懲戒に処する。
① 重要な経歴を詐わり雇用されたことがわかったとき。
② 素行不良で、社内の風紀・秩序を乱したとき。
③ 正当な理由なく、しばしば欠勤・遅刻・早退し出勤不良のとき。
④ 故意に業務の能率を阻害し、または業務の遂行を妨げたとき。
⑤ 業務上の怠慢または監督不行届によって災害事故を引き起こし、または会社の設備・機械器具・車両などを損壊し、もしくは会社に損害を与えたとき。
⑥ 許可なく会社の物品を持ち出し、または持ち出そうとしたとき。

VIII 雇用管理に関する規程

⑦ 会社の名誉、信用を傷つけたとき。
⑧ 会社の秘密を洩らし、または洩らそうとしたとき。
⑨ 許可なく在職のまま他に雇用されたとき。
⑩ 業務上の指示命令、または会社の諸規定通達にしばしば従わないとき。
⑪ 顧客に対し、業務上不当な行為または失礼な行為があったとき。
⑫ 金銭の横領、使い込み、背任その他これに準ずる行為のあったとき。
⑬ 不正な手続き、または虚偽の報告によって会社を欺いたとき。
⑭ 素行不良で著しく会社内の秩序又は風紀を乱したとき（セクハラ、パワハラ、マタハラ等のハラスメントによるものを含む）。
⑮ この規定の定めにしばしば違反したとき。
⑯ 前各号に準ずる程度の不都合な行為をしたとき。

（懲戒の程度および種類）
第63条　懲戒は、その情状により、つぎの6つの区分に従って行う。
① 遣　責……始末書をとり、将来を戒める。
② 減　給……始末書をとり、給与を減じて将来を戒める。
ただし、減給1回の額が平均給与の半日分、または減給処分が2回以上におよぶ場合においても当該給与支払期間の給与総額の10分の1を超えない範囲とする。
③ 出勤停止……始末書をとり、14日以内出勤を停止し、その期間中の給与は支給しない。
④ 降　格……始末書をとり、役付を免じもしくは引下げる。
⑤ 諭旨退職……退職願を提出するよう勧告を行う。これに従わないときは、次号の懲戒解雇とする。
⑥ 懲戒解雇……予告期間を設けることなく即時解雇する。この場合において行政官庁の「解雇予告除外認定申請書」の認定を受けたときは、第23条の解雇予告手当を支給しない。

（損害賠償）
第64条　社員が、故意または過失によって、会社に損害を与えた場合には、その全部または一部を賠償させることがある。
ただし、これによって第63条の懲戒を免ずることがある。

第7章　安全衛生

（安全および衛生）
第65条　会社は、社員の安全および衛生のため、積極的な措置を講ずるものとし、社員はつねに安全および衛生に関する規定および通達、指示を厳守し、その予防に留意しなければならない。

（災害処置）
第66条　構内に火災その他非常災害が発生し、またはその危険があることを知り、その他異状を認めた場合は、直ちに臨機の処置をとるとともに、上司に連絡し、その被害を最小限度にとどめるよう努めなければならない。

（健康診断）
第67条　会社は、社員に対して、採用の際および毎年1回定期に健康診断を行う。
ただし、必要ある場合は全部または一部の者に対し臨時に行うことがある。
2　社員は、正当な理由なく、前項の健康診断を拒むことはできない。

（要注意者の措置）
第68条　前条の健康診断の結果、要注意者として診断を受けた者については、時間外および休日勤務の禁止、遅刻および早退の是認、職種転換もしくは就業禁止の措置を講ずることがある。

第8章　災害補償

（災害補償）

第69条　社員が、業務上負傷し、または疾病にかかり、障害または死亡した場合は、つぎの補償給付を行う。

① 療養補償給付……業務上の傷病により必要な治療を受けるときは、療養補償給付を受ける。

② 休業補償給付……業務上の傷病により、療養のため休業するときは、休業補償給付を受ける。ただし休業後最初の3日間については、通常の給与を支給する。

③ 障害補償給付……業務上の傷病が治癒しても、なお身体に障害が残るときは、障害給付を受ける。

④ 遺族補償給付……業務上の事由により

2　社員が、法定伝染病、その他行政官庁の指定伝染病、もしくは勤務することが不適な疾病、または他に悪影響をおよぼすおそれのある疾病にかかった場合は勤務を禁止する。

死亡したときは、その遺族は遺族補償給付を受ける。

⑤ 葬　祭　料……業務上の事由によって死亡したときは、葬祭を行うものに対して葬祭料を受ける。

⑥ 傷病補償年金……業務上の傷病が、療養開始後1年6か月またはそれ以降を経過したときは、傷病補償年金を受ける。

⑦ 介護補償給付……業務上の傷病で介護が必要な場合は、介護補償等給付を受ける。

2　社員が、前項第1号、第2号および第3号の補償給付を受けているときは、療養に努めなければならない。

3　第1項各号の補償給付は労働者災害補償保険法の定めるところによる。

4　第1項の補償が行われるときは、会社は労働基準法上の補償の義務を免かれる。

（通勤災害）

第70条　社員が所定の通勤途上において、負傷し、または疾病にかかり、障害または死亡したときは、つぎの給付を行う。

① 療養給付

② 休業給付

③ 障害給付

④ 遺族給付

⑤ 葬　祭　料

⑥ 傷病年金

⑦ 介護給付

2　通勤途上であるか否かの判定は行政官庁の認定による。

3　第1項各号の給付は前条第1項に準じ、労働者災害補償保険法の定めるところによる。

第9章　育児・介護休業制度等

（育児時間）

第71条　1歳に満たない子を育てる女性社員から請求があったときは、休憩時間のほか1日について2回、1回について30分の育児時間を与える。

2　前項の育児時間は無給とする。

（育児休業等）

第72条　社員は、1歳（特別の事情のある場合は2歳）に満たない子を養育するため必要があるときは、会社に申し出て育児休業をし、又は育児短時間勤務制度の適用を受けることができる。

2　育児休業をし、又は育児短時間勤務制度の適用を受けることができる社員の範囲その他必要な事項については、「育児休業規程」で定める。

Ⅷ　雇用管理に関する規程

（介護休業等）

第73条　社員のうち必要のある者は、会社に申し出て介護休業をし、又は介護短時間勤務制度の適用を受けることができる。

2　介護休業をし、又は介護短時間勤務制度の適用を受けることができる社員の範囲その他必要な事項については、「介護休業規程」で定める。

（母性健康管理）

第74条　妊娠中の女性社員には、次に定める妊娠週数の区分に応じた回数、保健指導又は健康審査を受けるために必要な時間を確保する。但し、医師等がこれと異なる指示をしたときは、その指示に従う。

妊娠23週まで……………………4週間に1回
妊娠24週から35週まで…………2週間に1回
妊娠36週から出産まで…………1週間に1回
産後1年以内の女性については、医師等が指示するところにより、保健指導又は健康審査を受けるために必要な時間を確保する。

2　妊娠中及び出産後の女性から申出があった場合には、それぞれ次のような措置を講じる。

① 妊娠中
通勤緩和の申出……時差通勤、勤務時間短縮等の必要な措置
休憩に関する申出……休憩時間の延長、回数の増加等の必要な措置

② 妊娠中及び出産後
つわり、妊娠中毒、回復不全等の症状に関する申出……作業の制限、勤務時間の短縮、休憩等の必要な措置

（妊産婦の時間外、休日、深夜勤務の禁止）

第75条　女性社員の妊産婦が、時間外勤務、休日勤務および深夜勤務について不就労の申出があった場合は、この勤務につかせない。

第10章　雑　則

（教　育）

第76条　社員は、人格を陶冶し、知識を高める技能を練磨するために、会社は教育計画に基づき教育訓練を実施することがある。

2　社員は教育訓練に参加しなければならない。

付　則

（施　行）

第77条　この規則は〇〇年〇月〇日より施行する。

（□□年〇月〇日制定）
（×年〇月〇日一部改訂）
（××年〇月〇日一部改訂）
（△×年〇月〇日一部改訂）
（△△年〇月〇日一部改訂）

（モデル）就業規則

（就業規則の作成・届出義務のない従業員10人未満の小規模事業場対象）

(社) 全国労働基準関係団体連合会作成

（目 的）

第1条 この就業規則（以下「規則」という。）は、従業員の労働条件、服務規律その他の就業に関する事項を定めるものである。ただし、パートタイム従業員又は臨時従業員の就業に関し必要な事項については、別に定めるところによる。

2 次の事項については、別紙のとおりとする。
① 労働契約の期間に関する事項
② 就業の場所及び就業すべき業務に関する事項
③ 労働時間に関する事項
④ 賃金に関する事項
⑤ 退職に関する事項

3 この規則に定めのない事項については、労働基準法、雇用の分野における男女の均等な機会及び待遇の確保等女性労働者の福祉の増進に関する法律、育児休業、介護休業等育児又は家族介護を行う労働者の福祉に関する法律その他の法令の定めるところによる。

（規則の遵守）

第2条 会社及び従業員は、ともにこの規則を守り、相協力して業務の運営に当たらなければならない。

（採用手続き及び提出書類）

第3条 会社は、就業希望者のうちから選考して採用し、従業員に採用された者は、採用の日から14日間を試用期間とし、会社が指定する書類を採用日から、○週間以内に提出しなければならない。

（労働条件の明示）

第4条 会社は、従業員との労働契約の締結に際しては、採用時の賃金、就業場所、従事する業務、労働時間、休日、その他の労働条件を明らかにするための労働条件通知書及びこの規則を交付して労働条件を明示するものとする。

（服 務）

第5条 従業員は、会社の指示命令を守り、職務上の責任を自覚し、誠実に職務を遂行するとともに、職場の秩序の維持に努めなければならない。

（労働時間及び休憩時間）

第6条 労働時間は、1週間について40時間、1日については8時間とする。

2 始業・終業の時刻及び休憩時間は、次のとおりとする。ただし、業務の都合その他やむを得ない事業により、これらを繰り上げ、又は繰り下げることがある。

	始業・終業時間	休憩時間
始業	午前 時 分	時 分から
終業	午後 時 分	時 分まで

（休 日）

第7条 休日は、次のとおりとする。
① 土曜日及び日曜日
② 国民の祝日（日曜日と重なったときは翌日）
③ 年末年始（12月29日～1月3日）
④ 夏季休日（8月13日～8月17日）
⑤ 会社が指定する日

2 業務の都合により必要やむを得ない場合は、あらかじめ前項の休日を他の日と振り替えることがある。

（時間外及び休日労働）

第8条 業務の都合により、第6条の所定労働時間を超え、又は前条の所定休日に労働させることがある。この場合において、法定の労働時間を超える労働又は法定の休日における労働については、あらかじめ会社は従業員代表と書面による協定を締結し、これを所轄の労働基準監督署長に届け出るものとする。

2 小学校就学前の子の養育又は家族の介護を行う女性従業員（指揮命令者及び専門業務従事者を除く。）で時間外労働を短いも

Ⅷ　雇用管理に関する規程

のとすることを申し出た者の法定の労働時間を超える労働については、前項後段の協定において別に定めるものとする。

（年次有給休暇）
第9条　各年次ごとに所定労働日の8割以上出勤した従業員に対しては、次の表のとおり勤続年数に応じた日数の年次有給休暇を与える。

勤務年数	6か月	1年6か月	2年6か月	3年6か月	4年6か月	5年6か月	6年6か月
付与日数	10日	11日	12日	14日	16日	18日	20日

（賃金の構成）
第10条　賃金の構成は、次のとおりとする。

賃金 ─┬─ 基本給
　　　└─ 手当 ─┬─ 家族手当
　　　　　　　　├─ 通勤手当
　　　　　　　　└─ 割増賃金 ─┬─ 時間外労働割増賃金
　　　　　　　　　　　　　　　├─ 休日労働割増賃金
　　　　　　　　　　　　　　　└─ 深夜労働割増賃金

（基本給）
第11条
① 基本給は、本人の経験、年齢、職務遂行能力等を考慮して各人別に決定する。
② 雇入時の基本給は、別紙のとおりとする。

（家族手当）
第12条　家族手当は、次の家族等を扶養する従業員に対し支給する。
① 配偶者
② 18歳未満の子一人につき

（通勤手当）
第13条　通勤手当は、公共交通機関の通勤に要する定期券相当額を支給する。

（割増賃金）
第14条　割増賃金は、次の算式により計算して支給する。
① 時間外労働割増賃金（所定労働時間を超えて労働させた場合）

　基本給
─────────── ×1.25×時間外労働時間数
1か月平均所定労働時間

② 休日労働割増賃金（所定の休日に労働させた場合）

　基本給
─────────── ×1.35×休日労働時間数
1か月平均所定労働時間

③ 深夜労働割増賃金（午後10時から午前5時までの間に労働させた場合）

　基本給
─────────── ×0.25×深夜労働時間数
1か月平均所定労働時間

（年次有給休暇の賃金）
第15条　年次有給休暇の期間は、所定労働時間労働したときに支払われる通常の賃金を支給する。

（欠勤等の扱い）
第16条　欠勤、遅刻、早退及び私用外出の時間については、1時間当たりの賃金額に欠勤、遅刻、早退及び私用外出の合計時間数を乗じた額を差し引くものとする。

（賃金の計算期間及び支払日）
第17条　賃金は、毎月20日に締切り、当月27日に支払う。ただし、支払日が休日に当たるときはその前日に繰り上げて支払う。
2　計算期間の中途で採用され、又は退職した場合の賃金は、当該計算期間の所定労働日数を基準に日割計算して支払う。

（賃金の支払と控除）
第18条　賃金は、従業員に対し、通貨で直接その全額を支払う。ただし、次に掲げるものは、賃金から控除するものとする。
① 源泉所得税
② 住民税

218

(モデル）就業規則

③ 健康保険及び厚生年金保険の保険料の被保険者負担分
④ 雇用保険の保険料の被保険者負担分
⑤ 従業員代表との書面による協定により賃金から控除することとしたもの

（昇　給）
第19条　昇給は、毎年4月分賃金をもって、基本給について行うものとする。ただし、会社の業績に著しい低下その他やむを得ない事由がある場合にはこの限りではない。
2　前項のほか、特別に必要がある場合は、臨時に昇給を行うことがある。
3　昇給額は、従業員の勤務成績等を考慮して各人ごとに決定する。

（賞　与）
第20条　賞与は、原則として毎年7月及び12月に在籍する従業員に対し、会社の業績等を勘案して支給する。ただし、会社の業績の著しい低下その他やむを得ない事由がある場合には、支給時期を延期し、又は支給しないことがある。
2　前項の賞与の額は、会社の業績及び従業員の勤務成績などを考慮して各人ごとに決定する。

（定年等）
第21条　授業員の定年は、満60歳とし、定年に達した日の属する月の末日をもって退職する。
2　退職を願い出て会社から承認されたとき、又は退職願を提出して14日を経過したときは退職とする。

（解　雇）
第22条　従業員が次のいずれかに該当するときは、第3条で定める14日間の試用期間を除き30日前に予告して解雇するものとする。
① 勤務成績又は業務能率が著しく不良で、従業員としてふさわしくないと認められたとき。
② 会社内での刑法犯に該当する行為があったとき、または素行不良で、従業員としてふさわしくないと認められたとき。
③ 精神又は身体の障害により、業務に耐えられないと認められたとき。
④ 事業の縮小、その他事業の運営上やむを得ない事業により、従業員の減員が必要となったとき。
⑤ その他前各号に準ずるやむを得ない事情があるとき。

付　則

この期間は、○年○月○日から施行する。

(一般労働者用;常用、有限雇用型)

別 紙

労 働 条 件 通 知 書

<table>
<tr><td colspan="2">　　　　　　　　　　　　　　　　　　　　　　　　　　年　　月　　日
　　　　　　　　　殿
　　　　　　　　　　　　事業場名称・所在地
　　　　　　　　　　　　使 用 者 職 氏 名</td></tr>
<tr><td>契 約 期 間</td><td>期間の定めなし、期間の定めあり（　　年　　月　　日～　　年　　月　　日）</td></tr>
<tr><td>就業の場所</td><td></td></tr>
<tr><td>従事すべき
業務の内容</td><td></td></tr>
<tr><td>始業、就業
の時刻、休
憩時間、就
業時転換
((1)～(5)のう
ち該当する
もの一つに
○を付ける
こと。)
所定時間外
労働時間の
有無に関す
る事項</td><td>1　始業・終業の時刻等
　(1)　始業（　　時　　分）終業（　　時　　分）

　【以下のような制度が労働者に適用される場合】
　(2)　変形労働時間制等；（　　）単位の変形労働時間制・交替制として、次の
　　　勤務時間の組み合わせによる。
　　　┌─始業（　　時　　分）終業（　　時　　分）（適用日　　　　　　　）
　　　├─始業（　　時　　分）終業（　　時　　分）（適用日　　　　　　　）
　　　└─始業（　　時　　分）終業（　　時　　分）（適用日　　　　　　　）
　(3)　フレックスタイム制；始業及び終業の時刻は労働者の決定に委ねる。
　　　　　　　（ただし、フレキシブルタイム　（始業）　時　　分から
　　　　　　　　　　　　時　　分、(終業)　時　　分から　時　　分、
　　　　　　　　　　コアタイム　　時　　分から　　時　　分）
　(4)　事業場外みなし労働時間制；始業（　　時　　分）終業（　　時　　分）
　(5)　裁量労働制；始業（　　時　　分）終業（　　時　　分）を基本とし、
　　　労働者の決定に委ねる。
　○詳細は、就業規則第　条～第　条、第　条～第　条、第　条～第　条
2　休憩時間（　　　）分
3　所定時間外労働の有無（　有　，　無　）</td></tr>
<tr><td>休　　　日</td><td>・定例日；毎週　曜日、国民の祝日、その他（　　　　　　　　　　　　　　）
・非定例日；週・月当たり　　日、その他（　　　　　　　　　　　　　　　）
・1年単位の変形労働時間制の場合一年間　　日
○詳細は、就業規則第　条 ～ 第　条、第　条 ～ 第　条</td></tr>
<tr><td>休　　　暇</td><td>1　年次有給休暇　6か月継続勤務した場合→　　　　日
　　　　　　　　継続勤務6か月以内の年次有給休暇（ 有、 無 ）
　　　　　　　　→　　　か月経過で　　日
2　その他の休暇　有給（　　　　　　　）
　　　　　　　　無給（　　　　　　　）
○詳細は、就業規則第　条～第　条、第　条～第　条</td></tr>
</table>

（モデル）就業規則

賃　　金	1　基本賃金　イ　月　給（　　　　　円）、ロ　日給（　　　　　　円） 　　　　　　　ハ　時間給（　　　　　円）、 　　　　　　　ニ　出来高給（基本単価　　　　　円、保障給　　　　　円） 　　　　　　　ホ　その他（　　　　　円） 　　　　　　　ヘ　就業規則に規定されている賃金等級等 　　　　　　　　　　　　　　　　　　　　　　　　　　　　　　　　　 2　諸手当の額及び計算方法 　　イ（　　　手当　　　　円／計算方法：　　　　　　　　　　） 　　ロ（　　　手当　　　　円／計算方法：　　　　　　　　　　） 　　ハ（　　　手当　　　　円／計算方法：　　　　　　　　　　） 　　ニ（　　　手当　　　　円／計算方法：　　　　　　　　　　） 3　所定時間外、休日又は深夜労働に対して支払われる割増賃金率 　　イ　所定時間外　法定超（　　　）％、所定超（　　　）％、 　　ロ　休日　法定休日（　　　）％、法定外休日（　　　）％、 　　ハ　深夜（　　　）％ 4　賃金締切日（　　　）－毎月　　　日、（　　　）－毎月　　　日 5　賃金支払日（　　　）－毎月　　　日、（　　　）－毎月　　　日 　　6　労使協定に基づく賃金支払時の控除（無、有（　　　　　　）） 　　7　昇給（時間給　　　　　　　　　　　　　　　　　　　　　） 　　8　賞　与（　有（時期、金額等　　　　　　　　　）、　無　） 　　9　退職金（　有（時期、金額等　　　　　　　　　）、　無　）
退職に関する事項	1　定年制（　有（　　　歳）、無　） 2　自己都合退職の手続（退職する　　　日以上前に届け出ること） 3　解雇の事由及び手続 〔　　　　　　　　　　　　　　　　　　　　　　　　　　　　〕 ○詳細は、就業規則第　条～第　条、第　条～第　条
その他	・社会保険の加入状況（厚生年金　健康保険　厚生年金基金 　　　　　　　　　　　その他（　　　　　）） ・雇用保険の適用（　有、　無　） ・その他 〔　　　　　　　　　　　　　　　　　　　　　　　　　　　　〕

嘱 託 規 程

SM機器
（従業員二五〇人、
内嘱託一五人）

（目 的）
第1条 この規程は就業規則第〇章第〇条〇項に基づき、嘱託の就業に関し必要な事項を定める。

（嘱託の定義）
第2条 嘱託とは、特殊な技能を有する者、又は定年退職した者で期間を定めて再雇用するものをいう。

（雇 用）
第3条 嘱託は次の場合に雇用する。
① 定年に達し退職する従業員が、引続き会社業務に従事する事を希望する場合。但し、本人の健康状態、その他に於て勤務不適当と認めた者を除く。
② 特殊な技能、技能経験を有する者を業務上必要とする場合。
③ その他会社が必要とする場合。

（区 分）
第4条 嘱託は勤務の区分により、これを常勤嘱託及び非常勤嘱託に分ける。
① 常勤嘱託（A）
 定年退職者で、正規従業員同様に勤務する者。
② 常勤嘱託（B）
 常勤嘱託A以外で、正規従業員同様に勤務する者。
③ 非常勤嘱託は出勤日及び勤務時間を指定されている者。

（嘱託期間）
第5条 嘱託の雇用期間は次の通りとする。
① 常勤嘱託Aは発令の日より満5か年を限度とする。
② 常勤嘱託B及び非常勤嘱託の必要期間とする。常勤嘱託B該当者については3か年以内とする。但し、雇用契約については3か年以内とし、以後1年更新とする。
③ 前号の契約期間は1か年を原則として、必要に応じ、毎年更新する。

（契約条件の明示）
第6条 会社は、嘱託の採用に際しては、この規程を提示し、契約条件の説明を行い、雇用契約を締結するものとする。
2 雇用契約の締結に際しては、会社は雇用する者に、次の事項について文書を交付するものとする（別紙「再雇用契約通知書」常勤嘱託（A）、常勤嘱託（B）、非常勤嘱託用は省略）。
① 賃金に関する事項
② 雇用契約の期間に関する事項
③ 就業の場所及び従事する業務に関する事項
④ 始業及び就業の時刻、休憩時間、休日休暇並びにシフト制の有無、時間外労働の有無、休憩時間、休日休暇並びにシフト制の場合の就業時、転換に関する事項
⑤ 退職に関する事項

（嘱託の退職）
第7条 嘱託期間中であっても、次の各号の一に該当する場合は退職する。
① 本人の願出による場合。
② 委嘱業務が終了した場合。
③ 傷病、疾病以外の事由で、引続き2か月以上欠勤した場合。
④ 身体の障害により勤務能率及び能力が著しく劣り、不適当と認めた場合。
⑤ 会社に損害を与え、又は会社の名誉を毀損した場合。

（証明書の交付）
第8条 会社は、解雇又は退職した者が（以下「退職者」という）が請求した場合は、次の事項に限り証明書の交付を遅滞なく行う。
① 使用期間
② 業務の種類
③ 地位
④ 賃金
⑤ 退職の事由（解雇の場合にあってはその理由を含む）
2 前項の証明書は退職者が指定した事項の

嘱託規程

（嘱託の賃金）
第9条　嘱託賃金は次の通り定める。
① 常勤嘱託（A）
　退職時の賃金を勘案し、次により算出する（月額）。
（退職時基準内賃金－役付手当）×（75〜80％）＋通勤手当＝月額賃金
② 常勤嘱託（B）
　技術、技能及び年令等を勘案して適当な額を定める。時給とする。
（時給額×就労時間数）＋通勤手当
③ 非常勤嘱託
　職務の内容により、その額を定める。時給または日額とする。

（嘱託の賞与）
第10条　嘱託の賞与は会社の実情に応じ支給する。

（嘱託の慶弔見舞金）
第11条　嘱託の慶弔見舞金その他の贈与については、状況その他を勘案した上でその都度決める。

（嘱託の退職金）
第12条　嘱託には退職金を支給しない。

（嘱託の年次有給休暇）
第13条　嘱託の年次有給休暇は次のとおりとする。
① 常勤嘱託（A）は従来からの勤続年数を通算し、従来どおりの付与とする。
② 常勤嘱託（B）は従来の勤続年数を通算し、嘱託（B）採用後は短日勤務の比例付与とする（別表）。
③ 非常勤嘱託は、前号の比例付与とする。

（就業規則及び臨時従業員就業規則の準用）
第14条　この規程に定めない事項については、常勤嘱託（A）については正規従業員の就業規則を、常勤嘱託（B）及び非常勤嘱託については臨時従業員就業規則を準用する。

　　　附　則

（施　行）
第15条　この規程は○○年○月○日より施行する。

別紙

再雇用契約通知書

　　　　　　　　　　　　　　　　　　　　年　　月　　日
　　　　　　殿
　　　　　　　　　　　　ＳＭ機器株式会社
　　　　　　　　　　　　　取締役社長　　　　　　　

貴殿の再雇用に当たっての労働条件は、下記のとおりです。

記

1. 資　　　格　　常勤嘱託（Ａ）
　　　　　　　　　正規従業員同様の勤務
2. 雇 用 期 間　　　年　月　日～　　年　月　日
3. 就 業 の 場 所
4. 従事する業務
5. 退 職 事 項　　Ａ嘱託の上限年齢
　　　　　　　　　　自己都合退職
　　　　　　　　　　解雇
6. 賃　　　金　　（定年時の基準内賃金－役付手当）×80％
　　　　　　　　　他に通勤手当、時間外・休日手当
7. 賞　　　与　　その都度決定（会社の実情による）
8. 退 職 金　　なし
9. 慶弔見舞金　　正規従業員の規程を準用勘案のうえその都度決定
10. 年次有給休暇　定年前より通算
11. そ　の　他　　以上の他は、正規従業員の就業規則適用

※「再雇用契約通知書」常勤嘱託（Ｂ）、及び「非常勤嘱託契約通知書」は省略

別表　常勤嘱託（Ｂ）及び非常勤嘱託の年次有給休暇日数

週所定労働日数	1年間の所定労働日数	勤続年数						
		6か月	1年6か月	2年6か月	3年6か月	4年6か月	5年6か月	6年6カ月以上
4日	169～216日	7日	8日	9日	10日	12日	13日	15日
3日	121～168日	5日	6日	6日	8日	9日	10日	11日
2日	71～120日	3日	4日	4日	5日	6日	6日	7日
1日	48～70日	1日	2日	2日	2日	3日	3日	3日

定年嘱託規程

（〇〇・〇・〇制定）

RD自動車部品
輸送用機器
従業員 五〇〇人・内嘱託 三〇人

（更改期間）

第1条 会社は本人の希望により、定年に達した組合員をその健康状況を考慮の上、一か年契約で定年嘱託として雇用する。契約の更改は満六五歳迄とし、満六五歳に達した月の末日をもって自然退職とする。

（毎月賃金）

第2条 定年嘱託に該当する基準内賃金項目は嘱託給（基本給）、役務手当、特技責任手当、作業手当、特別勤務手当、通勤手当および特別手当とする。

① 嘱託給は定年時基本給、職務および成績によって決める。

② 嘱託給の決定方法は次の通りとする。
次の職務修正率および成績修正率を加え、これに定年時基本給を乗じた金額だけ定年時基本給より減額した額をもって嘱託給とする。

1 職務修正率

A職 〇％
B〃 五％
C〃 一〇％

A職とは鋳造および鋳仕上げ関係の直接作業をいう。
B職とはA職およびC職以外の職務をいう。
C職とは清掃、寮監理、浴場管理、守衛等これに類似した職務をいう。

2 成績修正率

A群 〇％
B群 五％
C群 一〇％

昇給考課ランクSは五点、Aは四点、Bは三点、Cは二点、Dは一点、Eは〇点とし、三年間の成績合計点数によって次の通り決める。

一一点以上　　　　A群
八点以上一一点未満　B群
八点未満　　　　　C群

定年直前四か年間に進級した時は、進級後第一回目および第二回目の成績点数は進級後の成績によらず、次の算式によ る。

第一回目＝進級直前の成績点数
第二回目＝進級後の当年成績点数＋（第一回目点数－三点）

（例示）

第一回目　五三歳の時　五職級　Aランク
第二回目　五四歳の時　五職級　Cランク
第三回目　五五歳の時　六職級　Bランク
第三回目　五六歳の時　六職級　Bランク

右の場合
第一回目は　A＝四点
第二回目は　B＋（A－三）＝四点
第三回目は　B＝三点
計一一点となり平均成績はA群となる。

5 定年嘱託採用後、職務が変わった時は職務修正率により嘱託給の修正を行う。

（賞与）

第3条 賞与は六〇％を嘱託給スライド、四〇％を職務と成績によって決める。賞与の予算は嘱託給総額に組合員支給月数を乗じたものとする。

（昇給）

第4条 昇給は職務と成績によって決める。昇給額は組合員平均賃上げ額の七〇％を予算とする。

嘱託規程

HJ商事

商事会社
資本金 八千万円
従業員 一四〇人
内嘱託 一五人

（目的）

第1条 この規程は嘱託の採用、労働条件、給与その他について定めたものである。

VIII 雇用管理に関する規程

（嘱託対象者）
第2条　嘱託とは定年で退職する社員で、本人が継続勤務を希望する者をいう。

（服務方針）
第3条　嘱託は会社の方針、規則、上司の命令指示に従い、職場の秩序を保持し、協力して職務に精励しなければならない。

（雇用期間）
第4条　嘱託の雇用期間は原則として1年とし、期間満了の2か月前までに継続勤務を希望した者について、審査のうえで契約の更新を行うものとする。ただし65歳を超えて雇用することはしない。

（勤務時間）
第5条　勤務時間、休日は原則として正社員と同一とするが、特に必要があるときは、正社員と異なる事項を個別的に契約書に定めるものとする。

（年次有給休暇）
第6条　6か月間継続して勤務し、所定労働日数の8割以上出勤した者には、労働基準法39条に基づく年次有給休暇を与える。
2　定年退職時から引き続いて嘱託として雇用された場合は、年次有給休暇の取扱いに関しては引き継ぐものとする。

（賃金）
第7条　嘱託の賃金は定年退職時の基準内賃金を基準にして、その60％以上80％以内で、定年前における勤務成績ならびに嘱託雇用後の職務の質量を勘案して決める。
2　昇給は行なわないが、物価水準等に基づくベアが必要と認めたときのつど改訂する。
3　賞与についてはそのつど決定する。
4　退職金は支給しない。

（退職）
第8条　次の場合は退職とする。
① 雇用契約期間が満了した場合
② 本人が死亡した場合
③ 期限前に退職を希望した場合。ただし少なくとも退職希望日の14日前に退職願を提出すること

（解雇）
第9条　雇用期間中であっても、出勤成績、勤務ぶり等について不都合な行為があり、雇用関係を継続することが適当でないと認めた場合は解雇する。

（付則）
第10条　この規程は○○年○月○日より施行する。

早期退職優遇制度規程

TS商事
（・従業員　三五〇人）

（目的）
第1条　本規程は、社員の生活設計の多様化に資するために行う早期退職優遇制度について定める。

（定義）
第2条　「早期退職優遇制度」は、定年前に自己都合によって退職する者を退職金支給の面で優遇する制度をいう。

（適用者）
第3条　本制度を適用するのは、次の各号に該当する者とする。
① 勤続年数20年以上
② 年齢満50歳以上57歳以下
③ 退職事由が円滑であること
④ 在職中誠実に勤務し当社の発展に貢献した者

（退職金の支給）
第4条　第3条に該当する者が退職するときは、次の算式によって算定される退職金を支給するものとする。

退職金＝（退職時の基本給×60歳までに勤続していた場合の退職金支給率）＋特別一時金

（特別一時金）
第5条　特別一時金は、勤務年数に応じ次のとおりとする。
① 勤続20～25年……二〇〇万円
② 勤続25～28年……三〇〇万円

③ 勤続28〜31年……四〇〇万円
④ 勤続31〜34年……五〇〇万円
⑤ 勤続34〜37年……六〇〇万円

（支　給）
第6条　退職金は、退職後2週間以内に支給するものとする。

（特別功労金）
第7条　在職中に特別の功労があり当社の発展に著しく貢献した者に対しては、退職時に特別功労金を支給することがある。

（退職の申し出）
第8条　本制度の適用を受けて退職することを希望する者は、退職希望日の2か月前までに所属長を通じて会社に申し出なければならない。

（施　行）
第9条　本規程は〇〇年〇月〇日より施行する。

社員配置および登用規程

MK化成
・化学工業
・資本金　一〇億円
・従業員　一、五〇〇人

第1章　通　則

（目的）
第1条　この規程は、当社の定員制および従業員の採用・配置に関する基準ならびに手続を定め、人事処理の公正な運営をはかり、有能な人材を維持育成し、もって業務能率の向上をはかることを目的とする。

（用語）
第2条　この規程における用語については左記の定義による。
① 配員……従業員を新設または欠員の職位に配置すること。
② 昇進……現職位の職級よりも上級の職位（以下上級職という）に転ずること。
③ 降職……現職位の職級よりも下級の職位（以下下級職という）に転ずること。
④ 転職……現職位と職列を異にする職位に転ずること。
⑤ 転換……現職位と同職列、同級職のほかの職位に転ずること。

第2章　定員制

（定員表）
第3条　組織別の定員を別表「定員表」（略）のとおり定める。

（充員）
第4条　定員は、組織別に保有し得る最小限度の人員とする。
2　定員に欠員を生じた場合は、毎年4月1日にその年の10月1日現在定員を保有するよう、減員率を考慮して補充する。ただし、欠員により業務上支障がある場合は、臨時採用によって補充することができる。

（定員表の修正）
第5条　生産計画もしくは業務計画の変更に伴ない定員に異動を生ずる場合は、そのつど定員表を修正するものとする。
2　前項によって生じた欠員の補充は、前条第2項の但書に準じて行う。

第3章　採　用

（定期採用）
第6条　毎年4月1日に行う定期採用には、当年度大学（短大を含む）または高等学校卒業者を採用することを原則とする。

（採用基準）
第7条　従業員の採用に当たっては、次に掲

VIII 雇用管理に関する規程

げる条件を備える採用志願者中より、配置予定の職位の要求する資格要件になるべく適合する者を選考して採用する。
① 満19歳以上の者、または満18歳以下の者で、義務教育の課程修了者もしくはこれと同等以上の課程修了者
② 身心共に壮健な者
③ 身元の確実な者
（選考および採否決定）
第8条 採用志願者の選考は、主管部課および選考委員が行い、その意見に基づき総務部長または労務課長が採否の決定をする。ただし、各出先の現地採用、その他必要な場合は、責任者を定めて採否の決定を委任することがある。
2 前項の選考委員は、そのつど総務部長が委嘱する。
（試用員）
第9条 新規採用者は3か月間試用員とし、その期間の考課成績により採用を取消し、もしくは配置を変更することがある。
（技能実習員）
第10条 従業員の基幹となる熟練技能者を養成するため、定期採用の高等学校卒業者より技能実習員として採用し、技能者養成規定により養成教育を行うことがある。
2 技能実習員の試用期間は2か月とする。
3 技能実習員の配置は養成契約期間満了後正式に決定する。

（研修員）
第11条 練達な事務者および技術者を養成するため研修制度をもうけ、高等学校または大学卒業者中より研修員として採用し、特別の教育をする。
2 研修員の試用期間は5か月とする。
3 研修員の配置は、研修期間満了後正式に決定する。
（教育）
第12条 技能実習員、研修員その他従業員の教育に関しては別に定める。

第4章 配員の原則

（配員の原則）
第13条 配員に当たっては、次の各号に示す原則が守られなければならない。
① 適材を適所に配置することは、配員の第1要件である。従って職位の要求する資格要件に最も適合した資格能力を持つ者（以下適格者という）を選ぶことが、ほかのあらゆる条件に優先して考慮されなければならない。
② 従業員がいかなる資格能力を持つかは、実績によって立証されなければならない。従って適格者の選考に当たっては、従業員考課規定による考課の成績が尊重されなければならない。
③ すべての従業員は、各自の資格能力経

験に適合した職位につく機会を均等にあたえられなければならない。

第5章 昇進、降職、転職およぴ復職

（昇進経路）
第14条 従業員はすべて各自の資格、能力、経験に応じ、順次昇進し最高の職位にまで昇進する機会があたえられる。
2 その経路は、職列別職級表の同一職列を、下級職より上級職へ進むことを原則とする。
（昇進の条件）
第15条 現職位の勤続期間が6か月未満の者、または現職位における最近10か月間の考課成績が「e」以下の者は、昇進資格を有しないものとする。
2 管理職および10級以上の職位にある者については、前項の規定中「10か月」とあるのを「1年」とする。
3 前2項の規定により昇進資格を有しないものについては、現職位の職級よりも上級の職位となるように、職務内容を変更してはならない。
4 業務上やむを得ない場合は、前3項の規定にかかわらず現職位の勤続期間が10か月未満（管理職においては1年未満）の者を昇進させ、またはそのものの職務内容を現職位の職級よりも上級の職級となるように

社員配置および登用規程

（補充の順位）
第16条 新設または欠員の職位には、その職列の下級職担当者中より適格者を選考して、昇進させることを原則とする。ただし、他職列に適格者がある場合は、被選考者中に加えるものとする。

2 前項の適格者がいないときは、代理職を設定し、その職列の下級職担当者中より適格者を選考して、その職務を代理させることができる。

（昇進者の選考および任命）
第17条 前条第1項および第2項の規定による昇進は、配置される職位が管理職または10級以上の職位の場合は、所管部長がその適格者を選考し、その申請により総務部長の審査を経て社長が任命する。

2 総務部長または労務課長は第1項の規定による審査を行うに際し、被申請者が不適格者と認められる場合または他職列に適格者があると認められる場合は、申請者にその旨を通告し、再選考を求めることができる。

（降職の条件）
第18条 現職位における最近1年間の考課成績が引続き「ｇ」の者、または、現職位における最近2年間の考課成績が引続き「ｆ」以下の者は降職するものとする。

2 現職位が管理職または10級以上の

場合は、前項の「1年」とあるのを「2年」、「2年」とあるのを「3年」とする。

3 前2項以外に、健康、能力、その他職務遂行上重大な欠陥があると認めた場合は降職することがある。

（降職者の職位の選定および任命）
第19条 管理職または10級以上の職位にある者が、前条の規定に該当するに至った場合は、所管部長が該当者に適合する職位を選定し、その申請により総務部長の審査を経て社長が任命する。

2 前項以外の職位にある者が前条の規定に該当するに至った場合は、所管部長または部長が該当者に適合する職位を選定し、その申請により労務課長の審査を経て所管部長が任命する。

（転職の条件）
第20条 転職該当者の認定は、総務部長または労務課長の審査を経て行うものとする。

（審査の方法）
第21条 総務部長または労務課長は第17条、第19条および第20条の規定による審査につき、必要がある場合は能力試験を行い、または関係者の意見を求めることができる。

（転職者の昇進および降職免除）

第22条 転職を行う場合は、第15条および第18条の規定にかかわらず、昇進資格を有しない者を上級職に転職させ、または降職該当者を現職位と同級もしくはそれ以上の職位に転職させることができる。

（業務の都合による転職）
第23条 業務の都合により、やむを得ず下級職に転職させなければならない場合においても、転職者の給与については不利益な取扱いをしない。

（転換）
第24条 転換を行う場合は、同一係内のときは係長、同一課内のときは課長、同一部内のときは部長、部を異にするときは転換される職位の所管部長が任命する。

（復職者の配置）
第25条 病気休職者が復職する場合には、本人の復職時の健康状態および休職前の考課成績により、所管部課長と労務課長とが合議の上決定する。

（配員資料の整備）
第26条 人事課は、従業員考課表、その他配員に必要な資料を整備しなければならない。

（施行）
第27条 この規程は、〇〇年〇月〇日より施行する。

出向規程

> YK電機
> （測器製造・従業員 一、七五〇人）

（目的）
第1条　この規程は就業規則第〇条により、会社外に出向することを命ぜられた者（以下出向者という）の取扱いについて定める。

（出向の定義）
第2条　出向とは従業員としてYK電機（以下当社という）に在籍のまま出向先会社の業務のためその命令系統に従い出向先会社に常駐勤務することをいう。

（出向の決定）
第3条　会社が従業員に出向を命ずる場合は、出向発令前に出向の目的、役割、出向先会社の事情、労働条件その他を出向者に明示し本人の意見を考慮して行なう。

（出向者の人事）
第4条　出向者の人事権は当社にあるが、出向先会社における業務指揮権は出向先会社が有する。但し当社役職より上位職に任ずる場合は事前に当社の了解をうるものとする。

（出向者の所属）
第5条　出向者の身分上の所属は人事部（又は東京人事課）とするが必要により管理上の主管部門長を定める。

（出向者の就業）
第6条　出向者の就業についてはこの規程及びその出向者につき特に定めた事項以外は出向先会社の就業規則による。

（出向者の勤続年数）
第7条　出向者の出向期間は当社勤続年数に通算する。

（出向者の出向期間）
第8条　出向者の出向期間は原則として三年以内とする。但し本人の了解により延長することができる。

（出向者の給与）
第9条　出向者の給与は当社賃金規則により定める。

2　給与は原則として出向先会社負担とするが必要により全額又は一部を当社負担とすることがある。

3　出向者には次の出向手当を支給する。但し出向先の勤務形態により支給しないこともある。

月額　二〇、〇〇〇円以上

（出向者の時間外勤務等）
第10条　出向者の時間外・深夜・休日勤務の取扱いについては当社基準により各々手当を支給する。

（出向者の賞与）
第11条　賞与は原則として出向先会社負担とする。但し当社の賞与額が出向先会社の賞与額を上回る場合は上回った部分の額のみ当社負担とする。

（給与・賞与等の支払手続）
第12条　給与・賞与等の出向者への支払いは当社が所定の期日に本人の指定する銀行口座に全額振込む。

2　出向先会社は給与・賞与等の出向先負担額を、当社の指定口座へその支給日の属する月末日までに振込む。

（退職金）
第13条　出向者の退職金は当社規程により算出し、当社が支払う。

（評価）
第14条　出向者の個人成績に関わる人事評価は出向先上司及び当社主管部門長の意見を参考にして人事部長が決定する。

2　役職出向者の賞与支給時の部門業績比率の勤務期間の割合によって支給負担とする。

（慶弔見舞金）
第15条　出向者の慶弔については当社慶弔見舞金規程による。

2　出向先会社役員・従業員の慶弔に関して出費が必要とされるものについては当社主管部門長の許可を得て、出向先会社規程を

参考にして額を定め、当社負担で支給する。

（有給休暇）
第16条　出向者の年次有給休暇及び特別有給休暇は当社基準により、その有効期間中に出向先会社において使用することができる。

（労災補償）
第17条　出向者が出向先において、業務上の死傷病に罹った場合その補償は出向先会社の負担とする。出向先会社の支給基準が、当社の労災補償規程の定める額を下回るときはその限度まで当社が補償する。

2　前項により出向者に関わる労災保険加入は出向先会社とし保険料も出向先会社負担とする。

（出向者の旅費）
第18条　出向者が、出向先会社へ赴任するとき及び当社へ復帰するときの旅費は当社の出張旅費規程を適用し当社負担とする。

2　出向期間中、出向先会社の業務に関わる出張は出向先会社の出張旅費規程により出向先会社負担とする。但し出向先会社と当社の出張旅費規程に大きな差異がみられる場合はその都度調整のうえ定める。

3　当社の会議・行事・研修等の出席のため要する旅費は当社規程を適用し当社負担とする。

（経費精算）
第19条　出向者の旅費、会議費、交際費等は当社主管部門長と協議により事前に予算化のうえ毎月、月初に定額を仮払いし月末精算する。

（出向者の復帰）
第20条　定められた出向期間前であっても、出向者の出向要件がなくなったときは直ちに当社へ復帰させる。

（出向者の移籍）
第21条　出向者で本人、当社、出向先会社三者の協議により、本人の了解が得られれば出向先会社へ移籍することがある。

（連絡事項）
第22条　出向者に対する社内文書、印刷物の配付又は口頭連絡については社内基準に準じて、各主管部門が責任をもって出向者宅に送付又は本人に連絡する。

（報告書）
第23条　出向者は毎年一回近況等について所定の報告書を作成し、人事部等へ提出するものとする。

（例外事項の取扱い）
第24条　出向先会社の事情その他により、出向者の取扱いが本規程以外の例外事項が発生した場合にはその都度本人の意見を考慮して双方の会社が協議のうえ定める。

（覚書の作成）
第25条　出向時に出向期間、労働条件等確認のため所定の覚書を三通作成し当社・出向先会社・出向者本人が各一部ずつ保持する。

（実施月日）
第26条　この規程は〇〇年〇月〇日より実施する。

海外出向規程

OS商事
（商社・従業員　六〇〇人）

第1章　総則

第1条　株式会社OS商事（以下当社という）が就業規則第〇章第〇節第〇条の規程に基づき、従業員を海外関連会社（以下出向会社という）に出向させる場合はこの規程による。

第2条（覚書）
当社が出向を命ずる場合は原則として当社と出向会社および出向者との間に、出向に関する基本的条件（出向期間、出向会社における職位ならびに担当業務、出向会社における給与、賞与等）に関して覚書を作成し、それぞれ保有する。

第2章 人 事

第3条（所属）
出向者の当社の所属は原則として関連事業部とする。

第4条（勤続年数）
出向期間は、当社の勤続年数に算入する。

第5条（異動事項の届出）
出向者は、次の各号の一つに異動があったときはその都度速やかに出向会社を経由して当社人事課に届出なければならない。
① 戸籍上の事項
　結婚、改姓名、出生、扶養家族の異動、その他戸籍上の異動
② その他の事項
　連帯保証人の変更、連帯保証人の住所変更、災害の届

第6条（家族帯同）
海外出向は家族帯同を原則とする。単身または一部家族帯同の場合は当社の承認を要する。

第7条（就業規程）
出向者の出向会社における就業時間、休日、欠勤等就業に関しては出向会社の規程に従うものとする。

第3章 勤 務

第8条（人事考課）
出向者に対する当社側の人事考課の記録は、出向会社の代表者による人事考課に基づき行う。

第9条（賞罰）
出向者の賞罰に関する当社側の取り扱いは当社の規程を適用する。

第10条（職務の変更）
出向者の出向会社における職務の変更は出向会社の命ずるところによる。

第11条（一時帰国）
① 継続して海外に四年以上勤務し、更にその期間中一度も日本に帰国する機会が全くなかった出向者ならびにその家族については以後毎年一回日本への一時帰国を認める。この場合、出向会社の規程に基づき、その一時帰国、期間、帰省地等について予め出向会社代表者の許可を得た後、当社総務人事部に届出なければならない。

② 出向者およびその同伴家族の一時帰国に要する交通費のうち、東京から現地までの航空運賃は当社が負担する。

当　　社　現地、東京間の往復航空運賃の五〇％

出向会社　当社負担と本人負担分の残額往復航空運賃の¼と、出向者本人の月額給与の¼のどちらか低い方

前項各号の一時帰国に要する航空運賃は次の通り、それぞれ負担する。

③ その他、出向者ならびに当社が必要と認めた場合

② 配偶者の父母が死亡した場合は、配偶者および同伴者を帰国させる子女（一二歳以下）を帰国させることができる。

合、出向者は一時帰国休暇をうけることができる。

第4章 休職、解雇、退職

第13条（休職）
出向者が出向会社にて休職扱いとなる場合、当社における取り扱いについては、その都度決める。

第14条（解雇）
出向者が出向会社の規程により、解雇に該当する場合は出向解除を命じた後、当社の規程を適用する。

第15条（退職）
出向者が当社規程の定年に達したときまたは自己都合により退職を申し出て出向会

社においてこれを受理された場合には出向を解除し、当社の退職に関する規程に従うものとする。

第5章　給与、移転関係費用

第16条（給与、賞与）
出向者の給与および賞与は出向会社と当社が協議して定め、出向会社において支給する。
但し、出向後一定期間当社が出向者給与を負担することがある。

第17条（退職金）
退職金は出向期間を通算し、当社の規程により支給する。

第18条（移動月の給与）
海外赴任ならびに日本帰任の移動月における給与は次の通り支給する。
① 海外赴任の場合、予め定められた出向会社への着任日までの給与は当社が支給する。
② 日本帰任の場合、予め定められた当社への帰任日までの給与は出向会社の規程に基づき出向会社が支給する。

第19条（支度金）
当社は出向者に対して次の通り支度金を支給する。
但し、一〇、〇〇〇円未満の端数は切り捨てる。

	本　　人	配偶者	家族1人当り
本部長・部長・部長代理およびM3の職能資格者	300,000円	本人の50%	本人の20%
次長・課長およびM1以上の職能資格者	250,000円	〃	〃
S2以下の職能資格者	200,000円	〃	〃

第20条（赴任着後手当）
出向者に対する着後手当は出向会社の規程に基づき出向会社が支給する。

第21条（移転費用）
出向者およびその同伴家族の現地到着日までに関する次の移転関係費用は当社が支給する。

① 交通費
日本国内　国内旅費規程を適用
現地までの航空機、その他交通機関

　本　部　長　　航　空　機　ビジネスクラス　実費
　部長以下　　　　　　　エコノミー　実費

② 宿泊料および日当
出発日から現地到着日まで。
但し、六歳未満の者には本人の五〇％相当額を支給する。
同伴家族については出向者に準じ支給する。

　　　　　　　A地区　　B地区
部長代理以上およびM3の職能資格者　　一六〇ドル　　一四〇ドル
課長およびM1以上の職能資格者　　　一五五ドル　　一三五ドル
S2以下の職能資格者　　　　　　　　一五〇ドル　　一三〇ドル

A地区　北米、ヨーロッパ、カナダ、アフリカ、中近東
B地区　中南米、大洋州、アジア

③ 家財輸送費、保険料
当社が負担する家財輸送の上限は、それぞれ次の通り。

(1) 船便
独身　　　　　　　　　　　　八〇cft
世帯者　（出向者　配偶者　　三二〇
　　　　　子女一人当り）　　四〇

(2) 航空便
独身　　　　　　　　　　　　二〇kg
世帯者　（出向者　配偶者　　二〇〇
　　　　　子女一人当り）　　一〇

上記航空便の会社負担限度は本人ならびに家族が航空機搭乗時にフリーチャージ分を超えて携行輸送する重量と、別便で航空輸送する重量を合計した輸送限度である。

当社に帰任する場合の出向者および同伴家族の日本到着日までに関する移転関係費用は出向会社が負担する。

④ 傷害保険料
出発日から現地到着日まで
基　本　五、〇〇〇万円
治療実費　七、〇〇〇ドル

⑤ 旅券費用等
旅券、査証、健康診断等に要する実費

第22条（帰任時の給与）
出向者が当社に帰任する場合は当社の給与規程に基づき給与を定める。

第23条（帰任着後手当）
日本に帰任するときの着後手当は次の通り支給する。
本人には帰任後の一か月給与の三分の一
帯同家族のうち配偶者には本人の着後手当の二分の一

第6章　福利厚生

第24条（当社諸制度の適用）
出向者は原則として出向期間といえども当社の従業員福祉に関する諸制度の適用を受けることができる。

第7章　付　則

第25条
この規程に定めのない事項については出向会社の規程による。

第26条
新設海外拠点に赴任する場合で新設海外拠点に規程がない場合は既設の海外関係会社等での取り扱いに準じて処理する。
既設の海外関係会社等の取り扱いに準じて処理することが不適当と考えられる事項が発生した場合は、当社と新設海外拠点の代表者が善意をもって協議決定する。

第27条
この規程は〇〇年〇月〇日より実施する。

海外出向規程

参考①　会社間の出向協定書（給与は出向元支払）

協　定　書

○○製造株式会社（以下「甲」という）と○○株式会社（以下「乙」という）の間に、甲が在籍の社員、○○○○（以下「丙」という）を乙に出向させるに当たり、その勤務条件等に関してつぎのとおり協定する。

記

一　出向期間は○○年○月○日から○○年○月○日までとし、その後の取扱いについては、甲乙協議する。

二　丙の服務は、原則として乙における従業員一般に適用される就業規則その他に定められた規程および役員について定められた規程により乙において支給すること。ただし、身分上の行為（休職・解職・懲戒・定年）はこれを除く。

三　丙の給与、賞与および福利厚生に関するものの費用は、甲において支給するが、その負担は乙とする。旅費・日当および通勤定期代は、乙の規程により乙において支給すること。

四　社会保険

イ　丙の健康保険、厚生年金、厚生年金基金、雇用保険は、甲において取扱い、その会社負担分は乙が負担する。

ロ　丙の労災保険は、乙が取扱う。

五　出向料

イ　乙は甲に対し、丙の三項および四項（イ）の負担分は出向料として毎月支払うものとする。（賞与支給月は毎月給与のほか賞与負担分も含む）

ロ　甲は乙に対し、出向料の請求書を当月末日に発行する。

ハ　乙は甲の請求書に基づき、出向料を翌月五日までに甲の指定する銀行口座に振り込むものとする。

ニ　乙の出向料の負担は○○年○月からとする。

六　日常経費

丙の乙における日常発生する業務上の経費は乙の負担とする。ただし、甲において丙の社会保険に必要なため、通勤定期購入時には、購入金額を甲の人事部に文書をもって連絡する。

七　社宅

出向期間中の社宅は、原則として乙が負担する。

八　赴任旅費

出向時および出向解除時における赴任旅費の取扱いについては、甲乙協議して決定する。

九　上記以外の不明な点、および疑義が生じたときは、そのつど甲乙協議して決定する。

一〇　本協定書は二部作成し、甲乙それぞれ記名捺印のうえ、各一通を保有する。

○○年○月○日

甲　○○製造株式会社
　　取締役社長　○○○○

乙　　　　　　　○○○○

参考②　会社間の出向協定書（給与は出向先支払）

出向協定書

○○製造株式会社（以下甲という）と○○○○（以下乙という）は、甲が乙に派遣する社員（以下出向者という）の労働条件について、以下のとおり協定する。

一　出向者
　　○○○○

二　出向期間
　　出向期日は○○年○月○日から○○年○月○日までとし、その後の条件については、甲乙協議する。

三　出向条件

三・一　出向者は、就業規則第○○条に基づき、休職とする。

三・二　出向者の服務は、原則として乙において従業員一般に適用される就業規則その他に定められた規程および役員について定められた規程を適用する。
　ただし、休職、解雇、懲戒、定年等の身分上の行為は除く。

三・三　出向者の給与、賞与、その他一切の給与については、乙が乙の基準に基づき計算支給する。
　ただし、金員の決定に関しては、甲と事前に協議する。

三・四　社会保険関係
　雇用保険、労災保険、厚生年金及び健康保険は、乙が引継ぐ。

三・五　住民税関係
　甲は転出の手続をとるとともに、乙において転入手続をとるものとする。

三・六　一般控除関係
　出向者が甲において控除されていた個人契約の保険、厚友会費、組合費、貸付金返済金、その他控除金は甲において継続する。出向者はその控除金を毎月○日までに、甲が指定する銀行口座に振り込むものとする。

四　休職中の取扱い

四・一　休職中、勤続年数は加算し、この間の退職金の勤続加算も行う。

四・二　休職中の退職金の負担は、甲の負担とする。

四・三　年次有給休暇は休職中、甲の基準どおり加算を行い、復職後は、乙における残余日数を引き継ぐ。
　ただし、一年につき二〇日を超えない。

四・四　休職中の基準給昇給、昇格については、甲の在籍者と同様に取扱う。

四・五　永年勤続表彰、慶弔関係等についても、甲の在籍者と同様に取扱う。

五　上記事項以外の不明な点、および疑義が生じたときは、そのつど甲乙協議して決める。

本協定書は、正本二部を作成して、甲乙一部ずつ保管する。

　　　　○○年○月○日

　　　　　甲　○○製造株式会社
　　　　　　　取締役社長　○○○○

　　　　　乙　　　　　　　○○○○

参考③　会社間および本人、三者の出向協定書

出向に関する覚書

　YK電機株式会社を甲，○○株式会社を乙，社員○○○○を丙として，丙の出向に関し，次の通り覚書を交換する。
1. 甲は，丙に乙への出向を命じ，丙はこれを諒承します。
2. 丙が出向する期間は，　　　年　月　日より　　　年　月　日までの3か年間とし，出向期間満了後，丙は甲に復職するものとします。
　　但し，甲・乙の都合により，この期間を変更することがありますが，この場合は，原則として事前に丙に通知します。
3. 丙の乙への出向中，丙の甲における所属は　　　　　　とします。
4. 丙の出向期間は，甲の勤続年数に算入します。
5. 丙の乙における着任時の所属部門並びに担当職務は次の通りとします。
    - 所属部門
    - 担当職務
6. 丙の乙における就業時間，休日等の就業に関しては，原則として乙の規程に従うものとします。
7. 丙の乙への着任時の給与は次の通りとします。

8. 丙の乙における賞与・昇給は原則として，乙の規程に基づき甲・乙協議のうえ決定します。
9. 丙の出向中の社会保険（健康保険，厚生年金，厚生年金基金及び雇用保険）については甲における加入を継続します。
10. 労災保険については乙が加入する。
11. その他定めのない事項については，甲・乙が善意を以て協議決定します。

以上の通り覚書参通を作成し，甲・乙・丙記名捺印し，夫々各壱通を保有します。

　　　　　年　月　日
　　　　　　　　　　　甲　　　　　　　　　　㊞
　　　　　　　　　　　乙　　　　　　　　　　㊞
　　　　　　　　　　　丙　　　　　　　　　　㊞

参考④　会社間の派遣協定書
派遣に関する覚書

　㈱○○商会（以下甲という）と，○○株式会社（以下乙という）とは，甲の社員の乙への派遣勤務について次の通り覚書を交換する。
1. 甲は乙との合意にもとづいて，甲の社員（以下派遣者という）を乙に派遣勤務させる。
2. 派遣者の派遣の時期及び期間については甲・乙協議により定めるものとする。
3. 派遣者は別添の名簿によるものとする。
4. 乙における派遣者の業務は，乙の取扱う商品の販売及びこれに関連するものとする。
　　派遣者の業務遂行についての指示は乙から受けるものとし，その結果についての責任は乙が一切負うものとする。
5. 乙における派遣者の就業に際しては，乙の就業規則を適用することを原則とする。
　　ただし，給与，賞与等並びに年次有給休暇，特別休暇については甲の規程を適用するものとし，社会保険等についても甲において加入するものとする。
6. 派遣者に係り発生する費用については次によるものとする。
   ⑴　派遣者に係る給与，賞与等は甲が派遣者に支払うものとする。
   ⑵　乙は契約費として甲に　　　　　（月額）を支払うものとする。
   ⑶　上記　　円について，甲の給与計算期間（当月1日より当月末日まで）の途中における赴任・帰任があった場合には暦日による日割計算とする。
   ⑷　派遣者の通勤手当は甲の規程に基づき乙が支給する。
   ⑸　派遣者が乙の業務で出張した場合，それに係る費用の精算は乙の規程によるものとし，乙から派遣者に直接支払うものとする。
7. 乙は派遣者の給与及び賞与の計算のための資料として，乙における派遣者の勤務状況を前月1日より前月末日までを一期間として，毎月6日までに甲に提供するものとする。
　　資料の提供は，乙のタイムカードによって行うものとする。
8. 上記6で定めた契約費の精算は次によるものとする。
   ⑴　甲は乙に対し，毎月10日までに前月1日より前月末日までの請求書を送付する。
   ⑵　乙は毎月末までに上記⑴の甲よりの請求額を，甲の指定する方法で支払うものとする。
9. 本覚書に定めのない事項または本覚書に疑義が生じた場合には，甲・乙善意をもってその都度協議の上決定するものとする。
10. 本覚書の有効期間は，　　年　月　日より　　年　月　日までの　　か年間とする。

本覚書は2通作成し，甲・乙記名捺印の上，各1通を保有するものとする。

　　　　　年　　月　　日
　　　　　　　　　　甲

　　　　　　　　　　乙

転勤取扱規程

```
TR工業
（機械製造
・従業員　三〇〇人）
```

（目的）
第1条　この規程は、社員が就業規則第〇条にもとづき転勤を命ぜられた場合の取り扱いについて定める。

（定義）
第2条　この規程において転勤とは、住所の変更を必要とする人事異動をいう。
2　この規程において家族とは、配偶者および同居する直系尊卑族で本人の扶養を受ける者をいう。

（転勤旅費）
第3条　転勤を命ぜられた者には、その居住地から新居住地までの交通費、日当、宿泊料、荷造運送費、および赴任雑費を支給する。

（交通費）
第4条　交通費は、旅費規程に定める国内出張時の交通費に準じて支給する。

（日当、宿泊料）
第5条　日当および宿泊料は、旅行実日数および夜数にかかわらず、旅費規程付表第1の一泊二日分を支給する。

（荷造運送費）
第6条　荷造運送費は、荷造の材料費、人夫賃および運送費の実費を支給する。ただし、適量と認められない動物、植木、盆栽類、庭石、工作物等の運送費を除く。

（荷物保険料）
第7条　荷物保険料は、特別に支給せず、赴任雑費の中から支弁するものとする。

（赴任雑費）
第8条　赴任雑費は、次の各号のとおり支給する。
①　家族同行の場合……基準内給与の九〇％。ただし、最高を三〇万円、最低を二三万円とする（次号と重複支給はしない。）
②　単身赴任の場合……基準内容給与の四五％。ただし、最高を一八万円、最低を一五万円とする。

（家族旅費）
第9条　転勤に際して同行する家族に対して、本人と同一の基準による、交通費実費、日当および宿泊料を支給する。ただし、六歳未満の家族の日当および宿泊料は、所定額の五〇％とする。
2　転勤に際し、次の各号の一に該当するため家族を同行できなかった者が、当該各号の定める期間内にこれを引きまとめるときは、その家族に対し、引きまとめの際の本人の資格に応じ、前項の旅費を支給する。
①　会社都合によるとき……事由解消の日から三〇日以内
②　家族の傷病、出産、子弟の転学期等のため同行が困難と認められたとき……必要と認められた期間

（引きまとめ出張）
第10条　前条第2項の場合において、転勤者が家族居住地まで旅行するときは、出張として扱う。ただし、家族居住地滞在日数（着発の当日を含まない。）は出張として扱わない。

（転勤休暇）
第11条　転勤を命ぜられ赴任する場合には、次の各号のとおり転勤休暇を与える。
①　家族同行の場合（次号と重複付与はしない）……五日以内
②　単身赴任の場合……三日以内
2　前項の休暇は、赴任出発前または到着後二週間内に限るものとし、転勤旅行日（出張扱い）および休暇中に介在する休日を含まないものとする。

（別居手当）
第12条　第9条第2項に該当し家族と別居する者に対し、新任店所着任の日の翌日から家族引きまとめを完了する日の前日（家族を引きまとめるため家族居住地まで旅行するときはその出発の前日）まで、三〇日につき次のとおり別居手当を支給する。ただし、家族の一部を引きまとめ、これによっ

VIII 雇用管理に関する規程

て一戸を構えたと認められるときは、引きまとめを完了したものとみなす。

課長以上　　　　三五,〇〇〇円
課長代理以下　　　三〇,〇〇〇円

2　前項の支給期間に端数を生じたときは、一五日未満については定額の五〇％を、一五日以上については一〇〇％を支給する。

3　妻子と別居する単身赴任者で休日等を利用して留守宅に帰宅したときは月一回に限り、その交通費実費を支給する。
　ただし、当該月に出張用務で一回以上帰宅した場合は重複して支給はしない。

（駐在手当）
第13条　家族同行又は独身者の転勤者には、次の駐在手当を支給する。

三〇日につき　　　一〇,〇〇〇円
ただし、期間を三年間とし、四年目に二分の一、五年目からは支給しない。

2　支給要領は前条によるものとし、別居手当との併給はしない。

（住宅の貸与等）
第14条　転勤発令時単身である者および、単身で赴任する者に対しては、赴任先において寮または、これに準ずる施設を提供する。

2　転勤発令時自宅、借家等に入居し家族を同行する転勤者に対しては、赴任先において社宅を貸与する。

3　前二項による独身寮、社宅等に入居する者から別に定める基準により寮費または社宅家賃を徴する。

4　赴任先に寮、社宅等施設がない地域に転勤赴任する者が赴任先において借家等を賃借する場合は、賃借に要する礼金、敷金、保証金等は、会社がこれを負担し、別表1に定める特別住宅手当を支給する。

第15条　特別の事由により本規程等によりがたい場合は、事後に、やむを得ない場合は事前に、所属長を経て総務担当役員の承認により別の取り扱いをすることができる。

付　則

この規程は〇〇年〇月〇日から実施する。

（制定　□□年〇月〇日）
（改定　××年〇月〇日）
（改定　△△年〇月〇日）

別表　1

特 別 住 宅 手 当

資格区分＼地域別	家族同行			独身または単身		
	東京	大阪名古屋広島	その他	東京	大阪名古屋広島	その他
部・次・課長	70,000円	55,000円	40,000円	50,000円	40,000円	34,000円
課長代係長	55,000	50,000	35,000	40,000	35,000	30,000
主任・一般	50,000	45,000	32,000	36,000	32,000	28,000

配置転換取扱規程

株式会社SK堂
(薬品小売業・従業員 六〇人)

(目的)
第1条 この規程は、社員就業規則(以下「就業規則」という。)第11条により、会社が、社員に異動を命ずる場合の取り扱いについて定める。

(人事の基本)
第2条 会社の人事の基本は、少数精鋭、能力主義を基本とする。よって、社員の配置は適材適所主義を尊重する。

(配置転換)
第3条 前条の基本に従い、社員の就労の場所または従事する業務を変更することがある。これを配置転換という。

2 前項の場合、会社は関係者の意見を聞き、配置転換の判断をする。

(配置転換を行う場合)
第4条 会社が、配置転換をする場合は、つぎのとおりとする。

① 受注関係にいちじるしく変更を生じたとき

② 採用の際に示した業務になじまないとき、または不適格のとき

③ 社員の能力低下にともない不適格のとき

④ 会社内合理化にともない、変更を必要とするとき

⑤ 業務の縮少、設備の変更、その他やむをえないとき

⑥ 就業規則第15条第2項により、休職中の社員が、休職事由が消滅し原職務に復帰させることが困難であるか、または、不適当のとき

⑦ 社員が死亡、退職、解雇にともない欠員が生じたとき

⑧ その他前各号に準じ、配置転換が必要と判断したとき

(配置転換の内示)
第5条 会社は、社員を配置転換する場合は、あらかじめ所属長および本人に内示する。ただし、緊急の場合は、内示を省略し発令することがある。

2 前項の配置転換の内示を受けた社員は、正当な理由なく拒むことはできない。

(業務引継ぎ準備)
第6条 配置転換の内示を受けた社員は、業務引継ぎ準備をしなければならない。

2 緊急発令の場合は、次条の業務引継ぎをすみやかにしなければならない。

(業務引継ぎおよび報告)
第7条 配置転換の発令を受けた社員は、後任者に指定日時までに業務の引継ぎを終了しなければならない。

2 前項の配置転換の発令を受けた社員は、指定された日時までに、新たな場所または業務に就労し、前任者より引継ぎを受けなければならない。

3 前2項の引継ぎは、所属長にその旨を報告するものとする。

(その他)
第8条 配置転換にともない、新たな問題が生じた場合は、会社の判断により、対処するものとする。

(施行)
第9条 この規程は○○年○月○日より施行する。

(制定 △△年○月○日)

――参考――社員就業規則

(異動)
第11条 会社は社員に対し、業務の都合により、社員の就労の場所または従事する業務を変更することがある。

2 前項について社員は、正当な理由なく拒むことはできない。

人事考課規程

（SH光学機械・光学機械 従業員 三、〇〇〇人）

第1章 総則

（趣旨）
第1条 この規程は、従業員の勤務成績及び職務遂行能力を公正に評価することを目的として、人事考課に関する事項を定める。

（適用範囲）
第2条 この規程は、M三級以上の者、厚生関係施設勤務者、嘱託、試傭期間中の者及び臨時の者を除く全従業員に適用する。但し、所定の考課期間又は期日において就業規則第〇条に定める休職中の者及び勤務の期間が三か月に満たない者については、適用しないことができる。

（人事考課の体系、種類）
第3条 人事考課の体系及び種類は次の通りとする。

```
人事考課 ─┬─ 成績評価 ─┬─ 勤務態度評価
          │            └─ 実績評価
          └─ 能力評価 ─┬─ 実務観察による評価
                       └─ 特別認定評価
```

（考課結果の取扱い）
第4条 人事考課の結果は、原則として考課にかかわる直接の関係者以外には公開しない。

第2章 成績評価

（成績評価、実施時期）
第5条 成績評価は、勤務態度評価と実績評価とに分け、毎年二回期日を定めて、年度上期（当年四月一日から当年九月三十日まで）及び年度下期（前年十月一日から当年三月三十一日まで）における勤務態度及び実績を評価する方法によって行なう。

（勤務態度評価）
第6条 勤務態度評価は、組織の一員として勤務及び職務遂行の過程に現われた被評価者の態度を評価する。

（実績評価）
第7条 実績評価は、職務遂行の過程及び結果に現われた被評価者の仕事の成果を評価する。

（成績評価の評価者、調整者）
第8条 ① 勤務態度評価は、一次評価、二次評価及び調整の手順により行ない、評価者及び調整者は、次表の通りとする。

被評価者	一次評価者	二次評価者	調整者
一般職能・S一級・二級（除チーフ）	係又は係相当組織の所属課長	課又は課相当組織の所属部長	人事課マネジャー
S二級チーフ、S三級・四級	課又は課相当組織の所属部長	同上	人事部担当課マネジャー
S四級マネジャー、S五級、M一級・二級（除ゼネラルマネジャー）	部又は部相当組織の所属長	—	事業所人事担当課ゼネラルマネジャー

② 実績評価は、一次評価、二次調整及び二次調整の手順により行ない、評価者及び調整者は、次表の通りとする。

被評価者	一次評価者	二次評価者	一次調整者	二次調整者
一般職能・S一級・二級（除チーフ）	係又は係相当組織の所属長	課又は課相当組織の所属長	部又は部相当組織の所属長	事業所人事担当課マネジャー
S二級チーフ、S三級・四級（除マネジャー）	課又は課相当組織の所属長	同上	部又は部相当組織の所属長	人事課マネジャー
S四級マネジャー、S五級、M一級・二級（除ゼネラルマネジャー）	部又は部相当組織の所属長	—	—	人事部ゼネラルマネジャー

③ 前各項において、組織上、相当する評価者又は調整者がいない場合は、その上位組織の所属長を評価者又は調整者とする。

(成績評価の実施細目)
第9条 勤務態度評価及び実績評価の細目及び実施要領は別に定める。

(成績評価の評語決定)
第10条 ① 成績評価の評語は、勤務態度評価の評価点と実績評価の評価点とを別に定める方法により合算して算出した成績評価点の順位に応じて、資格ごとに、所定の分布を基準として決定する。

② 評語決定者は、次表の通りとする。

被評価者	評語決定者
一般職能	事業所人事担当課マネジャー
S一級・二級（除チーフ）	事業所人事担当部ゼネラルマネジャー
S二級チーフ、S三級・四級（除マネジャー）	人事部ゼネラルマネジャー
S四級マネジャー、S五級、M一級・二級（除ゼネラルマネジャー）	人事担当常務取締役

(評語区分)
第11条 成績評価の評語区分は、次の六段階とする。

S 極めて優れていた
A 優れていた
B上 やや優れていた
B 良好であった
C もう少し努力を要した
D 劣っていた

(評語分布)
第12条 ① 成績評価の評語分布は、原則として次の基準による。

S 5％
A 15％
B上 20％
B 40％
C 15％
D 5％

② 前項の定めに拘らず、J一級の者については、評語分布は、原則として次の基準による。

A 15％
B上 20％
B 60％
C 二〇％

第3章 能力評価

(能力評価)
第13条 能力評価は、実務観察による評価と特別認定評価とによって行なう。

(実務観察による評価、実施時期)
第14条 実務観察による評価（以下「実務能力評価」という）は、毎年一回期日を定めて前年二月一日から当年一月三一日までの評価期間における職務遂行の過程及び結果に現われた被評価者の職務遂行能力を評価する方法によって行なう。

(実務能力評価の評価者、調整者)
第15条 ① 実務能力評価は、一次評価、二次評価及び調整の手順により行ない、評価者及び調整者は、次表の通りとする。

被評価者	一次評価者	二次評価者	調整者
一般職能、Sー級・二級（除チーフ）	係又は係相当組織の所属長	課又は課相当組織の所属長	部又は部相当組織の所属長
S二級チーフ、S三級・四級（除マネジャー）	課又は課相当組織の所属長	―	部又は部相当組織の所属長
S四級マネジャー、S五級、M一級・二級（除ゼネラルマネジャー）	部又は部相当組織の所属長	―	―

② 前項において、組織上、相当する評価者又は調整者がいない場合は、その上位組織の所属長を評価者又は調整者とする。

③ 一次評価者と二次評価者とが同一人になる場合は、二次評価は行なわない。

(実務能力評価の実施細目)
第16条 実務能力評価の細目及び実施要領は別に定める。

(実務能力評価の評語決定)
第17条 ① 実務能力評価の評語は、第15条に定める調整者から提出された調整点に基づき、資格ごとに、全体の調整を行ない決

Ⅷ 雇用管理に関する規程

第2条 この規程の対象となる人事考課措置は、一般職能及び基幹職能の者に対する賞与、昇給及び昇格に関する評定（以下「評定」という）とする。

第3条 ① 評定について説明を求める者は、評定の通知日（賞与は賞与支払日、昇給は資格・号数等通知書の交付日、昇格は七月分賃金支払日）の翌日から原則として三労働日以内に、直属の所属長（直属の所属長が不在の場合はその上位の所属長）に、口頭にて申し出るものとする。

② 前項の申出を受けた所属長は、その日から原則として六労働日以内に、申し出た者に対し、評定についての説明をする。（二次フィードバック）

第4条 ① 前条による説明を受けた日の翌日に疑義ある場合は、その者は説明を受けた日の翌日から三労働日以内に、所定のフィードバック申請書を提出することにより、再度説明を受けることができる。

② 前項に定めるフィードバック申請書の提出先及び説明者は次の通りとする。

申請者	提出先及び説明者
一般職能の者	所属課マネジャー又は人事事務担当課マネジャー
基幹職能の者	所属課マネジャー又は所属部ゼネラルマネジャー

定する。

② 評語決定者は次表の通りとする。

被評価者	評語決定者
一般職能	事業所人事担当課マネジャー
S一級・二級（除チーフ）	事業所人事担当部ゼネラルマネジャー
S二級チーフ、S三級・四級（除マネジャー）	人事部ゼネラルマネジャー
S四級マネジャー、S五級、M一級・二級（除ゼネラルマネジャー）	人事担当常務取締役

（実務能力評価の評価区分）
第18条 実務能力評価の評価区分は、次の五段階とする。
Ⅰ 極めて優れている
Ⅱ 優れている
Ⅲ やや優れている
Ⅳ 水準である
Ⅴ やや劣る

（特別認定評価）
第19条 特別認定評価は、会社が特別に設定する客観的方法又は特別に認定する公的資格などにより被評価者の職務遂行能力を評価する。

（特別認定評価の種類）
第20条 前条に定める客観的方法及び対象とする職能資格区分は次の通りとする。
(1) 筆記試験　J三級

(2) レポート　J五級
(3) 課題論文及び補足面接　S二級

（特別認定評価の実施時期、方法）
第21条 前条に定める特別認定評価は、職能資格規程第○条第○項に定める昇格日付を基準にして、それぞれ毎年一回実施細目を明示し公募によって行なう。

（特別認定評価の実施細目）
第22条 特別認定評価の細目及び実施要領は別に定める。

（特殊職務者）
第23条 警手、自動車運転手及び医療関係業務従事者については能力評価を行なわない。

第4章 付　則

（施行期日）
第24条 この規程は○○年○月○日より実施する。

人事考課フィードバック規程

（規程事項）
第1条 この規程は、人事考課の信頼性及び能力育成機能の向上を図ることを目的とし、人事考課フィードバックの運営手続きに関する事項を定める。

（対象人事考課措置）

人事考課規程

AS電子
（電子部品製造・従業員 一八〇人）

（目 的）
第1条 この規程は、社員の能力、適性および成績の考課を統一的、定期的に継続して実施し、その評価に基づき、昇給、昇格（昇級）、配置および教育訓練の適正を図り、人事管理の合理的運営を促進し、もって社員の勤労意欲を高揚、経営能率の向上を期することを目的とする。

（対象者）
第2条 人事考課の対象者は、正規社員とする。

（考課の時期）
第3条 人事考課は毎年2回、五月と一一月に行う。

（考課の期間）
第4条 人事考課の評定期間は、五月実施は前年一一月一六日より当年五月一五日までの六か月間とし、一一月実施は五月一六日から一一月一五日までの六か月間とする。

（評定者）
第5条 人事考課の評定者は、第一次評定者

（説明の代替者）
第5条 第3条及び前条に定める説明すべき所属長が長期に亘り不在の場合は、その上位の所属長等がその説明に当たるものとする。

（不服申立）
第6条 ① 第4条による説明になお疑義の残る場合は、その者は説明を受けた日の翌日から三労働日以内に、所定のフィードバック不服申立書を所属事業所の人事担当課に提出し、不服の点につき調査を求めることができる。

② 調査者は、慎重に調査し、その結果を不服申立者に対し通知する。

③ 前項に定める調査者は次の通りとする。

不服申立者	調査者
一般職能の者	所属事業所人事担当課マネジャー
S一級、S二級の者	所属事業所人事担当部ゼネラルマネジャー
S三級、S四級、S五級の者	人事部ゼネラルマネジャー

④ 調査の結果、評定を変更すべき事由が認められた場合は、評定の変更を行なう。

付 則

（施行期日）
第7条 この規程は○○年○月○日から実施

する。（制定・△△・○・○）

人事考課フィードバック規程運用細則

1 規程第4条に定める二次フィードバックの申請を受けた場合には、その申請書の写しを直ちに所属事業所人事担当課マネジャーに届けてください。

2 二次フィードバックの説明は、特段の事情のない限り、フィードバック申請書を受け付けた日から二週間以内に行なってください。

3 前項の説明を行なった場合は、直ちに所属事業所人事担当課マネジャーに通知してください。

4 規程第6条に定める不服申立に対する調査及びその結果の通知は、特段の事情のない限り、不服申立書を受け付けた日から三週間以内に行なってください。

5 この規程は○○年○月○日から実施します。

VIII 雇用管理に関する規程

を次長（課長）とし、第二次評定者を部長とする。

2 会社の組織運営上、課長職位の該当者がない場合は、第一次考課を省略して第二次の部長評定だけとする。この場合、部長は下位の上級者（係長・主任）の意見を聴くことができる。

（評定の原則）
第6条 人事考課の評定者は、人事考課の目的および次条の原則を十分理解して、主観的判断を排除し、公正かつ客観的に評価しなければならない。

（評定者の責務）
第7条 人事考課の評定は、次の原則に従って厳正に行わなければならない。

① 評定期間以外の評定実績にとらわれないこと。
② 日常の観察および指導で得た事実を集積して的確公平に観察すること。
③ 勤務、仕事に関係ないことは見ないこと。
④ 仕事の重要性、多忙性などは考慮に入れること。
⑤ 特別な事項は特記項欄に記入すること。

（秘密の厳守）
第8条 評定者および評定に参画したものは、社員個人の評価結果およびプライバシーに関することは他に漏してはならない。

（評定事項）
第9条 評定項目は次のとおりとする。
① 勤務成績
② 勤務態度
③ 職務遂行能力

2 評定者は、第1項の各評定項目について、「人事考課表」の考課着眼点を勘案して評定尺度欄にポイントする。

3 ポイントは、次による。

A 極めて優秀である　100　95　90
B 優秀である　85　80　75
C 普通である　70　65　60
D 問題がある（やや劣る）　55　50　45
E 特に問題がある（非常に劣る）　40　35　30　25

20点以下は、特記事項欄に記入する。

（異動者の評価）
第10条 評定期間中の中途において異動配転された社員の評価は、前任評定者（第一次評定者）と打ち合わせの上、評定を行う。

（中途入社者および長欠者の評定）
第11条 評定期間中の中途入社者および長欠者は、評定期間中勤務した期間が2か月に満たない場合は、その期間の評定は行わない。

（調整会議）
第12条 第一次評定者および第二次評定者が評定した結果については、職場の均衡、他面的を考慮して調整するものとする。

2 調整会議に出席するものは、第二次評定者および役員とする。

3 調整会議の議を経て、社長が決定する。

（考課表の保存期間）
第13条 人事考課表の保存期間は、五か年間とする。

（評定者の評定心得）
第14条 評定者の評定心得は別紙のとおりとする。

附　則

（施　行）
第15条 この規程は、〇〇年〇月〇日より施行する。

別　紙

評　定　者　の　評　定　心　得

1　人事考課は、今後の賃金決定（昇給・賞与）はもとより、人事労務（職能等級・資格等の運用・異動配転・教育訓練・日常業務管理監督等）にとって、その基礎ないし直接の基準となるものとして、ますます重要な役割を果たすものといえる。

　　それだけに、その内容をできるだけ明確・適切なものとし、どんな内容で、だれがどんな役割をもって評定しているのか分からないくらい客観的事実に基づかなければならない。

2　評定者は、評定の対象となる期間（評定の都度評定表に明示する）の被評定者本人に対する日常の観察あるいは指導によって得た資料または自分で確認した事実等に基づいて評価すること。

　　今後、特に評定者は日ごろの被評定者の観察による事項・指導による具体的事実・良いと思った点・改善を要すると思った点等を収集整理し、メモしておくようにする。

3　被評定者の個人的な好悪・同情・偏見等に左右されることなく、また上長に対する思惑や同僚・部下に対する妥協による寛大化傾向を排除して、客観的な事実に基づく評価をすること。

4　評定者は、被評定者の一般的な外見・印象にとらわれずに、これを無視し個々の評定項目について、2についてのべた事柄に基づき、被評定者一人ひとりについて注意深い分析と考察をして評定し、いわゆる「カン」によって行うことは絶対に避けること。

5　被評定者の評定期間以外の時期における事実や、過去の評定成績等にとらわれ、これを考慮に入れて評定することのないようにすること。

6　評定対象期間中に、被評定者に特に優れた功績あるいは、仕事の上での大失敗があった場合、この事項は「特記事項」欄に記入すること。すなわち、人事考課の評定項目については、あくまでも被評定者の日常一般的な仕事ぶり・態度・平均的な成績によって評定し、前記のような例外的要素によって影響されないようにすること。「特記事項」欄に記入できない場合は、別紙に記入し、考課表に添付すること。

7　評定の方法は、最初の評定項目について、被評定者全員について評定し、これが終わったら、次の評定項目をそれぞれ全く別個に切り離して評価するとよい。

　　すなわち、一つの評定項目について、被評定者全員の評定を行う。一人の被評定者について評定項目の全部を評定しないようにするとよい。

8　評定の段階は、次の5段階になるように作成されている。

①　極めて優秀である	100	95	90	
②　優秀である	85	80		
③　普通である	75	70	65	60
④　やや劣る	55	50	45	
⑤　非常に悪い	40	35	30	25

　　20点以下は特記事項

勤年続齢	勤続　　年　　か月 年齢　　歳　　か月	評価者	第　1　次	第　2　次	決　　定

評　価　尺　度	評価（ポイント）			
	第 1 次	第 2 次	決　　定	
├─┼─┼─┼─┼─┼─┼─┼─┤ 100　90　80　70　60　50　40　30　20				
├─┼─┼─┼─┼─┼─┼─┼─┤ 100　90　80　70　60　50　40　30　20				
├─┼─┼─┼─┼─┼─┼─┼─┤ 100　90　80　70　60　50　40　30　20				
├─┼─┼─┼─┼─┼─┼─┼─┤ 100　90　80　70　60　50　40　30　20				
├─┼─┼─┼─┼─┼─┼─┼─┤ 100　90　80　70　60　50　40　30　20				
├─┼─┼─┼─┼─┼─┼─┼─┤ 100　90　80　70　60　50　40　30　20				
├─┼─┼─┼─┼─┼─┼─┼─┤ 100　90　80　70　60　50　40　30　20				
├─┼─┼─┼─┼─┼─┼─┼─┤ 100　90　80　70　60　50　40　30　20				
├─┼─┼─┼─┼─┼─┼─┼─┤ 100　90　80　70　60　50　40　30　20				
├─┼─┼─┼─┼─┼─┼─┼─┤ 100　90　80　70　60　50　40　30　20				
├─┼─┼─┼─┼─┼─┼─┼─┤ 100　90　80　70　60　50　40　30　20				
合　　計　　点				

※評価方法　1．考課要素の考課着眼点5つのうち、該当する内容にチェックを行う。
　　　　　　2．チェックの評価を評価尺度に転記する。転記のポイントは、次のとおりとする。
　　　　　　　ア　①極めて優秀である　　100　95　90
　　　　　　　イ　②優秀である　　　　　 85　80
　　　　　　　ウ　③普通である　　　　　 75　70　65　60
　　　　　　　エ　④やや劣る　　　　　　 55　50　45
　　　　　　　オ　⑤非常に悪い　　　　　 40　35　30　25　　20点以下は特記事項

人事考課規程

人事考課表 （評価期間 自　　　年　　月　　日　／　至　　　年　　月　　日）

所属		職位		氏名	

考課要素		一般職	管理職監督職	考課着眼点
成績考課	仕事の正確性	○		① 仕事に間違いのあったことはほとんどない ② あまり間違いのない仕事をする ③ たまに間違いはあるが普通といえる ④ 少し間違えが多過ぎる ⑤ よく間違え苦情もある
	目標達成度	○	○	① 決められた目標を大きく上回った ② 決められた目標を少し上回った ③ 決められた目標を大体達成した ④ 決められた目標を若干下回った ⑤ 決められた目標を大きく下回った
情意考課	規律性	○	○	① 決められた規律は間違いなく守る ② 決められた規律はよく守る ③ 決められた規律はまあまあ守っている ④ 決められた規律をときには守らないこともあった ⑤ 決められた規律はあまり守らない
	積極性	○	○	① 積極的に仕事をやり、よい意見や提案をよく出す ② 与えられた仕事を真面目にやり、改善向上を時々進言する ③ 真面目でまあまあ普通である ④ 若干消極的であって、命令指示がなければやらない ⑤ 非常に消極的である
	協調性	○	○	① 感情的にならず、だれとでもよく協調する ② 大体よく協調する ③ 普通である。場合によっては協調を示す ④ 言われれば協調の態度をとるが、協調心は足りない ⑤ 利己的であってあまり協調しない
	責任性	○	○	① 非常に責任感が強く、安心して仕事が任される ② 責任をもたせて仕事がやらせられる ③ 普通である ④ やや責任感にかける ⑤ 責任感がなく、すぐに責任を転嫁する
能力考課	職務知識	○	○	① 今やっている仕事について極めて精通し、他のあらゆる研究も旺盛である ② 今の仕事に必要な知識を身につけており、研究心もある ③ 一人でやれる知識を有し、通常業務に差し支えない ④ 大体知っているが、たまに聞かなければ分からない ⑤ 必要な知識が不十分で研究心もなく、必要量をこなせない
	企画・創意工夫・改善力	○	○	① 仕事上の企画・創意工夫は特に優れている ② 仕事上の企画・創意工夫はいくらかよいほうである ③ 仕事上の企画・創意工夫は普通である ④ 仕事上の企画・創意工夫はやや劣る ⑤ 仕事上の企画・創意工夫は全くダメである
	判断力	○	○	① 高度で複雑な仕事でも機敏に適切な判断を下した ② 相当複雑な仕事でも正しい判断を下した ③ 大体普通の判断を下した ④ 時には判断を誤った ⑤ 正しい判断ができなかった
	折衝力		○	① 折衝力は特に優れている ② 折衝力はいくらかよいほうである ③ 折衝力は普通である ④ 折衝力はやや劣る ⑤ 折衝力は下手である
	指導統制力		○	① 部下の能力を十分に伸ばし、部下も絶対の信頼を寄せている ② 部下の能力をある程度理解し、部下も信頼している ③ 努力は認められるが、あと一歩 ④ 自己本位であって部下の信頼がない ⑤ 指導、統制力が全くない
	連絡・報告	○		① 連絡・報告は確実に行い、特に優れている ② 連絡・報告はよいほうである ③ 連絡・報告は普通である ④ 連絡・報告はやや劣る ⑤ 連絡・報告はほとんど行わない
評価者　チェック印				第1次評価者　△印（または赤ボールペンでレ印） 第2次評価者　○印（または青ボールペンでレ印）
特記事項				

自己申告制度要綱

MD工業
- 精密機械
- 資本金 二億円
- 従業員 八〇〇人

1 総則

1・1 目的

この自己申告制度は、定期的に従業員自らに申告の機会を与え、申告内容について面談を実施することによって個有の能力を的確に評価し、その能力を職務に生かし又潜在的な能力の育成、開発を行うことによって職務の適否を検討し、計画的な適正配置を考える手がかりとすることを目的とするものである。

1・2 自己申告の意味

この自己申告は、目頃職務を遂行していく上で感じていることや、仕事について考え、将来の希望・意見などを率直に申告してもらい、それに基づいて上長と面談を行うことによって、各人の能力が充分発揮され、満足して働けるように活用していくものである。

したがって、恣意的なものであったり、分担する職務の好き嫌いの申告をするのではなく、自己を伸ばす為に積極的に申告する機会をもつ為のものである。

1・3 基本方針

1・3・1 この自己申告は毎年一回定期的に行うものである。

1・3・2 この自己申告は従業員の潜在的な能力を申告によって発見し、またはこれを育成して最大限に発揮させようとするものである。

1・3・3 申告によって明らかにされた知識・技能の価値の判断ないし有用性の判断は、各事業場長が行う。

1・3・4 各事業場長によって確認された知識・技能の活用が当該事業場の範囲内にあたるものであるときは、当該事業場労務担当部門において活用をはかるものとする。

1・3・5 その活用が当該事業場の範囲外にあたるときは、労務担当部門は人事センターへ通知し、その活用をはかるものとする。

1・3・6 この自己申告書の内容は㊙扱いとする。

1・4 責任

この自己申告制度要綱の改廃の起案は人事センターチーフが行う。

2 自己申告

2・1 自己申告の内容

当社が行う自己申告の内容はつぎの項目を原則とする。

(1) 現職における能力の発揮状況についての意見
(2) 自分の適性についての意見
(3) 将来の希望・計画などの事項
(4) 目標の設定
(5) 自己の能力開発の必要性ならびに上司から指導と援助を希望する事項
(6) 個人の生活環境等の変化

なお、自己申告は、あくまで自己の主体性を認め実施するものであるから、つぎの事項については、原則として自己申告の内容とはしない。

(1) 人間関係に関する態度・批判
(2) 私的な秘密（プライバシー）
(3) 仕事の失敗・ミスの理由

2・2 自己申告書

2・2・1 項に基づいて、A・Cグループ用、Bグループ用のそれぞれを設定する。

2・3 自己申告者

自己申告の対象者は、準社員・臨時社員及び見習社員を除く全社員とする。なお、自己申告の結果をもって本人に不

利益を及ぼすことはない)

二・四 自己申告の実施

二・四・一 実施時期
自己申告は定期的に毎年、原則として、A・Cグループは五月、Bグループは一〇月に行う。

二・四・二 自己申告の実施責任者
自己申告の実施責任者は人事センターチーフとし、各事業場長が実施責任を代行する。

二・四・三 自己申告の被申告者
主な被申告者の順位はつぎのとおりとする。

	本部長	チーフ 部長 工場長	課長・所長 チーフ・部長 工場長 リーダー	工長	班長
(Aグループ)					
一　　般			○	○	○
班　　長			○	○	
工　　長			○		
(Bグループ)					
一　　般		○	○		
リーダー		○	○		
課長・所長 チーフ・部長 工場長	○				

CグループはA・Bグループに準ずる。

二・五 自己申告書の管理
自己申告書の管理は㊙扱いとする。
最終被申告者の確認を得た自己申告書は、各事業場の労務担当部門で保管する。
各事業場の労務担当部門は、自己申告の内容中、当該事業場内で配慮できる事項については、計画表(別紙1、2)を作成し、今後の人事政策上全社的に配慮を要する事項については、総括表(別紙3、4)を作成し、人事センターチーフに提出するものとする。

3 自己申告の人事政策への反映

三・一 自己申告の活用
自己申告によって得た情報は今後の人事政策、教育計画に反映されるように配慮する。

(1)
1 自己申告に関する情報
職務遂行に関する情報
2 職務分担の合理化をはかること。
職務分担の変更の参考とすること。
3 知識・技能の教育・指導のニーズを発見し、必要な措置を講ずること。
4 職務遂行のシステムの整備・改善をはかること。

(2) 職務遂行以外に関する情報
1 人事異動可能な職場の判定データとすること。
2 個人の興味・専門知識・技能から最

も有効な配置をはかること。
3 個人の生活環境・個人的条件から職務への適応促進をはかること。
4 職場の不平不満をなくすよう配慮すること。

三・二 自己申告制度上留意すべき点
(1) 管理者の適切な指導
自己申告は定期的に実施することによって、自己の知識・技能を高め、又、潜在能力の開発・育成を行い各人へ利益をもたらすようにすることが必要である。
そのためにも被申告者は、面談をとおして各人の自己啓発を促すように適切な指導を行うとともに職場管理の改善をはかるよう努力することが必要である。

(2) 期待から生ずる不満への対処
自己申告によって、職場変更、職種変更の要望がなされた場合、申告者はそれが、ただちに実現されることを期待することになる。しかし、異動は、それぞれの職場の人員配置計画、業務の計画、個人・個人の性格・能力・適性・都合・緊急度などを全社的に考え、調整をとりながら行われなければならない。
従って、恣意的なもの、単なる好き嫌いによる申告にならないようにあらかじめ指導が必要であるとともに、異動希望の申告が必ずしも実現されるものではないことも強調しておくことが必要である。

別表　1

事業場自己申告計画書（教育）			
事業場名		事業場長　　　　印	作成者
氏　名	所　属	教　育　内　容	

別表　2

事業場自己申告計画書（異動）			
事業場名		事業場長　　　印	作成者
氏　名	現行職種	変更職種	所見（必要技能など）

別表　3

自己申告総括表（教育）						
事 業 場 名			事 業 場 長		印　作 成 者	
氏　　　　名		現 行 職 種	等級	教育要望	所見（将来の希望など）	

別表　4

自己申告総括表（異動）						
事 業 場 名			事 業 場 長		印　作 成 者	
氏　　　　名		現 行 職 種	等級	異動要望	所見（将来の希望など）	

Ⅷ　雇用管理に関する規程

(3) 自己申告を能力評価と直接結びつけないこと

自己申告はあくまで職務に対する自己啓発・能力の拡大を狙いとするので、申告者の経験した職務やその年数によって能力の評価としてはならない。能力評価はあくまで客観的に把握すべきものであるから、客観的に把握できる評価基準による評価が必要である。

(4) 自己申告と目標の設定

自己申告は個人の職務に対し前向きに、種々な面から考え、取り組んでいこうとするものであるから、個人として職務に対し目標を設定することは必要であり、又、個人として進出分野を考える意味でも必要である。

4　その他

四・一　自己申告制度の見直し

この自己申告制度の運用結果を検討し、必要な事項については、さらに改善を加えながら長期的な定着をはかるべきものとする。

付　則

この制度は○○年○月○日から実施する。

（制定・△△○・○）

報賞懲戒規程

HK興業
（サービス業・従業員　二五○人）

（適用）

この規程は、従業員の報償・懲戒について定めたものである。

第1章　報　賞

（報償事項）

第1条　従業員が個人または互に協力した行為が、次の各号の一に該当するときは、個人報賞または団体報賞を行い、事業場内の所定の場所に掲示する。

① 永年勤続し、勤務成績良好なとき
② 勤務成績、または業務能率が著しく衆に優れているとき
③ 業務上有益な発明改良・工夫考案をしたとき、または業務上不利益となる重大な事故を未然に防止したとき
④ 災害を未然に防ぎ、または非常の際功労があったとき
⑤ 国家的・社会的功績があり会社の名誉となるような行為があったとき
⑥ その他特に会社が必要と認めたとき

2　前項第1号の報賞については、別に定める「永年勤続者表彰規程」による。

（報賞の方法）

第2条　報賞は、個人報賞および団体報賞とし、前条に定める行為の程度に応じて次の各号のいずれかにより行う。

① 個人報賞

ア　表彰状授与

イ　表彰状および賞金または賞品授与

（ア）賞金は、報賞の程度に応じてその額を定め授与する。

（イ）賞品は、賞金に準ずる価格の物品を選んで授与する。

ウ　表彰状および報賞休暇

報賞休暇は、本人が希望する場合、賞金または賞品にかえて与える。日数の決定は、本人の基準日額ならびに賞金を授与するときの該当金額などを勘案して行う。

エ　表彰状および昇給

昇給は、報賞の程度に応じて行う。昇給は、賃金規程に定める本給について行う。

② 団体報賞

ア　表彰状授与

イ　表彰状および賞金または賞品授与

（ア）賞金は、報賞の程度に応じてその額を定め授与する。

報賞懲戒規程

(イ) 賞品は、賞金に準ずる価格の物品を選んで授与する。

(特別報賞)
第3条 前条に定める報賞で十分でないときは、前条の規定にかかわらず、特別に報賞することがある。

(職務発明)
第4条 従業員の職務上行った発明考案創意工夫(以下「職務発明」という。)に関する権利は、すべて会社に帰属するものとする。

2 前項の職務上行なった発明工夫とは、会社の業務範囲に属するとともに、その発明工夫をなすに至った行為が会社における従業員の現在または過去の職務に属するものをいう。

(報償金)
第5条 前条の職務発明に基づいて会社が所有権などを取得した場合は相当の対価の報償金を含む賞金を授与する。

2 前項の報償金は、その職務発明により会社が受けるべき利益の額および、その職務発明がなされるについて、会社が支出した研究費用などその貢献した程度を考慮して決める。

第2章 懲　戒

(懲戒区分)
第6条 懲戒は、次の区分により行い、事業所内の所定の場所に掲示する。

① けん責　始末書を提出させて将来を戒める。
② 減給　始末書を提出させ一回の額が平均賃金日額の二分の一以内、総額において一賃金計算月における賃金総額の一〇分の一以内で減給する。
③ 出勤停止　始末書を提出させ二〇日以内出勤を停止して欠勤扱いとし、その期間の賃金は支給しない。
④ 諭旨解雇　将来を戒めて解雇する。解雇は、願いによる解雇扱いとする。
⑤ 懲戒解雇　予告期間を設けないで即時解雇する。ただし、行政官庁の認定を得る。

(けん責)
第7条 従業員が、次の各号の一に該当したときは、けん責とする。
① 無届けまたは正当な理由のない欠勤をしたとき
② 正当な理由がなく、しばしば遅刻をしたとき
③ 許可をうけずにみだりに職場を離れたとき
④ 工場内の風紀秩序を乱したとき
⑤ 火気を粗略に取扱ったとき
⑥ 勤務怠慢素行不良または社内規則に違反したとき
⑦ その他前各号に準ずる行為のあったとき

(出勤停止)
第8条 従業員が、次の各号の一に該当したときは、出勤停止とする。ただし、情状によっては減給にとどめることがある。
① しばしば無届けまたは正当な理由のない欠勤をしたとき
② 勤務に関する手続きその他届け出を怠ったとき
③ 所定の持出証がなくて会社の物品を持出したり、持出そうとしたとき
④ 所属長の許可なしに私物を修理作製したり、または他人に頼んで修理作製させたとき
⑤ 故意または重大な過失によって建築物・機械・器具もしくは工作物に故障破損・紛失を生じさせたとき
⑥ 故意または業務上の怠慢により会社に損害を与えたとき
⑦ 業務上の怠慢または監督不行き届きによって災害・傷害その他の事故を発生させたとき
⑧ 不正の行為をして著しく従業員としての体面を汚したとき

⑨ 虚偽の言動により、会社の信用・体面を著しく失うような行為をしたとき
⑩ 本人の故意または重大な過失により道路交通法などに違反して交通事故を起し、人的または物的な損害を与えたとき
⑪ 前条各号の違反行為で、その情が重いとき
⑫ その他前条各号に準ずる違反行為の認められたとき

（懲戒解雇）
第9条　従業員が、次の各号の一に該当したときは、懲戒解雇とする。ただし、情状によっては、諭旨解雇または出勤停止にとどめることがある。
① 引続き七日以上無届け欠勤したとき
② 会社の従業員に暴行脅迫を加え、または著しくその業務を妨害したとき
③ 職務上の正当な指示命令に不当に反抗し、職場の秩序を乱したり乱そうとしたとき
④ 業務上の重大な秘密を社外にもらし、またはもらそうとしたとき
⑤ 会社の職務または地位を利用して私利を図ったり、もしくは図ろうとしたとき
⑥ 重要な経歴または氏名を偽りその他不正な方法を用いて雇入れられたとき
⑦ 会社の承認を得ないで在籍のまま他に雇入れられたとき
⑧ 国法に違反し有罪の判決をうけたとき
⑨ 前条各号の違反行為でその情が重いとき
⑩ その他前条各号に準ずる違反行為の認められたとき

2　前項各号に該当する行為があったと考えられる場合、懲戒委員会にはかって決定があるまでは就業を禁止することがある。

（損害の弁償）
第10条　従業員が、故意または重大な過失によって会社に損害を与えた場合は、この章の懲戒を適用するとともにその損害の一部または全部を弁償させることがある。

（施行）
第11条　この規程は○○年○月○日より施行する。

表彰規程

TC機械
（・機械製造
　・従業員　三〇〇人）

（目的）
第1条　この規程は、就業規則第○条による表彰に関する細部を定めてあります。

（表彰の区分）
第2条　表彰の区分は次のとおりとします。
(1) 一般表彰
(2) 業績表彰

（一般表彰）
第3条　一般表彰の種類および対象は次のとおりとします。
(1) 年間皆勤賞
　就業規則第○条に該当するものとし、年間皆勤した個人を対象とします。ただし、年間の算定は一月一日から同年一二月三一日までとし、この間の有給有暇による欠勤は出勤と見做します。
(2) 永年勤続賞
　就業規則第○条に該当するものとし、入社から起算して勤続三年、五年、七年および一〇年以上勤続した個人を対象とします。ただし、年数の算定は前年一二月三一日現在までの勤続年数について行うものとし、この間における勤務成績が一般にくらべて特に劣ると評定されたものは除外します。
(3) 善行賞
　就業規則第○条に該当するものとし個人を対象とします。

（一般表彰の方法）
第4条　一般表彰を受ける社員の審査決定は各部長の申請によるものを二月に開催する○○会議において行い、表彰は創立記念式典の席上で社長が行います。これのため各部長は該当者について申請名簿を作成し一

月末日までに表彰方を総務部長を経て社長に申請するものとします。
ただし、善行賞については、その都度前項手続きに準じて行うことができます。

2 申請名簿の様式は、別に定めます。

（業績表彰）

第5条　業績表彰は就業規則第〇条に該当するものとし、その種類は次のとおりとします。

(1) 業績優秀賞
　　期間の業績が特に優秀で他の模範となったもの。
(2) 業績努力賞
　　期間の業績向上に努力し、その成果が顕著であったもの。
(3) 業務改善賞
　　期間における業務改善の成果に顕著な向上があったもの。

2 前各号表彰の対象は個人もしくはグループとします。

（業績表彰の方法）

第6条　業績表彰は毎四半期の成績について行うものとします。これのため、各部長は期間の成績を審査し、該当者があるときは申請名簿を作成し、期明け翌月の一〇日までに表彰方を総務部長を経て社長に申請するものとします。

2 業績表彰対象者の審査決定は前項の申請によるものを申請月に開催する〇〇会議で行います。

3 業績表彰は毎年四月、七月、一〇月および一月の各二六日（当日が休日のときは繰り下げます）に前四半期のものについて社長が行います。

（業績表彰申請の基準）

第7条　業績表彰の申請にあたっては、対象者の選考条件を十分に審査し、資料を整え褒賞の目的を達成するよう特に留意しなければなりません。

（表彰）

第8条　表彰は次のとおり行います。

(1) 一般表彰
　イ　年間皆勤賞
　　　賞状および賞品
　ロ　永年勤続賞
　　　賞状および賞品
　ハ　善行賞
　　　賞状および賞金

(2) 業績表彰
　イ　業績優秀賞
　　　賞状および賞金
　ロ　休暇付与
　　　業績努力賞
　　　賞状および賞品
　ハ　業務改善賞
　　　賞状および賞金

2 特に優秀なものに対しては昇給を併用することがあります。

3 褒賞休暇は三日以内とします。

4 賞品および賞金については別に定めます。

（施行期日）

第9条　この規程は〇〇年〇月〇日から施行します。（制定・△△・〇・〇）

賞罰委員会規程

（商社　RK商事
・従業員　一、三五〇人）

第1条　（目的）
　賞罰委員会は、就業規則第〇章にもとづき、社風および士気の昂揚と社内秩序の維持をはかることを目的とする。

第2条　（種類）
　賞罰委員会の種類は次の通りとする。
　①　賞罰中央委員会
　②　賞罰地方委員会

第3条　（賞罰中央委員会）
　賞罰中央委員会は、人事部長を委員長とし、労使双方各々五名をもって構成し、賞罰地方委員会から提出された賞罰の最終決定ならびに全社的な問題について審査決定をする。

第4条　（賞罰地方委員会）

賞罰地方委員会は、各事業所における賞罰委員会であり、本社および各事業所の共通にかかわるもの以外の賞罰について、賞罰中央委員会の審査をまたず決定することができる。

第5条（賞罰地方委員会の構成）
賞罰地方委員会の委員長は事業所長とし、委員会構成は分会長を含めた労使各々三名とする。

第6条（幹事）
賞罰委員会に幹事をおく。

2 幹事は賞罰中央委員会においては、人事課長がその任に当り地方委員会においては、各事業所の総務担当責任者がその任に当たる。

3 幹事は委員会を招集するとともに、賞罰委員長の命をうけて本規程に関するすべての事務を処理し、その文書を保管するものとする。

第7条（委員会の招集）
委員会の招集は次の場合とする。
① 委員長が必要と認めたとき
② 委員のうち半数以上の委員が請求したとき
③ 就業規則第〇章に規定する表彰、懲戒規程に該当した場合

第8条（委員会の成立）
委員会は委員の三分の二以上出席があれば成立する。

ただし、正当な理由がなくて、委員が出席を拒んだときは、三分の二以上出席がなくても成立する。

第9条（議決方法）
委員会の議事は、当該出席者委員の過半数ただし、可否同数の場合は、委員長がこれを決定する。

第10条（参考人の出席）
委員会において参考人の出席が必要であると認めたときは、本人または関係者を委員会に出席させ意見を述べることがある。

第11条（報告書の提出）
賞罰地方委員長は、その議決事項を賞罰中央委員会委員長宛に報告書を提出しなければならない。

2 前項の場合、委員長の指名により構成員の任務を停止するものとする。

第12条（任務の停止）
賞罰中央委員会および賞罰地方委員会の構成員が審査事項に関係ある場合は、その任務を随時入れることができる。

第13条（議事録の作成）
委員会で決議した事項は、議事録にその要領を記載し、委員長および各委員が押印し幹事がこれを保管する。

第14条（表彰および懲戒の実施）
賞罰委員会で決定した事項に関して、決定した日付をもって表彰または懲戒を実施する。

ただし、表彰または懲戒決定者はこれを公示するものとする。

第15条（賞罰委員会の不経由）
永年勤続表彰は、幹事が発案し、賞罰委員会を経由しないで、社長の決裁によって実施する。

第16条（非公開の原則）
賞罰委員会は、原則として非公開とする。

第17条 この規程は〇〇年〇月〇日より実施する。

新型コロナウィルス等感染症対策規程

YK証券

（証券業・従業員450人）

（目的）
第1条 この規程は、新型コロナウィルス感染症等（以下、単に「感染症」という）が流行した場合の感染防止について定める。

（適用範囲）
第2条 この規程は、すべての社員に適用する。

（社員の基本的心得）

新型コロナウィルス等感染予防規程

新型コロナウィルス等感染予防規程

YS商事

（小売業・従業員230人）

（総則）
第1条　この規程は、新型コロナウィルス感染症等（以下、「感染症」という）の感染予防について定める。

（感染の防止）
第2条　社員は、家庭においても会社においても、日ごろから手洗い、マスクの着用などにより、感染の防止に努めなければならない。

第3条　社員は、日ごろから手洗い、マスクの着用等により、感染症の感染予防に努めなければならない。

（検温）
第4条　社員は、毎日出勤前に自宅において体温を測定しなければならない。

（出勤の自粛）
第5条　社員は、次の場合には、出勤を控え自宅で療養するものとする。
(1) 体温が37度5分以上あるとき
(2) 体調が良くないとき
(3) せき、吐き気、だるさ等の症状があるとき

（手の消毒）
第6条　社員は、出社したときは、所定の場所で、消毒液で手の消毒を行わなければならない。

（マスクの着用）
第7条　社員は、勤務時間中はマスクを着用するものとする。

（勤務時間中の留意事項）
第8条　社員は、勤務時間中は、次のことに留意しなければならない。
(1) 他の社員と密接しないこと
(2) 大きな声で話をしないこと
(3) 職場の換気に努めること

（飲食店の利用）
第9条　社員は、同僚や仕事の関係者と飲食店に行くときは、次のことに留意しなければならない。
(1) 大人数で行かないこと
(2) 隣の人との間に一定の間隔を空けること
(3) 大声を出さないこと
(4) できる限り早めに切り上げること

（濃厚接触者に認定された場合）
第10条　社員は、保健所から感染症の感染者の「濃厚接触者」として認定されたときは、保健所から指示された期間自宅で経過を観察し、会社に出社してはならない。
2　指示された期間が経過して出勤するときは、医療機関を受診し、「感染症陰性証明書」の交付を受け、これを会社に提出しなければならない。

（感染症に感染したとき）
第11条　社員は、感染症に感染して入院するときは、次の事項を会社に連絡しなければならない。
(1) 感染した旨
(2) 診断が行われた月日
(3) 入院先の名称、所在地
2　社員は、感染症に感染しても、症状がないか、あるいは軽度であるために、自治体が指定する宿泊施設または自宅で療養するときは、次の事項を会社に連絡しなければならない。
(1) 感染した旨
(2) 診断が行われた月日
(3) 宿泊施設で療養するときは、その名称、所在地
(4) 自宅で療養するときは、その旨
3　感染が治癒して復職するときは、医師の証明書を会社に提出しなければならない。

（付則）
この規程は、〇〇年〇月〇日から施行する。

（体温の測定）
2　感染すると、周囲に多大の迷惑を掛けることをよく認識して、慎重に行動しなければならない。

第3条　社員は、毎日出勤前に自宅において体温を測定しなければならない。

(出勤の自粛)
第4条　社員は、次の場合には、出勤を控え自宅で療養するものとする。
(1) 体温が37度5分以上あるとき
(2) 咳、のどの痛み、だるさ、息苦しさ、疲れやすさなどの症状があるとき

(手の消毒)
第5条　社員は、出社したとき、または外出先から帰社したときは、所定の場所において、消毒液で手の消毒を行わなければならない。
2　手の消毒をしない社員がいるときは、消毒をするよう声を掛けなければならない。

(マスクの着用)
第6条　社員は、勤務時間中はマスクを着用しなければならない。
2　マスクを着用していない社員がいるときは、着用するように声を掛けなければならない。

(勤務時間中の留意事項)
第7条　社員は、勤務時間中は、次のことに十分注意を払わなければならない。
(1) 他の社員と密接しないこと
(2) 大声で話をしないこと

(換気)
第8条　社員は、職場の換気に努めなければならない。
2　換気のためにドアまたは窓を開けたときは、次のことに注意をしなければならない。
(1) 不審者の出入り
(2) 書類の散逸
(3) その他

(役職者の責務)
第9条　役職者は、部下がこの規程に定めることを実行しているかをよく監督しなければならない。

(特別の予防行動)
第10条　会社は、感染防止のために必要であると認めるときは、社員に対して特別の行動を指示することがある。
2　社員は、会社から特別の指示が出されたときは、その指示に従わなければならない。

(付則)
この規程は、○○年○月○日から施行する。

新型コロナウィルス等の感染規程

KK組
(土木建設業・従業員360人)

(規程の目的)
第1条　この規程は、次に掲げる者の取り扱いについて定めるものである。
(1) 新型コロナウィルス感染症等の濃厚接触者
(2) 新型コロナウィルス感染症等に感染した者

(社員の義務)
第2条　社員は、感染を予防するために、手洗いの励行、マスクの着用、他人との空間的距離の確保などの一般的な対策を講じなければならない。

(出勤の自粛)
第3条　社員は、家族、身近な友人・知人に感染者が出たときは、出勤を自粛し、自宅で待機しなければならない。

(濃厚接触者に認定された場合)
第4条　社員は、保健所から感染症の「濃厚接触者」として認定されたときは、保健所から指示された期間自宅で経過を観察し、会社に出社してはならない。
2　指示された期間が経過して出勤するときは、医療機関を受診し、「感染症陰性証明書」の交付を受け、これを会社に提出しなければならない。

(感染症に感染したとき)
第5条　社員は、感染症に感染して入院するときは、次の事項を会社に連絡しなければならない。
(1) 感染した旨
(2) 診断を受けた月日

新型コロナウィルス等の感染規程

(3) 入院先の名称、所在地
(4) その他必要事項

2 症状がないか、あるいは軽度であるために、自治体が指定する宿泊施設または自宅で療養するときは、次の事項を会社に連絡しなければならない。
(1) 感染した旨
(2) 診断が行われた月日
(3) 宿泊施設で療養するときは、その名称、所在地
(4) 自宅で療養するときは、その旨
(5) その他必要事項

（休職扱い）
第6条 感染して30日が経過しても治癒しないときは、休職とする。

（休職期間）
第7条 休職期間は、次のとおりとする。
勤続1年未満 6か月
勤続2年未満 1年
勤続2年以上 2年

（給与の取り扱い）
第8条 休職は、無給とする。

（復職）
第9条 感染が治癒したときは復職する。
2 復職するときは、医師の証明書を会社に提出しなければならない。

（感染者の氏名の漏洩禁止）
第10条 社員は、感染者の氏名を第三者に漏洩してはならない（社会的な差別を受けたり、中傷されたりして、基本的人権が侵害される可能性があるため）

（付則）この規程は、〇〇年〇月〇日から施行する。

IX 育児休業・介護休業等に関する規程

IX 育児休業・介護休業等に関する規程

〈コメント〉

1 育児休業

育児・介護休業法は、育児休業を「一歳に満たない子を養育するためにする休業」と定義した上で、

・従業員は、その事業主に申し出ることにより、育児休業をすることができる（第5条）
・事業主は、従業員から育児休業の申し出があったときは、その申し出を阻むことができない（第6条）

と定めている。

また、育児・介護休業法は、育児休業について、

① 育児休業は、男女とも取得できる
② 休業の期間は、子が一歳に達するまでの連続した期間とする
③ 休業の回数は、子一人につき一回とする
④ 休業の申し出は、開始日の一か月前までに行わなければならない
⑤ 会社は、三歳未満の子を養育する従業員で育児休業をしない者が申し出たときは、勤務時間短縮等の措置を講じなければならない
⑥ 会社は、小学校入学前の子を養育する従業員から請求を受けたときは、時間外勤務および深夜業を制限しなければならない

などと定めている。

なお、育児休業を有給とするか無給とするかは、それぞれの会社の自由である。

2 介護休業

育児・介護休業法は、介護休業を「要介護状態（負傷、疾病又は身体上若しくは精神上の障害により、二週間以上の期間にわたり常時介護を必要とする状態）にある対象家族を介護するためにする休業」と定義した上で、

・従業員は、その事業主に申し出ることにより、介護休業をすることができる（第11条）
・事業主は、従業員から介護休業の申し出があったときは、その申し出を阻むことができない（第12条）

と定めている。

また、育児・介護休業法は、介護休業について、

① 介護休業は、男女とも取得できる
② 対象家族の範囲は、配偶者、父母、子、同居し扶養している祖父母・兄弟姉妹・孫、配偶者の父母とする
③ 休業の回数は、対象家族一人につき三回までとする。
④ 休業の期間は、対象家族一人につき、通算九三日までとする。
⑤ 休業の申し出は、開始日の二週間前までに行わなければならない
⑥ 会社は、要介護状態にある家族を介護する従業員で介護休業をしない者が申し出たときは、勤務時間短縮等の措置を講じなければならない
⑦ 会社は、要介護状態にある家族を介護する従業員から請求を受けたときは、時間外勤務および深夜業を制限しなければならない

などと定めている。

なお、介護休業を有給とするか無給とするかは、それぞれの会社の自由である。

Ⅸ 育児休業・介護休業等に関する規程

育児休業規程

（KU電気
・製造業
・従業員二、一〇〇人）

（総則）
第1条　この規程は、育児休業の取り扱いを定める。
2　育児休業に関してこの規程に定めのない事項は、育児・介護休業法の定めるところによる。

（定義）
第2条　この規程において「育児休業」とは、従業員がその一歳に満たない子を養育するためにする休業をいう。

（対象従業員の範囲）
第3条　従業員は、会社に申し出ることにより、育児休業をすることができる。ただし、労使協定で対象外とされた次の者は、この限りではない。
① 入社一年未満の者
② 申出の日から一年以内に雇用関係が終了することが見込まれている者
③ 一週間の所定労働日数が二日以下の者

（休業の期間）
第4条　育児休業の期間は、子が一歳に達するまでの連続した期間とする。
2　前項の規定にかかわらず、次のいずれかに該当する者は、休業の期間を子が二歳に達する日まで延長することができる。
① 保育所への入所を希望しているが、入所できないとき
② 子を養育している配偶者が死亡、負傷または疾病等により、子を養育することが困難になったとき

（申出の期限）
第7条　育児休業の申出は、開始日の一か月前までに行わなければならない。
2　申出の日から開始日までの期間が一か月に満たないときは、会社は、申出の日の翌日から起算して一か月を経過する日までの間において、開始日を指定することがある。
3　第1項の規定にかかわらず、次の場合には、開始日の一週間前までに申し出ることができる。
① 出産予定日前に子が出生したとき
② 配偶者が死亡したとき
③ 配偶者が負傷または疾病により子を養

（申出の手続き）
第6条　育児休業の申出は、次の事項を記載した育児休業申出書を会社に提出することによって行うものとする。
① 申出の年月日
② 従業員の氏名
③ 申出に係る子の氏名、生年月日および従業員との続柄
④ 休業の開始日および終了日
⑤ その他必要事項
2　会社は、従業員に対して、申出に係る子の出生等を証明する書類の提出を求めることがある。

（休業の回数）
第5条　育児休業の回数は、子一人につき一回とする。

IX 育児休業・介護休業等に関する規程

（休業期間の終了）
第8条 育児休業の期間は、次の場合には、従業員の意思に係らず終了する。
① 子が一歳に達したとき
② 子を養育しなくなったとき
③ 産前産後休業、介護休業または新たな育児休業が始まったとき
④ 配偶者が子と同居しなくなったとき

（申出の撤回）
第9条 従業員は、育児休業の開始の前日までであれば、その申出を撤回することができる。
2 申出を撤回した場合、その申出の対象となった子については、特別の事情がない限り再び育児休業の申出をすることができない。
3 前項において特別の事情とは、次の場合をいう。
① 配偶者の死亡
② 配偶者が負傷、疾病等により子の養育が困難な状態となったこと
③ 離婚等により配偶者が子と同居しないこととなったこと

（賃金の取り扱い）
第10条 育児休業期間中は、賃金は支給しない。ただし、賃金計算期間の途中から休業した場合、または復職した場合は、日割り計算によって支給する。

（賞与の取り扱い）
第11条 育児休業期間中は、賞与は支給しない。ただし、賞与計算期間の途中から休業した期間に相当する額を支給する。

（勤続年数の取り扱い）
第12条 退職金の算定において、勤続年数に算入しない。

（社会保険の取り扱い）
第13条 社会保険の被保険者資格は、育児休業期間中も継続する。

（勤務時間の短縮）
第14条 次に掲げる者が申し出たときは、一日の所定勤務時間を短縮する。
① 一歳未満の子を養育する従業員で、育児休業をしない者
② 一歳から三歳までの子を養育する従業員（期間を定めて雇用されている者も含む）
3 勤務時間短縮の具体的な取り扱いは、本人の希望をもとに決定する。ただし、短縮することができる勤務時間は、一日二時間以内とする。
3 短縮した勤務時間に相応する賃金は支給しない。

（時間外勤務の制限）
第15条 小学校入学前の子を養育する従業員が、その子を養育するために請求したときは、事業の正常な運営を妨げる場合を除き、一か月について二四時間、一年について一五〇時間を超えて時間外勤務は命令しない。ただし、次に掲げる者は、この限りではない。
① 採用後一年未満の者
② 配偶者が常態としてその子を養育できると認められる者
3 時間外勤務の制限期間は、一回の請求につき、一か月以上一年以内とする。
3 時間外勤務の制限に関する請求は、開始日の一か月前までに、開始日と終了日を指定して行うものとする。
4 時間外勤務を制限する請求の回数は、特に制限しない。

（深夜業の制限）
第16条 小学校入学前の子を養育する従業員が、その子を養育するために請求したときは、事業の正常な運営を妨げる場合を除き、深夜（午後一〇〜午前五時）において勤務させない。ただし、次に掲げる者は、この限りではない。
① 採用後一年未満の者
② 深夜において常態としてその子を養育できる同居の家族がいる者
2 深夜勤務の制限期間は、一回の請求につき、一か月以上六か月以内とする。
3 深夜勤務の制限に関する請求は、開始日の一か月前までに、開始日と終了日を指定して行うものとする。

育児休業規程

（RMトラベル
・旅行業
・従業員三七〇人）

（総則）

第1条　この規程は、育児休業の取り扱いを定める。

② 育児休業に関してこの規程に定めのない事項は、育児・介護休業法の定めるところによる。

（対象者の範囲）

第2条　この規程において「育児休業」とは、社員がその小学校入学前の子を養育するためにする休業をいう。

第3条　社員は、会社に申し出ることにより、育児休業をすることができる。ただし、次に掲げる者は、この限りではない。

① 期間を定めて雇用された者

② 労使協定で対象外とされた者

（休業の期間）

第4条　育児休業の期間は、子が小学校に入学するまでの期間で、本人が申し出た期間とする。

（休業の回数）

（…中略…）

4　深夜勤務を制限する請求の回数は、特に制限しない。

（子の看護休暇）

第17条　小学校入学前の子を持つ従業員は、その子を看護するための休暇（看護休暇）を取得することができる。

2　看護休暇の日数は、1年度（4月～翌年3月）につき5日（子が2人以上のときは、10日）とする。

3　看護休暇は、半日単位で取得することもできる。半日以上の休暇は2回をもって1日とする。

4　看護休暇は時間単位で取得することもできる。

5　看護休暇は、無給とする。

（付則）この規程は○○年○月○日から施行する。

育児休業に関する労使協定

（KU電気
・製造業
・従業員二一〇〇人）

KU電気株式会社とKU電気株式会社従業員代表とは、育児休業に関し、次のとおり協定する。

（育児休業の申出を阻むことができる従業員の範囲）

第1条　会社は、次の従業員から育児休業の申出があったときは、これを阻むことができるものとする。

1　入社一年未満の者

2　申出の日から一年以内に雇用関係が終了することが見込まれている者

3　一週間の所定労働日数が二日以下の者

（従業員への通知）

第2条　会社は、第1条の規定により従業員の申出を阻むときは、その旨を従業員に通知するものとする。

（有効期間）

第3条　この協定の有効期間は、○○年○月○日から○○年○月○日までとする。ただし、有効期間満了の一か月前までに会社、従業員代表のいずれからも申出がないときは、さらに一年間有効期間を延長するものとし、以降も同様とする。

○○年○月○日

KU電気株式会社
代表取締役社長○○○○印

KU電気株式会社
従業員代表○○○○印

IX 育児休業・介護休業等に関する規程

第5条 育児休業の回数は、子一人につき一回以上取得することができる。

(申出の手続き)
第6条 育児休業の申出は、次の事項を記載した育児休業申出書を会社に提出することによって行う。
① 申出の年月日
② 氏名、所属
③ 申出に係る子の氏名、生年月日および社員との続柄
④ 休業の開始日および終了日
⑤ その他必要事項

2 会社は、社員に対して、申出に係る子の出生等を証明する書類の提出を求めることがある。

(申出の期限)
第7条 育児休業の申出は、開始日の一か月前までに行わなければならない。

2 申出の日から開始日までの期間が一か月に満たないときは、会社は、申出の日の翌日から起算して一か月を経過する日までの間において、開始日を指定することがある。

3 第1項の規定にかかわらず、次の場合には、開始日の一週間前までに申し出ることができる。
① 出産予定日前に子が出生したとき
② 配偶者が死亡したとき
③ 配偶者が負傷または疾病により子を養育することが困難になったとき

④ 配偶者が子と同居しなくなったとき

(休業期間の終了)
第8条 育児休業の期間は、次の場合には、社員の意思に係らず終了する。
① 子を養育しなくなったとき
② 子が小学校に入学したとき
③ 産前産後休業、介護休業または新たな育児休業が始まったとき

(申出の撤回)
第9条 社員は、育児休業の開始の前日までであれば、その申出を撤回することができる。

2 申出を撤回した場合、その申出の対象となった子については、その後六か月間は、特別の事情がない限り再び育児休業の申出をすることができない。

3 前項において特別の事情とは、次の場合をいう。
① 配偶者の死亡
② 配偶者が負傷、疾病等により子の養育が困難な状態となったこと
③ 離婚等により配偶者が子と同居しないこととなったこと

(給与の取り扱い)
第10条 育児休業期間中は、給与は支給しない。ただし、給与計算期間の途中から休業した場合、または復職した場合は、日割計算によって支給する。

(賞与の取り扱い)
第11条 育児休業期間中は、賞与は支給しない。ただし、賞与計算期間の途中で休業した期間、または復職した場合は、勤務した期間に相当する額を支給する。

(勤続年数の取り扱い)
第12条 退職金の算定において、育児休業期間は、勤続年数に算入しない。

(社会保険の取り扱い)
第13条 社会保険の被保険者資格は、育児休業期間中も継続する。

(子の看護休暇)
第14条 小学校入学前の子を持つ従業員は、その子を看護するための休暇(看護休暇)を取得することができる。

2 看護休暇の日数は、1年度(4月〜翌年3月)につき5日(子が2人以上のときは、10日)とする。

3 看護休暇は、半日単位で取得することもできる。半日以上の休暇は2回をもって1日とする。

4 看護休暇は時間単位で取得することもできる。

5 看護休暇は、無給とする。

(付則)この規程は〇〇年〇月〇日から施行する。

育児短時間勤務規程

OW広告
（・広告業
・従業員一四〇人）

（総則）
第1条　この規程は、育児短時間勤務制度について定める。

（定義）
第2条　この規程において「育児短時間勤務制度」とは、三歳に満たない子を養育する社員について、就業規則で定める所定の勤務時間数を短縮して勤務することを認める制度をいう。

（対象者の範囲）
第3条　三歳に満たない子を養育する社員は、会社に申し出ることにより、所定勤務時間数を短縮して勤務することができる。

（勤務時間短縮の方法）
第4条　勤務時間短縮の方法は、次のいずれかとし、本人が選択するものとする。
① 一日の勤務時間数の短縮
② 一週の勤務日数の短縮
③ 一日の勤務時間数および一週の勤務日数の短縮

（短縮できる勤務時間数および勤務日数の制限）
第5条　短縮できる一日の勤務時間数は三時間以内、一週の勤務日数は二日以内とする。

（期間）
第6条　短時間勤務ができる期間は、一か月以上とし、本人が申し出た期間とする。

（回数）
第7条　短時間勤務ができる回数は、特に制限しない。

（申出の手続き）
第8条　社員は、この制度を利用することを希望するときは、次の事項を会社に申し出なければならない。
① 申出の年月日
② 氏名、所属
③ 子の氏名、生年月日、社員との続柄
④ 短時間勤務をする期間の開始日および終了日
⑤ 勤務する日の始業および終業時刻
⑥ 勤務する曜日
⑦ その他会社が指示する事項
2　会社は、社員に対して、申出に係る子の出生等を証明する書類の提出を求めることがある。

（申出の期限）
第9条　短時間勤務の申出は、開始日の二週間前までに、書面によって行わなければならない。

（短時間勤務の終了）
第10条　短時間勤務の期間は、次の場合には、社員の意思に係らず終了する。
① 子を養育しなくなったとき
② 子が三歳に達したとき
③ 産前産後休業、育児休業または介護休業が始まったとき

（申出の撤回）
第11条　社員は、短時間勤務開始の前日までであれば、その申出を撤回することができる。
2　申出を撤回した場合、その申出の対象となった子については、特別の事情がない限り再び短時間勤務の申出をすることができない。
3　前項において特別の事情とは、次の場合をいう。
① 配偶者の死亡
② 配偶者が負傷、疾病等により子の養育が困難な状態となったこと
③ 離婚等により配偶者が子と同居しないこととなったこと

（給与の取り扱い）
第12条　短時間勤務期間中は、給与は、勤務時間数に応じて支給する。

（賞与の取り扱い）
第13条　短時間勤務期間中は、賞与は、勤務時間数に応じて支給する。

（付則）この規程は、〇〇年〇月〇日から施行する。

育児従業員時間外労働免除規程

（YS銀行・金融業・従業員三五〇人）

（総則）
第1条　この規程は、育児従業員時間外労働免除制度について定める。

（定義）
第2条　この規程において「育児従業員時間外労働免除制度」とは、小学校入学前の子を養育する従業員について、一定期間、時間外労働を命令しない制度をいう。

（対象者の範囲）
第3条　小学校入学前の子を養育する従業員は、会社に対し、時間外労働の免除を申し出ることができる。

（時間外労働の制限）
第4条　会社は、従業員から請求があったときは、1か月について24時間、1年について150時間を超えて時間外労働を命令しない。ただし、事業の正常な運営を妨げる場合はこの限りでない。

（期間）
第5条　時間外労働の免除期間は、一か月以上一年以内で、本人が申し出た期間とする。

（回数）
第6条　時間外労働の免除回数は、特に制限しない。

（申出の手続き）
第7条　従業員は、この制度を利用することを希望するときは、次の事項を記載した書面を会社に提出しなければならない。
①　申出の年月日
②　氏名、所属
③　子の氏名、生年月日、従業員との続柄
④　時間外労働の免除を希望する期間の開始日および終了日

（申出の期限）
第8条　時間外労働免除の申出は、開始日の二週間前までに行わなければならない。

（申出の撤回）
第9条　従業員は、時間外労働免除期間の開始の前日までであれば、その申出を撤回することができる。
2　申出を撤回した場合、その申出の対象となった子については、特別の事情がない限りその後六か月間は、再び時間外労働免除の申出をすることができない。

（付則）この規程は、〇〇年〇月〇日から施行する。

通院休暇規程

（FFホーム・社会福祉施設・従業員二五人）

（総則）
第1条　この規程は、通院休暇の取扱いについて定める。

（定義）
第2条　この規程において「通院休暇」とは、妊娠した女性従業員が母子保健法に定める保健指導または健康診査を受けるときに付与される休暇をいう。

（日数）
第3条　通院休暇の日数は、次のとおりとする。

妊娠二三週まで　　　　　　　四週間に一回
妊娠二四週から三五週まで　　二週間に一回
妊娠三六週から出産まで　　　一週間に一回

（付与日）
第4条　通院休暇は、本人が請求した日に付与する。

（請求単位）

看護休暇規程

KU電気
（製造業・従業員二、一〇〇人）

（総則）
第1条　この規程は、看護休暇について定める。

（定義）
第2条　この規程において「看護休暇」とは、小学校入学前の子を養育する従業員に対し、子が負傷したとき、または疾病にかかったときに、その子の世話を行うために、年次有給休暇とは別に付与する休暇をいう。

（看護休暇の取得）
第3条　従業員は、看護休暇を取得することができる。ただし、労使協定により対象外とされた次の者は、この限りではない。

① 入社六か月未満の者
② 一週間の所定労働日数が二日以下の者

（付与日）
第4条　看護休暇の日数は、一年（四月一日～翌年三月三十一日）につき五日（子が二人以上のときは十日）とする。

（請求単位）
第5条　看護休暇は、本人が請求した日に付与する。

（日数）
第6条　社員は、看護休暇を一日単位のほか、半日または時間単位で請求することができる。

（有効期間）
第7条　看護休暇の有効期間は、一年とする。
2　看護休暇は、翌年に繰り越すことはできない。

（給与の取り扱い）
第8条　看護休暇は、無給とする。

（付則）この規程は、〇〇年〇月〇日から施行する。

第5条　従業員は、通院休暇を一日単位のほか、半日または時間単位で請求することができる。

（給与の取り扱い）
第6条　通院休暇は、無給とする。

（付則）この規程は、〇〇年〇月〇日から施行する。

看護休暇に関する労使協定

KU電気株式会社とKU電気株式会社従業員代表とは、看護休暇に関し、次のとおり協定する。

（看護休暇の申出を阻むことができる従業員の範囲）
第1条　会社は、次の従業員から看護休暇の申出があったときは、これを阻むことができるものとする。

① 入社六か月未満の者
② 一週間の所定労働日数が二日以下の者

（従業員への通知）
第2条　会社は、第1条の規定により従業員の申出を阻むときは、その旨を従業員に通知するものとする。

（有効期間）
第3条　この協定の有効期間は、〇〇年〇月〇日から〇〇年〇月〇日までとする。ただし、有効期間満了の一か月前までに会社、従業員代表のいずれからも申出がないときは、さらに一年間有効期間を延長するもの

IX 育児休業・介護休業等に関する規程

とし、以降も同様とする。

第4条 配偶者出産休暇の日数は、一子につき五日とする。

（付与日）
第5条 配偶者出産休暇は、本人が請求した日に付与する。

（請求単位）
第6条 従業員は、配偶者出産休暇を一日単位のほか、半日または時間単位で請求することができる。

（有効期間）
第7条 配偶者出産休暇の有効期間は、子の出生後一か月とする。

（給与の取り扱い）
第8条 配偶者出産休暇は、無給とする。

（付則）この規程は、○○年○月○日から施行する。

○○年○月○日
KU電気株式会社
代表取締役社長 ○○○○印
KU電気株式会社
従業員代表 ○○○○印

配偶者出産休暇規程

SS情報
・ソフト開発
・従業員二〇〇人

（総則）
第1条 この規程は、配偶者出産休暇について定める。

（配偶者出産休暇の付与）
第2条 会社は、男性従業員に対し、その配偶者が出産したときに、病院の入院・退院、出産の付き添い等のために、年次有給休暇とは別に特別の休暇（以下「配偶者出産休暇」という）を付与する。

（対象者の範囲）
第3条 配偶者出産休暇は、勤続一年以上の男性従業員に付与する。

（日数）

介護休業規程

KU電気
製造業
・従業員二、一〇〇人

（総則）
第1条 この規程は、介護休業の取り扱いを定める。

2 介護休業に関してこの規程に定めのない事項は、育児・介護休業法の定めるところによる。

（定義）
第2条 この規程において「介護休業」とは、従業員がその要介護状態（負傷、疾病または身体上もしくは精神上の障害により、二週間以上の期間にわたり常時介護を必要とする状態）にある対象家族を介護するためにする休業をいう。

（対象従業員の範囲）
第3条 従業員は、会社に申し出ることにより、介護休業をすることができる。ただし、労使協定で対象外とされた次の者は、この限りではない。
① 入社一年未満の者
② 申出の日から九三日以内に雇用関係が終了する者
③ 一週間の所定労働日数が二日以下の者

（対象となる家族の範囲）
第4条 対象となる家族の範囲は、次のとおりとする。
① 配偶者
② 父母
③ 子
④ 祖父母、兄弟姉妹、孫
⑤ 配偶者の父母

（休業の期間）
第5条 介護休業の期間は、対象家族一人につき、通算して九三日以内とする。

介護休業規程

（休業の回数）
第6条　介護休業の回数は、対象家族一人につき、要介護状態ごとに一回とし、三回までとする。

（申出の手続き）
第7条　介護休業の申出は、次の事項を記載した介護休業申出書を会社に提出することによって行うものとする。
① 申出の年月日
② 従業員の氏名
③ 申出に係る対象家族の氏名および従業員との続柄
④ 申出に係る対象家族が要介護状態にあること
⑤ 休業の開始日および終了日
⑥ その他必要事項
2　会社は、従業員に対して、申出に係る対象家族が要介護状態にあること等を証明する書類の提出を求めることがある。

（申出の期限）
第8条　介護休業の申出は、開始日の二週間前までに行わなければならない。
2　申出の日から開始日までの期間が二週間に満たないときは、会社は、申出の日の翌日から起算して二週間を経過する日までの間において、開始日を指定することがある。

（休業期間の終了）
第9条　介護休業の期間は、次の場合には、従業員の意思に係らず終了する。

① 要介護状態の家族を有する従業員で、介護休業をしない者（期間を定めて雇用されている者も含む）
② 本人について産前産後休業、育児休業または新たな介護休業が始まったとき

（申出の撤回）
第10条　従業員は、介護休業の開始の前日までであれば、その申出を撤回することができる。
2　申出を撤回した場合においても、その申出の対象となった家族について、再び介護休業の申出をすることができる。

（賃金の取り扱い）
第11条　介護休業期間中は、賃金は支給しない。ただし、賃金計算期間の途中から休業した場合、または復職した場合は、日割り計算によって支給する。

（賞与の取り扱い）
第12条　介護休業期間中は、賞与は支給しない。ただし、賞与計算期間の途中から休業した場合、または復職した場合は、勤務した期間に相当する額を支給する。

（勤続年数の取り扱い）
第13条　退職金の算定において、介護休業期間は、勤続年数に算入しない。

（社会保険の取り扱い）
第14条　社会保険の被保険者資格は、介護休業期間中も継続する。

（勤務時間の短縮）
第15条　次に掲げる者が申し出たときは、一日の所定勤務時間を短縮する。

① 要介護状態の家族を介護する従業員
② 介護休業をしない者
2　勤務時間短縮の具体的な取り扱いは、本人の希望をもとに決定する。
3　短縮した勤務時間に相応する賃金は支給しない。

（時間外勤務の制限）
第16条　要介護状態にある家族を介護する従業員が、その家族を介護するために請求したときは、一か月について二四時間、一年について一五〇時間を超えて時間外勤務は命令しない。ただし、採用後一年未満の者は、この限りではない。
2　時間外勤務の制限期間は、一回の請求につき、一か月以上一年以内とする。
3　時間外勤務の制限に関する請求は、開始日の一か月前までに、開始日と終了日を指定して行うものとする。
4　時間外勤務を制限する請求の回数は、特に制限しない。
5　会社は、事業の正常な運営を妨げるおそれがあると判断したときは、請求を拒否することがある。

（深夜業の制限）
第17条　要介護状態にある家族を介護する従業員が、その家族を介護するために請求したときは、深夜（午後一〇～午前五時）に

IX 育児休業・介護休業等に関する規程

おいて勤務させない。ただし、次に掲げる者は、この限りではない。

① 採用後一年未満の者

② 深夜において家族を介護できる同居の家族がいる者

2 深夜勤務の制限期間は、一回の請求につき、一ヶ月以上六ヶ月以内とする。

3 深夜勤務の制限に関する請求は、開始日の一ヶ月前までに、開始日と終了日を指定してかうものとする。

4 深夜勤務を制限する請求の回数は、特に制限しない。

5 会社は、事業の正常な運営を妨げるおそれがあると判断したときは、請求を拒否することがある。

(介護休暇)

第18条 介護を必要とする家族を持つ従業員は、その家族を介護するための休暇(介護休暇)を取得することができる。

2 介護休暇の日数は、1年度(4月~翌年3月)につき5日(対象家族が2人以上のときは、10日)とする。

3 介護休暇は、半日単位で取得することもできる。半日単位の休暇は、2回をもって1日とする。

4 介護休暇は時間単位で取得することもできる。

5 介護休暇は、無給とする。

(付則)この規程は、○○年○月○日から施行する。

介護休業に関する労使協定

KU電気株式会社とKU電気株式会社従業員代表とは、介護休業に関し、次のとおり協定する。

（介護休業の申出ができる従業員の範囲）

第1条 会社は、次の従業員から介護休業の申出があったときは、これを阻むことができるものとする。

① 入社一年未満の者

② 申出の日から九三日以内に雇用関係が終了することが見込まれている者

③ 一週間の所定労働日数が二日以下の者

（従業員への通知）

第2条 会社は、第1条の規定により従業員の申出を阻むときは、その旨を従業員に通知するものとする。

（有効期間）

第3条 この協定の有効期間は、○○年○月○日から○○年○月○日までとする。ただし、有効期間満了の一か月前までに会社、従業員代表のいずれからも申出がないときは、さらに一年間有効期間を延長するものとし、以降も同様とする。

○○年○月○日

KU電気株式会社
代表取締役社長○○○○印

KU電気株式会社
従業員代表○○○○印

（KU電気
製造業・従業員二、一〇〇人）

介護休業規程

（総則）

第1条 この規程は、介護休業の取り扱いを定める。

2 介護休業に関してこの規程に定めのない事項は、育児・介護休業法の定めるところによる。

（定義）

第2条 この規程において「介護休業」とは、次の休業をいう。

（介護休業）従業員がその要介護状態（負傷、疾病または身体上もしくは精神上の

（FDコンサルタント
サービス業・従業員二八〇人）

介護休業規程

(介護休業)
第3条 従業員は、会社に申し出ることにより、介護休業をすることができる。

(対象となる家族の範囲)
第4条 対象となる家族の範囲は、次のとおりとする。
① 配偶者
② 父母
③ 子
④ 祖父母、兄弟姉妹、孫
⑤ 配偶者の父母
⑥ その他会社が認めた者

(休業の期間)
第5条 介護休業の期間は、一回につき、六か月以内とする。

(休業の回数)
第6条 介護休業の回数は、対象家族一人につき、要介護状態ごとに一回とし、三回までとする。

(申出の手続き)
第7条 介護休業の申出は、次の事項を記載した介護休業申出書を会社に提出することによって行うものとする。
① 申出の年月日
② 従業員の氏名
③ 申出に係る対象家族の氏名および従業員との続柄
④ 申出に係る対象家族が要介護状態にあること
⑤ 休業の開始日および終了日
⑥ その他必要事項

2 会社は、従業員に対して、申出に係る対象家族が要介護状態にあること等を証明する書類の提出を求めることがある。

(申出の期限)
第8条 介護休業の申出は、開始日の二週間前までに行わなければならない。

2 申出の日から開始の日までの期間が二週間に満たないときは、会社は、申出の日の翌日から起算して二週間を経過する日までの間において、開始日を指定することがある。

(休業期間の終了)
第9条 介護休業の期間は、次の場合には、従業員の意思に係らず終了する。
① 対象家族を介護しなくなったとき
② 本人について産前産後休業、育児休業または新たな介護休業が始まったとき

(申出の撤回)
第10条 従業員は、介護休業の開始の前日までであれば、その申出を撤回することができる。

(賃金の取り扱い)
第11条 介護休業期間中は、賃金は支給しない。ただし、賃金計算期間の途中から休業した場合、または復職した場合は、勤務した期間に相当する額を支給する。

(賞与の取り扱い)
第12条 介護休業期間中は、賞与は支給しない。ただし、賞与計算期間の途中から休業した場合、または復職した場合は、日割り計算によって支給する。

(勤続年数の取り扱い)
第13条 退職金の算定において、介護休業期間は、勤続年数に算入しない。

(社会保険の取り扱い)
第14条 社会保険の被保険者資格は、介護休業期間中も継続する。

(勤務時間の短縮)
第15条 要介護状態の家族を有する従業員で、介護休業をしない者は、会社に申し出ることにより一日の所定勤務時間を短縮することができる。

2 勤務時間短縮の具体的な取り扱いは、本人の希望をもとに決定する。

3 短縮した勤務時間に相応する賃金は支給しない。

(時間外勤務の制限)
第16条 要介護状態にある家族を介護するために請求した従業員が、その家族を介護するために請求したときは、一か月について二四時間、一年について一五〇時間を超えて時間外勤務は命じない。

2 時間外勤務の制限期間は、一回の請求に

つき、一か月以上一年以内とする。

3 時間外勤務の制限に関する請求は、開始日の一か月前までに、開始日と終了日を指定して行うものとする。

4 時間外勤務を制限する請求の回数は、特に制限しない。

(深夜業の制限)

第17条 要介護状態にある家族を介護する従業員が、その家族を介護するために請求したときは、深夜(午後一〇〜午前五時)において勤務させない。ただし、次に掲げる者は、この限りではない。

① 採用後一年未満の者

② 深夜においてその家族を介護できる同居の家族がいる者

2 深夜勤務の制限期間は、一回の請求につき、一か月以上一年以内とする。

3 深夜勤務の制限に関する請求は、開始日の一か月前までに、開始日と終了日を指定して行うものとする。

4 深夜勤務を制限する請求の回数は、特に制限しない。

(介護休暇)

第18条 介護を必要とする家族を持つ従業員は、その家族を介護するための休暇(介護休暇)を取得することができる。

2 介護休暇の日数は、1年度(4月〜翌年3月)につき5日(対象家族が2人以上のときは、10日)とする。

3 介護休暇は、半日単位で取得することもできる。半日単位の休暇は、2回をもって1日とする。

4 介護休暇は時間単位で取得することもできる。

5 介護休暇は、無給とする。

(付則) この規程は〇〇年〇月〇日から施行する。

X パートタイマーに関する規程

X パートタイマーに関する規程

〈コメント〉 パートタイマーに関する規程

1 パートタイマー雇用のメリット

パートタイマーの雇用は、企業にとって、

- 業務の繁簡に柔軟に対応できる
- 単純作業や、定型的・補助的な仕事を処理できる
- 人件費を節約できる
- 比較的簡単に雇用できる

などのメリットがある。このため、パートタイマーを雇用している企業が多い。中には、従業員の大半がパートタイマーであるという企業もある。

2 雇用管理上の留意点

パートタイマーも、労働基準法上の「労働者」である。したがって、その雇用に当たっては、特に次の事項に留意することが必要である。

(1) 就業規則の適用

労働基準法は、「常時一〇人以上の労働者を使用している事業主は、就業規則を作成しなければならない」と規定している。

パートタイマーに対する就業規則の適用については、実務的に、

- 正社員の就業規則を適用する
- パートタイマー専用の就業規則を作成し、それを適用する

の二つがある。

・パートタイマーと正社員とでは、労働条件が異なる。例えば、一般的に、正社員は月給制であるが、パートタイマーは時間給制である。

このため、正社員の就業規則の適用については、相当の限界がある。

パートタイマーを雇用している企業は、パートタイマー専用の就業規則を作成するのがよい。

常時一定数のパートタイマーを雇用している企業は、パートタイマー専用の就業規則を作成するのがよい。

(2) 年次有給休暇の付与

年次有給休暇は、継続勤務六か月以上の者に付与される休暇である。勤続年数に比例して付与日数が増加する。

パートタイマーが継続して六か月以上勤務したときは、労働基準法で定められた日数の年次有給休暇を付与しなければならない。

(3) 定期健康診断の実施

パートタイマーに対して、毎年一回、健康診断を実施しなければならない。

(4) 解雇の予告

パートタイマーの雇用については、実務的に、

- あらかじめ一定の雇用期間（三か月、六か月、一年）を定めて雇用する
- 雇用期間は特に定めないで雇用する

の二つがある。

雇用期間を特に定めないで雇用した場合、企業側の事情で解雇するときは、三〇日前に予告するか、あるいは平均賃金の三〇日分の予告手当を支払わなければならない。

(5) 労働条件の明示

パートタイマーを採用したときは、本人に対し、雇用期間、就業場所、業務内容、始業・終業時刻、休憩時間、休日・休暇、賃金の決定・計算の方法など、主要な労働条件を通知しなければならない。

(6) 不合理な待遇の禁止

事業主は待遇について、職務の内容等と待遇の性質、目的に照らして、適切と認められるものを考慮し、不合理を認められる相違を設けてはならない。

(7) 無期転換

有期雇用が反復更新され通算五年を超えたときに、パートタイマーから申込みがあった場合、無期雇用契約に転換しなければならない。

X パートタイマーに関する規程等

パートタイマー就業規則

- MK電子
- 電子部品製造
- 資本金 七千万円
- 従業員 一八〇人・内パート 二五人

第1章 総則

（目的）
第1条　この就業規則（以下「規則」という。）は、MK電子株式会社（以下「会社」という。）のパートタイマーの就業に関する事項を定めたものである。

2　パートタイマーの就業に関する事項は、この規則または雇用契約書および関係諸規程のほか労働基準法その他の法令の定めるところによる。

（パートタイマーの定義）
第2条　この規則においてパートタイマーとは、第4条の手続を経て会社に採用され、特定の期間勤務し、一般社員より就業日または就業時間の短い者をいう。

（遵守義務）
第3条　会社はパートタイマーに対して、この規則による就業条件により、就業させる義務を負うものとする。

2　パートタイマーは、この規則を遵守し、所属長の指示に従い、職場秩序を維持し、互いに協力してその職責を遂行しなければならない。

第2章 人事

（採用）
第4条　会社は、パートタイマーとして就職を希望する者より履歴書の提出を求め、面接選考を行い、雇用期間を定め、第6条の労働条件を示して、パートタイマーとして採用する。

2　前項の雇用期間は、原則として、一か年以内とし、必要ある場合には更新するものとする。

3　更新が5年を超え、パートタイマーから申込があった場合は無期契約に転換する。

（提出書類）
第5条　新たに、パートタイマーとして採用された者は、会社の指定する日までにつぎの書類を提出しなければならない。
① 雇用契約書
② 誓約保証書
③ 住民票記載事項証明書
④ その他会社が必要とする書類

2　前項の提出書類の記載事項に異動があった場合には、その都度速やかに文書をもって届出なければならない。

（労働条件の明示）
第6条　会社は、パートタイマーの採用に際しては、この規則を提示し、労働条件の説明を行い、雇用契約を締結するものとする。

2　雇用契約の締結に際しては、会社は雇用するパートタイマーに、次の事項について文書を交付するものとする。
① 賃金に関する事項
② 雇用契約の期間に関する事項

Ⅹ　パートタイマー等に関する規程

③　就業の場所及び従事する業務に関する事項

④　始業及び就業の時刻、休憩時間、休日休暇並びにシフト制の場合の就業時、転換に関する事項。時間外労働の有無、休憩時間、休日休暇並びにシフト制の場合の就業時、転換に関する事項

⑤　退職に関する事項

3　前項の文書は「パートタイマー雇用契約書」より明示する。

第7条　パートタイマーの試用期間は一か月とする。
（試用期間）

2　会社は試用期間の途中または終了の際、パートタイマーとして不適当と認められる場合は解雇する。
ただし、入社後一四日過ぎた者は、第13条の手続きによる。

第8条　会社は、業務の都合により必要ある場合は、パートタイマーに対して職場または職務の変更および関連企業に出向を命ずることがある。
（異動）

2　前項の場合、パートタイマーは正当な理由なくこれを拒むことはできない。

第9条　パートタイマーは、つぎの各号の一に該当した場合は退職とする。
（退職）

①　死亡したとき
②　契約期間が満了したとき
③　退職願を出して承認されたとき

④　解雇されたとき
⑤　懲戒解雇されたとき

第10条　パートタイマーが、契約期間の途中において、前条第3号によって退職しようとする場合は、一四日前までに所属長を経て退職願を提出しなければならない。
（自己都合退職の手続き）

2　退職願を提出したパートタイマーは、一四日以内、会社の承認あるまでは、従前の職務に従事しなければならない。

第11条　会社は、パートタイマーが、つぎの各号に該当する場合は、雇用契約期間中といえども解雇する。
（解雇）

①　勤務不良で、改善の見込みがないと認められるとき
②　能率または職務遂行能力が低劣のため、就業に適さないと認められるとき
③　事業の縮小、設備変更その他業務上やむをえない事由があるとき
④　業務上の指示命令に従わないとき
⑤　雇用の継続が不都合となる事情が生じたとき
⑥　その他前各号に準ずる事由があり、パートタイマーとしての不適切と認められるとき

第12条　天災地変その他やむをえない事由のため、事業の継続が不可能となった場合は、次条の規定にかかわらず、即時解雇する。
（解雇の特例）

第13条　会社は、第11条の解雇の場合、三〇日前に予告するか、三〇日分の平均賃金の解雇予告手当を支払って即時解雇する。
（解雇予告）

2　前項の場合、会社は所轄労働基準監督署長の認定を受けて行う。

3　つぎの場合は、第1項の定めを適用しない。
①　第48条の懲戒解雇で行政官庁の認定を受けたとき
②　第7条の試用期間中の者で一四日以内の解雇のとき
③　日々雇用するとき
④　二か月以内の期間を定めて雇用するとき

第14条　会社は、解雇又は退職したパートタイマーが（以下「退職者」という）が請求した場合は、次の事項に限り証明書の交付を遅滞なく行う。
（証明書の交付）
①　使用期間
②　業務の種類
③　地位
④　賃金
⑤　退職の事由（解雇の場合にあってはその理由を含む）

2　前項の証明書は退職者が指定した事項の

み証明するものとする。

第3章 勤　務

（勤務時間）

第15条　パートタイマーの一日の勤務時間は、60分の休憩時間を含めて八時間、実働時間は七時間以内とし、始業および終業時刻は、つぎのとおりとする。

区分	始業時刻　終業時刻	休憩時刻（　時～　時）

2　必要により交替制をとることがある。この場合、始業と終業および休憩時間は、つぎのとおりとする。

区分	始業時刻　終業時刻	休憩時刻（　時～　時）
シフト		
シフト		
シフト		

3　業務の都合により前2項の勤務時間は実労働時間7時間の範囲内で、職場の全部または一部において、始業、終業および休憩時刻の変更をすることがある。

（休憩時間）

第16条　休憩時間は、業務の都合により交替または一斉休憩とし、食事は休憩時間内にとるものとする。

2　休憩時間は、自由に利用することができる。ただし、会社の秩序を乱したり、顧客の迷惑になったり、他の者の自由を妨げてはならない。

3　休憩時間中に遠方に外出する場合は、所属長に届出るものとする。

（休日）

第17条　パートタイマーの休日は、つぎのとおりとする。

① 日曜日
② 土曜日
③ 国民の祝日および国民の休日
④ 年末年始（一二月三〇日～一月四日）
⑤ その他会社がとくに必要と認めた日

（休日の振替）

第18条　会社は業務の都合上やむをえない場合には、部署または個人ごとに前条各号の休日を他の日に振り替えることがある。

2　休日を振り替える場合は、あらかじめ振り替える休日を指定する。

ただし、四週間を通じて八日を下廻わることはない。

（時間外および休日勤務）

第19条　会社は、業務の都合により必要ある場合は、第15条（勤務時間）および第17条（休日）の定めにかかわらず時間外または休日に勤務させることがある。

2　前条の勤務については、所轄労働基準監督所長に届出た、社員の過半数を代表する者との「時間外労働・休日労働に関する協定書」の範囲内とする。

3　前項の協定に際して、時間外労働の上限は次の範囲内とする。

期　間	限度時間
1週間	15時間
2週間	27時間
4週間	43時間
1か月	45時間
2か月	81時間
3か月	120時間
1年間	360時間

4　第一項の時間外および休日勤務が深夜（午後一〇時～午前五時）勤務におよぶことがある。

（年少者の時間外・休日勤務）

第20条　前条の規定は、満一八才未満の年少パートタイマーには勤務させない。

ただし、法定内時間（実働八時間以内）の時間外勤務および法定外休日（第17条③

X　パートタイマー等に関する規程

は除くものとする。

（年次有給休暇）

第21条　パートタイマーが6か月間継続勤務し、1週5日以上の勤務者で、全勤務日の8割以上の出勤者（契約更新を含む）である場合には、次表に掲げる年次有給休暇を与える。

継続勤務年数	0.5	1.5	2.5	3.5	4.5	5.5	6.5以上
付与日数	10	11	12	14	16	18	20

2　週所定労働時間が30時間未満のパートタイマーには、次の年次有給休暇を与える。

① 週所定労働日数が4日又は1年間の所定労働日数が169日から216日までの者

継続勤務年数	0.5	1.5	2.5	3.5	4.5	5.5	6.5以上
付与日数	7	8	9	10	12	13	15

② 週所定労働日数が3日又は1年間の所定労働日数が121日から168日までの者

継続勤務年数	0.5	1.5	2.5	3.5	4.5	5.5	6.5以上
付与日数	5	6	6	8	9	10	11

③ 週所定労働日数が2日又は1年間の所定労働日数が73日から120日までの者

継続勤務年数	0.5	1.5	2.5	3.5	4.5	5.5	6.5以上
付与日数	3	4	4	5	6	6	7

④ 週所定労働日数が1日又は1年間の所定労働日数が48日から72日までの者

継続勤務年数	0.5	1.5	2.5	3.5	4.5以上
付与日数	1	2	2	2	3

3　年次有給休暇を請求しようとする者は、事前に申し出なければならない。

4　年次有給休暇は、本人の請求のあった時季に与える。

5　ただし、業務の都合によりやむをえない場合は、その時季を変更することがある。年次有給休暇の期間については、通常の給与を支払う。

6　当該年度の年次有給休暇に残日数がある場合は、翌年に限り繰越すことができる。

7　年間10日以上付与される勤労者には、5日については時季を指定して付与する。ただし、本人が時季を指定して取得した日数があるときは、その日数を控除する。

（生理休暇）

第22条　女性パートタイマーで生理日の就業がいちじるしく困難な者、または生理に有害な業務に従事する者から請求があった場合には、生理休暇を与える。

2　生理休暇は無給とする。

（出産休暇）

第23条　女性パートタイマーが出産する場合、産前は請求により、産後をまたずつ

ぎの出産休暇を与える。ただし、無給とする。

① 産前　予定日から六週間（多胎の場合は一四週間）

② 産後　出産日の翌日から起算し八週間　ただし、産後六週間を経過し医師が支障ないと認めた場合には就業させる。

（育児時間）

第24条　生後一年に達しない生児を育てる女性パートタイマーが、あらかじめ申し出た場合は、所定の休憩時間の外、一日について二回それぞれ三〇分の育児時間を与える。

（育児休業等）

第25条　パートタイマーは、1歳（特別の事情がある場合は2歳）に満たない子を養育する必要があるときは、会社に申し出て育児休業をし、又は三歳に満たない子を養育するパートタイマーは育児短時間勤務制度の適用を受けることができる。

2　育児休業をし、又は育児短時間勤務制度の適用を受けることができるパートタイマーの範囲その他必要な事項については、「育児休業規程」で定める。

（介護休業等）

第26条　パートタイマーのうち必要のある者は、会社に申し出て介護休業をし、又は介護短時間勤務制度の適用を受けることができる。

2 介護休業をし、又は介護短時間勤務制度の適用を受けることができる従業員の範囲その他必要な事項については、「介護休業規程」で定める。

(母性健康管理)
第27条 妊娠中の女性パートタイマーには、次に定める妊娠週数の区分に応じた回数、保健指導又は健康審査を受けるために必要な時間を確保する。但し、医師等がこれと異なる指示をしたときは、その指示に従う。

妊娠23週まで……4週間に1回
妊娠24週から35週まで……2週間に1回
妊娠36週から出産まで……1週間に1回
産後1年以内の女性パートタイマーについては、医師等が指示するところにより、保健指導又は健康審査を受けるために必要な時間を確保する。

2 妊娠中及び出産後の女性パートタイマーから申出があった場合には、それぞれ次のような措置を講じる。

① 妊娠中
通勤緩和の申出……時差通勤、勤務時間短縮等の必要な措置
休憩に関する申出……休憩時間の延長、回数の増加等の必要な措置

② 妊娠中及び出産後
つわり、妊娠中毒、回復不全等の症状に関する申出……作業の制限、勤務時間の短縮、休憩等の必要な措置

第4章 服務心得

(服務心得)
第28条 パートタイマーは、つぎの事項を守らなければならない。

① 上長の指示に従い、勤務に精励すること
② 規律を重んじ秩序を保つこと
③ 設備の保全に留意し、諸物資の愛護と節約に努めること
④ 事業場内外の清潔整頓に努めること

(禁止事項)
第29条 パートタイマーは、つぎの各号の一に該当する行為をしてはならない。

① 会社の許可なく他に雇用されること
② みだりに他の職場に出入し、もしくは禁止された場所に立ち入ること
③ 会社の物品を無断で持ち出すこと
④ 会社内で風紀、秩序を乱す行為をすること
⑤ 勤務時間中、業務に関係のない行為をすること
⑥ 業務上の機密または業務に関係のある事項を他に洩らすこと
⑦ 職務を利用して自己の利益をはかること
⑧ 会社の許可なく会社構内または施設内において宗教活動・政治活動または業務に関係のない集会、文書掲示・配布、放送などの行為をすること
⑨ セクハラ・パワハラ・マタハラ等ハラスメントとなる言動によって他の従業員に不利益を与えたり、就業環境を乱さないこと。
⑩ 上長の許可を受けないで勝手に職場を離れること
⑪ その他前各号に準ずること

(ユニフォームの着用)
第30条 パートタイマーは、特別の場合を除き、勤務時間中は会社が貸与した所定のユニフォームを着用しなければならない。

(入退場)
第31条 パートタイマーの出勤および退出にあたっては、所定の場所より入場もしくは退場するとともに、タイムカードに打刻し、時刻を記録しなければならない。

(入退場の統制)
第32条 パートタイマーが、つぎの各号の一に該当する場合は、入場を禁止し、または退場させることがある。

① 職場内の風紀、秩序を乱すと認められる者
② 凶器その他業務に必要のない危険物を携帯する者
③ 精神病、伝染病又は就業のため病態悪化のおそれのある者
(遅刻、早退および私用外出などの手続)

第33条　パートタイマーが、遅刻、早退、私用外出等の不就労の場合は、所定の手続きにより所属長の許可を得なければならない。

ただし、やむをえない事由により許可を得られなかった場合は、事後速やかに届出なければならない。

(欠勤手続)

第34条　パートタイマーが、病気その他やむをえない事由で欠勤する場合は、その具体的事由と予定日数をあらかじめ所属長に届出て許可を受けなければならない。

ただし、事前に届出る余裕のない緊急の場合は、電話その他で連絡し、事後速やかに届出なければならない。

第5章　給　与

(給与)

第35条　パートタイマーの給与は、つぎのとおりとする。

① 基本給（時間給）
② 精皆勤手当
③ 通勤手当
④ 時間外手当（時間外、休日出勤、深夜勤務）

(基本給)

第36条　基本給は時間給とする。

2　時間給は、地域社会水準を考慮し、パートタイマーの従事する職種および本人の能力によって、つぎの各号の基準によって各人ごとに決定する。

① A級職　一時間　　　円
② B級職　一時間　　　円
③ C級職　一時間　　　円

2　パートタイマーが深夜に勤務した場合は、前各項の方程式に〇・二五を加える（一・五〇および一・六〇の計算）。

(給与の締切・支払い)

第40条　パートタイマーの給与は、前月二六日より当月二五日までの分を当月三〇日に支払う。

ただし、支払日が休日に当たる場合は前日に繰上げて支払う。

2　給与は、その全額を通貨で直接本人に支払う。

ただし、つぎの各号の一に該当する場合は、給与から控除する。

① 法令に定められているもの
② 社員の代表と書面によって協定している福利厚生費等

3　前項の定めにかかわらず、社員の代表と書面による協定にもとづき、本人の希望する金融機関に口座振込みを行う。

第6章　安全および衛生

(安全衛生)

第41条　パートタイマーは、安全衛生に関し、会社の定めた規定に従い危害の予防および保健衛生の向上に努めるとともに、会社の行う安全衛生に関する措置には進んで協力しなければならない。

(精皆勤手当)

第37条　精皆勤手当は、第40条の給与締切期間中に無欠勤、無遅刻、無早退の精励格勤者に、次の区分により支給する。有給休暇は出勤とみなす。

① 皆勤者　　　　　　　円
② 精勤者（遅刻・早退・私用外出三回以内）　　　円

(通勤手当)

第38条　通勤手当は、公共運輸機関利用の通勤定期券相当額を支給する。

(時間外手当)

第39条　パートタイマーの勤務時間が一日八時間を超え、または法定休日に勤務した場合は、その勤務時間一時間につき、つぎの計算による時間外手当を支給する。

基本給（時給）＋ $\dfrac{精皆勤手当}{1か月平均所定勤務時間}$ × 1.25

法定休日の場合は、前項の計算式の一・三五

4　基本給（時間給）は、所轄労働基準局長公示の最低賃金を下廻わらない額とする。基本給は、勤務の時間に対応して支給し、欠勤、遅刻、早退または私用外出等による不就労時間は支給しない。

（応急措置）
第42条　パートタイマーは、火災その他非常災害を発見し、または危険があると知った場合は、臨機の措置をとるとともに、直ちに関係者その他適当な者に報告し、互いに協力してその災害を最小限に止めるよう努めなければならない。

（安全衛生教育）
第43条　会社が業務に関し必要な安全および衛生のための教育訓練を行う場合は、これを受けなければならない。

第7章　災害補償

（業務上の災害補償）
第44条　パートタイマーが、業務上の負傷、障害または死亡した場合は、労働者災害補償保険法の定めるところにより、つぎの補償給付を受ける。
① 療養補償給付
② 休業補償給付
③ 障害補償給付
④ 遺族補償給付
⑤ 葬祭料
⑥ 傷病補償年金
⑦ 介護補償給付

2　前項の補償給付が行われる場合は、会社は労働基準法上の責を免かれるものとする。

3　通勤途上における災害補償は第1項に準じて、災害給付を受ける。

第8章　表彰および懲戒

（表彰）
第45条　パートタイマーが、つぎの各号の一に該当する場合は、審査または選考のうえ表彰を行う。
① 品行方正・業務優秀・職務に熱心で他の模範となるとき
② 災害を未然に防ぎ、または災害の際とくに功労のあったとき
③ 業務上有益な発明考案または献策し、いちじるしく改善の効果があったとき
④ 業務の運営に関し顕著な功績があったとき
⑤ 社会的功績があり、会社または社員の名誉となる行為のあったとき
⑥ 永年精励格勤したとき
⑦ その他特に表彰に値する行為のあったとき

（表彰の方法）
第46条　前条の表彰は賞状を授与し、その程度により、つぎの各号を併せて行うことがある。
① 賞品授与
② 賞金授与
③ 特別昇給
④ 特別有給休暇付与

（懲戒）
第47条　パートタイマーが、つぎの各号の一に該当する場合は、次条により懲戒を行う。
① 重要な経歴を詐わり雇用されたとき
② 素行不良で、会社内の風紀、秩序を乱したとき
③ 正当な理由なく、しばしば欠勤、遅刻、早退、私用外出し、勤務状態不良のとき
④ 故意に業務の能率を阻害し、または業務の遂行を妨げたとき
⑤ 許可なく会社の物品（商品）を持ち出し、または持ち出そうとしたとき
⑥ 業務上の指示、命令に従わないとき
⑦ 金銭の横領、その他刑法に触れるような行為のあったとき
⑧ 業務上不当な行為または失礼な行為をしたとき
⑨ セクハラ・パワハラまたはマタハラ等ハラスメント行為があったとき
⑩ その他前各号に準ずる程度の不都合があったとき

（懲戒の種類および程度）
第48条　懲戒は、その情状により、つぎの5区分に従って行う。
① 戒告……始末書をとり将来を戒める。
② 減給……始末書をとり、給与を減じて将来を戒める。ただし、減給一回の額は平均給与の半日分とし、減額は総額で給与総額の一〇

パートタイマー就業規則

SS機器
・機器製造
・資本金 一億円
・従業員 二五〇人 内パート 四〇人

第1章 総則

（目的）
第1条 この就業規則（以下「規則」という）は、SS機器株式会社（以下「会社」という）のパートタイマーの就業に関する事項を定めたものである。

2 パートタイマーの就業に関する事項は、この規則または雇用契約書及び関係諸規程のほか労働基準法その他の法令の定めるところによる。

（パートタイマーの定義）
第2条 この規則においてパートタイマーとは、第4条の手続きを経て会社に採用され、特定の期間勤務し、一般社員より就業日または就業時間の短い者をいう。

（遵守義務）
第3条 会社はパートタイマーに対して、この規則による就業条件により、就業させる義務を追うものとする。

2 パートタイマーは、この規則を遵守し、所属長の指示に従い、職場秩序を維持し、互いに協力してその職責を遂行しなければならない。

第2章 人事

（採用）
第4条 会社は、パートタイマーとして就職を希望する15歳（義務教育修了者で15歳に達した以後の3月31日を過ぎた者）以上の者より履歴書の提出を求め、面接選考を行い、雇用期間を定め、第6条の労働条件を示して、パートタイマーとして採用する。

2 前項の雇用期間は、原則として、1か年以内とし、必要有る場合には更新するものとする。

3 反復更新され通算5年を超えたときに、パートタイマーから申込があった場合は、無期契約に転換する。

（提出書類）
第5条 新たに、パートタイマーとして採用された者は、会社の指定する日までに次の書類を提出しなければならない。
① 住民票記載事項証明書
② その他会社が必要とする書類

2 前項の提出書類の記載事項に異動があった場合には、その都度速やかに文書をもって届出なければならない。

（労働条件の明示）
第6条 会社は、パートタイマーの採用に際しては、この規則を提示し、労働条件を明示するとともに、給与の支払い方法等の事項については文書による「労働条件通知書」を交付する。

2 前項の労働条件通知書には次の事項は必ず記載する。
① 賃金に関する事項
② 雇用契約の期間に関する事項
③ 就業の場所及び従事する業務に関する事項
④ 始業及び終業の時刻、時間外労働の有

分の一を超えない範囲内とする。

③ 出勤停止……始末書をとり、七日以内出勤停止し、その期間の給与は支給しない。

④ 諭旨解雇……解雇予告期間を設けるか、または解雇予告手当を支給して解雇する。

⑤ 懲戒解雇……解雇予告期間を設けないで即時解雇する。この場合、所轄労働基準監督署長の認定を受けた場合は、第13条の解雇予告手当を支給しない。

付 則

（施行）
第49条 この規則は〇〇年〇月〇日より施行する。

パートタイマー就業規則

無、休憩時間、休日、休暇並びに交替制の場合の就業時転換に関する事項

⑤ 退職に関する事項

⑥ その他「パートタイマー労働指針」に示されている労働条件

（試用期間）

第7条　パートタイマーの試用期間は1か月とする。

2　試用期間の途中または終了の際、パートタイマーとして不適当と認められる者は解雇する。

ただし、入社後14日過ぎた者は、第13条の手続きによる。

（異動）

第8条　会社は、業務の都合によりパートタイマーに対して職場又は職務の変更を命ずることがある。

2　会社は、業務の都合により必要有る場合は本人の了解を得て関係企業に転籍出向を命ずることがある。

3　前第1項の場合、パートタイマーは、正当な理由なくこれを拒む事はできない。

（退職）

第9条　パートタイマーは、つぎの各号の一に該当した場合は退職とする。

① 死亡したとき

② 契約期間が満了したとき

③ 退職願を出して承認されたとき（承認は14日以内）

④ 解雇されたとき

⑤ 懲戒解雇されたとき

（自己都合退職の手続き）

第10条　パートタイマーが、契約期間の途中において、前条第3号によって退職しようとする場合は、14日前迄に所属長を経て退職願を提出しなければならない。

2　退職願を提出したパートタイマーは、14日以内、会社の承認あるまでは、従前の職務に従事しなければならない。

（解雇）

第11条　会社は、パートタイマーが、次の各号に該当する場合は、雇用契約期間中といえども解雇する。

① 勤務不良で、改善の見込みがないと認められるとき

② 能率または職務遂行能力が低劣の為、就業に適さないと認められるとき

③ 事業の縮小、設備変更その他業務上止むを得ない事由があるとき

④ 業務上の指示命令に従わないとき

⑤ 雇用の継続が不都合となる事情が生じたとき

⑥ その他前各号に準ずる事由があり、パートタイマーとして不適当と認められるとき

（解雇の特例）

第12条　天災地変その他止むを得ない事由のため、事業の継続が不可能となった場合は、次条の規定に関わらず、即時解雇する。

2　前項の場合、会社は所轄労働基準監督署長の認定を受けて行う。

（解雇予告）

第13条　会社は、第11条の解雇の場合、30日前に予告するか、30日分の平均賃金の解雇予告手当を支払って即時解雇する。

2　前項の予告日数は、平均賃金を支払った日数だけ短縮することが出来る。

3　次の場合は、第1項の定めを適用しない。

① 第52条の懲戒解雇で行政官庁の認定を受けたとき

② 第7条の試用期間中の者で入社後14日以内の雇用のとき

③ 日々雇用するとき

④ 2か月以内の期間を定めて雇用するとき

（退職証明書の交付）

第14条　会社は、退職または解雇されたパートタイマー（以下「退職者」という）が退職証明書を請求した場合は、次の事項に限り証明書の交付を遅滞なく行う。

① 使用期間

② 業務の種類

③ 地位

④ 賃金

⑤ 退職の事由（解雇の場合にあってはその理由）

2　前項の請求は退職者が指定した事項のみ

X　パートタイマー等に関する規程

を証明するものとする。

3　退職者に対して、雇用保険の資格のあるパートタイマーには、会社は、速やかに離職証明書を交付する。

第3章　勤　務

（勤務時間）

第15条　パートタイマーの1日の勤務時間は、60分の休憩時間を含めて7時間以内、実働時間は6時間以内とし、始業および終業時刻は、次の通りとする。

基本的シフト

始業時刻	終業時刻	休憩時間	実働時間
9：00	16：10	12：00～13：00 15：00～15：10	6時間00分
9：00	12：00		3時間00分
13：00	17：10	15：00～15：10	4時間00分

2　前項以外による勤務時間は1日8時間・1週間40時間以内とする。

3　業務の都合により前項の勤務時間の範囲内で、職場の全部または一部において、始業、終業および休憩時間の変更をすることがある。

（休憩時間）

第16条　休憩時間は、業務の都合により交替または一斉休憩とし、食事は休憩時間内にとるものとする。

2　休憩時間の変更については、社員（パートタイマーを含む）の過半数を代表する者との労使協定を締結した場合は、その協定の定めるところによる。

3　休憩時間は、自由に利用する事が出来る。但し、会社の秩序を乱したり、顧客の迷惑になったり、他の者の自由を妨げてはならない。

4　休憩時間中に遠方に外出する場合は、所属長に届出るものとする。

（休日）

第17条　会社の休日は、次の通りとする。

(1)　土曜日

(2)　日曜日（法定休日）

(3)　年末年始　12月31日より1月3日まで

(4)　国民の祝日および国民の休日

(5)　その他会社が特に必要と認めた日

2　前項の休日は翌年の休日を前年の12月10日迄にカレンダーで明示する。

第18条　会社は業務の都合上やむを得ない場合には、部署又は個人ごとに前条各号の休日を他の日に振り替えることがある。

2　休日を振り替える場合は、あらかじめ振り替える休日を指定する。
ただし、4週間を通じて休日が8日を下回ることはない。

（時間外及び休日勤務）

第19条　会社は、業務の都合により必要ある場合は、第15条（勤務時間）および第17条（休日）の定めにかかわらず時間外または休日に勤務させることがある。

2　前項の時間外および休日勤務が深夜（午後10時～午前5時）勤務に及ぶことがある。

（時間外・休日勤務の制限）

第20条　前条の勤務について、社員の過半数（パートタイマーを含む）の代表との協定に際して時間外労働の協定は、次の範囲内とする（法定労働時間を超える部分より）。

2　休日勤務については、法定休日については月1日とする。

期間	限度時間
1週間	15時間
2週間	27時間
4週間	43時間
1か月	45時間
2か月	81時間
3か月	120時間
1年間	360時間

3　臨時的に限度時間を超えて時間外労働を行わなければならない特別の事情が予想さ

パートタイマー就業規則

れる場合には、1か月60時間まで延長することができる。

（年少者の時間外・休日勤務）

第21条　前条の規定は、満18歳未満の年少パートタイマーには適用しない。

ただし、法定内時間（実働8時間以内）の時間外勤務および法定外休日は除くものとする。

（妊産婦の時間外・休日および深夜勤務）

第22条　妊産婦のパートタイマーから、時間外、休日および深夜勤務についての不就労の申出があった場合は、これらの勤務にはつかせない。

（年次有給休暇）

第23条　パートタイマーが、6か月間継続勤務し、1週5日以上の勤務者で、全勤務日の8割以上の出勤者（契約更新を含む）である場合には、次表に掲げる年次有給休暇を与える。

継続勤務年数	付与日数
0.5	10
1.5	11
2.5	12
3.5	14
4.5	16
5.5	18
6.5以上	20

① 週所定労働日数が4日又は1年間の所定労働日数が169日から216日までの者

継続勤務年数	付与日数
0.5	7
1.5	8
2.5	9
3.5	10
4.5	12
5.5	13
6.5以上	15

② 週所定労働日数が3日又は1年間の所定労働日数が121日から168日までの者

継続勤務年数	付与日数
0.5	5
1.5	6
2.5	6
3.5	8
4.5	9
5.5	10
6.5以上	11

③ 週所定労働日数が2日又は1年間の所定労働日数が73日から120日、までの者

継続勤務年数	付与日数
0.5	3
1.5	4
2.5	4
3.5	5
4.5	6
5.5	6
6.5以上	7

④ 週所定労働日数が1日又は1年間の所定労働日数が48日から72日までの者

継続勤務年数	付与日数
0.5	1
1.5	2
2.5	2
3.5	2
4.5以上	3

2　新規採用者の年次有給休暇の請求は3か月の試用期間後とする。

3　出勤率の算定にあたり、次の各号の期間は出勤とみなして取り扱う。

① 業務上の傷病による休業期間
② 産前産後の休業期間
③ 育児休業制度に基づく休業期間
④ 会社の都合による休業期間
⑤ その他慶弔休暇および特別休暇
⑥ 年次有給休暇の期間

4　年次有給休暇は本人の請求のあった場合に与える。但し、会社は事業の正常な運営上やむをえない場合は、その時季を変更させることがある。

5　年次有給休暇を請求しようとする者は、所定の手続きにより、事前に会社に届け出るものとする。

6　当該年度の年次有給休暇の全部または一部を取得しなかった場合は、その残日数は翌年に限り繰り越すこととする。

7　年次有給休暇については、通常給与を支給する。

8　年次有給休暇は労働基準法の定めるところにより計画的に付与する事がある。

9　年間10日以上付与される勤務者には、5日については時季を指定して付与する。ただし、計画的に付与した日数または本人が時季を指定して取得した日数があるときは、その日数を控除する。

（生理による休暇）

第24条　女性パートタイマーで生理日の就業がいちじるしく困難な者、または生理に有害な業務に従事する者から請求があった場合には生理による休暇を与える。

2　生理による休暇は無給とする。

（出産休暇）

第25条　女性パートタイマーが出産する場合、産前は請求により、産後は請求を待たず次

Ⅹ　パートタイマー等に関する規程

の出産休暇を与える。ただし、無給とする。

2　手続き等必要な事項については、別に定める正規社員の「介護休業等規程」を準用する。

① 産前……予定日から遡り6週間（多胎の場合は14週間）
② 産後……出産日の翌日から起算し8週間

ただし、産後6週間を経過し医師が支障ないと認めた場合には就業させる。

（育児時間）
第26条　生後1年に達しない子を育てる女性パートタイマーが、あらかじめ申し出た場合は、所定の休憩時間のほか、1日について2回それぞれ30分の育児時間を与える。
ただし、無給とする。

（育児休業）
第27条　1週3日以上で1年以上継続勤務のパートタイマーのうち、1歳（特別の事情がある場合は2歳）未満の子の養育を必要とする者は、会社に申し出て育児休業することが出来る。また育児短時間勤務（3歳まで）、時間外労働・深夜勤務の制限（小学校就学まで）の適用を受けることができる。

2　手続等必要な事項については、別に定める正規社員の「育児休業規程」を準用する。

（介護休業）
第28条　1週3日以上で1年以上継続勤務のパートタイマーのうち、家族の介護を必要とする者は、会社に申し出て、介護休業・介護短時間勤務・深夜勤務の制限を受けることができる。

（母性健康管理）
第29条　妊娠中の女性には、次に定める妊娠週数の区分に応じた回数、保健指導又は健康審査を受けるために必要な時間を確保する。但し、医師等がこれと異なる指示をしたときは、その指示に従う。

妊娠23週まで……4週間に1回
妊娠24週から35週まで……2週間に1回
妊娠36週から出産まで……1週間に1回

2　産後1年以内の女性については、医師等が指示するところにより、保健指導又は健康審査を受けるために必要な時間を確保する。

3　妊娠中及び出産後の女性から申出があった場合には、それぞれ次のような措置を講じる。

① 妊娠中
通勤緩和の申出……時差通勤、勤務時間短縮等の必要な措置
休憩に関する申出……休憩時間の延長、回数の増加等の必要な措置

② 妊娠中及び出産後
つわり、妊娠中毒、回復不全等の症状に関する申出……作業の制限、勤務時間の短縮、休憩等の必要な措置

第4章　服務心得

（服務心得）
第30条　パートタイマーは、次の事項を守らなければならない。

① 所属長の指示に従い、勤務に精励すること
② 規律を重んじ、秩序を保つこと
③ 設備の保全に留意し、諸物資の愛護と節約に努めること
④ 事業場内外の整理整頓に努めること

（禁止事項）
第31条　パートタイマーは、次の各号の一に該当する行為をしてはならない。

① 会社の許可無く他に雇用されること
② みだりに他の職場に出入し、もしくは禁止された場所に立ち入ること
③ 会社の物品を無断で持ち出すこと
④ 会社内で風紀、秩序を乱す行為をすること
⑤ 勤務時間中、業務に関係ない行為をすること
⑥ 業務上の機密または会社の不利益となる事項を他に漏らすこと
⑦ 職務を利用して自己の利益を図ること
⑧ 会社の許可なく会社構内または施設内において、宗教活動・政治活動または業務に関係のない集会、文書掲示・配布、

⑨ 放送等の行為をすること
⑩ 職場でのセクハラ・パワハラ・マタハラ等のハラスメントによって、他の社員（パートタイマーも含む）に不快な思いをさせることや、職場の環境を悪くすること
⑪ 所属長の許可を受けないで勝手に職場を離れること
⑫ その他各号に準ずること

（ユニフォームの着用）
第32条 パートタイマーは、特別の場合を除き、原則として勤務時間中は会社が貸与した所定のユニフォームを着用しなければならない。

（入退場）
第33条 パートタイマーの出勤及び退出にあたっては、所定の場所より入場もしくは退場するとともに、タイムカードに打刻し、時刻を記録しなければならない。

（入退場の統制）
第34条 パートタイマーが、次の各号の一に該当する場合は、入場を禁止し、または退場させることがある。
① 職場内の風紀、秩序を乱すと認められる者
② 凶器その他業務に必要のない危険物を携帯する者
③ 精神病、伝染病または就業のため病態悪化の恐れのある者

（遅刻、早退および私用外出などの手続き）
第35条 パートタイマーが、遅刻、早退、私用外出等の不就労の場合は、所定の手続により所属長の許可を受けなければならない。
ただし、事前に届け出る余裕のない緊急の場合は、電話その他で連絡し事後速やかに届け出なければならない。

（欠勤手続き）
第36条 パートタイマーが、病気その他やむを得ない事由で欠勤する場合は、その具体的事由と予定日数をあらかじめ所属長を経て会社に届け出なければならない。
ただし、事前に届け出る余裕のない緊急の場合は、電話その他で連絡し、事後速やかに届け出なければならない。

第5章 給 与

（給与）
第37条 パートタイマーの給与は、次の通りとする。
① 基本給（時間給）
② 精皆勤手当
③ 通勤手当
④ 時間外手当（時間外、休日出勤、深夜勤務）

（基本給）
第38条 基本給は時間給とする。

2 時間給は、地域社会水準を考慮し、パートタイマーの従事する職種および本人の能力によって、各人ごとに決定する。

3 基本給（時間給）は、所轄労働基準局長公示の最低賃金以上の額とする。

4 基本給（時間給）は、勤務の時間に対応して支給し、欠勤、遅刻、早退または私用外出等による不就労時間は支給しない。

（精皆勤手当）
第39条 精皆勤手当は第42条の給与締切期間中の精励格勤者に、次の区分により支給する。
① 皆勤者　月額五、〇〇〇円
② 精勤者　月額二、四〇〇円

2 前項の支給額は1日の勤務時間、6時間以上の者とし、6時間未満の者は半額とする。

（通勤手当）
第40条 通勤手当は、通常の公共運輸機関利用者で週4日以上の勤務者には通勤定期券相当額を支給する。ただし、最高の限度額は三〇、〇〇〇円とする。

2 週3日以内の勤務者には実費支給とする。

（時間外手当）
第41条 パートタイマーの勤務時間が1日8時間を超え、または休日に勤務した場合は、その勤務時間1時間につき、次の計算により

る時間外手当を支給する。

① 時間外手当……基本給（時給）×1.25
② 法定休日（日曜日）……基本給（時給）×1.35

2 パートタイマーが深夜に勤務した場合は、前号 ①1.25、②1.35 に0.25を加える。

（給与の締切・支払）

第42条 パートタイマーの給与は、前月21日より当月20日迄の分を当月末に支払う。

ただし、支払日が休日にあたる場合は前日に繰り上げて支払う。

2 給与は、その全額を通貨で直接本人に支払う。

ただし、次の各号の一に該当する場合は、給与から控除する。

① 法令に定められているもの
② 社員の代表と書面によって協定している福利厚生費等

3 前項の定めにかかわらず、本人の希望する金融機関の本人名義に口座振替を行う。

（昇給）

第43条 成績良好なパートタイマーには基本給の昇給を行うことがある。

2 昇給の時期は、毎年4月分給与とする。

（慶弔見舞金）

第44条 パートタイマーの慶弔見舞金は、正規社員の慶弔見舞金規程を準用する。

第6章　安全および衛生

（安全衛生）

第45条 パートタイマーは、安全衛生に関し、会社の定めた規程に従い危険の予防および保健衛生の向上に努めるとともに、会社の行う安全衛生に関する措置には進んで協力しなければならない。

（応急措置）

第46条 パートタイマーは、火災その他非常災害を発見し、または危険があると知った場合は、臨機の措置をとるとともに、直ちに関係者その他適当な者に報告し、互いに協力してその災害を最小限に止めるよう努めなければならない。

（安全衛生教育）

第47条 会社が業務に関し必要な安全および衛生のための教育訓練を行う場合、これを受けなければならない。

第7章　災害補償

（業務上の災害補償）

第48条 パートタイマーが、業務上の負傷、障害または死亡した場合は、労働者災害補償保険法の定めるところにより、つぎの補償給付を受ける。

① 療養補償給付
② 休業補償給付
③ 障害補償給付
④ 遺族補償給付
⑤ 葬祭料
⑥ 傷病補償年金
⑦ 介護補償給付

2 前項の補償給付が行われる場合は、会社は労働基準法上の責を免れるものとする。

3 通勤途上における災害は、第1項に準じて、災害給付を受ける。

第8章　表彰および懲戒

（表彰）

第49条 パートタイマーが、次の各号の一に該当する場合は、審査または選考のうえ表彰を行う。

① 品行方正・業務優秀・職務に熱心で他の模範となるとき
② 災害を未然に防ぎ、または災害の際とくに功労のあったとき
③ 業務上有益な発明、考案または献策をし、著しく改善の効果または功績があったとき
④ 業務の運営に関し顕著な功績があったとき
⑤ 社会的功績があり、会社または社員の名誉となる行為のあったとき
⑥ 永年精励恪勤したとき
⑦ その他特に表彰に値する行為のあった

（表彰の方法）
第50条　前条の表彰は賞状を授与し、その程度により、次の各号を合わせて行うことがある。
① 賞品授与
② 賞金授与
③ 特別昇給

（懲戒）
第51条　パートタイマーが、次の各号の一に該当する場合は、次条により懲戒を行う。
① 重要な経歴を詐わり雇用されたとき
② 素行不良で、会社内の風紀、秩序を乱したとき
③ 正当な理由無く、しばしば欠勤・早退・私用外出し、勤務状態不良のとき
④ 故意に業務の能率を阻害し、または業務の遂行を妨げたとき
⑤ 許可無く会社の物品（商品）を持ち出し、または持ち出そうとしたとき
⑥ 業務上の指示、命令に従わないとき
⑦ 金銭の横領、その他刑法に触れるような行為のあったとき
⑧ 業務上不当な行為または失礼な行為をしたとき
⑨ セクハラ、パワハラ、またはマタハラ等ハラスメントと認められる行為があったとき
⑩ その他前各号に準ずる程度の不都合があったとき

（懲戒の種類および程度）
第52条　懲戒は、その情状により、次の5区分に従って行う
① 戒告……始末書をとり、将来を戒める
② 減給……始末書をとり、給与を減じて将来を戒める。
ただし、減給1回の額は平均給与の半日分とし、減額は総額で給与総額の10分の1を超えない範囲内とする。
③ 出勤停止……始末書をとり、7日以内出勤停止し、その期間の給与は支給しない。
④ 諭旨解雇……退職願を提出するよう勧告を行う。これに従わないときは、次号の懲戒解雇とする。
⑤ 懲戒解雇……解雇予告期間を設けないで即時解雇する。この場合、所轄労働基準監督署長の認定を受けた場合は、第13条の解雇予告手当を支給しない。

付　則
（施行）
第53条　この規則は〇〇年〇月〇日より施行する。

準社員就業規則

―正社員以外を準社員として処遇している例―

CIC技研
・従業員三八〇人
（・内パート四〇人）

―正社員就業規則の一部分併用の規則―

第1章　総　則

（目的）
第1条　この規則は、準社員の就業に関する事項を定めるものである。
2　この規則に定めのない事項については、労働基準法その他の定めるところによる。

（定義）
第2条　この規則において準社員とは、次の者をいう。
① 日々雇入れられる者
② 2か月以内の期間を定めて雇入れられる者
③ 1年以内の期間を定めて雇入れられる者
④ 社員就業規則第〇条に基づき嘱託として再雇用した者（1年更新最高65歳まで）
⑤ 所定労働時間が1日6時間以内または1週33時間以内の契約内容で採用された者（いわゆるパートタイマー等）

第3条　準社員は、この規則および所属長の指示命令を遵守して、誠実に職務に従事しなければならない。

第2章　人　事

（採用）
第4条　準社員の採用は、希望者のうちから所定の選考手続きを経て決定する。
2　前項により採用された者は、会社の定める様式に従い、次の各号の書類を会社に提出しなければならない。
① 履歴書
② 写真
③ 住民票記載事項証明書
④ その他人事管理上必要な書類
3　ただし、再雇用者の嘱託は、別紙（省略）の「雇用契約書」による。

（異動）
第5条　会社は、業務上必要があるときは、職場または職種を変更することがある。

（労働条件の明示）
第6条　会社は、準社員の採用に際しては、準社員就業規則を提示し、労働条件を明示するとともに、賃金の決定、計算および支払の方法ならびに賃金の締切りおよび支払の時期に関する事項等については書面により明示する。
（文書明示事項）
第7条　前条による文書事項は次のとおりとする。
① 雇用契約の期間に関する事項
② 就業の場所及び従事する業務に関する事項
③ 始業及び終業の時刻、時間外労働の有無、休憩時間、休日、休暇並びに交替制の場合の就業転換に関する事項
④ 賃金に関する事項
⑤ 退職に関する事項
2　前項の文書事項は別紙「準社員雇用契約書」のとおりとする。

第3章　退職および解雇

（退職）
第8条　準社員が次の各号の一に該当するときは、退職するものとする。
① 死亡したとき
② 契約期間が満了したときまたは期間更新をしないとき
③ 希望退職が認められたとき
2　前項第3号の場合、退職しようとする日の14日前までに退職の申し出をするものとする。
3　第1項第2号後段の場合、当該準社員が期間更新により引き続き1年を超える者で

294

(解雇)

第9条　会社は、準社員が次の各号の一に該当するときは解雇する。

① 事業縮小、閉鎖、設備の変更などにより剰員となったとき
② 勤務能力が著しく低く勤務に耐えないと認めたとき
③ 甚だしく職務が怠慢なとき
④ 業務上の指示命令に従わないとき
⑤ 第2号から第4号までの事由に準ずる事由があり、準社員として不適当と認められるとき

2　前項の解雇は、労働基準法の規定によって予告するか、または予告手当を支給して行う。ただし、第2条第1号に該当する者を雇入れ後1か月以内に解雇する場合または同条第2号に該当する者を雇入れ後2か月以内に解雇する場合はこの限りでない。

(退職証明書、離職証明書の交付)

第10条　会社は、退職または解雇された者(以下「退職者」という)が、退職に関して証明書を請求した場合は、次の事項に限り証明書の交付を遅滞なく行う。

① 使用期間
② 業務の種類
③ 地位
④ 賃金
⑤ 退職事由(解雇の場合にあっては、その理由を含む)

2　前項の証明は、退職者が指定した事項のみを証明するものとする。

3　退職者が、雇用保険の離職証明書を請求した場合は、会社は速やかに雇用保険の離職証明書を交付する。

(退職後の遵守義務)

第11条　準社員は退職または解雇された後も、在職中に生じた損害および守秘義務は免れないものとする。

第4章　勤　務

(労働時間および休憩時間)

第12条　就業時間は、休憩時間を除き1週40時間、1日8時間以内とし、労働契約を締結する際に各個別に定める。

(始業・終業・休憩)

第13条　始業、終業の時刻および休憩時間は、原則として次のとおりとする。

始業　8時30分
終業　5時30分
休憩　12時～1時

2　前項の時刻は業務の都合により繰上げまたは繰下げることがある。この場合において1日の終業時間は第12条の所定労働時間を超えることはない。

(休日)

第14条　準社員の休日は、次のとおりとする。

① 日曜日
② 土曜日
③ 国民の祝日
④ 年末年始(12月31日から1月2日)
⑤ 前第3号の休日が日曜日にあたるときは、その翌日を休日とする。
⑥ 前各号の定めるもののほか、労働契約締結時において休日とした日

2　前項の定めにかかわらず、会社は業務の都合により、休日をあらかじめ他の日に振替えることがある。

(時間外・休日労働)

第15条　業務の都合により第12条の所定労働時間を超えまたは前条の所定休日に労働させることがある。

この場合は、「三六協定」の限度内とする。

2　小学校就学前の子の養育・家族の介護を行う準社員が申し出た場合は、法定労働時

	始業	終業	休　憩
トタイマー			
A勤務	9時	14時	正午から13時まで
B勤務	10時	15時	13時から13時30分まで
C勤務	13時	18時	15時から15時30分まで

4　前項に掲げる勤務のうち、いずれの勤務に従事するかは、労働契約の締結の際に明示する。

あるときは、会社は30日前に更新しない旨の予告を行う。

X　パートタイマー等に関する規程

3　妊娠中の女性及び産後1か年を経過しない女性が申し出た場合は、法定労働時間を超える時間外労働及び休日労働並びに深夜勤務はさせない。

（育児・介護休業規程の適用）
第16条　前条第2項の手続きに必要な事項は別に定める「育児・介護休業規程」による。

（年次有給休暇）
第17条　準社員・パートタイマーが契約更新により、6か月間継続勤務し、1週5日以上勤務者（年間217日以上の所定勤務者）で、全勤務日の8割以上の出勤者には、会社は継続または分割した10勤務日の年次有給休暇を与える。

2　前項の年次有給休暇付与日数の算定にあたって、第2条第4号の嘱託については、社員としての継続勤務年数を通算する。

3　1.5年以上継続勤務した者には、1年を超えるごとに1勤務日または2勤務日を加算した年次有給休暇を与える。

ただし総日数は20日を限度とする。

4　第1項の出勤率の算定にあたり、次の各号の期間は出勤とみなして取り扱う。
①　業務上の傷病による休暇期間
②　産前産後の休業期間
③　育児休業および介護休業制度に基づく休業期間

④　会社の都合による休業期間
⑤　その他慶弔休暇および特別休暇
⑥　年次有給休暇の期間

勤続年数	付与日数
0.5	10
1.5	11
2.5	12
3.5	14
4.5	16
5.5	18
6.5以上	20

5　年次有給休暇を請求しようとする者は、事前に申し出なければならない。

6　年次有給休暇は、本人の請求のあった時季に与える。

ただし、業務の都合によりやむを得ない場合は、その時季を変更することがある。

7　年次有給休暇の期間については、通常の給与を支払う。

8　当該年度の年次有給休暇に残日数がある場合は、翌年に限り繰り越すこととする。

9　1週4日以下（1年を通じて三六日以下）の第2条5号の者（いわゆるパートタイマー等）は第1項および第3項を比例付与で別表のとおり年次有給休暇を与える。

10　年間10日以上年次有給休暇を付与された準社員には、5日については時季を指定して付与する。ただし、本人が時季を指定して取得した日数があるときは、その日数を控除する。

（休暇等）
第18条　次の各号の一に該当するときは、請求により休暇を与える。
①　労働基準法第65条に基づく産前、産後の休暇

別表　週の所定労働日数の少ない者に対して比例付与される年次有給休暇の日数

週所定労働日数	1年間の所定労働日数	勤続年数						
		6か月	1年6か月	2年6か月	3年6か月	4年6か月	5年6か月	6年6か月以上
4日	169～216日	7日	8日	9日	10日	12日	13日	15日
3日	121～168日	5日	6日	6日	8日	9日	10日	11日
2日	73～120日	3日	4日	4日	5日	6日	6日	7日
1日	48～72日	1日	2日	2日	2日	3日	3日	3日

（注）：第17条第9項該当者

② 生理日の就業が著しく困難な女子または生理に有害な業務に従事する女子が請求した生理休暇は、無給とする。

2 前項の休暇は、無給とする。

(出退勤手続)

第19条 準社員は、始業および終業の時刻を厳守し、出退勤は所定の場合において、出退勤時刻を所定の方法により記録しなければならない。

(遅刻または早退)

第20条 やむを得ない事由により遅刻または早退をしようとするときは、所属長に届出して承認を受けなければならない。

(欠勤)

第21条 病気その他やむを得ない事由により欠勤しようとするときは、所属長に届出なければならない。

第5章 賃 金

(賃金の構成)

第22条 賃金は、基本給、通勤手当、時間外労働割増賃金、休日労働割増賃金および深夜労働割増賃金とする。

(基本給)

第23条 基本給は、時間給、日給または月給とする。

(通勤手当)

第24条 通勤に要する実費のうち、月額○○円を限度として支給する。

(割増賃金等)

第25条 第12条の所定労働時間を超え、労働させた場合には次により通常の賃金および時間外割増賃金を支給する。

① 所定労働時間を超え8時間以内の労働に対しては、その時間に対応する通常の賃金

② 8時間を越える労働時間については、通常の賃金の2割5分増の割増賃金

第26条 第17条の年次有給休暇の賃金は、所定労働時間労働した場合に支払われる通常の賃金を支給する。

2 第14条の所定休日に労働させた場合には、通常労働日の3割5分増の割増賃金を支給する。ただし、同条第5号の休日に対しては通常の労働日の賃金を支給する。

(賃金の計算)

第27条 賃金は、毎月20日に締切り、末日に支払う。

ただし、支払日が休日にあたるときはその前日に支払う。

2 欠勤、遅刻及び早退の時間については、基本給の1時間あたり賃金額に欠勤、遅刻および早退の合計時間数を乗じた額を差引くものとする。

3 前項の時間数については、合計時間のうち30分未満の端数は切り捨てる。

(賃金の計算期間および支払日)

(賃金の控除)

第28条 賃金の支払いに際しては、所得税、社会保険料など法令に定められたものを控除する。

2 社員の過半数を代表する者との書面協定による控除対象としたものも控除する。

(昇給)

第29条 昇給は、最低賃金の改定その他必要に応じ、基本給を改定することによって行う。

(退職金)

第30条 準社員に対しては、退職金は支給しない。

第6章 その他

(社員就業規則の適用)

第31条 社員就業規則、7―育児・介護休業等、8―安全衛生、9―災害補償および10―表彰および制裁の規定は、準社員についても適用する。

Ⅹ　パートタイマー等に関する規程

再雇用規程

（TIデパート
・小売業
・従業員　三、五〇〇人）

（目的）
第1条　この規程は、自己都合により退職した社員が再就職を希望し、これを受け入れる場合の取扱いを定める。

（定義）
第2条　この規程にいう再雇用とは、自己の都合により退職した社員が再就職する場合をいう。

（手続）
第3条　再就職を希望する社員は採用担当に申し出る。
なお、会社は再就職の希望があったときは、すみやかに組合に書面をもって通知すると同時に協議する。

（提出書類）
第4条　再就職希望者は、次の書類を提出する。
① 履歴書
② 写真
③ 健康診断書
④ その他必要と認めた書類（前歴証明書

（試験）
第5条　希望者の選考は、クレペリン検査、適性検査、面接、健康診断をもって行う。

（経験年数の換算）
第6条　再雇用者の経験年数換算の基準は、会社・組合協議の上決定する。

（格付）
第7条　再雇用された社員は、前歴・能力を勘案の上、ランクを決定し各職能等級に格付けする。この場合、会社・組合協議の上決定する。
なお、翌年の格付にあたっては、再雇用時の格付にとらわれずに実施する。

付　則

本規則は、○○年○月○日より施行する。
□□年○月○日制定
××年○月○日改訂
△×年○月○日改訂
△△年○月○日改訂

再雇用規程

（MB出版
・出版業
・資本金　五千万円
・従業員　一四〇人）

（目的）
第1条　この規程は、出産または育児・介護の事由により退職する社員の在籍中に蓄積した知識および経験を有効に活用するため、他に優先して再雇用の機会を提供することを目的とする。

（適用）
第2条　この規程は、出産または育児・介護の事由により退職する社員で本人が再雇用を希望し、退職時に会社より優先雇用有資格者として認定を受けた者に適用する。

（資格）
第3条　会社は次の各号の要件のすべてを満たす者を優先雇用有資格者として認定する。
(1) 出産または育児・介護の事由により就労が不可能なため退職する者
(2) 退職時の年齢が満三〇歳以下の者
(3) 退職時の勤続が満三年以上の者
(4) 退職前一年間の評価が標準以上である者

（認定証の交付）
第4条　前条により優先雇用有資格者として認定された者に対し、退職時に認定証の交付を行なう。

（再雇用対象者の要件）
第5条　優先雇用有資格者のうち次の各号のすべてを満たすと会社が認めた者を再雇用対象者とする。
(1) 退職後の離職期間が満一〇年以内の者

定時社員協定

株式会社SM堂（以下「会社」と称する。）と全SM堂労働組合（以下「組合」と称する。）は、会社の必要とする職種ならびに本人の希望・適性および能力を総合的に勘案のうえ採用を決定する。

（SM堂・小売業　従業員二、一〇〇人）

第1章 総則

第1条（目的）
本協定は定時社員の労働条件及び取扱いに関する事項を定める。

第2条（適用範囲）
本協定は別に会社が定めた定時社員就業規則により雇用された定時社員に適用する。

第3条（脱退除名及び不加入者の解雇）
会社は組合を脱退、若しくは除名された者、又は労働協約第〇条により組合員とるべき定時社員が組合に加入しない場合は解雇する。
但し、個々の解雇に際しては、組合と会社はそのつど協議する。

第2章 人事

第4条（登用）
定時社員登用試験に合格し、所定の手続きを経たものを定時社員に登用する。

2　会社は定時社員に登用されたものについてすみやかに氏名・所属を組合に通知する。

第5条（組合員教育）
組合は定時社員登用時に、就業時間内において二時間の組合員教育を行なう。その際、組合はあらかじめ日時・場所・参加者名を会社に通知するものとする。

第6条（異動）
会社は人事異動を行なうに当たっては、慎重、公正かつ個人の事情を尊重して行なう。

2　店間異動については、事後すみやかに氏名、新旧の所属先、移動年月日を組合に通知する。

第7条（契約更改）
契約更改は一年ごとに行なう。

2　定時社員としての雇用は満六五歳までとする。

第3章 労働条件

第8条（勤務日）
勤務日は一週間に五日間を限度とし個別

（採用の決定）
第7条　会社は再雇用対象者の申請に基づき、会社の要員計画、会社の必要とする職種ならびに本人の希望・適性および能力を総合的に勘案のうえ採用を決定する。

（再雇用の決定）
第6条　従業員区分は社員とする。ただし再雇用時から二か月間の試雇期間を置くものとする。

（従業員区分）

(2) 再雇用時の年齢が満三五歳以下の者
(3) 心身ともに健康な者
(4) 再雇用に際して本人に特に不都合な事情がない者

（再雇用申請）
第8条　再雇用対象者が再雇用を希望する場合は、原則として定められた雇用時期の一か月前までに申請を行なわなければならない。

（雇用時期）
第9条　雇用時期は、原則として毎年五月および一一月とする。

（初任賃金）
第10条　再雇用者の初任賃金は、退職時の格付位置を基準に、「中途採用者初任賃金基準」を準用して決定する。

付則

この規則は、〇〇年〇月〇日より施行する。
△△年〇月〇日改訂

Ⅹ　パートタイマー等に関する規程

に決定する。

第9条（労働時間）
労働時間は一週につき二五時間以上三五時間以内とし、各人毎に定め労働契約書に明示する。
2　始終業の時刻は個別に決定する。
3　会社は業務の都合により本人の同意を得て、労働時間、始終業時刻の変更を命ずることができる。

第10条（定時社員共済会）
定時社員に登用された者は、登用された日から定時社員共済会に加入するものとする。

第4章　付　則

第11条（疑義）
本協定の解釈及び運用に疑義が生じた場合は書面をもって相手方に通告しその日より一五日以内に協議する。

第12条（協議中の適用）
前条の協議が成立するまでは本協定による。

第13条（有効期間）
本協定の有効期間は〇〇年〇月〇日から〇〇年〇月〇日までとする。

第14条（自動更新）
本協定は期間満了六〇日前迄にいずれか一方より改訂更新の申し出がない場合は更に一年間を限って更新されたものとみなし、二年目以降は繰り返す。

第15条（余後効）
本協定期間満了の期日に至って新協定が成立しないときは新協定締結まで期間満了後六〇日間を限り有効とする。
但し、その後も労働条件は定時社員就業規則その他により不利益な変更は行なわない。

〇〇年〇月〇日

定時社員連続休暇制に関する協定書

株式会社SM堂と全SM堂労働組合とは定時社員の連続休暇制に関して下記の通り協定する。

記

第1条（連続休暇）
公休、年次有給休暇を組み合わせ次のおり連続休暇を取得できるものとする。

取得可能期間	連休日数	公休	年次有給休暇
オレンジ休暇　3/11〜9/10　9/11〜11/10　1/11〜3/10	5日	1日	4日
グリーン休暇	3日	1日	2日

但し、
(1)　休暇取得に当たっては、業務の支障の生じないよう計画調整し、特に中元期に集中しないように配慮する。
(2)　オレンジ休暇・グリーン休暇を続けて取得することはできない。

第2条（実施時期）
本協定の実施は〇〇年〇月〇日よりとする。

〇〇年〇月〇日

社員に適用しているものを一部変更して適用する協約
労働協約（変更部分のみ）

パートタイマー賃金規則
―パート単独の賃金規則―
（・AS商事
　・流通業
　・従業員三八〇人・内パート三〇人）

第1章　総　則

第1条（目的）
この規則は、パートタイマーに対する賃金の支給に関する事項について定めたものである。

第2条（賃金体系）
賃金体系は、つぎのとおりである。

パートタイマー賃金規則

基準内賃金 ─┬─ 時間給
　　　　　　├─ 休日出勤手当
　　　　　　└─ 通勤手当

基準外賃金 ── 時間外勤務手当

第2章　基準内賃金

（時間給）
第5条　時間給は、職務内容・技能・経験・勤続・その他を考慮して、時間額をもって定める。

2　労働基準局長が公示する最低賃金以上とする。

（休日出勤手当）
第7条　休日出勤手当は、会社の指示命令に基づき、休日に勤務した者に支給する。

2　休日出勤手当の算式は、つぎのとおりとする。

時間給×1.35×休日勤務時間

（年末年始における手当の特例）
第8条　前条の定めにかかわらず、12月30日から1月4日までの間に勤務した者に対する休日出勤手当の算式は、つぎのとおりとする。

時間給×2.00×休日勤務時間

（通勤手当）
第9条　通勤手当の支給額は別表のとおりとする。ただし計算期間中に1日も就業しなかった者に対しては支給しない。

2　前項にかかわらず、交通機関を利用して通勤する者の通勤実費が出張・休暇・欠勤・その他の理由により、通勤定期券代を下まわることが明らかな場合は、通勤定期券代にかえ通勤実費を支給することができる。

3　前2項の支給額の算定は原則として最も経済的かつ合理的な経路および方法による

（計算期間）
第3条　賃金の計算期間は前月21日から当月20日までとする。

（計算上の端数の取扱い）
第4条　賃金計算上、円未満の端数が生じたときの取扱いはつぎのとおりとする。

① 支給するとき　切り上げる
② 減額するとき　切り捨てる

第3章　基準外賃金

（時間外勤務手当）
第6条　時間外勤務手当は、会社の指示命令に基づき1日の所定労働時間（実働7時間）を超えて勤務した者に支給する。

2　時間外勤務手当は、つぎのとおりとする。

時間給×時間外勤務時間

時間外勤務のため、1日の労働時間が7時間を超えた場合は、つぎの算式により算出した額を前項の手当に加算する。

時間給×1.25×1日7時間を超える労働時間

ものとする。

4　賃金計算期間の中途で支給額の算定基礎に変更が生じたときの取扱いはつぎのとおりとする。

① 定期乗車券を支給されている者については、当該定期乗車券の通用期間中（払戻し可能な部分を除く）は原則として変更後の算定基礎に基づく通勤手当を支給しない。

② 交通用具使用による通勤手当は、変更前および変更後につきそれぞれ日割計算により支給する。

③ 新たな交通機関による通勤手当の支給を受ける者については、日割計算によって支給する。

5　賃金計算期間中に入・休復職し、または、解雇されたときの取扱いおよび日割計算の方法については、別に定める。

（休業手当）
第10条　パートタイマー終業規則第○条に基づき、会社の責に帰すべき事由により休業した場合は、その期間中「労働基準法」第12条に定める平均賃金の60％相当額を、休業手当として支給する。

第4章　支　払

（支払日）
第11条　賃金は、前月21日より当月20日まで

X　パートタイマー等に関する規程

の分を当月25日に支払う。ただし、当日が休日に当たるときはその前日に支払う。

（支払）

第12条　賃金は直接本人に通貨をもって全額を支払う。ただし、法令により定められたものおよび会社、従業員代表双方協定のうえ、その徴収を会社に委託したものは控除する。

2　前項の定めにかかわらず、本人が希望する場合は本人の希望する金融機関の本人名義の口座に振込を行うことがある。

（臨時払）

第13条　パートタイマーの退職・解雇または死亡の場合において、本人またはその遺族から申し出のあったときは、遅滞なく賃金を支払う。

（非常時払）

第14条　つぎの各号のひとつに該当し、本人から申し出のあったときは遅滞なく既往の労働に対する賃金を支払う。

① 出産、婚姻または葬儀を行う費用にあてるとき
② やむを得ない事由により帰郷するとき
③ 転変地変等に遭遇し、または負傷、疾病などにより臨時の出費を要するとき
④ その他事情やむを得ないと認められるとき

第5章　賞　与

（支給）

第15条　賞与は営業成績に応じて、原則として毎月7月および12月に支給する。前期の賞与は前年11月21日から当年5月20日まで、後期の賞与は当年5月21日から11月20日までを支給の対象期間とする。

（支給基準）

第16条　賞与の支給基準は、対象期間中の各人の勤務成績、出勤の状況等によって、そのつど決定する。

（雇用契約の締結）

第17条　会社は、パートタイマーの雇用関係および労働条件を明確にするために「パートタイマー雇用契約書」を締結する。

（施行）

第18条　この規則は、○○年○月○日から実施する。

別表　通勤手当

区　分		通勤距離（片道）	支給月額
電車・バス等の交通機関を利用して通勤する者		定期乗車券代を支給。ただし、定期乗車券代のうち月額○○○円を超える部分は半額。	
自動車等の交通用具を利用して通勤する者	原動機のつかない交通用具を使用する場合	2km以上	○○○円
	原動機付きの交通用具を使用する場合	2km以上〜5km未満	○○○円
		5km〜10km未満	○○○円
		10km以上	○○○円

パートタイマー退職金規程（中退共済制度に加入）

SY精密機械
（・従業員 一八〇人・内パート 四〇人）

（総則）
第1条　パートタイマーが退職したときは、この規程により退職金を支給する。

2　前項の退職金の支給は、会社が各パートタイマーについて勤労者退職金共済機構・中小企業退職金共済事業本部（以下「機構・中退共本部」という）との間に退職金共済契約を締結することによって行うものとする。

（新規パートタイマーの契約）
第2条　新たに雇入れたパートタイマーについては、試用期間（1か月）を経過した月に退職金共済契約を前条により締結する。

（共済契約掛金）
第3条　退職金共済契約は、パートタイマーごとに勤務時間、勤続年数に応じ、別表に定める掛金月額によって締結するものとする。

（退職金の額）
第4条　退職金の額は、掛金月額と掛金納付月数に応じて中小企業退職金共済法に定められた額とする。

（退職金の減額）
第5条　パートタイマーが懲戒解雇された場合には、機構・中退共本部に退職金の減額を申し出ることがある。

（受給者）
第6条　退職金は、パートタイマー（パートタイマーが死亡したときはその遺族）に交付する退職金共済手帳により、機構・中退共本部から支給を受けるものとする。

2　パートタイマーが退職又は死亡したときは、やむを得ない理由がある場合を除き、本人または遺族が請求できるよう、速やかに退職金共済手帳を本人または遺族に交付する。

（規程改廃の手続き）
第7条　この規程は、関係諸法規の改正および社会事情の変化などにより必要がある場合には、従業員代表と協議のうえ改廃することがある。

2　従業員代表は、パートタイマー代表の意見を聴取するものとする。

付　則

（施行）
第8条　この規程は〇〇年〇月〇日より施行する。

（過去勤務期間の取扱い）
第9条　この規程の施行前より在籍するパートタイマーについては、勤続年数に応じ過去勤務期間通算の申出を機構・中退共本部に行うものとする。

毎年〇月に掛金を調整する。

別表　勤続および掛金

1日の勤務時間	勤続および掛金		
	勤続3年未満	勤続3〜5年	勤続5年以上
4時〜5時間未満①	2,000円	3,000円	4,000円
5時〜6時間未満②	3,000円	4,000円	5,000円
6時〜7時間　③	5,000円	6,000円	7,000円

（注）　①は1週25時間以内　②は1週30時間以内　③は1週30時間以上
30時間以上は、一般の掛金（5,000円以上）となる。

XI 賃金・退職金・出張に関する規程

XI 賃金・退職金・出張に関する規程

〈コメント〉

就業規則と賃金・退職金

賃金の決め方については、労働基準法第八九条で、就業規則で必ず記載しなければならない事項の一つひとつを詳細に規定している。しかし、就業規則に記載すべき事項を詳細に規定すると、就業規則の分量もたいへん多くなり、利用する場合に非常に不便をきたすことになる。また、年々の物価変動等によって、賃金の部分に関する規程がたえず改訂されることも考えられる。

平成一一年四月施行の改正労働基準法では、全ての事柄につき、別規則を定めてよいとされたが、とくに細かい規程となりやすい「賃金」、「退職金」などについては別に規則を作るとよいであろう（改正前から賃金と退職金は別規則で定めてもよいとされている）。なお、労働基準法第四条は男女に差別的取扱いをしてはならないと規定している。また女性に対する優遇措置も差別に当ると解されている。

記載しなければならない事項

賃金に関する事項で、必ず記載しなければならない内容（絶対的必要記載事項）として、つぎの四項目が定められている。

① 賃金の決定および支払時期、② 賃金の支払方法、③ 賃金の締切および支払時期、④ 昇給に関する事項

退職金については、労働基準法によって、賞与などと同じく使用者の自由にまかされている。しかし、退職金は「定めをする場合には必ず記載しなければならない」事項であるので、事業所で慣行として支払われている場合とか、新たに退職金制度を設ける場合には、就業規則に別に定める旨を記載する必要がある（相対的必要記載事項）。

このように、退職金に関する事項が制度化される場合には、賃金同様に取り扱われることとなる。相対的必要記載事項として、「定めがある場合には必ず記載しなければならない事項」には、賃金に関連する事項では、つぎの四つの項目がある。

① 退職手当に関する事項、② 賞与その他の手当に関する事項、③ 最低賃金に関する事項、④ 従業員の食事、作業用品その他の負担に関する事項

賃金規程作成の留意点

まず、自社の現在採用されている、規則や賃金に関する慣行を整理し、そのなかから記載しなければならない事項を含め、大まかな形の作成要領をつくる。つぎに、記載もれがないかを検討する。この段階で、それぞれの事項の配列を整え、各章に分類する。さらに記載された事項の条文の形に書き換える。その際、従業員にとって条文が容易に理解できるように簡潔にしかも正確に規定することが必要である。以上は、形式的に賃金規程の内容であるが、問題は、「賃金体系の組み方」につきる。つまり、賃金額をいくらにし、これをどういう方法で支払うかということである。賃金規程は、個々の従業員の賃金決定の「物差し」でなければならない。

退職金規程作成の留意点

退職金規程の作成あるいは改訂についての留意点は、「適用される労働者の範囲、退職手当の決定、計算及び支払の方法並びに退職手当の支払の時期に関する事項」は必ず記載しなければならない（労働基準法第八九条第一項三の二）。

ひとくちに退職金といっても、いろいろの形がある。すなわち、定年・会社都合・自己都合・一般解雇・懲戒解雇などその事由別支給方法・最低勤続年数（例えば、自己都合は勤続三年以上など）。退職金の支給額は、ごく一般的に「算定基礎額×支給率＝退職金」という計算で計算されている。算定基礎額は、① 基本給を加工したもの（例、基本給＋役付手当）③ 基準内賃金 ④ 基本給 ④ その他（例、退職時の勤続年数など）の四つに区分されている。規程のなかで、重要なことは、企業年金や中小企業退職金共済制度の併用の企業では、この関係を明確にしておく必要がある。

XI 賃金・退職金・出張に関する規程

給与規程

ST電子
（電子部品
・従業員　七〇〇人）

第1章 総則

（目的）
第1条　この規程は、就業規則第○条にもとづき、社員に対する給与の決定、計算および支払方法、締切および支払の時期ならびに昇給に関する事項および賞与支給に関する事項を定める。

（給与決定の原則）
第2条　社員の給与決定の原則は、労働の対価として社会的水準、会社の支払能力、物価、職務遂行の能力、年齢、勤続、職責などを考慮してきめる。

（給与の構成）
第3条　給与は、基準内給与と基準外給与とに分け、その構成はつぎのとおりとする。

(1) 基準内給与
- 基本給 ─┬─ 年齢給
         ├─ 勤続給
         └─ 職能給
- 加給 ─── 役付手当
- 家族手当
- 住宅手当
- 皆勤手当
- 職務手当

(2) 基準外給与
- 時間外手当 ─┬─ 時間外手当
             ├─ 休日出勤手当
             └─ 深夜業手当
- 当番手当
- 通勤手当

（締切・支払）
第4条　給与は、前月二一日より当月二〇日までの分を当月二五日に支払う。
ただし、支払日が休日に当るときは、その前日に繰上げて支払う。

（非常時払い）
第5条　前条の定めにかかわらず、つぎの各号の一に該当する場合は、既住の就業に対する給与を支払う。
(1) 本人またはその扶養家族の出産、疾病のとき
(2) 本人またはその扶養家族の婚礼または葬儀のとき
(3) 災害による非常の場合の費用に当てるとき
(4) 本人が退職または解雇されたとき
(5) その他事情やむをえないと会社が認めたとき
ただし、第4号の解雇を除き本人（本人死亡の場合はその遺族）より請求のあるとき

（給与の支払形態）
第6条　給与の支払形態はノーワーク、ノー

ペイを原則とする月給制とする。

2 就業規則第〇条（年次有給休暇）、第〇条（慶弔休暇）、第〇号（生理休暇）および第〇号（産前産後休暇）を除き通常の給与を支払う。

3 欠勤、早退、遅刻、私用外出などにより、所定就業時間の全部または一部を不就業した場合においては、その不就労の日数および時間に対応する給与は支給しない。
ただし、病気欠勤による場合は、欠勤開始後一か月間は通常の給与を支給するものとする。

4 前項の場合において、不就労の日数および時間の計算は、当該給与締切期間の合計とし、一五分未満は切り捨てるものとする。

5 計算方式は、つぎのとおりとする。
(1) 欠勤の場合

$$\frac{基準内給与}{1か月平均所定勤務日数} \times 欠勤日数$$

(2) 遅刻・早退・私用外出の場合

$$\frac{基準内給与}{1か月平均所定勤務時間} \times 時間数$$

6 第3項から第5項の定めは、管理職の職位にある者には適用しない。

（給与の支払方法）
第7条 給与は、全額を直接社員に通貨をもって支払う。
ただし、次条に定めるものは除く。

（給与より控除）
第8条 つぎの各号の一に該当するものは、支払のときに控除する。

(1) 所得税および住民税
(2) 健康保険料および厚生年金保険料の本人負担分
(3) 雇用保険の本人負担分
(4) 福利厚生費等

ただし、第4号については、社員の過半数を代表する者との書面による協定書に基づいて行うものとする。

2 前項にかかわらず、本人名義口座に振込みを行うこととする。

（中途入退社者の計算）
第9条 給与締切期間中の中途において入社または退社した者の計算はつぎのとおりとする。

(1) 入社の場合
日割り計算

(2) 退社の場合
① 経過日数1/2未満　基準内賃金の半額
② 経過日数1/2以上　基準内賃金の全額
給与の計算の日割、時間割の必要を生じた場合、つぎの算式による。

（平均給与の算出）
第10条 平均給与の算定すべき事由の発生した場合の計算方法は、発生した日以前三か月間に支払われた第3条の総額を、その期間内の所定勤務日数で除した金額とする。

第2章　基準内給与

（基本給）
第11条 基本給は、年齢給、勤続給、職能給の合算額とする。

（年齢給）
第12条 年齢給は、一五歳で一〇〇、〇〇〇円とし、一歳増すごとにつぎのとおりとする。
(別表① 年齢給早見表)

一六〜二五歳	一、二〇〇円
二六〜三五歳	八〇〇円
三六〜五〇歳	五〇〇円
五一歳以上	一二七、五〇〇円

（注　五〇歳以上　一二七、五〇〇円）

（勤続給）
第13条 勤続給は、勤続1年につき、つぎのとおりとする。（別表② 勤続給早見表）

1〜一五年	八〇〇円
一六〜三〇年	五〇〇円
三一年以上	三〇〇円

2 前項の定めにかかわらず、五五歳時点の勤続給をもって停止する。五五歳以上は、五五歳時点の勤続給をもって停止する。

（職能給）
第14条 職能給は、職能分類をつぎの8等級に分類し、その職能に対応する額とする。
(別表③ 職能給一覧)

給与規程

2 職能等級区分による、職務の内容は、つぎのとおりとする。

職能資格等級・職層・職位表

職層	職能等級	職位
管理職	8等級	部　　長
管理職	7等級	部　長・次　長
管理職	6等級	次　長・課　長
監督職	5等級	課長・課長代理・主任
監督職	4等級	課長代理・主任・D級職
一般職	3等級	C　級　職
一般職	2等級	B　級　職
一般職	1等級	A　級　職

(注)　①職能資格等級と職位との関係はオーバーラップ（重複型）とする。
　　　②監督職位以上の職位に相当する専門職を置くことがある。
　　　③管理職は、部長、次長、課長とする。
　　　④監督職は、課長代理、主任とする。
　　　⑤一般職はD、C、B、Aの4クラスに区分する。

① 部　　長　　　六五、〇〇〇円
② 次　　長　　　五五、〇〇〇円
③ 課　　長　　　四五、〇〇〇円
④ 課長代理　　　三〇、〇〇〇円
⑤ 主　　任　　　一〇、〇〇〇円

3 第1項の等級に応じそれぞれ最低級号をきめ、人事考課を用いて運用する。

4 職能資格等級、最低級号額、昇給ピッチ考課評定は、表の「職能給とその運用」の方法とする。

（加給）
第15条　職務給への移行の際の差額、職務の困難、責任の度合い、在職間のアンバランス、ベースアップ分等については調整給で処理するものとする。

（役付手当）
第16条　役付手当は、管理監督の地位にある者に対して、つぎの区分により支給する。

（家族手当）
第17条　家族手当は、本人が扶養する無収入同居親族者に、つぎにより支給する。

① 配偶者　　　　　　　　　　　　一〇、〇〇〇円
② 満一八歳未満の長子　　　　　　　三、〇〇〇円
③ 満一八歳未満の二子以下一人につき　二、〇〇〇円
④ 満六五歳以上の直系尊族一人につき　二、〇〇〇円
⑤ 満五五歳以上の寡婦たる実養母　　　二、〇〇〇円
⑥ 満一八歳未満の弟妹一人につき　　　二、〇〇〇円

2　前項第2号から第6号に掲げる重度障害者の場合は、年齢にかかわらず支給する。
　ただし、重度障害者とは所得税法施行規則に定める者で、居住地の市区町村長の証明あるものとする。

（住宅手当）
第18条　住宅手当は、社員の住宅費補助として、つぎの区分により支給する。

① 扶養家族のある世帯主　　一五、〇〇〇円
② 扶養家族のない世帯主　　一〇、〇〇〇円
③ 世帯主でない同居者　　　　五、〇〇〇円

④ 社宅・寮利用者　　　　　　四、〇〇〇円

（皆勤手当）
第19条　皆勤手当は、給与締切期間中精励格勤した者につぎにより支給する。

① 一か月無欠勤者　　六、〇〇〇円
② 欠勤一日の者　　　二、五〇〇円
③ 欠勤二日の者　　　一、二〇〇円

2　前項の皆勤手当は、管理職（6等級・7等級・8等級）の職位にある者には支給しない。

（職務手当）
第20条　職務手当は、つぎの区分により支給する。

① 防火管理者　　　　　　　　五、〇〇〇円
② 安全管理者　　　　　　　　二、〇〇〇円
③ 衛生管理者　　　　　　　　二、〇〇〇円
④ 有機溶剤作業主任　　　　　二、〇〇〇円
⑤ 危険物取扱主任　　　　　　三、〇〇〇円
⑥ 火元責任者　　　　　　　　一、〇〇〇円
⑦ 安全衛生推進者　　　　　　二、〇〇〇円
⑧ 危険物保安監督者　　　　　三、〇〇〇円

第3章　基準外給与

（時間外手当）
第21条　就業規則第○条に規定する時間外勤務等の割増賃金はつぎの計算により支給する。

① 時間外勤務

(基本給＋加給＋役付手当＋職務手当＋住宅手当＋皆勤手当) / 1か月平均所定勤務時間数 ×1.25×時間数

ただし、1か月60時間を超える時間外勤務については、割増率は50％とする。

② 休日勤務

(基本給＋加給＋役付手当＋職務手当＋住宅手当＋皆勤手当) / 1か月平均所定勤務時間数 ×1.35×時間数

③ 深夜業

(基本給＋加給＋役付手当＋職務手当＋住宅手当＋皆勤手当) / 1か月平均所定勤務時間数 ×0.25×時間数

2 前項第1号および第2号の時間外手当は、管理職の職位にある者には支給しない。

(当番手当)
第22条 業務上当番をおくことがある。当番に従事した者には一回につき七五〇円支給する。

(通勤手当)
第23条 通勤手当は、社員が居住の場所より会社に通勤のため交通機関を利用する者に原則として通勤定期券代を支給する。
ただし、通勤距離二キロメートル以上の者とする。

職能等級区分による職務の内容

職能等級	職層	職位	職務能力（職能基準）
1	一般職	A	・上長の直接の細かい指示、または予め定められた基準に従い、定型的反覆的職務を行うことができる者。補助者
2		B	・業務遂行に必要な知識を持ち、上長の一般的な指示により通常業務を遂行できる職務の者。単一業務を的確にできる者
3		C	・業務遂行に十分な知識を持ち、上長の一般的な指示がなくとも通常業務を的確に処理できる職務の者。業務範囲の拡大できる者
4	監督職	D 主 任 課長代理	D級職の職務 ・3等級の職務を十分に行うことができる上3等級の経験をつみ、上長の代行のできる者
5		主 任 課長代理 課 長	主任・課長代理の職務 ・担当業務について詳細な知識をもち、グループの責任者として指導し、統率することができる者。5等級にふさわしい職務、特命事項のできる者
6	管理職	課 長 次 長	課長の職務 ・一定の組織の長として、所管業務の的確な企画立案を行い部下に指示命令し、業務遂行のできる者。特定事項につき上長および経営者を補佐できる者
7		次 長 部 長	次長・部長の職務 ・高度な体系的知識をもち総合的判断により、新たな計画を立案し、積極的に業務遂遂のできる者。会社の経営方針、計画について経営者を補佐し、部下を指導監督することのできる者
8		部 長	

2 第14条の第1項の等級に応じ、それぞれの最低級号をきめ、人事考課を用いて運用する。
3 職能資格等級、最低級号額、昇給ピッチ、考課評定は、つぎの表の『職能給とその運用』のとおりとする。
4 職能資格等級と職位の関係はオーバラップとする。
5 満55才以上の職能資格等級は原則として停止とする。
　ただし、業務上能力優秀なものは考慮することがある。

職能級とその運用

職層	職位	職能等級	最低級号	ピッチ額	評定 S 5号以上	評定 A 4号	評定 B 3号	評定 C 2号	評定 D ～1号	E（初号）～上限	
一般職	A級	1等級	1～1 48,000	円 900	円 4,500	円 3,600	円 2,700	円 1,800	円 0～900	1～1	48,000
一般職	B級	2等級	2～1 64,000	1,100	5,500	4,400	3,300	2,200	0～1,100	2～1	64,000
一般職	C級	3等級	3～1 84,000	1,300	6,500	5,200	3,900	2,600	0～1,300	3～1	84,000
監督職	D級 主任・課長代理	4等級	4～1 105,000	1,600	8,000	6,400	4,800	3,200	0～1,600	4～1	105,000
監督職	主任 課長代理・課長	5等級	5～1 130,000	1,900	9,500	7,600	5,700	3,800	0～1,900	5～1	130,000
管理職	課長 次長	6等級	6～1 160,000	2,200	11,000	8,800	6,600	4,400	0～2,200	6～1	160,000
管理職	次長 部長	7等級	7～1 200,000	2,500	12,500	10,000	7,500	5,000	0～2,500	7～1	200,000
管理職	部長	8等級	8～1 240,000	2,800	14,000	11,200	8,400	5,600	0～2,800	8～1	240,000

第4章 昇給

（昇給）

第24条 昇給は、原則として四月分給与をもって定期昇給を行う。

（定期昇給の内容）

第25条 定期昇給は、自動昇給部分と査定昇給部分に分ける。

2 自動昇給部分は、第11条の基本給のうち、年齢給部分および勤続給部分とする。その方法は第12条（年齢給）、第13条（勤続給）のとおりである。

3 査定昇給部分は第11条の基本給のうち、職能給部分とする。

その方法は、第14条（職能給）により、当該年度の職務遂行能力、勤務状況、責任感、協調性、貢献度等を人事考課で評定のうえ行う。

（ベース・アップ）

第26条 経済状況の変化に応じて、ベースアップを行うことがある。

2 ベース・アップによる昇給は、原則として調整給で行う。

3 前項の配分は、前条第3項に準じて行う。

（臨時昇給）

第27条 臨時昇給は、つぎの各号の一に該当する者について、昇給の必要を生じた場合に行う。

XI 賃金・退職金・出張に関する規程

別表① 年齢早見表

16歳～25歳 1歳につき1,200円		26歳～35歳 1歳につき800円		36歳～50歳 1歳につき500円	
歳	円	歳	円	歳	円
15	100,000	26	112,800	36	120,500
16	101,200	27	113,600	37	121,000
17	102,400	28	114,400	38	121,500
18	103,600	29	115,200	39	122,000
19	104,800	30	116,000	40	122,500
20	106,000	31	116,800	41	123,000
21	107,200	32	117,600	42	123,500
22	108,400	33	118,400	43	124,000
23	109,600	34	119,200	44	124,500
24	110,800	35	120,000	45	125,000
25	112,000			46	125,500
				47	126,000
				48	126,500
				49	127,000
				50	127,500

（注）①50歳以上は年齢給の昇給はなし
②50歳以上は127,500円

別表② 勤続給早見表

勤続1～15年 1年につき800円		16～30年 1年につき500円		31～40年 1年につき300円	
年	円	年	円	年	円
1	800	16	12,500	31	19,800
2	1,600	17	13,000	32	20,100
3	2,400	18	13,500	33	20,400
4	3,200	19	14,000	34	20,700
5	4,000	20	14,500	35	21,000
6	4,800	21	15,000	36	21,300
7	5,600	22	15,500	37	21,600
8	6,400	23	16,000	38	21,900
9	7,200	24	16,500	39	22,200
10	8,000	25	17,000	40	22,500
11	8,800	26	17,500		
12	9,600	27	18,000		
13	10,400	28	18,500		
14	11,200	29	19,000		
15	12,000	30	19,500		

55歳以上は、55歳時点の勤続給をもってストップする。

① とくに功労のあった者
② 中途採用者で技能優秀・成績良好の者
③ その他会社が必要と認めた者

臨時昇給の内容は、職能給あるいは調整給とし、両者を併用することがある。

（昇格）

第28条　会社は、職務遂行能力・責任感・企画力・判断力・勤務成績等勘案のうえ第14条の職能等級の昇格（昇級）を行うことがある。

2　昇格により昇給した場合の職能給の取扱いは、職能給の級号は直近上位以上とする。

（新規学卒者の初任給）

第29条　新規学卒者の初任給は、基準内給与総額と世間相場勘案のうえ決定する。

ただし、基本給は、つぎのとおりとする。

第12条
① 年齢給　　　　　　円
② 勤続給　　　　　　円
③ 職能給
　中学卒　一級○○号
　高校卒　一級○○号
　短大卒　一級○○号
　大学卒　二級○○号

（中途採用者の初任給）

第30条　新規学卒者以外の中途採用者の給与の決定は、前条を基準とし、経験年数等を考慮して、職能給の格付けを行う。

ただし、補助的、定型的な単純業務については、学歴にかかわらず、一等級を基準として取扱う。

3　管理職以上の職位については、職能等級はそのままにしておいて、職位のみ昇格させることがある。

第5章　賞　与

（賞与の支給）

第31条　賞与は、原則として六月および一二月に会社の業績に応じて支給する。

（賞与の算定期間）

第32条　賞与の算定期間は、前年一〇月から当年三月までと、当年四月から当年九月までの期間とする。

（賞与の算定方法）

第33条　賞与の算定方法は、前条の算定期間における、社員個人の勤務成績、貢献度、出勤状況等を考慮して算出する。

（賞与の不支給）

第34条　賞与の当該期間に在籍した者でも、賞与支給当日に在籍していない者には支給しない。

給与規程

別表③　職　能　給　表

級　ピッチ　号	1	2	3	4	5	6	7	8
	(900)	(1,100)	(1,300)	(1,600)	(1,900)	(2,200)	(2,500)	(2,800)
1	48,000	64,000	84,000	105,000	130,000	160,000	200,000	240,000
2	48,900	65,100	85,300	106,600	131,900	162,200	202,500	242,800
3	49,800	66,200	86,600	108,200	133,800	164,400	205,000	245,600
4	50,700	67,300	87,900	109,800	135,700	166,600	207,500	248,400
5	51,600	68,400	89,200	111,400	137,600	168,800	210,000	251,200
6	52,500	69,500	90,500	113,000	139,500	171,000	212,500	254,000
7	53,400	70,600	91,800	114,600	141,400	173,200	215,000	256,800
8	54,300	71,700	93,100	116,200	143,300	175,400	217,500	259,600
9	55,200	72,800	94,400	117,800	145,200	177,600	220,000	262,400
10	56,100	73,900	95,700	119,400	147,100	179,800	222,500	265,200
11	57,000	75,000	97,000	121,000	149,000	182,000	225,000	268,000
12	57,900	76,100	98,300	122,600	150,900	184,200	227,500	270,800
13	58,800	77,200	99,600	124,200	152,800	186,400	230,000	273,600
14	59,700	78,300	100,900	125,800	154,700	188,600	232,500	276,400
15	60,600	79,400	102,200	127,400	156,600	190,800	235,000	279,200
16	61,500	80,500	103,500	129,000	158,500	193,000	237,500	282,000
17	62,400	81,600	104,800	130,600	160,400	195,200	240,000	284,800
18	63,300	82,700	106,100	132,200	162,300	197,400	242,500	287,600
19	64,200	83,800	107,400	133,800	164,200	199,600	245,000	290,400
20	65,100	84,900	108,700	135,400	166,100	201,800	247,500	293,200
21	66,000	86,000	110,000	137,000	168,000	204,000	250,000	296,000
22	66,900	87,100	111,300	138,600	169,900	206,200	252,500	298,800
23	67,800	88,200	112,600	140,200	171,800	208,400	255,000	301,600
24	68,700	89,300	113,900	141,800	173,700	210,600	257,500	304,400
25	69,600	90,400	115,200	143,400	175,600	212,800	260,000	307,200
26	70,500	91,500	116,500	145,000	177,500	215,000	262,500	310,000
27	71,400	92,600	117,800	146,600	179,400	217,200	265,000	312,800
28	72,300	93,700	119,100	148,200	181,300	219,400	267,500	315,600
29	73,200	94,800	120,400	149,800	183,200	221,600	270,000	318,400
30	74,100	95,900	121,700	151,400	185,100	223,800	272,500	321,200
	↓	↓	↓	↓	↓	↓	↓	↓
35	78,600	101,400	128,200	159,400	194,600	234,800	285,000	335,200
	↓	↓	↓	↓	↓	↓	↓	↓
40	83,100	106,900	134,700	167,400	204,100	245,800	297,500	349,200
	↓	↓	↓	↓	↓	↓	↓	↓
45	87,600	112,400	141,200	175,400	213,600	256,800	310,000	363,200
	↓	↓	↓	↓	↓	↓	↓	↓
50	92,100	117,900	147,700	183,400	223,100	267,800	322,500	377,200
	↓	↓	↓	↓	↓	↓	↓	↓
55	96,600	123,400	154,200	191,400	232,600	278,800	335,000	391,200
	↓	↓	↓	↓	↓	↓	↓	↓
60	101,100	128,900	160,700	199,400	242,100	289,800	347,500	405,200

XI 賃金・退職金・出張に関する規程

給与規程

（HN不動産
・不動産業
・従業員　四五〇人）

第1章　総　則

（目的）

第1条　この規程は、就業規則等第〇条に基づき、社員に対する給与の決定、計算及び支払の時期ならびに昇給、賞与に関する定めをすることを目的とする。

（給与決定の原則）

第2条　社員の給与は、社会的水準・会社の支払能力・本人の職務遂行能力・年齢・勤続・職責・物価など考慮して決める。

（給与の構成）

第3条　給与は基準内給与と基準外給与とに分け、その構成は次の通りとする。

① 基準内給与 ─┬─ 基本給 ─┬─ 年齢給
　　　　　　　│　　　　　　├─ 勤続給
　　　　　　　│　　　　　　└─ 職能給
　　　　　　　├─ 付加給
　　　　　　　├─ 役付手当
　　　　　　　├─ 特別手当
　　　　　　　├─ 家族手当
　　　　　　　└─ 職務手当

② 基準外給与 ─┬─ 時間外勤務手当
　　　　　　　├─ 休日出勤手当
　　　　　　　├─ 深夜勤務手当
　　　　　　　├─ 宿日直手当
　　　　　　　└─ 通勤手当

（締切・支払）

第4条　給与は、前月21日より当月20日までの分を当月25日に支払う。

2　支払日が休日にあたる場合は、前日に繰り上げて支払う。

（非常時払い等）

第5条　前条の規定にかかわらず、次の事項に該当する場合には、既往の勤務に対する給与を支払う。

① 社員または、その収入によって生計を維持する者が結婚・出産・死亡または、疾病にかかり、あるいは災害を受けたとき。

② 退職または解雇されたとき。

③ その他、やむをえない事情と会社が認めたとき。

但し、第②号の解雇を除き本人の請求のあった場合に支払う。

（給与の支払形態）

第6条　給与の支払形態は、ノーワーク・ノーペイによる月給制とする。

2　就業規則第〇条（年次有給休暇）、第〇条（慶弔休暇）、第〇条（特別休暇）は、通常の給与を支払う。

但し、特別休暇のうち、第〇号（生理休

ただし、死亡による退職の場合は遺族に支給することがある。

付　則

（公傷手当）

第35条　社員が業務上負傷し、疾病にかかり休業におよんだときは、最初の日より三日間は平均給与を補償する。

2　前項以降の休業については、就業規則第〇条第〇号に定める労働者災害補償保険法の「休業補償給付」による。

3　会社は前項に上積みして、平均給与の二〇％を公傷手当として、毎月の休業日数に応じて支給する。

4　通勤災害の場合は、最初の三日間は第1項に準じて支給し、以降は「休業補償給付」による。

（施行）

第36条　この規程は〇〇年〇月〇日より施行する。

（改定・・××・〇・〇）
（改定・・△△・〇・〇）

314

給与規程

3 社員が欠勤した場合は、次の計算方式により控除する。

$$\frac{基本給+付加給+特別手当}{1か月平均所定勤務日数} \times 欠勤日数$$

4 社員が遅刻・早退・私用外出した場合は、次の計算方式により控除する。

$$\frac{基本給+付加給+特別手当}{1か月平均所定勤務時間} \times (遅刻・早退・私用外出合計時間数)$$

但し、合計60分に満たない部分は、控除しない。

5 管理職については、第3項及び第4項は3日を限度として控除しない。

(中途入退社者の計算)

第7条 給与締切期間中の中途において、入社または退社した者の当該締切期間中の給与は、入社以後または退社の日までの勤務日数について日割計算により支給する。その計算式は次のとおりとする。

(給与の支払方法及び控除)

第8条 給与は、通貨で社員本人に対して直接全額を支払う。

但し、次に掲げるものは、給与から控除する。

① 給与所得税
② 地方住民税
③ 健康保険本人負担分
④ 厚生年金本人負担分
⑤ 雇用保険本人負担分
⑥ 社員の過半数を代表する者との協定に基づく福利厚生費等

前段の前項にかかわらず、社員の過半数を代表する者との協定書に基づき、本人の希望する金融機関に口座振込を行うことがある。

(平均賃金)

第9条 労働基準法その他の法律に基づき、平均賃金の支給が生じた場合の計算方式は、次のとおりとする。

$$平均賃金 = \frac{前3か月の通常給与総額(基準内給与+基準外給与)}{前3か月の暦日による総日数}$$

(休業手当)

第10条 会社の責に帰すべき事由によって休業した場合には、休業手当を支給する。

2 前項の休業手当は、休業1日について前条の平均賃金の一〇〇分の六〇とする。

(新規学卒者の初任給決定方法)

第11条 新規学卒者の初任給は、基準内給与の総額と世間相場等参考のうえ決定する。但し、基本給は次のとおりとする。

① 年齢給 第15条 (年齢給早見表)
② 勤続給 第16条 (勤続給早見表)
③ 職能給 第17条 (職能給表)

2 前項の給与総額には、臨時に支給した給与及び賞与を算入しない。

(中途採用者の初任給)

第12条 新規学卒者以外の中途採用者給与の決定は、前条を基準とし、前歴の経験・年齢を考慮して、職能給の資格等級号の格付を行う。

2 単純労務に勤務する場合は、学歴及び経験にかかわらず、職能資格等級の格付は定型職の1等級を基準とする。

学校別	職能資格等級号	総合職	定型職
中学卒	1等級1号	― ―	78,000
高校卒	1等級10号	96,000	85,200
短大卒	1等級17号	103,000	90,800
大学卒	2等級11号	124,000	112,000

(不支給)

第13条 会社の指示に基づかない就業については給与を支給しない。

XI 賃金・退職金・出張に関する規程

第2章 基準内給与

（基本給）
第14条 基本給は、年齢給、勤続給、職能給で構成する。

（年齢給）
第15条 年齢給は、15歳で七〇、〇〇〇円とし、1歳増すごとに次のとおりとする。

（別表①「年齢給早見表」）

16〜25歳　一、〇〇〇円
26〜35歳　一、二〇〇円
36〜45歳　八〇〇円
46〜50歳　五〇〇円

（注　50歳以上　一〇二、五〇〇円）

（勤続給）
第16条 勤続給は、勤続1年につき、次のとおりとする。

（別表②「勤続給早見表」）

1〜15年　五〇〇円
16〜30年　三〇〇円
31年以上　二〇〇円

2 55歳時点の勤続給をもって、停止とする。

（職能給）
第17条 職種区分を「総合職」と「定型職」の2つに区分する。

2 「総合職」は、職能分類を、次の8つの職能資格等級に分類し、その職能に対応する給与とする。

（別表③「総合職・職能給表」）

総合職・職能資格等級区分

等級	職層	職位
8等級	管理職	部長・支配人
7等級	管理職	部長・支配人・部次長
6等級	管理職	支配人・部次長・課長・副支配人
5等級	管理職	課長・副支配人
4等級	監督職	係長
3等級	監督職	主任・上級職
2等級	一般職	中級職
1等級	一般職	初級職

3 「定型職」は、職能分類を、次の4つの職能資格等級に分類し、その職能に対応する給与とする。

（別表④「定型職・職能給表」）

定型職・職能資格等級区分

等級	職層	職位
4等級	監督職	係長・主任
3等級	一般職	主任・上級職
2等級	一般職	中級職
1等級	一般職	初級職

4 第2項及び第3項の職位にはこれに準ずる職位を設けることがある。

5 職能資格等級、最低等級号額、昇給ピッチ、人事考課評定は、次のとおりとする（次頁表）。

（付加給）
第18条 在職者間のアンバランス・初任給決定の差額・職能給移行による差額・ベースアップ分は付加給で行う。

（役付手当）
第19条 管理職に次の役付手当を支給する。

① 部　長・支配人　一二〇,〇〇〇〜一三〇,〇〇〇円
② 部次長・支配人　九〇,〇〇〇〜一二〇,〇〇〇円
③ 課長・副支配人　七〇,〇〇〇〜九〇,〇〇〇円
④ 係　　　　　長　五〇,〇〇〇〜七〇,〇〇〇円
⑤ 主　　　　　任　三〇,〇〇〇〜五〇,〇〇〇円

給 与 規 程

総合職の職能給とその運用

職位	職能等級	最低級号	ピッチ額	評定 S 5号以上	A 4号	B 3号	C 2号	D 1号〜0	初号 E 〜上限
	1等級	1〜1 87,000 円	（1,000）円	5,000 円	4,000 円	3,000 円	2,000 円	1,000 円 〜0	1〜1 1〜
	2等級	2〜1 112,000	（1,200）	6,000 円	4,800 円	3,600 円	2,400 円	1,200 円 〜0	2〜1 2〜
	3等級	3〜1 142,600	（1,500）	7,500 円	6,000 円	4,500 円	3,000 円	1,500 円 〜0	3〜1 3〜
	4等級	4〜1 181,500	（1,900）	9,500 円	7,600 円	5,700 円	3,800 円	1,900 円 〜0	4〜1 4〜
	5等級	5〜1 229,000	（2,400）	12,000 円	9,600 円	7,200 円	4,800 円	2,400 円 〜0	5〜1 5〜
	6等級	6〜1 288,600	（3,000）	15,000 円	12,000 円	9,000 円	6,000 円	3,000 円 〜0	6〜1 6〜
	7等級	7〜1 357,000	（3,600）	18,000 円	14,400 円	10,800 円	7,200 円	3,600 円 〜0	7〜1 7〜
	8等級	8〜1 423,000	（4,000）	20,000 円	16,000 円	12,000 円	8,000 円	4,000 円 〜0	8〜1 8〜

定型職の職能給とその運用

職位	職能等級	最低級号	ピッチ額	評定 S 5号〜	A 4号	B 3号	C 2号	D 〜1号	E（初号）〜上限
	1等級	1〜1 78,000 円	（ 800）円	4,000 円	3,200 円	2,400 円	1,600 円	円 0〜800	1〜1 1〜
	2等級	2〜1 102,000	（1,000）	5,000 円	4,000 円	3,000 円	2,000 円	0〜1,000	2〜1 2〜
	3等級	3〜1 132,000	（1,300）	6,500 円	5,200 円	3,900 円	2,600 円	0〜1,300	3〜1 3〜
	4等級	4〜1 168,000	（1,700）	8,500 円	6,800 円	5,100 円	3,400 円	0〜1,700	4〜1 4〜

2 給与締切期間中において管理職の職位に任免のあった場合または異動のあった場合は、第7条に準じて日割計算で支給する。

第20条 扶養家族を有する者に次の区分により家族手当を支給する。
（家族手当）
① 配偶者　　　　　　　　　　　　　　一二、〇〇〇円
② 直系尊属で60歳（寡婦の場合は50歳）以上の者　　　　三、〇〇〇円
③ 直系卑属並びに弟妹であって18歳未満の者　　　　　三、〇〇〇円
④ 三親等以内の障害者　　　　　　　　三、〇〇〇円
⑤ その他特別の事情のある者と会社が認めた者　　　　三、〇〇〇円

2 扶養家族が5人を超える場合は、5人までとする。

（特別手当）
第21条 職務の困難・責任の度合い、特殊技能所持者等で会社が業務上特に必要と認める者には、特別手当を支給する。

2 特別手当を支給される者は、第22条・第23条・第24条の手当は支給しない。但し、その額は第22条・第23条・第24条の手当を下回ることはない。

（職務手当）
第22条 従事する職務上必要ある部署あるいは業務に従事する場合は職務手当を支給する。

2 職務手当の額はその都度決める。

第3章 基準外給与

（時間外勤務手当）
第23条 時間外勤務手当は、就業規則第〇条に定める所定就業時間を超え、早出・残業した場合に支給する。

2 前項の計算方式は、1時間につき、次の方式による。

$$\frac{基本給＋付加給}{1か月平均所定勤務時間} \times 1.25$$

ただし、1か月60時間を超える時間外勤務については、割増率は50％とする。

（休日出勤手当）
第24条 休日出勤手当は、就業規則第〇条に定める休日に出勤した場合に支給される。

2 前項の計算方式は、休日出勤1時間につき、次の方式による。

$$\frac{基本給＋付加給}{1か月平均所定勤務時間} \times 1.35$$

（深夜勤務手当）
第25条 深夜勤務手当は、就業規則第〇条に定める「時間外勤務及び休日出勤」が、午後10時より午前5時までの間に勤務した場合に支給する。

（適用除外）
第26条 管理職の職位にあるもの（部長・部次長・支配人・課長・副支配人・係長・主任）には第23条・第24条は適用しない。

（宿日直手当）
第27条 就業規則第〇条によって宿直または日直勤務をした場合は、別に定める宿直手当または日直手当を支給する。

（通勤手当）
第28条 通勤手当は通勤の為に要する運賃・時間・距離などの事情からみて、最も経済的で合理的と認められる通常の経路及び方法による定期乗車券購入費を所得税法の非課税額を限度として支給する。

第4章 昇給および昇格・昇級

（昇給）
第29条 昇給は、原則として4月分支給給与をもって定期昇給を行う。

（定期昇給の内容）
第30条 定期昇給は、自動昇給部分と査定昇給部分に分ける。

2 自動昇給部分は、基本給のうち年齢給及び勤続給とする。その方法は、第15条（年齢給）及び第16

別表① 年齢給早見表

16 ～ 25 歳 1歳につき 1,000 円		26 ～ 35 歳 1歳につき 1,200 円		36 ～ 45 歳 1歳につき 800 円		46 ～ 50 歳 1歳につき 500 円	
15 歳	70,000 円	26 歳	81,200 円	36 歳	92,800 円	46 歳	100,500 円
16	71,000	27	82,400	37	93,600	47	101,000
17	72,000	28	83,600	38	94,400	48	101,500
18	73,000	29	84,800	39	95,200	49	102,000
19	74,000	30	86,000	40	96,000	50	102,500
20	75,000	31	87,200	41	96,800	50歳以上 102,500円	
21	76,000	32	88,400	42	97,600		
22	77,000	33	89,600	43	98,400		
23	78,000	34	90,800	44	99,200		
24	79,000	35	92,000	45	100,000		
25	80,000						

別表② 勤続給早見表

勤続 1 ～ 15 年 1年につき 500 円		勤続 16 ～ 30 年 1年につき 300 円		勤続 31 年以上 1年につき 200 円	
1 年	500 円	16 年	7,800 円	31 年	12,200 円
2	1,000	17	8,100	32	12,400
3	1,500	18	8,400	33	12,600
4	2,000	19	8,700	34	12,800
5	2,500	20	9,000	35	13,000
6	3,000	21	9,300	36	13,200
7	3,500	22	9,600	37	13,400
8	4,000	23	9,900	38	13,600
9	4,500	24	10,200	39	13,800
10	5,000	25	10,500	40	14,000
11	5,500	26	10,800	55歳時点の勤続給をもって停止	
12	6,000	27	11,100		
13	6,500	28	11,400		
14	7,000	29	11,700		
15	7,500	30	12,000		

別表③　職能給表（総合職）

級 号 \ ピッチ	1 1,000	2 1,200	3 1,500	4 1,900	5 2,400	6 3,000	7 3,600	8 4,000
1	87,000	112,000	142,600	181,500	229,000	288,600	357,000	423,000
2	88,000	113,200	144,100	183,400	231,400	291,600	360,600	427,000
3	89,000	114,400	145,600	185,300	233,800	294,600	364,200	431,000
4	90,000	115,600	147,100	187,200	236,200	297,600	367,800	435,000
5	91,000	116,800	148,600	189,100	238,600	300,600	371,400	439,000
6	92,000	118,000	150,100	191,000	241,000	303,600	375,000	443,000
7	93,000	119,200	151,600	192,900	243,400	306,600	378,600	447,000
8	94,000	120,400	153,100	194,800	245,800	309,600	382,200	451,000
9	95,000	121,600	154,600	196,700	248,200	312,600	385,800	455,000
10	96,000	122,800	156,100	198,600	250,600	315,600	389,400	459,000
11	97,000	124,000	157,600	200,500	253,000	318,600	393,000	463,000
12	98,000	125,200	159,100	202,400	255,400	321,600	396,600	467,000
13	99,000	126,400	160,600	204,300	257,800	324,600	400,200	471,000
14	100,000	127,600	162,100	206,200	260,200	327,600	403,800	475,000
15	101,000	128,800	163,600	208,100	262,600	330,600	407,400	479,000
16	102,000	130,000	165,100	210,000	265,000	333,600	411,000	483,000
17	103,000	131,200	166,600	211,900	267,400	336,600	414,600	487,000
18	104,000	132,400	168,100	213,800	269,800	339,600	418,200	491,000
19	105,000	133,600	169,600	215,700	272,200	342,600	421,800	495,000
20	106,000	134,800	171,100	217,600	274,600	345,600	425,400	499,000
↓								
30	116,000	146,800	186,100	236,600	298,600	375,600	461,400	539,000
↓								
40	126,000	158,800	201,100	255,600	322,600	405,600	497,400	579,000
↓								
50	136,000	170,800	216,100	274,600	346,600	435,600	533,400	619,000
↓								
60	146,000	182,800	231,100	293,600	370,600	465,600	569,400	659,000
↓								
70	156,000	194,800	246,100	312,600	394,600	495,600		
↓								
80	166,000	206,800	261,100	331,600	418,600			

別表④　職能給表（定型職）

級 号　ピッチ	1 800	2 1,000	3 1,300	4 1,700
1	78,000	102,000	132,000	168,000
2	78,800	103,000	133,300	169,700
3	79,600	104,000	134,600	171,400
4	80,400	105,000	135,900	173,100
5	81,200	106,000	137,200	174,800
6	82,000	107,000	138,500	176,500
7	82,800	108,000	139,800	178,200
8	83,600	109,000	141,100	179,900
9	84,400	110,000	142,400	181,600
10	85,200	111,000	143,700	183,300
↓				
15	89,200	116,000	150,200	191,800
↓				
20	93,200	121,000	156,700	200,300
↓				
30	101,200	131,000	169,700	217,300
↓				
40	109,200	141,000	182,700	234,300
↓				
50	117,200	151,000	195,700	251,300
↓				
60	125,200	161,000	208,700	268,300
↓				
70	133,200	171,000	221,700	285,300
↓				
80	141,200	181,000	234,700	302,300
↓				
90				
↓				
100				

XI 賃金・退職金・出張に関する規程

賃金規則
—基本給を総合決定給にした単一型—

AK商会
（・事務用品販売等
・従業員　四〇人）

（目次）

第1条　この賃金規則は、就業規則第○条の規定により、従業員の賃金に関する基準を定めたものである。

（賃金決定の原則）
第2条　賃金は、会社と従業員が、対等の立場において決定する。

2　会社及び従業員は、この規則に定めることを誠実に履行するものとする。

（均等待遇・男女同一賃金）
第3条　従業員の国籍、信条、社会的身分または女子であることを理由として、賃金について、差別的取扱いをすることはない。

（賃金の種類）
第4条　この規則で賃金とは、労働の対償として従業員に支払われるものであって、次の構成とする。

条（勤続給）による。

3　査定昇給部分は、基本給のうち職能給とする。

その方法は、査定年度の職務遂行能力・責任感・協調性・貢献度等を人事考課で評定のうえ、第17条第5項の方法による。

（ベースアップ）
第31条　経済状況の変化に応じて、ベースアップを行うことがある。

2　ベースアップによる昇給は、原則として付加給及び諸手当で行う。

（臨時昇給）
第32条　臨時昇給は、次の各号の一に該当する者について、昇給の必要を生じた場合に行う。

① 特に功労のあった者
② 中途採用で技能・能力遂行優秀で成績良好の者。
③ その他会社が特に必要と認めた者。

2　臨時昇給の内容は、基本給のうち職能給（第17条）あるいは付加給（第18条）または特別手当（第21条）とし、併用することがある。

（昇格）
第33条　会社は、必要に応じて社員の職務遂行能力・責任感・企画力・判断力・勤務成績等を勘案のうえ、第17条（職能給）の「職能資格等級」（総合職・定型職に区分）の昇格及び昇級を行うことがある。

2　昇級した場合の職能給の取扱いは、職能資格等級の直近上位とする。

第5章　賞　与

（賞与の支給）
第34条　賞与は原則として、7月（上期）と12月（下期）に、会社の業績に応じて支給する。

（賞与の支給条件）
第35条　賞与の支給条件は、当該期間における社員の勤務成績・出勤率・貢献度等の人事考課を考慮して決定する。

（賞与の算定期間）
第36条　賞与の算定期間は、7月賞与（上期）は前年10月21日より、当年4月20日までとし、12月賞与（下期）は4月21日より10月20日までとする。

（賞与の不支給）
第37条　賞与は、支給当日社員として在籍していない者には支給しない。

付　則

（施行）
第38条　この規程は、○○年○月○日より施行する。

（制定）　□□年○月○日
（改定）　××年○月○日
（改定）　△△年○月○日

賃金規則

賃金 ─┬─ 基本給
　　　├─ 手当 ─┬─ 役付手当
　　　│　　　　├─ 家族手当
　　　│　　　　├─ 住宅手当
　　　│　　　　├─ 精勤手当
　　　│　　　　└─ 通勤手当
　　　└─ 割増賃金 ─┬─ 時間外労働割増賃金
　　　　　　　　　　├─ 休日労働割増賃金
　　　　　　　　　　└─ 深夜労働割増賃金

（賃金締切日）

第5条　賃金は、前月21日から起算し、当月20日に締切って計算する。ただし、日々雇い入れられる者の賃金は、その日に締切って計算する。

2　賞与については、前項の規定は適用しない。

（賃金の計算方法）

第6条　従業員の都合により、所定労働時間の全部または一部を休業した場合においては、その休業した時間に対する賃金は支給しない。ただし、本規則で別に定めのある場合については、その規定による。

2　前項の場合において、休業した時間の計算は、当該賃金締切期間の末日において合計し、30分未満は切り捨てるものとする。

3　賃金締切期間の中途において入社または退社した者の当該賃金締切期間の賃金は、労働した時間に対して支給する。

（賃金減額の計算方法）

第7条　前条における賃金の減額の方法は、次の算定式による。

月給額 − $\dfrac{月給額}{1年間における月平均所定労働時間数}$ × 休業した時間数

（賃金の支払日）

第8条　賃金は、毎月25日（その日が休日の場合は、その前日）に支払う。ただし、賞与支払日については、別に定めるところによる。

（非常時払）

第9条　前条の規定にかかわらず、次の各号に掲げる非常の場合に、従業員からの請求があったときは、賃金支払日前であっても、既往の労働に対する賃金を直ちに支払う。

① 従業員または、その収入によって生計を維持する者が結婚、出産、疾病にかかわり、あるいは災害、死亡または疾病にかかった場合

② 従業員またはその収入によって生計を維持する者が、やむをえない事由により1週間以上にわたって帰郷する場合

③ 前各号のほか、やむをえない事情があると会社が認めた場合

（退職時払）

第10条　前2条の規定にかかわらず、次の場合には、権利者の請求があった日から7日以内に賃金を支払う。ただし、争いのある部分についてはこの限りではない。

① 本人が死亡したとき

② 退職しまたは解雇されたとき

（賃金の支払方法）

第11条　賃金は、通貨で、直接、従業員に、その全額を支払う。ただし、次に掲げるものは、支払いのときに控除する。

① 法令に定められているもの

(1) 所得税

(2) 地方住民税

(3) 健康保険料、厚生年金保険料、雇用保険料の個人負担額

② 従業員の過半数を代表する者と書面による協定を結んだもの

(1) 生命保険料

(2) 会社売店の物品購入代金

(3) 社宅賃貸費

(4) 勤労者財産形成貯蓄金

（賃金の口座振込）

第12条　前条の規定にかかわらず、従業員の過半数を代表する者との書面による協定を行い、かつ、従業員が金融機関への賃金の口座振込みを希望した場合は、賃金は従業員の指定する金融機関の従業員本人口座へ振込むものとする。

2　前項の従業員の申し込みは次の内容を記載した書面で行うものとする。

① 口座振込を希望する賃金の範囲及びその金額

② 指定する金融機関店名並びに預金また

XI 賃金・退職金・出張に関する規程

は貯金の種類及び口座番号

③ 開始希望時期

3 振り込まれた賃金は、所定賃金支払日の午前10時までに払い出しが可能になるよう措置するものとする。

（賃金明細書の交付）

第13条 賃金の支払に当たっては、賃金の種類別金額、賃金からの控除費用目別金額等を記載した賃金支給明細書を交付する。

第2章 基本給

（基本給）

第14条 基本給は総合決定給とし、本人の技能、経験、職務遂行能力等を考慮して各人別に決定して支給する。

第3章 諸手当

（役付手当）

第15条 役付手当は、管理監督の職位にある者に対し、次の区分により支給する。

(1) 部長（同相当職） 六五,〇〇〇円
(2) 課長（同相当職） 五〇,〇〇〇円
(3) 係長（同相当職） 一〇,〇〇〇円
(4) 主任 七,〇〇〇円
(5) 班長 七,〇〇〇円

（家族手当）

第16条 家族手当は、扶養家族を有する従業員に支給する。

2 前項に規定する扶養家族とは、次に掲げる者をいい、家族手当の額は、それぞれ当該欄に規定するとおりとする。

① 配偶者（内縁関係にある者を含む）
　月額一〇,〇〇〇円
② 満18歳未満の子　月額三,〇〇〇円
③ 満65歳以上の父母　月額三,〇〇〇円

3 家族手当は、届出の日の属する賃金計算月から、受給資格喪失の日の属する賃金計算月まで、その全額を支給する。

（住宅手当）

第17条 住宅手当は、従業員の生活補給のため、つぎの区分により支給する。

① 配偶者または扶養家族のいる世帯
　一二,〇〇〇円
② 前号に該当しない者　八,〇〇〇円

2 給与住宅（社宅・寮）に在住する者には前項については支給しない。

（精皆勤手当）

第18条 精皆勤手当は、賃金締切期間における所定労働日の出勤成績によって、つぎのとおり支給する。

① 皆勤した場合　月額一〇,〇〇〇円
② 欠勤1日以内　月額八,〇〇〇円
③ 欠勤2日以内　月額五,〇〇〇円

2 前項の出勤成績について、年次有給休暇および前項の特別休暇で有給取得によるものは、出勤したものとみなす。

3 遅刻または早退3回をもって、欠勤1日とみなす。

（通勤手当）

第19条 通勤手当は、次の区分によって支給する。

① 交通機関を利用して通勤する者には、定期券購入に要する実費（ただし1か月〇〇〇円を限度とする
② 自家用自動車を利用するものは、通勤距離1キロメートルに対して月額〇〇〇円
③ 自転車を利用する者には、月額〇〇〇円

（時間外勤務手当）

第20条 所定労働時間を超えて、または休日に労働した場合、及び、深夜（午後10時から翌午前5時まで）に労働した場合にはそれぞれ、時間外労働手当、休日労働手当または深夜労働手当として、次の算式で計算した割増賃金を支給する。

(1) 時間外労働割増賃金（所定労働時間を超えて労働させた場合）

$$\frac{基本給＋諸手当}{1か月平均所定労働時間} \times 1.25 \times 時間外労働時間数$$

ただし、1か月60時間を超える時間外勤務については、割増率は50%とする。

(2) 休日労働割増賃金（所定の休日に労働さ

昇給取扱規程

SW油機
・油圧機器製造
・資本金 一億円
・従業員 二五〇人

第1章 通則

(目的)

第1条 昇給は原則として、年1回、4月1日付をもってこれを行う。ただし、物価指数の急激な変動、その他会社が特に必要と認めたときは、臨時昇給をすることがある。

(昇給の区分)

第2条 昇給をわけて、身分給昇給、技能給昇給、勤続給昇給の3種とする。

(昇給資格・昇給資格の喪失)

第3条 次の各号の一に該当するものは、昇給資格を失う。

① 採用後1か年に満たないもの
② 公傷以外の理由により、欠勤通算2か月以上に及ぶもの
③ 前年度中、休職2か月以上に及ぶもの
④ 前年度中、懲戒処分を受けたもの
⑤ 退職願出中のもの
⑥ 満60歳に達したもの

$$\frac{基本給+諸手当}{1か月平均所定労働時間} \times 1.35 \times 休日労働時間数$$

(3) 深夜労働の割増(午後10時から午前5時までの間に労働させた場合)

$$\frac{基本給+諸手当}{1か月平均所定労働時間} \times 0.25 \times 深夜労働時間数$$

2 深夜労働が時間外労働、もしくは休日労働と重なって行われる場合は、前項の(3)の算出における0.25は1.50もしくは1.60におきかえて計算するものとする。

3 算式の「諸手当」には、家族手当及び通勤手当は、含めないものとする。

4 管理職(部長・課長および同相当職)の職位にある者には深夜労働の場合を除き支給しないものとする。

第4章 昇給

(昇給)

第21条 昇給は、毎年4月分賃金をもって、基本給について行うものとする。

2 昇給額は、従業員の勤務成績等を考慮して各人ごとに決定する。

(臨時昇給)

第22条 臨時昇給は、次の各号のひとつに該当する者について、昇給の必要があると認めた場合に行う。

① 特に功労のあった者
② 中途採用者で特に勤務成績良好の者

第5章 賞与

第23条 賞与は原則として、7月(上期)と12月(下期)に、会社の業績に応じて各々支給する。

(賞与の支給条件)

第24条 賞与の支給条件は、当該期間における社員の勤務成績・出勤率・貢献度等の人事考課を考慮して決定する。

(賞与の算定期間)

第25条 賞与の算定期間は、7月賞与(上期)は前年11月21日より、当年5月20日までとし、12月賞与(下期)は5月21日より11月20日までとする。

(賞与の不支給)

第26条 賞与は、支給当日社員として在籍していない者には支給しない。

附則

(施行)

第26条 この規則は〇〇年〇月〇日より実施する。

ただし、②・③の各号については、技能給昇給および勤続給昇給は差しつかえない。

(昇給査定委員の任命)
第4条　社長は、毎年、昇給査定委員を任命する。その様式は別表1（略）のとおりとする。

(昇給査定委員の遵守義務)
第5条　査定委員は、次の各号に留意し、公正適確なる査定を行わなければならない。

① 査定に当たっては、自己の利害・感情・面子にとらわれず、公正、冷静に判定されたい。
② すべて各人の事実につき考査するものとし、事実に基づかず単なる評判、憶測、または他人の噂や中傷により査定してはならない。
③ よきにつけ、悪しきにつけ、いい加減の考査判定は避けること。
④ 査定の結果は、本人の将来はもちろん、現在の成績、心境に重大な影響あるものにつき、慎重を期すること。
⑤ 査定の結果は、極秘扱につき、一切他言しないよう留意すること。

第2章　身分給昇給

(定義)
第6条　身分給の昇給は、本人の学歴、年齢、経験年数および過去の地位を基礎として、一定の算式により自動的にこれを行う。

(身分給の算出方法)
第7条　前条の算出は、次の学歴による基準額に、年齢、経験、過去の地位の3点に定められた昇給指数を乗じたものとする。

① 大卒者　　技術職○○円
〃　　　　事務職○○円
② 短大卒者　技術職○○円
〃　　　　事務職○○円
③ 高校卒者　技能職○○円
〃　　　　事務職○○円
④ 中卒者　　　　　○○円
⑤ その他特別の教育を受けたものは、これに準じて決定する。
⑥ 夜間部卒業者は、右の基準より各〇〇円引下げる。ただし、短大の夜間部は〇〇円にしてこれを決定する。

(学歴給の算出基準)
第8条　学歴給は次の年齢をもって基本卒業年齢とし、これは年次を零として、それぞれ昇給額算定の基準とする。

① 大卒者　　　満23歳
② 短大卒者　　満21歳
③ 高校卒者　　満19歳
④ 中卒者　　　満16歳

(年齢給の支給限度)
第9条　年齢による昇給は、満50歳までとし、50歳以上は据置とする。

(経験者の算出基準)
第10条　経験および過去の地位の計算は、本業における場合は10割計算とし、本業に類似または関連ある職については、3割ないし5割の間で加算する。その他のものについてはこれを認めない。

(経験年数の支給限度)
第11条　経験年数による昇給は、30年間を限度とし、30年以上は据置とする。

第3章　技能給昇給

(技能給の決定)
第12条　技能給の昇給は、別表Ⅱ（略）に定める考査基準により、当該年における各社員を査定し、別に定める昇給標準額をもとにしてこれを決定する。

(査定方法)
第13条　査定の方法は、第17条ないし第18条に定める考査基準により、各査定委員が次の3項目につき採点し、さらに各委員の提出した採点表を役員会で再検討して最終的に決定する。

① 技能および経験
② 勤務態度
③ 業務実績

(査定点数)
第14条　各人の査定点数は、通常一人前のものをもって10点とし、最高20点、最低5点

昇給取扱規程

(昇給標準額の決定)
第15条　第12条の昇給標準額は、社員の身分別に定めるものとし、毎年役員会において決定し、これは考査点数の総平均が10点のものに対し支給する額とする。

(技能給の増減)
第16条　技能給は、本人の能力の増減に応じてこれを増減する。

(技能経験の考査基準)
第17条　技能経験の考査基準は、次の事実による。
① 業務に関する知識経験の度合
② 担当業務および関係業務に対する精通度
③ 研究心と業務改善態度
④ 担当事務、作業または工事に対する進歩の度合
⑤ 会社に貢献し得る特殊の技能の有無
⑥ 事故および失敗の度合
⑦ 部下または後輩に対する指導統率力

(勤務態度の考査基準)
第18条　勤務態度の考査基準は、次の事実による。
① 自己の職務に対する責任感
② 社規・社則の遵守の具合
③ 上長の命令に対する服従の態度
④ 同輩との間における協調・協力性
⑤ 材料、消耗品、機械または工具等の使用、取扱いの態度
⑥ 出勤率、遅刻、早退、私用外出等の有無、多少
⑦ 勤務中の執務態度、または作業態度
⑧ 取引先との約束の履行と応対態度
⑨ 社内の秩序および空気に対する影響のよし悪し
⑩ 部下および後輩に対する指導態度および部下よりの尊敬の程度
⑪ 作業場内の整理整頓および取締
⑫ 社の内外において、不平、苦情の有無、多少
⑬ 社の品を私用に供し、ゴマカシ、また無駄にし、無断持出等をすることの有無、多少

(業務実績の考査基準)
第19条　業務実績の考査基準は、次の事実による。
① 新規開拓に対する努力と、その実績
② 受注高、工事利益の有無、多少
③ 業務に際し、経費の節約、または業務能率の多少
④ 記帳、計算、その他担当事務についての能率および実績の度合
⑤ 工事現場における担当業務の能率および実績の度合
⑥ 業務処理の円滑的確なるか、または処理の停滞、遅延の有無、多少
⑦ 取引先よりの評判または苦情申出の有無、多少
⑧ 一般に誤処理、誤記、誤算、間違いの有無、多少
⑨ 機械、工具、備品等の取扱態度と、破損または紛失の有無

(特別昇給)
第20条　前各条の規定にかかわらず、成績抜群なるものは、特別昇給をなすことがある。

第4章　勤続昇給

(勤続給の昇給基準)
第21条　勤続給の昇給は、勤続満1か年(3月31日現在)以上のものに対し、次のとおりこれを行う。
① 勤続一か年につき　〇〇円
② 勤続十か年を超えたときその年につき　〇〇円

付　則

(実施期日)
第22条　本規程は、〇〇年〇月〇日より施行する。

営業社員給与細則

（AM建設
建設・不動産業
・従業員 六〇〇人）

第1章 総則

（目的）
第1条 本細則は株式会社AM建設の営業社員（以下社員と称す）の給与を公正に支給するための基準および手続きを定めたものである。

第2条 本細則に定めていない事項や、本細則によることのできない事項については、労働基準法に定めのあるものは基準法に、その他は慣行によって会社が定める。

（給与の種類）
第3条 社員の給与とは、固定給および歩合給をいう。ただし、新入社員は六か月を限度として営業手当および研修手当を支給する。

（賃金の体系）
第4条 社員の賃金は基準内賃金と基準外賃金とに分ける。

2 基準内賃金は固定給とする。

3 基準外賃金は営業手当、研修手当および歩合給とする。

4 時間管理困難のため超過勤務手当は歩合給に含めるものとする。

（賃金の計算期間および支給日）
第5条 賃金は前日の二六日から当月二五日までを一計算期間として当月の二五日に締切り毎月末日に支給する。ただし、支給の日が休日の時は、その前日に繰り上げて支給する。

2 給与締切期間の中途において、入社または退社した者の当該締切期間の給与は勤務した日数に対して支給する。

3 前項の規定にかかわらず次の各号に該当するときは社員の請求により、給与締切日後で給与支払日の前であっても既往の勤務に対する給与を支払う。
（イ）死亡・退職・解雇のとき。
（ロ）社員またはその収入によって生計を維持しているものが結婚し、出産し、疾病にかかり災害を受け、および社員の収入によって生計を維持している者が死亡したため費用を必要とするとき。
（ハ）本人またはその収入によって生計を維持している者がやむをえない事由によって一週間以上にわたって帰郷するとき。

（賃金の支払および控除）
第6条 賃金は、支払明細書を添えてその全額を通貨で直接社員に支給する。ただし銀行振込によってこれに代えることもある。なお、第5、6項についは毎月賃金と書面によって協定されたものは毎月賃金から控除する。

2 源泉所得税・地方住民税
3 健康保険料・厚生年金保険料・雇用保険料
4 その他法令によって定められたもの
5 会社貸付金の当月返済分
6 社宅費・寮費・その他

（賃金の減額）
第7条 社員が遅刻・早退・欠勤などにより所定就業時間の全部または一部を休業した場合は、固定給、営業手当および研修手当を全額支給する。

（臨時休業の賃金）
第8条 社員が会社の都合により臨時に休業した場合は、固定給、営業手当および研修手当は支給しない。会社の責に帰すべき事由による休業の場合においては、会社は休業期間中平均賃金の $\frac{60}{100}$ 以上の手当を支払う。

第2章 賃金

第1節 固定給

（総則）

別表2

歩合給の支給および制限

1. 利益率と歩合給低減については下記のとおりとする。

利益率	支給率
20％以上	100％支給
19％〃20％未満	98％〃
18％〃19％〃	95％〃
17％〃18％〃	90％〃
16％〃17％〃	80％〃
15％〃16％〃	70％〃
15％以下	60％〃

1. 支給時期と方法について

   歩合給の支払い

   契約時頭金入金時　40％（会社給料支払日）
   （ただし預金を除き20％以上）

   着工時または中間金入金時　45％（会社給料支払日）
   （提携ローンを除き50％以上）

   最終入金時　15％（会社給料支払日）
   （ただしいずれも支払時期にローン書類その他必要書類完備の上支払いを行なう）

1. 会社の都合によらない集金不能の場合（死亡・その他不可抗力を除く）歩合給の既支給分の返還をなし、残余の分は支給しない。
1. 建売販売の場合における率は別途定める。
1. 特注関係についても前項に準ずる。
1. 土地斡旋の場合は手数料の範囲内として別に定める。
1. 販売契約におけるその後のキャンセルのあった場合は減額または取り消しとなる。
1. 成約から最終入金までの責任制とし、会社都合によらない集金遅延については10日延びるごとに給与の10％ずつを減じる。
1. 不良得意先については歩合給を逆にペナルティーとする。

別表1

営業手当および研修手当

年齢	支額 営業手当	支額 研修手当
18	8,000	5,000
19	10,000	5,000
20	10,000	10,000
21	15,000	10,000
22	15,000	15,000
23	20,000	15,000
24	20,000	20,000
25	22,000	23,000
26	24,000	26,000
27	24,000	30,000
28	26,000	30,000
29	28,000	30,000
30	30,000	30,000
31	以下同額とする	

※備考　途中入社社員に適用するが、学卒は1歳を増した額とする。

第9条　固定給は、就業規則に決められている正規の労働時間に就業したときの報酬である（月額で表わし日額計算にあっては、一か月の所定労働日数を次の計算式により計算する）。

$$1 \text{か月平均所定労働日数} = \frac{1\text{カ年所定労働日数}}{12}$$

（固定給の決定）

第10条　固定給は一五五、〇〇〇円とする。

（昇給）

第11条　昇給は行なわない。

第2節　手当等

（営業手当および研修手当の決定）

第12条　入社六か月を限度として、別表1のとおり営業手当および研修手当を支給する。

（歩合給の決定）

第13条　住宅販売成績により、別表3のとおりの歩合給を支給する。その支給方法および制限事項については、別表2のとおり。

付　則

本細則は〇〇年〇月〇日から施行する

別表 3　　　　　　　　　　　　　歩　合　給

棟　数	受　注　額	歩合率	歩　合　給	備　　　　考
	1,500万円未満	1.20(0.8)	180,000円	1. 歩合給の換算
2　棟	1,500万円以上	1.50(1.0)	225,000	1件当り300万円以下は300万円
	2,000	1.53(〃)	306,000	1件当り700万円以下は3捨4入
	2,500	1.56(〃)	390,000	1件当り700万円を超える分には全額計算する。
4　棟	3,000	1.60(1.2)	480,000	2. 歩合率の( )内は研修期間中の歩合とする。
	3,500	1.63(〃)	570,500	
	4,000	1.66(〃)	664,000	
6　棟	4,500	1.70	765,000	
	5,000	1.71	855,000	
	5,500	1.72	946,000	
8　棟	6,000	1.73	1,038,000	
	6,500	1.74	1,131,000	
	7,000	1.75	1,225,000	
10　棟	7,500	1.76	1,320,000	
	8,000	1.77	1,416,000	
	8,500	1.78	1,513,000	
12　棟	9,000	1.80	1,620,000	
	9,500	1.81	1,719,500	
	10,000	1.81	1,811,000	
14　棟	10,500	1.82	1,911,000	
15　棟	11,000	1.82	2,002,000	
	11,500	1.83	2,104,500	
16　棟	12,000	1.83	2,196,000	
	12,500	1.84	2,300,000	
	13,000	1.84	2,392,000	
18　棟	13,500	1.85	2,497,500	
	14,000	1.86	2,604,000	
	14,500	1.86	2,697,000	
20　棟	15,000	1.87	2,805,000	
	15,500	1.87	2,898,500	
	16,000	1.88	3,008,000	
22　棟	16,500	1.88	3,102,000	
	17,000	1.88	3,196,000	

別表　3（つづき）

棟　数	受　注　額	歩合率	歩　合　給	備　考
	17,500万円以上	1.89	3,327,500 円	
24　棟	18,000	1.90	3,420,000	
	18,500	1.91	3,533,500	
	19,000	1.92	3,648,000	
26　棟	19,500	1.94	3,783,000	
	20,000	1.95	3,900,000	
	20,500	1.96	4,018,000	
28　棟	21,000	1.98	4,158,000	
	21,500	1.99	4,278,000	
	22,000	2.00	4,400,000	
30　棟	22,500	2.02	4,545,000	
	23,000	2.03	4,669,000	
	23,500	2.04	4,794,000	
32　棟	24,000	2.05	4,920,000	
	24,500	2.06	5,047,000	
	25,000	2.07	5,175,000	
34　棟	25,500	2.08	5,304,000	
	26,000	2.09	5,434,000	
	26,500	2.10	5,565,000	
36　棟	27,000	2.10	5,670,000	

扶養手当支給規程

TK光学
（光学機械・従業員 一、五〇〇人）

第1条　この規程は扶養手当（以下「この手当」という）の支給に関する事項を定める。

第2条　この手当は扶養親族を有する従業員にこれを支給する。

第3条　この規程で扶養親族とは主として従業員の会社より支給される賃金によって生計を維持している者であって、所得税法第2条第1項第33号及び第34号に定める控除対象配偶者及び扶養親族をいう。

第4条　この手当の額は扶養親族のうち、配偶者月額一五、〇〇〇円、配偶者以外の扶養親族一人につき月額七、三〇〇円とする。但し配偶者以外の扶養親族数は二人を限度とする。

第5条　この手当の支給を受けようとする者又は扶養親族数の増加した者は扶養親族届（様式第　号）又は扶養親族異動届（様式第　号）に証明資料（例えば住民票、医師の診断書等）を添附して所属長を経て会社に提出しなければならない。

2 会社は前項の届書を受理したときは審査の上扶養親族を認定し、届書を受理した日の属する月（賃金締切期間による。以下同じ）の翌月からこの手当の支給を開始又は増額する。

第6条 この手当の受給資格を喪失し又は扶養親族数に減少があったときは、直ちに扶養親族異動届（様式第　号）を所属長を経て、会社に提出しなければならない。

2 会社は前項の届書を受理したときは、その事実が発生した日の属する月の翌月から、この手当の支給を廃止又は減額する。

第7条 扶養親族としてこの手当の支給の対象となっている者の所得が所得税法上の所得限度額を超えることにより扶養親族に該当しなくなったときは当該年の一月一日に遡ってその者に係る手当の受給資格を喪失するものとし、この場合においてすでにこの手当を支給されているときは、前条第2項の定めにかかわらずその者に係る当該年の支給手当総額を返還させる。

第8条 虚偽の届出をなし又は所定の届出を怠って不当の支給を受けたときは、その金額を返還させる。

第9条 前各条に定めるものを除いては、この手当の支給は賃金規則の定めるところによる。

附　則

第10条 この規程は○○年○月○日からこれを実施する。

第11条 前家族手当支給規則並びに同細則はこれを廃止する。

別居手当支給規程

SKゴム
・ゴム製造
・従業員　一、五〇〇人

（目的）
第1条 この規程は賃金規則第○条の○の規定に基づき、別居手当の支給に関する細目について定めたものである。

（定義）
第2条 この規程において「扶養家族」とは、次のものをいう。
① 配偶者
　社員と同居し、主として社員の収入により生計を維持している者

（別居の認定）
第3条 前条に定める扶養家族の一部でも帯同または招致した場合には、別居手当の支給対象にはしない。

（支給事由）
第4条 転勤の発令を受けた者が、次のいずれかの事由により、一か月以上継続して単身で赴任する場合には、別居手当を支給する。
① 新任地に会社が社宅を提供出来ないため
② 同居の扶養家族の傷病のため
③ 配偶者の出産予定が近いため、または、出産直後のため
④ 同居の子女が中学三年または高校在学中のため

（支給額）
第5条 別居手当の額は、次の通りとし月額で支給する。
　月額　　四〇、〇〇〇円

2 別居手当の日割計算または欠勤控除は行なわない。

（支給期間）
第6条 別居手当の支給期間は、支給事由により、次の期間のうち、単身で赴任している期間とする。
① 会社が社宅を提供出来ないため……会社が社宅を提供出来ない期間
② 同居の扶養家族の傷病のため……医師の診断に基づき会社が認定する期間
③ 配偶者の出産予定が近いため、または、

出産直後のため……　出産予定日以前六週間および出産後六週間

④ 同居の子女が中学三年または高校在学中のため……

　(イ) 中学三年在学中で転勤発令月が四月から八月のとき……　中学卒業まで
　(ロ) 中学三年在学中で転勤発令月が九月から三月のとき……　高校在学中のとき　高校卒業まで

2　別居手当の支給期間の計算は、転勤発令日の属する月の翌月から支給事由に該当しなくなった日の属する月、または支給期限の到来した月までとする。

3　家族を社宅に残している期間は、別居手当を支給しない。

（支給年限）
第7条　前条に拘らず、別居手当の支給期間には最長年限を設け、次の通りとする。
但し、会社が社宅を提供出来ない場合を除く。

① 同居の子女が中学三年在学中で高校卒業まで別居手当を支給することを認めた場合　　三年六か月

② 支給事由のいずれかに該当し、別居手当の支給を受けている間に、更に他の支給事由に該当した場合　三年六ヵ月

上記以外の場合　　三年

（受給手続）
第8条　別居手当の支給を受けようとする者は、新任地を管轄する事業所の人事担当課長に「別居手当支給（延長）申請書」を提出するものとする。

2　第4条第2項に定める場合は、次に定めるものとする。
① 第4条第2項に定める支給事由に該当する場合で、会社の認定した期間の延長を希望するとき。
② 第4条各号に定める支給事由のいずれかに該当して別居手当の支給を受けている間に、更に、他の支給事由に該当したことにより、別居手当支給期間の延長を希望するとき。

（報告義務）
第9条　別居手当の支給を受けている者が、その支給事由に該当しなくなったときには、直ちに人事担当課長にその旨報告しなければならない。

（適用除外）
第10条　次の場合には、この規程を適用しない。
① 近距離転勤（距離が一〇〇キロ未満）の場合
但し、東京研究所～千葉工場間の転勤には、適用する。

② 長期滞在、海外赴任

（特例の処理）
第11条　別居手当に関し、特別な事例の取扱は、その都度人事部長の決裁を得るものとする。

附　則
この規程は、〇〇年〇月〇日から実施する。

（沿革）
△△年〇月〇日制定

作業手当支給規程

RT自動車機器
自動車部品製造
・従業員　八〇〇人

（目的）
第1条　給与規程第〇条にもとづき、作業手当の支給については本規程の定めるところによる。

（作業手当）
第2条　作業手当は作業条件（危険度、疲労度、作業環境）の程度を評価し、一定水準以上の評価を受けた職務に従事した者に対して次の通り日額を支給する。

XI 賃金・退職金・出張に関する規程

夏期の暑さにより極度に疲労度が増すと評価を受けた職務を二段階に区分し、その職務に従事した者については、毎年六月一六日より九月一五日までの間作業手当とは別に特別加給として次の通り日額を支給する。

ただし、一日の所定就業時間内において実労働時間が三時間二五分にみたない場合は支給しない。

作業手当日額
　五級　一七〇円
　四級　一二〇円
　三級　　八〇円
　二級　　五〇円
　一級　　三〇円

特別加給日額
　二級　一五〇円
　一級　　七五円

（作業条件程度の評価）
第3条　作業手当の作業条件程度の評価は次により行う。

ただし、次の評価基準では評価しきれない顕著な作業条件がある場合は、その条件を要素別に特別評価することができる。

2　作業手当支給対象職務の等級は、本条第3項の作業条件要素別配点表と第4項の評価要素別評価基準の評価ランクにより評価点を算出し、第5項の作業手当等級格付基準によって決定する。

尚、評価に際する細部については別に定める作業手当支給職務評価細則（略）による。

3　作業条件要素別配点表

評価要素		ウエイト	ランクおよび評価点				
			1	2	3	4	5
危 険 度		20%	20	40	60	80	100
疲 労 度		40%	40	80	120	160	200
作業環境	塵 埃	8%	8	24	40		
	臭 気	8%	8	40			
	騒 音	8%	8	24	40		
	温 度	8%	8	24	40		
	使用物	8%	8	40			

4　評価要素別評価基準
① 危険度
安全に職務を遂行するためにあらゆる注意力が必要である。

その注意力の程度を危険度とし、労働災害発生の可能性（危険原因とそれに直面している時間の関係）と労働災害が発生した場合の強度により評価する。

〔評価基準〕
(1) 災害発生の可能性

② 災害発生の強度

危険原因		直面時間		
危険区分	危険対象物	2時間程度	2〜5時間	5時間以上
爆発的危険	爆 発 物	1	2	3
ガス的危険	有害ガス	1	2	3
感電的危険	3,000V以上	1	2	3
火傷的危険	薬品溶湯高熱物	1	2	3
機械設備的危険	加工機等	1	2	3
交通的危険	自動車運転	1	2	3
その他危険	X　線	1	2	3

（注）極少直面として0.5の評価をすることができる。

③ 評価ランク

段階	内容	説　明
1	微傷病	休業を伴わない小さなヤケド、ケガ程度のもの。
2	軽傷病	傷害を負うものまたは身体のほんの一部分に後遺症が残るが、労働に影響を及ぼさない程度。
3	重傷病	休業が長期にわたり、一部または全部が不能あるいは死亡というような最悪結果をまねく程度。

ランク	Σ（危険区分ごとの発生可能性×発生強度）
一	〇・五
二	一〜一・五
三	二〜三・五
四	四〜五・五
五	六以上

④ 疲労度

職務の遂行に伴う標準作業の肉体的疲労の程度である。その程度を疲労度とし、次の式により評価する。

職務の疲労量
$= \Sigma$ {課業の疲労係数×所要時間（分）}

《課業とは一作業者が一連の動作を行うことによって、一つの効果を生む仕事の最少単位である。所要時間の測定は、一日の所定実労働時間内における課業ごとの所要時間（分単位測定位）である》

(1) 疲労係数表

疲労係数	内　　容	主な動作部位	代表的課業
1	手を機械的に動かし、それも意識的な動作である。	手～腕	内外旋雇ばらし、自R外観寸法検査
2	腕の動作であるが、これが肩まで及ぶ動作である。	腕～肩	内外旋雇づめ、シャーリング、白銑修理形状検査、機器外観
3	動作部位は上半身であり、比較的大きく力を入れる。	上半身～全身	自R雇の取付け・取外し、中型ライナー取付け、大型エンジンの組立、漏光検査
4	動作部位は上半身であり、比較的大きく力を平均に入れるが特に瞬間的に全身に力を集中する。	上半身～全身	中物グラインダー張下取り、鉄類の積み出し（スコップまたは手）
5	全身である程度持続的な力仕事である。	全身	大物グラインダー張取り

(2) 評価ランク

ランク	疲労量
一	五〇〇～六九九
二	七〇〇～八九九
三	九〇〇～一、〇九九
四	一、一〇〇～一、二九九
五	一、三〇〇以上

⑤ 作業環境

職務遂行上、作業場所の環境条件が従事者に与える不快感の程度をいう。この環境条件としては塵埃・臭気・騒音・温度・使用物の五細分要素をとりあげ、それぞれ以下のように評価する。

(1) 塵埃

職務遂行上の作業場所において、発生している空気中の塵埃の程度で評価する。

〔評価基準〕

ランク	内　　容	PPM区分
一	ややある	
二	ある	
三	大分ある	

(2) 臭気

職務遂行上の作業場所において、有害無害を問わず発生する不快な臭いの程度で評価する。

〔評価基準〕

ランク	内　　容
一	不快な臭いがする
二	非常に不快な臭いがする

(3) 騒音

職務遂行上の作業場所において、発生する騒音の高さの程度で評価する。騒音はホーン測定器により職務従事者の位置で実測する。

〔評価基準〕

ランク	内　　容	ホーン区分
一	ややある	七〇以上～九〇未満
二	高　い	九〇〃～一〇〇〃
三	非常に高い	一〇〇以上

(注) 騒音は連続音とする断続繰返し音および瞬間繰返し音は連続音とする。ただし、繰返し間隔五分以内に一回以上のものとする。断続音を含む。一日延一時間以上の事。

(4) 温度

職務遂行上の作業場所の暑さの程度で評価する。ただし冬期間暖房処置のできない職務については特別評価する。

〔評価基準〕

ランク	内　　容
一	暑さ 普通以上の暑さ 熱源に半日未満さらされ

XI 賃金・退職金・出張に関する規程

二 かなりの暑さ

ある職務、あるいは熱源のある建屋に半日以上作業する職務。ただし、熱源の影響を受けないものは除く。

三 極度の暑さ

熱源に半日以上直接さらされる職務。

(注) 熱源とは、過熱した素材、砂、溶湯等をいう。

(5) 使用物

職務遂行上取扱わなければならない使用物の影響の程度で評価する。

〔評価基準〕

ランク	内　容
一	使用物による影響が大きい。
二	使用物による影響がある。

(注) 使用物とは、有機溶剤（トリクレン・メタノール・アセトン・シンナー）、鉛、クローム、油類、レジン、その他分析等の薬品をいう。

5 作業手当等級格付基準

等級	評価点
五級	三五〇点以上
四級	三一〇点～三四九点
三級	二七〇点～三〇九点
二級	二三〇点～二六九点
一級	一九〇点～二二九点

① 特別加給の評価は次により行う。

(1) 特別加給支給対象職務の等級は、作業手当の評価要素別評価基準のうち疲労度と温度の評価ランクにもとづき、本条第2項の特別加給等級格付基準によって決定する。

(2) 特別加給等級格付基準

等級	格付基準
一級	○温度二ランク以上の場合。 ○温度三ランク以上にして、疲労度一ランクの場合。 ○温度二ランクにして、疲労度二ランクの場合。
二級	○温度二ランク以上の場合。 ○温度三ランクにして、疲労度一ランクの場合。

2 前号の場合には、毎月の支給額は次により算定する。

っている部門の支給対象職務については、作業手当および特別加給は次により支給する。

当該部門の所定稼働日数が一か月平均して所定就業時間勤務の所定基本稼働日数より一日以上少なくなっている場合であることと。

(複合職務の評価)

第4条 常態として二つ以上の職務に従事している場合の評価は前条により総合的に行う。

(支給範囲)

第5条 支給範囲は次の通りとする。

① 支給対象従業員は社員・見習社員・臨時工および常勤嘱託とする。

② 支給対象部門は技能職掌とする。ただし、他の職掌からの応援作業の場合はこの限りでない。

技能職掌の出向者については、出向先の従事する職務を前条により評価し、支給対象職務の適否および等級を決定する。

② 作業手当支給対象職務および特別加給支給対象職務は、別に作業手当支給対象職務一覧表として定める。

(所定就業時間以外の勤務の支給)

第6条 就業規則第○条に定める一日の所定就業時間より多く勤務することが常態となっ

(計算期間および支給日)

第7条 計算期間は毎月一日から末日までとし、翌月二五日に支給する。

支給額＝月間支給日数×日額

月間支給日数＝月間の実勤務日数
$\times \dfrac{\text{年間の基本所定稼働日数}}{\text{当該部門の年間所定稼働日数}}$

(注) ○月間支給日数は小数点未満四捨五入。
　　 ○年間の基本所定稼働日数は給与規程による。

① 変則勤務の場合に、夜勤および宵番等の部分が、前項に該当するときは、その部分の実勤務日数についてのみ前項に準じて支給する。

(応援作業による支給)

第8条 常態として行っている日常業務以外の職務に応援した作業が一日の所定就業時間内において、実労働時間が三時間二五分

作業手当支給規程

以上に及んだ場合には該当職務の日額を支給する。

2 作業手当支給職務に従事している者が同等級の職務に応援作業した場合、重複支給しない。

(支給申請手続)
第9条 作業手当支給申請手続は所属長が所定の用紙をもって所定期日までに管理グループに届け出なければならない。

(支給職務の再評価)
第10条 作業手当支給職務の再評価は、原則として毎年一回一〇月に職務評価委員会にて行い、その結果を労使協議会に提案する。

ただし、作業条件が著しく変った場合には本条の定めにかかわらず、その都度評価する。

(職務評価委員会と評価手続)
第11条 職務評価委員会は評価基準に従い、各部門について適切なる格付評価を行わなければならない。

委員会は四名をもって構成する。委員は○○・○○両地区より各二名選出する。

3 委員は職務評価に精通するものを会社で選出し決定する。

4 評価の手続は次の通りとする。

5 評価委員会の事務局は本社管理部に置く。

(格付評価の苦情処理)
第12条 格付評価に関する苦情は評価委員会にその内容を申請し、再評価を受けることができる。

(実施)
第13条 この規程は○○年○月○日日より一部改定実施する。

各部門→管理グループリーダー→評価委員→評価

各部門←管理グループリーダー←却下採用←当該地区の(評価委員会)

→評価委員会事務局

中央労協に提案←管理部長←却下採用←評価委員会

特殊作業手当評価基準

Ⅰ 評価項目　　　Ⅱ 評価点数
1. 災害面　　　　15点
   (1) 危　険　　10点
   (2) 有　害　　 5点
2. 環境面　　　　20点
   (1) 汚染(身体、衣服)　5点
   (2) 騒　　音　〃
   (3) 温　　度　〃
   (4) 悪臭，刺激臭　〃

危険度合

ランク	評　価　基　準	評価点
1	作業の性質上安全装置がないか又は、取付不可能なもので常時危険が潜在し、慎重な注意を払っていなければ傷害の起る可能性が大きく事故が発生すれば重大災害のおそれがある作業。	10
2	安全の装置はあるが作業の性質上安全化が完全にすることが出来ず、注意を払っていなければ傷害が起きる可能性があり、事故が発生すれば重大災害のおそれがある作業。	8
3	通常の作業に於いて安全化は保ち得るが、作業者の不注意もしくは機械設備の不調等により、休業災害の発生するおそれがある作業。	6
4	通常の作業に於いては危険性はないが、作業者の不注意もしくは設備工具の不調等により、不休災害の発生するおそれのある作業。	4
5	通常の作業に於いては危険性はないが、作業者の不注意もしくは手工具等の不調により、軽微な災害の発生するおそれがある作業。	2

区分	1	2	3	4	5
参考例	丸鋸機	ルーター，ダブルサイター(上星川)プレス	(レ事)半自動プレス旋盤スライス盤	ハンダゴテエアドライバー	ペンチドライバー

有 害 度 合

ランク	評 価 基 準	評価点
1	有害物質を取扱う職場において通常は，抑制濃度以下であるが，時に抑制濃度程度となるおそれがある環境下での作業。	5
2	有害物質を取扱う職場において抑制濃度よりやや低いが，相当高濃度の有害物質の発生がつきまとう環境下での作業。	4
3	有害物質を取扱う職場において比較的濃い濃度の物質の発生が認められる環境下での作業。	3
4	有害物質を取扱う職場においてかなりうすい濃度であるが，有害物質の発生が常時つきまとい一応有害性が意識されてかなり嫌悪感が伴う作業。	2
5	有害物質を取扱う職場において濃度も極めてうすく特にとりたてる程危険性もないが，一応有害物質の発生がある作業。	1

区 分	1	2	3	4	5
参 考 指 標	抑制濃度の80％〜90％	抑制濃度の60％以上	抑制濃度の40％以上	抑制濃度の20％以上	抑制濃度の10％以上

汚 染 度 合

ランク	評 価 基 準	評価点
1	作業の性質上ある特殊な汚染物によって身体全体が汚染され作業終了時に常に入浴を要する作業。	5
2	身体全体が汚染され入浴は要しないが身体の重要な個所が汚れる作業。	4
3	身体の局部（手足等）が油類等により汚染され，石けんだけでは落ちない汚れの生ずる作業。	3
4	身体の局部が汚染され，石けん等で洗わないと落ちない汚れの生じる作業。	2
5	水で十分手を洗えば落ちる程度の汚れの生じる作業。	1

騒音度合（JIS Z 8731の測定法による）

ランク	評 価 基 準	評価点
1	90ホーンレベルが50％以上の騒音にさらされる作業。	5
2	85ホーンレベルが50％以上の 〃	4
3	80ホーンレベルが50％以上の 〃	3
4	75ホーンレベルが50％以上の 〃	2
5	70ホーンレベルが50％以上の 〃	1

悪臭刺激臭の度合

ランク	評 価 基 準	評価点
1	慣れないと吐き気あるいは落涙等を伴い，はなはだしい悪臭や刺激臭があり強度の苦痛を伴う作業。	5
2	慣れないといたたまれない程の悪臭や刺激臭があり，相当の苦痛を伴う作業。	4
3	慣れないと相当きつい悪臭や刺激臭があり，相当の嫌悪感を伴う作業。	3
4	慣れないと嫌な臭が強く意識され相当の不快感を伴う作業。	2
5	慣れないと臭が意識され不快感を伴う作業。	1

寒冷地手当支給規程

（SK薬品
・薬品製造販売
・従業員 五〇〇人）

温度の度合（実効輻射温度）

ランク	評価基準	評価点
1	実効輻射温度が 10.0°C以上	5
2	〃 7.5°C〜10.0°C	4
3	〃 5.0°C〜 7.5°C	3
4	〃 2.5°C〜 5.0°C	2
5	〃 0°C〜 2.5°C	1

（目的）
第1条　寒冷地手当は、北海道に常時勤務する社員に対し冬期（一一月から翌年四月迄）における保温に必要な燃料代を補塡するために支給する。

（寒冷地手当の区分）
第2条　寒冷地手当は、次の区分により支給する。
① 世帯主　石油リットル分の価格相当額
② 独立生計者　石油リットル分の価格相当額
③ 同居単身者　石油リットル分の価格相当額

（区分の定義）
第3条　前条に規定する社員の区分は、本手当支給日現在における状況により、次の基準に従い決定する。
① 世帯主たる社員　家族手当受給者たる扶養家族と同居し世帯を構えている社員
② 独立生計者　家族と別居している世帯主たる社員
③ 同居単身者　親又はこれに代る世帯主と同居している独身の社員
　　家族手当受給者以外の家族を扶養する社員
　　寮、下宿に於て独立して生活している独身の社員

（石油の価格）
第4条　石油一リットル当りの価格は時価とし、当該事業所長の申請により人事部長が決定する。

（手取額の税金の精算）
第5条　第2条により算出した額は手取額とし、次により税金を精算する。
① 第2条により算出した額を六か月に等分し、一か月分を算出し毎月の月収を基礎として一か月分が手取になる様に税込額を求め税金精算を行なう。
② 税込額と手取額の差額は、会社負担とする。

（中途入社、転勤の場合の支給額）
第6条　期間の中途に於て入退社又は転勤による異動があった場合は、月割により計算し支給又は返済するものとする。

（施行）
第7条　この規程は〇〇年〇月〇日より施行する。

（制定・△△・〇・〇）

通勤手当支給規程

（KS建設
・建設業
・従業員 四〇〇人）

（目的）
第1条　この規程は職員（「就業規則」第〇条の規定による）に支給する通勤手当について必要な事項を定めるものとする。

（用語の定義）
第2条　通勤とは職員が勤務のため居住地と

勤務場所との間を往復することをいう。

2 勤務場所とは、本社・各支店・営業所・工事現場等で会社の命令により、就業を指示された場所をいう。

(申請)

第3条 職員が通勤手当の支給を受けようとする場合は、所定の申請用紙に必要事項を記入し、次条の経路で申請をし許可を受けなければならない。

2 住居・通勤経路または通勤方法を変更する場合は、すみやかに変更申請の手続をしなければならない。

3 社有車通勤を業務の都合によりしなければならない者（第10条規定による）は、所定の申請用紙に必要事項を記入し次条の経路で申請をし、許可を受けなければならない。

(申請の経路)

第4条 前条の申請の経路は次の通りとする。

① 内勤者

申請を所属部長に行ない、所属部長はその事実を確認のうえ（支店にあっては支店長、営業所にあっては営業所長が承認のうえ）本社総務部長に提出する。

② 工事現場勤務者

申請を作業所長に行い、作業所長はその事実を確認のうえ所管の部長に申請する（以下の手続は前号と同じ）。

③ 総務部長は申請の適否を判断し、支給を決定する。

(支給額の算出基準および支給限度額)

第5条 居住地と勤務場所との間の公共交通機関の料金に差異がある場合は、いずれか一方の低料金を支給する。

2 内勤者の支給限度額は法律で定められた免税限度額までとする。

3 工事現場等勤務者で第1項の料金が免税限度額をこえる場合は所属部長の承認のうえ、その公共交通機関料金の全額を支給する。

(通勤手当支給範囲)

第6条 居住地から勤務場所との間の片道最短距離が二キロ未満の職員には支給しない。

2 居住地または勤務場所の最寄の駅（または停留所等）までの距離が二キロ以内の場合、またはその所要時間が徒歩二〇分未満の場合は、その区間の交通費は支給しない。

3 現場勤務者で本社・支店・営業所へ通勤する場合は内勤者扱いとして通勤手当を支給する。申請手続は第3条・第4条の規定による。

4 現場宿舎等に宿泊している者には支給しない。

(非支給期間)

第7条 次の各号に該当する者は、その期間中通勤手当を支給しない。

① 休職または懲戒その他の事由により停職中の者。

② 休職・欠勤その他の事由により就業日数がその月の二分の一以下の者。

(支給方法)

第8条 期間は原則として三か月を単位として、第5条第1項の規定による定期券代を支給する。

(私有車通勤の取扱い)

第9条 通勤は公共交通機関を利用することを原則とし、事情に応じ申請に基づいて私有車通勤を許可する場合がある。ただし私有車通勤をしようとする者は次の各号を満たさなければならない。

① 「借上車規程」第○条第○項に規定する自動車保険か、またはそれと同等以上の保険に加入している事。

② 第3条・第4条の規定による申請を行う事。

(社有車通勤の取扱い)

第10条 社有車通勤を行おうとする者は、次の各号を満たさなければならない。

① 第3条第3号・第4条の規定による申請を行い、許可を受ける事。

② 原則として社員四級以上の者である事。ただし所管の部長が承認し、総務部長が決定した場合はこの限りでない。

③ 通勤範囲は原則として片道一時間また

通勤手当支給規程（新幹線利用を含む）

（SRケミカル　化学・従業員　七〇〇人）

（目的）

第1条　この規程は賃金規程第〇条に基づき通勤手当の支給に関する事項について定める。

（一般交通機関を利用する場合の通勤手当）

第2条　交通機関（汽車・電車・バス）を利用して通勤する場合は、それに要する6か月定期乗車券の使用経路は、通常通勤に利用し得る最短の経路によるものとする。

ただし、定期乗車券の使用経路は、通常通勤に利用し得る最短の経路によるものとする。

（新幹線利用の場合の通勤手当）

第3条　次の条件にすべて該当する場合は新幹線の利用を認めそれに要する3か月定期乗車券相当額を支給する。

① 通勤地変更を伴う異動者で、家族の状況等から住居を移転することが困難と認められる場合または持ち家取得上、遠距離通勤をせざるを得ない場合

② 通勤時間が在来線を利用した場合は二時間以上かかり、新幹線を利用すること

によりそれが一時間未満となる場合

③ 新幹線の乗車区間の距離が片道七〇キロメートル以上二〇〇キロメートル未満の場合

（マイカー通勤の場合の通勤手当）

第4条　会社の許可を得て、マイカー通勤の場合の通勤手当は、次による。

① 自宅から勤務地・最寄駅・バス停または工場（会社通勤バスを利用する場合）までの間を、交通機関を利用しないで通勤する場合で、片道直線距離が、二キロメートル以上の場合は片道実走行距離三キロメートル以上の場合、この間の片道実走行距離に応じ、次の算式により通勤手当を支給する。

片道実走行距離×2×20.6÷11×ガソリン価格×0.9

② 片道実走行距離は、通常利用し得る最短の経路で、〇・五キロメートル単位とし、本人が申告し会社が査定するものとする。

③ ガソリン価格は、三月、六月、九月、一二月の月末営業日現在における〇〇ガソリンスタンド価格により、翌月支給分より変更する。

④ 通勤手当額に端数が生じる場合、円単位で四捨五入する。

（高速道路使用料金）

第5条　前条のマイカー通勤者で、次の条件にすべて該当する場合は高速道路を利用し

は四〇キロ以内であること。

ただし、所管の部長が承認し総務部長が決定した場合はこの限りでない。

2　社有車通勤を許可された者は次の各号を遵守しなければならない。

① 社有車の私的使用は認めない。

② 常に自動車の清掃と手入に心掛け、乱暴な取扱いをしてはならない。

③ 「社有車管理規程」に基づき、所定要項に従って運転日報を作成し所管の係に提出する事。

④ 現場等が完了した場合は、直ちに自動車を車両課に返却する事。

⑤ 通勤中に事故等が発生した場合は速かに車両課（支店の場合は総務課）を通じて会社に報告する事。

3　社有車通勤を行っている者で上記各号に違反した者、ならびに「就業規則」等会社諸規程および「道路交通法」等諸法令などに違反した者は許可を取り消す事がある。

（失効）

第11条　この規程に違反した者は理由の如可を問わず失効し、その支給を停止し、既支給額がある場合失効日以降の分を返却させる。

（附則）

第12条　この規程は〇〇年〇月〇日より実施する。

XI 賃金・退職金・出張に関する規程

ての通勤を認め高速道路使用料金相当額を支給する。

ただし無謀運転・交通違反等を行った場合は原則としてその支給を取りやめる。

① 勤務地変更を伴う異動者で、家族の状況等から住居を移転することが困難と認められる場合

② 自宅から勤務地までの片道実走行距離が一般道を利用すると五〇キロメートル以上で、高速道路を利用した場合はその利用距離が片道四〇キロメートル以上となる場合

（車両預り料）

第6条 自宅より乗車駅までの距離（直線）が一キロメートル以上あり、かつ通勤の際常時有料駐車場または預り所を利用している者に対しては月額〇千円を限度に車両預り料の実費を支給する。

（自転車、バイク・オートバイ、自動車預り料の取り扱い）

第7条 会社通勤バスを利用する場合の取り扱い）

（会社通勤バスを利用する場合の取り扱い）

第8条 一般交通機関または会社バスを利用して通勤する者が、月の中途において勤務態様の変更を命ぜられたことにより新たな負担を必要とする場合、または、会社が指定して通勤手段のない勤務者を同乗させたことにより新たな負担を必要とする場合、また

は、会社が指定して通勤手段を同乗させた場合は別に定める「特別通勤費支給基準」により特別通勤費を支給する。

（届け出義務）

第9条 通勤手当を受けようとする者は、所定の申請書に通勤方法を明示の必要事項を記載し、会社に届け出なければならない（申請書は省略）。

2 第6条車両預り料を受けようとする者は、所定の申請書に利用する駐車場または預り所の領収書を添付しなければならない。また継続して車両預り料を受ける場合は、毎年四月七日までに領収書を会社に届けるものとする。

3 前項領収書の提出なき場合は、その後の車両預り料継続支給を打ち切る。

4 前各項により申請した通勤方法、距離、駐車場または預り所利用等に変更があった場合は遅滞なく担当部門へ届け出るものとする。

（施行）

第10条 この規程は〇〇年〇月〇日より施行する。

新幹線通勤定期券支給規程

（AJ不動産　不動産業・従業員 三〇〇人）

（支給対象者）

第1条 ① 従来の基準で、転居を伴う（通勤時間一〇〇分以上）人事異動の発令を受けた者

② 新幹線沿線に、自ら居住する住宅を新しく取得する者

（対象者別支給要件）

第2条 ① 転勤者（上記第1条①）

・現在の住居から転居せず、新勤務地に通勤すること。

・会社住宅施設（独身寮、社宅、家族アパート等）に入居していないこと。※

・業務用自己解決家賃補助を受けていないこと。※

・新幹線を利用することで、通勤時間が一〇〇分以内になること。

・新幹線の乗車距離が一路線当たり五〇キロメートル以上であること。

※に該当せず、会社住宅施設に入居（業務用自己解決家賃補助を受給）している者のうち「二重社宅」の要件を満たす者に

住宅手当支給規程

FS商事
・商社
・従業員 五〇〇人

(実施日)
第4条 〇〇年〇月〇日

(目的)
第1条 この規程は賃金規程第〇条に基づき持家者及び賃貸住宅入居者に対して支給する住宅手当について定める。

(住宅手当支給対象者)
第2条 住宅手当は会社施設利用者以外の者で下記の要件に該当する従業員に支給する。
1 扶養家族のある世帯主。
2 親元と別居し自己の収入により生計をた

ついては、本制度の他の要件をすべて満たせば支給対象者とする(ただし、二重社宅貸与期間内とする)。

「二重社宅」貸与の要件と期間
・中高生の子女の教育(高校卒業時まで)
・親の看病その他(一年間)
ただし、新規住宅貸付制度により一〇〇分を超える場所に会社貸し付けを受けて持ち家をした者が、その後転勤により新幹線を希望する場合は、上記第1条①の「通勤時間一〇〇分」を「持ち家取得時の通勤時間」に読み替える。

② 新規持ち家取得者(上記第1条②)
・同居する扶養家族があること(配偶者は扶養していなくても可)。
・取得する物件が土地・建物共本人名義であること(夫婦共有名義でも可)。
・「転勤者の住宅取り扱い」に定める京浜地区に勤務していること。
・取得物件からの通勤時間が通常の交通機関で一二〇分以上かかること。
・新幹線を利用することで、通勤時間が一〇〇分以内になること。
・新幹線の乗車距離が一路線当たり五〇キロメートル以上であること。
※本制度を利用して取得した持ち家については転勤時の持ち家借り上げの対象外とする。

(支給限度額および個人負担額)

ている独身世帯主又は独身同居人でかつ会社が認めた者。
3 結婚のため入居予定の賃貸契約を結び家賃を支払う必要のある男子独身者。この場合支給期間は結婚前三か月間を最長とし、独身世帯主(独身寮のある場合)を適用する。

(種類)
第3条 住宅手当は次の二種類とする。
1 持家住宅手当
2 賃貸住宅手当

(持家住宅手当)
第4条 持家者に対して持家住宅手当として別表1のとおり支給する。

(賃貸住宅手当)
第5条 賃貸住宅入居者に対して賃貸住宅手当として別表2のとおり支給する。

(賃貸住宅手当の算定)
第6条 賃貸住宅手当は下記の手順により算定する。
1 独身世帯主、同居扶養人数、役職により入居住宅の標準スペースを設定する。
2 勤務事業所への通勤圏を基準に二地区にわけかつ家賃の実態を配慮して地域格差を設ける。
3 第1項、第2項の設定基準に応じて各々の標準家賃(最高限度額家賃と呼称)を次の算式により算定する。

第3条 ① 本制度による通勤費の支給は、月額七万円を限度とし、超過分は個人負担とする。
② 限度額内であっても、バス代を含む全定期券代の利用の場合、転勤による本制度の一〇パーセント、および持ち家取得による場合一五パーセントを個人負担とする。

> 標準家賃＝東京通勤圏家賃坪単価×標準スペース×地域格差
>
> ※総理府統計局「小売物価統計調査」による。

4
① 同居扶養家族のある場合の賃貸住宅手当。

A地区支給額＝最高限度額家賃における支給額

最高限度額家賃

$$\left. \begin{array}{l} 1～2人 \\ 三人（課長代以上） \\ 四人（部長代以上） \end{array} \right\} \text{支給率} \begin{array}{l} 60\% \\ 50\% \\ 50\% \end{array}$$

B地区支給額＝B地区最高限度額家賃における支給額
　　＝A地区最高限度額家賃
　　　－A地区最高限度額家賃における自己負担額
　　＝B地区最高限度額家賃
　　　－（A地区最高限度額家賃－A地区支給額）

② 最高限度額家賃内の支給額

A地区支給額　別表2による。
B地区支給額　地域格差（B地区家賃）÷（A地区家賃）
　　〇・八＝A地区支給額

5
① 独身世帯主の場合の賃貸住宅手当

独身寮のある場合及び女子
　最高限度額を考慮して自己負担額が同額となるよう定める。

② 独身寮のない場合

A・B地支給額＝$\left(\dfrac{\text{最高限度額}}{\text{家賃を上限}}\right)$×支給率五〇％
　　　　　　　とする家賃

③ 独身寮のある地域においても独身寮満室のため入寮を希望しても入寮しえない者については「独身寮のない場合」を適用する。

A・B地区支給額＝$\left(\dfrac{\text{最高限度額}}{\text{家賃を上限}}\right)$－五、〇〇〇円
　　　　　　　とする家賃

6 以上の算式による具体的な数値は付表のとおりとする。

（賃貸住宅手当の特例）

第7条 第2条の規定にかかわらず、次の該当する場合は別途算定のうえ支給することがある。

1 支店長及びこれに準ずる役職で会社がその必要を認めた場合。

2 転勤による転居のため別に定める規定を適用された場合。（別表3）

（住宅手当支給手続）

第8条 第2条に該当する従業員で住宅手当支給を申請する者は所定の届書を会社へ提出し、その後変更事項が生じた場合でもそのむね直ちに届出るものとする。その場合、賃貸契約期間家賃等を証明する資料を添付するものとする。

（実施月日）

第9条 この規程は〇〇年〇月〇日より実施する。

改正一　△△年〇月〇日
（賃金規程より分離）
（別表1・2・3省略）

管理職手当支給規程

（制定・〇〇・〇・〇）

（MR商事　商社・従業員　三〇〇人）

第1条 社員で特定の職務に従事する者に対し、その職にある期間に限り、管理職手当を支給する。

第2条 当分の間管理職手当を支給する範囲および金額を次の通りとする。

部　　長　月額　九〇、〇〇〇円以内
部　次　長　月額　八〇、〇〇〇円以内
支　店　長　月額　八〇、〇〇〇円以内
支店次長　月額　七〇、〇〇〇円以内
課　　長　月額　六〇、〇〇〇円以内

ただし、各人に対する支給金額は重役会で審議の上決定するものとする。

第3条 前条の職にない者でも、役員会の審議を経て、特に重要な職にあると認めた者に対しては、月額四〇、〇〇〇円以内の管理職手当を支給することができる。

第4条 この手当は本務に対してこれを支給し、兼務については原則としてこれを支給しない。

第5条 この手当の支給を受ける者は、第3条の管理職手当を受ける者を除き、その他

営業マン時間外取扱規程

BH製薬
（薬品製造販売・従業員 三〇〇人）

位に応じ業務の監督または管理の職責に任ずる者であるから、時間外勤務手当の支給はしない。

1 営業部員の休日出勤、早出・残務手当

休日出勤、早出・残務手当の支給に関しては、営業部員の勤務は所定の勤務時間内に終了したものとみなすが、下記の場合はそれぞれ所定の休日出勤および早出・残務手当を支給する。

① 上司が明らかに所定の勤務時間内に終了できないような業務を命じた場合の時間外勤務

② 通常事務部門が行う業務を勤務時間外または休日に行うよう上司が指示した場合の休日または時間外勤務。

ただし、上司が管理できる場所にて行った場合に限る。

2 休日の接待、得意先冠婚葬祭・引越し等の手伝い

休日に行う接待、得意先冠婚葬祭・引越し等の手伝いについては通常の休日出勤手当に代えて下記の金額を支給する。

① 接待（ゴルフ、マージャン、飲食、釣、碁、将棋、招待旅行、その他これに類するもの）

一日につき 七、〇〇〇円

② 得意先冠婚葬祭・引越し等の手伝い 四時間を限度とし休日出勤手当相当額

3 休日の移動（出張）

休日に移動（出張）を行った場合は、四時間を限度として休日出勤手当相当額を支給する。

4 その他

次の各場合は手当、日当等の支給対象とならないことに留意する。

① 平日の移動（出張）の場合の早出・残務手当

② 平日の接待、得意先冠婚葬祭の手伝いの場合の早出・残務手当

③ 平日の接待を勤務時間外に行った場合の日当

④ 通常の営業活動に伴う事務処理（報告書の作成、準備等）による早出・残務手当（営業活動と同一またはその延長と扱う。）

5 手続

① 早出・残務および休日出勤を行う場合には、あらかじめ「早出・残務・休日出勤予定表」を提出し、上長の許可を得ること。

② 休日に移動（出張）のみを行った場合あるいは接待を行った場合の仕事の内容欄に「休日出張確定報告書」の「早出・残務・休日出張（移動）」または「休日接待」と明記すること。

6 実施

〇〇年〇月〇日より実施

（制定△△年〇月〇日）

外勤手当支給基準

MS皮革
（皮革製造・従業員 二〇〇人）

1 この手当は本社、支店、営業所および出張所において外勤することが常態となっている社員に適用し、宣伝カー乗務員を含むものとする。

なお、この手当の受給対象者には特殊勤務手当（当直手当は除く）および技能手当は支給しない。

2 社員を外勤職務につかせた場合、所属長（課長、事業場長）は、その者の氏名、支

給区分、および就業開始期等を文書にて事業場労務担当課を経由して、各営業部長に報告する。

この支給規準の適用は○○年○月○日より実施する。

第4条 支給対象期間の末日に在職し、かつ支給当日在職するものであって、同期間中の実就業日数が所定就業日数の三分の一以上ある者を完全受給資格者とする。

2 前項にもかかわらず同期とそのつぎの期は別格者として完全受給資格者とはしない。新たに採用した時の期とそのつぎの期は別格者として完全受給資格者とはしない。

（各人の支給算式）
第5条 完全受給資格者各人に対する賞与金支給方式は、原則として次式による。

賞与金＝〔査定分＋定額分＋（調整分）〕×出勤率

（査定分の算出方法）
第6条 前項に定める査定分は次式により算出する。

査定分＝各人本給×定率×査定係数

2 定率はその都度別に定める。
3 査定係数の基準値はつぎのとおりとし、各人の業務成績に応じて別に定めるところに従い査定係数をきめる。

職級	査定係数	職級	査定係数	職級	査定係数
一級	一・〇五	四級	一・一二	七級	一・二四
二級	一・〇七	五級	一・一五		
三級	一・〇九	六級	一・二〇		

（定額分）
第7条 定額分は次式により算出したものを基準とすることとし、別に定める。

賞与支給規程

BM食品
（食品製造販売
・従業員 六五〇人）

（目的）
第1条 この規程は、給与規程第○章に定める賞与金の支給に関し七級職以下の従業員について定める。

（原則）
第2条 賞与金は会社の業績に従い原則として年二回支給する。

（支給対象期間）
第3条 賞与金は上期賞与金と下期賞与金に分け、それぞれつぎの期間における各人の職務遂行成果、担当職務の重要度および

	支給月	支給対象期間
上期賞与金	六月	前年一一月二一日〜当年五月二〇日
下期賞与金	一二月	当年五月二一日〜当年一一月二〇日

（受給資格者）
勤務成績を査定のうえ、その都度定める支給期日に支払う。

付則
（注）給料支給明細書における「調整支給」とする。

6 乗車手当

外勤者が自ら自動車を運転し、外勤職務を行った日数により、次の手当を支給する。

乗車手当（月額）

区分	手当月額
宣伝カー乗務員	八、〇〇〇円
係長	一〇、〇〇〇円
それ以外の者	八、〇〇〇円

5 外勤手当（○・○改訂）

4 外勤手当は、就業の日を含む月分について全額支給し日割計算は行わない。

3 手当額の決定は、各事業場労務担当課が必要な調査を行い、事実に基づき5の手当額を支給する。

外勤職務につかせなくなった場合も同様である。

乗車日数	手当月額
一日〜一〇日	七〇〇円
一一日〜二〇日	一、七〇〇円
二一日以上	二、五〇〇円

賞与支給規程

第8条 正当な評価にもかかわらず、特別な事情により相対的に著しく低位にある者に対しては、各人の事情を勘案のうえ調整分を加算することがある。

（出勤率）

第9条 出勤率は次式により算出する。

$$\text{出勤率} = \frac{\text{所定就業日数} - \text{減日数}}{\text{所定就業日数}}$$

職級	算　式
一級	11/84×A＋ 9,000円
二級	13/84×A＋12,000円
三級	16/84×A＋15,000円
四級	19/84×A＋18,000円
五級	23/84×A＋21,000円
六級	28/84×A＋27,000円
七級	34/84×A＋33,000円

1 減日数はつぎのとおりとする。
① 病気欠勤日数
② 事故欠勤日数
③ 無断欠勤日数
④ 遅刻・早退・私用外出（就業規則第○条の場合は除く）……一回につき〇・三日とする。

2 所定就業日数とは支給対象期間中の所定就業日数の延日数とする。

3 減日数はつぎのとおりとする。
⑤ 休職日数
⑥ 入場拒否退場命令……一回につき一日とする。
⑦ 就業禁止日数
⑧ 出勤停止日数
⑨ 産前産後の不就業日数……不就業日数の七〇％を減日数とする。

4 出勤率の算出にあたり小数点以下第四位を四捨五入する。

（別格者の支給方法―一）

第10条 支給対象期間日の末日に在職し且つ支給当日在職するものであって同期間中の就業日数が所定就業日数の三分の一に満たない者に対する金一封の取扱いはつぎのとおりとする。

① 所定就業日数の一〇％未満のものには支給しない。

② 所定就業日数の一〇％以上三分の一未満の者に対しては次式により算出したものを支給する。

$$(\text{本給} \times \text{定率} \times \text{査定係数基準値} + \text{定額分}) \times \text{出勤率} \times \text{減率}$$

2 前項②の減率はその都度別に定める。

（別格者の支給方法―二）

第11条 賞与金支給対象期間中に新たに採用した別格者に対しては、次式により算出した額を金一封として支給する。ただし減率はその都度定める。

$$(\text{本給} \times \text{定率} \times \text{査定係数基準値} + \text{定額分}) \times \frac{\text{当人の所定就業日数} - \text{減日数}}{\text{所定就業日数}} \times \text{減率}$$

2 前項にもかかわらず就業期間が所定就業日数の一〇％未満の者には支給しない。

（別格者の支給方法―三）

第12条 当該賞与金支給対象期間の前の期間内に入社した別格者に対しては次式により算出した額を金一封として支給する。

$$(\text{本給} \times \text{定率} \times \text{査定係数}) + \text{定額分})$$

（退職者および休職者の特別扱い）

第13条 賞与金支給対象期間内就業日数が所定就業日数の二分の一以上ある者のうちの特定の者に対しては、次のとおり特別賞与金を支給する。

① 死亡による退職の場合は第5条の算出方法を基準として支給する。

② 公職就任休職の場合は次式により算出する。

$$(\text{休職時の本給} \times \text{定率}) + \text{相当定額分}) \times \text{出勤率}$$

3 前項にもかかわらず業務の性質上直ちに有力な業務推進力となる者に対しては減率を乗じないことがある。

2 前項の減率は原則として八五％以下とする。

賞与に関する規程

AK精機
（精密機械製造・従業員 八〇人）

給与規程

（賞与金）
第14条 支給対象期間中に懲戒処分等を受けた者に対しては、賞与金を減額して支給し、または支給しないことがある。

（臨時作業員の特別扱い）
第15条 臨時作業員として採用した者が正規の従業員となった場合には、臨時作業員雇用期間も正規従業員期間とみなしたうえ、受給資格を決定する。

（端数処理）
第16条 各人賞与支給額の計算において一〇円未満の端数があるときは、五円以上を一〇円に切り上げ、五円未満は切り捨てるものとする。

（施行）
第17条 この規程は〇〇年〇月〇日より施行する。

③ 組合業務専従休職および出向休職の場合は次式により算出する。ただし、査定係数は本人在職中の業務成績により所定の手続きを経て評価決定する。

$$\{（休職時の本給×定率×査定係数） ＋ 並出定額分\} × 出勤率$$

（賞与金の減額）

賞与支給規程

（目的）
第1条 この規程は、給与規程31条による「賞与の支給」に関する細部を定めることを目的とする。

（賞与支給の原則）
第2条 賞与は原則として会社の業績により、年二回支給する。

（賞与の算定期間）
第3条 前条における算定期間は、次のとおりとする。
① 七月（上期）…前年一一月二一日より当年五月二〇日まで
② 一二月（下期）…当年五月二一日より一一月二〇日まで

（支給条件）
第4条 賞与の支給条件は、前条の算定期間における出勤率および人事考課を勘案のう

第5章 賞 与

（賞与の支給）
第31条 賞与は、原則として七月および一二月に会社の業績に応じて支給する。

（賞与の算定期間）
第32条 賞与の算定期間は前年一一月二一日より五月二〇日までを七月賞与に、五月二一日より一一月二〇日までを一二月賞与の期間とする。

（賞与の支給条件）
第33条 賞与の支給条件は、当該期間における社員の勤務成績、出勤率、貢献度を査定のうえ考慮して決定する。

（賞与の不支給）
第34条 当該算定期間において、中途入社し、勤務日数が二か月未満の場合は支給しない。

2 賞与支給当日、社員として在籍してない者には支給しない。

附 則

（施行）
第35条 この規程は〇〇年〇月〇日より施行する。

成果配分規程

えその都度定める支給期日に支給する。

（受給有資格者）
第5条　賞与の受給有資格者は、第3条の「賞与算定期間」に在籍し、支給当日在籍する者とする。

（賞与の支給方式）
第6条　賞与は第3条の算定期間における勤務成績、貢献度、出勤率によって決定する。

2　前項の算式は次のとおりとする。

（算定基礎額×支給率）×出勤率×考課係数＝基本給＋役付手当

① 算定基礎額＝基本給＋役付手当
② 支給基礎額＝業績（支給総額決定により算出）
③ 出勤率＝$\frac{\text{所定勤務日数}-\text{欠勤日数}}{\text{所定勤務日数}}$

　ア　欠勤一回…一日
　イ　遅刻・早退・私用外出…三回をもって一日とする。
　ウ　年次有給休暇、慶弔休暇、特別休暇は出勤扱い

④ 考課配分係数

　　S　　一一〇・〇％
　　A　　一〇五・〇
　　B　　一〇〇・〇
　　C　　九五・〇
　　D　　九〇・〇

（算定期間中の中途入社者の取扱い）
第7条　第3条の算定期間の中途で入社した者の取扱いは、次のとおりとする。

① 算定期間における在籍期間二か月以上の場合は前条の計算による。
② 算定期間における在籍期間二か月未満の場合は金一封（その都度決定）とする。

（算定期間後の中途入社者の取扱い）
第8条　算定期間後の中途入社し、支給当日在籍する者で、その期間が一か月以上の者には前条第2号を準用する。

（減額）
第9条　算定期間中に就業規則等第〇条の懲戒処分を受けた者には減額して支給することがある。

（施行）
第10条　この規程は〇〇年〇月〇日より施行する。

成果配分規程

（〇〇年〇月〇日制定）

（SMスーパー・小売業　従業員　1,300人）

（目的）
第1条　利益が出た場合、これを会社、株主、役員、社員に分配し、特に社員に対してやる気を起こさせることを目的とする。

第2条　配分は年一回とし、十二月決算により配分決定を計上し、決算済後一か月以内（翌年三月まで）に支払うものとする。

（算定期間、決算期間）
第3条　利益目標の樹て方は下記方法による。

1 各店を単位とし
① 売上総利益＝売上高－仕入＝売上総利益
② 部門利益＝事業部担当費用－貸借料＝部門利益
③ 共通費（本社費用）の配分の仕方

$\text{事業部費用} \times \frac{\text{店別事業部内総売上高}}{\text{事業部総売上高}} = \text{部門費用}$

経常利益＝共通費－減価償却費－支払利息

2 営業外費用の内の算定は次の通りとする。

① 事業部費用（事業部内の売上高によって配分）

$\text{人件費} = \text{売掛担当人件費} \times \frac{\text{店別従業者数}}{\text{各店総従業者数}}$

② 回収費用＝$\frac{\text{店別売掛残高組数}}{\text{総売掛残高組数}} \times \text{店別共通費}$

①＋②＝店別共通費

② 支払利息
　　総資産×利率（〇％）

XI 賃金・退職金・出張に関する規程

③ 賃借料（家賃）

社内家賃＝ 地下 1F 8,000
　　　　　　　2F 7,000 ×坪数
　　　　　　　3F 6,000

（ただし、ギャラリービルについては営業面積とする）

④ 社外家賃＝支払通り

⑤ 修　繕　費＝支払通り

減価償却費

第4条（配分の算式）

① 経常利益－法人税等税金（0.5）＝税引後利益

税引後利益＋支払済従業員賞与＝成果配分額

② 成果配分額／4 ＝成果配分対象配分額

③ 成果配分対象配分額

成果配分対象	配分率	配　分
従業員 1/4	二五%	会　社 1/4 二五%
役員 1/4	二五%	株　主 1/4 二五%
		計　成果配分額

③ 成果配分対象別金額（従業員分）－支払済従業員賞与＝従業員追加配分額

従業員成果配分表

対象者	分配率	%
事　業　部　長	1/8	12.5
次　　　　　長	0.5/8	6.5
店　長　外　社	2/8	25.0
主　要　幹　部	2/8	25.0
本　　　　　人	0.5/8	6.5
マイナス保留分	2/8	25.0

※・対象外が欠けた場合マイナス保留分に組入る。
・役員部長は配分しない。
・兼務の場合主の方に配分同一店舗内にて重複することはない。

第5条　経常利益および目標未達成の場合の措置
（検討中）

第6条　この規程のうち第3、第4条は現実の数字をあてはめて再検討し修正すること していない。

附則

第7条　この規程は○○年○月○日より実施する。

1　追加成果配分の意味）規模別（店従業員数、営業面積）に努力し二〇万円～五〇万円を店長に支給する。

2　追加成果配分の予算がマイナスの場合で、マイナスを極端に減じた場合（誰もが認める時例えば五〇%減）会社の施策の可否、市況、その他勘案の上役員会にて決定し努力賞を支給する。

3　契約金消化日数分は毎月経費とし、契約金の一度の多額経費を月毎に分散適正する。

4　これは本支店仮勘定科目を使用する。途中でのキャンセル分は店に返金する。○○年度四月度賞与分を合わせた日給移行者の支払済賞与の計算は毎年一一月分の日給者の給与支払総額を年間の賞与支払額とする。

5　共通費の売掛回収費用の計算基礎は毎年一〇月末残をもって算定基礎とする。

6　従業員人数は、パート二名で一名の計算とする。

7　第3、第5、事業部の営業時間延長分（○○年度）の人件費、売上額は予算に算入

(売上増と人件費の相殺的見方)

(編注) 同社の給与規程関連条文

第8条 賞与は定期賞与および決算期賞与とし、賞与支給日に在籍したものに支給する。

① 定期賞与は年二回とし、六月および一二月に支給する。

② 定期賞与を基準賞与、級別加算および勤続加算で構成する。

③ 基準賞与および級別加算の算定に当っては基本給および役付手当を基礎とし、これに支給率を乗じ、さらに出勤率を乗じたものとする。

④ 基準賞与の支給率は、会社の業績その他を勘案して考課段階別にそのつど定めるものとする。

⑤ 級別加算支給率は次のとおりとする。

等級	支給率
三級	○・二~四
四	○・三~○・五
五	○・五~○・七
六	○・六~○・八

⑥ 出勤率は、次の算式による。

出勤率＝1－｛0.007×不在欠勤日数
＋0.0025×回数（遅刻、早退、私用外出〈2時間以内〉）
＋0.0035×回数（遅刻、早退、私用外出〈2時間以上〉）｝

⑦ 勤続加算

勤続三年～五年未満　五、〇〇〇円
〃　五年～一〇〃　　一〇、〇〇〇円
〃　一〇年～一五年未満　一五、〇〇〇円
〃　一五年以上～　　二〇、〇〇〇円

2 決算期賞与（成果配分）は、年度中の収益により、成果配分規程により前年度までに入社した賞与支給日在籍者に支給する。

退職金支給規程

（大企業）

SM化学
化学製造業
従業員 一,五〇〇人

(目的)

第1条 従業員が退職したときは、この規程の定めるところにより退職金を支給する。

(適用範囲)

第2条 この規程の適用を受ける従業員は、会社と所定の手続きを経て労働契約を締結した者をいう。ただしつぎの者には適用しない。

① 顧問及び嘱託

② 一定期間を限って臨時に雇入れられた者

③ 日々雇入れられる者

(受給資格者死亡の場合の退職金受給者)

第3条 従業員が死亡した場合においては、その退職金は、労働基準法施行規則第42条から第45条の定めるところに従って支払う。

(支払方法及び支払時期)

第4条 退職金は、原則として、退職の日から七日以内にその全額を通貨で本人に支給する。

(支給事由)

第5条 退職金は、つぎの各号の一に該当するときに支給する。

① 定年に達したため退職したとき

② 精神障害または負傷・疾病のため勤務にたえることができなくて退職、または解雇されたとき

③ 本人が死亡したとき

④ 自己の都合により退職したとき

⑤ その他やむを得ない事由によって退職、または解雇されたとき

(受給資格)

第6条 前条の規定によって、退職金の支給を受けることのできる者は、勤続満三年以上の従業員とする。ただし、前条第3号および第2号・第5号後段の規定のうち解雇された者については、勤続満一年以上とする。

2 前項の受給資格は、懲戒解雇を受けた従業員には与えない。ただし、事情によって

XI 賃金・退職金・出張に関する規程

は、所定額の二分の一の範囲内において特に支給することがある。

（勤続年数の計算）
第7条 前条および第8条の勤続年数の計算は、つぎの各号による。
① 雇入れの日より起算し退職発令の日までとする。
② 前号の期間にはつぎの期間は算入しない。
イ 自己の都合による連続一か月以上の欠勤期間
ロ 業務外の負傷・疾病による連続六か月以上の欠勤期間
2 前項による計算によって、一年未満の端数が生じたときは、月をもって計算し、一か月に満たない日数は切り上げる。

（退職金の支給額）
第8条 支給する退職金は、次条に定める退職金算定基礎額に次表の勤続年数に応ずる支給率を乗じて算出した金額とする。
2 前項の退職金額算定に用いる支給率は第5条4号の事由による退職については乙欄を、その他の事由による退職については甲欄を適用する。

（算定基礎額）
第9条 退職金算定の基礎額は、退職発令の日における当該従業員の基本給とする。ただし基本給が日給で定められている従業員については、日給の二五倍を基礎額とする。

退職金支給率

勤続年数	支給率 甲	支給率 乙	勤続年数	支給率 甲	支給率 乙	勤続年数	支給率 甲	支給率 乙
1年以上	1.0		11年以上	12.3	9.8	21年以上	25.9	23.3
2 〃	2.0		12 〃	13.6	10.9	22 〃	27.4	24.7
3 〃	3.1	1.9	13 〃	14.9	11.9	23 〃	28.9	26.0
4 〃	4.2	2.5	14 〃	16.2	13.0	24 〃	30.4	27.4
5 〃	5.3	3.2	15 〃	17.5	14.0	25 〃	31.9	28.7
6 〃	6.4	3.8	16 〃	18.8	15.0	26 〃	33.5	33.5
7 〃	7.5	4.5	17 〃	20.1	16.1	27 〃	35.1	35.1
8 〃	8.7	5.4	18 〃	21.6	17.3	28 〃	36.5	36.5
9 〃	9.9	5.9	19 〃	23.0	18.4	29 〃	38.3	38.3
10 〃	11.1	6.7	20 〃	24.4	19.5	30 〃	40.0	40.0

（加給）
第10条 在職中特に功績の顕著であったものについては、その者に支給する退職金の三割以内の金額を増額支給することがある。

（退職金の支払方法）
第11条 退職金の支払方法は、本人が指定する、本人名義の口座振込みとする。

附則
この規程は〇〇年〇月〇日から実施する。

退職金支給規程
（社内規程と中退金併用の場合）

TP電子
・電子工業
・従業員 九〇人

第1条 従業員が一年以上勤続して退職したときは、この規程により退職金を支給する。
第2条 退職金は、従業員の退職時の基本総月額に、別表第1に定める勤続期間に応じた支給率を乗じて得た額とする。
第3条 会社都合（業務上の傷病を含む）または一〇年以上勤続して定年に達したことにより退職した場合には、前条の規定によって算出した額の三割以内を増額支給する。
第4条 この規程による退職金の支給を一層確実にするために、会社は、従業員を被共済者として中小企業退職金共済事業団（以下「事業団」という。）と退職金共済契約を締結する。
第5条 退職金共済契約の掛金の月額は、別表第2のとおりとし、毎年四月に調整する。
第6条 新たに雇い入れた従業員については、見習期間を経過し、本採用となった月

退職金規程
（中小企業退職金共済事業団契約によるもの）

AK商事
（卸売業・従業員 三〇人）

第1条　従業員が退職したときは、この規程により退職金を支給する。

2　前項の退職金の支給は、会社が各従業員について中小企業退職金共済事業団（以下「事業団」という。）との間に退職金共済契約を締結することによって行うものとする。

第2条　新たに雇い入れた従業員については、見習期間を経過し、本採用となった月に事業団と退職金共済契約を締結する。

第3条　退職金共済契約は、従業員ごとに、その基本給の額に応じ、別表に定める掛金月額によって締結し、毎年四月に掛金を調整する。

第4条　退職金の額は、掛金月額と掛金納付月数に応じ中小企業退職金共済法に定められた額とする。

第5条　従業員が懲戒解雇を受けた場合には、事業団に退職金の減額を申出ることがある。

第6条　この規程による退職金は本人に支給

に事業団と退職金共済契約を締結する。

第7条　事業団から支給される退職金の額が第2条および第3条の規定によって算出された額より少ないときは、その差額を会社が直接支給し、事業団から支給される額が多いときは、その額を本人の退職金の額とする。

第8条　事業団から支給される退職金は、従業員の請求によって、事業団が支給する。

2　会社が支給する退職金は、本人または遺族が指定する金融機関の本人口座に振込むものとする。

第9条　従業員が懲戒解雇を受けた場合には、退職金を減額することができる。この場合、事業団から支給される退職金については、その減額を申出ることがある。

第10条　第2条および第3条の勤続期間の計算は、本採用となった月から退職発令の月までとし、一年に満たない端数は、五か月以下は切捨て、六か月以上は一年とする。

第11条　休職期間および業務上の負傷又は疾病以外の理由による欠勤が六か月をこえた期間は、勤続年数に算入しない。

第12条　この規程による退職金は、本人に支給するものとし、本人が死亡した場合は、遺族に支給する。

2　前項の遺族は、労働基準法施行規則による。

第13条　この規程は、関係法規の改正および社会事情の変化などにより必要がある場合には、従業員代表と協議のうえ改廃することができる。

附　則
この規程は、〇〇年〇月〇日から実施する。

別表第1　退職金支給率

勤続年数	支給率	勤続年数	支給率	勤続年数	支給率
1年	0.5	11	6.5	21	16.5
2	0.7	12	7.5	22	17.5
3	1.5	13	8.5	23	18.5
4	2.0	14	9.5	24	19.5
5	2.5	15	10.5	25	21.0
6	3.0	16	11.5	26	22.0
7	3.5	17	12.5	27	23.0
8	4.0	18	13.5	28	24.0
9	4.5	19	14.5	29	25.0
10	5.5	20	15.5	30	26.0

（注）30年をこえる年数1年をますごとに1.0を加える。

別表第2　掛金月表

基本給月額	掛金月額
120,000円未満	8,000円
120,000円以上150,000円未満	9,000円
150,000円以上200,000円未満	10,000円
200,000円以上250,000円未満	14,000円
250,000円以上	16,000円

退職金支給規程
（社内規程と企業年金の併用）

AS染織
・染色業
・従業員　一六〇人

（目　的）

第1条　この規定は、就業規則第○条に基づき、社員が死亡または退職した場合の退職金の支給に関する事項について定めたものである。

2　前項における社員とは、就業規則第○号に該当する社員をいう。

（受給者）

第2条　退職金の支給を受ける者は、本人または遺族で、会社が正当と認めた者とする。

2　前項の遺族は労働基準法施行規則第42条ないし第45条の遺族補償の順位に従って支給する。

（支給範囲）

第3条　退職金は勤続満一年以上の社員が退職した場合に支給する。

ただし、自己都合退職は満三年以上とする。

（勤続年数の計算）

第4条　勤続年数の計算は、入社の日より退職の日（死亡退職の場合は死亡日）までとするものとし、本人が死亡した場合には、中小企業退職金共済法の定めるところにより遺族に支給する。

第7条　この規程は、関係諸法規の改正及び社会事情の変化などにより必要がある場合には、従業員代表と協議のうえ改廃することができる。

附　則

第1条　この規程は、○○年○月○日から実施する。

第2条　この規程の実施前から在籍している従業員については、勤務年数に応じ過去勤務期間通算の申出を事業団に行うものとする。

し、一か年未満の端数は月割とし、一か月未満の日数は一五日以上を一か月に繰り上げ、一四日以下は切捨てる。

2　就業規則第○条の「試用期間」は、勤続年数に算入する。

3　就業規則第○条の「休職期間」は、「出向休職」を除き原則として勤続年数に算入しない。

4　就業規則第○条の育児休業期間中は勤続年数に算入しない。

（退職金計算の基礎額）

第5条　退職金の計算を行う場合の基礎となる額は、退職時の基本給とする。

（自己都合等による算式）

第6条　つぎの各号の事由により退職した場合は、つぎの算式により算出した金額を退職金として支給する。

(1) 事由

① 自己の都合で退職する場合

② 休職期間満了により退職する場合

(2) 算式（別表1 自己都合支給率表）

基本給×支給率

（会社都合等による算式）

第7条　つぎの各号の事由により退職した場合は、つぎの算式により算出した金額を退職金として支給する。

(1) 事由

① 定年退職の場合

② 会社の都合により解雇する場合

別表　掛金月額表

基本給月額	掛金月額
120,000円未満	8,000円
120,000円以上150,000円未満	9,000円
150,000円 〃 200,000円 〃	10,000円
200,000円 〃 250,000円 〃	14,000円
250,000円 〃 300,000円 〃	16,000円
300,000円 〃 400,000円 〃	18,000円
400,000円以上	20,000円

退職金支給規程

別表①　自己都合支給率表

勤続年数	支給率	勤続年数	支給率
3	0.57	12	5.34
4	0.82	13	6.28
5	1.13	14	7.34
6	1.51	15	8.55
7	1.96	16	9.91
8	2.48	17	11.47
9	3.08	18	13.24
10	3.74	19	15.24
11	4.50	20	17.53

勤続20年以上は別表②を適用する。

別表②　会社都合支給率表

勤続年数	支給率	勤続年数	支給率
1	0.49	16	11.76
2	0.87	17	13.03
3	1.32	18	14.40
4	1.80	19	15.90
5	2.34	20	17.53
6	2.95	21	19.31
7	3.62	22	21.27
8	4.34	23	23.43
9	5.10	24	25.80
10	5.89	25	28.41
11	6.72	26	31.28
12	7.59	27	34.41
13	8.15	28	37.92
14	9.51	29	41.75
15	10.59	30	45.97

勤続30年以上は、1年を増すごとに1.0を加算する。

(2) 算式（別表2　会社都合支給率）
基本給 × 支給率

第8条　社員の退職が、就業規則第○条第○号（懲戒解雇）に該当する場合には、原則として退職金は支給しない。
ただし、情状によって第6条以下に減じて支給することがある。

（役員就任の場合）
第9条　社員が、当社の役員に就任した場合は、第7条の規定による退職金を支給する。

（特別退職金の加算）
第10条　社員が、つぎの各号に該当する者で、とくに功労のあった者に特別退職金を附加することがある。
ただし、一〇、〇〇〇円以上三〇〇、〇〇〇円の範囲内とする。
① 定年退職者（勤続一五年以上の者）
② 会社の業務の都合による解雇（ただし、法定解雇予告手当を含む）
③ 在職中死亡した場合
④ 業務上の傷病、疾病による退職の場合

（退職金の支給）
第11条　退職金は、退職の日より一か月以内に支給する。
ただし、事故ある場合は、事故解消後とする。

（退職金の支払方法）
第12条　会社が支給する退職金は第2条の受給者が指定する金融機関の本人口座に振込むものとする。
2　企業年金分は○○生命相互会社との約款による。

（企業年金の締結）
第13条　この規程による退職金支給を一層確実にするために、会社は別に定める「退職年金規程」による年金（いわゆる「企業年金」という）を○○生命保険相互会社との間に、社員を被保険者および受給者として締結する（○○年○月○日）

（退職金と企業年金の関係）
第14条　第6条あるいは第7条の退職金支給額は、企業年金の退職社員個人の退職年金現価相当額あるいは退職一時金相当額を差引いた額とする。

（施行）
第15条　この規程は○○年○月○日より施行する。

制定　××年○月○日
改定　△△年○月○日

退職金規程
（企業年金制度による場合）

> FK建設
> （建設業・従業員 四〇人）

第1章 総則

（目的）
第1条 この規程は就業規則第〇条によるもので、永年勤続した社員の退職後の生活の安定を図る目的で、この規程を定める。退職金は、退職年金制度（以下「本制度」という。）による。

（適用範囲）
第2条 本制度は次の各号の一に該当する者を除いた社員に対して適用する。
① 日日雇い入れられる者
② 臨時に期間を定めて雇い入れられる者
③ 嘱託
④ 役員（使用人としての職務を有する役員を除く）
⑤ 定年までの予定勤続年数が三年未満の者

（加入資格）
第3条 本制度への加入資格は、入社と同時に前条の者が取得する。

（加入時期）
第4条 加入資格を取得した者の本制度への加入時期は、加入資格を取得した直後の毎年の八月一日とする。
2 本制度に加入した者を加入者という。

第2章 給付

第1節 給付の種類

（給付の種類）
第5条 本制度による給付は、次の各号に定めるとおりとする。
① 退職年金
② 退職一時金
③ 中途退職一時金

第2節 退職年金

（退職年金支給要件）
第6条 本制度の加入者が、勤続五年以上で定年退職したとき、その者に退職年金を支給する。

（退職年金額）
第7条 退職年金の月額は、次のとおりとする。
勤続年数一年につき三四、〇〇〇円

（退職年金の支給期間）
第8条 退職年金の支給期間は、退職した日から起算して、一〇年とする。

（退職年金の継続支給）
第9条 退職年金の受給者が、前条の支給期間中に死亡した場合は、その残存支給期間の退職年金は、その者の遺族に継続して支給する。

第3節 退職一時金

（退職一時金の支給要件）
第10条 本制度の加入者が、勤続三年以上で定年退職したとき、その者に退職一時金を支給する。

（退職一時金額）
第11条 退職一時金の金額は、次のとおりとする。
勤続年数一年につき二三四、〇〇〇円

第4節 中途退職一時金

（中途退職一時金の支給要件）
第12条 本制度の加入者が、勤続三年以上で定年到達前に死亡以外の事由により退職したとき、その者に中途退職一時金を支給する。

（中途退職一時金額）
第13条 中途退職一時金の額は、次のとおりとする。
勤続年数一年につき一二六、〇〇〇円

第3章 雑則

（年金の支給日および支給方法）

第14条　年金の支給日は、年四回、二月、五月、八月および一一月の各一日とし、それぞれ前月までの分をまとめて支給する。

（第一回の年金支給日）

第15条　第一回の年金支給日は、支給事由の発生した日の翌日以後、最初の支給日とする。

（退職年金にかえての一時払の特例）

第16条　退職年金の受給権者が支給期間中に、次の各号の一に該当する事由によって、将来の年金の支給にかえて、一時払の請求をしたときは、会社がこれを認めた場合にかぎり、未支給期間部分の年金現価相当額を一時に支給することがある。ただし、請求の時期は、①及び②以外の事由による場合は、第一回の年金支給期日前に限るものとする。

① 災害

② 重疾病、後遺症を伴う重度の必身障害または死亡（生計を一にする親族の重疾病、後遺症を伴う重度の心身障害または死亡を含む）

③ 住宅の取得

④ 生計を一にする親族（配偶者を除く）の結婚または進学

⑤ 債務の返済

⑥ その他前各号に準ずる事実

2　退職年金の受給権者が、保証期間中に死亡し、その継続受取人から当該退職年金の支給にかえて、一時払の請求があった場合は、一時払の取扱をするものとする。

3　年金月額が一〇、〇〇〇円以下の場合は、その年金現価相当額を第一回の年金支給期日に一時に支給する。

4　年金現価の計算に際しては利率は年〇％とする。

（一時金の支給方法）

第17条　一時金は、支給事由発生後遅滞なく支給する。

（遺族の範囲および順位）

第18条　遺族の範囲および順位については、労働基準法施行規則第42条ないし第45条の規定を準用する。ただし、同順位の者が二人以上となる場合には、そのうちの最年長者を代表者としてその者に支給する。

（勤続年数の計算方法）

第19条　本制度における勤続年数は、次の各号に定める方法により、これを計算する。

① 入社の日より起算し、退職の日までとする。

② 休職期間は算入する。

③ 定年をすぎて勤務する期間は通算しない。

④ 勤続一年未満の端数は切り捨てる。

（届出義務）

第20条　本制度により給付を受けようとする者は、必要な書類を所定の期日までに提出しかつ照会のあった事項について遅滞なく回答しなければならない。

（受給権の譲渡または担保の禁止）

第21条　本制度により年金または一時金を受ける権利は、これを譲渡し、または担保に供してはならない。

（給付の制度）

第22条　本制度の加入者が、懲戒解雇されたときは、本制度による給付の支給は行なわない。ただし、情状によりその一部を支給することがある。

（事情変更による改廃）

第23条　この規程は、会社の経理状況および賃金体系の大幅な変更、会社保障制度の進展、金利水準の大幅な変動、その他社会情勢の変化により不適当と認められた場合には改訂または廃止することがある。

（本制度の運営）

第24条　本制度を運営するために、会社は日本生命保険相互会社と企業年金保険契約を締結するものとする。

2　本制度が廃止されたときは、年金基金を企業年金保険契約に基づく加入者の責任準備金に比例して各加入者に配分する。ただし、すでに年金の支給を開始した加入者に対応する基金はこれを配分することなく、

退職金支給規程（ポイント方式）

（SR製本　製本業・従業員　八〇人）

第1条（定義）
この規程は従業員に対する退職金の支給について定める。

第2条（適用除外）
この規程は次のいずれかに該当する者には適用しない。
① 試用期間中の者
② 期間を定めて臨時に使用する者および日々雇い入れる者
③ 嘱託および常勤しない者

第3条（退職金の計算）
退職時に退職の理由ならびに社内における職位に基づき、別表1および2により基準点数を算出し、この点数一点につき一〇、〇〇〇円を乗じた金額を退職金額とする。

正常の勤務時間と異なる勤務時間の者については、その率に基づき点数を増減することがある。

第4条（勤続年数の計算）
勤続年数の計算は、正規の従業員として採用された日から退職の日までとする。休職期間のある者はその期間の二分の一を減ずる。ただし就業規則第○条第○項の休職（出向）については二分の一を減ずることなく勤続年数に通算する。

第5条（懲戒による支給制限）
懲戒によって解雇した者には原則として退職金を支給しない。ただし、情状によって二分の一以下に減じて支給することがある。

第6条（既払分の控除）
出向先より退職金を受けた場合はその全額を、この規程による算出額より控除する。

第7条（受給権者）
退職金の受給者は本人または死亡した従業員の退職金は遺族に支給する。遺族の受給の範囲および支給順位は労働基準法施行規則第42条から第45条の定めるところによる。

第8条（支払時期）
退職金は原則として退職後一か月以内に全額を支給する。ただし本人が在職中の行為で、懲戒解雇に該当するものが発見されたときは、退職金を支給しない。

第9条（支給方法）
退職金の支給方法は、本人または遺族に直接に通貨で支給するか、もしくは本人が指定する金融機関の本人口座に振り込む。

附　則

第1条（実施期日）
本制度は××年○月○日から実施する。

第2条（経過措置）
△△年○月○日に第3条に定める加入資格を有する者は、本制度実施期日に加入する。

第3条
○○年○月○日一部改正

当該加入者に継続して年金を支給する。

別表2

役職についた者には，その在任期間に応じ，別表1によって算出した点数に次の通り加算する。但し退職理由が別表1の5，6，7の場合を除く。

1．係長（待遇者は含まず）………在任1年につき 1点
2．課長（　　〃　　）……… 〃 3点
3．部長・工場長（　〃　）…… 〃 6点

別表1　基準点数表

勤続年数 \ 退職理由	1. 定年 2. 会社役員に就任 3. 会社の都合による解雇 4. 普通死亡	5. 自己都合 6. 業務外傷病 7. 会社の勧告による退職 （本人に原因がある場合）	8. 業務上傷病	9. 業務上死亡 （又は重度障害）
1年以上	6点	0点	9点	12点
2　〃	12	4	18	24
3　〃	18	7	27	36
4　〃	24	11	36	48
5　〃	30	15	45	60
6　〃	38	19	57	76
7　〃	46	24	69	92
8　〃	54	29	81	108
9　〃	62	35	93	124
10　〃	70	42	105	140
11　〃	80	50	120	160
12　〃	90	59	135	180
13　〃	100	69	150	200
14　〃	110	80	165	220
15　〃	120	92	180	240
16　〃	132	105	198	264
17　〃	144	119	216	288
18　〃	156	135	234	312
19　〃	168	153	252	336
20　〃	180	173	270	360

20年を越した者には勤続1年ごとに12点を加える。

退職金支給規程（ポイント方式）

（FD電子　電子部品製造・従業員　一八〇人）

勤続ポイントと職能資格ポイントから組み立てられている。経過措置で、この制度に切り替えた時点で、従来の退職金規程による「会社都合による退職金計算」をして、その金額をポイントにして持ち点としている。

むものとする。

（退職慰労金）

第10条　在職中特に功労のあった者には、規程による退職金のほかに退職慰労金を支給することがある。金額はその都度会社が定める。

付　則

1　この規定は〇〇年〇月〇日より実施する。

2　この規定は社会状勢の変化により従業員と協議のうえ、改訂することがある。

XI 賃金・退職金・出張に関する規程

退職金支給規程（ポイント）

（目 的）

第1条 この規程は、就業規則第○条に基づき、社員が退職または死亡した場合の退職金の支給に関する事項について定めたものである。

2 前項における社員とは、就業規則第○条に該当する社員をいう。

（受給者）

第2条 退職金の支給を受ける者は、本人または遺族で会社が正当と認めたものとする。

2 前項の遺族は、労働基準法施行規則第42条ないし45条の遺族補償の順位に従って支給する。

（支給範囲）

第3条 退職金は勤続1年以上の社員が退職したときに支給する。

（勤続年数の計算）

第4条 勤続年数の計算は、入社の日より退職の日（死亡退職の場合は死亡日）までとし、1か年未満の端数は月割とし、1か月未満の、数は15日以上を1か月に繰り上げ、14日以下は切り捨てる。

2 就業規則第○条の「試用期間」は勤続年数に算入する。

3 就業規則第○条の「休職期間」は、原則として勤続年数に算入しない。

4 育児・介護休業は勤続年数に算入しない。

（退職金算定基礎額）

第5条 退職金の計算を行う場合の算定基礎額は、1点当たり一六、〇〇〇円とする。

（退職金支給算式）

第6条 退職金の支給算式は次のとおりとする。

｛勤続ポイント＋職能資格等級ポイント｝×退職事由別支給率｝×一六、〇〇〇円＝支給退職金

（勤続ポイント）

第7条 勤続年数によるポイントは勤続1年につき次のとおりとする。

1年未満　　0点
1～5年　　 4点
6～10年　　6点
11～15年　 8点
16～20年　10点
21～30年　14点
31年以上　18点

（職能資格等級ポイント）

第8条 職能資格等級ポイントは、当該資格等級1年につき次のとおりとする。

1等級　4点
2等級　6点
3等級　8点
4等級　11点
5等級　14点
6等級　18点
7等級　22点

（退職事由別支給率）

第9条 退職事由別支給率は次のとおりとする。

(1) 会社都合等退職　100％支給

① 会社の都合により解雇するとき
② 死亡したとき
③ 定年に達したとき
④ 業務上の傷病、疾病により退職したとき
⑤ 役員就任のとき

(2) 自己都合等退職　別表

① 自己都合で退職するとき
② 私傷病により、その職に耐えず退職するとき
③ 休職期間満了によるとき
④ 懲戒処分による「諭旨退職」のとき

（無支給もしくは減額支給）

第10条 社員の退職が「懲戒解雇」の場合には、原則として退職金を支給しない。ただし、情状によって第9条(2)以下に減して支給することがある。

（就業規則第○条○号）

（退職金の加算）

第11条 社員で、在職中とくに功労のあった退職者に対しては、別に特別功労金を附加することがある。

（退職金の支払期日）

第12条 退職金は退職の日より1か月以内に

退職年金規程

FM精工
・精密機械
・従業員 三、八〇〇人

第1章 総則

（目的）
第1条 この規程による制度（以下「本制度」という。）は従業員が定年退職した場合に本人またはその遺族に年金または一時金を支給し、もって老後の生活安定に寄与することを目的とする。

（差別扱いの禁止）
第2条 本制度においては、特定の者につき不当に差別的な取り扱いをしない。

（適用範囲）
第3条 本制度は次の各号に掲げる者を除く従業員（以下「従業員」という。）に適用する。
① 役員及び参与
② 非常勤嘱託
③ 日々雇い入れられる者
④ 臨時に期間を定めて雇い入れられる者
⑤ 定年までの予定勤続年数が二〇年に満たない者

（勤続期間）
第4条 本制度における勤続期間とは、退職金規則第〇条に定める勤続年数の計算により算出される期間をいう。

第2章 加入

（加入資格の取得）
第5条 従業員は勤続満二年を経過した日に本制度への加入資格を取得する。

（加入時期）
第6条 従業員は加入資格取得日直後の七月一日（加入資格取得日が七月一日の場合は当該加入資格取得日）に本制度に加入する。

（加入資格の喪失）

支給する。ただし、事故ある場合は、事故解消後とする。

（退職金の支払方法）
第13条 退職金の支払い方法は第2条の受給者に、次のいずれかの方法で支給する。
① 直接通貨で支給
② 本人が指定する金融機関の本人名義の口座に振込み
③ 銀行振出しの本人宛て小切手
④ 郵便為替

2 前項②〜④は本人の同意のうえ行う。

附則

（経過措置）
第15条 退職金制度の改訂に伴い、〇〇年〇月〇日現在で従来の退職金制度による会社都合退職で計算した額（端数切り上げ）（A）と新制度のポイント単価一六、〇〇〇円（B）で除した数を持ちポイントとして、以降、新制度で計算するものとする。
　A÷B＝持ちポイント

（情勢変化に伴う改訂）
第14条 社会情勢の変化に伴い、第5条の算定基礎額および第7条、第8条のポイントは、従業員代表と協議のうえ改訂することがある。

（施行）
第16条 この規程は〇〇年〇月〇日より施行する。

別表

（勤続ポイント＋職能資格等級ポイント）
自己都合等退職金支給率

勤続1年未満に対し	0％
勤続1〜5年	60％
勤続5〜10年	70％
勤続10〜15年	80％
勤続15〜20年	85％
勤続20年以上	90％

XI 賃金・退職金・出張に関する規程

第7条 本制度に加入した者（以下「加入者」という。）が退職（役員または参与に就任したときを含む。以下同じ。）または死亡したときには、その翌日から加入者たる地位を失う。

第3章 給付

第1節 通則

（給付の種類）
第8条 本制度における給付の種類は次の通りとする。
① 退職年金
② 遺族一時金
③ 年金に代えて支給する一時金

（年金の支給時期）
第9条 年金は毎年一月、四月、七月および一〇月の各二〇日までにそれぞれ前月までの分を支給する。

（年金の失権）
第10条 年金の受給権はその給付がすべて完了したとき、または、その給付を受ける権利を有する者（以下「年金受給権者」という。）が死亡したときに消滅する。

（支払未済給付の特例）
第11条 年金受給権者が死亡した場合においてその者が支給を受けることが出来なかったものがあるときは、その支払を受けなかった給付で、その者の遺族に支給する。

きは、これを第12条に定める遺族に支給する。

（遺族の範囲および順位）
第12条 遺族一時金を受けるべき遺族の範囲および順位については、労働基準法施行規則第42条から第45条までの規定を準用し、会社の認めた遺族とする。

（一時金の支給時期）
第13条 一時金はその受給権が発生した日から原則として一か月以内に支給する。

第2節 退職年金

（退職年金）
第14条 加入者が勤続期間二〇年以上で定年により退職したときは、その者に退職年金を支給する。

（退職年金の額）
第15条 退職年金の月額は勤続期間に応じ、次の算式により算出された金額とする。

【算式】
（年金算定基礎額）×別表(1)の率

（退職年金の支給開始時期および支給期間）
第16条 退職年金は定年退職日の属する月の翌月から一五年間支給する。

第3節 遺族一時金

（遺族一時金）
第17条 年金受給権者が死亡したときには、その者の遺族に遺族一時金を支給する。

（遺族一時金の額）
第18条 遺族一時金の額は次の算式により算出された金額とする。

【算式】
退職年金月額×別表(3)の率

第4節 年金に代えて支給する一時金

（年金に代えて支給する一時金）
第19条 年金受給権者が年金支給開始後三年以内に次の各号の一に該当する事実が生じたことにより、一時金の支給を申し出て会社がこれを認めたときは、年金に代えて一時金の支給を受けることが出来る。
① 災害
② 重疾病または後遺症を伴う重度の心身障害（生計を一にする親族の重疾病、後遺症を伴う重度の心身障害または死亡を含む）
③ 住宅の取得
④ 生計を一にする親族の結婚または進学
⑤ 債務の返済
⑥ その他前各号に準ずる事実

2 前項の規定に拘らず前項第1号または第2号に該当する場合は、年金の支給開始後三年を経過した後であっても、一時金の支給を申し出て会社がこれを認めたときは、年金に代えて一時金の支給を受けることが出来る。

3 前第1項または第2項の場合には、一時

金の支給により年金受給権は消滅する。

(年金に代えて支給する一時金の額)

第20条 前条により支給する一時金の額は、次の算式により算出された金額とする。

【算式】

退職年金月額×別表(3)の率

第4章 掛 金

(費用の負担)

第21条 会社は本制度における給付の財源に充てるため適正な年金数理に基づいて算定された掛金を拠出する。

(第一掛金)

第22条 会社は前条に定める掛金(以下「第一掛金」という。)として毎年三月にその月の一日現在における各加入者の標準給与の合計額の一二〇倍に二六/一〇〇〇を乗じて得た金額を拠出する。

2 前項の規定に拘らず、就業規則第〇条第〇号に該当する休職中の加入者に係る第一掛金については、その休職期間中、第一掛金の拠出を中断する。

(第二掛金)

第23条 過去勤務債務等の額の計算方法は、一括管理方式によるものとし、当該過去勤務債務の額に係る掛金(以下「第二掛金」という。)は法人税法施行令(以下「施行令」という。)に定めるところにより拠出する。

2 第二掛金の一年当りの額は、過去勤務債務等の現在額(過去勤務債務等の額のうち毎年六月末日現在において、まだ払い込まれていない額に相当する金額をいう。ただし、制度発足時または、制度変更時においては、その時に計算された金額をいう。以下同じ。)の三〇/一〇〇に相当する金額とし、過去勤務債務等の現在額が当該事業年度において前条に定める第一掛金の額以下となるときは、当該過去勤務債務等の額の現在額に相当する金額とする。

3 会社は第二掛金として、毎年三月、前項に定める金額を拠出する。

第5章 制度の運営

(年金信託契約および企業年金保険契約)

第24条 会社は施行令に定める要件を備えた年金信託契約および企業年金保険契約を三菱UFJ信託銀行株式会社、三井住友信託銀行株式会社、みずほ信託銀行株式会社およびりそな銀行ならびに日本生命保険相互会社、第一生命保険株式会社、明治安田生命保険相互会社、朝日生命保険相互会社および住友生命保険相互会社との間で締結し、年金基金を設定する。

2 第一掛金および第二掛金のうち、その七七〇/一〇〇〇に相当する金額は年金信託に信託し、その二三〇/一〇〇〇に相当する金額については企業年金保険の保険料として、拠出する。

3 年金および一時金のうち、その七七〇/一〇〇〇に相当する金額は年金信託契約から支払い、その二三〇/一〇〇〇に相当する金額は企業年金保険契約から支払う。

(財政計画の再検討)

第25条 会社は五年毎に本制度の財政計画を再検討し、必要に応じてその修正を行う。但し、初回再計算については〇〇年〇月〇日に行う。

(超過留保額の返還)

第26条 前条に定める財政計画の再検討時において年金信託財産および保険料積立金のうち施行令に定める給付に充てるため、留保すべき金額を超える部分がある場合には、会社は当該超過部分の金額の返還を受け、これを収受する。

(制度の改廃)

第27条 本制度は経済情勢の変化、社会保障制度の改正または会社経理内容の変化等に応じて、その一部もしくは全部を改定または廃止することがある。

(年金基金の配分)

第28条 本制度を廃止したときは、次の各号により年金基金を配分する。

XI 賃金・退職金・出張に関する規程

① 年金信託契約による部分については、年金受給権者に対して制度廃止後支給すべき年金の現価額を限度として、その割合に比例した信託財産を配分し、なお残余がある場合は、加入者に対して、残余の信託財産を制度廃止日に定年退職したものと見なし、退職金規則に基づいて計算される退職金額の割合に比例して配分する。

② 企業年金保険契約による部分については、企業年金保険契約協定書に定めるところにより配分する。

第6章 受給手続

(年金受給者届)
第29条 年金受給権者または一時金を受領しようとする者は、会社が指示したときまでに、印鑑、住所、年金または一時金受領方法等を記載した年金受給者届(一時金受給者届を兼ねる)を二部、会社に提出しなければならない。

(諸変更の届出義務)
第30条 年金受給者は次の各号に該当した場合には速やかにその旨を会社に届け出なければならない。
① 届出印を紛失した場合
② 届出印または年金受領方法を変更した場合

③ 住所、本籍地を変更した場合
④ 改姓、改名した場合

(戸籍抄本等の提出義務)
第31条 年金受給権者は毎年一一月一〇日までに次に掲げる書類を会社に提出しなければならない。
① 提出期限前二か月以内に作成された戸籍抄本または住民票抄本
② 所得税法による控除等申告書を提出する者については、当該申告書

2 会社は制度運営に支障を及ぼさないと認めたときは、前項第1号に掲げる書類の提出を省略するかまたは別に指定した書類の提出をもってこれに代えさせることが出来る。

3 前二項の書類の提出がないときには、当該書類の提出があるまで、その者に対する年金の支給を差し止めることが出来る。

(遺族一時金の受給手続)
第32条 年金受給権者が死亡した場合、その者の遺族は次の各号に掲げる書類を添えて会社に届け出なければ遺族一時金の支給を受けることが出来ない。
① 年金受給権者の受給権喪失を証明する除籍謄本または死亡診断書
② 遺族一時金の支給を受けようとする者の受給資格を証明する戸籍謄本
③ 順位を同じくする受給権者が二人以上いる場合には、これらの者が連署の上作成した遺族一時金の代表受領に関する届出書

2 会社は場合により前項第1号および第2号に定める書類の提出の省略を認めることが出来る。

第7章 雑 則

(基準給与)
第33条 本制度において給付額算定の基準となる給与は退職金規則第○条第○項に定める退職金算定基礎額で、次に定める日現在のもの(その額に五〇円未満の端数があるときは、これを切り捨て、五〇円以上一〇〇円未満の端数があるときはこれを一〇〇円に切り上げる)とし、これを標準給与といい、本規程において「年金算定基礎額」という。)とする。
① 加入者の満五五歳の誕生日が四月一日から九月三〇日の間にある場合は当該誕生日以降はじめて到来する三月三一日
② 加入者の満五五歳の誕生日が一〇月一日から三月三一日の間にある場合は、当該誕生日以降はじめて到来する九月三〇日

2 本制度において掛金額算定の基準となる給与は、退職金規則第○条第○項に定める退職金算定基礎額で、毎年四月一日現在のもの(その額に五〇円未満の端数があるときは、これを切り捨て、五〇円以上一〇〇円未満の端数があるときはこれを一〇〇円に切り上げる)とし、これを標準給与とい

退職年金規程

別表(1) 年金支給率表

勤続期間	支給率	勤続期間	支給率
年		年	
20	0.1044	32	0.2057
21	0.1121	33	0.2146
22	0.1199	34	0.2236
23	0.1280	35	0.2325
24	0.1361	36	0.2366
25	0.1443	37	0.2407
26	0.1528	38	0.2447
27	0.1613	39	0.2488
28	0.1703	40	0.2529
29	0.1797	41	0.2569
30	0.1882	42	0.2610
31	0.1967	43	0.2651

(注) 勤続期間に1年未満の端数を生じた場合の支給率は次の通り計算する。
　1年未満の端数を切り捨てた年数に応じた支給率…………A
　1年未満の端数を切り上げた年数に応じた支給率…………B
　端数月数…………1か月未満の日数は1か月に切り上げる。
　支給率＝A＋(B－A)×端数月数/12

別表(3) 年金に代えて支給する一時金の乗率表

年数＼月数	0	1	2	3	4	5	6	7	8	9	10	11
0	0	0.967	1.934	2.901	3.868	4.835	5.802	6.769	7.736	8.703	9.670	10.637
1	11.606	12.523	13.440	14.357	15.274	16.191	17.108	18.025	18.942	19.859	20.776	21.693
2	22.608	23.477	24.346	25.215	26.084	26.953	27.822	28.691	29.560	30.429	31.298	32.167
3	33.035	33.859	34.683	35.507	36.331	37.155	37.979	38.803	39.627	40.451	41.275	42.099
4	42.920	43.701	44.482	45.263	46.044	46.825	47.606	48.387	49.168	49.949	50.730	51.511
5	52.289	53.029	53.769	54.509	55.249	55.989	56.729	57.469	58.209	58.949	59.689	60.429
6	61.169	61.870	62.571	63.272	63.973	64.674	65.375	66.076	66.777	67.478	68.179	68.880
7	69.586	70.251	70.916	71.581	72.246	72.911	73.576	74.241	74.906	75.571	76.236	76.901
8	77.565	78.195	78.825	79.455	80.085	80.715	81.355	81.975	82.605	83.235	83.865	84.495
9	85.128	85.725	86.322	86.919	87.516	88.113	88.710	89.307	89.904	90.501	91.098	91.695
10	92.296	92.862	93.428	93.994	94.560	95.126	95.692	96.258	96.824	97.390	97.956	98.522
11	99.091	99.628	100.165	100.702	101.239	101.776	102.313	102.850	103.387	103.924	104.461	104.998
12	105.531	106.040	106.549	107.058	107.567	108.076	108.585	109.094	109.603	110.112	110.621	111.130
13	111.636	112.118	112.600	113.082	113.564	114.046	114.528	115.010	115.492	115.974	116.456	116.938
14	117.423	117.880	118.337	118.794	119.251	119.708	120.165	120.622	121.079	121.536	121.993	122.450
15	122.908	—	—	—	—	—	—	—	—	—	—	—

(注) 年数, 月数の期間は, 残存期間（15年一年金支給済期間）である。
　残存期間の1か月未満の端数日数は1か月に切り上げる。

3 前項の標準給与はその年の七月から翌年の六月までの各月の標準給与とする。

（端数処理）
第34条 掛金額を算定する場合において、掛金額に一円未満の端数が生じたときはこれを一円に切り上げる。

2 給付額を算定する場合において、給付額に一〇円未満の端数を生じたときは、これを一〇円に切り上げる。

（過払いの調整）
第35条 年金の支給を受けている者が、その受給権を喪失した場合に、第32条に定める遺族一時金受給手続きが遅れたことなどの事由により、年金の過払いが生じたときは、その者の遺族に支払うべき遺族一時金から差し引き調整する。

（受給権の処分禁止）
第36条 給付を受ける権利は譲渡し、または担保に供することが出来ない。

（消滅時効）
第37条 給付を受ける権利は、五年間これを行使しないと時効によって消滅する。ただし、会社が特別の事情があると認めたときはこの限りでない。

附　則

（施行期日）
第1条 本制度は〇〇年〇月〇日から実施する。

（経過措置）
第2条 〇〇年〇月〇日現在で加入資格を有する者は、本規程第6条の定めに拘らず〇〇年〇月〇日に本制度に加入する。

附　則

（〇〇年〇月〇日改訂）

（施行期日）
第1条 この改正規程は〇〇年〇月〇日から実施する。

（経過措置）
第2条 改訂後の本則第15条乃至第20条の規定は、施行期日以後に賃金規則第〇条の〇に定める日（以下「基準日」という。）を迎える者について適用し、施行期日前に基準日を迎える者については、なお従前の例による。

2 本改訂により、定年までの予定勤続年数が始めて二〇年以上となる者のうち、本則第5条に定める加入資格を有する者は、本則第6条の規定に拘らず、施行期日に本制度に加入するものとする。

（沿革）
〇〇年〇月〇日　制　定
〇〇年〇月〇日
〇〇年〇月〇日
一部改正（第15条、第16条、別表(1)、別表(2)）
〇〇年〇月〇日
〃　　（第3条、第15条、第16条、第33条、別表(1)、別表(2)）
〇〇年〇月〇日
〃　　（第17条、第18条、第19条、第20条、別表(1)、別表(2)）
〇〇年〇月〇日
〃　　（第22条、第24条）

別表(2)　（削除）

改訂附則第2条第1項により、従前の例によるとされる者に適用する旧規則

旧第15条　退職年金の月額は勤続期間に応じ、次の算式により算出された金額とする。

【算式】
（年金算定基礎額）×一・一二三×別表(1)の率

旧第16条　退職年金の支給開始時期および支給期間
（退職年金の支給開始時期）
旧第16条　退職年金は定年退職日から二年（以下「年金待期期間」という。）を経過した日の属する月の翌月から一五年間支給する。

第3節　遺族一時金

（遺族一時金）

旧第17条　次の各号に掲げる者が死亡したときには、その者の遺族に遺族一時金を支給する。

① 退職年金受給権者で年金待期期間中の者（以下「年金待期者」という。）

② 年金待期者以外の年金受給権者

（遺族一時金の額）

旧第18条　遺族一時金の額は次の各号に定めるところにより計算された金額とする。

① 前条第1号に該当した場合

　退職年金月額×一二二・九〇八×別表(2)の率

② 前条第2号に該当した場合

　退職年金月額×別表(3)の率

第4節　年金に代えて支給する一時金

（年金に代えて支給する一時金）

旧第19条　年金受給権者が年金待期期間中または年金支給開始後三年以内に次の各号の一に該当する事実が生じたことにより、一時金の支給を申し出て会社がこれを認めたときは、年金に代えて一時金の支給を受けることが出来る。

① 災害

② 重疾病または後遺症（生計を一にする親族の重疾病、後遺症を伴う重度の心身障害または死亡を含む）

③ 住宅の取得

④ 生計を一にする親族の結婚または進学

⑤ 債務の返済

2　前項の規定に拘らず前項第1号または第2号に該当する場合には、年金の支給開始後三年を経過した後であっても、一時金の支給を申し出て会社がこれを認めたときは、年金に代えて一時金の支給を受けることが出来る。

3　前第1項または第2項の場合には、一時金の支給により年金受給権は消滅する。

（年金に代えて支給する一時金の額）

旧第20条　前条により支給する一時金の額は、次により計算された金額とする。

① 年金待期期間中に一時金を支給する場合

　退職年金月額×一二二・九〇八×別表(3)の率

② 年金支給開始後に一時金を支給する場合

　退職年金月額×別表(3)の率

旧別表（1）　年金支給率表

勤続期間	支給率
20年	0.1133
21	0.1214
22	0.1296
23	0.1378
24	0.1463
25	0.1548
26	0.1638
27	0.1731
28	0.1817
29	0.1902
30	0.1992
31	0.2081
32	0.2171
33	0.2260
34	0.2301
35	0.2342
36	0.2382
37	0.2423
38	0.2464
39	0.2504
40	0.2545
41	0.2586

（注）勤続期間に1年未満の端数を生じた場合の支給率は次の通り計算する。

　1年未満の端数を切り捨てた年数に応じた支給率……A

　1年未満の端数を切り上げた年数に応じた支給率……B

　端数月数……1月未満の日数は1月に切り上げる。

　支給率＝$A+(B-A)\times$端数月数$/12$

旧別表（2）　複利現価率表

年金待期期間の経過年数	率
0年	0.898
1	0.948
2	1.000

（注）年金待機期間の経過年数に1年未満の端数がある場合には、次の通り計算する。

　1年未満の端数を切り捨てた年数に応じた率……A

　1年未満の端数を切り上げた年数に応じた率……B

　端数月数……1か月未満の日数は1か月に切り上げる。

　率＝$A+(B-A)\times$端数月数$/2$

出張旅費規程

MT信用組合
（金融業・従業員 二〇〇人）

第1章 総則

（目的）
第1条　この規程は、就業規則第○条に基づき、理事及び職員（以下『職員等』という）が出張する場合における旅費の支給に関して必要な事項を定めたものである。

（出張の区分）
第2条　出張は、国内出張及び国外出張とし、国内出張は次の3種類とする。

① 遠地出張
　勤務地から五〇キロメートル以上の地域への出張

② 近地出張
　遠地出張及び都区内出張以外への出張

③ 都区内出張
　東京都23区内への出張

2　営業等の、日常の通常業務としての訪問活動は出張とみなさない。

（出張の承認手続）
第3条　理事の出張は理事長の承認を、部長の出張は担当理事を経て理事長の承認を得なければならない。

2　前項の規定にかかわらず、国外出張は全て理事長の承認を得るものとする。

3　国外出張及び遠地出張並びに宿泊を伴う近地出張については、出張申請書兼命令書によって申請して承認を得、その他については口頭にて可とする。なお、国外出張については、目的、日程、旅費予算等の詳細資料を添付しなければならない。

（旅費の仮払）
第4条　旅費は、出張前に担当理事及び総務部長の承認を得て、その予算金額の範囲内で仮払を受けることが出来る。

2　仮払を受ける場合には、出張申請書兼命令書に仮払伝票を添えて、総務部長に提出しなければならない。

（旅費の精算）
第5条　旅費の精算は、帰着後一週間以内に行わなければならない。

2　遠地出張及び近地出張で、宿泊を伴うものについては、全て国内出張旅費精算書に明細を記入し、担当理事の承認を得て総務部長に提出しなければならない。

3　近地出張で宿泊を伴わないもの及び都区内出張は、原則として旅費・交通費精算書で精算する。

4　遠地出張で宿泊を伴わないものについては国内出張旅費精算書及び、旅費・交通費精算書の何れかをもって精算する。

（旅費の計算）
第6条　旅費は、最も経済的な通常の順路及び方法により計算する。ただし、用務の都合その他特別の事情があると認められる場合は、実際に通過した順路及び方法による。

2　交通費の計算に際しては、通勤交通費支給区分間を除く。

（随行）
第7条　理事に随行した場合で、本人所定の旅費で支弁し得なかった場合は、総務部長の承認を得て実費を支給する。

（特例）
第8条　出張の途中、傷病等により予定を越えて滞在のやむなきに至った場合、医師の診断書その他の証明を総務部長が認めたときは、所定の旅費を支給する。

2　職員以外の者が、組合業務のために出張する場合は、本規程を準用して実費を支給する。

（研修会・視察等の出張）
第9条　職員が講習会、研修会、視察等に参加するために出張する場合の会費の中に、本人の旅費（交通費、日当、宿泊費）に相当するものが含まれているときは、その部分の旅費は支給しない。

2　関係機関の視察ならびに会合に出張し、組合外より旅費の全部または一部を受けた場合は、その部分の旅費は支給しない。

第2章　国内出張旅費

（旅費の種類）

第10条　国内出張旅費は、出張の区分に従い、遠地出張旅費、近地出張旅費、都区内出張旅費に分けて取り扱う。

（旅費の内訳）

第11条　国内出張旅費は、交通費、日当、宿泊費から成る。

2　交通費のうち鉄道賃、汽船賃、航空賃は、順路に応じ旅費運賃により実費を支給する。

3　自動車賃は、実費とする。ただし、タクシー、ハイヤー等の利用は、やむを得ない場合及び相当の理由がある場合に限り総務部長がこれを認めることが出来る。

なお、出張旅費精算書の備考欄にその理由を記載する。

4　日当は、出張の日数に応じ、一日当たりの定額を支給する。

5　宿泊料は、出張中の夜数に応じ、一夜当たりの定額を支給する。

ただし、親戚、知人宅等に宿泊し、宿泊料を負担しないときは支給しない。

（遠地出張旅費）

第12条　遠地出張旅費は、原則として別表(1)によって支給する。

2　急行料金（新幹線、特別急行、準急料金を含む）、座席指定料金は、一乗車区間一

に実費を支給する。ただし、規定の距離に満たない場合でも、用務の都合により必要と認められる場合は、実費を支給する。

3　航空賃は、用務の都合により、航空機利用の必要性を担当理事を経て理事長が認めた場合に限り実費を支給する。

（近地出張旅費及び都区内出張旅費）

第13条　近地出張旅費及び都区内出張旅費は、別表(2)によって支給する。

2　近地出張は、日帰りを原則とする。ただし、用務上、やむを得ず宿泊が必要と担当理事が認めた場合は、遠地出張に準じて支給する。

第3章　国外出張旅費

（旅費の内訳通過）

第14条　国外出張旅費は、交通費、日当、宿泊費、支度料、渡航雑費、滞在雑費とする。

（交通費）

第15条　交通費は、鉄道賃、汽船賃、航空賃、自動車賃から成り、別表(3)の等級区分に従い、順路に応じて実費を支給する。

2　国内における交通費は、国内出張旅費の規定を準用する。

なお、早朝出発又は深夜帰国の場合に、通常の交通手段によることが困難と認められる時は、国内出張旅費に規定される、宿

泊料を支給することが出来る。

航空賃を除く渡航先における交通費は、滞在雑費として処理する。

（日当）

第16条　日当は、出張中の日数に応じ、一日当たり別表(3)による定額をもって支給する。

2　前項における、日数の計算は、勤務地出発の日から起算し、帰着の日までとする。

（宿泊料）

第17条　宿泊料は、出張中の夜数に応じ、一夜当たり別表(3)による定額をもって支給する。

2　交通機関内での宿泊は、定額の5割を支給する。ただし、食事料が運賃に含まれる場合は、支給しないものとする。

（支度料）

第18条　支度料は、出張の期間に応じ別表(4)による定額を支給する。ただし、再出張の場合は、前回の出張帰着から再出発までの期間に応じて、定額に対して次の割合をもって支給する。

① 六か月未満の場合　　　定額の四〇％
② 六か月以上一年未満の場合　　　定額の六〇％
③ 一年以上二年未満の場合　　　定額の八〇％
④ 二年以上の場合　　　定額の一〇〇％

（渡航雑費）

第19条　渡航雑費とは、出張に伴い国内で消

別表(1)　遠地出張旅費

区　分	鉄道賃	船　賃	航空賃	自動車賃	日　当	宿泊費
理　事	グリーン車	1　等	ファースト	実　費	2,200円	13,500円
参事・副参事およびこれらに相当する職員	〃	〃	〃	〃	2,200円	13,500円
次長に相当する職員	〃	〃	〃	〃	1,900円	11,800円
係長に相当する職員	〃	〃	〃	〃	1,900円	11,800円
一　般　職　員	普通車	〃	エコノミー	〃	1,600円	9,850円

(注)：船舶または車中泊の場合の宿泊料は定額の2分の1を支給するものとする。
　　　ただし、食事料が運賃に含まれる場合は支給しない。

別表(2)　近地および都区内出張旅費

区　分	近　地（50km以内）	都　区　内
区　域	鎌倉、藤沢、古淵、八王子、川越、北本、新白岡、藤代、八幡宿、鎌取、四街道を結ぶ線の内側	東京都23区内
交通費	実　費	実　費
日　当	別表(1)の半額	支給しない

別表(3)　国外出張の交通費・日当および宿泊料

区　分	交通費			日　当	宿泊料
	鉄道賃	船　賃	航空賃		
理　事	1　等	1　等	1　等	9,500円	29,000円
参事・副参事およびこれらに相当する職員	2　等	〃	2　等	9,000円	25,000円
次長に相当する職員	〃	〃	〃	8,500円	23,000円
係長に相当する職員	〃	〃	〃	8,000円	21,000円
一　般　職　員	〃	〃	〃	7,000円	18,000円

(注)：船舶、航空機または車中泊の場合の宿泊料は定額の2分の1を支給するものとする。ただし、食事料が運賃に含まれる場合は支給しない。

海外出張規程

別表(4) 海外渡航支度料（初回出張の場合）

区　　　　　分	出　張　期　間		
	1か月未満	1か月以上	3か月以上
理　　　　　事	80,000円	110,000円	130,000円
参事・副参事およびこれらに相当する職員	70,000円	90,000円	105,000円
次長に相当する職員	65,000円	75,000円	90,000円
係長に相当する職員	60,000円	70,000円	85,000円
一　般　職　員	55,000円	65,000円	80,000円

費するつぎに掲げる雑費で、その実費額を支給する。

① 旅券交付手数料
② 査証手数料
③ 旅行者予防注射料
④ 海外旅行傷害保険料
⑤ 旅客サービス施設使用料
⑥ 業務用携帯品の運送費・保管料
⑦ その他業務上必要と、理事長が認めた費用

2　前項第4号の海外旅行者傷害保険は、つぎの基準により、組合を保険受取人として付保する。

① 基本契約（死亡・後遺傷害）
　保険金額は、一億円とする。
② 救援者費用特約
　保険金額は、三〇〇万円とする。

（滞在雑費）
第20条　滞在雑費とは、渡航先において費消するつぎに掲げる雑費で、その実費額を支給する。

① 会議参加費
② 航空賃を除く交通費
③ レンタカー使用料・ガソリン代
④ 通信費・通訳料
⑤ 業務用携行品の運送費
⑥ その他業務上必要と、理事長が認めた費用

附　則

1　この規程に定めのない事項並びに運用解釈上の疑義は、関係部門と総務部門の合議に基づき総務部長が裁定する。
2　この規程は〇〇年〇月〇日から施行する。

海外出張規程

PR食品
・食品製造販売
・資本金　二億円
・従業員　四〇〇人

（目的）
第1条　この規程は、社命により海外に出張する場合の手続き、および旅費の支給基準について定める。

（定義）
第2条　この規程で海外出張とは、役員および従業員が会社の業務目的に基づいて社名により日本国外に出張することをいう。

（適用範囲）
第3条　この規程は原則として出張期間が1年未満に適用し、1年以上にわたる場合は「海外出向」とし、「海外出向」または「海外駐在規程」を適用する。

XI 賃金・退職金・出張に関する規程

（海外出張の承認手続）
第4条 海外出張を命じられた時は予め稟議手続きを取るとともに出張日程表を所属長経由本社総務部長に提出しなければならない。

（前払いの概算）
第5条 海外出張を命ぜられた者は、旅費概算額の前払いを受けることができる。

（旅費の概算）
第6条 海外出張を終了したときは、帰国後2週間以内に必要な支払い証明書等を添えて精算しなければならない。

（地域区分）
第7条 この規程に定める海外とは、次の2地域に区分する。
　甲地域……乙地域以外の外国
　乙地域……中国、韓国、台湾、東南アジア（インド・パキスタンを含む）

（資格変更）
第8条 海外出張中に資格の変更があった場合は、その変更された日から新資格に基づく規程を適用する。

（旅行の方法および経路）
第9条 旅費は、もっとも経済的な通常の方法および経路により旅行した場合をもって計算する。
　ただし、業務の都合または天災地変その他やむを得ない事情により、もっとも経済的な通常の方法または経路によって旅行しがたい場合には、実際に旅行した方法および経路によって計算する。

（自己都合による旅費の不支給）
第10条 出張中自己の都合により回り道をしあるいは滞在期間を延長する場合はこれに要する旅費は支給しない。
　2　前項の場合は担当役員の承認を得なければならない。

（旅行中の傷病）
第11条 旅行中の傷病または不慮の災難のためやむを得ず滞在した場合は、滞在費ならびに傷病等に関連する実費額を支給する。
　2　前項の場合には、医師の診断書または事実の証明書を要する。

（国内旅費との関係）
第12条 海外出張に際し、国内を通過する場合の旅費については、国内旅費規程を適用する。

（取消料の社費負担）
第13条 会社の都合による出張の延期中止あるいは傷病その他やむを得ない事由のためあらかじめ購入した航空券、乗車船券などを取り消す場合は、その取消料は会社の負担とする。

（支度料の返済）
第14条 出張者の都合により出張を変更し、または出張を中止するに至った場合は、既支給の支度料の全部または一部を返還しなければならない。
　2　災害等の偶発的な事情または会社都合により出張が取消された場合においてすでにその出張のために支給した金額があるときは次の各号に定める金額を支給する。
　(1) 取り消し日が出発予定日の7日未満のとき……支度料として仮払いを受けた額の一〇〇分の七〇に相当する額。
　(2) 取り消し日が出発予定日の7日以上の事前であるとき……支度料として仮払いを受けた額の一〇〇分の三〇に相当する額。

（休暇）
第15条 海外出張が3カ月以上1年未満の長期海外出張者は、出発前および帰国後それぞれ次の有給休暇の付与を請求することができる。
　出発前　1日
　帰国後　2日以内

（旅費の内容）
第16条 旅費とは次のものをいい、業務上必要なものに限る。
　(1) 支度料
　(2) 交通費
　(3) 宿泊費・日当
　(4) 旅行雑費

（長期出張者の取り扱い）
第17条 海外出張に当たり、同一地域内における滞在日数が旅行地に到着した日の翌日

海外出張規程

から起算して20日を超える場合は、次の各号によって取り扱う。

(1) 20日を超えて60日未満のとき、超える期間について宿泊費、日当基準額の90％を支給する。

(2) 60日を超えた日以降は、超える期間について宿泊費、日当基準額の80％を支給する。

(3) 長期滞在地から短期の出張をする場合等、一時他に宿泊し、やむを得ない事由により滞在地における宿舎を維持する場合は、宿泊費、日当に加えこれに要する実費を支給する。

（支度料）

第18条 支度料は、海外出張に際して支給するものとし、その額は（別表1）の区分による定額とする。

（交通費）

第19条 交通費は、本邦を出発し本邦に帰着するまでに要した交通費で順路により実費を支給する。

ただし、利用する等級は次による。

(1) 航空機 会長・社長 ファーストクラス

その他 ツーリストまたはエコノミークラス

(2) 鉄道、船舶、その他利用等級区分は原則として国内の「出張旅費規程」の交通機関に準ずる実費とする。

割引チケット等の優先利用を心掛けること。

（宿泊費、日当）

第20条 宿泊費、日当は（別表2）によって定額支給する。

(1) 宿泊費、日当は、出張期間中の宿泊夜数、日数に応じて支給する。なお、出張期間中の休日業務に対する休日出勤手当は支給しない。

したがって、その帰国後の代休は認めないものとする。

(2) 日付変更線を越えて東から西に旅行するときは、機中泊は支給しない。

(3) 日付変更線を越えて西から東に旅行するときは、機中泊を支給する。

(4) 目的地へ到着した時刻が早朝で宿舎等へ宿泊を要する場合は宿泊費の実費を支給する。また次の目的地への出発が夜の場合、宿泊費の割り増し分の実費を支給する。

(5) 同一地に滞在中、一時他の地へ出張し7日以内に復帰した時は、その前後の期間は引き続き同一地に滞在しているものとして通算する。

(6) 宿泊、日当は税金、チップを含むものとする。

（旅費雑費）

第21条 旅費雑費は、旅行に際し、また旅行中に出張者が支払った次の諸費用について支給するものとし、その額は現に支払った料金による。

(1) 出入国税、外貨買入および交換手数料、旅券交付手数料、旅行査証手数料、予防注射料その他旅行に必要な費用（会社にて準備した手土産品等に対する通関課税他をいう）

(2) 業務上の電話料、郵便料、その他通信費、荷物の輸送費

(3) 業務上必要な資料の購入（送料および税金等を含む）、文献収集、研究調査費参考見本等購入（送料および税金等を含む）、通訳料、接待費、その他の費用。ただし、以上の実費の支出については、領収書および説明書を添付しなければならない。

（海外旅行傷害保険）

第22条 海外出張に対し（別表3）に定める種類および金額を限度として海外旅行傷害保険を付保する。

付保については、次のとおりとする。

(1) 保険料については全額会社負担とする。

(2) 契約者は会社とする。

(3) 被保険者は本人とする。ただし、同伴家族がある場合は本人同様被保険者とする。

(4) 保険金受取人は会社とする。

(5) 保険期間は、出張期間とする。

別表1　支度料（第18条による）

（単位：円）

区　分	初回の場合	再　出　張　の　場　合 *		
		経過1年未満4回**	1年以上2年未満	経過2年以上
会　長・社　長	70,000	50,000	50,000	70,000
役　　　　員	60,000	40,000	40,000	60,000
役　職7号以上	50,000	30,000	30,000	50,000
〃　6～4号	50,000	30,000	30,000	50,000
〃　3～1号	50,000	30,000	30,000	50,000
社　員5～1級	50,000	30,000	30,000	50,000

*　再出張の場合，支給基準は前回出発日を基準にする。
**　再出張の場合，1年未満で海外出張が4回目に達したときに都度支給する。

別表2　宿泊費・日当（第20条による）

（単位：USドル）

区　分	甲　　　　地			乙　　　　地			航空機，鉄道，船舶に宿泊の場合
	宿泊	日当	計	宿泊	日当	計	
会　長・社　長	135	60	195	115	50	165	宿泊費の1/2を支給（地域がまたがる場合は上級地区をとる）
役　　　　員	115	50	165	100	40	140	
役　職7号以上	100	40	140	90	35	125	
〃　6～4号	90	38	128	80	30	110	
〃　3～1号	85	36	121	75	27	102	
社　員5～1級	75	35	110	70	25	95	

(1)　甲地，乙地の区分は次の通りとする。
　　甲地……乙地以外の外国
　　乙地……中国，台湾，韓国，香港，東南アジア（インド、パキスタン、バングラディシュ、スリランカを含む）

別表3　海外旅行傷害保険

（単位：円）

区　分	傷　　　害		疾　　　病		携行品
	死亡・後遺傷害	治療費	死亡	治療費	
会　長・社　長	200,000,000		100,000,000	3,000,000	500,000
役　　　　員	150,000,000		80,000,000	3,000,000	
役　職7号以上	100,000,000	一律	70,000,000	3,000,000	300,000
〃　6～4号	100,000,000	3,000,000	60,000,000	3,000,000	
〃　3～1号	100,000,000		50,000,000	3,000,000	
社　員5～1級	100,000,000		40,000,000	3,000,000	

但し，家族に対する保険は下記の通りとする。
　ア　妻……本人付保額の50％相当額
　イ　扶養家族　一人につき本人付保額の20％相当額
　　　但し，合計100％を限度として付保する。

```
海外駐在員規程

SS商事
・卸売業
・資本金　八千万円
・従業員　三〇〇人
```

第1章　総　則

（目的）
第1条　この規程は社員が社命により本邦以外の地域（以下海外という）に駐在する場合に必要な事項を定める。

（定義）
第2条　この規程で駐在とは社員が海外事務所、またはこれに準ずるものに6か月を超えて滞在し、海外勤務することをいう。

第2章　海外給与

（種類）
第3条　海外給与の種類は、海外本給、海外役付手当、在勤手当、海外家族手当、内地手当、並びに内地残留家族手当とする。

（海外本給）
第4条　海外本給は駐在地並びに年齢により別表1（略）に定める額を支給する。

2　出張者および同伴家族に対する補償は別途定める。

3　出張期間中に負傷し、また疾病にかかったときの補償については別途定める。

（上級者に随行）
第23条　海外出張者が上級者に随行した場合。

(1) 役員の場合については、会長、社長の宿泊費、日当と同額を支給する。

(2) 社員の場合については、宿泊費が本人の規定額を超過した場合は期間通算して実費を支給する。
日当は上級者の規定額の八〇％と本人の規定額の二〇％を加算したものを支給する。

（団体旅行の場合）
第24条　団体旅行参加の場合は、その団体で定められた費用を支給する。ただし、団体費用に、

(1) ホテル代、食費、チップ等が含まれるときは、日当規定額の二分の一を支給する。

(2) ホテル代が含まれるとき（朝食付も同様）は日当規定額を支給する。

(3) 食費のみ含まれるときは、宿泊費規定額全額と日当規定額の二分の一を支給する。

(4) ホテル代、食費、チップ等が含まれないときは宿泊費と日当の規定額を支給す

る。

（旅費の特例）
第25条　海外出張者が社外関係先より旅費を支給されたときは、第24条に準じて取り扱う。

第26条　旅行の場所、業務の性質その他特例の事由により出張の全経路を通算して、規程の旅費をもって支弁し得ないと認めたときは、実費を補う程度まで旅費を増額することがある。

2　前項の場合は担当役員と総務部長の合意に基づき事前の承認を受けるものとする。

付　則

1　この規程の改廃の起案は総務部長が行う。

2　この規程に定めのない事項並びに運用解釈上の疑義は関係部門と総務部の合議に基づき総務部長が裁定する。

3　この規程の運用について、必要に応じ別途細則を設ける。

　　　　　　　○○年○月○日　改正施行

（海外役付手当）

第5条　海外勤務中の役付に応じ、別表1（略）に定める役付手当を支給する。

（在勤手当）

第6条　主管者に対し、別表1（略）に定める在勤手当を支給する。

2　主管者とは駐在員事務所の最上位者および単独駐在員をいう。

（海外家族手当）

第7条　勤務地に妻子を帯同した者に対し、次の海外家族手当を支給する。ただし、海外家族手当の合計額は海外本給の五〇％を限度とする。

妻	子女一人当たり
二〇〇％	一二五％

子女に対し、海外本給の三〇％の妻に対し、一子女当たり一〇％を支給する。

（内地手当、家族残留手当）

第8条　国内給与は、海外勤務者の役付により別表2―Ⅰ（略）に定める額（以下内地手当Aという）を支給する。ただし、勤務地赴任後の内地における地方税課徴期間については、内地手当Aに替え、別表2―Ⅱ（略）に定める額（内地手当Bという）を支給する。

2　総務部長の承認を得て、本邦に残留する家族に対し、前項に定める内地手当Aの額に次の一定率を乗じた額を内地残留家族手当として支給する。ただし、内地残留家族手当の合計額は内地手当Aの四五〇％を限度とする。

（支給通貨）

第9条　海外給与は内地手当および内地残留家族手当を除いては、原則として勤務地国の通貨により勤務地において支給する。

2　内地手当および内地残留家族手当は日本円にて本邦において支給する。

（支給期間）

第10条　海外給与の支給期間は次の通りとする。

(1) 海外本給、海外役付手当、在勤手当および内地手当

駐在員が本邦を出発した日から本邦に帰着する日まで。

(2) 海外家族手当

駐在員の家族が本邦を出発した日から本邦に帰着する日まで。

(3) 内地残留家族手当

本条第2号による海外家族手当を受けない期間とする。

（計算期間、支給日）

第11条　海外給与の計算期間は毎月1日からその月の末日までとし、1か月未満の期間は暦日数による日割計算を行う。

2　海外給与は、原則として毎月25日に全額支給する。ただし25日が土曜日あるいは日曜日以外の休日の場合はその前日に、日曜日に当たる場合はその前々日に支給する。

（住宅補助金）

第12条　駐在員は原則として、その住宅を駐在員本人の責において調達し、その家賃または部屋代（以下住宅費という）を駐在員の海外給与から支払わねばならない。

2　前項においてその家具等を除く住宅費が次の基準を超える場合は、超過額に対し住宅補助金を支給する。

(1) 住宅費が海外本給、海外家族手当合計額の四〇％相当額を超えない場合には海外本給、海外家族手当合計額の二〇％相当額を超える額の全額。

(2) 住宅費が海外本給、海外家族手当合計額の四〇％相当額を超える場合は、住宅費のうち海外本給、海外家族手当合計額の四〇％相当額については前号に定める補助をし、海外本給、海外家族手当合計額の四〇％相当額を超える額についてはその超過額の八〇％。

(3) 住宅補助金を受けようとする場合は、事前に賃貸借契約書、および住居の状況などを報告し、総務部長の承認を得なければならない。

(4) 本条第1項により駐在員が住宅を調達した場合には、次の各号に定める付帯費用の全額を補助する。

① 別表3に定める標準的家具、什器および備品のリース費用

② 火災保険料およびライアビリティー

③ 電話料
④ 仲介手数料

保険料

前各号の補助を受けようとする場合は事前に総務部長の承認を得なければならない。

(子女教育補助金)
第13条 申請により総務部長の承認した駐在地の小学校入学前2年間の幼稚園(または保育園)から高校および大学までの入学金の一二分の一、授業料、スクールバス代、学校に納める教材費、および学校に納める暖房費等の諸施設日の月額相当額について次の基準により補助金を支給する。

(1) 就学中の子女一人につき、補助金が海外支給の五％を超える場合には、その超過額を補助する。ただし補助額は、就学子女一人当たり一五％をその限度額とする。

(2) 前条前号にかかわらず大学生の場合は補助対象経費は入学金の一二分の一および授業料の月割相当額のみとし、就学子女一人当たり海外本給の一〇％を超える場合、超過額を補助する。ただし、海外本給の一五％をその限度額とする。

(医療費補助金)
第14条 会社は、駐在員および家族を駐在地において適用される医療保険に原則として加入させるものとし、その保険料を負担す

る。

2 会社は、駐在員およびその家族が駐在地において医療保険に加入できない場合の医療費、または医療保険の給付を超える場合の医療費については次の各号に定める金額を補助する。

① 駐 在 員 医療費の全額
② 駐在員の家族 医療費の八〇％相当額

(自動車保険料補助金)
第15条 社有車(含むリース車)を供与されない駐在員が駐在地において購入または賃借等により自動車を使用する場合は、自動車障害保険を付保しなければならない。

2 前項の場合、会社は自動車保険の保険料の半額を限度として補助金を支給する。ただし、SECOND・CARについては補助の対象としない。

(非英語圏現地語学研修費補助金)
第16条 勤務地が非英語圏で現地語の研修・修得が業務遂行上必要と認められた者およびその家族が赴任前、あるいは赴任後通算

別表3 標準的家具・什器および備品

応接セット、ダイニングセット、食器棚、ベッド、冷蔵庫、テレビ、洗濯機、乾燥機、冷暖房機器、掃除機、照明器各室1個、ブラインド、カーペット、カーテン

6か月の間に現地語の研修をうける場合、次の各号に定める金額を補助する。

(1) 駐在員 現地語研修費の全額
(2) 家族 現地語研修費の八〇％相当額

(所得税、法定社会保険料)
第17条 駐在地における海外給与に対する所得税および法定社会保険は全額会社負担とする。

2 前項の所得税および法定社会保険料納付の結果還付される給付金は会社に入金するものとする。

(賞与)
第18条 給与規程第〇章に定める賞与は本邦勤務者の所得税率を勘案し、都度会社が定める方法により支給する。

2 賞与の支給を駐在地にて受ける場合の支給通貨と日本円の換算率は公定レートとする。

(海外出向者)
第19条 海外出向者の取り扱いは都度定める。

第3章 転勤、家族引きまとめ

(赴任旅費)
第20条 駐在員およびその家族が本邦から駐在地へ赴任する場合は、赴任旅費として交通費、日当、宿泊料、赴任支度料、渡航手続費および荷物運送費を支給する。

XI 賃金・退職金・出張に関する規程

（帰任旅費）
第21条 駐在員およびその家族が駐在地から本邦へ帰任する場合は、帰任旅費として交通費、日当、宿泊料、渡航手続費および荷物運送費を支給する。

（交通費）
第22条 交通費とは鉄道賃、船賃、航空運賃およびこれに準ずるものをいい別表4により、支給する。

（日当）
第23条 日当は旅行日数に応じ別表4により支給する。

別表4　交通費，日当，赴任支度料

資格区分	交通費				日当	赴任支度料
	鉄道	船	航空機	その他		
参事	1等	1等	エコノミークラス	実費	$27	20万円
副参事 主事1級	〃	〃	〃	〃	$27	19 〃
主事2〜4級	〃	〃	〃	〃	$26	18 〃
社員	2等	2等	〃	〃	$25	17 〃

※欧州，北米，中南米，大洋州は，それぞれ5米ドル増

（宿泊料）
第24条 宿泊費は適正な宿泊施設におけるROOM CHARGE, TAX, SERVICE CHARGE、朝食代および洗濯代としての実費を支給する。

2 営業用宿泊施設以外に宿泊した場合は、宿泊費相当額として一律$15支給する。ただし、航空機、車中等交通機関内の越夜に対しては宿泊費を支給しない。

（赴任支度料）
第25条 本邦より海外へ転勤する場合は別表4により赴任支度料を支給する。

2 本邦より海外への転勤に際し、家族の引きまとめを要する場合は、家族数に無関係に本人と同額を支給する。

（着任手当、帰任手当）
第26条 本邦より海外に転勤する場合、着任時に次の着任手当を支給する。
(1) 本人に対し、海外本給の三〇％相当額
(2) 家族に対し、家族数にかかわらず海外本給の二〇％相当額

2 海外より本邦に転勤する場合、本人に対し着任時に国内の給与規定による本給、役付手当、家族手当1か月分の七五％相当額の帰任手当を支給する。

（渡航手続費）
第27条 渡航者（駐在員およびその家族）の予防注射料、旅券交付手数料、査証手数料、出入国税等、海外渡航手続上必要な経費は、

その実費を支給する。

（荷物運送費）
第28条 携行荷物は無料手荷物許容料以内とし、超過荷物の運送費は渡航者の負担とする。ただし超過荷物が社用のものであって総務部長が承認した場合はその運送費の実費を支給する。

2 駐在員およびその家族の船便による引っ越し荷物は別表5に定めた範囲内の引っ越し荷物に対する居住地、海港間の陸送費、海上運賃および損害保険料の実費を支給する。

別表5　船便引っ越し荷物運送費支給基準

駐在員本人分	4 ㎥
配偶者分	10 ㎥
子女一人当たり	2 ㎥

（損害保険）
第29条 会社は駐在員の赴任または帰任にあたってはその期間中、次の金額の範囲内で会社を受取人とする保険を付することができる。

保険金額	本人	一〇、〇〇〇万円
	配偶者	五、五〇〇万円
	子女	五、〇〇〇万円

（残留家財保管料）
第30条 駐在員の本邦から駐在地への赴任に伴い、本邦に生じた残留家財は本人が希望する場合、会社の指定する倉庫に預けるも

のとし、倉庫保管料および自宅・倉庫間の往復の家財運送費の実費を会社が支給する。

第4章 貸付金

(貸付対象)
第31条 駐在員が次の各号の一に該当する費用を必要とする場合は、その費用の貸付を受けることができる。
(1) 乗用車の購入費
(2) 住宅の敷金および保証金
(3) 家具無し住宅の場合の家財の購入費
(4) その他前各号に準ずる必要費用

2 貸付金は現地通貨で貸付ける。

(貸付限度額)
第32条 貸付を受けることのできる金額は海外本給、海外役付手当および海外家族手当合計月額の6か月相当額を限度とする。

(利息)
第33条 利息は貸付の日から返済の日までの日数に対して徴収する。

2 利息は毎月給与支払日前日に計算し、翌月給与支払日に海外給与から徴収する。ただし、貸付金を完済した場合には、その時に清算する。

(返済期間、方法)
第34条 貸付を受けた者は、その翌月から毎月の海外給与支払日に海外給与から貸付金の三六分の一以上を返済しなければならない。

2 貸付金の完済前に帰任する者の帰任の際、残額を原則として現地通貨で完済するものとする。

3 貸付金の完済前に退職する者は退職の際、残額を完済しなければならない。

(貸付手続等)
第35条 貸付を受けようとする者は返済方法を定めて「貸付願」を総務部長宛に提出し、承認を得なければならない。

第5章 その他

(通勤費)
第36条 駐在員の駐在地における通勤費は全額自己負担とする。

(就業時間・休日)
第37条 駐在員の就業時間・休日は駐在国の実体に合わせ予め総務部長の承認を得て定めるものとする。

(年次休暇)
第38条 年次休暇の日数は駐在国における年間実労働日数を勘案し、予め総務部長の承認を得て定めるものとする。

2 年次休暇をとろうとするものは予め総務部長の承認を得なければならない。

(時間外勤務手当等)
第39条 駐在員に対しては、時間外勤務手当、休日勤務手当、その他これに準ずるものは支給しない。

(一時帰国制度)
第40条 会社は、次に定める基準により一時帰国または一時呼びよせを認める。なお、それに係る航空運賃と出入国費用は前条22条(交通費)の定めによる。
(1) 海外勤務中に内地残留の配偶者、子女並びに本人の父母が死亡または危篤の時いずれか一回滞在10日間の一時帰国を認める。
(2) 駐在地に帯同した配偶者の父母が死亡または危篤の時、いずれか一回、本人または配偶者の滞在10日間の一時帰国を認める。
(3) 本人が結婚するとき滞在10日間の一時帰国を認める。
(4) 単身赴任中の者で単身駐在期間が18か月を経過しても家族の引きまとめを行わず、かつ引き続き6か月以上の駐在が見込まれる者について、駐在中一回に限り配偶者の一時呼びよせ、または滞在15日間の一時帰国を認める。
(5) 海外駐在中に子女が日本の中学および高校の受験または入学の準備のため、中途帰国する際、母親の付き添いのため一時帰国を認める。ただし、内地滞在期間は申請にもとづき総務部長が詮議決定する。

XI 賃金・退職金・出張に関する規程

（内地住宅の借上げ制度）
第41条 会社は駐在員が海外駐在中原則としてその自宅を借上げ社宅として借上げることができる。借上げ家賃は、借上げ住居の建物の形式、広さ、場所、環境、設備等に応じ別途会社が決定する。
（規程の解釈および運用）
第42条 本規程の解釈および運用は総務部長が行う。
2 本規程に定めのない事項については、予め総務部長に申請のうえ、指示を受けるものとする。

付 則
（施行）
第43条 この規程は○○年○月○日から施行する。

海外渡航規程

（目的）
第1条 この規程は、社員が社命により本邦以外の地域（以下海外という）に旅行する場合に必要な事項を定める。ただし、社員およびその家族が本邦より海外、海外より本邦等に転勤する場合は別に定める海外駐在員規程を適用する。
（旅行順路および交通機関）
第2条 旅行は総務部長の承認を受けた順路および交通機関にて従うこととし、その変更が必要な場合は速やかに総務部長に連絡しなければならない。
（報告書）
第3条 海外渡航費は帰着後速やかに所属部長に報告書を提出しなければならない。
（旅費）
第4条 この規程の定めるところにより、海外渡航者に旅費を支給する。
（旅費の種類）
第5条 旅費の種類は交通費、日当、宿泊料および渡航手続費とする。
（交通費）
第6条 交通費とは航空料金、船賃、鉄道賃およびこれに準ずるものをいい、総務部長がとくに必要と認めたものの外、別表(1)により支給する。
（日当）
第7条 日当は旅行日数に応じ、別表(1)により支給する。
2 同一地の滞在が連続して30日を超える場合は31日目から日当は第1項の所定額の八〇％とする。

（宿泊料）
第8条 宿泊料は適正なる宿泊施設におけるROOM CHARGE、TAX、SERVICE CHARGE、朝食代および洗濯代として、その実費を支給する。
2 営業用宿泊施設以外に宿泊した場合は宿泊費相当額として一律US＄20を支給する。
3 航空機、船、鉄道等交通機関内の越夜に対しては宿泊費を支給しない。

（支度料）
第9条 支度料は、渡航者の資格に応じ、別表(2)支度料支給基準に定めるところにより支給する。

別表(1) 交通費・日当支給基準

資格区分	交通費				日当
	鉄道	船	航空機	その他	
参　　　　事	1等	1等	エコノミークラス	実費	US＄27
副　参　事	〃	〃	〃	〃	〃
主事1級	〃	〃	〃	〃	〃
2　〃	〃	2等	〃	〃	26
3　〃	〃	〃	〃	〃	〃
4　〃	〃	〃	〃	〃	〃
社　　　員	〃	2等	〃	〃	25

1. 欧州，北米，中南米，大洋州は，それぞれ5米ドル増し。
2. 日当は，食事代（昼および夕食の二食），雑費等の支弁に充当するものとする。

2 さきに支度料を支給された者が支度料を支給された渡航の帰着の日から3年以内に再び海外に渡航する場合は、支度料は支給しない。

別表(2) 支度料支給基準

資　格	支　度　料
参事、副参事	五〇、〇〇〇円
主事1～4級	四〇、〇〇〇円
社　員	三〇、〇〇〇円

（渡航手続費）
第10条　海外渡航者の予防注射料、旅券交付手数料、査証手数料、出入国税、外貨買の手数料等、海外渡航手続上必要な経費はその実費を支給する。

（荷物運送費）
第11条　携行荷物は無料手荷物許容内とし、超過荷物の運送費は海外渡航者の負担とする。ただし、超過荷物が社用のものであって所属部長が承認した場合は、その運送費の実費を支給する。

（旅行傷害保険）
第12条　会社は海外派遣者に対し、その旅行期間、保険金額五、〇〇〇万円の範囲内で会社を受取人とする保険を付保することができる。

（特別旅費）
第13条　海外渡航者が会社外の団体等に参加して施行する場合の旅費は、この規程にかかわらず、その都度これを決定する。

2　海外渡航者が会社外のものから旅費の支給を受ける場合は、前各条の規定にかかわらず会社は旅費を支給しない。ただし、その額がこの規程に定めた旅費の額に達しない場合は事情によりその差額を支給することができる。

（旅費前払金）
第14条　旅行者より申請があった場合は、旅費の範囲内において旅費前払金を支給する。

（通貨の換算等）
第15条　この規程による通貨の換算等は公定レートによる。

（規程の運用）
第16条　この規程に定めのない事項については予め総務部長に申請のうえ、指示を受けるものとする。

（適用期間）
第17条　この規程の適用開始は〇〇年〇月〇日とする。

XII 福利厚生に関する規程

XII 福利厚生に関する規程

〈コメント〉 **福利厚生に関する規程**

1 福利厚生の効果

会社が給与・賞与などの労働条件とは別に、社員とその家族の生活の安定と向上を目的として実施する制度や運営する施設を「福利厚生」という。

福利厚生の実施には、当然のことながら一定の経費が必要となり、負担が重くなる。

しかし、社員とその家族の生活を安定・向上させるため、

- 社員の定着を図れる
- 労使関係を安定させる
- 会社のイメージアップを図れる
- 募集・採用に有利となる

などの効果が期待できる。

2 福利厚生の種類

福利厚生の種類は多岐にわたるが、その主なものは次のとおりである。

(1) 社会保険制度への加入

国が社会福祉制度として実施している社会保険(厚生年金保険、雇用保険、健康保険、介護保険、労災保険、その他)に加入し、社員とその家族の生活の安定を図る。会社が保険料の全額または一部を負担する。

(2) 住宅

住宅は、生活の基本を形成するものである。住宅について、

- 住宅に困窮している社員に対して、家族寮、独身寮を提供する
- 持家の取得、建設、増改築に必要な資金を貸し付ける

などの措置を講ずる。

(3) 医療・保健

会社生活を安定的に継続していくうえで、健康はきわめて重要である。健康・保健について、健康診断の実施、人間ドックの実施(あるいは、受診費用の補助)、健康相談の実施などを行う。

(4) 生活補助

生活の補助も、福利厚生の重要な柱を構成している。具体的には、社員食堂の設置・運営、給食サービス、昼食代の補助、制服・作業服・安全靴の貸与、生活資金の貸付などが行われている。

(5) 慶弔見舞金の支給

結婚、出産、傷害・疾病、死亡、災害による住宅の損壊などに対して、祝い金や見舞金を支給する。この制度は、会社の規模の大小や業種・業態のいかんにかかわらず、広く普及している。代表的な福利厚生として定着している。

(6) 文化・スポーツ・レクリエーション活動

趣味や好きなスポーツが共通している者と、終業後や休日に同じ活動をすることは、社員にとって大きな楽しみである。スポーツ活動やレクリエーションを資金面、あるいは施設面で支援することも、福利厚生の重要な内容である。各種のクラブ活動に対して、その活動資金の一部を補助している会社が多い。

(7) 財産形成の支援

安定した生活を送るには、一定の財産が蓄えられていることが必要である。現在の収入がいくら多いといっても、財産がなければ老後は不安定である。財産形成のために、財形貯蓄制度、社内預金制度、社員持株制度などが行われている。

XII 福利厚生に関する規程

社宅管理取扱規程

（HD工業社
機械器具・従業員 八〇〇人）

一 総則

1 この規程は会社が施設する社宅（独身寮、家族寮を除く）の管理並びにその取扱いについて必要な事項を定める。

2 社宅とは会社が事業の円滑な運営をはかるため、当社社員を居住せしめるべく所有し、又は借り入れた建物・附属設備および敷地をいう。

3 社宅の種類は、①購入社宅、②借上社宅の二種類とする。

4 社宅管理の統轄責任者は人事担当役員とし、その事務は本社人事部が担当する。人事担当役員は支社人事部並びに支店の所管の社宅管理をそれぞれの長に委任することができる。

5 役員の社宅については特に規程は設けないが、この社宅管理取扱規程を準用する。

二 管理

1 社宅の管理の為に社宅管理簿を作成し、これを常に整備しなければならない。社宅管理簿は本社にて二部作成し、一部は本社人事部に、他の一部を所管の支社或は支店に備付けるものとする。

2 後日管理簿の記載事項に変更ある場合又は追加記入の必要ある場合は所管店長はその都度速かに人事担当役員に報告すると共に備付けの社宅管理簿に記載しなければならない。

3 社宅の㈠権利書、㈡図面、㈢保存登記証書、㈣売買契約書、㈤賃貸借契約書、その他必要書類は本社にて保管するものとし、㈠㈡㈢の写しは所管の支社或は支店にて保存するものとする。

4 支社長或は支店長は所管の社宅の諸施設及びその附属物品の保全を図らねばならない。

5 前条の目的達成のため、所管の店長はその担当者をして年一回定期に社宅を巡視させ、又不慮の事態発生の際は自から検分してその異常の有無・改修の要・不要及び必要ある場合はその程度並びに社宅使用の状況等を調査するものとする。

6 社宅には社宅番号をつけるものとする。社宅番号は次の通りとする。

第一文字　所管店の頭文字
第二文字　社宅の種類により購入社宅の場合は〝購〟借上社宅の場合は〝借〟とする。
第三文字　所管店毎に順次番号をつける。

（例）
大・購・一
名・借・五
東・借・二
福・購・一

三 借上社宅の選定基準

1 借上社宅は社宅の大きさ・設備・構造・通勤時間及び家賃(敷金・権利金・周旋手数料等を含む)等を総合勘案して選定し、人事担当役員がこれを決定する。

(注) ① 社宅は当社社員としてふさわしいものでなければならない。
従ってぜい沢であってはならない。と同時に会社負担を極力軽減するよう支社店長及び社宅選定担当者はその選定に当って留意せねばならない。

② 社宅を選定するに当って家主側から相手が会社であるといった感じからかなり高額の家賃・礼金・敷金の要求が提示される場合が多いから、担当員は社宅の選定交渉に当ってはこの点充分留意されたい。

③ 契約条件として、契約期間内は転勤・退社等による入居者の変更が認められるのかどうか、又認められる場合入居者が変わっても家賃の値上り等はしないといった点を明確にして有利に交渉すること。
尚この点について借上社宅選定明細書の〝備考欄〟に記載のこと。

2 社宅の大きさ・設備及び構造の基準は入居者の職位並びに同居家族数により表1〝借上社宅の規模に関する基準表〟によるものとする。

(注) 表1〝借上社宅の規模に関する基準表〟は選定の上限とみること。

3 社宅入居資格発生の日より一年以内に同居予定家族の増加が予想される場合は前条の同居家族数を増加見込の人数として借上社宅の選定が出来る。

4 借上社宅選定の場合の実質借上家賃のほか、敷金・権利金・礼金・周旋手数料その他会社実質負担を考慮に入れた額をいう。その計算方法は6による。

5 前条の実質借上家賃は表2〝実質借上家賃(月額)基準表〟の範囲内とする。

(注) 表2の基準は選定の上限であって、極力九〇%以内にとどめるよう留意すること。

6 実質借上家賃の計算方法は次の通りとする。

① 実質借上家賃の算出には社宅借上時の会社の実質負担となるすべての費用を算入するものとし、その名称にとらわれず実質により算出するものとする。但し、借上に際して要する交通費・通信費等は除くものとする。

(1) 家賃 毎月支払う一定の金額で契約期間中は変動しない。

(表1) 借上社宅の規模に関する基準表

資 格	家族数(本人を含む)	規	模	設 備	構 造
理事参事1級	5人以上	4DK	6・6・4.5・4.5・ダイニングキッチン付	風呂・便所付	一戸建又はアパート式
同 2級	3人～4人	3DK	6・6・4.5 〃	〃	〃
	1人～2人	2DK	6・4.5 〃	〃	〃
副参事 1級	4人～5人	3DK	6・6・4.5・ 〃	〃	一戸建又はアパート式
同 2級	2人～3人	2DK	6・4.5・ 〃	〃	〃
	1人	1K	6・ キッチン付	〃	アパート式
その他の社員	4人～5人	3DK	6・4.5・4.5・ダイニングキッチン付	〃	一戸建又はアパート式
	2人～3人	2DK	6・4.5 〃	〃	〃
	1人	1K	6・ キッチン付	〃	アパート式

(注) 6人家族以上の場合は、それぞれ適当な規模の借上社宅を選定することができる。

(表2) 実質借上家賃(月額)基準表

(単位 円)

規模	資格	家族数	東京・大阪・名古屋・福岡地域	札幌・仙台・広島・新潟・静岡・高松・鹿児島地域	その他の地域
4DK	理事・参事 1・2級	5人以上	117,000	96,000	81,000
3DK	理事・参事 1・2級 副参事 1・2級 その他の社員	3人〜4人 4人〜5人 4人〜5人	107,000 102,000 97,000	86,000 82,000 78,000	71,000 68,000 66,000
2DK	理事・参事 1・2級 副参事 1・2級 その他の社員	1人〜2人 2人〜3人 2人〜3人	95,000 90,000 85,000	72,000 68,000 64,000	61,000 58,000 55,000
1K	副参事 1・2級 主任以下の社員	1人 1人	63,000 60,000	53,000 50,000	

(注) 家族数4〜5人以上で配偶者以外に15歳以上の同居人がある場合は,おおむね上記基準の10%増を認めることができる。

② 実質借上家賃(月額)算式

$$実質借上家賃 = 家 + \frac{権 + 礼 + 周 + 敷徴}{12 \times 期} + \frac{年利}{12}$$

年利 = (権 + 礼 + 周 + 敷) × 0.1

(説明)

家…家賃
権…権利金
礼…礼金
周…周旋手数料
年利…敷金・権利金・礼金・周旋手数料の契約期間中に於ける金利負担。この場合年〇%の金利として計算する。
敷…敷金
敷徴…敷金のうち契約期間満了の際引徴収される金額。
期…契約期間で年単位とする。

(2) 敷金 借上期間中の保証金で契約期間満了後は返済される。この際五%〜二〇%位控除されるのが普通である。

(3) 権利金・礼金 借上の際、家主に支払う一時金で一種の前払家賃と解されるものをいう。

(4) 周旋手数料 仲介人の手数料

四 社宅使用料

1 入居時の社宅使用料は社宅の等級により入居時の職位及び基準内給料にスライドせせるものとし、表3 "社宅使用料決定基準表(入居時)"により人事担当役員がこれを決定する。

但し、有世帯者で止むを得ない理由により承認を得て、単身赴任又は過半数の家族を残して赴任する者で、その社宅の実質借上家賃が表2に定める基準以下である場合は社宅料は規程の算出額の三分の二まで減額することが出来る。

前項の社宅の等級は次によるものとする。

特級 実質借上家賃が表2の規程額を超える場合。

A級 実質借上家賃が表2の規程額の八五%〜一〇〇%の場合。

B級 実質借上家賃が表2の規程額の七〇%以上の場合。

C級 実質借上家賃が表2の規程額の七〇%未満の場合。

(表3) 社宅使用料決定基準表

区分 資格	資格スライド	基準内給料スライド	
理事	5,000円	特級 4.5% B級 2.5%	A級 3.5% C級 1.5%
参事1級2級	4,000円	同	上
副参事1級2級	3,000円	同	上
主任	2,000円	同	上
その他の社員	1,500円	同	上

XII 福利厚生に関する規程

2 前条の規定によるといえども社宅使用料は一、五〇〇円を下ることはない。

3 1による社宅使用料の算出において、一〇〇円未満の端数がある場合はこれを切り上げる。

4 1の規程における基準内給料とは給与規則〇に定めるものをいう。（〇〇年〇月〇日以降家族手当も上記基準内給料に含め運用する）

5 社宅使用料は本社通達第〇号により改正。入居月は徴収せず、退居月は月の中途の場合でも全額徴収する。

6 社宅使用料は、資格並びに基準内給料の変更のつど改訂する。
この場合、四一1の表3〝社宅使用料決定基準表〟の規定を準用する。（本社通達第〇号により補完。
なお、扶養家族の増減による家族手当額の変更の場合はその都度社宅使用料を変更せず、次の昇給時に変更するものとする。

五 入 居

1 社宅入居資格者は次に該当する者に限る。

① 社命による転勤者にして転勤地に自己所有家屋又はこれに準ずる所有家屋を有せざる者およびその同居家族。
但し、自己家屋所有者にして入居の困難が伴う事情のあるときは会社が必要と認めた場合に限り入居資格を与える。

② 会社の業務上の都合により社宅入居を命ぜられた者及びその同居家族。

③ 本内規制定前より社宅に入居せる者。

（注）今後新たに社宅に入居するものは第1項及び第2項該当者のみに限定し、それ以外の者は漸次整理する方向にもっていくものとする。

2 ① 社命による転勤者で、真に止むを得ない家庭の事情のため長期間単身のまま在任することを会社が認めたときは、規程による一人用の社宅に入居ができる。

② 前条第1項における社命による転勤者のうち、本人の希望により転勤をした者は入居資格を認めない。

3 社宅入居資格が発生した場合は〝社宅選定準備資料〟（様式第1号）に所定事項記載の上、二部速かに本社総務部まで提出しなければならない。

（注）転勤者の場合は転勤申請時に社宅選定準備資料を添付して提出すること。

4 本社総務部では〝社宅選定準備資料〟を一部転勤者受入店に送付し、受入店ではこの資料に基づき、本規程に定める基準に適合した社宅の選定を行うものとする。

5 借上社宅の選定・権利金・礼金・周旋手数料その他借上に要する一切の費用は会社負担とする。但し、共益費等入居後の毎月要する経費は本人負担とし、七―2の規定によるものとする。

6 借上社宅の申請手続は所管の支社長又は支店長が稟議申請するものとし、人事担当役員がこれを決定承認する。

7 借上社宅の稟議申請書には〝借上社宅選定明細書〟（様式第2号）その他必要書類を添付するものとする。

8 入居を承認された者は所管店長に入居届（様式第3号）及び住宅使用誓約書（様式第4号）を速かに提出しなければならない。

9 所管店長は入居届・住宅使用誓約書と共に賃貸借契約書・図面（敷地・間取図）を本社総務部に提出しなければならない。
但し、所属店に於てはこれらの書類の写しを保存すること。

10 ① 入居が認められる同居家族の範囲は次の通りとする。

② 給与規則〇に規定されている扶養家族をいい、同規則〇の規程は適用しない。

11 ① 前項以外のもので会社が特に認めた者。

② 同居家族に異動があった場合は速かに同居家族異動届（様式第5号）を作成し、所管店は一部を備付け、他の一部を本社に提出しなければならない。

12 次の場合は、社宅の変更を認めることができる。

① 結婚、その他の理由により同居家族数が増加して、家庭生活上支障が生ずると認められる場合は社宅の変更を認められる場合は社宅の変更を認めることができる。この場合の社宅の変更は、一回限りとする。

② 主任より課長二級、課長一級より部長に資格があがったときは、社宅の変更を認めることができる。

③ 前項において、資格があがったけれども社宅の変更をしない者は、社宅等級を一等級さげて社宅使用料を計算する。但し、C等級よりさがることはない（本社通達第○号により補完）。

13 社宅の入居期限は次の通りとする。

① 世帯用社宅の入居期限は入居後満一三年経過または満年齢四五歳に到達する日のうち、いずれか早く到来する日までとする。

ただし、上記基準により、算定した入居期間が五年未満となる場合は五年間とする。

② 単身用社宅の入居期限は13の①に準じるものとする。

③ 13の①のただし書きの入居期間の計算は、単身者用社宅から世帯用社宅に変更した場合に限り単身用社宅入居日から起算する。

④ 入居期限到達予定者には、原則として二年前に予告する。

⑤ 会社は業務上の理由により、入居期限到達予定者を引続き入居させる必要がある場合は、入居期限を延長することがある。

六　補　修

1 購入社宅の補修

① 次のものは会社負担により補修する。

(1) 建物の維持保全上必要な主体的部分（床・柱・壁・天井・屋根・ひさし・とゆ・廊下及び外囲等）の補修。壁の塗り替。

(2) 電気・水道・ガス・下水設備等の補修。

(3) 浴槽・風呂釜・煙突・物置・雨戸・板戸の補修及び取替。

(4) 障子・襖・畳床の取替及び新畳表の取付け。

(5) その他会社が特に認めたもの。

但し、居住者の故意又は重大な過失等に起因する場合の補修は全額居住者の負担とする。

② 次のものは居住者負担により補修する。

(1) 畳表の裏返し。

(2) 障子・襖等の建具の補修。

(3) 水栓・電球・電気のスイッチ・ソケット・コードの取替その他の小修理に属するもの。

但し、居住者が変って新たに入居する場合で、本条第１項及び第２項について補修或は取替が必要と認められる場合は会社が費用を負担してこれを行うこととする。

③ 社宅を補修又は改造する場合はその費用が会社負担又は個人負担のものであることを問わず、住宅補修改造許可願（様式第６号）により会社に申し出て許可を得なければならない。但し、前項(3)の規定による軽微な小修理に属するものはこの限りでない。会社負担による補修の場合は稟議規程にもとづき本社宛申請手続をとるものとする。

2 借上社宅の補修

① 補修費用が借主（会社）負担の場合は本章前条の規定を準用する。

七　費用の負担

1 次の費用は会社負担とする。

① 購入社宅の家屋・土地その他附属施設に賦課される固定資産税その他公租公課。

② 購入社宅の家屋に関する火災保険料。

③ 部店長級以上の社宅で、会社が必要と

XII 福利厚生に関する規程

認めた電話設備の費用及び基本料金。

④ 入居に際し、既に備付となっている設備で借主（会社）の負担となっている費用。

2 次の費用は居住者負担とする。
① 電気・水道・ガス等の使用料、電話の通話料。
② 衛生費その他社宅使用に必要とする公共の費用。
③ 生活の便宜上、入居後備付けた物品の費用。
④ その他会社が居住者の負担を適当と認めた費用。

八 使用心得

1 保全義務
① 社宅居住者は本規程を誠実に守り、常に善良なる管理者としての注意をもって社宅の保全に努め、特に火災予防等に留意しなければならない。
② 定められた大掃除・消毒等はこれを積極的に実施し、常に環境衛生の保持に努めなければならない。

2 届出義務
社宅居住者は次の場合遅滞なく所管店長に文書又は口頭で届出なければならない。
① 建物もしくは附属施設が毀損・滅失し、又はそのおそれのあるとき。
② 火災・水害・風害等重大な災害があったとき。
③ 入居者及び同居家族に法定伝染病患者が発生し、又はその疑いが生じたとき。
④ 社宅を一〇日以上引続き留守にするとき。
所管店長は前各項のうち、第1項・第2項については速かに人事担当役員まで連絡して以後の処置について指示を受けるものとする。

3 禁止事項
社宅居住者は次に掲げる行為をしてはならない。
① 会社の許可なくして建物及びその附属施設の増設・改造・模様替又はその撤去。
② 社宅の転貸・間貸、又はこれに類する一切の行為。
③ 社宅に於て営業又はこれに類する行為。
④ 風紀秩序を乱し又は公安を害し、附近の居住者に迷惑を及ぼす行為。
⑤ 入居許可を受けた者以外に社宅を使用させること。

九 退去

1 退去事由
入居者は次の各号に該当する場合は社宅を退去しなければならない。
① 社員たる身分を喪失した時。
② 居住者の故意又は重大なる過失により社宅に著しい損害を与えた時。
③ 転勤によって移転を命じた時。
④ 会社都合により転居を命じた時。
⑤ この規程に違反して改めない時。
⑥ 入居期限に到達した時。

2 退去猶予期間
前条により退去する場合の猶予期間は原則として次の通りとする。
但し、特別の事情があると認めた場合はこの猶予期間を延長することがある。
① 解雇されたとき、解雇の日から、三か月以内
② 自己都合により退職したとき、退職の日から、一か月以内
③ 停年退職したとき、即日
④ 本人が死亡したとき、死亡の日から、六か月以内
⑤ 就業規則○の規程によって休職となり、休職期間満了しても復職を命ぜられないとき、休職期間満了の日から、三か月以内。
⑥ 会社都合により転居を命じたとき、命令の日から、一か月以内
⑦ 前条第2項及び第5項により退去を命ぜられたとき、命令の日から、一か月以内
⑧ 転勤により移転するとき、赴任地社宅

⑨ 入居期限に到達したとき、即日確保の日より、一〇日以内

3 退去届
居住者が退去する場合は施設を清掃し、会社の担当員立会いの下に引渡すと共に速やかに退居届（様式第8号）を会社に提出しなければならない。

4 紛争の防止
居住者が猶予期間内に退去せず、会社が退去を命じた場合は居住者は正当な理由なくして退去を拒み又は立退料の請求、造作買収の請求、費用返還の請求等一切の条件を付さないものとする。

世帯用社宅に入居中の者で入居期限到達日が同日から八年以内に到来する場合は、○○年○月○日まで入居期限を延長する。

ただし、自動車運転手、建物管理係などの特殊勤務者については、本規程五・13の⑤の規程を適用して、さらに入居期限を延長することができる。

十 経過規程

1 この規程制定前における転勤者で社宅に入居していない者にはこの規程（内規）を適用しない。

2 この規程制定前より社宅に入居している者で、この規程の基準より低い社宅使用料をとりきめている者は○○・○・○以降この規程（表3）により算出された社宅使用料を徴収する。
但し、その増額が二、○○○円を限度とし、不足分は○○・○・○より増徴する。

3 規程改正に伴なう入居期限の特例
○○年○月○日、本規程改正日現在、

（付 則）
△△年○月○日 制 定
改訂一〇回
○○年○月○日

XII 福利厚生に関する規程

（様式第1号）　　　　　　　社宅選定準備資料　　　　　　No. 1

年　月　日

現　所　属		現　職　位	
氏　　　名			印
現　住　所			
転　勤　先		転勤後の職位	
転勤発令年月日		赴任予定年月日	
基　本　給		基準内給料	

現在同居家族

続柄	氏　名	生年月日	職業・勤務先・職位又は，学校名・学年	健康状態	家族手当の有無	転勤に伴う同伴の要，不要
本人						

転勤後1年以内に同居家族の増加又は減少が見込まれる場合は，その家族について記入のこと。

続柄	氏　名	生年月日	異　動　理　由	異動年月日	家族手当の有無	転勤に伴う同伴の要，不要

入居資格	1. 社命による転勤者　　2. 特例申請者	敷地	㎡
現在の住居 （該当のものに○印を付すこと）	自宅　　借家　　間借　　社宅 家族寮　　独身寮　　アパート　　その他	間取	1階　畳　畳　台所　畳 2階　畳　畳　　　　　畳

現勤務店への交通機関名及び所要時間	

持家の場合は転勤後の処置について （該当のものに○印を付すこと）	1. 売却する。　　2. 家族が使用する。 3. 他人に賃貸する。　　4. 会社に賃貸する。 5. その他（具体的事情を備考欄に記入のこと）
転勤先に居住に適する家のある場合 （該当のものに○印を付すこと）	1. 実家　　2. 持家　　3. その他（具体的事情を備考欄に記入のこと）
	住　　　　所
	交通機関名及び所要時間

備考	

支社・支店長　　　　　　　　　印

処　理　欄		

※　本社宛2部送付のこと。

社宅管理取扱規程

(様式第2号)　　　　　　　　借上社宅選定明細書　　　　　　No.

選定担当者	支社店名	
	所属部課	
	氏　名	㊞

申請店捺印欄			
支社長	店長	総務部長	係

入居者（本人）	氏　　名		転勤発令日	
	生年月日・年令		赴任予定日	
	職　　位		1年以内に家族数の増減が見込まれる場合、予定日・理由・氏名・年齢等	
	基本月給			
	基準内賃金			

同居予定者	氏　名	続柄	生年月日	年齢	氏　名	続柄	生年月日	年齢

借上社宅に関する事項

所在地		通勤所要時間	
所有者(契約相手先)住所・氏名		家賃（月額）	
仲介者住所・氏名		敷金・権利金・礼金・斡旋手数料等（区分と金額）	
入居予定者数（本人を含む）			
規模		契約解除時返還金についての条件	
設備			
構造		契約期間	
転勤前の居住関係	自宅・借家・アパートの別		実質借上家賃		社宅使用料	
	借家・アパートの場合の家賃				社宅の等級　　　級	
備考					職位スライド　　円	
					給料スライド　　円	
					計　　　　　　円	

註　(1) 規模・設備・構造は社宅管理取扱規程（内規）の三―2借上社宅の規模に関する基準表に準じて記載のこと。
　　(2) この借上社宅選定明細書は稟議申請書に添付して提出するものとす。
　　(3) 間取り、附近図は別に添付のこと。
　　(4) 契約期間内は転勤・退社等による入居者の変更が認められるかどうか、又入居者が変っても借上家賃の値上りはしないかどうかについて備考欄に記入のこと。

本　　　　　社		
担当常務	本社室長	担当者処理

(様式第3号)

人事担当役員	担　当　課

所 属 長 印

入　　　居　　　届

年　月　日

株式会社ＨＤ工業　御中

　　　　　　　　　　所　属
　　　　　　　　　　資　格
　　　　　　　　　　氏　名　　　　　　　　㊞

この度，下記の通り入居いたしましたことをお届けします。

記

住宅の種類 （〇印をつける）	購入社宅・借上社宅・家族寮・独身寮						
所　在　地							
社　宅　番　号 または室番号				入居年月日		年　月　日	
同居家族	続柄	氏　　名	生年月日	続柄	氏　　名	生年月日	

(様式第4号)

収入 印紙

住　宅　使　用　誓　約　書

年　月　日

株式会社ＨＤ工業社
　取締役社長　　　　　　殿

　　　　　　　　　　所　属
　　　　　　　　　　資　格
　　　　　　　　　　氏　名　　　　　　　　㊞

今般 {社宅管理取扱規程／独身寮管理取扱規則／家族寮管理規程} を承諾し，社員として下記住宅を借用します。
　つきましては規定その他会社の指示を遵守し，会社に対して迷惑および損害は一切おかけいたしません。
　万一規程に違反し，会社に損害をおよぼした場合は，その賠償の責を負い，かつ退居させられても何ら異議は申し立ていたしません。
　よって後日のため本誓約書を差し入れます。

記

住宅の種類 （〇印をつける）	購入社宅・借上社宅・家族寮・独身寮
所　在　地	
社　宅　番　号 または室番号	
住宅使用料	１か月　　　　　　　　　　　円

社宅管理取扱規程

（様式第5号）

人事担当役員	担 当 課

所属長印

同 居 家 族 異 動 届

　　　　　　　　　　　　　　　　　　　　　　　　　　　年　月　日

株式会社　HD工業社　御中

　　　　　　　　　　氏　　名　　　　　　　　　　　　　㊞
　　　　　　　　　　住宅の種類（○印をつける）　購入社宅・借上社宅・家族寮・独身寮
　　　　　　　　　　所　在　地
　　　　　　　　　　社宅番号または室番号

今般　　月　　日次の通り同居家族に異動がありましたのでお届けいたします。

記

	続　柄	氏　　名	生 年 月 日	同 居 し た 理 由
新同居家族				

	続　柄	氏　　名	生 年 月 日	退 居 し た 理 由
退居家族				

異動前の同居家族数	名	異動後の同居家族数	名

（様式第6号）

人事担当役員	担 当 課

所属長印

住 宅 補 修 改 造 許 可 願

　　　　　　　　　　　　　　　　　　　　　　　　　　　年　月　日

株式会社　HD工業社　御中

　　　　　　　　　　所　　属
　　　　　　　　　　資　　格
　　　　　　　　　　氏　　名　　　　　　　　　　　　　㊞

この度，下記の通り住宅の補修改造を行いたいので許可願いたく申請します。

記

住宅の種類 （○印をつける）	購入社宅・借上社宅・家族寮・独身寮		
社宅番号 または室番号		所在地	
補修改造個所			
理　　　　由			
補修改造期間	年　月　日～		年　月　日
所　要　費　用			
費用の負担 （○印をつける）	会社負担・居住者負担・折半		

（注）　改造の場合は図面添付のこと。

(様式第7号)

社 宅 管 理 簿

年　月　日

社　宅　番　号			種　類	借上，購入		
構　　　　造			造　　葺	1戸建・アパート式		
所　在　地						
面積	建物	建築面積	㎡	畳　畳　畳　畳		
		延面積	㎡	畳　ダイニングキッチン　畳		
	敷地	面　積				
		所有者				
付　帯　設　備 （風呂，便所，電話等）						
取得の場合	契約年月日					
	前所有者名					
	同上住所					
	取得価額					
	周旋料					
	その他の費用					
登記	登記年月日					
	登記価額					
	登記所名					
借上の場合	所有者名					
	同上住所					
	契約年月日，権利金，敷金，家賃，周旋手数料等を記入のこと。 契約更改等で条件が変更した場合も記入のこと。					

補　修　工　事　明　細

年　月　日	補修・取替・改造個所	工　事　費	負担の区分

家庭寮管理規程

（様式第8号）

人事担当役員	担 当 課

所属長印

退 居 届

年　月　日

株式会社　ＨＤ工業社　御中

　　　　　　　　　　　　所　属
　　　　　　　　　　　　資　格
　　　　　　　　　　　　氏　名　　　　　　　　　㊞

この度，下記の通り退居いたしますので，お届けします。

記

住 宅 の 種 類 （〇印をつける）	購入社宅・借上社宅・家族寮・独身寮			
所　在　地				
社 宅 番 号 または室番号		退居年月日	平成	年　月　日
退居理由				
退居後の住所（または連絡先）・電話番号				

（注）本届出は退居予定日の1週間前までに提出すること。

家族寮管理規程

ＨＤ工業社
（機械器具・従業員　八〇〇人）

一　総　則

1　（目的）
この規程は会社が施設する家族寮の管理、運営ならびに使用にあたって、必要な事項を定める。

2　（定義）
この規程で家族寮とは、社員を居住させるために会社が所有し、または賃借した世帯用集団住宅（建物、敷地、ならびに付属する施設を含む）をいう。

二　管　理

1　（管理の担当者）
家族寮の管理統轄の責任者は管理担当常務とする。

2　家族寮の管理、運営ならびに使用に関する主務は本社では総務部長、支社・支店では管理担当常務の任命する者がこれにあたり

三 入 居

（入居資格）

1 家族寮の入居資格者は原則として次の各項のすべてに該当する者であって、会社が許可した者に限る。

ただし、会社が業務上の理由により、入居させる場合はこの限りでない。

（書類の整備）

3 会社は次の書類を備え、常に整備しておかなければならない。
① 家族寮台帳（様式第1号）
② 居住者名簿（様式第2号）
③ 家族寮施設図面
④ その他家族寮に関する書類

（定期点検）

4 家族寮の管理担当者は、別に定める家族寮点検実施要領にもとづき、年一回以上定期に家族寮を点検しなければならない。

（臨時点検）

5 家族寮の管理担当者は、居住者の入退居時、その他必要と認めた時は臨時に家族寮を点検しなければならない。

（点検への協力）

6 居住者は前二条の点検に際し、正当な理由のない限り点検に応じなければならない。

別表1　家族寮入居者選定点数表

区　分		内　　　　　　　　　容	点　数
貢献度	勤続年数	勤続2年以上 〃　5年　〃 〃　8年　〃	5 10 15
	資格	社員1級以下 主任以上	5 10
住宅困窮度	有世帯者	結婚	40
		狭少度　1人当り畳数　4.5帖以下 　　　　　　〃　　　3帖　〃 　　　　　　〃　　　2帖　〃	10 20 30
		通勤時間　片道　60分以上 　　　　　　〃　　90分　〃 　　　　　　〃　　120分　〃	5 10 15
		住居負担費率　基準内給料の10%未満 　　　　　　　　〃　　　　10%以上 　　　　　　　　〃　　　　20%　〃 　　　　　　　　〃　　　　30%　〃	5 10 20 30
		立退要求　係争の結果3か月以内に立退かざるを得ない 　　　　　公共事業の執行によるもの 　　　　　その他	20 15 10
		他世帯と同居　他人と同居中 　　　　　　　　親族と同居中	20 10
		その他　長期療養患者がいて，一室が必要 　　　　不良住宅に居住 　　　　不良環境 　　　　災害などにより，現住居に居住できない 　　　　その他住宅に困窮している	会社が事情を判断して20点以内で査定する

（注）
1. 1人当り畳数の算出に当っては、畳敷でない部屋も換算して計算する（浴室，便所，廊下，押入，ベランダなどは除く）。
2. 通勤時間は、乗り替え時間を含む最短時間とする。
3. 負担率算定に使用する住居費とは、1か月当りの賃借家賃をいう（共益費，管理費，その他は含まない）。

家庭寮管理規程

① 会社の社員であること。
② 入居時の満年齢が二六歳以上であること。
③ 本人が扶養する同居家族を有する世帯主であること。(入居後六か月以内に結婚する者を含む)
④ 将来、自己の住宅を他に求めることを予定し、かつ会社の勤労者財産形成貯蓄に加入している者、または入居後加入する者。
⑤ 勤務地に自己所有家屋またはこれに準ずる所有家屋を持たない者。

(入居順位)
2 家族寮へ入居を希望する者の内、別表１、家族寮入居者選定点数表による合計点数の上位の者の中から、会社が入居者を選定する。
ただし、社命による転勤者および会社が業務上必要と認めた者については、点数にかかわらず優先的に入居させることができる。

(同居者の範囲)
3 入居が認められる同居家族の範囲は次の通りとする。
① 給与規程〇に規程されている扶養家族をいい、同規則〇の規程は適用しない。
② 前項以外の者で、会社が特に認めた者。

(入居期限)
4 家族寮の入居期限は入居後満一三年経過、または満年齢四五歳に到達する日のうち、いずれか早く到来する日までとする。
ただし、前記2のただし書きに該当する者については、この基準によって算定した入居期間が五年未満の場合は入居後五年間とする。
また、2のただし書きに該当しない者で満年齢四三歳以上で入居した者、および災害などの理由により臨時に入居した者については、入居期限を二年間とする。

5 入居期限到達予定者には原則として二年前に予告する。
会社は業務上の理由により、入居期限到達者を引続き入居させる必要がある場合は、入居期限を延長することがある。

(入居申込み手続)
7 入居を希望する者は、入居申込書(様式第3号)に必要事項を記入し、原則として入居希望日の一か月前までに所属長を経て担当課へ提出しなければならない。

8 入居を許可された者は、住宅使用誓約書(様式第4号)、および入居届(様式第5号)をすみやかに会社に提出しなければならない。

四　使用心得

(保全義務)
1 居住者は本規程を誠実に守り、常に善良なる管理者としての注意をもって家族寮の保全に努め、特に火災予防などに留意しなければならない。
2 居住者は自治規則を遵守し、家族寮の秩序を維持、向上するため、積極的に協力しなければならない。

(届出義務)
3 居住者は次の場合、遅滞なく会社に文書またはロ頭で届出なければならない。
① 建物または付属施設が破損、滅失し、またはそのおそれのある時。
② 火災、水害、風害など重大な災害があった時。
③ 入居者および同居家族に法定伝染病患者が発生し、またはその疑いが生じた時。

(同居家族の異動)
4 同居家族に異動があった時は同居家族異動届(様式第6号)により、所属長を経て担当課へ、すみやかに届出なければならない。

(禁止事項)
5 居住者は次の事項をしてはならない。
① 会社の許可なく、建物および付属施設の増設、改造、模様替え、またはその撤去。
② 家族寮施設の転貸し、間貸しまたはこ

XII 福利厚生に関する規程

③ 家族寮を営利の目的に利用するなど、本来の使用目的に反して使用すること。
④ 会社の許可なく施設内でビラなどの散布、掲示をしたり、集会などを催すこと。
⑤ 備付け以外の暖房器具（石油あるいはガスを熱源とするもの）を使用すること。（コタツなど軽易なものを除く）
⑥ 風紀、秩序を乱し、または公安を害し、付近の居住者に迷惑をおよぼす行為。
⑦ その他共同生活に重大な支障となる行為など家族寮の使用上不適当と認める行為。

五 退 居

（退居事由）
1 居住者は次の各項に該当する場合は家族寮を退居しなければならない。
① 本規程三―1に定める入居資格を失った時。
② 本規程三―4に定める入居期限に到達した時。
③ 居住者の故意または重大な過失により施設に著しい損害を与えた時。
④ 転勤により移転する時。
⑤ 会社都合により転居を命じた時。
⑥ この規程または会社の指示に違反して改めない時。

（退居猶予期間）
2 前条により退去する場合の猶予期間は原則として次の通りとする。ただし、特別の事情があると認めた場合は、この猶予期間を延長または短縮することがある。
① 解雇された時。
  解雇の日から三か月以内
② 自己都合により退職した時。
  退職の日から一か月以内
③ 定年退職した時。
  退職の日から一か月以内
④ 本人が死亡した時。
  死亡の日から六か月以内
⑤ 就業規則○条の規程によって休職となり休職期間満了しても復職を命ぜられないとき
  休職期間満了の日から三か月以内
⑥ 前条第3項、第5項、および第6項により退居を命ぜられた時。
  命令の日から一か月以内
⑦ 転勤により移転する時。
  赴任地社宅確保の日から一〇日以内
⑧ 即 日

（退居手続）
3 居住者が退居する場合は退居日の一週間前までに退居届（様式第7号）を会社へ提出しなければならない。

（退居時の点検）
4 家族寮を退居する場合は、施設および備品を原状に復して、会社の点検を受けなければならない。

（紛争の防止）
5 会社が退居を命じた時は、正当な理由なく退居を拒みまたは立退料の請求、費用返還の請求など一切の条件を付さないものとする。

六 補 修

（補修の実施）
1 会社は家族寮を点検し、または居住者の申請により必要と認めた場合補修を行う。

（補修手続）
2 家族寮を補修する時は、その費用が会社負担または居住者負担のものであることを問わず、住宅補修改造許可願（様式第8号）により会社に申し出て許可を得なければならない。

（費用の負担）
3 家族寮の補修に要する費用の負担については内規第○号、社宅管理取扱規程六・1・①〜六・1・③の規定を準用して決定する。

（居住者の費用弁償）
4 居住者が故意または重大な過失により、

建物その他の施設を破損または減失した時は、その復旧に要する費用の全額を弁償しなければならない。

5 居住者が家族寮を退居する時、会社が点検して、居住者負担となる部分につき、修理、取り替えが必要と認められる場合は、その費用を居住者から徴収する。

七 使用料

（家族寮使用料）

1 家族寮の使用料は、内規第〇号、社宅管理取扱規程四―1〜四―5の規定を準用して決定する。
この場合社宅等級は、すべてA等級とする。

（居住者負担費用）

2 居住者は会社が決定した家族寮使用料のほかに、次の各項に掲げる費用を負担しなければならない。

① 各戸使用の電気、ガス、水道使用料。
② 町内会費、塵芥処理費、浄化槽清掃費、衛生消毒費。
③ 共通電力料。（門灯、外灯、階段灯、上水ポンプ電力料など）
④ 共通水道料。
⑤ 貯水槽清掃、消毒費。
⑥ 消耗品費。（門灯、外灯、階段灯の電球、蛍光灯、電灯笠などの修理、取り替

えに要する費用。
⑦ その他会社が居住者の負担を適当と認めた費用。

3 前条の費用の徴収は自治会で行う。
なお、寮室が空いていても、共同住宅であるために発生する費用（空室分担金）については、会社が負担する。

（私有財産に対する保険）

4 居住者の私有財産が火災、盗難などの事故により損害を受けた場合、会社はその補償をしない。
私有物に対しては、できるだけ家財総合保険をかけることを勧奨する。

八 自治会

（目的）

1 居住者は家族寮生活の秩序維持とその向上をはかるため、自治会を設けるものとする。

（自治会の組織）

2 自治会は全居住者をもって構成し、寮長、副寮長、委員などは自治会の選挙で任命する。
なお、寮長の任命には、会社の承認を要するものとする。

（自治会の活動）

3 自治会が自治規則を制定、改廃した時は、会社に届出なければならない。

4 自治会の活動に当って、必要な事項については、実施に先立って、会社の許可を受けなければならない。

九 付 則

（施行）

1 この規程は〇〇〇年〇月〇日から改訂実施する。

（制定　△△年〇月〇日）
（改訂四回）

(様式第1号)

家　族　寮　台　帳

室番号（　　）

	氏　　　名	入居年月日	退居年月日	備　　　　考
貸与状況				

	点検年月日	点検者氏名	異常の有無	処　　　　置
点検状況				

	補修年月日	補　修　内　容	費　　用	負担区分
補修状況				

記事	

(様式第2号)

居　住　者　名　簿

住宅名（　　）

氏　　　名				室　番　号		
資　　　格				生年月日		年　　月　　日
所　　　属	部		課	入社年月日		年　　月　　日
入居年月日	年　　月　　日			入居期限		年　　月　　日
入居前住所				退居年月日		年　　月　　日
同居家族	続柄	氏　　　名	生年月日	摘　　　　要		
記事						

家庭寮管理規程

(様式第3号)

※申　込　No._____

※申込受理　　　年　月　日

管理担当常務	担　当　課

家 族 寮 入 居 申 込 書

所属長印	

今般下記により家族寮に入居いたしたく，許可下さるようお願いいたします。

氏　　　　名	㊞	資　　格	
所　　　　属	部　　　課	勤労者財産形成貯蓄 加　入　年　月　日	年　月　日
生　年　月　日	年　月　日	年　　　齢	歳　　か月
入　社　年　月　日	年　月　日	勤　　続	年　　か月
基　本　給	円	基　準　内　給　料	円

現在の住宅状況	現　住　所			
	住居の種類 (○印をつける)	自己所有家屋　借家　借室(間)　社宅　独身寮　アパート　下宿 親元の家に同居　その他(　　　　)		
	畳数と室数（畳敷でない部屋も換算する）	合計　　室　　畳		
	通勤時間（乗替時間を含む最短時間）	片道　　時間　　分		
	通勤経路		賃借料（共益費は除く）	月額　　円

現在同居家族	氏　名	続柄	年齢		氏　名	続柄	年齢	

入居希望日以後6か月以内に同居家族の増加または減少がある場合

続柄	氏　　名	生年月日	異　動　理　由	異動予定年月日

入居希望理由 (現在の住宅困窮状況などにつきできるだけくわしく)	
	入居希望日　　年　月　日
転勤発令年月日　　年　月　日	赴任予定年月日　　年　月　日

（様式第4号）

収 入 印 紙

住 宅 使 用 誓 約 書

　　　　　　　　　　　　　　　　　　　　　　　　　　　　　　　年　月　日

株式会社　HD工業社
　取締役社長　　　　　　殿
　　　　　　　　　　　　　所　属
　　　　　　　　　　　　　資　格
　　　　　　　　　　　　　氏　名　　　　　　　　　㊞

今般 ｛社宅管理取扱規程／独身寮管理取扱規則／家族寮管理規程｝ を承諾し，社員として下記住宅を借用します。

つきましては規定その他会社の指示を遵守し，会社に対して迷惑および損害は一切おかけいたしません。

万一規程に違反し，会社に損害をおよぼした場合は，その賠償の責を負い，かつ退居させられても何ら異議は申し立ていたしません。

よって後日のため本誓約書を差し入れます。

記

住宅の種類（○印をつける）	購入社宅・借上社宅・家族寮・独身寮
所　在　地	
社宅番号または室番号	
住宅使用料	1か月　　　　　　　　　円

（様式第5号）

管理担当常務	担　当　課

所属長印

入　　居　　届

　　　　　　　　　　　　　　　　　　　　　　　　　　　　　　　年　月　日

株式会社　HD工業社　御中
　　　　　　　　　　　　　所　属
　　　　　　　　　　　　　資　格
　　　　　　　　　　　　　氏　名　　　　　　　　　㊞

この度，下記の通り入居いたしましたことをお届けします。

記

住宅の種類（○印をつける）	購入社宅・借上社宅・家族寮・独身寮				
所　在　地					
社宅番号または室番号			入居年月日	年　月　日	
同居家族	続柄	氏名	生年月日	続柄	氏名	生年月日

家庭寮管理規程

（様式第6号）

管理担当常務	担　当　課

所属長印	

同 居 家 族 異 動 届

年　月　日

株式会社　HD工業社　御中

　　　　　　　　　　氏　名　　　　　　　　　　　　　　　㊞
　　　　　　　　　　住宅の種類（○印をつける）　購入社宅・借上社宅・家族寮・独身寮
　　　　　　　　　　所　在　地
　　　　　　　　　　社宅番号または室番号

今般　月　日次の通り同居家族に異動がありましたのでお届けいたします。

記

新同居家族	続　柄	氏　　名	生 年 月 日	同 居 し た 理 由

退居家族	続　柄	氏　　名	生 年 月 日	退 居 し た 理 由

異動前の同居家族数	名	異動後の同居家族数	名

（様式第7号）

管理担当常務	担　当　課

所属長印	

退　居　届

年　月　日

株式会社　HD工業社　御中

　　　　　　　　　　所　属
　　　　　　　　　　資　格
　　　　　　　　　　氏　名　　　　　　　　　　　　　　　㊞

この度，下記の通り退居いたしますので，お届けします。

記

住　宅　の　種　類 （○印をつける）	購入社宅・借上社宅・家族寮・独身寮		
所　在　地			
社 宅 番 号 または室番号		退居年月日	年　月　日
退居理由			
退居後の住所（または連絡先）・電話番号			

（注）　本届出は退居予定日の1週間前までに提出すること。

（様式第8号）

管理担当常務	担　当　課

所属長印

住宅補修改造許可願

年　月　日

株式会社　ＨＤ工業社　御中

　　　　　所　属
　　　　　資　格
　　　　　氏　名　　　　　　　　　　　　　　㊞

この度，下記の通り住宅の補修改造を行いたいので許可願いたく申請します。

記

住宅の種類 （○印をつける）	購入社宅・借上社宅・家族寮・独身寮	
社宅番号 または室番号		所在地
補修改造個所		
理　　　由		
補修改造期間	年　月　日　～　　　　年　月　日	
所　要　費　用		
費用の負担 （○印をつける）	会社負担・居住者負担・折半	

（注）改造の場合は図面添付のこと。

賃貸社宅規程

ＢＸ化学
（化学工業・従業員　一，六〇〇人）

（目的）
第1条　賃貸社宅規程における社宅とは、当社の従業員が持家を取得するまでの暫定期間当社の従業員およびその家族を居住させるために会社名儀で契約する借上家屋をいい、本規程は社宅の管理および使用についての必要事項を定める。

（管理）
第2条　社宅の管理・運営は人事部長が統括し、各支店長・工場長は所管の社宅の管理にあたる。

（入居資格および条件）
第3条　各本・支社・店・工場において本規程の適用を受ける者は、次の条件を有し、かつ所定の手続きを経て、会社が承認した者とする。

①　当社従業員で、同居の扶養家族を有する者。扶養家族とは、当該従業員の配偶者およびその子を原則とする。それ以外で両親を扶養家族として扱う場合等は社会通念上、明らかに当該従業員が継続し

賃貸社宅規程

て扶養義務を有する場合に限り認める。

② 仲介業者の手数料は転勤当初に限り、会社負担該当分を給与に計上する。ただし公団・公営住宅については、会社負担該当分を給与に計上する。

(転居)
第7条 社宅入居者が転勤によらず次の各号のいずれかに該当し、転居を希望する場合は、人事部長の承認を得て第4条の基準の範囲内の物件に転居することができる。
(1) 公団・公営住宅に入居する場合
(2) 社宅に災害が発生し、住宅として不適当になった場合
(3) 賃貸人から正当な明渡要求があった場合
(4) 出産、その他の事由によって、同居の扶養家族が二名以上増加した場合

2 前項によらず転居する場合は、償却分を除いた敷金のみを会社が負担し、社宅使用料については転勤者扱いとする。

3 非転勤者は前各項によらず転居自由とする。

(償却費の会社負担)
第8条 前条の正当な理由または持家取得により会社契約を解約した時の償却費の扱いは次による。
(1) 契約書に、敷金・保証金からある一定額を差引くことが記載されている場合は、契約時の家賃(第4条の範囲)五か月までを限度として会社負担とする。
(2) 契約書に記載されていないが、慣習によって不特定額を償却される場合は次に

② 公団・公営住宅を除き、会社で契約できる家屋に入居すること(賃貸人が入居者と親族関係にある場合は、独立家屋と認められる場合に限る。)
③ 社宅適用者は財形貯蓄加入を原則とする。

(月額家賃ならびに敷金、礼金等の限度額)
第4条 会社が認める「月額家賃」(敷金、保証金、礼金、権利金等)の最高限度額は次表の通りとする。ただし、非転勤者は「その他の費用」(敷金、保証金、礼金、権利金等)の最高限度額は次表の通りとする。
「その他の費用」(敷金、保証金、礼金、権利金等)を個人負担とする。

① 同居の扶養家族を四人以上有する者は、上限家賃限度額に五、〇〇〇円加算

資格	月額家賃の限度額		敷金，保証金，礼金，権利金等の限度額
	東京地区	その他地区	
12級以上	90,000円	75,000円	敷金(保証金)+礼金(権利金)は家賃6か月以内(大阪・名古屋を除く)
8〜11級	75,000円	65,000円	敷金(保証金)は家賃30か月以内，礼金(権利金)は家賃5か月以内(大阪)
見習社員〜7級	65,000円	55,000円	敷金(保証金)は家賃5か月以内，礼金(権利金)は10か月以内(名古屋)

③ 東京地区は、都内各事業所に通勤可能な者に適用する
④ 上記以外の費用はすべて個人負担とする(共益費、管理費、契約更新時の更新料、敷金増額分、地域負担金等)

(転勤者用社宅の期限)
第5条 社宅入居者が転勤後五年経過しかつ満四五歳に達した場合は、それ以降の社宅適用について非転勤者として扱う。

(社宅使用料)
第6条 家賃は暦月単位で会社が賃貸人に支払い、社宅使用料は、次の算出方法により暦月単位で徴収する。ただし、社宅使用料の最低限は八、〇〇〇円とし、一〇〇円未満の端数は会社負担とする。

転勤者　月額家賃×〇・五
非転勤者　月額家賃×〇・七

2 上表に該当する場合は社宅使用料を減額

地区	民　間	公団・公営
東京23区	社宅使用料－三、〇〇〇円	社宅使用料－一、〇〇〇円
東京23区を除くその他地区	社宅使用料－一、〇〇〇円	規程どおり　但し社宅使用料の最低額八〇〇円にかかわらない

XII 福利厚生に関する規程

年　月　日　提出

決定通知書

所　属	部　所 　　　　　課 　　　　　係
氏　名	
入社年月日	生年月日
現住所	
入居希望地	区　分　　　　社宅・寮

同居家族氏名	本人との続柄	年齢	職業（勤務先又は在学学校名）

あなたはこのたびの申込みについて次のとおり決定しましたのでお知らせいたします。

記

入　居　　　可　　　不可
名　称
所在地
入居月日
不可理由

　　　年　月　日

　　　　　担当責任者　　　　　　　　　印

担当責任者→所属長→申込者

(イ) 北海道、東北、広島、四国、九州地区……月額家賃限度額内の家賃一か月分まで会社負担とする。

(ロ) 東京、名古屋地区……前第1項以外全額個人負担とする。

2 公団・公営住宅の場合は、月額家賃限度額内の家賃一か月分までと超過額の五〇％を、会社が負担する。

（適用開始）
第9条 本規程は、当社の従業員が扶養家族を有する場合に適用するが、結婚による時は、結婚日の前月から適用する。

2 転勤・転居等により、社宅使用が重複する場合は、一か月間認め、社宅使用料は両方から徴収する。

3 申請の遅れ等の場合は、三か月を限度として適用をさかのぼる。

（入居資格の喪失）
第10条 社宅入居者が次の各号のいずれかに該当する場合、会社契約を解約する。

① 退職した場合は、発令後一か月以内
② 扶養家族を同伴して海外に駐在した場合は、発令後一か月以内
③ 長欠・休職等で社宅を退居する場合は一か月以内

（退居費用）
第11条 転勤者が社宅適用後五年以内に持家を取得し社宅を退居する場合は、退居費用

として次の額を支給する。

東京地区　一八〇、〇〇〇円
その他地区　一四〇、〇〇〇円

2　転勤者が社宅適用後五年を超えて、また非転勤者が持家を取得し社宅を退去する場合は退居費用として、前項の半額を支給する。

（社宅使用上の心得）
第12条　社宅入居者は本規程に従い、細心の注意をもって社宅を使用し、また当社社員として円満な隣人関係を営まなければならない。

2　社宅入居者は会社の承諾なく、社宅を転貸もしくは他人を同居させ、または社宅の目的以外に使用してはならない。

3　社宅入居者が故意もしくは過失により、家屋を破損もしくは滅失させたときは、全額入居者の負担により修理し、または、損害を弁償しなければならない。

（届出）
第13条　本規程の適用者または適用を受けようとする者が、つぎの各号のいずれかに該当する場合は、そのつど所定の様式によって届け出なければならない。

① 社宅入居を申し込む場合：賃借社宅利用申請書、賃貸借契約書
② 契約更新等によって月額家賃、その他の費用に変更がある場合：賃借社宅利用申請書、賃貸借契約書
③ 転居の場合：転勤者賃貸社宅転居申請書…事前に提出（転勤者のみ）
④ 退居の場合：賃貸借社宅退居届…事前に提出

（届出書類提出経路）
第14条　前条で定める届出書類および本規程に関係する書類は、次の経路で提出し、人事部長の承認を受けなければならない。

（本　社）本人→所属長→人事部
（支　社）本人→所属長→総務課→人事部
（その他）本人→所属長→総務課→支店長
（工場長）→人事部

（業務の分掌）
第15条　業務の分掌は次の通りとする。
① 社宅使用料の徴収　人事部
② 家賃の支払い　経理部

（個人契約の家屋への入居）
第16条　本規程は原則として、会社契約を結んだ場合に適用するが、会社契約を結べない場合は賃貸人の都合等で会社負担該当分を給与に計上する。ただし、第6条2項の東京二三区、東京地区の特例を適用しない。

（その他）
第17条　社宅として該当しなくなったにもかかわらず、所定の手続きを怠った者は、該当日にさかのぼって会社負担分を返還しなければならない。

2　本規程に定めのない事項については、人事部長の承認によって決定する。

（付則）
① 本規程は〇〇年〇月〇日から実施する。
② 第11条の退居費用の対象となる転勤者は△△年〇月〇日から起算する。
③ 転勤者が△△年〇月〇日以降五年以内に土地を取得し、持家を建築した場合は、転勤者扱いとして第11条1項の退居費用を支給する。

寄宿舎規則（寮規則）

TS商店
（卸売業・従業員　二〇〇人）

第1章　総　則

（目的）
第1条　この規定は労働基準法第95条第1項の規定に基づいて定めたもので、風紀と秩序を維持し、健康で明るい寮生活を築くことを目的とする。

（寮の名称）
第2条　その寮の名称は東京TS寮という。

第2章 寮 生

（寮生の定義）
第3条 第7条の規程に基づいて入居の許可を得、寮に居住する者を寮生と呼ぶ。

（寮生の義務）
第4条 寮生はこの規則を誠実に守り、風紀、秩序を維持し、寮生活の健全な発展に努めなければならない。

第3章 管 理

（管理の担当）
第5条 寮の管理運営業務は総務部の管轄とし、その最高責任者は総務部長とする。

（管理人の設置および業務）
第6条 寮の管理、運営を円滑にするため管理人を置く。

2 管理人は会社の指示、命令に従い、かつまた業務の報告、連絡を会社に行う。

3 管理人は寮および付属施設、備品の保全管理に当たる。

4 管理人は寮生活の健全な発展を目指す寮生の活動に協力する。

第4章 入寮および退寮

（入寮）
第7条 寮に入居を希望する者は、会社が定める手続きに基づいて申し込む。

2 入居部屋の割り当ては本人の希望、勤務の内容などを勘案して会社が決定する。

（退寮）
第8条 退寮しようとする者は退寮予定日の七日前に、会社にそのむねを届け出なければならない。

2 会社を退職した者は、すみやかに退寮しなければならない。

3 退寮を命ぜられた者、または解雇された者は、三日以内に退寮しなければならない。

第5章 生 活

（起床、就寝）
第9条 起床は午前六時、就寝は午後一一時とする。ただし、勤務の都合など特別の事情がある場合は、この限りでない。

（食事）
第10条 食事時間は朝食午前七時―同八時半、夕食午後五時半―同七時とする。

2 食事は寮の食堂でとるものとする。ただし、病気など特別の理由で管理人の許可を得た場合は、この限りでない。

（入浴）
第11条 入浴時間は午後五時半―同一〇時半とする。ただし、勤務の都合など特別の事情がある場合は、この限りでない。

2 入浴に際しては入浴心得を守るものとする。

（外出、外泊）
第12条 外出、外泊は自由とする。ただし帰りがとくに遅くなるとき、また外泊するときは管理人にそのむねを届け出なければならない。

（面会）
第13条 外来者との面会は原則として所定の場所で行う。

（外来者の宿泊）
第14条 管理人の許可なくして外来者を宿泊させてはならない。

（行事）
第15条 会社が教育、娯楽その他の行事を催す場合は、事前にその計画および方法を寮生に連絡する。寮生はできるだけ参加するよう努める。

2 寮生が催す行事で会社の施設を利用する場合は、あらかじめ会社に届け出て許可を得なければならない。

（集会、掲示）
第16条 寮内で集会や放送または文書の掲示、配付を行う場合は、あらかじめ会社に届け出て許可を得なければならない。

第6章 安全および衛生

（安全）

第17条　寮生は火災予防に留意し、所定の場所以外で火気の使用、喫煙をしてはならない。

2　電気コタツ、石油ストーブ、ガスストーブなど暖房器具の使用については、会社の許可を得なければならない。

3　火災その他の災害防止について、会社が法令やその他の必要に基づいて決めることに協力しなければならない。

4　火災その他の災害発生のさいは関係者の指示に従って行動するものとする。

（衛生）
第18条　公衆衛生、保健衛生に留意し、居室、食堂、浴場、便所等を常に清潔に保つよう努めなければならない。

2　伝染病の予防や衛生上必要なことについて、会社から指示があったときは、これに従わなければならない。

3　伝染病にかかり、またはその疑いのある場合は、ただちに管理人に連絡するとともに会社の指示に従わねばならない。

第7章　施設および備品の管理

（施設、備品の保全）
第19条　寮生は寮の施設や備品をたいせつに扱わなければならない。

（弁償）
第20条　施設や備品を故意あるいは重大な過失により、紛失、損壊または加工した場合は、事情によって弁償させることがある。

第8章　寮費および食費

（支払方法）
第21条　寮生は別に定める寮費および食費を毎月、給料から控除する方法で支払うものとする。

2　月の中途の入退寮については日割計算する。

第9章　雑　則

（規則違反）
第22条　故意あるいは重大な過失により、この規則に違反した者については退寮を命ずることがある。

付　則　この規則は○○年○月○日より実施する。

入　寮　誓　約　書

株式会社ＴＳ商店
取締役社長　　　　　殿
　　　　　　　所属
　　　　　　　氏名

　このたび東京ＴＳ寮に入寮するにさいし，東京ＴＳ寮規則および寮生活心得を守ることはもちろん，下記の事項を順守することを誓約いたします。

　　　　　　記

1. 寮費，食費は毎月給料から控除する方法で支払います。
2. 将来，物価の上昇や会社のやむをえない事情などにより寮費，食費の増額をされても異議を申しません。
3. 寮の秩序を乱したり，他の居住者に迷惑を及ぼす行為はいっさいいたしません。
4. 寮の施設や備品はたいせつに扱います。万一，故意または重大な過失で損害をおかけしたときは弁償いたします。
5. 会社の業務の都合で部屋換えを命ぜられたときは，指定された期限までに無条件で移転いたします。
6. 本誓約に違反した場合は，即時退寮を命ぜられても，いっさい異議を申しません。

　　　年　月　日
　　　入寮者氏名　　　　　㊞
　　　保証人　　　　　　　㊞

寮生活心得

1. 生活は規則正しく，風紀，秩序の維持に努めましょう
1. 起床，就寝，食事，入浴時間は次のとおりです

    起　床　　午前6時
    就　寝　　午後11時
    朝　食　　午後7時～同8時30分
    夕　食　　午後5時30分～同7時
    入　浴　　午後5時30分～同10時30分
    （ただし，勤務の都合によっては，この限りでありません）
1. 居室はいつも清潔にし，整頓しておきましょう
1. 施設，備品をたいせつに扱い，これを改変してはいけません
1. 電気，ガスや水を浪費しないようにしましょう
1. 電気，ガスなどの器具や火気の取り扱いにはとくに注意しましょう
1. 所定の居室，食堂以外で，たばこを吸ってはいけません。また，灰ざらの後始末をきちんとしましょう
1. 危険な物品を所持してはいけません
1. テレビ，ラジオ，ステレオ，楽器，その他による騒音をはじめ，他の者に迷惑を及ぼす行為をしてはいけません
1. トバクやこれに類する行為をしてはいけません
1. イヌ，ネコ，鳥，その他の動物を飼ってはいけません
1. 許可なく外来者を泊めてはいけません
1. 外出して帰りが遅くなるときや，外泊する場合は，あらかじめ帰寮時間，外泊先などを管理人に届けてください

入浴心得

1. 入浴時間は次のとおりです

    午後5時30分～同10時30分
    （ただし，勤務の都合によっては，この限りでありません）
2. 浴場は常に清潔にし，用具を整頓しておきましょう
3. からだきの危険を防ぐため，点火前に浴そうの水が十分あるかどうかを，必ず確かめましょう
4. ほかの利用者のためにも浴そうの湯を汚さないようとくに注意しましょう
5. 湯や水を浪費しないようにしましょう
6. カミソリ類は放置しないようにしましょう
7. 使用後はガスの元センを必ず締めましょう

独身寮管理規程

TKグループ（物品販売・従業員　八五〇人）

第1章　総則

（目的）
第1条　本規程は、当社の独身寮の管理及び運営に関し、必要な事項を定める。

（管理の担当）
第2条　独身寮の管理及び運営については、各事業部の総務部（課）がこれを統轄する。

（管理人の設置）
第3条　寮の管理及び運営を円滑ならしめるため、管理人をおく。
2　管理人は、寮の設備保全、災害防止、規律維持、寮生の保健、会社との連絡、その他寮の管理上必要なる一切の業務を処理する。
管理人の任命は、会社が行う。

（自治会）
第4条　寮の秩序維持と円滑なる運営を図るため、寮生による自治会を設けるこ

第2章　入寮及び転室

（入寮資格）

第5条　入寮できる者は、通勤区域に適当なる住居を有しない者で、会社が必要と認め、許可した者とする。

（入寮手続き）

第6条　入寮を希望する者は、「入寮願」に所定事項を記入して、各事業部の総務部（課）に提出しなければならない。

（入寮の取消・退寮）

第7条　入寮にあたり、虚偽または不正手段により入寮した者、寮の秩序を乱した者、その他会社が不適当と認めた者は、入寮を取り消し、若しくは退寮させる。

（入寮者の決定）

第8条　入寮者の選考、入寮先の決定及び居室の定員、居室の割り当ては、会社が行う。

（転室・移寮）

第9条　会社は、寮の管理上必要と認めた者には、転室及び移寮を命ずることがある。これに対して、寮生は正当な理由なく、これを拒むことはできない。

2　自治会の規約については、別に定めるきに限り、これを行う。

2　寮生の申し出による転室または移寮は、関係の事情を調整の上、適当と認めたとができる。

（在寮期限）

第10条　寮の在寮期限は、原則として入寮後5年間あるいは25歳までとする。但し、会社が必要と認めた場合は、在寮期限を短縮あるいは延長することができる。

第3章　退　寮

（退寮）

第11条　退寮を希望する者は、「退寮届」を2週間前までに管理人及び所属長を経て、各事業部の総務部（課）に提出し、退寮することができる。
但し、寮生が次の各項に該当するときは、原則として7日以内に退寮しなければならない。

(1) 当社の従業員としての身分を喪失したとき。

(2) 在寮期限に達したとき。

(3) 会社の都合により、退寮を命ぜられたとき。

(4) 故意または重大な過失により、会社または寮生に著しい迷惑損害を与えたとき。

(5) 集団生活に有害な疾患にかかり、退寮の必要を認めたとき。

(6) その他、本規程に違反し寮管理上好ましくない行為のあったとき。

前各号の場合、寮生は正当な理由なく退寮を拒むことはできない。また、移転料・立退料等一切の請求をすることはできない。

（点検）

第12条　寮生が退寮するときは、居室内を清掃し、一切の貸与品を返却するとともに、居室・什器・備品等について、管理人の点検を受けなければならない。なお、破損または著しい汚損ある場合は、弁償しなければならない。

第4章　寮費及び保守

（寮費）

第13条　寮生は、定められた寮費基準に基づき、所定の寮費を毎月会社に支払うものとする。

2　寮費は当月1日より当月末日までに1か月分とし、これは会社において各人の支払給与より控除する。但し、賃金の支払いを受けない場合は、当月末日までに現金により納入するものとする。

3　月の途中において、入・退寮する場合は、日割計算とする。

（保守）
第14条 寮施設の保守は、原則として会社が行う。
但し、寮生の故意または重大な過失により、建物及び付属施設・什器・備品等を破損した場合は、費用の全部または一部を本人に負担させる。

第5章 日常生活

（面会）
第15条 面会人のある場合は、管理人に連絡して、原則として所定の面会場所で行うものとする。

（行事）
第16条 寮において、特別な行事を行おうとする場合は、予めその計画及び実施内容について、管理人を経て各事業部の総務部（課）に届け出て、その承認を得なければならない。

（経費の節約）
第17条 寮生は、寮の施設・什器・備品等を大切に取扱い、消耗品・電気・ガス・水道等の使用にあたっては、節約に努めなければならない。

（遵守事項）
第18条 寮生は、次の事項を遵守しなければならない。
(1) ラジオ・テレビ・ステレオ等による騒音、その他喧嘩等によって、他の寮生及び近隣住民に迷惑を及ぼす行為をしないこと。
(2) 寮内に石油・火薬等の危険物を持ち込まないこと。
(3) 他の寮生に損害を与える等、迷惑を及ぼす行為をしないこと。
(4) 許可無く寮内で、印刷物・ビラ等の掲示または配布をしないこと。
(5) 居室内で電熱器・電気アイロン等を使用しないこと。
(6) ヘアードライヤー等の使用及び吸殻の処置には、万全の注意を払うこと。
(7) 所定以外の什器・備品・家具・耐久消費財、その他の無断持込みをしないこと。
(8) 寮内で家畜・鳥獣等を飼わないこと。
(9) 会社の許可なく、建物・居室・工作物・設備等の改良・模様替え等をしないこと。
(10) 寮生以外の者を宿泊させないこと。但し、特別な事情がある場合は、予め管理人の許可を得ること。
(11) その他、前各号に準ずる行為をしないこと。

（門限）
第19条 寮生の門限は、原則として午後10時とする。但し、やむを得ない事情により、所定時間外の外出または帰寮が、門限以降になる場合は、予め管理人にその旨を届け出て、許可を得なければならない。

（外泊）
第20条 寮生が外泊する場合は、予め外泊先及び予定日数等を記入した「外泊届」を、帰寮後には、速やかに「外泊証明書」を管理人に提出しなければならない。

（食事・入浴時間）
第21条 各寮における食事・入浴の時間は、各寮の定めによらなければならない。

第6章 安全・衛生

（防火・防災）
第21条 寮生は、火気の取扱いには特に注意し、防火処置を怠ってはならない。
2 安全装置・漏電警報機・火災報知器は常に注意しておき、また消化器等の使用方法を熟知しておくとともに、いつでも直ちに使用できるようにしておかなければならない。

（応急処置）
第23条 火災その他の災害が発生するか、または発生の危険を認めた場合は、速やかに管理人、会社または関係官公署へ通報するとともに、臨機応変の処置を施

持家借上げ取扱規程

SG工業
（機械・従業員 七〇〇人）

（目的）
第1条　この手続は社員が転勤などのため、持家に居住できなくなりその持家の管理あるいは他との賃貸借契約ができない場合に社員の希望により、会社がその持家を社宅として借上げる場合の取扱について定める。

（持家の定義）
第2条　この手続において社員の持家とは、社員が所有する家屋で社員が転勤、出向、特殊異動などを命じられたとき現に居住していた家屋をいう。

2　前項の家屋には、これに付随する門、塀などの付帯設備ならびに敷地（借地の場合も含む）を含むものとする。

（借上条件）
第3条　会社が社員の持家を社宅として借上げるのは、次の各号の条件を満たす場合に限るものとする。

(1) 自宅が通勤時間（東京一・五時間、京阪神一・〇時間）以内で環境、規模、構造、内容などが社宅として適当と認められるとき。

(2) 借上げ社宅に入居させるべき社員がいるとき。

(3) この場合社員とは当該事業場だけでなく近在事業場も含むものとする。

(イ) 持家が次の事項に同意したとき。
社員に関わる火災保険は持主の責任において付保するものとし、万一火災が発生した場合においても会社はその責を負わないこと。

(ロ) 資産評価に影響のない程度の補修は会社が行なうが、資産評価に影響のある補修改造などは持主の負担において行なうこと。

(ハ) 公租公課、火災保険料、借地料は持主の負担とすること。

(ニ) 借上げの賃借料は別に定めるところによること。

(ホ) 天災地変など不可抗力により、家屋の損壊のあった場合は会社はその責を負わないこと。

（賃借料）
第4条　借上げの賃借料は次の通りとする。

（単位：円）

地域区分 建築延面積	東京地区	その他地区
六〇㎡以上	七〇、〇〇〇	六〇、〇〇〇
六〇㎡未満	五〇、〇〇〇	四五、〇〇〇

（公租公課などの納付代行）
第5条　社宅として借上げた住宅の公租公課などの納付につき、当該社員が希望するときは会社はその納付手続を代行することがある。

（借上げの申出）
第6条　転勤、出向、特殊異動などを命ぜられた社員が自己の持家の借上げを希望する場合は、所定の様式による「住宅借上願」を会社に提出するものとする。

（他機関への斡旋紹介）
第7条　会社はこの手続によりがたい場合、あるいは本人が希望する場合、他の法人あるいは特定不動産会社などとの賃貸借契約の斡旋をすることがある。

2　この場合契約締結に当っては当該社員が希望した場合、会社がその折衝を代行し締結完了までは会社の責任によって管理する。

（賃貸借契約の締結）
第8条　会社が社員の持家を借上げ社宅とし、被害を最小限に留めるよう努めなければならない。

付　則

（施行）
第24条　本規程は〇〇年〇月〇日より施行する。

XII 福利厚生に関する規程

て適用する場合は、会社と当該社員との間に賃貸借契約を締結するものとする。契約締結に当たった当該社員は第三者にその折衝の権限を委任することができる。
（借上げ社宅の管理運営）
第9条　借上げ社宅の管理運営は社宅管理手続の定めるところに準じて行なうものとする。
（賃貸借契約の解約）
第10条　借上げ社宅について次の各号の一に該当する場合には、賃貸借契約を解約し当該社員に家屋を明け渡すものとする。
(1) 当該社員が転勤・出向・特殊異動などから復帰し、当該家屋に居住する必要が生じたとき。
(2) 当該社員が賃貸借契約の解約を申し入れたとき。
(3) 会社が賃貸借契約の解約を申し入れたとき。

前第1号の場合は原則として一か月以内に明け渡すものとし、第2、第3号の場合は原則として解約の日の少なくとも三か月前とする。
（明け渡し時の点検補修）
第11条　前条より明け渡しを行なうときは持ち主と会社は立ち合いの上点検を行ない、借上げ時に比し会社通念上よりして著しい損耗を認めたときは会社はこれを補修するかまたは、相当する補償を行なうものとする。
（細部事項）
第12条　この手続に定めのない細部の事項については、会社と当該社員が協議の上決定するものとする。

附　則

第1条　この規程は部門管理規程とし、管理責任者は人事部長、管理担当部は人事部とする。
第2条　この規程は○○年○月○日より実施する。
（××年○月○日制定）
（△×年○月○日一部改訂）

住　宅　借　上　願

年　月　日
部　　　課
氏　名　　　㊞

SG工業株式会社御中

持家借上げに関する取扱手続に基づき，借上げの申出を致します。

物件の所在				
家屋	建設年月	年　月	附帯物件・内容	
	延面積	㎡	物　置	
	登記有無	有　　無	車　庫	
	抵当権等	有（　）無	庭　園	
	構　造		石　垣	
土地	面　積	㎡	電　話	
	登記有無	有　　無	造り付家具	
	抵当権有無	有（　）無	その他	
当社融資の有無	有（　年　万円）無			

（附近見取図）　　　（家屋内見取図）

(△△年○月○日一部改訂)

厚生貸付金規程

TN機器
(機械製造・従業員 二五〇人)

(目的)
第1条 この規程は社員が特別な事由により資金を必要とするとき、その資金の貸付をなして、社員の福利厚生に資することを目的とする。

(貸付金の限度)
第2条 貸付金は本人の月収ならびに退職金を勘案して、その事由ごとの貸付最高限度額は次条に示すところによる。
 ただし、特別な事情にて、これによりがたいときは、社長の決裁を得て、限度額を超えて貸付の場合がある。
 限度額を超えて貸付する場合の貸付金総額は一〇〇万円を超えないものとする。

(貸付を受ける事由とその金額)
第3条 貸付を受ける事由と、その金額は次の各号によるものとする。
(1) 本人および家族の療養
　　五〇〇、〇〇〇円以内
(2) 本人および家族の冠婚葬祭もしくは進学
　　五〇〇、〇〇〇円以内
(3) 本人または配偶者の出産
　　二〇〇、〇〇〇円以内
(4) 借家、借間の権利金、敷金
　　二〇〇、〇〇〇円以内
(5) 家屋の修理
　　五〇〇、〇〇〇円以内
(6) 災害の復旧
　　五〇〇、〇〇〇円以内
2 前項において家族とは、社員の収入により生計を維持するもので、配偶者および同居の親族をいう。

(貸付の申込)
第4条 貸付を受けようとする者は、所定の厚生資金貸与申込書に資金の使途を詳記し、所属長を経て申込むものとする。

(貸付金の利息)
第5条 貸付金の利息は○%とし、元本返済の都度、既経過分を後払いするものとする。
2 第2条ただし書による社長決裁を得て、第3条の限度額を超えた貸付についての利息は、基準貸付利率とし、元本返済の都度、既経過分を後払いするものとする。

(貸付決定後の処理)
第6条 貸与が決裁されたときは、所属事業所に当該申込書を廻付する。所属事業所は貸付金の領収書を徴し、また記載された返済方法にもとづき、返済金ならびに利息を受取るものとする。

(貸付金の返済期間)
第7条 貸付金の返済期間は、次表の通りとし、給料および本人の希望により返済期間を短縮することができる。

貸　付　金　額	返済期間
一〇〇、〇〇〇円以下	一年以内
三〇〇、〇〇〇円以下	二年以内
五〇〇、〇〇〇円以下	三年以内

付　則　この規程は○○年○月○日より実施する。

慶弔見舞金規程

EF食品
(食品製造販売・従業員 二〇〇人)

第1章　総　則

(目的)
第1条 この規程は、就業規則第○条の定めるところにより、慶弔見舞金に関する事項を規程する。
2 社員の慶弔禍福に際し、会社は祝福、弔慰、見舞の意を表わし、金品を支給する。

XII 福利厚生に関する規程

（慶弔見舞金の内容）
第2条 社員の慶弔禍福の際は、この規程によって、それぞれ祝金、弔慰金、見舞金を支給する。
2 慶弔見舞金の内容は、結婚祝金、出産祝金、傷病見舞金、災害見舞金、死亡弔慰金の五種類とする。
（適用範囲）
第4条 第2条第2項の対象者は全ての社員に適用する。
2 前項に適用する以外の社員は、その都度定める。
（勤続年数の計算）
第3条 この規程における勤続年数の計算は、採用の日から支給事由発生の日までの満年数とする。

第2章 結婚祝金

（結婚祝金と勤続年数の関係）
第5条 社員が結婚した場合は、つぎの区分により結婚祝金を支給する。
① 勤続三年未満の者　　三〇、〇〇〇円
② 勤続三年以上の者　　五〇、〇〇〇円
（再婚の場合）
第6条 再婚の場合は、前条の祝金は半額とする。
第7条 結婚の当時者双方が社員の場合は、第5条の祝金は各々に支給する。
（社員の子女の結婚）
第8条 社員の子女の結婚には祝金として一〇、〇〇〇円支給する。
（祝電等）
第9条 本人結婚の場合で、社長出席しないときは、会社は社長名で祝電をおくる。

第3章 出産祝金

（出産祝金）
第10条 社員ならびに配偶者が出産したときは、つぎにより祝金を支給する。
一産児につき　二〇、〇〇〇円
（死産の場合）
第11条 前条が死産の場合は、見舞金として前条と同額を支給する。

第4章 傷病見舞金

（業務上の場合）
第12条 社員が業務上の傷病により療養のため休養するときは、つぎにより傷病見舞金を支給する。
一〇日以上勤務不能欠勤の場合
　　　　　　　　　二〇、〇〇〇円
（私傷病の場合）
第13条 社員が私傷病により療養のため休業するときは、つぎにより傷病見舞金を支給する。
一五、〇〇〇円
2 前項の支給は年二回を限度とする。

第5章 災害見舞金

（災害見舞金）
第14条 社員が火災、水災、風震災、その他災害により、住居に損害をこうむった場合には、つぎの区分により見舞金を支給する。
① 世帯主の場合
　ア、全損失　　　　一〇〇、〇〇〇円
　イ、大半損失　　　　七〇、〇〇〇円
　ウ、一部損失　　　　三〇、〇〇〇円～五〇、〇〇〇円
② 非世帯主の場合
　ア、全損失　　　　　五〇、〇〇〇円
　イ、大半損失　　　　三〇、〇〇〇円
　ウ、一部損失　　　　二〇、〇〇〇円
（受給順位）
第15条 前条の場合、有資格者が二名以上あるときは、世帯主または年輩者に対して支給する。
（証明書の提出）
第16条 前条の災害の場合は、各々官公庁の証明書を提出しなければならない。

第6章　死亡弔慰金

（本人の場合の弔慰金）
第17条　社員が業務上あるいは私傷病により死亡したときは、遺族に対して、つぎの区分により弔慰金を支給する。

① 勤続五年以下の者　一〇〇、〇〇〇円
② 勤続五年以上の者　一五〇、〇〇〇円
③ 勤続一〇年以上の者　二〇〇、〇〇〇円
④ 勤続二〇年以上の者　三〇〇、〇〇〇円

2　前項の該当者で特に会社に貢献した者には、別途増額することがある。

（本人の場合の供花）
第18条　葬儀に際しては、つぎの区分により、花環もしくは生花を供する。

① 一般社員　二基
② 勤続一〇年以上の者　三基
③ 役職にある者　三基
④ 管理職にある者　三基

（家族の場合の弔慰金）
第19条　社員の配偶者、子女および父母が死亡した場合は、つぎの区分により弔慰金を支給する。

① 配偶者の場合
　ア、勤続三年以下の者　二〇、〇〇〇円
　イ、勤続三年以上の者　三〇、〇〇〇円
② 子女死亡の場合（同一戸籍内で既婚者を除く）　二〇、〇〇〇円
③ 父母（養父母を含む）
　ア、本人扶養家族の場合　二〇、〇〇〇円
　イ、本人非扶養家族の場合　一〇、〇〇〇円

（家族の場合の供花）
第20条　葬儀に際しては、つぎの区分により、花環もしくは生花を供する。

① 一般社員　一基
② 勤続一〇年以上の者　二基
③ 役職にある者　二基
④ 管理職にある者　三基

（受給順位）
第21条　前二条の場合、有資格者が二名以上あるときは世帯主または年輩者とする。

附　則

（施行）
第22条　この規程は〇〇年〇月〇日より施行する。

（制定×× 年〇月〇日）
（改訂△△年〇月〇日）

制服貸与規程

（SP機械
　機械製造
　・従業員　三、〇〇〇人）

第1章　総　則

第1条（目的）
この規程は、従業員に制服を貸与する場合の取扱いについて定める。

第2条（制服の定義）
この規程において、制服とは貸与対象者が使用する会社指定の「制服貸与基準表」による貸与対象者が使用する会社指定の衣服をいう。

第3条（制服の分類）
前条に定める制服を次の通り分類する。

① 女性制服
② 男性作業服
③ 特殊業務制服
④ その他会社が業務上必要と認めた制服

第4条（制服の管理）
制服の管理者およびその業務は次の通りとする。

① 管理責任者
　制服の管理責任者は人事課長とし、制

XII 福利厚生に関する規程

服に関する全体の業務を統轄する。本社以外の事業所にあっては総務課長が代行することがある。

② 管理担当者は職場の所属長（課長または係長）とし、当該職場内の制服着用に関する監督指導を行なうものとする。

第2章 貸与手続

第5条（貸与基準）
制服の貸与基準は別に定める「制服貸与基準表一」による。

第6条（貸与方法）
制服の貸与方法は次の定めによる。
① 新規貸与
　(1) 管理担当者は「制服貸与依頼票」に必要事項を記入捺印のうえ管理責任者へ提出する。
　(2) 新規貸与は次のいずれかに該当する場合に限る。ただし希望者に限る。
　　イ 入社した場合
　　ロ 異動した場合
　　ハ その他管理責任者が妥当と認めた場合
② 交換による再貸与
　(1) 管理担当者は「制服貸与依頼票」に必要事項を記入捺印のうえ管理責任者へ提出する。
　(2) 交換による再貸与の申請は管理担当者がその理由原因を調査、確認のうえ(1)の手続をとる。
　(3) 再貸与は原則として既与した制服の返納をもって行なう。

第7条（貸与台帳）
管理責任者は「制服貸与台帳」を備えつけ管理する。

第8条（負担区分）
① 制服は原則として会社が無償貸与する。
② 制服の保管のために行なう補修、洗濯その他保存上必要な措置は全額個人負担とする。
但し、洗濯に関して会社備え付けの器具・備品を使用する場合はこの限りでない。
③ 従業員が自己負担で制服を請求しても、所定の貸与個数を超える場合、これを認めない。

第3章 遵守事項

第9条（義務と責任）
① 制服を貸与された従業員は、勤務中制服を着用しなければならない。
② 特殊業務に携わる者および会社が特に指定した者は特定制服を着用する。
③ 管理担当者は常に所属従業員の制服着用および取扱いにつき監督・指導の責任を有する。

第10条（特例免除）
次の各号に該当する場合、制服を着用しなくともよい。
① 傷病等で医師または管理責任者が所定制服の着用が不適当であると認めた場合。
② 業務の性格上やむを得ない理由があって、所属長（部長）が申請し、管理責任者が認めた場合。

第11条（着用基準）
制服の着用基準は別に定める「制服貸与基準表」による。

第12条（保管義務）
制服を貸与された従業員は制服をみだりに自製や改変したり、譲渡・転貸および交換してはならない。

第13条（改変譲渡の禁止）
制服を貸与された従業員は所定制服を保持し、その保管に責任を持たなければならない。

第14条（損失届）
貸与された制服を紛失、汚損あるいは使用に耐えられないようにした場合、従業員は直ちに当該職場の管理担当者に届出、管理担当者は第6条2号の手続を行なう。

制服貸与規程

第15条（返納）
但し、この場合弁償させることがある。
従業員は次の各号に該当する場合、貸与中の制服を直ちに当該職場の管理担当者を経て管理責任者に返納しなければならない。
① 退職または解雇
② 転勤または異動
③ 交換、再貸与

付 則

この規程は○○年○月○日より実施する。
（××年○月○日制定）
（△△年○月○日改定）

制 服 貸 与 依 頼 票

| 新規 | 再 |

人 事 課 長 殿　　　　　依頼年月日　　年　月　日

＿＿＿＿＿＿＿部（店）＿＿＿＿＿＿課

管理担当者名＿＿＿＿＿＿＿＿＿㊞

下記の者につき制服貸与を依頼します。

氏　　名	
制服分類	
制服の品目	
号　　数	
枚　　数	

理由（再貸与の場合）

人事課所見欄

人事課

（有償・無償）

制服貸与基準表

分類	制服品目	標準着用期間	貸与対象者	個数	貸与期間
(1) 女性制服	ブレザー	10／1〜6／30	女性従業員全員 （札幌・仙台女性全員）	1 2	2 年 〃
	ベスト	オールシーズン	女性従業員全員	2	〃
	スカート	〃	〃	2	〃
	長袖ブラウス	10／1〜6／30	〃	2	〃
	半袖ブラウス	7／1〜9／30	〃	2	〃
(2) 男性作業服	ジャンパー	10／1〜5／31	商品管理部員	2	〃
	ズボン	オールシーズン	品質管理部員	2	〃
	半袖シャツ	6／1〜9／30	その他特殊業務従事者	2	〃
	ハイネックシャツ	10／1〜5／31	商品管理部員のうち	2	〃
	シューズ	オールシーズン	外部配送従事者	1	〃
	防寒服	12／1〜2／末	商品管理部員	1	3〜4年
(3) 特殊業務制服	パンタロンスーツ	オールシーズン	受付従業員	2	2 年
	看護師用ユニフォーム	オールシーズン	健康管理室看護師	2	〃
	ショップユニフォーム	オールシーズン	ショップ従事者	2	〃
	時計リペアマン用ユニフォーム	オールシーズン	時計部リペアマン	2	〃
(4) その他					

社内預金管理規程

> TM自動車
> 自動車製造
> ・従業員 四、〇〇〇人

第1条（総則）
この規程は、貯蓄金管理協定に基づき従業員が会社に預入れる貯蓄金の管理について定める。

第2条（預入れ）
① 従業員はこの規程の定めるところにより、自己の金銭を会社に預入れることができる。ただし、自己の賃金以外のものを預入れることはできない。

② 当社の従業員であって当社に在籍のまま関係会社等へ出向を命ぜられた者（労働組合の専従者となった者を含む）は、預入れ残高をそのまま会社に預入れておくことはできるが、当社より直接賃金を受けている者のほかは新たに預入れをすることはできない。ただし、出向先に社内預金制度がない場合にはこの限りでない。

③ 出向者が復帰した場合において、当該者の出向先における社内預金残高をそのまま当社に預け替えることは差し支えない。

第3条（預金の種類）
預金の種類は定期預金と普通預金の二種とする。

第4条（預入れ限度額）
① 従業員は前条に定める各種預金残高の合計額八〇〇万円を超えて預入れることはできない。

② 一か月間の現金預入れ額は、当月給料および一時金の現金支給額の範囲とする。

第5条（書類の提出先）
この規程の定めるところにより書類を提出する場合は、経理部会計課へ提出するものとする。

第6条（印鑑台帳および税務上の申告）
① 初めて預金を行なう場合は、職番、機密コード、氏名（ふりがな）を届出るほか、預金利子所得分離課税制度（総合課税または源泉分離課税）の選択をし、且つ印鑑を捺印した社内預金印鑑台帳一通を提出しなければならない。印鑑は第3条に定める預金の種類に共用する。

② 預金利子所得分離課税制度を選択した場合は、利子所得の源泉分離課税の選択申告書二通を提出しなければならない。

③ 印鑑の滅失、紛失または盗難による改印をする場合は、会社の承認する社員二名が保証連署した改印届を提出しなければならない。

④ 海外勤務のため所得税法第2条に定める非居住者となった従業員は、その非居住者である期間は、前条第2項および本条第2項に掲げる申告書および申込書を新たに提出することはできない。

第7条（改印届・異動申告書）
① 前条第1項の届出事項を変更する場合は、異動申告書二通（改印の場合は印鑑票一通を添付する）を提出しなければならない。

② 前条第2項の届出事項を変更する場合は、非課税貯蓄変更申告書二通と非課税貯蓄変更申告書一通を提出しなければならない。

第8条（通帳の交付）
会社は預金をしている者に対し、三月、九月の預金決算後に預金通帳を交付する。

第9条（免責条項）
次の各号の場合は、会社は適法な払戻しまたは解約があったものとみなし、一切損害賠償の責を負わない。

(1) 第7条第3項の改印届の前に従前の印鑑を使用して預金の払戻しまたは解約があった場合。

(2) 偽造の印鑑を使用して預金の払戻しまたは解約があった場合（ただし、偽造印鑑の印影が届出印鑑の印影と

XII 福利厚生に関する規程

容易に見分けられる場合を除く

第10条（退職等による解約）
① 預金をした者が退職または解雇された場合は、退職または解雇の日より七日以内に預金解約申請書一通（非課税貯蓄廃止申告書二通を含む）を提出しなければならない。
② 会社は前項の届出期間経過後の利子をつけない。

第11条（預金台帳の備付け）
会社は預金の受け払いを明確にするために、三月末日および九月末日現在で個人別の普通預金台帳を保存する。

第12条（預入れの方法）
① 預金の預入れは次の方法により行なうことができる。
(1) 予め本人より申し出のあった金額を毎月の賃金より控除して預入れる。
(2) 本人より提出された金銭を預入れる。

第13条（賃金よりの控除）
① 前条第1項第1号の預入れを行なう場合は、預金預入給料引去申込書一通を提出する。
② 前項の申込みが毎月五日までにあった場合は、その月の賃金より控除を始め、六日以後にあった場合は翌月の賃金より控除を始める。
③ 前項の場合、会社は預入れ金額を給料支給明細書に明示する。

第14条（控除額の変更）
① 第12条第1項第1号による預入れ金額を変更する場合または預入れを中止する場合は、預金預入額変更申込書一通を提出する。
② 前項の規定は前項の場合に準用する。

第15条（現金の預入れ）
第12条第1項第2号の預入れを行なう場合は、現金と共に普通預金預入払戻書一通（初めて預入れを行なう場合は印鑑台帳一通を含む）を提出する。

第16条（利　率）
利率は年○％とする。ただし、一般金利に著しい変動があった時は、貯蓄金管理協定第○条の手続きを経て掲示のうえ変更することがある。

第17条（利子の計算方法）
利子の計算は次の各号による。
① 預入れの翌日から払戻しの前日までの分につき日歩計算により利子をつける。
② 利子は毎年三月末日および九月末日に計算し、それぞれその翌日に元金に繰入れる。
③ 利子の計算については円未満の端数は切捨てる。

④ 元本の一〇円未満の端数には利子をつけない。

第18条（払戻し）
① 払戻しを受ける場合は普通預金預入払戻書一通を提出する。
② 払戻し金額は、全額払戻しの場合を除き、原則として一〇〇円単位とする。

第19条（預入れ日および払戻し日）
① 第12条第1項第2号による現金の預入れおよび前条に定める払戻しは、予め定める毎月六回以上の預入れ日および払戻し日に行なうものとする。ただし、やむを得ない事由で緊急に払戻しを必要とするときは、経理部会計課にその旨申し出て払戻しを受けることができる。
② 前項の預入れ日および払戻し日の回数は、一か月以上の予告をもって変更することがある。ただし、月四回を下回ることとはない。

附　則

第1条（改　廃）
この規程の改廃は予め貯蓄金管理協定に基づく預金保全委員会に諮ったうえ行なう。

第2条（施行日）
この規程は○○年○月○日より改訂実施する。

住宅資金貸付規程

（制定　□□・○・○）
（改訂　□□・○・○）
（改訂　××・○・○）
（改訂　××・○・○）
（改訂　△△・○・○）
（改訂　△△・○・○）

WK硝子
硝子製造
・従業員　四五〇人

（目　的）
第1条　本規程は、社員の住宅確保促進の一環として住宅の建設、購入、借入れ、またはそれに付随する土地の購入、借入れに必要な資金の一部を貸付けて社員の持家の促進し生活の安定をはかることを目的とする。

（貸付の事由）
第2条　社員が、つぎの事由により資金を必要とするとき、本規程により貸付を行なう。
(1) 自己が居住する住宅の新築または購入（敷地を含む）。
(2) 自己が居住する住宅の新築のための土地購入。ただし、二か年以内に棟上げを行なう場合に限る。
(3) 自己が居住するための借家の敷金または権利金の支払い。
(4) 自己が居住する持家の増改築および修繕。

（資　格）
第3条　本規程は、つぎの資格を有する者に適用する。
(1) 当社の社員であって、勤続三年以上、年齢満二五歳以上のもので自己の収入によって生計を維持する者。
(2) 貸付金額の返済能力確実な者。

（申　込）
第4条　貸付を希望する社員は、別に定める「住宅資金貸付申請書」に所要の事項を記入の上、必要書類を添付し、所属部長（事業所長）を経て人事部長に提出する。

（受　付）
第5条　貸付は、原則として一、四、七、一〇の各月の一日より十日迄の間その受付を行なう。ただし、上記期間にかかわらず緊急やむを得ない場合は、人事部長の判断によりこれを受付けることがある。

（優先順位）
第6条　貸付を行なう場合は、つぎの優先順位を考慮の上、人事部長は速やかに貸付の可否を決定する。
(1) 第2条に定める申請事由の順位および その内容、必要度
(2) 貸付申込み実績の回数

（貸付限度額）
第7条　貸付金額は、申請時の自己都合退職金の範囲内を原則とするが、その最高限度額をつぎのとおりとする。
(1) 自己が居住する住宅の新築または購入（敷地を含む）
　① 財形加入者‥‥‥‥‥‥一千万円
　② 財形非加入者‥‥‥‥‥七百万円
(2) その他‥‥‥‥‥‥‥‥‥三百万円
(3) 1号、2号が同条件の場合は、抽選により決定する。

（追加貸付）
第8条　すでに、貸付を受けている者が他の事由により資金を必要とする場合、未返済額と限度額の差額の範囲内において本規程を適用する。ただし、同一事由による追加貸付は行なわない。ただし、八十万円以内の貸付については一般貸付金規程を適用する。

（貸付日）
第9条　貸付金は、貸付決定の日以降において本人の申し出期日に貸与する。ただし、貸付決定の日から三か月以内に本人が貸与を受けない場合借用の権利は消滅する。

（利　息）
第10条　貸付金の利息は○％（単利）とし毎月元金とともに返済時に返済するものとする。
利息計算は、毎月給与支払日締とし給与

XII 福利厚生に関する規程

支払日現在の残高に対し給与より控除する。

（返済方法）
第11条　貸付金の返済は、つぎのとおりとする。

(1) 返済期間は一〇年以内とする。
(2) 一〇年以内に毎月の給与ならびに賞与より返済する。ただし、六か月以内の据え置き期間をおくことができる。
(3) 貸付金は、毎月の給与よりその基準内賃金の五％以上、賞与より一二％以上をそれぞれ控除の上、返済にあてるものとする。
(4) 退職または定年に際して残額のある場合は、退職金等より控除を行なう。

（貸与後の確認）
第12条　本規程により、貸付金の貸与を受けた者は、つぎにより貸与後資金使途を証明する書類を人事部長に提出しなければならない。

(1) 住宅ならびに土地の購入については、一か月以内に売買契約書写
(2) 住宅の新築については、六か月以内に登記簿謄本
(3) 借家の場合は、一か月以内に賃貸借契約書写
(4) 増改築、修繕の場合は、六か月以内にそれに要した費用の領収書写
（連帯保証人）

第13条　貸付を受けるにあたっては、つぎのとおり連帯保証人を必要とする。

(1) 連帯保証人は、貸付金の償還能力を有し独立の生計を営む社外の人で会社が適当と認めたもの。ただし、やむを得ぬ場合は勤続五年以上の社員で上記の条件を有する者とする。
(2) 会社は、連帯保証人が償還能力の喪失その他により連帯保証人であることが不適当となった場合、貸付を受けている者に対しこれを変更せしめる。

（借用証）
第14条　貸付の許可を受けた者は、別に定める借用証を人事部長に提出する。

（売却等）
第15条　やむを得ぬ事情により他に転売しようとする時は、あらかじめ人事部長にその事由を申し出て、転売後一か月以内に貸付金の残額を返済する。購入、増改築、修繕、賃借を中止した場合も同様の取扱いとする。

（所　管）
第16条　本規程に定める事項の運営は、人事部長がこれを行ない、事務局は人事部とする。

（付　則）
第17条　本規程の改廃は、人事部が起案し社長が決定する。
2　本規程に係る事務手続処理要領は、人事部長がこれを定める。

（施　行）
第18条　本規程は〇〇〇〇年〇月〇日より施行する。

（制　定　××・〇・〇）
（一部改正　△△・△・〇）

財産形成貯蓄制度規程

FS株式会社
金属製品製造
従業員　五五〇人

（総　則）
第1条　この規程は、FS株式会社（以下「会社」という）の社員が勤労者財産形成法に基づき勤労者財産形成貯蓄（以下「財形貯蓄」という）をする際の取扱いを定める。
2　財形貯蓄の種類は、持家取得を目的とする住宅用財形貯蓄（以下「住宅財形」という）とその他の目的のために行なう多目的財形貯蓄（以下「多目的財形」）の二種類とする。
なお、住宅財形加入者で希望する者は、財形住宅貯蓄控除制度の適用を受けることができる。

（目　的）
第2条　財形貯蓄は、社員の貯蓄を奨励し財産形成を援助することによって社員の福祉

財産形成貯蓄制度規程

（目的）

第1条　（略）この規程による財形貯蓄制度の実施およびその運営を目的とする。会社の発展に寄与することをもって目的とする。

（運営）

第3条　この規程による財形貯蓄の実施および運営については、FS株式会社財産形成貯蓄会（以下「貯蓄会」という）を組織しその運営にあたるものとし、財形加入者はその会員となる。

2　貯蓄会の代表者は人事部長とする。

（加入）

第4条　財形貯蓄制度に加入できる者は、就業規則第○条に定める社員とし、所定の申込書を事業所を経由し貯蓄会に提出することにより加入することができる。

（申込期間）

第5条　財形貯蓄を開始する者は、毎年三月、六月、九月の各月末までに所定の申込書により、貯蓄会を通じ第8条に規定する金融機関に申込むものとし、四月、七月、十月の給料もしくは賞与より控除するものとする。

（積立方法および積立期間）

第6条　加入者は、つぎのいずれかの方法により積立を行なうものとし、積立期間は三年以上とする。

(1) 毎月積立
(2) 毎半年積立
(3) 毎月積立と毎半年積立併用

（積立額）

第7条　積立額は、給料および賞与の範囲内の一定額とし、給料からの積立の場合、住宅財形は五、〇〇〇円以上、一、〇〇〇円単位、多目的財形は一、〇〇〇円以上、一、〇〇〇円単位とし、賞与からの積立は一〇、〇〇〇円以上一、〇〇〇円単位とする。

（取扱い金融機関および積立の種類）

第8条　この規程に基づく取扱い金融機関、および積立の種類は、つぎのとおりとする。

取扱い金融機関	積立の種類
普通銀行…三井住友、りそな	積立定期預金
信託銀行…三菱UFJ	金銭信託

（取扱い金融機関に対する預入代行）

第9条　会社は、貯蓄会より委任を受けてこの規程に基づく、財形貯蓄の積立額を給料もしくは賞与から控除し、貯蓄会は第8条の取扱い金融機関に払込むものとする。

（奨励金）

第10条　会社は、四月から翌年三月までの積立純増額に対し、年一回一律〇・五％の奨励金を支給する。

2　奨励金は、毎年五月末日をもって積立金に加算する。

3　奨励金は、最高五、〇〇〇円を限度として支給する。

（財形貯蓄多目的ローンの適用）

第11条　この規程に定める財形貯蓄加入者のうち、第8条に定める取扱い金融機関の財形貯蓄に加入した者は、別に定める「財形貯蓄多目的ローン規程」により当該金融機関より借入れを受けることができる。

（財形貯蓄住宅ローンの適用）

第12条　この規程に定める財形貯蓄加入者のうち、第8条に定める取扱い金融機関の住宅財形に加入した者は、別に定める「財形貯蓄住宅ローン規程」により当該金融機関より住宅資金の借入れを受けることができる。

（積立額の変更）

第13条　加入者は、毎年四月、七月、十月に積立額を変更することができる。この場合、所定の用紙により変更月の前月末までに貯蓄会に申込むものとする。

（積立の中断）

第14条　加入者は、つぎの事由が生じた場合積立を一時中断し当該事由が消滅した後、再び積立をすることができる。ただし勤労者財産形成法により中断の期間は、一年をこえることができないものとする。

(1) 休職のため、会社からの給与その他の支給を減額されまたは停止されたとき。
(2) 本人または扶養家族の病気、負傷が生じ、長期にわたる医療費等の支払を必要とするとき。
(3) その他、やむを得ない事由が発生した

XII 福利厚生に関する規程

と貯蓄会が認めたとき。

（積立金の払戻し）

第15条 加入者は、つぎの各号に掲げる場合、積立金の全部または一部の払戻を請求することができる。

ただし、積立開始後一年間は、原則として払戻しすることはできないこととする。

また、8条の取扱い金融機関で三井住友銀行、りそな銀行の財形貯蓄に加入したものについては、一部払戻しはできないものとする。

(1) 契約の積立期間が満了したとき。
(2) 解約したとき。
(3) その他加入者が希望したとき。

2 前項の請求をする場合、加入者は三週間前までに所定の様式により貯蓄会に申し出るものとする。

3 払戻金は、すべて貯蓄会を通じて支払うものとし、貯蓄会は、租税特別措置法第41条の規定により徴収して納付すべき所得税相当額がある者については、その払戻金から控除することができるものとする。

（解　約）

第16条 加入者が解約を申し出たときは、所定の手続きを経て、解約できるものとする。

なお、加入者が、つぎの各号のいずれかに該当するときは、解約したものとみなす。

(1) 死亡したとき。
(2) 退職もしくは解雇されたとき。
(3) 第14条によらず積立を中断したとき。
(4) その他貯蓄会がとくに必要と認めたとき。

2 解約金の支払については、第15条第3項を適用する。

（変　更）

第17条 加入者が住所、氏名等を変更したときは、所定の用紙により、貯蓄会を通じて金融機関に届出るものとする。

（財形住宅貯蓄控除制度の適用）

第18条 住宅財形加入者で希望する者は、租税特別措置法の定めるところにより、一定期間一定額を限度として一定割合の税額控除を受けることができる。

2 前項の住宅貯蓄控除制度の適用を受けようとする加入者は、財形住宅貯蓄申込書を貯蓄会を通じて、当該金融機関に提出するものとする。

（積立残高の通知）

第19条 積立金の残高は、各金融機関別に年二回加入者に通知するものとする。

（付　則）

第20条 その他、この規程に定めのない事項は、勤労者財産形成促進法、租税特別措置法等の法令および各金融機関の定めるところによるものとする。

2 この規程の改廃は、人事部長が決定する。

（施　行）

第21条 この規程は○○年○月○日より施行する。

（制定 △△・○・○）

財形貯蓄住宅融資規程

AB電機
電気機器製造
従業員 五〇〇人

（総　則）

第1条 この規程は、社員財産形成貯蓄制度規程（以下「財形貯蓄規程」という）第○条に定める金融機関からの借入れに関する事項について定める。

（目　的）

第2条 この規程は、会社が取扱い金融機関と協定して財形貯蓄加入者が住宅取得に要する資金を金融機関が長期に融資することを目的とする。

（借入申込資格）

第3条 この規程による借入れを申込む資格を有する者は、つぎの各号のすべてを満たす者とする。

(1) 財形貯蓄規程により、三年以上積立を継続した者。

財形貯蓄住宅融資規程

(2) 融資時の年齢が満二五歳以上五二歳未満で勤続年数が三年以上の者。
(3) 確実に融資金の返済能力があると認められる者。
(4) 団体信用生命保険に加入できる者。
(5) 住宅財形に加入し、住宅貯蓄控除制度の税額控除を受けた加入者は、前1号より5号のほかに、住宅貯蓄控除制度の適用要件を満たすものとする。

（融　資）
第4条　借入申込資格を取得し、かつ、貯蓄会ならびに金融機関が適当と認めた加入者は、この規程に基づく融資を受けることができる。

（資金使途）
第5条　この規程により融資を受ける加入者（以下「借入人」という）は、融資金をつぎの各号の使途以外に使用することはできない。
(1) 自らの居住する住宅の購入・新築・増改築および修理またはこれらの付帯費用
(2) 自らの居住する住宅の用に供する土地の取得もしくは修復またはこれらの付帯費用

2　第1項の物件の取得等は、融資後三か月以内に行なわなければならない。

なお、住宅財形に加入し、住宅貯蓄控除制度の税額控除を受けた借入人の資金使途については、前第1項、第2項にかかわらず住宅貯蓄控除の適用要件を満たすものとする。

（融資限度額）
第6条　融資限度額は、購入物件価額もしくは工事代金の範囲内で、つぎの各号に掲げる金額のうちいずれか低い金額とする。
(1) 最高限度額は二千万円とする。
(2) 当該加入者の財形貯蓄預入額の五倍以内とする。
(3) 当該加入者の税込年収の三倍相当額。
(4) 取得物件評価額の八〇％以内（ただし年金福祉事業団、住宅金融公庫等の資金を併用する場合は、その合算額がこの範囲内とする。）

（融資金額）
第7条　融資金額は、最低五〇万円とし前条に定める限度内で借入希望者の希望する一〇万円単位の金額とする。

（融資実行日）
第8条　各取扱い金融機関の定める一定日とする。

（融資手続）
第9条　借入資格を取得した加入者が融資を受けようとするときは、所定の様式による申込書類に所定事項を記入し、融資希望月の前月二〇日迄に貯蓄会に提出するものとする。

ただし、新築等着工から完成までに期間を要する場合には、融資後三か月以内に、経過を証明する書類を提出しなければならない。

2　会社は、当該申込につき借入資格・資金使途・返済能力等を調査のうえ適当と認めた場合は、融資実行日の一か月前までに所定の様式による借入申込一覧表、借入申込書等を金融機関に提出するものとする。

3　融資は、金融機関を貸主、当該加入者を借入人とする証書貸付により行なう。

（融資期間）
第10条　融資期間は、三年以上二〇年以内の借入希望者の希望する一年単位の期間とし、定年退職までに完済しなければならない。ただし、住宅財形加入者で住宅貯蓄控除の適用要件を満たしている者の融資期間は一〇年以上二〇年以内の一年単位の期間とする。

（利　率）
第11条　利率は、団体信用生命保険料を含めつぎのとおりとする。ただし、金融情勢により会社が金融機関と協議のうえ変更することができるものとする。

都市銀行　　年利　〇・〇％
信託銀行　　年利　〇・〇％

（返済および利息支払方法）
第12条　返済および利息支払方法は、元利均等月賦償還または元利均

XII 福利厚生に関する規程

均等半年賦償還併用の二種類とする。ただし、返済額に端数を生じた時は、各金融機関の所定の方法により適宜調整する。

(1) 月賦償還分については、融資実行日の翌月から毎月金融機関所定の営業日に弁済する。

(2) 半年賦償還分については、六月、一二月の年二回各金融機関所定の営業日とする。

2 会社は、第1項の返済金を借入人の給与または賞与から控除のうえとりまとめ所定の様式による一覧表を添付して毎月金融機関所定日に金融機関に入金する。

(期限前返済)
第13条 借入人は、第12条以外の方法による返済を行なうことはできない。
ただし、残額を一括して完済する場合、および金融機関が承認した場合はこの限りではない。

(即時返済)
第14条 借入人が融資金の完済前につぎの各号の一に該当するときは、融資金の残額を一括して直ちに完済しなければならない。

(1) 借入人が死亡・退職・解雇、その他の事由により、社員たる資格を失ったとき。

(2) 融資金を第5条に定める使途以外に使用したとき。

(3) 融資を受けて取得した住宅または宅地を会社の承認を得ずに転売、譲渡または賃貸したとき。

(4) 融資を受けて、建築または購入した住宅が火災等の事由により滅失したとき。

(5) 虚偽の申請により融資をうけたとき。

2 第1項に定めるほか借入人が本規程その他金融機関との取引約定に違反したと金融機関が認めたとき。
または、債権保全のため必要と認めたときは、取引約定の規程、または金融機関の申請により借入人は、直ちにその債務の全額を弁済しなければならない。

3 前2項により即時返済を行なう場合、会社は、退職金、その他いっさいの給付金から、当該未返済元利金を優先控除するものとする。

4 借入人が社員の資格を失った場合は、即時一括払いとする。ただし、借入人が融資契約の継続を希望する場合は、借入人と金融機関、保険会社が協議するものとする。

(使途に関する書類の提出)
第15条 借入人は、融資金の使途に応じ、つぎの各号に掲げる書類を速やかに会社に提出しなければならない。

(1) 建築(増改築、および修築を含む)の場合
① 建築請負契約書
② 土地の所有、もしくは賃借に係る権利を証明する書類および登記簿謄本
③ 建築許可証、または建築もしくは増改築することを証するにたりる地方公共団体の発行する書類

(2) 売買契約書(借地上の建物の場合は土地の賃貸借契約書を含む)
① 土地または建物を購入する場合
② 土地または建物の登記簿謄本

(担保)
第16条 借入人は、自己の所有する建物および土地に対し、保険会社のために抵当権を設定しなければならない。

2 担保の順位は、第1順位であること。
(担保)とは、土地建物にかかわる抵当権および火災保険の質権をいう)ただし、つぎの場合は第2順位でもやむを得ないこととする。

(1) 担保物件を購入(借地権の取得および住宅の新築を含む)するために住宅金融公庫等公的機関から受けた融資にかかる金融機関を権利者とする抵当権等が既に設定されている場合

(2) 住宅の新築の場合の土地を所有するために、金融機関から受けた融資にかかる当該金融機関を権利者とする抵当権が既に設定されている場合

(火災保険)
第17条 担保物件が住宅の場合、その時価を保険金額として火災保険をつけその保険金請求権は保険会社を質権者とする第1順位

厚生年金転貸融資制度規程

（HI薬品　薬品製造・従業員　一,三〇〇人）

（目的）
第1条　この規程は、年金福祉事業団法（以下「事業団法」という）の定めに基づき、厚生年金保険被保険者である当社社員に対し、社員が第4条に基づく住宅を取得する場合、社員の申込みにより会社が年金福祉事業団（以下「事業団」という）から住宅資金の融資を受け社員に転貸することを目的とする。

（貸付資格）
第2条　貸付を受けられる者は、勤続三年以上の社員であって、厚生年金被保険者期間三年以上を有する者とする。

（受付）
第3条　申込みの時期は、四月一〇日、七月一〇日、一〇月一〇日、一二月一〇日とする。

（貸付対象および住宅の基準）
第4条　社員が自ら居住するための住宅の取得に必要なつぎの資金で、事業団が定めたつぎの住宅の基準に合致したものとする。

(1) 貸付対象
① 住宅の新築に必要な資金
② 住宅の増改築に必要な資金
③ 新築住宅の購入に必要な資金
④ 中古住宅の購入に必要な資金
⑤ 上記住宅取得の際におけるその敷地の取得または整備のために必要な資金（土地だけの先行取得資金は貸付の対象としない）

(2) 住宅の基準
① 被保険者が転貸を受けることができる住宅は、借入申込日において、所有権の保存登記（移転登記および表示変更登記を含む。以下同じ）が完了していないものであって、つぎの基準を満たしているものとする。
(イ) 住宅の敷地、構造、設備が建築基準法その他の法令に規定する基準に適合しているもので、良好な居住性があること。
(ロ) 住宅の規模は、一戸当りの床面積（ベランダ、バルコニーは除く）が三〇平方メートル以上一二〇平方メートル以下であること。
(ハ) 原則として、二以上の居住室のほか、炊事室、浴室、便所があること。
② 新築住宅を購入する場合は、上記(イ)、(ロ)、(ハ)の基準のほか、つぎの

の質権を設定する。
ただし、年金福祉事業団・住宅金融公庫等公的機関もしくは、会社の融資にかかる質権が設定されている場合は、この限りでない。

（住宅ローン保証保険料）
第18条　第3条5号により、契約する住宅ローン保証保険の保険料について全額会社負担とする。

（規程の改廃等）
第19条　本規程は、経済情勢の著しい変動等により改廃の必要があるとき、および本規程に定めのない事項で定める必要があるときは、会社と金融機関が協議のうえ人事部長がこれを決定する。

付　則

（施行）
第20条　本規程の制定に伴ない現行の持家融資制度をこれにリンクする。したがって現在積立を継続中の者は、財形制度を導入後同じ金融機関で財形貯蓄を行なうことにより、積立期間・積立金額を通算しこれを計算する。

（施行）
第21条　この規程は〇〇年〇月〇日より施行する。

（制定　△△・〇・〇）

XII 福利厚生に関する規程

ずれをも満たしているものであること。

ⓐ 借入申込日前一年以内に新築された建物で建築基準法に規定する検査済証が交付されたもの(建築工事に着手していない建物および建築工事中のものについては、借入申込時において建築基準法に規定する建築確認通知を受けていることが必要)。

ⓑ まだ人の居住の用に供したことのないもの。

ⓒ 共同住宅の場合は、耐火構造または簡易耐火構造のもので、一戸当りの床面積(廊下、階段等の共有部分、ベランダ、バルコニー等は除く)が三〇平方メートル以上であって、一戸当りの居住面積(ベランダ、バルコニーおよび共同住宅の場合は、廊下、階段等の共有部分を除く)が四〇平方メートル以上であること。

㈩ 増改築する住宅の場合は、増改築した後の住宅が上記①の㈠、㈡および㈢の基準を満たしているものであって、一戸当りの居住面積(ベランダ、バルコニーおよび共同住宅は除く)が三〇平方メートル以上のもの。

㈡ 中古住宅を購入する場合は、㈠、㈢の基準のほか、つぎのいずれをも満たしているものであること。

ⓐ 売主の保存登記はなされており、購入者の移転登記は完了されていないものであること。

ⓑ 建築後の経過年数が三年以上一〇年以内のものであること。

ⓒ 売主が借入申込時まで引続き三年以上所有し検査済証が交付され、かつ、売主が現に居住しているかまたは借入れ申し込み日前六か月以内に居住していたことがあるもの。

ⓓ 住宅構造は、耐火構造のものであること。

② つぎのいずれかに該当する場合は、①の㈡または㈢のⓒにかかわらず、居住面積の上限を一五〇平方メートルまでとする。

㈠ 六〇歳以上の老人を含み三人以上の親族が同居する場合

㈡ 六人以上の親族が同居する場合

㈢ 身体障害者、知的障害者等の心身障害者を含み三人以上の親族が同居する場合

2 つぎのいずれかに該当する場合は、前項の限度額に六〇万円増額することができる。

(1) 六五歳以上の老人を含み三人以上の親族が同居する場合

(2) 身体障害者、知的障害者等を含み三人以上の親族が同居する場合

(3) (1)(2)の双方に該当する場合は、一二〇万円まで増額できる。ただし、老人および身体障害者が、同一人物または夫婦である場合を除く。

3 住宅金融公庫および地方公共団体からの借入れをする場合、本件借入申込額とこれら公的資金借入額との合算額は、総額の八〇％以内とする。

4 日本住宅公団の分譲住宅または勤労者財産形成融資にかわる分譲住宅等を購入する場合は、本件借入申込額と分譲住宅の譲渡価額から割賦金相当額を控除した額との合算額は、総額の八〇％以内とする。

(貸付限度)

第5条 貸付金額は、第4条に定める必要資金の八〇％の範囲内で、かつ、つぎの金額以内とする。ただし、貸付金額は五〇万円以上一〇万円単位の金額とする。

勤続年数	貸付限度額
三年以上 五年未満	三五〇万円
五年以上 一〇年未満	七〇〇万円
一〇年以上 一五年未満	一、〇〇〇万円
一五年以上	一、二〇〇万円

(貸付利率)

第6条 貸付利率は、年〇・〇％とする。

本利率は、金融情勢の変化により変更することもある。

なお、退職または死亡に際して残高のある場合は、退職金などより控除を行なう。

（返済期間）

第7条 返済期間は、つぎのとおりで、借受人の選択とする。

(1) 新築または購入の場合

① 耐火または簡易耐火構造…一〇年、一五年、一八年、二〇年、三〇年、三五年（耐火のみ）

② 上記以外のもの…一〇年、一五年、一八年、二〇年、二五年

(2) 増改築……一〇年

(3) 中古住宅購入の場合……一〇年、一五年、一八年、二〇年

（返済方法）

第8条 事業団に会社が支払う日（三月二〇日、九月二〇日）までに各事業所の人事担当者へ現金を持参するものとする。

（期限前返済）

第9条 転貸を受けた者は、第10条による場合を除いて、原則として所定の返済期限前の返済はできないものとする。

ただし、貸付金残高を一括返済する場合に限り期限前返済を認めることがある。

（繰上返済）

第10条 借受人が、つぎの各号の一に該当したときは、残存返済期間のいかんにかかわらず、貸付金の残高を一括して返済しなければならない。

(1) 退職または死亡したとき。

(2) 貸付金をこの規程の目的以外に利用したとき。

(3) この規程、または会社との間に締結した金銭消費貸借契約の各条項に違反したとき。

(4) 物件の全部または一部を会社に無断で第三者に譲渡または転貸したとき。

（貸付の申請）

第11条 貸付希望者（以下「申請者」という）は、「厚生年金転貸融資申込書」に所要事項を記入の上、つぎの書類を添えて所属上長を経て、人事部長あて提出するものとする。

(1) 住宅新築の場合

① 建築確認通知書（建築許可証）（写）

② 建築設計図

③ 建築工事請負契約書（写）、もしくは、見積書（写）

④ 敷地の登記簿謄本（借地の場合は地主の建築承諾書（写）、借地契約書（写）

(2) 新築住宅購入の場合

① 業者の募集パンフレット、物件説明書等

② 建物の見取図、および当該建築物の検査済証（写）

③ 購入建物の登記簿謄本（土地付の場合は土地の登記簿謄本を含む。いずれも売主分）

④ 譲渡契約書（写）（借地上建物購入の場合は、土地の賃貸借契約書を含む。）

⑤ 譲渡予約書（写）、手付金領収証（写）

(3) 増改築の場合

① 増改築前の敷地、建物の登記簿謄本

② その他本条1号①から③までの該当事項

(4) 中古住宅の場合

① 土地・建物の登記簿謄本

② 建物の見取図、および当該建築物の検査済証

③ 既存住宅（土地も含む）の固定資産税台帳登録証明書

④ 売主の住民登録票

(5) 共通事項

所在地を示す地図、建物の写真（増改築の場合は、工事着工前、および工事中の現場写真各一枚）

（貸付の決定）

第12条 申請者から提出された書類を調査点検し、適格と認められたものにつき、会社から一括して事業団に借入申込みを行ない、事業団の審査の結果、貸付決定の通知を受けた者に対し本貸付を行なう。

（貸付辞退および計画変更）

第13条 申請者が、この貸付を受けるまでの間に、つぎのいずれかの事項に該当する

ことにより、貸付決定額が減額になるとき、および返済期間が変更になるときは、速やかに「借入申込額変更・借入辞退申請書」に所要事項記入の上、人事部長宛申請しなければならない。

(1) 住宅の建築または購入を中止したとき。

(2) 住宅の建築計画を変更したことにより第4条2号の住宅基準に合致しなくなったとき。

(3) 住宅の建設地を変更したとき。

(4) 購入する住宅を変更したとき。

(5) その他の理由により借入申込額、もしくは、借入れを辞退するとき。

(住宅取得完了報告)
第14条 申請者が住宅の取得（所有権の保存および移転登記）を完了したときは、速やかに「住宅取得完了報告・資金交付申請書」に所要事項を記入の上、人事部長宛提出しなければならない。

(貸付金の交付時期)
第15条 会社が事業団から融資金の交付を受けたときは、申請者と「金銭消費貸借契約書」を締結の上、直ちに貸付金を交付する。

(担　保)
第16条 借受人は、本貸付金により取得した不動産を事業団に担保として提供するため、当該不動産の上に事業団のために抵当権を設定しなければならない。

抵当権の順位は、原則として第一順位とする。ただし、住宅金融公庫の融資を合わせて受ける場合で、住宅金融公庫が第一順位になったときは、第二順位でもよい。

(火災保険)
第17条 借受人は、担保に差入れた建物、およびそれに付帯する施設について会社の適当と認める金額の火災保険を締結しなければならない。

2 火災保険は、原則として融資金完済時までの期間をカバーする「建物建築資金融資担保物件に対する長期保険特約」を付するものとする。

3 借受人は、第1項の保険契約について会社のために保険金請求権の上に質権を設定するものとする。

火災保険は、事業団の定めた特約火災保険とし、その火災保険金請求権の上に事業団を第一順位とする質権を設定する。ただし、住宅金融公庫の融資も併せて受ける場合で、すでに同公庫の特約火災保険が付保され、その火災保険金請求権の上に同公庫のために第1順位で質権が設定されているときは、その火災保険金請求権の上に事業団のために第2順位の質権設定をしなければならない。

(生命保険)
第18条 借受人は、原則として貸付金相当額の生命保険を付保するものとする。

(保証人)
第19条 貸付を受けるにあたっては、つぎにより連帯保証人を必要とする。

(1) 連帯保証人は、貸付金の償還能力を有し独立の生計を営む社外の人で、会社が適当と認めたもの。ただし、やむを得ぬ場合は勤続五年以上の社員で上記の条件を有する者でもよい。

(2) 会社は、連帯保証人が償還能力の喪失その他により連帯保証人であることが不適当となった場合、貸付を受けている者に対し、これを変更せしめる。

(付　則)
第20条 この規程に定めのない事項については、事業団法の定めるところに基づき人事部長がこれを決定する。

(施　行)
この規程は〇〇年〇月〇日より施行する。

従業員持株制度約款

（MK電子
電子部品製造業
・従業員　六五〇人）

(目　的)

従業員持株制度約款

第1条　この約款はMK電子工業従業員持株制度（以下「持株制度」という）に関して、MK電子工業従業員持株会（以下「持株会」という）と持株制度に参加するMK電子工業株式会社の従業員（以下「参加者」という）とのとりきめを行なうものである。

（管　理）
第2条　持株会は持株制度の管理に当る。
2　持株会は前項の事務の一部をMK電子工業株式会社（以下「会社」という）および○○証券株式会社（以下「証券会社」という）に委託することができる。

（参加資格）
第3条　持株制度に参加することができる者は、勤続一年以上の会社の従業員およびこれに準ずる者とする。

（参　加）
第4条　前条に定める者は毎年四月（一日～三〇日の間）に限り持株会に申し出て承認をうけ、その翌月より持株制度に参加することができる。

（脱　退）
第5条　参加者は毎月末日までに持株会に申し出て、その翌月より持株制度を脱退することができる。
ただし、脱退者は持株制度を脱退する場合のほか再参加できない。
2　参加者が会社の従業員およびこれに準ずる者の身分を喪失したときは、その翌月より自動的に脱退するものとする。
ただし、定年退職後ひきつづき雇用された者で、継続参加を希望する者はこの限りでない。

（参加者台帳）
第6条　持株会は持株制度の管理のため参加者台帳を作成し、これを持株会事務局に備え置く。
2　前項の台帳の記載事項は次のとおりとする。
(1) 参加者の所属、氏名その他参加に関する事項
(2) 参加申込日および脱退申込日
(3) 積立に関する事項
(4) 持分に関する事項
(5) その他必要事項

（積立の種類）
第7条　参加者は次の種類による積立を行なう。
(1) 毎月積立　一口一、〇〇〇円とし、参加者があらかじめ申し出た一定口数を毎月継続して積立てる。ただし、三〇口を最高限度とする。
(2) 賞与積立　賞与が支給されたときに、毎月積立口数の3倍の口数を積立てる。

（積立の方法）
第8条　積立は会社より支給される参加者各自の給与および賞与から控除する方法によってこれを行なう。

（積立の変更・休止・復活）
第9条　参加者は毎年四月（一日～三〇日の間）に限り持株会に積立口数の変更を申し出て、その翌月より変更することができる。
2　参加者は災害、休職、その他やむを得ない事由により、ひきつづき積立を継続することが困難と認められる場合に限り毎月末日までに持株会に申し出て、その翌月より積立を休止することができる。
3　前項にもとづき積立を休止した後復活する場合は、持株会にその旨申し出るものとする。

（株式の買付）
第10条　持株会は参加者の積立金（以下「株式買付資金」という）により、会社の株式（以下「株式」という）を買付ける。
2　前項の場合において、一〇〇株の株式を買付けることができない残余金は、これを次回の株式買付資金に繰り入れる。ただし、買付けの方法、価格など株式買付けに必要な事項は別に定めるものとする。

（参加者の持分）
第11条　持株会は株式を買付けたつど、次の第14条に規定する信託株式にかかる配当金並びに第15条に規定する信託株式にかかる新株式を引受けるための資金はすべて参加

XII 福利厚生に関する規程

算式により各参加者の持分の計算を行ない、その持分を参加者台帳に登録する。ただし、小数点第4位以下の部分は次回の買付株式数に加える。

持分＝買付株式総数×（各参加者の株式買付資金／全参加者の株式買付資金合計）

（株式の管理）
第12条 参加者は買付株式にかかる持分を管理の目的をもって持株会に信託するものとし、当該株式の名儀は持株会理事長名儀とする。

（持分の分割）
第13条 参加者の持分が一、〇〇〇株以上になった場合、参加者は持株会に持分の分割を申し出て、一、〇〇〇株を単位とする株券の交付を受けることができる。

2 前項の脱退者は、第11条ただし書、第14条第2項ただし書、第15条第2項、第16条第2項の計算時に生じた操越分および第10条第2項、第14条第1項の残余金は、その払戻しの請求はできない。

（配当金）
第14条 参加者の共有にかかる株式（以下「共有株式」という）につき配当金が支払われたときは、参加者はこれを株式買付資金にあて持株会はこれにより株式を買付ける。ただし、一、〇〇〇株の株式を買付けることができない残余金は次回の株式買付資金に繰り入れる。

2 前項の持分については第11条ただし書を準用する。

（新株式の割当）
第15条 共有株式につき新株式が割当てられたときは、各参加者は当該割当日現在における持分に応じて、当該新株式を引き受けるための資金を用意し、持株会はこれにより当該新株式の払込みを行なうものとする。

2 前項によって取得した新株式について第11条を準用する。ただし、持分計算は、各参加者の当該割当日現在の持分を基準とする。

（無償交付・株式配当）
第16条 共有株式につき無償交付または株式配当が行なわれたときは、当該株式につき、当該割当日現在における各参加者の持分に応じて持分計算を行なう。

（議決権）
第17条 共有株式の議決権は持株会理事長がこれを行使する。ただし、参加者は各持分に相当する株式の議決権の行使について予め株主総会ごとに理事長に対し書面をもって指示を与えることができる。

第18条 持株会は参加者のために買付けした株式の数、買付価格その他必要事項を、買付けのつど別に定める方法により参加者に公示する。

（持分の通知）
第19条 持株会は年二回三月末日および九月末日現在の各参加者の持分について記載した参加者へのお知らせを、それぞれ翌月中に各参加者に交付する。

2 参加者は必要がある場合はいつでも持株会に対して自己の持分を照会することができる。

（約款の改正）
第20条 本約款の改正は持株会がこれを行ない参加者に公示後二週間経過した日にその効力を生ずるものとする。改正案に異議ある参加者は書面にて持株会に申し出るものとし、参加者はその数が参加者の三分の一を超える場合は、改正案を修正し、改めて公示の手続をとるものとする。

（施　行）
第21条 この約款は〇〇年〇月〇日より施行する。

従業員持株制度約款付則

第1条 約款第7条に規定する積立について は持株会の決議にもとづく指示があるまで

社員持株会規程

SS土地建物

（不動産業・従業員630人）

（総則）

第1条 この規程は、「SS土地建物株式会社社員持株会」（以下、単に「持株会」という）について定める。

2 持株会についてこの規程に定めのない事項については、「社員持株会規約」の定めるところによる。

（入会）

第2条 社員は、持株会の理事長に申し出ることにより、持株会に入会することができる。

2 入会申込期間は、毎年4月1日から同月末日までの1か月とする。

（退会）

第3条 社員は、理事長に申し出ることにより、いつでも持株会を退会することができる。ただし、いったん退会したときは、理事会が認めた場合を除き、再加入できないものとする。

2 次の場合には、自動的に退会とする。

(1) 退職したとき
(2) 解雇されたとき
(3) 役員に昇格したとき

（積立金）

第4条 持株会に加入した者（以下、単に「会員」という）は、会社の株式を購入するために、毎月の給与から一定口数の資金を積み立てる。

2 積立金は、1口1,000円とする。

3 積立金の上限は、給与の10％とする。

4 賞与においては、積立口数の3倍を別途積み立てることができる。

5 口数を変更するときは、毎年3月または9月（いずれも1日から末日まで）に申し出るものとする。申し出があったときは、翌月分から積立口数を変更する。

（給与・賞与からの控除）

第5条 会社は、社員が申し出た積立口数に相当する金額を、本人の給与または賞与から控除する。

（持株会への振込み）

第5条 約款第13条第2項に規定する持分の分割については、同条にかかわらず分割は行なわない。

第4条 約款第13条に規定する持分の分割については、持株会の決議にもとづく指示があるまでは、同条にかかわらず分割は行なわない。

第3条 約款第15条第1項に規定する新株式の割当については持株会の決議にもとづく指示があるまでは、同項にかかわらず参加者は財形貯蓄の一部または全部を解約して新株式引受資金として拠出し、持株会はこれにより当該新株式の払込みを行なう。

3 第三者割当増資、脱退後の持分返還などのあった場合は、参加者は財形貯蓄の一部または全部を解約して株式取得資金として拠出し、持株会はこれにより株式の取得を行なう。

第2条 約款第14条第1項に規定する配当金は、持株会の決議にもとづく指示があるまでは、同項にかかわらず株式の買付けは行なわず、持株会が管理する。

2 約款第10条第1項に規定する株式の買付けについては、持株会の決議にもとづく指示があるまでは、同項にかかわらず株式の買付けは行なわない。

第2条 約款第10条第1項に規定する「財形貯蓄（持株コース）規則」による財形貯蓄を行なう。

は、同条にかかわらず全参加者は積立を休止し、別に会社が定める価格で換金し、金銭をもって交付する。

2 脱退者の積立金および利息のうち株式の買付けに充当していない財形貯蓄は解約し、金銭をもって交付する。

第6条 当該付則は株式が公開され、継続的に株式の買付けができるときをもって失効する。

かわらず、すべての持分を持株会が定める決議にもとづく持分の返還についての指示があるまでは同項にかかわらず

第6条　会社は、社員の給与または賞与から控除した額を遅滞なく持株会名義の口座に振り込む。

2　前項の定めるところにより理事長が受託した株式は、理事長名義に書き換えるものとする。

（奨励金の支給）
第7条　会社は、会員の積立に対し、1口50円の割合で奨励金を支給する。

（株式の購入）
第8条　持株会は、会員の積立金および会社からの奨励金の合計額から必要経費（株式売買手数料を含む）を差し引いて、一括して会社の株式を購入する。

2　持株会の保有する株式に対する配当金（税金を控除した額）は、一括して会社の株式の購入に当てる。

3　第1項による購入は、積立金が持株会の口座に振り込まれた後、遅滞なく行う。

4　第2項による購入は、持株会が配当金を受け取った後、遅滞なく行う。

（持分の計算）
第9条　持株会は、株式（この株式には配当株式および無償交付株式を含む）を購入したときは、購入の都度、会員の積立金および奨励金に応じる株式を、その会員の持分として「会員別持分明細表」に登録する。

（理事長への信託）
第10条　会員は、自己に登録配分された株式を、管理の目的をもって理事長に信託しなければならない。

（議決権の行使）
第11条　理事長名義の株式の議決権は、理事長が行使する。

2　会員は、各自の持分に相当する株式の議決権の行使について、理事長に対し、各株主総会ごとに特別の指示を出すことができる。

3　理事長は、会員から特別の指示が出されたときは、その指示に従って議決権を行使する。

（権利の譲渡等の禁止）
第12条　会員は、登録配分された株式にかかわる権利を他に譲渡し、または質入してはならない。

（株式の引出し）
第13条　会員は、登録配分された株式が1,000株を超えたときは、理事長に申し出ることにより、1,000株を単位として引き出すことができる。

2　株式が引き出されたときは、「会員別持分明細表」から、引き出された分を抹消する。

（株式の返還）
第14条　会員が退会するときは、その会員に登録配分された株式を返還する。

2　前項の定めにかかわらず、1,000株未満については、金銭（時価相当額）で返還する。

（新株式の引受け）
第15条　持株会は、会社が増資をするときは、新株式を引き受ける。

2　増資の際における新株引受権については、割当日現在の会員の持分に応じて会員から払込相当額を徴収し、その権利を行使する。

3　会員は、払込金を支払うことにより、新株についての持分を取得する。

（付則）
1　この規程は、〇〇年〇月〇日から施行する。

2　この規程の改廃については、社員代表の意見を聴くものとする。

一般資金貸付規程

UT機械製造
（製造業・従業員430人）

（総則）
第1条　この規程は、一般資金貸付制度について定める。

一般資金貸付規程

（貸付対象者）
第2条　この制度を利用できる社員は、次の条件のいずれにも該当する者とする。
(1) 勤続満3年以上
(2) 主として自己の収入により生計を維持していること
(3) 日常の勤務態度が良好であること
(4) 今後とも引き続き会社に勤務する意思のあること

（貸付金の使途）
第3条　貸付金の使途は、次のいずれかでなければならない。
(1) 住宅の増改築、修繕
(2) 本人または子の結婚資金
(3) 子の教育資金
(4) 本人または被扶養者の医療費
(5) 親または被扶養者の葬儀費
(6) その他生活上緊急に必要とされる資金

（貸付金の限度額）
第4条　貸付金の限度額は、次のとおりとする。
（貸付の限度額）　本人の基本給の5倍

（貸付期間）
第5条　貸付期間は、3年以内とする。ただし、3年以内に定年に達するときは、定年到達時までとする。

（利息）
第6条　貸付金は、無利息とする。

（返済期間）
第7条　返済期間は、貸付期間終了後2年以内とする。

（返済方法）
第8条　貸付金は、給与または賞与、もしくはその双方から返済するものとする。

（一括返済の命令）
第9条　第7条の定めにかかわらず、貸付金の借用者が次のいずれかに該当するときは、未返済額の全額を直ちに一括して返済しなければならない。
(1) 貸付金の全部または一部を申請事由以外の用途に使用したとき
(2) 虚偽の申請をして貸付を受けたとき
(3) 退職するとき
(4) 懲戒解雇されたとき

（申請手続）
第10条　資金の貸付を希望する者は、所定の申請書に必要事項を記入し、会社に提出するものとする。

（審査）
第11条　会社は、社員から申請書が提出されたときは、その内容を審査し、貸付の可否を決定する。
2　貸付の可否を決定したときは、直ちに申請者に通知する。
3　貸付は、申請者が指定する口座に振り込むことによって行う。

（付則）
1　この規程は、〇〇年〇月〇日から施行する。
2　この規程の改廃は、人事部長が発議し、社長の決定により行う。
（様式）一般資金貸付申請書

（様式）一般資金貸付申請書

　　　　　　　　　　　　　　　　　　　　　　　　　　　　　年　月　日

取締役社長殿

　　　　　　　　　　　　　　　　　　　　　　　　　　部　　　課
　　　　　　　　　　　　　　　　　　　　　　　　（氏名）　　　印

　　　　　　　　　　　一般資金貸付申請書

1	資金の使途	
2	貸付希望額	
3	貸付希望日	
4	貸付希望期間	
5	返済予定期間	□3か月　□6か月　□1年　□1年6か月　□2年
6	その他	

以上

労災特別補償規程

FS興業

・自動車部品製造業
・従業員560人

（総則）
第1条　この規程は、労災の特別補償について定める。

2　「労災の特別補償」とは、社員が業務上の災害または通勤中の事故により身体障害が残った場合、または死亡した場合に、労働基準法の定める補償とは別に補償を行うことをいう。

（適用者の範囲）
第2条　この規程は、すべての社員に適用する。

（労災の認定）
第3条　社員が災害に遭った場合、その災害が業務災害または通勤災害であるかの認定は、行政官庁の認定に従う。

（障害補償）
第4条　社員が業務災害または通勤災害を受け、治癒後なお身体障害が残るときは、障害の程度に応じて「別表1」に定める補償

（別表1）障害補償（単位：万円）

	業務災害	通勤災害
1級	2,800	1,400
2級	2,800	1,400
3級	2,800	1,400
4級	1,500	750
5級	1,300	650
6級	1,100	550
7級	900	450
8級	500	250
9級	400	200
10級	300	150
11級	200	100
12級	150	75
13級	100	50
14級	80	40

（別表2）遺族補償（単位：万円）

業務災害	2,800
通勤災害	1,400

2 障害等級において2つ以上の身体障害が残るときは、いずれか高い金額を支給する。
3 障害等級の認定は、行政官庁の認定に従う。

（遺族補償）
第5条 社員が業務災害または通勤災害で死亡した場合、その遺族に対して、「別表2」に定める補償金を支給する。
2 遺族補償を受けることのできる遺族の範囲および順位は、労働基準法の定めるところによる。

（補償金の支払い）
第6条 この規程による補償金は、すべて一時金として支払う。

（第三者による補償を受けたとき）
第7条 業務災害または通勤災害について第三者から補償を受けたときは、その額がこの規程による特別補償の額に達しない場合にのみ、その差額を支給する。ただし、労働基準法の定めによる補償給付は、第三者からの補償とはみなさない。

（権利譲渡の禁止）
第8条 社員および遺族は、この規程によって補償を受ける権利を第三者に譲渡してはならない。

（付則）
この規程は、○○年○月○日から施行する。

スポーツ・文化等クラブ活動支援規程

KH情報サービス

（情報業・従業員550人）

（総則）
第1条 本規程は、スポーツ、文化・趣味等のクラブ活動の支援について定める。

（支援の方法）
第2条 会社は、各種のクラブ活動を支援するために補助金を支給する。

（補助金支給の要件）
第3条 会社は、次に掲げる要件をすべて満たすクラブに対して補助金を支給する。
(1) 5人以上の社員から構成されていること
(2) 健全な目的を持ったクラブであること
(3) 3か月以上の活動実態があること
(4) 代表者および会計責任者を置いていること

（補助金支給の申請）
第4条 補助金の支給を希望するクラブは、毎年度、会社が指定する期日までに補助金支給申請書を会社に提出しなければならない。

2 申請書には、前条に定める事項を記載した書類を添付しなければならない。

（支給決定の手続き）
第5条 補助金の支給は、「福利厚生委員会」（注・会社代表と労働組合代表で構成される）で審査し、社長の承認を得て決定する。

（各クラブへの通知）
第6条 複利厚生委員会は、各クラブへの支給額について社長の承認を得たときは、速やかに各クラブに通知する。

（補助金の使用）
第7条 各クラブは、必要に応じて補助金を使用することができる。

2 補助金を必要とするときは、その都度、金額、支出目的等を記載した支払伝票を会社に提出するものとする。

（適正な使用）
第8条 各クラブは、補助金をクラブ活動のために適正に使用しなければならない。

2 支払先から領収書を受け取ることができるものについては、受け取るものとする。

（活動報告書・会計報告書の提出）
第9条 各クラブは、年度が終了したときは、速やかに活動報告書および会計報告書を作成し、会社に提出しなければならない。

（付則）
本規程は、○○年○月○日から施行する。

クラブ活動補助金規程

CA建設
（建設業・従業員320人）

（目的）
第1条　この規程は、勤務時間外に、各種のスポーツ、レクリエーションまたは文化活動を行うことを目的とする社員のクラブ、サークル、同好会等（以下、「クラブ」という）に対する補助金の取り扱いについて定める。

（補助金の支給）
第2条　会社は、クラブ活動を支援する目的で、補助金を支給する。

（支給対象のクラブ）
第3条　補助金を支給するのは、次のいずれにも該当するクラブとする。
(1) クラブ活動の内容がスポーツ、レクリエーション、または文化であること
(2) 社員だけで構成されていること
(3) 所属メンバーが3人以上であること
(4) クラブ活動の実態があること

（受給の手続き）
第4条　補助金の受給を希望するクラブは、毎年度2月末日までに、会社（人事部厚生課）に次の書類を提出しなければならない。
(1) メンバーの名簿
(2) 活動計画
(3) 活動予算書

（支給額の決定基準）
第5条　会社は、次の事項を審査して、各部に対する補助金の支給額を決定する。
(1) 活動計画の内容
(2) 活動予算の額
(3) 前年度の活動実績
(4) メンバーの人員
(5) その他必要事項

2　補助金の支給額を決定したときは、各クラブに通知する。

（補助金受領の手続き）
第6条　各クラブは、補助金を必要とするときは、その都度、会社にクラブ活動補助金出金願いを提出するものとする。

（流用の禁止）
第7条　各クラブは、補助金をクラブ活動以外のために使用してはならない。

（収支報告書の提出）
第8条　各クラブは、年度が経過したときは、速やかに会社に対して収支報告書を提出しなければならない。

（所管部門）
第9条　クラブ活動補助金制度は人事部の所管とし、その責任者は人事部長とする。

社員食堂利用規則

KK包装工業
（製造業・従業員360人）

（目的）
第1条　この規則は、社員食堂の利用基準について定める。

2　社員は、この規則に定められた事項を守って整然と社員食堂を利用しなければならない。

（利用時間）
第2条　社員食堂を利用できる時間は、次のとおりとする。
（利用時間）　午前11時30分～午後1時30分

（利用方式）
第3条　社員食堂の利用は、セルフサービス方式とする。

2　社員は、社員食堂の係員に食券を手渡し、食事を受け取り、テーブルで食べる。

3　食べ終えたときは、食器を所定の場所に

社員食堂管理委員会規程

OK銀行

（金融業・従業員870人）

（総則）
第1条　この規程は、OK銀行本店における社員食堂管理委員会（以下、「委員会」という）について定める。

（委員会の目的）
第2条　会社は、福利厚生としての社員食堂における給食サービスが適正に行われるようにすることを目的として委員会を設置する。

（委員会の業務）
第3条　委員会は、次の事項を協議する。
(1) 給食の献立および栄養摂取量に関すること
(2) 給食方法に関すること
(3) 給食費に関すること
(4) 食堂の衛生の管理に関すること
(5) 食堂において利用者が使用する設備（椅子、テーブルその他）に関すること
(6) 食事環境に関すること
(7) その他人事部長から依頼された事項

（食券の購入）
第4条　社員は、会社から食券を購入する。
2　食券は、1セット20枚つづりとし、その価格は次のとおりとする。
（食券）1食当たり250円×20回分＝5,000円
3　食券の購入代金は、給与から差し引くものとする。

（現金の取り扱い）
第5条　社員食堂においては、現金は取り扱わない。

（酒類の持ち込み禁止）
第6条　社員は、社員食堂に酒類を持ち込んではならない。

（メニュー）
第7条　会社は、毎週、食堂業者と相談のうえ、メニューを作成し、社員に発表するものとする。

（カロリー）
第8条　食事のカロリーは、1食あたり880〜1,000カロリーを基準とする。

（社員食堂利用の心得）
第9条　社員は、社員食堂の利用について、次のことを守らなければならない。
(1) 利用時間を守ること
(2) 衛生を保つこと
(3) 大きな声を出さないこと
(4) 食器および備品を大切に扱うこと
(5) メニューの内容、味付け、盛り付けなどについて、係員に個人的な指示、注文を出さないこと
(6) 個人の箸、スプーン等、調味料等を持ち込んだときは、食事終了後すべて持ち帰ること
(7) 喫煙をしないこと
(8) 他の社員や係員に不快な思いをさせないこと
(9) 食事がすんだら速やかに退室すること

（会社の指示）
第10条　社員は、社員食堂の利用について会社が指示を出したときは、その指示に従わなければならない。

（付則）
この規則は、○○年○月○日から施行する。

（委員会の構成）
第4条　委員会は、次の委員をもって構成する。
(1) 会社代表委員（3名）
(2) 労働組合代表委員（2名）
(3) 業者代表委員（1名）
2　会社代表委員は、人事部長が指名する。
3　労働組合代表委員は、労働組合委員長が指名する。
（委員の任期）
第5条　委員の任期は、2年とする。ただし、再任を妨げないものとする。
（委員長）
第6条　委員会の委員長は、会社代表委員が務める。
（委員会の開催）
第7条　委員会は、委員長が招集することにより開催する。
（委員会の事務）
第8条　委員会の事務は、人事課（福利厚生係）において執り行う。
（付則）この規程は、〇〇年〇月〇日から施行する。

XIII 共済・互助に関する規程

XIII 共済・互助に関する規程

共済・互助に関する規程

〈コメント〉

共済・互助制度は、多数の労働者が集って一定の目的を達成しようとする団体である。だから、共済・互助制度の存立にとって必要なことは、それが多数の労働者を中心にした集まりであるということである。多数の人々、つまり会員に対して共済・互助は一定の集団的規律を要請することになる。

自主的で自由な団体である共済・互助は、民主的に運営されなければならない。運営が民主的に運営されなければ、共済・互助の会そのものの存在価値も失われるような結果ともなろう。具体的な運営は、会の規約なり、会則を作成して運営しなければならない。

共済・互助の運営の中心は、会の意見を決定する議決機関と、会の業務を具体的に実行する執行機関および執行機関を監査する監査機関によって行われるのが一般的である。

共済・互助会規約（会則）作成の留意点

① 会の名称

共済組織の名称は多種多様にわたっている。企業の特徴、会員の希望などで決められている。主なものとしては、共済会・互助会・共済組合・互助組合・社友会・社員会・厚生会・親睦会・共助会、その他社名を用いた会などとなっている。

② 目的

どの規約、会則でもそうであるが、何のための会であるかを明確にしておく。例えば「本会は協同互助の精神に則り、会員の福利増進と会員相互の親睦を図ることを目的とする」ごとくである。

③ 組織（会員の資格）

従業員だけの単独か、企業の役員、幹部職も含めての協同相互組織かを明確にしておく。協同相互による場合は、企業側と従業員側代表同数によって、役員が構成された数人の運営委員会によって行うようにする。

④ 事業の種類・内容

どのような種類の事業を行うか、その内容を明確にしておく。一般には給付事業、貸付事業が多い。会社、労組などが行う福祉事業との調整が重要。

⑤ 会員の加入・脱退

労働組合におけるユニオン・ショップのような強制加入方法はできないが、その加入・脱退の方法について明確にしておく。一般には、有資格者は強制的に加入させている場合が多いようである。

⑥ 会費

会費の決め方、その額、徴収方法（給与よりチェック・オフする場合には、労使の控除協定）を明らかにしておく。会費の決め方については、基本的に次の四つの方法がある。

ア、一定率の方法……基本給などに一定率を乗ずるもので、給与の高い者は多く拠出する結果となる。

イ、一律定額方式……会員全員に〇〇〇円と単一で決める方法。

ウ、一定率＋定額……アの方法とイの方法を併用して行う方法。結果はアの方法をいくらか緩和した方法となる。

エ、差等額方式……この方法は、例えば、基本給いくらからいくらまでは一、〇〇〇円、いくらからいくらまでは一、五〇〇円という具合に、給与の多いものはこれを超える場合は一、五〇〇円という具合に、給与の多いものは差等式に増加していく方法である。その結果は、アの「定率方法」のようになる。

⑦ 補助金

⑧ 役員の定数と任期など

⑨ 専門部設置の場合

⑩ 会議

⑪ 顧問・参与

⑫ 会計

年に一回の定期総会（大きな組織のところでは代議員等による）を開き、予算、決算、運動方針などを決める。

XIV 共済・互助に関する規程

生涯福祉共済会規約

YH生涯福祉共済会
(会員 三、〇〇〇人)

第1章 総則

1 (名称)
本会は、YH生涯福祉共済会という。

2 (目的)
本会は、会員の共助の精神および会社の援助にもとづき会員の定年退職後の医療と健康にかかわる給付を行うことにより生活安定を含めた生涯福祉の向上に寄与することを目的とする。

3 (会員)
本会の会員はつぎの者をもって組織する。
① 就業規則に定める社員ならびに常勤の嘱託のうち、満四五歳に達した者およびその他第12項に定める運営委員会が特に認めた在籍会員。
② 満六〇歳以降満七〇歳未満の継続会員。

4 (自動入会)
前項①の会員資格を有する者が満四五歳に達したときは、すべて自動的に会員となる。

5 (退会)
会員は原則として退職(満六〇歳定年退職を含む)または死亡の場合のほかは退会することはできない。
ただし、第8項に定める会費の拠出方法のうち、一時払いを選択した会員が満六〇

6 (フレックス定年退職者取扱い)
フレックス定年退職者および関連会社転籍者の継続会員取扱い
フレックス定年により退職する会員および関連会社に転籍する会員は、希望により第34項に定める会費等の納入手続きをもって、退職後においても、本会員としての資格を継続することができる。

第2章 制度の運営

7 (運営資金)
本会の運営資金は、会費、奨励金、福祉厚生保険の満期保険金または同保険金相当額の会社の出費およびこれらの銀行運用利息をこれにあてる。

8 (会費の拠出方法)
① 会員による会費の本会への拠出は、積立てまたは一時払いのいずれかの方法により行うものとする。この拠出方法の選択は、満四五歳の誕生日の直前の三月に所定の手続きにより行う。この拠出方法の中途変更は原則としてできない。
② 会費の拠出を積立てにより行う場合は満四五歳の誕生日の属する月の翌月から、満六〇歳の誕生日の属する月(=定年退職月)までの間継続して月額一〇

歳定年前六か月以内に疾病により一五日以上入院した場合は、満六〇歳以降会員としての資格を継続することはできない。

447

XIII 共済・互助に関する規程

③ 会費の拠出を一時払いにより行う場合は、満六〇歳の定年退職日に積立会費、奨励金および、同運用利息相当額として三三万円を現金により一括拠出する。ただし、退職をもって本会を退会する場合はこの拠出を要さない。

9（福祉厚生保険の満期保険金の拠出）
会員は、福祉厚生保険の満期保険金の全額を本会に拠出する。
ただし、福祉厚生保険が付保されていない会員については、これにかえて会社が同満期保険金相当額を本会に拠出する。

10（奨励金）
会費の拠出を前第8—②項の積立てにより行う会員は積立てに際し、会社から月額一五〇円の奨励金を受けることができる。この奨励金は、当月の積立金に加算し、本会に拠出するものとする。

11（運営資金の管理）
本会の運営資金は運営委員会の決定に基づき運営委員長が管理する。

12（運営委員会）
① 本会の管理運営の適正を期するために運営委員会を設ける。
② 運営委員会は、会社側委員四名および労働組合側委員四名をもって構成する。

③ 運営委員会には、委員長、副委員長および事務局長の役員をおき、委員長および副委員長は会社側選出の委員、また副委員長は労働組合側委員の互選によりそれぞれ選出する。

④ 運営委員長は、本会を代表し、本会の管理運営を統轄し責任を負うものとし、副委員長は運営委員長を補佐し、運営委員長に事故ある場合はその任務を代行する。また、事務局長は運営委員長の指示にもとづき本制度の日常業務を統轄する。

⑤ 委員の任期は、毎年四月一日より翌年三月三一日までの一年とし、重任を妨げない。

⑥ 委員はその任期満了後でも、後任者が就任するまでは、なおその任務を行う。

13（運営委員会の審議事項）
運営委員会は必要に応じ、つぎの事項を審議する。
① 運営資金の運用・管理に関する事項
② 本規約の運用について疑義が生じた場合の解釈に関する事項
③ その他、本会の適正な運営に関する事項

14（運営委員会の開催）
運営委員会は、原則として毎年一回定期に開催し、本会の決算および財政の審査を行うほか、委員長は前項に関し、委員会開催の必要があると認めたときは速かに臨時

の運営委員会を招集するものとする。

15（運営委員会の決議）
運営委員会の決議は構成委員の六名以上が出席し、かつ出席委員の過半数が同意した場合に成立する。ただし、可否同数の場合は運営委員長が決定する。

16（事務局）
本会の事務局は人事部厚生課内におく。

第3章　会計期間および決算

17（会計期間）
本会の会計期間は、毎年四月一日より翌年三月三一日までの一年間とする。

18（決算および報告）
本会の決算は、毎会計期間終了の日より三〇日以内に委員長が作成し、会社側および労働組合側各一名からなる会計監査人の監査を受け運営委員会に報告し承認をうる。

第4章　給　付

19（給付の種類と給付対象）
本会は、前第2項の目的を遂行するため、つぎの給付事業を行う。
① 会員およびその配偶者（戸籍上の配偶者に限る。以下同じ）に対する給付
(1) 入院医療給付金の給付

(2) 定期健康診断の実施
　会員に対する給付
(1) 慶弔金の贈与
(2) 退会一時金の給付

20 (給付の適用期間)
　前第19─①項(1)、(2)および第19─②項(1)にかかわる給付の適用期間は、会員の満六〇歳定年退職日の翌日より満七〇歳の誕生日の属する月の末日までとし、これと同日付をもって配偶者に対する給付期間も終了する。
　ただし、会員が給付の適用期間中に死亡した場合は、死亡日をもって適用期間の終了日とする。

21 (入院医療給付金の給付)
① 会員およびその配偶者が前項に定める適用期間内に疾病または偶発的な外来の事故による傷害を直接の原因として、病院に入院し、その入院日数が継続して一〇日を超えた場合、一一日目から退院日までの入院日数一日につき三、〇〇〇円を給付する。
② 入院期間中に異なる傷病を併発した場合は、入院の直接の原因となった傷病により継続して入院したものとみなし、前第①項の規程を準用する。

22 (入院医療給付金の給付限度)
① 入院医療給付金の給付は、一回の入院について入院日数一二〇日分を限度とし、前第20項の給付適用期間内の入院医療給付の対象となった日数を通算して六〇〇日分をもって限度とする。
② 同一の傷病により、入退院が三〇日を超えない期間ごとに繰返されたときは一回の入院とみなし、一二〇日を限度とし通算する。

23 (入院医療給付金の請求手続き)
① 前第21項に定める入院医療給付金の給付事由が生じた場合には、会員は速かに本会所定様式による入院報告書をもって本会事務局に通知しなければならない。
　この通知が正当な理由なく入院医療給付金の支払い事由が発生した日から一年を経過した場合は請求の効力を失う。
② 会員はつぎの書類を提出し、請求手続きを行うこととする。
(1) 本会所定の様式による入院医療給付金請求書
(2) 本会所定の様式による医師の診断書

24 (入院医療給付金を給付しない場合)
① 会員またはその配偶者が、次の各号のいずれかの原因によって入院した場合に、入院医療給付金の給付は行わない。
② 故意または重大な過失。
③ 自殺またはその未遂、犯罪行為。
④ 地震、噴火、津波、戦争または内乱。
　危険なスポーツの事故。
　スカイダイビング、スキンダイビング、ハンググライダー、その他これに類する危険な運動ならびに道路以外の場所での自動車、モーターボートなどによる競技・レース（練習を含む）。
⑤ 細菌性食物中毒、妊娠、出産（異常分娩によるものを除く）、流産。
⑥ 他覚症状のない頸部症候群（いわゆる「むちうち症」）または腰痛。
　ここにいう他覚症状とは脳波またはレントゲンの上での異常を認めた場合をいう。
⑦ 治療を目的としない入院（美容上の処置、人間ドック検査など）。

25 (入院医療給付金の給付額の決定)
　入院医療給付金の給付額は、提出書類を審査し、事務局が必要と認めたときは事実の調査を行ったうえで運営委員長が決定する。

26 (定期健康診断の実施)
　前第20項に定める給付適用期間中における会員ならびにその配偶者の健康保持をはかるため、年一回定期健康診断を実施する。これに要する健診料は、本会の負担による。

27 (健診方法)
　前項による健康診断の内容ならびに方法については、満四〇歳以上の社員に対して行う成人病健診を準用する。

死亡弔慰金給付表

(円)

死亡時年齢 本会加入者年齢	満60歳	満61歳	満62歳	満63歳以上満70歳未満
満45歳	200,000	170,000	140,000	
46	190,000	160,000	130,000	
47	180,000	150,000	120,000	
48				
49	170,000	140,000	110,000	
50				
51				
52	150,000	120,000		100,000
53				
54	120,000			
55			100,000	
56		100,000		
57	100,000			
58				
59				
60				

28（受診の手続き）
前第26項の健康診断の実施に際しては都度、事務局より会員宛に案内および健診申込書を送付する。会員は、この申込書を所定の期日までに事務局宛返送したうえ、指定日（毎年三月ないし四月頃）に受診することができる。
なお、指定日以外の受診は原則としてできない。

29（慶弔金の贈与）
会員の慶弔に関する祝金、弔慰金は、次のとおりとする。
① 古稀祝金……会員が前第20項に定める給付の適用期間満了となったとき。
（満七〇歳の誕生日の属する月末を迎え

たとき）一〇万円

② 死亡弔慰金……会員が前第20項に定める給付の適用期間内に死亡したとき。
満六〇歳時死亡の場合　二〇万円
満六一歳時死亡の場合　一七万円
満六二歳時死亡の場合　一四万円
満六三歳以上満七〇歳未満時死亡の場合　一〇万円

30（死亡弔慰金の受領手続き）
会員の家族は第29項②の死亡弔慰金受領の事由が生じた時、速かに事務局宛に通知したうえ、所定の申請書により申請するものとする。

31（給付金の受領）
給付金、慶弔金の受領は次による。
① 入院医療給付金および古稀祝金は、会員の指定する金融機関に振込むものとする。
② 死亡弔慰金……直接霊前に供え、または遺族の指定する金融機関に振込むものとする。

32（退会一時金の給付）
① 会員が死亡・退職により満六〇歳の定年前または定年をもって本会を退会する場合は、つぎの退会一時金を給付する。
会費を積立てにより拠出してきた会員が満四五歳から満五六歳までの間に退会する場合は、積立会費相当額。ただし、奨励金相当額は、積立会費相当額を除く。

② 同満五七歳から満六〇歳までの間に退会する場合は積立会費相当額に三万円を加算した額。ただし、奨励金相当額を除く。

③ 会費の拠出を一時払いとしていた会員が満五七歳から満六〇歳までの間に退会する場合は三万円。

33（退会手続き）
会員が、本会を退会する場合は、所定の退会届を事務局長宛に提出するものとする。事務局は、提出された退会届および個人別台帳にもとづき前項の給付を行う。

第5章　その他

34（フレックス定年退職・関連会社転籍会員の継続加入扱いの手続き）
フレックス定年により退職する会員および関連会社に転籍する会員が前第6項に定めるところにより、本会の会員資格の継続を希望する場合は、退職時に表1の会員費等一括納入を行うことにより継続扱いすることができる。

35（他の共済会給付との調整）
会員またはその配偶者が次の各号のいずれかに該当することにより別に定める傷害共済会規約または疾病共済会規約により給付すべき入院給付金と、本規約により給付すべき入院医療給付金が重複する場合は、

傷害共済会規約または疾病共済会規約のそれぞれに定める加入限度口数（最高口数）に基づく給付日額を給付限度額として、本規約による入院医療給付金を減額する。

① 定年後雇用制度により会社との雇用関係が継続することにより、本会員と同時に疾病共済会または傷害共済会の会員である場合。

② 疾病共済会規約第○項または傷害共済会規約第○項○に定める受給資格終了後における特例給付を受けている場合。

36 （会員の届出義務）

退職後の会員は次の各号の事由に該当するときは、速やかに、その旨を事務局に届け出なければならない。

① 住所を変更したとき。
② 会員および配偶者が死亡したとき。
③ その他離婚等身上に異動があったとき。

第6章 付 則

37 （実施日）

本規約は、○○年○月○日より実施する。

（制定・△△・○・○）

38 （会発足時の特例措置）

(1) 本規約実施現在すでに満四六歳に達している会員の会費等の取扱いはつぎによる。

会費を積立てにより拠出する場合の会費（月額）および奨励金（月額）は前第8―②項および前第10項の定めにかかわらず表2のとおりとする。

(2) 会費の拠出を一時払いによる場合は、第8―③項による。

表1

退職時年齢＼会費の拠出方法	満57歳未満のとき（＝福祉厚生保険満期保険金拠出前）	満57歳以降のとき（＝福祉厚生保険満期保険金拠出後）
積立によっていた場合	満60歳定年退職月までの残存期間に相応する会費ならびに奨励金および福祉厚生保険満期保険金相当額の合計額	満60歳定年退職月までの残存期間に相応する会費ならびに奨励金相当額の合計額
一時払いとしていた場合	33万円に福祉厚生保険満期保険金相当額を加算した額	33万円

共済制度運営委員会規程

YHグループ（会員　三,○○○人）

第1章　総　則

1 （目的）

本委員会は、YHグループ社員の自助と相互扶助の精神に基づき設立された各種共済制度の管理、運営について一本化して審議・調整を行い、もって各種共済制度の所期の目的完遂に資することを目的とする。

2 （各種共済制度）

表2

本規約実施日現在の満年齢	会費	奨励金
45歳	1,000円	150円
46	1,040	156
47	1,100	165
48	1,160	174
49	1,220	183
50	1,280	192
51	1,360	204
52	1,440	216
53	1,520	228
54	1,600	240
55	1,680	252
56	1,760	264
57	1,840	276
58	1,920	288
59	2,000	300

XIII 共済・互助に関する規程

① 遺族・障害共済制度（以下「遺族共済会」という）社員が死亡または障害により退職した場合、遺族または家族に対し、所定の給付を行うことにより生活の安定および子弟の教育に寄与することを目的とした制度をいい、本制度については、別に定める「遺族・障害共済制度規程」による。

② 疾病共済制度（以下「疾病共済会」という）
本制度に加入している会員およびその配偶者が疾病により入院した場合、所定の給付を行うことを目的とした制度をいい、本制度の詳細については別に定める「疾病共済制度運営規約」による。

③ 傷害共済制度（以下「傷害共済会」という）
本制度に加入している会員およびその家族が、偶発的な外来の事故により傷害を被った場合、所定の給付を行うことを目的とした制度をいい、本制度の詳細については別に定める「傷害共済制度運営規約」による。

3 （適用）
本規程は、第2項に定めた各種共済制度に適用する。

第2章 構成・運営

4 （付議事項）
① 各種共済会の財産の運用・管理に関する事項
② 各種共済会の業務報告に関する事項
③ 各種共済会の会計報告に関する事項
④ 「疾病共済制度運営規約」ならびに「傷害共済制度運営規約」に定める第一種危険準備金による支払いに関する事項
⑤ 第15項に定める第二種危険準備金による支払いに関する事項
⑥ 第15項に定める過年度積立金による支払いに関する事項
⑦ 第15項に定めるYH㈱の出資金による支払いに関する事項
⑧ 各種共済会規程または規約上、本委員会において審議することが定められている事項
⑨ 各種共済会の運営上、疑義が生じた場合の解釈に関する事項
⑩ その他各種共済会の適正な運営に関する事項

5 （構成）
① 本委員会は次により構成する。
(1) 役　員　三名
　運営委員長　一名
　副運営委員長　一名
　事務局長　一名
　運営委員　七名

② 本委員会の構成員は次により選出する。
(1) YH㈱の選出する者　四名
(2) ㈱YS商会、YS計装㈱、YSエンジニアリング・サービス㈱、YSプレシジョン㈱、YH機材㈱、以上五社から選出する者　四名
(3) YH労働組合の選出する者　一名
(4) ㈱YS商会、YS計装㈱、YSエンジニアリング・サービス㈱、YSプレシジョン㈱、YH機材㈱、以上五社の社員会から選出する者　一名

6 （任務）
① 運営委員長
運営委員長は、運営委員会を代表するとともに各種共済会の運営について責任を負う。
② 副運営委員長
副運営委員長は、運営委員長を補佐するものとし、運営委員長に事故ある場合は、その任務を代行する。
③ 事務局長
事務局長は、運営委員長の指示にもとづき各種共済会の日常運営業務を統括する。
④ 運営委員
運営委員は、本委員会に出席し、付議

452

7 (役員の任命)

運営委員長および事務局長は、会社側選出の構成員の中より、また副運営委員長は労働組合および社員会側選出の構成員の中から、それぞれが選出した者を任命する。

8 (開催)

本委員会は、原則として毎年一回開催する。ただし、必要に応じ運営委員長が随時招集することができる。

9 (議決)

本委員会は、構成員の六名以上の出席により成立し、議決は出席者の三分の二以上の賛成をもって行う。ただし、可否同数の場合は運営委員長が決定する。

10 (任期)

本委員会の構成員の任期は、毎年一〇月一日より翌年九月三〇日までの一年間とする。

11 (会計監査人の指名)

本委員会は、会計監査人を二名指名し、各種共済会の監査を行わせるとともに、監査結果の報告を受ける。

12 (事務局)

本委員会の事務局は、YH㈱人事部厚生課におく。

13 (事務局業務)

事務局の業務は、次の通りとする。

① 給付に関する受付、調査、査定、支払い業務

② 会計に関する業務

③ その他、運営委員長の指示による事務処理業務

第3章 特別会計の管理・運用

14 (管理・運用)

本委員会の決定に基づき、運営委員長は疾病共済会および傷害共済会の給付を補完するために設けられた特別会計の管理・運用を行う。

15 (特別会計)

特別会計とは次のものをいう。

① 第二種危険準備金

疾病共済会および傷害共済会より毎期決算時に年会費の各五％の拠出を受け、これを積立てたもの。

② 過年度積立金

障害共済会の過年度(〇〇・〇～△△・△)分危険準備金の累計額。

③ YH㈱の出資金

YH㈱が必要に応じて出資する額で二、〇〇〇万円を限度とする。

16 (特別会計支払い承認)

本委員会は疾病共済会および傷害共済会が所定の給付をなし得ない場合に、各会の申請にもとづき特別会計よりの承認を行う。ただし、特別会計より支払う場合の順位は第15項の順位を適用する。

17 (特別会計への返還措置)

本委員会は、特別会計より支払いを受けた共済会が、その決算時に返還すべき残高を有しない場合には、その措置についてその都度決定する。

第4章 付 則

18 (過年度積立金の取扱い)

本委員会は、第15項②に定めた過年度積立金については、△△年〇月〇日付で廃止する。

19 (実施日)

この規約は、〇〇年〇月〇日より改定実施する。

遺族・障害共済制度規程

YHグループ
(会員 三、〇〇〇人)

第1章 総則

1 (名称)

XIII 共済・互助に関する規程

この制度はYHグループ遺族・障害共済制度（以下「遺族共済会」という）という。

2 （目的）
遺族共済会はYHグループ（以下「YHG」という）社員の相互扶助の精神にもとづき、死亡または回復不能な障害により社員が退職した場合に、遺族または家族に対し所定の給付を行うことにより生活の安定および子弟の教育に寄与することを目的として設立したものである。
したがって、遺族共済会は"権利と義務"の関係によらず"善意と感謝の気持ち"を基礎とするものである。

3 （構成）
遺族共済会は、YHおよびYH関連企業のつぎの各号に該当する者で構成する。
① 就業規則に定める社員全員
② 常勤の嘱託全員
③ 第6項に定める共済制度運営委員会が特に認めた者

第2章 会　員

4 （会員）
遺族共済会の会員は、第3項に定める者とし、退職をする場合の他は、原則として遺族共済会を退会することはできない。
ただし、次の各号の一に該当する場合を除く事由により休職中の者は、その期間について会員の資格を中断する。
① 傷病による場合
② 労組専従による場合
③ 会社の都合による場合
④ その他前各号に準ずる場合

5 （会員の特典）
会員は、会員本人の死亡または回復不能な障害に伴う退職があった場合にこの規程の定めにもとづき会員、遺族または家族に対する給付を受けることができる。

第3章 運　営

6 （運営機関）
遺族共済会の運営は、共済制度運営委員会（以下「運営委員会」という）がこれを行う。運営委員会の運営については「共済制度運営委員会規程」に定める。

7 （運営委員会への付議事項）
次の事項は運営委員会に付議する。
① 業務報告に関する事項
② 会計報告に関する事項
③ 遺族共済会の財産の運用、管理に関する事項
④ 遺族共済会の運営上疑義が生じた場合の解釈に関する事項
⑤ この規程上運営委員会において審議することが定められている事項

⑥ その他遺族共済会の適正な運営に関する事項

8 （事務局）
事務局は、YH㈱人事部厚生課におく。

9 （事務局の業務）
事務局の業務は次の通りとする。
① 給付に関する受付、調査、査定、支払いの業務
② 会計に関する業務
③ その他運営に関する事務処理業務

第4章 会　費

10 （会費）
遺族共済会の会費は月額三〇〇円とし、給与控除により徴収する。

11 （管理）
会費は、運営委員会の決定にもとづき運営委員長が管理する。

第5章 会計期間および決算

12 （会計期間）
遺族共済会の会計期間は、毎年九月二五日より翌年九月二四日までの一年間とする。

13 （決算）
決算は、会計期間終了の日より三〇日以内に行い、「共済制度運営委員会規程」に

定める会計監査人の監査を受ける。

第6章 給 付

14 （給付の種類）
遺族共済会の給付は次の通り行う。
① 遺族年金給付
　第15−①項にもとづいて給付を行う。
② 障害年金給付
　第15−②項にもとづいて給付を行う。
③ 一時金給付
　第17項にもとづいて給付を行う。

15 （年金給付の事由）
① 遺族年金給付
　(1) 第16−①項に定める扶養家族のある会員が死亡した場合。
　(2) 障害年金給付を受けている会員であった者が死亡した場合で、第16−①項に定める遺族がある場合は、遺族年金給付に切替える。ただし、この場合の支給期間は通算とし、第18項に定める給付期間を超えることはない。
② 障害年金給付
　会員が再起不能に起因し退職した場合。ここにいう「再起不能な重度の傷害」とは労働災害保険法施行規則別表1に定める障害等級の第三級以上に該当する障害、またはその他上記症状と同等もしくはそれ以上の傷病をいう。

16 （年金受給者の範囲）
① 遺族年金給付
　会員の死亡時、主として会員の収入によって生計を維持している次に掲げる親族で、給付事由発生時に届出て運営委員会の承認を得たものとする。ただし、ここに掲げる者で賃金規則等に定める家族給（手当）の支給対象者となっていた場合には、届出と承認にかかわる手続きを省略する。
　(1) 妻（内縁を含む）。ただし、家族給（手当）の受給・非受給を問わない。
　(2) 満一八歳の三月に満たない子女（会員の死亡時または退職時に胎児であった子女を含む）。ただし、重度障害、知的障害の子女については年齢を問わない。
　(3) 回復不能な障害の夫。
　(4) 満六〇歳以上の本人の父母および満六〇歳以上の同居している配偶者の父母。ただし、寡婦は五〇歳以上とする。
　(5) 同居している祖父母。
　(6) 満一八歳の三月に満たない同居している弟妹。ただし、重度障害、知的障害の弟妹については年齢を問わない。
　(7) その他、運営委員会で特に認めた者。
② 障害年金給付
　回復不能な障害により退職した会員および前第16−①項遺族年金給付に定める親族とする。

17 （一時金給付の事由）
次の各号の一に該当するときは年金給付とせず、一時金給付を行う。
① 遺族に年金受給者がいないとき。
② 死亡または回復不能な障害状態になった会員の妻が、YHG各社の従業員で継続勤務するとき。
③ 遺族が妻と年金受給者とならない子女のとき。
④ 遺族が年金受給者とならない子女・父母・祖父母・弟妹だけのとき。
⑤ 遺族が父母・祖父母・弟妹だけで、死亡した会員の兄弟姉妹で満一八歳の三月を越えた者がいるとき。
⑥ 年金給付総額が一時金給付額に満たないことが明らかなとき。
⑦ 会員の死亡または回復不能な障害による退職を契機に、その遺族共済会の加入者となったとき。
⑧ 受取人が一時金の給付を希望したとき。

18 （年金給付期間）
年金給付期間は、年金を給付すべき事由

XIII 共済・互助に関する規程

が生じた月の翌月から始め、次に定める期間、または第22項に定める年金給付を打切るべき事由が生じたときで終わるものとする。

① 回復不能な障害状態となり退職した会員
　一〇年間または末子が満一八歳の三月末までの期間のいずれか長いほう。

② 妻……年金受給者となる子女がいるとき
　末子が満一八歳の三月末までの期間。ただし、一〇年間を越えない期間とする。

・子女がいないとき……一〇年間

③ 障害の夫……年金受給者となる子女がいるとき
　末子が満一八歳の三月末までの期間。ただし、一〇年間を越えない期間とする。

・子女がいないとき＝一〇年間

④ 子女……満一八歳の三月末までの期間。ただし、重度障害・知的障害の子女については一〇年間または満一八歳の三月末までの期間のいずれか長いほう。

⑤ 父母・祖父母
　死亡または回復不能な障害状態となり退職した会員の兄弟姉妹で独立生計を営む者がいないとき＝一〇年間
　遺族が父母・祖父母と年金受給者となる子女（父母・祖父母の孫・ひ孫）だけのとき＝末子が満一八歳の三月末までの期間

⑥ 弟妹
　兄弟姉妹のうち年長の者が、満一八歳の三月末までの期間。ただし、重度障害・知的障害の弟妹については一〇年間または満一八歳の三月末までの期間のいずれか長いほう。

19（給付額）
　給付額は、第24項に定める会社の付加給付を含めて次のとおりとする。

(1) 年金給付（月額）
　回復不能な障害状態となり退職した会社の社員等
　二六、〇〇〇円
　（内訳：基金給付　一三、〇〇〇円
　　　　会社付加給付　一三、〇〇〇円）

(2) 妻および回復不能な障害の夫
　二六、〇〇〇円（内訳：同上）

(3) 子女（一人につき）
　二六、〇〇〇円（内訳：同上）

(4) 父母・祖父母および弟妹（一人につき）
　一三、〇〇〇円
　（内訳：基金給付　六、五〇〇円
　　　　会社付加給付　六、五〇〇円）

② 一時金給付
　四〇〇、〇〇〇円
　（内訳：基金給付二〇〇、〇〇〇円
　　　　会社付加給付二〇〇、〇〇〇円）

20（受取人）
① 遺族年金または一時金受取人は、死亡した会員の配偶者とする。配偶者がいない場合は、遺族年金算出の基礎となっている遺族のうち、子、父母、孫、祖父母、兄弟姉妹の順で先順位一名を定める。疑義が生じたときは労働基準法施行規則の受取順位を参考とする。

② 障害年金の受取人は、回復不能な障害状態となった会員本人とする。ただし、運営委員会で本人の行動・判断能力が喪失していると判断したときは前第20—①項を準用するものとする。

21（給付の方法）
① 年金の給付は毎年三月、七月、一一月の各月二五日にそれぞれの月を含む四か月を一括して後払いで支給するものとする。支給の方法は、遺族障害共済制度受給申請書（様式—■1（略））に記載された受取人名義の預金口座への振込みによるものとする。

② 一時金の給付は、給付事由が発生したときに給付する。

22（年金給付の打切り）
年金受給者が次の各号の一に該当するに至ったときは、その翌月分より年金の支給を打切る。

① 死亡したとき。
② 婚姻したとき。（内縁関係を含む）
③ 死亡または回復不能な障害状態となった会員との親族関係が離縁により終了し

456

④ 子女または弟妹が高校等に就学せず就職したとき。ただし、就学しながら就職している場合を除く。

⑤ 子女または弟妹が高校等を退学したとき。

⑥ 養子縁組したとき。

⑦ 公的救済機関に引きとられたとき。

⑧ 回復不能な障害状態にある会員であった者について、その事情が消滅したときまたはそう判断されたとき。この場合は一切の給付を打ち切る。

⑨ 年金受給者が就業したとき。ただし、妻および前4号ただし書の場合を除く。

⑩ 回復不能な障害状態にある者について、その事情が消滅したとき、またはそう判断されたとき。

⑪ 他で年金受給者を扶養するようになったとき。

⑫ その他、運営委員会が給付を不適当と認めたとき。

23 （年金給付の停止と返還）
① 年金受給者が次の各号の一に該当するに至ったときは給付を停止することがある。

(1) 本規程第25項に定める届出義務を怠ったとき。

(2) 虚偽または不正の受給があったとき。

② 前第23―①項(1)、(2)に該当する場合は、すでに受給した年金の全部または一部の返還を求めることがある。

24 （会社の付加給付）
YHG各社は、遺族共済会の基金による年金または一時金の給付に対応して同額の金額を運営委員会で承認された分担方法により援助する。YHG各社によるこの援助金は、遺族共済会による給付に付加して給付する。

25 （受取人の届出義務）
① 受取人は、次の各号の一に該当するに至った場合、直ちにその旨を運営委員長に届け出なければならない。

(1) 住所を変更したとき。

(2) 振込み先銀行を変更するとき。

(3) 年金受給者のいずれかが第22項による給付打切り事由に該当したとき。

② 受取人は、毎年四月に所定の用紙（様式―遺2（略））により近況を報告しなければならない。

26 （受給申請）
受取人は、第15項に定める支給要件発生後速やかに所定の手続（様式―遺1（略））を行うものとする。

27 （運営内容の変更）
事情の変更または特殊事情の発生により運営内容を変更ないしは解散の必要に迫られたときは労使十分協議するものとする。

第7章　付　則

28 （実施日）
この規程は、〇〇年〇月〇日より改定実施する。

XIII 共済・互助に関する規程

疾病共済制度運営規約

YHグループ
（会員 三、〇〇〇人）

第1章 総則

1 （名称）
この制度は、YHグループ疾病共済制度（以下「疾病共済会」という）という。

2 （目的）
疾病共済会は、YHグループ（以下「YHG」という）社員の自助と相互扶助の精神にもとづき、会員およびその配偶者が疾病により入院した場合に所定の給付を行うことを目的として設立したものである。

3 （構成）
疾病共済会は、YHおよびYH関連企業のつぎの各号に該当する者で構成する。
① 就業規則に定める社員
② 常勤の嘱託
③ 第7項に定める共済制度運営委員会が特に認めた者

第2章 会員

4 （会員）
疾病共済会の会員は、第3項に定める者のうち毎年度の定められた期間内に所定の入会手続（加入限度二口）を行った者とする。ただし、次の各号の一に該当する場合を除く事由により休職中の者は、その期間について会員の資格を中断する。
① 傷病による場合
② 労組専従による場合
③ 会社の都合による場合
④ その他各号に準ずる場合

5 （加入制限）
第3項の者のうち、申込み締切日現在入院しているか、または申込み締切日前六か月の間に一五日以上の入院があった場合は加入資格はないものとする。
ただし、前年度に加入していた場合で継続して新年度の加入を希望する場合は、前年度の加入口数を限度に継続して加入することができる。

6 （会員の特典）
会員は疾病により入院した場合に、入院日数と加入口数に応じた給付をうけることができる。また会員は入会手続きに際して配偶者を登録（登録口数は会員の加入口数以下）することにより、当該配偶者が疾病により入院した場合、会員本人と同等の基準にもとづく給付を受けることができる。

第3章 運営

7 （運営機関）
疾病共済会の運営は、共済制度運営委員会（以下「運営委員会」という）がこれを行う。運営委員会の運営については、「共済制度運営委員会規程」に定める。

8 （運営委員会への付議事項）
次の事項は、運営委員会に付議する。
① 業務報告に関する事項
② 会計報告に関する事項
③ 疾病共済会の財産の運用・管理に関する事項
④ 第一種危険準備金による支払いに関する事項
⑤ 「共済制度運営委員会規程」に定める第二種危険準備金（以下「第二種危険準備金」という）による支払いに関する事項
⑥ 「共済制度運営委員会規程」に定める傷害共済会の過年度積立金（以下「過年度積立金」という）による支払いに関する事項
⑦ 「共済制度運営委員会規程」に定めるYH㈱の出資金（以下「YH出資金」という）による支払いに関する事項

⑧ この規約上運営委員会において審議することが定められている事項
⑨ 疾病共済会の運営上、疑義が生じた場合の解釈に関する事項
⑩ その他疾病共済会の適正な運営に関する事項

10 （事務局）
事務局は、YH㈱人事部厚生課におく。

11 （事務局）
事務局の業務は次の通りとする。
① 給付に関する受付、調査、査定、支払いの業務
② 会計に関する業務
③ その他運営に関する事務処理業務

第4章 会費および会計

11 （会費）
疾病共済会の会費は、一口当り、月額三〇〇円とし、加入口数に応じて給与控除より徴収する。
また、加入に際して配偶者を登録した場合も、加入口数に応じて会員の給与より徴収する。

12 （管理）
会費および第一種危険準備金は、運営委員会の決定にもとづき運営委員長が管理する。

13 （会費の返還）
① 第二種危険準備金に係わる規程にもとづき、会計年度の途中で会社を退職する会員に対する当該年度払込み済みの会費の返還は行わない。

14 （残金の処分）
会計期間終了日現在の残高は、次の順位により処分する。ただし、第27項にもとづく給付の減額があった場合は、第28項による調整を行った後に本項による処分を行う。
① 第一種危険準備金に積立てる。
② 第二種危険準備金に拠出する。
③ 会員宛に返還する。

15 （第一種危険準備金）
第一種危険準備金は、当年度の会費合計額の一〇％とする。

16 （第二種危険準備金）
第二種危険準備金は、当年度の会費合計額の五％とする。

17 （会員宛返還金）
会員宛返還金は、加入口数に応じた額とする。

第5章 特別会計

18 （特別会計）
特別会計は、「共済制度運営委員会規程」の次の特別会計に係わる規程にもとづいて取扱う。
① 第二種危険準備金に係わる規程
② YH出資金に係わる規程
③ 過年度積立金に係わる規程

19 （特別会計による支払い）
特別会計より支出する必要のある場合には、運営委員会宛に申請し、承認を得る。

20 （特別会計宛の返還）
特別会計より支出が行われた場合は、当該年度の決算時に第28項の規程にもとづいて返還する。

第6章 会計期間および決算

21 （会計期間）
疾病共済会の会計期間は、毎年九月二五日より翌年九月二四日までの一年間とする。

22 （決算）
決算は、会計期間終了の日より三〇日以内に行い、「共済制度運営委員会規程」に定める会計監査人の監査を受ける。

第7章 給付

23 （給付）
疾病共済会の給付は、次の通り行う。
ただし、入院の理由が偶発的な外来の事故による場合および正常分娩を直接の原因とする入院、その他治癒を目的としない入院（美容上の処置、人間ドック検査）には

XIII 共済・互助に関する規程

① 給付を行わない。入院日数が継続して一〇日をこえた場合、一一日目から退院日までの入院日数一日につき、加入口数一口当り五、〇〇〇円を給付する。ただし、同一疾病に係わる給付日数の限度は三六五日とする。
　ここにいう「同一疾病」とは、間接疾病分類（ICD）表の中分類の疾病区分にもとづく、同一区分内にある疾病をいう。

② 同一疾病による入院が断続する場合で、かつ疾病共済会に継続加入していない場合は、給付が開始された日を起算日として、七三〇日間を管理期間と定め、この期間を限度として前①の給付を行う。ここにいう「同一疾病による入院が断続する場合」とは、三か月をこえない期間ごとに入退院が繰返されることをいう。
　ただし、骨折の場合に限り一骨折を一疾病とする。

③ 疾病共済会の会員および会員の配偶者としての給付受給資格は、会員の退職日をもって終了するが、退職日以前から継続している入院については、退職後においても、前①に定める給付日数を限度に給付を行う。

24（給付の請求手続）
① 一括請求
　(1) 入院の見込み日数が三〇日以内の場合は、原則として一括請求を行うものとし、請求手続は次の通りとする。ただし、欠勤届等に添付された診断書が会社に提出されている場合で、入院理由、日数など給付日数を決定するに足る記載のある場合は、診断書の提出を省略することができる。
　(1) 入院報告書（様式―疾1（略））の提出
　　入院が一〇日をこえた後一五日以内
　(2) 請　求　書（様式―疾2（略））の提出
　　退院後速やかに
　(3) 診　断　書（様式―疾3（略））の提出
　　退院後速やかに（請求内容を裏付ける記載のあるもの）

② 分割請求
　入院の見込日数が三一日以上の場合は、原則として分割請求を行うものとし、請求手続は次の通りとする。また、第24―①項ただし書は本項にも適用する。
　(1) 入院報告書の提出
　　入院が一〇日をこえた後一五日以内
　(2) 請求書の提出
　　前月分を当月五日まで
　(3) 診断書の提出
　　前月分を当月五日まで（請求内容を裏付ける記載のあるもの）

25（給付額の決定）
　給付額は、提出書類の記載事項を検討し、必要な調査を行ったうえで運営委員長が決定する。

26（給付の保障）
　給付すべき額が前月末現在の会費の残高で支払えない場合は、運営委員会の承認を得て次の順位にもとづく措置を講ずる。
① 第一種危険準備金より支払う。
② 第二種危険準備金より支払う。
③ 過年度積立金より支払う。
④ YH出資金より支払う。

27（給付の減額）
　第26項の措置を講じてもなお給付金が支払えない場合は、運営委員会の承認を得て給付の一部を減額する。

28（給付の調整ならびに返還の順位）
　第27項にもとづき給付の一部を減額した場合で、当該会計期間の終了日現在、会費の残高がない場合は、既に実施した給付の減額部分を補てんする。また、残高のある場合は、次の順位により調整する。
① 給付の減額部分を補てんする。
② YH出資金に返還する。
③ 過年度積立金に返還する。
④ 第二種危険準備金に返還する。
⑤ 第一種危険準備金に返還する。
⑥ 第14項の規程にもとづく処分を行う。

第8章 付　則

29（過年度積立金の取扱い）
第8項⑥、第18項②、第26項③、第28項③に規定された過年度積立金に関する規程は、△△年○月○日をもって廃止する。

30（実施日）
この規約は、○○年○月○日より改定実施する。

AS会会則

AS会
（会員　八〇人）

第1章　総　則

（名称および事務所）
第1条　この会は、AS会と称し、AS物産株式会社（以下「会社」という）の役員および社員をもって組織する。
2　この会の事務所は会社内（本社）におく。

第2章　会　員

（会員の資格）
第3条　この会の会員は、会社の役員に就任した者および就業規則第○条（社員の定義）に該当する者とする。
2　前項以外の者でも、第12条の幹事会の承認を得た者は会員に準じて取扱う。

（脱会および退会）
第4条　この会の会員は、つぎの場合は脱会したものとする。
① 会社を退職した者
② 死亡したとき
③ 会から除名された者

（会員の除名）
第5条　会員でこの会の名誉を毀損し、または目的に反するような行動があったときは、総会の決議によって除名することがある。

第3章　役　員

（役員）
第6条　この会に、つぎの役員をおく。
① 会　長　　　一名
② 副会長　　　一名
③ 幹　事　　　若干名
④ 会　計　　　一名
⑤ 会計監事　　一名

2　役員の任期は一か年とし、再任を防げない。

（会長の任務）
第7条　会長はこの会を代表し、会の運営を総括する。

（副会長の任務）
第8条　副会長は会長を補佐し、会長事故あるときはこれを代行する。

（幹事）
第9条　幹事は、会長の命を受けこの会の業務を処理する。

（会計）
第10条　会計は会長の命を受けこの会の経理を担当する。

（会計監事）
第11条　会計監事はこの会の経理の内容を監査する。

第4章　会　議

（会議の種類）
第12条　この会の会議は、つぎのとおりとする。
① 定期総会……毎年五月に開催する。

② 臨時総会……会長が必要と認めたときおよび会員の三分の二以上の要求があったとき臨時に開催する。

③ 幹事会……幹事会は、役員をもって構成する。必要に応じ随時開催し、会の業務執行に関する一切の事項を決定する。

(総会の成立)
第13条 総会は、会員の三分の二以上の出席により成立する。

(総会の議長)
第14条 総会の議長は、会長がこれに当る。

(議事の可決)
第15条 総会の議決または承認は、出席会員の過半数以上の賛成をもって決定する。可否同数のときは、議長の決するところによる。

(総会の付議事項)
第16条 つぎの事項は総会に付議しなければならない。
① 会則の改正
② 役員の選任
③ 予算、決算および事業報告
④ 事業計画
⑤ 会の解散
⑥ 幹事会で総会にかけると決定した事項

第5章 会 計

(会計年度)
第17条 この会の会計年度は四年一日に始まり、翌年三月三一日までとする。

(運営資金)
第18条 この会の運営資金は会員の会費と会社の補助金ならびに寄附金をもってこれに充てる。

2 特別経費を必要とするときは、臨時に会費を徴収することがある。

(会費ならびに補助金)
第19条 この会の会費と補助金は、つぎのとおりとする。
① 月例会費
  月額 一、五〇〇円
② 会社補助金
  月額 ①月例会費合計額相当

第6章 事 業

(事業)
第20条 この会は、第2条の目的達成のため、つぎの事業を行う。
① 会員の慶弔見舞および餞別に関すること
② 会員の慰安娯楽旅行に関すること
③ その他目的達成に必要なこと

(慶弔見舞金等の基準)
第21条 会員の慶弔禍福に際し、会は祝福、弔慰、見舞の意を表して、金品をつぎのとおりとする。
① 慶事
 ア 会員結婚のとき(再婚の場合は半額)
    五〇、〇〇〇円
 イ 会員の子女結婚のとき
    三〇、〇〇〇円
 ウ 会員または会員の配偶者出産のとき
    三〇、〇〇〇円
 エ 会員の子女入学のとき
  ㋐ 小学校 二〇、〇〇〇円
  ㋑ 中学校 三〇、〇〇〇円
  ㋒ 高等学校 四〇、〇〇〇円
 オ 会員の成人のとき(成人式前日に)
    一〇、〇〇〇円
② 見舞
 ア 会員が業務上の傷病(七日以上加療のとき)
    五〇、〇〇〇円
 イ 私傷病のとき(加療一五日以上)
    一〇、〇〇〇円～二〇、〇〇〇円
 ウ 会員の配偶者、子女、父母の傷病のとき(一五日以上)
    五、〇〇〇円～一〇、〇〇〇円
 エ 会員の災害の場合
    幹事会においてその都度決定
③ 弔事
 ア 会員死亡のとき……

親睦会会則

GS製作所
（親睦会・会員 一八〇人）

第1章 総　則

（名称および事務所）

第1条　この会は、株式会社GS製作所親睦会と称し、株式会社GS製作所（以下「会社」という。）の社員をもって組織する。

2　この会の事務所は会社内におく。

（目　的）

第2条　この会は、会員相互の親睦を図り、会社の繁栄と会員の福利厚生、共済互助を図るを目的とする。

第2章 会　員

（会員の資格）

第3条　この会の会員は、就業規則第〇条に定める該当者とする。

2　ただし就業規則第〇条〇項の該当者は、一年以上勤務する見込みある者とする。

（会員の退会）

第4条　この会の会員は、つぎの場合は脱会または退会したものとする。

① 会社を退職したとき
② 死亡したとき

（会員の除名）

第5条　この会の会員で、会の名誉を毀損し、または目的に反するような行為があったときは、総会の決議によって除名することがある。

第3章 機　関

（機関）

第6条　この会の運営を円滑にするためにつぎの機関をおく。

① 総　会
② 委員会
③ 例　会

（総　会）

第7条　総会は毎年三月に定期総会を開催する。

2　総会は会員の二分の一以上の出席により成立する。

3　総会の議長は、会長がこれに当る。会長事故あるときは副会長が当る。

4　総会は必要ある場合臨時に開催することがある。

（総会の付議事項）

第8条　総会の付議事項はつぎのとおりとす

会の名称で、花環もしくは生花を供することがある。

イ　会員の配偶者死亡……一〇〇,〇〇〇円
ウ　会員の子女または父母（配偶者の父母を含む）の死亡……

　　　　子女　　　父母
エ　〃　　三〇,〇〇〇円　五〇,〇〇〇円

④ 餞別金

ア　勤続　六カ月～一年一〇,〇〇〇円
イ　〃　　三年未満　　　二〇,〇〇〇円
ウ　〃　　五年未満　　　三〇,〇〇〇円
エ　〃　　一〇年未満　　五〇,〇〇〇円
オ　〃　　一〇年以上一〇〇,〇〇〇円

第7章 付　則

（返礼の禁止）

第22条　この会からの慶弔見舞金および餞別金に対しては一切返礼をしないものとする。

（施行）

第23条　この規則は、〇〇年〇月〇日より施行する。

（制定　△△年〇月〇日）

二〇〇,〇〇〇円

る。
① 会則の改正
② 役員の選任
③ 予算、決算および事業計画
④ 事業計画
⑤ 会の解散
⑥ 委員会で総会にかけると決定した事項

（議事の可決）
第9条　総会の決議または承認は、出席会員の過半数以上の賛成をもって決定する。

（委員会）
第10条　委員会は監査を除く役員をもって構成する。
2　委員会は必要に応じ随時開催する。
3　本会の業務執行に関する一切の事項を決定する。
4　委員会は構成員の二分の一以上の出席がなければならない。

（例　会）
第11条　例会は毎月一回定例に開催する。
2　例会においては会員の動静、誕生祝及びその他提案事項について報告審議する。

第4章　委　員

（委　員）
第12条　この会につぎの委員（役員）をおく。
① 会　長　一名
② 副会長　二名（本社、工場各一名）
③ 書　記　二名（本社、工場各一名）
④ 会　計　一名（本社）
⑤ 委　員　若干名
⑥ 会計監査　一名
注　⑤の委員は厚生部員とする。

（会長の任務）
第13条　会長はこの会を代表し、会の運営を総括する。

（副会長の任務）
第14条　会長を補佐し、会長事故あるときはこれを代行する。

（書　記）
第15条　書記は会長の命を受け、会議の記録等の整備とともに会の業務を処理する。

（会　計）
第16条　会計は会長の命を受け、この会の経理を担当する。

（委　員）
第17条　委員は会長の命を受け、この会の業務を処理する。

（監　査）
第18条　監査はこの会の経理の内容を監査する。

（委員の選出方法）
第19条　委員の選出方法は、各職場の委員割当数を各職場ごとに選出する。（選出する職場人員は別表通り）

2　委員の任期は四月一日より一か年とする。ただし再選は妨げない。

3　補欠による委員の任期は前任者の残存期間とする。

4　第12条の役員は委員の互選により総会の承認をとることとする。

（相談役の委嘱）
第20条　この会に相談役を委嘱することができる。

第5章　会　計

（会計年度）
第21条　この会の会計年度は四月一日より、翌年三月三一日までとする。

（会計の区分）
第22条　会計は一般会計と特別会計とする。
2　特別会計は会員の共済事業（第27条）に充当する。
3　特別会計は毎月の特別会計費および臨時会費の範囲とする。

（運営資金）
第23条　この会の運営資金は月例会費および会社の補助金、並びに寄附金をもってこれに充てる。

2　特別に経費を必要とするときは、臨時に徴収することがある。

（会費および補助金の額）
第24条　この会の月例会費、特別会計費と補助金はつぎのとおりとする。

(1) 月例会費　一、〇〇〇円

第6章 事業

(事業)

第25条 この会は、第2条の目的達成のため、つぎの事業を行う。

① 会員の慶弔見舞および銭別に関すること。
② 会員の共済事業に関すること。
③ 会員の慰安娯楽に関すること。
④ その他目的達成に必要なこと。

(慶弔見舞金等の基準)

第26条 会員の慶弔禍福に際し、この会は、祝福弔慰見舞の意を表わし、金品をつぎのとおり贈呈する。

慶事の場合

結　婚　五〇、〇〇〇円（一年未満の者三〇、〇〇〇円）

出　産　三〇、〇〇〇円（一年未満の者一〇、〇〇〇円）

弔事の場合

本　人　一〇〇、〇〇〇円

父母妻夫　五〇、〇〇〇円（養父母死亡は同居でない場合　三〇、〇〇〇円）

子供、兄弟　三〇、〇〇〇円（同一戸籍内の者で既婚者を除く）

ただし夫妻、兄弟、姉妹等で勤務している者に対しては一人のみ支給する。

負傷、病気の場合

見舞金　三〇、〇〇〇円（年一回）

銭別の場合

銭別金　一〇〇、〇〇〇円（一年以上三年未満の者五〇、〇〇〇円）

退職の場合

私傷病休業日数　一五日以上
業務上休業日数　一〇日以上

非常災害の場合、その都度委員会にて審議決定する。

(共済給付)

第27条 共済給付は、会員が業務外の疾病にかかり、療養のため休業を要する場合であって健康保険の傷病手当金の給付が受けられる場合に支給する。

2　共済給付金（x）は下記の算出方法による。

x ＝｛（疾病欠勤日数－3日）× 基準内賃金日額｝－傷病手当金

但し、疾病欠勤日数とは会社所定出勤日における欠勤日数をいう。

第7章 附　則

(返礼の禁止)

第28条 この会からの慶弔見舞金および銭別金に対しては一切返礼はしないものとする。

(役員の経営協議会委員兼務)

第29条 第12条の委員は経営協議会委員を兼ねるものとする。

(施　行)

第30条 この会則は〇〇年〇月〇日より施行する

〈別表〉職場委員割当数

本社……事務所二名　捻子一名　鍛造一名　ラテー、プレス切断一名　倉庫一名　機械仕上一名　　　　計七名

工場……事務所一名　検査、公害、施設一名　捻子一名　鍛造、切断、熱処理一名　鍍金一名　冷間一名　倉庫一名　　　　　計七名

(2) 補助金　月例会費に同額程度とし、一般会計に繰り入れる。

(3) 特別会計費　二、〇〇〇円

2　前項第1号、第2号は毎月給与より控除するものとする。

3　納入された月例会費はいかなる理由によるも返還しない。

4　特別会計費はその残額により、変更することがある。

ST共済会規約

ST（従業員 二〇〇人）

第1章 総則

（目的）
第1条 本会の目的はST株式会社に勤務する者の福利厚生及び相互扶助を図ることにある。

（名称及び所在地）
第2条 本会はST共済会といい、事務所をST株式会社内に置く。

（事業）
第3条 本会は第1条の目的達成のため次の事業を行う。
① 見舞金の支給
② 傷病手当金などの立替払い
③ その他、目的達成のため必要な事業

第2章 会員

（会員の資格）
第4条 本会の会員はST株式会社に勤務する常勤の役員及び従業員とする。ただし、入社後一五日たった場合は、入社の日に遡って会員となる。

（資格の喪失）
第5条 会員は次の各号の一に該当した場合、その翌日に会員たる資格を失う。
① 死亡したとき
② 退職したとき
③ 解雇されたとき

第3章 役員

（役員）
第6条 本会の役員として会長一名、幹事若干名を置く。

（会長）
第7条 会長は、会員の互選により選出し、会の業務を統括する。

（幹事）
第8条 幹事は会員の互選により選出する。幹事は会長を補佐し、会の日常業務を処理する。

（任期）
第9条 役員の任期は二年とする。ただし、再任を妨げない。

第4章 見舞金

（見舞金の種類）
第10条 本会は会員に次の見舞金を支給する。
① 傷病見舞金
② 出産見舞金

（見舞金の支給事由）
第11条 見舞金の支給条件は次の通りである。
① 傷病見舞金は、会員が業務外の理由で負傷し、または疾病にかかり、療養のため引き続き四日以上の休業を要する場合であって、健康保険の傷病手当金の支給を受けられるときに支給する。
② 出産見舞金は、三年以上の会員期間のある女子の会員が出産のため休業した場合に、産前四二日（ただし多胎妊娠の場合九八日）、産後五六日の範囲内で支給する。ただし、健康保険の出産手当金の支給を受けられたときに限る。また、出産後六か月以内あるいは復職後六か月以内に自己都合で退職した場合は、見舞金の返済を求める。

（見舞金の額）
第12条 見舞金の額は、休業四日目から休業一日につき支給対象者の健康保険標準報酬日額の四〇％とする。ただし、被扶養者のいない者が入院した場合は六〇％とする。

（支給日数）
第13条 見舞金の支給日数は、健康保険の傷

JSR体育文化会規約

JSR体育文化会
（会員 一、五〇〇人）

（目的）
第1条 本会は、当社の役員および従業員をもって組織し、体育文化会活動を通じて相互の親睦融和、健康の維持増進、レクリエーションおよび教養の向上を図ることを目的とする。

（機構）
第2条 本会の機構を次の通りとする。但し、②③④項については支部の実情に合わせて、それぞれ企画・運営委員会、体育・文化班として運営することが出来る。

① 会長
② 支部 支部を本社、〇〇工場、〇〇工場（××支店含む）、〇〇工場、〇〇研究所、および〇〇支店（〇〇営業所含む）に置く。
③ 企画委員会、運営委員会、事務局 各支部に企画委員会、運営委員会および事務局を置く。
④ 体育班・文化班 各支部の活動グループを体育班・文化班に分ける。

病手当金及び出産手当金の給付の対象となった日数と同じものとする。ただし、会員たる資格を喪失後の日数は、算入しない。

第16条 会員は一人月額一、二〇〇円の会費を支払う。本人が承知したときは、共済会は会社に依頼して会費を給料から控除することができる。

第5章 立替払い事業

（傷病手当金の立替払い）
第14条 会員が、業務外の傷病により健康保険の傷病手当金を受け得べき場合において、給付を受けるまでの間の生活費に充てるため、傷病手当金の立替払いを希望し、かつ傷病手当金の受領を共済会に委任したときは、共済会は受け得べき傷病手当金の額を限度として、立替払いを行うことができる。

2 前項により立替払いを受けた会員は、受領委任した傷病手当金を共済会から受けとる際に、その場で立替払いを受けた金額を返済しなければならない。

第7章 付 則

（臨事の措置）
第17条 通常予測し得ない病気の流行などで、この規約に定めた金額による見舞金の支給が不可能になったときは、会員総会の議をへて見舞金の支給条件を変更する。

（細則への委任）
第18条 会員総会の開催方法及びこの規約に定めのない事項については、別に定める細則による。

（規約の改廃）
第19条 この規約の改廃は会員総会で、出席会員の三分の二以上の賛成を得て行う。

（施 行）
第20条 この会則は〇〇年〇月〇日より施行する

（制定・××・〇・〇）
（改訂・△△・〇・〇）

第6章 財 政

（財 源）
第15条 本会の事業に要する資金は、会員の拠出する会費をもって充てる。ただし、会社または労働組合が何等の条件も付さず寄付を申し出たときは、会員総会にはかった上で、これを受けることができる。

（会費の額）

XIII 共済・互助に関する規程

⑤部　各支部の活動グループを各々部とする。

（会長）
第3条　会長は社長とし、本会を統括する。

（支部長）
第4条　各支部の支部長はそれぞれの事業所長（本社は人事担当部長）が、その任にあたり支部を総括運営する。

（企画委員会）
第5条　企画委員会は、支部長、企画委員長、体育班長、文化班長、事務局（厚生担当課）、労働組合の役員一名および企画委員一〇名以内をもって構成する。

2　企画委員長は各支部の支部長から指名された者がその任にあたり支部長を補佐する。

3　企画委員は、支部長が指名し、その任期は一年とする。

4　企画委員会は、次の各号の業務を行う。
① 体育文化会活動の企画立案（企画行事案の検討）
② 会の運営に関するその他事項の検討立案、決定
③ 決定した体育文化会活動の実施

5　企画委員会の議長は支部長もしくは企画委員長とする。

（事務局）
第7条　事務局は、会社の厚生担当課がこれにあたり、次の各号の業務を支部長、企画委員長の指示のもとに行う。
① 部の新設、廃止に関する事項
② 会社補助金の配分及びその使途に関する事項
③ 企画委員会、運営委員会の庶務
④ 支部全般の庶務

（体育班長・文化班長）
第8条　体育班長、文化班長は企画委員長が指名し、その任期を一年とする。ただし支部によっては、企画委員長が兼ねることもできる。

2　体育班長は、企画行事の体育関係行事の実施責任者であり、また、体育各部の活動を統括する。

3　文化班長は、企画行事の文化関係行事の実施責任者であり、また、文化各部の活動を統括する。

（部）
第9条　体育文化会活動は、その種目毎に部に分ける。

2　各部は、部の責任者として、部長を選出する。

3　部長は、部を統括運営する。

（部の新設）
第10条　新たに部の設立を希望する者は、次の各号の事項を明示した申請書を支部長宛事務局経由で提出し、許可を得なければならない。
① 責任者氏名・印
② 部員一〇名以上の署名捺印
③ 今後の部活動方針
④ 年間活動予算明細

以上の申請は審議されたのち責任者に通知される。

（部の廃止）
第11条　部が次の各号の一つに該当すると認められるときは、支部長はその部の解散を命じることが出来る。
① 部員が一〇名を下回り、六か月を経過してもなおかつそれに満たないとき
② 六か月以上に亙って、活動を行わなか

2　運営委員は、企画委員長が指名し、その任期は一年とする。

3　運営委員会は、次の各号の業務を行う。
① 企画委員会で企画、立案された事項の検討
② 決定した体育文化会活動の実施
③ その他必要事項

4　議事は、出席者の過半数の賛成をもって可決し、賛否同数の場合は、議長が決定する。

5　運営委員会の議長は支部長もしくは企画委員長とする。

（運営委員会）
第6条　運営委員会は、支部長、企画委員長、体育班長、文化班長、事務局（厚生担

③ 会の目的に添わない活動をしていると認められるとき

(部の活動)
第12条 各部は、本規約の目的に添った部活動を行うとともに、会社の主催する体育・文化活動へ積極的に参加し、協力しなければならない。また、会社の施設・器具および備品を使用するにあたっては大切に取扱わねばならない。

(部費)
第13条 各部は、部員より毎月一人三〇〇円以上の部費を徴収して、各部の活動費用にあてる。

(補助金)
第14条 会社より補助される体育文化会活動補助金は、企画予算、部運営予算および予備費に区分する。
2 企画予算の使用範囲は、次の各号による。
① 企画委員会で企画された体育文化会活動(行事)に要する費用
② 体育文化会活動予備費(部の新設の場合に要する一時費用等)
3 部運営予算は、適正な使途範囲で各部の活動状況等を勘案のうえ決定する。(「体育文化会各部に対する補助金支出要領」参照)
4 予備費は、全社的行事等に使用するもの

として、本社勤労課で管理する。

(会計年度)
体育文化会規約第14条に定める部の運営予算は、次の主旨から、以下の通り管理する。
第15条 本会の会計年度は四月一日～三月三一日とする。

(その他)
第16条 この規約に定めのない事項については、支部長の判断による。

(沿革)
〇〇年〇月〇日 制定

体育文化会各部に対する補助金支出要領

1 ⟨申請⟩
各部は、毎年一月にその年度の活動実績・見込報告書(様式1)、翌年度の活動計画書(様式2・四七一頁)とともに補助金申請書(様式3・四七一頁)を提出する。

2 ⟨決定⟩
各部より出された補助金申請書をもとに審査のうえ、支部長の決裁に基づき四月に

1 部活動は、自主的なものである。補助がなければ活動できないという消極的なものであってはならない。
2

(様式1)　　年度活動実績・見込報告書

＿＿＿＿＿＿部

月	活動内容	結果・反省
4		
5		
6		
7		
8		
9		
10		
11		
12		
1		
2		
3		

※2・3月は予定を記入の事

XIII 共済・互助に関する規程

（様式2）　　　　年度活動計画書

_____部

月	活　動　計　画
4	
5	
6	
7	
8	
9	
10	
11	
12	
1	
2	
3	

入 部 連 絡 先　　氏　名　　　　　　　所属
活　動　場　所　　　　　　　　　　　（TEL No.　　　　）
活　動　日　　　　　　　部費徴収額　　　円/人・月

（様式3）　　　　年度補助金申請書

_____部

項　　目	単　価	数　量	金　　額
申　請　額　合　計			

備　品　調　査

（会社補助金で購入したものを記入）

備　品　名	数　量	購入日	備　品　名	数　量	購入日

470

JSR体育文化会規約

（様式4）　　　年度　期現金出納簿

　　　　　　　　　　　　　　　　　　　　　　　　　　　　部々長　　　　　㊞

月/日	項　　　目	収　入		支　出	残　高	証拠書類No.
		会社補助金	部拠出金他			
小	計					
合	計					

（様式5）　　部　員　名　簿

　　　　　　　　　　　　　　　　　　　　　　　　　　　　　　　　　　部
　　　　　　　　　　　　　　　　　　　　　　　　　　　　年12月　日現在

氏　名	所属	TEL	備考	氏　名	所属	TEL	備考

※備考欄へは部長・主将・会計の別を記入（計　　名〈男　　，　女〉）

XIII 共済・互助に関する規程

通知する。

3 〈使途範囲〉
会社は部活動を行っていくうえで、必要最少限の補助を以下の範囲内で行う。

〈費　目〉　体育部　文化部
① 用具費　　　　〇　　　〇
② 連盟加入費　　〇　　　〇
③ 講師謝礼費　　△　　　〇
④ 会場借用料　　△　　　〇
⑤ 公式戦参加費　〇　　　×

(注)　〇＝対象となる費用
　　　×＝対象外となる費用
　　　△＝特別に認めた場合対象となる費用

4 〈支出〉
決定した部予算は、年間枠を二分の一して四月、一〇月に支出する。

5 〈会計報告〉
四月、一〇月に支出された補助金は、各部で上記の使途範囲に基づいて管理をし、九月と翌年三月のそれぞれ二〇日までに現金出納簿（様式4・472頁）証拠書類および部費徴収簿（各部で作成）を添付のうえ、支部長宛事務局経由で報告を行う。
この時、残金がある場合は、その残金も同時に返金すること。尚、現金出納簿の中で証拠書類のないもの、使途範囲が不明瞭なものについては返金をさせる。

遺族給付制度実施要綱

FF共済会
（会員　二、〇〇〇人）

第1条（目的）
この要綱はFF共済会会員が死亡した場合、その遺族の生活安定に寄与することを目的として行なう遺族給付に関して必要な事項を定める。

第2条（受給権を有する遺族の範囲）
① 加入期間一年以上の会員が死亡した場合、又は規約〇条〇項による障害給付を受けている者が死亡した場合、次の遺族に対して支給する。
(1) 妻
(2) 一八歳未満の子
(3) 会員によって扶養されていた父母・祖父母（養父母・養祖父母を含む）で年齢六〇歳以上の者（六〇歳未満の者は六〇歳に達した翌月より）
(4) 会員によって扶養されていた重度障害者
② 前項(3)(4)における扶養されていた者とは所得税法上の扶養親族をいう。
③ 受給権者の認定は会員の死亡日現在に

て行なう。但し、障害給付を受けていた者が死亡した場合は障害給付を受ける前の状態における扶養関係について行なう。

第3条（受給権者）
遺族給付の支給額は次の通りとする。

受給権者
一人の場合　　一〇〇、〇〇〇円
二人の場合　　一三〇、〇〇〇円
三人以上の場合　一五〇、〇〇〇円

第4条（支給額）
会員が死亡した翌月より五年間支給する。但し規約第〇条〇項による障害給付を受けていた場合はその期間を通算して五年間とする。

第5条（受給権の消滅）
次の場合は、その翌月より該当する遺族の受給権は消滅する。
① 死亡
② 婚姻及び養子縁組をしたとき
但し、妻が再婚したときは子の受給権も消滅することを原則とするが、事情によってはその都度本部委員会で検討し受給権を与えることがある。
③ 子が一八歳に達したとき
④ 重度障害者がその状態が消滅したとき
⑤ 六か月以上行方不明のとき

第6条（支給方法）
遺族の代表者又はその代理人が指定する方法により、当月分を当月二五日に各支部

障害年金規程

NG共済会
（会員　三、五〇〇人）

表記の規程を次の通り制定する。

1　目　的

この規程は、NG共済会会員が在職中に受けた業務外の負傷疾病により退職する場合、その生活を援助するための障害年金（以下年金という）について定める。

2　年金受給資格者

年金の受給資格者は、六か月以上の加入期間を経て、在職中に受けた業務外の負傷疾病により退職し、厚生年金で定める障害等級一～三級に該当する終身労働不可能な会員とする。

(1) 年金受給者は、会員であった本人
(2) 本人と同一生計下にあり、主として本人の収入で生計をたてていた配偶者（以下配偶者という）
(3) 一八歳未満の子

・班より送金する。（当月分は前月一六日～当月一五日）

第7条（受給人としての遺族代表者・代理人）
① 受給権を有する遺族が二人以上いる場合は受取人として次の順位により遺族の代表者を定める。

順位
(1) 配偶者
(2) 子（年長者を先順位とする）
(3) 父・母・祖父・祖母（順位はここに掲げる順序）
(4) その他の者

② 代表者が一八歳未満の場合及び受取人としての能力を有しないと認められるときは、その代理人を定めなければならない。

第8条（提出書類）
遺族の代表者又はその代理人は、給付を受けるため次の各書類を提出しなければならない。

① 遺族給付願　会員死亡後三〇日以内及び毎年四月二〇日
② 遺族給付関係事項変更届　変更後一五日以内
上記の届出書には、必要に応じて戸籍抄本・印鑑証明書その他の書類を添付しなければならない。

第9条（給付の決定通知）
遺族給付の支給を決定したときは、各支部長又は班長は、直ちに遺族の代表者又はその代理人に対しその旨通知しなければならない。

第10条（給付の停止）
① 定められた書類の提出がない場合は、給付を一時停止することがある。
② 不正受給が認められたときは直ちに給付を停止することがある。

第11条（主管）
この要綱に定める給付の認定は支部委員会において行ない、支払は各支部・班の一般会計をもってこれにあてる。
但し、不正受給による給付の停止及び運用上疑義を生じたときは本部委員会において審議決定する。

第12条（遺児育英年金制度との関係）
満一八歳以上に達し、遺族給付による資格を喪失した者が大学短大、その他これに準ずる学校に進学した場合には、その時点より遺児育英年金制度による給付を受けることになるが、その期間は遺族給付制度による給付と通算し五年を限度とする。

第13条（実施期日）
この要綱は、〇〇年〇月〇日より実施する。

（本制度発足、　□□年〇月〇日）
（一部改正、　□□年八月〇日）
（一部改正、　××年〇月〇日）
（一部改正、　△△年〇月〇日）

XIII 共済・互助に関する規程

とする。
但し、受給資格者の決定にあたってはその都度理事会で審議する。

3 給付額

年金の給付額は、以下の通りとし、給付対象者は本人を含め最高四人までとする。但し、配偶者が身体障害者である場合には、給付額を三万円とする。

給付対象者	給付額（月額）
会員であった本人	四〇、〇〇〇円
配偶者	一〇、〇〇〇円
一八歳未満の子一人につき	一〇、〇〇〇円

4 給付期間

1. 給付期間は一二年とする。但し、次の各号の一に該当するときはこれにかかわらず打ち切るものとする。
   なお、(1)、(2)、(3)、(4) の場合は給付対象者全員について、(5)、(6)、(7) の場合は該当者についてのみ、各々打ち切るものとする。
   (1) 本人が在籍していたと仮定した場合の定年年齢に達したとき、または社会復帰したとき。
   (2) 受給者の所在が明らかでなくなったとき。
   (3) 年金受給資格者である本人が死亡したとき。
   (4) 虚偽の申出により受給したことが判明したとき。
   (5) 離婚したとき。
   (6) 子が一八歳に達した後の最初の三月に到達したとき。
   (7) 本人以外の給付対象者が死亡したとき。
2. 給付は、障害を理由に退職した翌月から開始し、打切り事由の発生した月までとする。

5 給付の手続

1. 年金の給付を希望するときは、「障害年金給付申請書」に「住民票」を添えて、退職後一か月以内に共済会に提出しなければならない。
2. 給付の認定は理事会にはかった後理事長が決定する。
3. 給付の認定を受けた者には「障害年金証書」を交付する。
4. 給付は原則として毎年一月、四月、七月及び一〇月の月末に指定の銀行口座に振込によって行う。

6 受給者の義務

1. 年金受給者は次の各号を遵守しなければならない。
   (1) 死亡、婚姻、養子縁組等受給者の受給条件に関係する事項に異動が発生したときは直ちに共済会に届出なければならない。
   (2) 受給者は受給資格内容等の変更の有無について、毎年二月に所定の様式により共済会に報告しなければならない。
   (3) 受給者が住所・氏名を変更する場合は直ちに共済会に届出なければならない。
   (4) 年金の給付を受ける権利は他に譲渡または担保に供してはならない。
2. 前各号に違反した場合は給付を停止または打切ることがある。

7 返還

故意または重大な過失により不当に年金の給付を受けた場合、不当の事実発生の当初に遡って給付額全額を共済会に返還しなければならない。

8 年金給付中の本人死亡

年金受給中に本人が死亡した場合、その遺族の中の遺児年金受給資格者に対して障害年金の残存期間について遺児年金に切替え支給する。

9 一時金

1. 次の各号の一に該当するときは年金に代えて一時金を支給する。
   (1) 会員が業務上の障害により退職するとき。
   (2) 年金総給付額が一時金の額に満たないとき。
2. 一時金の額は三〇万円とする。

10 付則

1. 労働者災害補償保険法による給付のある場合、この規程による給付は行なわない。又、会社に対して損害賠償請求を行なう場合には、この規程を適用しない。
2. 本規程において身体障害者とは厚生年金保険法に定める障害等級一～三級の該当者、又は身体障害者手帳を交付されている者でこれに値する終身労働不可能な者をいう。
3. この規程は、〇〇年〇月〇日より実施する。
4. △△年〇月〇日以前の適用者は旧制度の適用により給付する。
5. この規程に定めない事項及び疑義が生じた場合は、理事会で審議の上理事長が決定する。

家族療養見舞金支給規程

TS商事互助会
（会員 四三〇人）

（目的）
第1条　互助会員家族の医療費支出にあたり、これを補助するため、家族療養見舞金を給付して、会員医療費の軽減を図ることを目的とする。

（対象とする家族）
第2条　家族療養見舞金給付の対象となる会員の家族とは、会則第〇条〇項第〇号及び第〇号に該当する会員の健康保険被扶養者証に記載してある被扶養者とする。

（対象となる医療）
第3条　家族療養見舞金給付の対象となる医療は、健康保険被保険者証を保険医療機関に提示して、傷病の治療を受けたものとする。

（支給基準）
第4条　1　会員の家族が医療を受けた場合、健康保険適用自己負担金として支払った家族の一人当りの医療費一か月分（一日から末日まで）に相当する金額を家族療養見舞金として給付する。ただし、その額が健康保険法による高額医療費が支給される場合は自己負担金をもって止め、一〇〇円未満の場合は給付しない。

2　前項の規定にかかわらず、当該家族療養見舞金一件当りの額から一、五〇〇円を控除した金額を給付すべき家族療養見舞金の額とする。

（請求の方法）
第5条　会員が家族療養見舞金の給付を受けようとするときは、医療を受けた月の翌月の一〇日までに、その月の家族医療費をとりまとめ、家族療養見舞金請求書（第1号様式）に、保険医療機関発行の領収書（第2号様式）またはこれに代る書面を添えて、会長に提出する。ただし、医療を受けた月から六か月を経過したときは、その請求権は消滅する。

（給付の停止等）
第6条　次の各号の一に該当するときは、家族療養見舞金の全部または一部について給付を停止し、またはすでに給付した家族療養見舞金の返還を求めることができる。
① 当該家族の故意による給付原因にもとづくとき
② 不正な手段により請求または受領したとき

附　則
この規程は、〇〇年〇月〇日から適用する。

人間ドック実施に関する規程

TS商事互助会
（会員　四三〇人）

（目的）
第1条　この規程は、TS商事株式会社互助会（以下「本会」という）の会員及び三〇歳以上の配偶者（以下「会員等」という）が成人病等の潜在性疾患を早期発見することにより、会員等の健康の増進を図ることを目的とする。

（種別）
第2条　人間ドックの種別は、次のとおりとする。
① 宿泊人間ドック　　　一泊二日
② 日帰り人間ドック　　一日

（実施医療機関及び検査料）
第3条　1　人間ドックの実施医療機関は、本会の指定する医療機関とし、検査項目及び検査料（本会負担金及び会員等一部負担金）は別に定めるものとする。（注）
2　前項の会員等一部負担金は、受診申込みの際本会に払込むものとする。

（申込み及び承認）
第4条　人間ドックを利用しようとする会員等は、別紙様式（略）による人間ドック利用申込書を本会に提出し、その承認を受けなければならない。

（利用回数）
第5条　人間ドックの利用回数は、原則として年度内一人一回とする。

（その他）
第6条　この規程に定めるもののほか必要な事項は、会長が別に定めるものとする。

附　則

この規約は、〇〇年〇月〇日から施行する。

─── 参考 ───

令和二年度負担割合

① 指定する医療機関…日本赤十字社医療センター
② 人間ドッグ検査料
　ア、宿泊（一泊二日）の場合
　　　　　　　　　　……七二、六〇〇円
　イ、日帰りの場合　……四四、〇〇〇円
③ 互助会補助
　ア、宿泊の場合　…二二、三〇〇円
　イ、日帰りの場合　……一五、〇〇〇円
④ 会員負担
　ア、宿泊の場合　…四九、六〇〇円
　イ、日帰りの場合　……二九、〇〇〇円

XIV 能力開発等に関する規程

従業員層別にみた教育訓練の実施内容

(単位：％)

	日常業務の中での計画的な指導・訓練	事業所内での定例的な研修・勉強会	通信教育・通学	協同組合等の共同訓練等	親会社・取引先等での共同研修	社外の講習会等への参加	中小企業大学校・中央県等の研修会等への参加	職業訓練校等への派遣
幹部社員層	28.1	36.7	5.2	15.4	23.2	58.1	5.3	1.3
一般社員層	41.1	41.4	5.8	16.8	19.5	45.2	3.0	3.6
新入社員層	57.0	42.7	3.9	10.6	12.2	29.9	1.5	3.4

資料出所　全国中小企業団体中央会「中小企業労働事情実態調査結果報告」
(注)　8項目複数回答

〈コメント〉 能力開発等に関する規程

人材養成・能力開発の教育訓練の実態と対応

全国中小企業団体中央会調査によると、業種規模の大小を問わず、押しなべて中小企業が直面している労務管理上の最大の課題として「人材養成・能力開発(六五・二％)」をあげており、また経営上のあい路の第五位に「人材不足」(三〇・九％)がランクされていることからも、企業での人材確保の要請は高いものといえる。このことは中堅企業においても同じこととといえよう。

企業における人材養成・能力開発のための教育訓練の実態について、前掲の調査をみると一年間で教育訓練を実施したとするものは九八・一％となっており、中期的に行なっていこうとする企業の姿勢がうかがえる。それは企業の成長発展に優秀な人材を確保することは欠くことのできない条件であるからである。

このためには、経営トップの人材養成、能力開発に対する理解が重要であり、これを重視した労務管理を行うことが大切である。また、教育訓練の成果を引き出すには、その活用と処遇が関連するので、従業員の"ヤル気"を企業業績に反映させる手法を、経営者は十分検討、配慮することが必要である。

自己啓発の促進援助

従業員の自己啓発には、いろいろの形の援助の方法がある。それは、従業員の自己啓発を促進するため、応分の機会提供、便宜供与、資金援助、情報提供を行う必要がある。とくに、中小企業で働く従業員には、環境上、自己啓発に制約を受ける面がある。しかし、従業員が自己啓発に励むことは、結局は、企業の人材育成につながり、企業が行う従業員教育に肩代わりすることになる。

能力開発と規程

① 教育訓練の規程……当該企業が行う、企業内外の教育訓練の体系および実施方法
② 自己啓発の援助規程……自分の知識、技能を高めるとともに、創造力の開発に努めるための企業の各種援助
③ 創意工夫のための規程……提案制度等

なお、「事業所内での定例的な研修会・勉強会」による方法は各層の一般的な方法としてとらえることができよう。さらに、教育訓練を実施した企業について、今後の継続予定をみると、継続したいとする企業が九八・一％となっており、人材養成・能力開発のための教育訓練を決して一時的なものと考えず、中期的に行なっていこうとする企業の姿勢がうかがえる。それは企業の成長発展に優秀な人材を確保することは欠くことのできない条件であるからである。

員層は「社外の研修会・講習会への参加」によるものが多く、新入社員層では、「日常業務の中での計画的な指導・訓練」が最も多くなっている。

は、上表のとおりとなっている。幹部社員層、一般社員層では、教育訓練の方法については、五五・四％となっている。

XIV 能力開発等に関する規程

教育規則

（HY電子
・電子製品製造
・従業員 七五〇人）

会社は、企業の発展、社員の生活安定をはかり、国家社会の繁栄、国民福祉の増進に寄与するという基本的使命を達成するためには、社員各人の進歩と向上が必須の要件であることを認め、次の基本方針のもとに社員教育を強力に推進する。

1 愛社心を高揚する。
　会社が、電子産業における激甚な競争を克服して行くためには、愛社心を基盤とする社員各人の進歩、向上とおう盛なる勤労意欲が必須の条件となる。

2 職務上の知識、技能の向上をはかる。
　社員が、日常の職務を完全に遂行するためには、各人が優れた知識、技能を十分に体得することが必要である。

3 役付社員の管理監督能力の向上をはかる。
　各級役付社員は、部下を管理、監督して所管業務の遂行にあたるものであるから、部下の資質、能力を向上し職場士気を高め、会社業務の効率化を推進する責任がある。

4 職場の秩序を確立する。
　会社は、社員が相協力して職場の業務達成のため共同の生活を営むところである。したがって職場の秩序と人の和を積極的に確立する必要がある。

第1章 総則

（目的）
第1条　この規則は、会社が社員教育の円滑かつ効果的な運営を期するため定めたものである。

（教育の実施）
第2条　社員教育は、会社が経営管理の一環として推進する。

（教育を受ける義務）
第3条　社員は、会社の指示する教育を進んで受けるとともに、自らの進歩と向上に常に最善をつくさなければならない。

（教育の種類）
第4条　会社は、次の各号に定める教育を行う。

① 知識、技能の教育
　(ア) 管理監督に関する知識および技能
　(イ) 担当業務に関する知識および技能
　(ウ) 職責に関する知識
② 態度教育
　(ア) 職場士気高揚に関する教育
　(イ) 規律教育
③ 前各号のほか会社が必要とみとめた教育

第2章 教育実施上の原則

第5条　この章は、教育実施上、よるべき基本的な原則について定めたものである。

（各部課長の行う教育）

第6条 各部課長は、教育担当部課と協力して部下の指導に不断の努力を払って教育成果の充実をはからなければならない。

(教育担当部課長と他の部課長との基本関係)

第7条 教育担当部課長は、他の各部課長と緊密に連携の上、適切な指針と援助を提供する。

2 各部課長は、前項の指針と援助を積極的に活用する。

3 前2項のほか教育担当部課長は、他の各部課長とともに、分担する責任および職務の詳細に関しては、第三章、第四章および第五章に定める。

(必要点に基づいた教育)

第8条 教育の実施に関与する者は、教育の必要点を明確に把握し、適正な実施目的と方法を定めなければならない。

(教育の継続)

第9条 教育の実施に関与する者は、常に教育を継続して行い、一時的な実施に終わらせてはならない。

(業務および生産への活用)

第10条 教育の実施に関与する者は、教育を単に実施するにとどまらず、教育を受けた者が実際の業務および生産に活用しうるように援助しなければならない。

2 教育を受ける者は、教育を単に受けるのみならず、実際の業務および生産に活用しなければならない。

第3章 教育に関する責任の区分

第11条 この章は、教育担当部課長と、他の各部課長との教育に関する責任区分を明らかにするために定めたものである。

(各部課長の責任)

第12条 各部課長は、部下社員の担当する職務遂行に必要な知識、技能ならびに態度の向上を目的とする教育を計画実施するとともに、その成果について直接の責任を負う。

2 前項のほか各部課長は、第13条第1項に定める教育実施後の指導およびその成果について責任を負う。

(教育担当部課長の責任)

第13条 教育担当部課長は、社員に共通して必要な知識、技能ならびに態度の向上を目的とする教育の計画およびその円滑な実施に関し、直接の責任を負う。

2 前項のほか教育担当部課長は、各部課の担当業務に関する教育計画を総括し、必要に応じその円滑なる実施を援助する。

第4章 各部課長の職務権限

第14条 この章は、各部課長の社員教育に関する職務内容について定めたものである。

(部長)

第15条 部長は、所属各課長の担当業務に関する教育計画を審査するとともに、当該部の教育計画を作成する。

2 部長は、所属各課長の教育実施の成果について審査する。

3 部長は、所属部門の教育計画ならびに教育成果について教育担当部課長に通報する。

(課長)

第16条 課長は、所属従業員の担当業務に関する教育計画を作成し、部長に提出する。

2 課長は、所属従業員の教育成果について部長に報告する。

第5章 教育担当部課長の職務権限

第17条 この章は、教育担当部課長の社員教育に関する職務の詳細について定めたものである。

(担当取締役)

第18条 担当取締役は、会社における教育の担当責任者として、教育基本方針に基づき、会社の全般的教育の実施方針を作成し、社長の承認を得て、勤労部長および各工場長に指示する。

(勤労部長)

第19条 勤労部長は、本社における教育の責任者、ならびに各工場の教育の調整の責任

者として、次の各号の職務を行う。

① 本社および各工場における教育の必要点検を参しゃくして、会社における教育の実施方針案を作成し、担当取締役に提出する。

② 各工場における教育計画ならびに教育成果について審査し、必要に応じ各事業部長に指示する。

③ 本社における教育計画ならびに教育成果について審査する。

（人事課長）
第20条　人事課長は、次の各号の職務を行う。

① 毎年〇月および〇月に、本社各部課の教育計画を総括して、本社全般にわたる教育計画を作成し、勤労部長に提出する。

② 本社各部課の教育の実施を調整する。

③ 毎年〇月および〇月に、本社各部課の教育実施報告書を総括して、本社全般にわたる教育実施報告書を作成し、勤労部長に提出する。

④ 担当取締役または勤労部長が各工場長または事務部長に対して行う指示等に関する事務手続を行う。

⑤ 各工場長または事務部長から担当取締役または勤労部長に対して行う報告等に関する事務手続を行う。

⑥ 前各号のほか、勤労部長の指示により教育に関する事務的事項を処理する。

（工場長）
第21条　工場長は、担当取締役の指示により、工場における教育の責任者として、工場における教育計画ならびに教育成果について審査する。

（事務部長）
第22条　事務部長は次の各号の職務を行う。

① 毎年〇月および〇月に、工場各部課の教育計画を総括して、工場全般にわたる教育計画を作成し、工場長に提出する。

② 工場各部課の教育の実施を調整する。

③ 毎年〇月および〇月に、工場各部課の教育実施報告書を総括して、工場全般にわたる教育実施報告書を作成し、工場長に提出する。ただし、第13条第1項に定める教育の実施報告書については、工場長の承認を得て、勤労部長に提出する。

（工場勤労課長）
第23条　工場勤労課長は、次の各号の職務を行う。

① 担当取締役または勤労部長から工場長または事務部長に対して行う指示等に関する事務手続を行う。

② 工場長または事務部長が担当取締役または勤労部長に対して行う報告等に関する事務手続を行う。

③ 前各号のほか、事務部長の指示により教育に関する事務的事項を処理する。

第6章　教育関係機関

（教育関係機関の設置）
第24条　本社および各工場は、教育計画の作成およびその円滑な実施に資することを目的とする機関を設けることができる。

（施行）
第25条　この規程は〇〇年〇月〇日から施行する。

（制定・△△・〇・〇）

社員教育実施規程

NK電機
・電気機器
・資本金　一五億円
・従業員　一、四〇〇人

第1章　総則

（この規程の適用範囲）
第1条　当社の社員教育に関することはすべてこの規程の定めるところにより実施する。

（教育目的）

XIV 能力開発等に関する規程

第2条 社員教育の目的は、社員に対し会社業務に必要な知識および技能を計画的に付与することにより、各自の潜在能力を啓発し、もって会社の企業目的を完遂するに相応した知識、技能、企画力、判断力等を持つ人材を育成することにある。

(教育方針)
第3条 教育実施の基本方針は次の通りとする。
(1) 教育は会社が計画、実施する集合教育および管理、監督者が行う現場教育を基本とする。
(2) 教育は計画的かつ継続的に行うものとする。
(3) 教育は必要な事項を適切な時期に効果的に行うものとする。

(教育内容)
第4条 教育は次の事項について行うものとする。
① 業務知識　② 素養、人格　③ 業務処理能力　④ 責任感　⑤ 協調性　⑥ 理解判断力　⑦ 企画応用力　⑧ 経営管理能力　⑨ 指導統率力　⑩ その他必要と認めた事項

(教育種類)
第5条 社員教育は集合教育、現場教育その他の教育に分ち、次の通りとする。
A 特別教育
1 基本教育
   (イ) 管理者教育
   (ロ) 監督者教育
   (ハ) 考課者教育
   (ニ) 中堅社員教育
   (ホ) 新入社員教育
2 職務教育
   (イ) 営業担当スタッフ教育
   (ロ) 営業担当ライン教育
   (ハ) 経理担当者教育
   (ニ) 総務担当者教育
   (ホ) 貿易担当者教育
   (ヘ) 技術職教育
3 その他の教育
   (イ) 一般教養講座
   (ロ) その他必要と認められた教育
B 現場教育

(教育方法)
第6条 集合教育は前条に定める教育とし、現場教育は配属先の所属長が当規程第49条に定める基本方法等に基づき日常業務を通じて実施するものとする。

(教育方式)
第7条 教育は計画的かつ継続的に行い、各種資料を整備し、必要に応じて次の方式等により適時適切に行うものとする。
① 講義方式　② 通信方式　③ 会議方式　④ 視聴覚方式　⑤ 実演　⑥ 事例研究　⑦ 討論方式　⑧ 教育資料配布
(教育に関する主務担当者)

第8条 教育に関する主務担当者は人事課長とする。

(教育担当部署)
第9条 第5条に定める集合教育を担当する部署は人事課とする。人事課は全社の体系的教育計画を定期的に立案し、実施する。

(管理者ならびに監督者の心得)
第10条 管理者ならびに監督者は会社が指示する部下の教育に関して、日常業務に悪影響を及ぼすことのないように事前に計画的に業務を遂行し、部下を教育に参加させなければならない。

(受講者の義務)
第11条 教育に関する受講を指示された者は業務上重大なる支障のない限り出席し、終了しなければならない。
　教育を受けた者は、教育により得た知識、技能等を日常業務に活用しなければならない。

(効果の測定)
第12条 実施された教育の効果測定は計画的かつ継続的に教育目的に適応した方法により行うものとする。

(社員名簿への記録)
第13条 会社が指示する集合教育を受けた者については、その旨を社員名簿に記録する。

社員教育実施規程

第2章　管理者教育

（目　的）
第14条　経営組織の中枢体を形成する全管理者を指導啓発し、広い視野に立った理解力、管理能力を養う。

（種　類）
第15条　管理者教育の種類は基本教育、補習教育、特定教育の3種類とする。

（対象者）
第16条　対象者は課長補佐ならびにこれに準ずる者以上の役職者で、基本教育対象者は基本教育実施以前1年間において当該職位に就任した者とし、補習教育対象者は当該年度における基本教育を受けた者とする。なお、基本教育および補習教育以外の特定教育の対象者はその都度定めるものとする。

（方　法）
第17条　原則として毎年基本教育と補習教育の2回とし、必要に応じて特定教育を実施するものとする。

（実施回数）
第18条　実施方法は次の方法等とする。
(1) 社外講師に依頼して講義および会議を行う。
(2) 自己啓発にまつところが大であるが、その機会を与えるため社外研修への参加を指示する。
(3) 管理者必携等を活用する。

（内　容）
第19条　主として表1に示すMTPを基本とする。
なお、この他の内容についても必要に応じて教育するものとする。

表1　管理者教育内容（MTP）　（21時間コース）

	教育項目		内　　容
1	新時代の管理者管理の概念	A	現代管理者の責任
		B	管理の諸概念と管理者の心構え
2	組織の原則	A	指令系統, 統制の限界
		B	作業割当, 権限の委譲
3	管理の5機能	A	計画機能, 組織機能
4	管理の5機能（続）時間の管理	A	指令機能, 協調機能
		B	統制機能, 時間の管理
5	代行者と新従業員の育て方	A	代行者の必要性, 代行者の育て方
		B	新従業員の育て方
6	作業教育	A	教育の原則, 教えるための4段階
		B	教える準備
7	職場会議安全	A	会議の計画と準備, 会議指導法
		B	安全の重要性, 管理者役割
8	作業方法の改善	A	動作節約の方法
		B	作業方法改善の5段階
9	作業関係	A	積極性の育成, 信頼の獲得
		B	叱責と罵倒, 問題の処理
		C	よい従業員関係のあり方
10	よりよい人の扱い方	A	適材適所, 従業員の作業
		B	能力の増進, 能力の活用
		C	職場士気, 新知識の適用

第3章　監督者教育

（目　的）
第20条　監督者としての部下に対する指導力、統率力を養うと同時に、経営管理に関する基本的知識、能力を養う。

（種　類）
第21条　監督者教育の種類は基本教育、補習教育、特定教育の3種類とする。

（対象者）
第22条　対象者は係長および出張所次長で、基本教育対象者は基本教育実施以前一年間において当該職位に就任した者とし、補習教育対象者は当該年度における基本教育を受けた者とする。なお、基本教育および補習教育以外の特定教育の対象者はその都度定めるものとする。

XIV 能力開発等に関する規程

(実施回数)
第23条 原則として毎年基本教育と補習教育の2回とし、必要に応じて特定教育を実施するものとする。

(方法)
第24条 実施方法は次の方法等とする。
(1) 社内外講師に依頼して講義および会議を行う。
(2) 社外研修への参加を指示する。
(3) 管理者必携等を活用する。

(内容)
第25条 主として表2に示す改訂版TWIを基本とする。
なお、この他の内容についても必要に応じて教育するものとする。

表2 監督者教育内容（TWI）　（21時間コース）

教育項目		内容
1 職長の立場と企業目的	A	前おき、教育目的と進め方
	B	企業目的と経営に必要な仕事
	C	経営の組織
	D	職長の責任と基本的心構え
2 職場管理の進め方	A	科学的な仕事の進め方
	B	仕事の計画
	C	グループの編成と指令の仕方
	D	仕事の統制
	E	自己統制と時間の管理
3 部下の育て方(1)	A	代行者の育て方
	B	新入従業員の育て方
4 部下の育て方(2)	A	作業訓練と職長の責任
	B	教える準備
	C	実施教示の4段階
	D	教育の原則
	E	結果の検討
5 職場会議と安全作業	A	職場会議の計画と準備
	B	会議の指導と結果の検討
	C	安全作業と職長の責任
	D	災害の原因
	E	災害防止の方法
	F	衛生状態の向上
6 作業方法の改善	A	改善に対する職長の責任
	B	動作節約の原則
	C	改善の目のつけどころ
	D	現状の分析把握
	E	分析結果の検討
	F	改善案の案出
	G	適用の方法
7 職場における人間関係	A	人間関係の重要性
	B	共通の心理と個人差
	C	よい従業員関係をつくるには
	D	真の指導者とは
	E	積極性の育て方と率先垂範
	F	信頼を得るには
	G	上手な話し合いの仕方
	H	正しい叱り方
	I	不平不満の問題解決の仕方
8 講座のまとめと自己向上	A	適材適所
	B	働く障害を除き、働く意欲を向上させる
	C	知識、技能を向上させる
	D	労力、時間のムダをはぶく
	E	チーム・ワークと指導性
	F	自己向上のあり方

第4章 考課者教育

(目的)
第26条 考課評定者の人事考課に関する基本的知識、技能を養うことにより、一般従業員の成績評価をより公正化し、もって公平な人事管理を行う。

(対象者)
第27条 対象者は考課評定者とする。

(実施回数)
第28条 実施回数は必要に応じて定めるものとする。

(方法)
第29条 実施方法はその都度定めるものとする。

第5章 中堅社員教育

(目的)
第30条 中堅社員が職場のリーダーとしての資格を備えるために仕事の知識と技能を持ち、人を扱うことの技能を養い、管理能力を身につける。

(対象者)
第31条 対象者は原則として入社5年度の社員とする。

社員教育実施規程

表4　新入社員受入れ教育

	内　　　容
	会社概況解説
就業規則等の解説	1　就業規則と労働法 2　給与規程，旅費規程 3　資格制度
当社の業種について	1　流通経路 2　当業種の意義 3　当業種の機能 4　現代マーケティングと当業種 5　当社業界について
電話実務講座	1　講義およびディスカッション 2　スライド上映「電話のかけ方」 3　ロール・プレイング
新入社員としての心構え	1　新入社員としての心構え 2　我が社のモットー 3　一般規律 4　服務心得 　　上映スライド 　　1．今日から貴方は社会人 　　2．新入社員心得 　　3．挨拶，態度
仕事の仕方	1　仕事に対する考え方 2　科学的な仕事の進め方 3　命令の受け方 4　報告の仕方 　「上映スライド： 　　　　科学的な仕事の進め方」 5　文書の作り方 6　数字の書き方 7　ファイリングの仕方 8　仕事の改善の仕方 9　会議のあり方 　　「上映スライド：提案の仕方」
職場の人間関係	1　人間関係の意義（3分間スピーチ） 2　チームワークの重要性 3　PRとサービス 4　上役とうまくやるには 5　同僚とうまくやるには
自己管理	1　優れた社員になるには 2　健康管理 3　結び

表3　中堅社員教育内容

教育項目	内　　　容
1　中堅社員の立場	A　中堅社員の立場と役割 B　常に念頭に置くべき事 　(1)　現代の経営概念 　(2)　科学主義 　(3)　創造性 　(4)　原価意識 　(5)　自己の立場の検討
2　経営の組織	A　組織とその生成 B　組織の型と特質 C　組織の原則 D　協力，協調の関係
3　仕事の仕方	A　事務とは B　仕事の進め方 C　能率と心理 D　報告の仕方
4　仕事の改善	A　事務改善の目標 B　改善の手順 C　動作節約の原則 D　事務分析 E　集団思考
5　補佐と指導	A　補　佐 B　意見具申の仕方 C　代行の心得 D　新人の受け入れ方 E　仕事の指導
6　職場の人間関係	A　人間関係の重要性 B　よりよい人間関係を築くために C　不平不満について
7　自己啓発	A　コースのまとめ B　すすむべき2つの途 C　性格の自己診断と分析

XIV 能力開発等に関する規程

ただし、補習教育の必要性に応じ翌年度においても受講させる場合もある。

第37条 対象者は教育実施年度に入社した新規学卒職員および前年度四月一日以降入社し、前年度新入社員教育を受けなかった職員とする。

第38条 実施回数は原則として毎年基本教育および補修教育の二回とする。

（方法）
第39条 講義方式を主体とし、会議方式、映画等の視聴覚方式、合宿等も活用する。

（内容）
第40条 主として表4に示す内容を基本とする。

第7章 アイデア開発の教育

（目的）
第41条 当社社員にアイデア開発のため必要な基礎知識、能力を養うことにより、アイデア開発による企業発展を目的とする。

（対象者）
第42条 対象者は全員とする。

（実施回数）
第43条 実施回数は必要に応じて定めるものとする。

（方法）
第44条 実施方法はその都度定めるものとする。

なお、この他の内容についても必要に応じて教育するものとする。

第8章 一般教養講座

（目的）
第45条 当社社員として、常識的、一般的知識を与えることにより、人格、教養を高め、よって社員の質的向上を計る。

（対象者）
第46条 対象者は全員とする。

（実施回数）
第47条 実施回数は必要に応じて定めるものとする。

（実施回数）
第32条 実施回数は原則として毎年一回とする。

（方法）
第33条 実施方法は次の方法等とする。
(1) 社内外講師に依頼して講義および会議を行う。
(2) 社外研修への参加を指示する。
(3) パンフレット等を活用する。

（内容）
第34条 主として表3に示す内容を基本とする。

なお、この他の内容について必要に応じて教育するものとする。

第6章 新入社員教育

（目的）
第35条 新入社員に対して当社の概要を総合的に把握せしめ、社員としての基礎的、一般的知識、技能を与えると共に企業組織、更には社会の一員としての協調精神、責任観念を養成する。

（種類）
第36条 新入社員教育の種類は基本教育、補習教育の2種類とする。

（対象者）

新入社員補習教育

特別講義	「これからの○○に経営者が期待するもの」
社員としての基礎知識講座	
ブレーン・ストーミング（テーマは後日検討）	
定型コース	① 企業目的と新時代の社員 ② 仕事に対する考え方 ③ 人間関係 ④ 仕事の進め方 ⑤ 話し方の基礎実習 ⑥ 応待の要領 ⑦ 文書の作成と管理 ⑧ 自己向上
グループ・ディスカッション	

第9章　現場教育

（目　的）

第49条　集合教育と現場教育は相互補完の役割があり、現場教育は日常業務または日常の接触の機会を通じて部下の創造力を啓発し、責任感や仕事への意欲を高め、協力一致の精神を培い、また仕事への満足感を与え、さらには人間的成長を計るために行う。

（対象者）

第50条　対象者は全社員とする。

（実施時期）

第51条　実施時期は常時として、特に次の場合は重点を置くものとする。

(1) 新入社員配属
(2) 配置転換
(3) 方法、手続の変更
(4) 新規業務方法の設定
(5) 仕事の結果を検討して

（方　法）

第52条　実施方法は次の方法等とする。

(1) 上司が模範となる行動等を示す。

(2) 日常の会議へ出席させ他人の話や意見を聞くことにより広い経験を持たせ、自己の意見を修正発展させる。
(3) 管理者ならびに監督者の仕事を代行させることにより、代行者の育成を計る。
(4) 特別な職務またはテーマを与えて指導する。
(5) 担当職務を計画的に交代させることにより、広い職務経験を習得させる。
(6) 打合会、職場懇談会等を通じて意思疎通を計り、必要な指導を行う。
(7) 部下の育成目的を達成するために積極的に必要な職場へ出向させる。
(8) 会社が指示する教育以外に、部下の教育必要点に基づいて効果的な時期に職場外の研修を受けさせて、実務と結びついた教育を施す。
(9) その他の機会を利用して、部下と接触することにより必要な指導・育成を計る。

付　則

（実施期日）

第53条　この規程は○○年○月○日より実施する。

（未受講者の取扱）

第54条　この規程実施日において、この規程に定める教育事項を受けていない者は対象年度に関係なく、その都度会社が指定する教育を受けるものとする。

新入社員現場教育実施要項

OH精機
精密機械
・資本金　八千万円
・従業員　三〇〇人

（目　的）

第1条　この要項は、当社の新入社員の現場教育の実施にあたっての基準を示したものである。新入社員の現場教育にあたる者は、この定める基準に従って教育をなし、この基準からはずれる特別な教育・指導・訓練を行うときは、必ず事前に労務課に届け出、承認を得てから行わなければならない。

（職場指導者）

第2条　新入社員の現場教育を行う者を「職場指導者」と呼称する。この「職場指導者」は、原則として新入社員の直属上司が担当するものとする。ただし、新入社員が多数のため、または直属上司に業務上の事由がある場合は、直属上司が指名した者がこれを分担することがある。

（職場指導）

第3条　新入社員に対する現場教育は、定型

第48条　実施方法は次の方法等とする。

(1) 社外講師に依頼して講義を行う。
(2) 社外研修への参加を指示する。
(3) 研修用動画、映画等を活用する。
(4) 社報、パンフレット等を活用する。

XIV 能力開発等に関する規程

的な日々行われる業務については、その都度、先輩または上司から行われるものとし、この要領においていう現場教育とは、職務上の「特定課題」について指導・教育を行うことをいう。

（教育課題の設定）
第4条　新入社員に対する教育課題は、次の三種とする。
(1) 経営方針に基づく年度部門目標達成のための本人の役割に関する課題
(2) 新入社員の適性に関する課題
(3) 将来担当させる職務に対して本人の不足している能力、技能、知識に関する課題

（課題設定の方法）
第5条　新入社員現場教育の課題を設定するにあたっては、前条の3区分のなかより、本人にとって最も必要と職場指導者が判断した課題と本人の希望する事項とを調整したうえで決定するものとする。

（課題設定の時期）
第6条　課題設定は、入社後三か月に行うものとする。なお、現場教育者は、新入社員が配属された時点から、すぐに本人の観察をはじめ、教育課題の検討に入るものとする。

（現場教育課題記述書の作成）
第7条　現場教育課題の推移は、別に定める「現場教育課題記述書」に記入して管理するものとする。なお、記述書の作成手順は次のとおりとする。
(1) 新入社員本人の教育希望事項を記す。
(2) 本人がなぜそれを希望したか、その事由を記す。
(3) 職場指導者の新入社員に対する現場教育課題を記す。
(4) 本人と職場指導者との面接・打合せの結果、最終的に決定された課題を記す。
(5) 決定された教育課題の指導スケジュール（一年間）を記す。
(6) 3か月毎に、職場指導者は、本人と面接し本人の教育成果について所見を記す。
(7) 一年間を経過した時点で、本人自身が教育課題に対して、どの程度所期の目的を達したのかの自己評価をさせ、その達成度を記入する。
(8) 同時に、期末に職場指導者自身が、新入社員に対する指導結果を反省し、自己評価を行って、その達成度を記入する。
(9) 職場指導者と本人は、期間終了時に面接を行い、職場指導者は本人の成果に対しての所見を記す。
(10) また、本人の今後についての所見を記す。この場合、次年度の課題、適性、他部署への配転、同一部署内の異動の必要性等についても記す。
(11) 職場指導者と新入社員との面接は、必要に応じて適宜に行われるものとする。

（現場教育課題記述書の人事課への提出）
第8条　前条によって作成された記述書は、一部は職場指導者の許に保管され、そのコピーは人事課に提出するものとする。

2　前項により記述書の提出を受けた人事課は、他の人事記録とともに、この記述書をファイルし、その本人についての「経歴発展計画管理」に活用するものとする。

（指導者の心構え）
第9条　職場指導者は次の事に留意して指導にあたらなければならない。
(1) 課題設定にあたっては、上司が一方的に押しつけるのではなく、新入社員がその課題について十分納得していること。
(2) 現場教育のねらいが本人の新しい環境への馴化、自己啓発、能力開発、そして戦力化にあることを銘記しておくこと。
(3) 教育にあたっては、新入社員の不安や自信の喪失などを生ぜしめる障害物を除去して、できるかぎり本人自身の力で課題をなし遂げさせるようにすること。

（課題遂行状況の観察点）
第10条　現場指導者は現場教育の課題遂行状況を次の視点から観察するものとする。
(1) 聞いてみる
(2) 書かせてみる
(3) やらせてみる
(4) 報告させてみる
(5) 代行させてみる

現場教育課題記述書

氏名	所属	職場指導者名	起票年月日	年　月　日	人事記録No.
			最終提出年月日	年　月　日	

①本人の希望する教育課題	②その理由	③職場指導者の本人に対する教育課題	④その理由

⑤教育課題	⑥決定に至る経緯	⑦教育スケジュール	月	月	月	月	月	月	月	月

⑨本人自己評価	⑩職場指導者指導自己評価	⑧期間別教育成果所見	1期	2期	3期	4期

⑪年間教育の総合評価(必ず本人と面接の上記入のこと)(　年　月　日面接)	⑫今後の指導留意点
	・専門知識について　・態度について　・部内異動について ・基礎知識について　・性格について　・部外異動について ・関連知識について　・資格について　・部外研修について ・能力について　　　・積極性について ・技術について

(6) 提案させてみる
(7) 注意や助言の受け方をみる
(8) 指示・命令の受け方をみる
(9) 仕事の仕振りをみる(段取・手順)
(10) 仕事の成果をみる(量・質・方法・時間・正確さ)
(11) 質問の内容・傾向をみる
(12) 問題の解決の仕方をみる
(13) 失敗したときの態度をみる
(14) ほめられたとき、叱られたときの反応をみる
(15) 不平・不満の傾向をみる
(16) 最も関心を示すもの、無関心なものをみる

(資料・教材等の作成または購入)
第11条　現場教育を行うにあたって、資料または視聴覚教材が必要とされるときには、別に定められた予算内において、それを作成または購入することができる。なお、予算を超える場合は、人事課に申請するを要する。

付　　則

第12条　この要項は○○年○月○日より適用する。

キャリア開発研修手続規程

（KM化学・化学製品製造・従業員 六〇〇人）

第1条（目的）
本制度はOJTを中心として、上位の職階・職級の職務遂行に必要な知識・技術、仕事の進め方等を修得せしめることを目的とする。

第2条（研修の種類および参加資格）

研修の種類	参加資格
三級研修A	三級B在級一年以上で希望するもの（第四種採用を除く）
三級研修B	三級C在級で職制に推薦されたもの
二級研修A	二級A在級二年以上で希望するもの
二級研修B	二級Bx在級二年以上で職制に推薦されたもの

（ただし、毎年五月現在での在級年数）

第3条（研修期間）
各研修の期間は一年以上とする。

第4条（推進委員会）
各研修に推進委員会を設け、研修参加者の仕事課題達成のための実行過程を側面からの仕事課題達成のための実行過程を側面から援助する。

推進委員の任命は、三級研修A、Bは工場事業場長、二級研修A、Bは人事部長が行う。

第5条（研修の内容）
① 三級研修A
(1) 研修の進め方
(i) 一次研修
研修参加者は職階二級に対応する業務を担ううえで必要な基礎的知識を自己研鑽によって修得する。
その進捗状況については課題を設定して審査し、適格と認められたものは二次研修に進むものとする。

(ii) 二次研修
研修参加者は与えられた仕事課題を自らのものとして把握し、その達成のための実行計画を充分吟味したうえで実践する。
この過程を補強するために次の場を設ける。

㋑ OFF研修会
このOFF研修会は二次研修の開始時に工場事業場長の主催によって実施し、仕事課題を達成していくための具体策を研修参加者みずからが吟味し、仕事の進め方、知識・技能に必要な仕事の進め方を確認する場である。

㋺ 実施状況発表会
この発表会は研修中途で工場事業場長の主催によって実施し、仕事課題の達成状況について研修参加者が発表する場である。

(2) 具体的手続
(i) 参加手続
研修参加希望者は、下記の研修コースを選択した上で、三級研修A参加届を作成し、所属課（室）長および工場事業場長を経由して、人事部長に届出る。
（研修コース）
a 事務、b 製造、c 技術

(ii) 公示
毎年四月に行う。

(iii) 一次研修の審査
一次研修の進捗状況についての審査は毎年八月に、人事部長の任命した審査委員によって構成される審査委員会が次の課題によって行い、その答申にもとづき二次研修への参加適格者を人事部長が決定する。
㋑ 仕事分野別に指定された参考図書の中で、選定した三冊の図書についての理解度
㋺ 小論文
㋩ 二次研修の審査および昇格認定二次研修の進捗状況についての審

キャリア開発研修手続規程

査は推進委員会が行い、昇格認定は職制の推薦および推進委員会の答申にもとづき工場事業場長が人事部長と協議し決定する。

② 三級研修B

(1) 研修の進め方

(i) 前期研修

研修参加者は与えられた仕事課題を自らのものとして把握し、その達成のための実行計画を充分吟味したうえで実践する。

(ii) 後期研修

前期研修における実践を更に継続するものとするが、この過程を補強するために次の場を設ける。

④ OFF研修会

このOFF研修会は後期研修の開始時に工場事業場長の主催によって実施し、研修参加者が前期研修の実施状況をふりかえり、検討を通して前期にたてた実行計画を更に練り上げる場である。

ロ 実施状況発表会

この発表会は研修中途で実施し、工場事業場長の主催によって実施し、仕事課題の達成状況について研修参加者が発表する場である。

(2) 具体的手続

(i) 参加手続

研修参加者は直属課(室)長から推薦され、工場事業場長に承認されたものとする。

なお、直属課(室)長は三級研修B推薦届を作成し、推薦対象者名を工場事業場長に届出る。

(ii) 公示

審査および昇格認定研修の進捗状況についての審査は推進委員会が行い、昇格認定は職制の推薦および推進委員会の答申にもとづき工場事業場長が人事部長と協議し決定する。

(iii) 公示

毎年四月に行う。

③ 二級研修A

(1) 研修の進め方

(i) 一次研修

研修参加者は、当該上位職級に対応する業務を担うに必要な専門的、体系的知識を自己研鑽によって修得する。

その進捗状況については課題を設定して審査し、適格と認められたものは二次研修に進むものとする。

(ii) 二次研修

研修参加者は与えられた仕事課題を自らのものとして把握し、その達成のための実行計画を充分吟味す

るために次の場を設ける。

④ OFF研修会

このOFF研修会は二次研修の開始時に人事部長の主催によって実施し、仕事課題を達成していくための具体策を研修参加者みずからが吟味し、仕事課題達成に必要な仕事の進め方、知識・技能を確認する場である。

ロ 実施状況発表会

この発表会は研修中途で工場事業場長の主催によって実施し、仕事課題の達成状況について研修参加者が発表する場である。

(2) 具体的手続

(i) 参加手続

研修参加希望者は下記の研修コースを選択した上で、二級研修A参加届を作成し、所属課(室)長および工場事業場長を経由して、人事部長に届出る。

(研修コース)
a 営業　b 企画・管理・開発
c 研究・技術　d 製造

(ii) 公示

毎年四月に行う。

(iii) 一次研修の審査

一次研修の進捗状況についての審査は毎年八月に、人事部長の任命し

XIV 能力開発等に関する規程

(ロ) 職務論文

① 指定図書の中から自ら選定した図書三冊（専門二冊・教養一冊）についての理解度。

ただし、製造コースは定められた通信教育の監督者訓練コースの終了（原則として平均点八〇点以上、各課目七〇点以上）をもって、これに代えることができる。

(ハ) 小論文

(iv) 二次研修の審査および昇格認定
二次研修の進捗状況についての審査は推進委員会が行い、昇格認定は職制の推薦および推進委員会の答申にもとづき人事部長が決定する。

④ 二級研修B

(1) 研修の進め方
研修参加者は与えられた仕事課題をみずからのものとして把握し、その達成のための実行計画を充分吟味したうえで実践する。この過程を補強するために次の場を設ける。

① OFF研修会
このOFF研修会は研修期間中に二回、人事部長の主催によって実施

た委員によって構成される審査委員会が次の課題によって行い、その答申にもとづき二次研修への適格者を人事部長が決定する。

研修の種類	取	扱
採用者教育	教育研修の取扱に準じますが、日当は適用しません。	
業務として行う教育	通常の就業と同様に取扱います。（編注：新設備、新技術の導入および事業の拡張、転換などを行う場合に実施する技能安全教育および安全衛生管理手続により実施する安全衛生教育）	
教育研修		教育研修で宿泊をともなう場合	社外の講習会などへ派遣された場合
	研 修 日 当	出発日帰着日以外1日につき600円	社員旅費手続にさだめる日当（参加費に朝夕食費が含まれている場合は600円）
	宿 泊 料	会社負担	宿泊した場合は社員旅費手続にさだめる宿泊料を支給
	交 通 費	社員旅費手続にさだめる交通費を支給	
	出発日、帰着日の日当	社員旅費手続にさだめる日当を支給	
	受 講 中 の 休 日	受講した場合は休日出勤として取扱います	
	研 修 時 間	所定就業時間を勤務したものとみなします	
特別研修（編注：教育研修のうち1か月以上にわたるもの）	賃 金	原則として基準賃金および住宅手当（補助金を含む）とします	
	休日・労働時間等その他の労働条件	状況により個別に都度さだめます	
	研 修 費 用	会社が補助を行います	
	管 理 担 当 部 門	原則として人事部または勤労担当課とします	
キャリア開発研修	通常の就業と同様に取扱いますが、OFF研修会参加時については教育研修の取扱に準じます。	

し、仕事課題を達成していくための具体策を研修参加者みずからが吟味し、仕事課題達成に必要な仕事の進め方、知識・技能を確認する場である。

㈡ 面接（実施状況発表会）

この面接は研修中途で人事部長が行い、仕事課題の達成状況について研修参加者が発表する場である。

(2) 具体的な手続

(i) 参加手続

研修参加者は直属課（室）長から推薦され、人事部長に承認されたものとする。

なお、直属課（室）長は二級研修B推薦届を作成して、推薦対象者名を人事部長に届出る。

(ii) 公示

毎年四月に行う。

(iii) 審査および昇格認定

研修の進捗状況についての審査推進委員会が行い、昇格認定は職制の推薦および推進委員会の答申にもとづき人事部長が決定する。

第6条（昇格認定者の取扱い）

① 昇格認定者は次の通り格付ける。

研修者	格付ける職掌	昇格時期
三級研修A	二級Aに対応する職掌。ただし、半年間は三級C－1号とする。	各研修おとおよび五月一一月
三級研修B	二級Aに対応する職掌	
二級研修A	二級Bに対応する職掌	
二級研修B	原則として、一級Aに対応する職掌	

② 昇格者の基本給が職階別最低基本給にみたない時は最低基本給まで引上げる。

附　則

第1条　この規程は、部門管理規程とし、管理責任者は人事部長・管理担当部門は人事部とする。

第2条　この規程は○○年○月○日より改訂実施する。

（制定　××年○月○日）
（改訂　△△年○月○日）

中央研修会等参加者取扱要領

（○○年○月○日以降）

TK技研
・金属製品製造
・従業員　二、○○○人

1　（適用範囲）

書記技手以上の社員が教育訓練実施要綱に基づく中央研修会または本社集合教育（以下中央研修日という）に参加する場合は、この取扱要領による。

2　（勤怠）

中央研修会参加期間中の勤怠は出張扱いとする。

3　（往復旅費日当）

中央研修会参加のための往復路については、内国旅費支給規則所定の往復旅費の取扱による。

4　（研修手当）

中央研修会期間中は泊数に応じ、次の研修手当を支給する。

ただし、前記区分(2)の場合で、下記該当者については、次の取扱による。

① 本社近接地在勤者が自宅通勤する場合の研修手当は、一泊につき一、○○○円とし、外に交通費の実費を支給する。

また、許可を得て本社宿泊施設へ宿泊し参加するときは、所定の研修手当（一、二○○円）を支給する。

区分	研修手当	宿泊料及び食費取扱
(1) 全員教育のため宿泊させて全日拘束教育を行ったとき	一泊につき一、二○○円	宿泊費、食費（三食）実費社費負担
(2) 本社宿泊施設へ宿泊させ原則として全日拘束教育を行わないとき	一泊につき一、二○○円	宿泊費、食費（朝夕二食）実費社費負担

② 本社近接地以外の場所在勤者が、会社宿泊施設以外に宿泊するときは、所定研修手当の外、一泊につき食費として三五〇円を加算支給する。

2・3 事務局は、総務部に置く。

ことができる。

人材育成委員会規程

（SD精工
精密機器
・従業員　八〇〇人）

1 目　的

人材育成を、長期的・全社的観点から検討し、推進するために、人材育成委員会（以下委員会という）を設置する。

2 構　成

2・1　委員会は、全社及び各部門の教育訓練責任者より会社が任命する委員長一名、委員若干名をもって構成する。

2・2　委員長、委員の任期は、八月一日より一年間とし、再任を妨げない。

委員長が必要と認める場合は、前項に定める以外の者を出席させ、意見を聞くことができる。

3 任　務

3・1　委員会の任務

3・1・1　委員会の任務は、次の事項について審議し、必要に応じ委員長は総務部長を経由して、社長に答申する。

(1) 人材育成に関する方針、制度に関すること

(2) 人材育成に関する諸施策に関すること

(3) 前二号に関する社内外の情報処理に関すること

(4) その他、社長の特命事項

3・1・2　前各号において委員長が必要と認めた事項、又は委員長が提起し社長が必要と認めた事項について審議し、これを社長に建議する。

3・2　委員長の任務

(1) 委員会の統括

(2) 委員会の招集及び議事の進行

3・3　委員の任務

(1) 審議への参加及び必要な情報の収集

(2) 委員の所属部門長との意思疎通

3・4　事務局の任務

(1) 委員会が必要とする資料の作成、配布

(2) 議事録の作成、保存

4 開　催

4・1　委員会の開催

4・1・1　定例委員会

定例委員会は毎月一回開催する。

4・1・2　臨時委員会

委員長が開催の必要を認めたとき、又は委員の開催要請の必要を認めたときは、臨時委員会を開催することができる。

4・2　委員会の成立

委員会は、委員長及び委員の過半数の出席をもって成立する。

なお、委員長が認めたときは、委員の代理者を出席させ、審議に参加させることができる。

記　事

1　この規程は〇〇年〇月〇日より実施する。

2　この規程は、少なくとも一年を経過するごとに見直しをして、確認、改定又は廃止する。

3　この規程の制定、改廃責任者は、総務部長とする。

4　この規程の原本管理者は、総務課長とする。

研修休職規程

TIデパート
小売業
・従業員 三、五〇〇人

（目的）
第1条 本規程は、従業員が自己啓発のため休職する場合の取扱いを定める。

（対象）
第2条 研修休職の対象者は、次の事由のすべてを満たす者とする。
① 自己の研修を目的とする一定期間の研修を申し出た者。
② 勤続五年以上で、休職期間終了後、引き続き勤務する意思のある者。

（休職期間）
第3条 研修休職期間は、最短一か月、最長一か年とし、在職中三回までの実施を認める。ただし、その間隔は最短五年に一回とする。

（運営）
第4条 本規程の運営については、会社・組合協議決定する。

（手続）
第5条 休職を希望する者は、所定の申請用紙に記入し証明するものを添えて、原則

として二か月前までに所属長を経て人事部教育訓練担当に申し出る。

（研修休職付与の認定）
第6条 研修休職の申し出があった時、会社・組合により次にあげる各項目を充分検討し、認定の可否を決定する。また、必要に応じて計画を変更させることがある。
① 研修目的
② 研修内容（研修先、主宰機関、研修費用等）
③ 休職実施時期
④ 休職実施期間
⑤ 休職希望者の能力、実績
⑥ 休職希望者の経済事情
⑦ 休職希望者の所属する要員

（研修休職者の義務）
第7条 休職実施者は、休職実施以前に会社に対し、休職期間中の連絡先および定期連絡の方法を明らかにしておく。

（休職期間の変更）
第8条 休職期間の変更を申し出た場合は、本規程第3条で定めた範囲内で認める。

（休職成果の報告）
第9条 研修休職終了後、休職実施者は、人事部教育訓練担当に研修休職の成果を報告する。
なお、必要に応じ会社・組合が認めた場合は、研修成果の発表の場を設ける。

（休職期間中の賃金および賞与）

第10条 研修休職期間中の賃金および賞与は支給しない。

（勤続年数）
第11条 研修休職の期間は勤続年数として加算する。
2 復職後一年未満で退職する場合は、原則として休職期間中の勤続年数は加算しない。

（経験年数）
第12条 休職期間中の経験年数は加算しない。
ただし、勤務する意思はあるが、退職を余儀なくされる事由が発生した場合は、会社・組合協議の上加算することがある。

（社会保険）
第13条 休職期間中は、社会保険の被保険者の資格は継続し、従業員負担分保険料は一時会社が立替える。
2 休職期間中または復職後に休職期間未満で退職する者は、従業員負担分保険料を退職時に会社に返済しなければならない。
3 復職後、休職期間以上勤務した者の従業員負担分保険料は会社負担とする。

（福利厚生）
第14条 休職期間中の福利厚生の取扱いについては、出勤しないために受けることのできない事項を除き一般と同様とする。
なお、割賦返済の残額がある場合、研修休職期間中の返済額を支払うものとする。

XIV 能力開発等に関する規程

（復職）
第15条　復職時の職場は、原則として原職とする。
　復職後、必要により再教育を行う。

（能力昇給）
第16条　研修休職を実施する者の能力昇給に関する取扱いは、原則として賃金規程による。
2　前項にかかわらず、研修休職の期間および時期によって、次の通り取扱う。
① 休職期間が六か月未満で四月一日をはさむ場合……復職した年度の能力昇給の時期は、復職時とする。
② 休職期間が六か月以上一年未満で四月一日をはさみ、かつ四月をさかのぼって六か月未満の場合……復職した年度の能力昇給の時期は、復職時とするが、翌年四月一日付能力昇給は実施しない。

（疑義）
第17条　本規程に関し疑義が生じた場合は、その都度会社・組合協議の上解決する。

（付則）
本規程は○○年○月○日より施行する。
　□□年○月○日制定
　××年○月○日改訂
　△△年○月○日改訂

通信教育制度要項

（HD工業・機械器具 従業員 八〇〇人）

1　目的
　事務系社員として必要な基礎的、専門的実務知識および管理者として必要な基礎知識を体系的に学習、習得することによって、能力向上をはかるため、通信教育制度を設ける。

2　教育内容と受講資格

教育内容（コース名）	受講資格
ビジネス・ペンコース	事務職社員3級の者
ビジネス文章　コース	履修開始日現在勤続11か月以上の事務職社員2級の者
事務職中堅コース	A．人事実務コース B．総務実務コース C．財務実務コース D．営業実務コース E．資材実務コース （いずれか1コースを選択）	事務職社員1級の者
事務職主任コース	事務職主任の者
副参事コース	Aコース（事務職主任コース未受講者、対象） Bコース（事務職主任コース受講済み者、対象）	事務職技術職副参事1級、同2級の者
希望受講者のみ対象	科目自由選択コース	別に定める諸科目の中から4〜6科目を任意に選択。（但し、将来、上記受講資格の発生するすき科目は選択できない）
	実用英語コース	A．1級コース B．2級コース C．3級コース （いずれか1コースを選択）

（注）1．各コースの科目内容は、別に定める。
　　　2．希望受講者とは、受講資格のない者が必要により受講を希望し、人事担当役員が認めた者をいう。
　　　　但し、希望受講者は、履修開始日現在、勤続11か月以上でなければならない。

3　教育の委託先（以下、委託先という）
　産業能率短期大学通信教育部
　日本ビジネスペンスクール
　日本英語教育協会

4　実施方法
① 募集・配本スケジュール（事情により若干変更する場合がある）

時期	内容
一月下旬	募集開始
二月中旬	申し込み締め切り
三月一日	履修開始日（第一回配本）
以後別に定める期間毎に	第二回以降の配本

〈注〉希望受講者およびビジネス・ペンコースについては、上記のほか九月一日を履修開始日とする。申込みも受付ける。

② レポートの提出

受講者は、各配本毎に、指定のレポートを本社総務部を通じて委託先宛提出する。

委託先では、レポートを添削、採点の上、成績一覧表と共に会社宛送付し本人に返却する。

③ 修了試験

修了試験の実施要領および合格判定基準は、別に定める。

但し、ビジネス・ペンコース、ビジネス文章コースならびに希望受講者については、修了試験を行なわない。

④ 費用

全額会社負担。但し、希望受講者については、次の通りとする。

申込時……受講料、半額会社負担、半額本人負担。

終了時……合格者のみ、本人負担分を会社負担に変える。

（但し、実用英語コースの会社負担については、申込時一〇、〇〇〇円、修了時合格者に対しては一〇、〇〇〇円とする）

5 昇格選考との関係

別に定める、内規第〇号（公式資格および通信教育を昇格要素とする件）における「通信教育修了合格」とは、レポートが全て合格するとともに、修了試験のあるコースでは修了試験に合格して、修了証の交付を受けることを言う。

6 施行

〇〇年〇月〇日より施行する。

公的資格取得報奨規程

（DN精機
精密機械
・従業員 八〇〇人）

（目 的）

第1条 この規程は、社員が業務に関係する公的資格を積極的に取得することを奨励し、会社の管理、技術、技能の水準向上をはかるとともに、社員の資格取得の労に報いることを目的とする。

（適用範囲）

第2条 (1) この規程は、会社の業務に関係ある公的資格（別表の「資格一覧表」に記載する資格とし、以下、この表という）を対象に適用する。

(2) 会社業務の変更、資格の新設などがあった場合は、関係部署と協議の上、そのつど別表に加除する。

（届出）

第3条 社員が別表の資格を取得後、この規定の適用を受けようとする場合は、遅滞なく「公的資格取得報奨規程による届出書」（以下、「届出書という」）に所定事項を記入し当該資格を取得したことを証する書類、並びにその取得のために要した費用額を証する書類を添付して、所属上司「課長」経由で勤労課に届出なければならない。

（受験料等の補助）

第4条 社員が別表の資格取得のために要した費用について、次の通り補助する。

(1) 受験料

① 第3条による届出のあった場合……受験料の全額

② 第5条による事前申請のあった場合……受験料の半額（取得した場合、残りの半額を追加補助する）

(2) 受験のための講習会費、通信教育費資格を取得した場合に限り、費用の半額を補助する。

(3) 限度額

前記(1)と(2)の合計額に対し、三〇、〇〇〇円を限度とする。

（事前申請）

第5条 社員が別表の資格を取得しようとする場合、希望があれば、申請により、事前に受験料の半額を受けることができる。

この申請は、届出書に所定事項を記入し、受験を証する書類を添付して、所属上司（課長）経由で勤労課に届出て行う。

XIV 能力開発等に関する規程

尚、本項の適用を受けた場合は、届出書により結果報告をしなければならない。

(受験料の返却)

第6条 第5条の申請によって事前に受験料の補助を受けた者が、私事都合により受験しなかった場合は、第4条(1)の②にかかわらず、既に受領した受験料の補助分を速やかに返却しなければならない。

(業務の都合によって受験できなかった場合はこの限りでない)

(受験のための時間、旅費の扱い)

第7条 受験のための時間の勤怠及び給与の扱いは、有届の私用扱いとし、旅費は自己負担とする。

(報奨金)

第8条 (1) 会社は、届出書により別表の資格を取得したことを確認した場合は、次の区分による報奨金を支給する。

区分　　報奨金額
一級　　一〇、〇〇〇円
二級　　八、〇〇〇円
三級　　五、〇〇〇円

(2) 報奨金の一級～三級の区分は、会社業務遂行上の必要度と、資格取得の難易度より決定し、別表に記載する。

(社名による取得の場合)

第9条 (1) 届出…第3条の通りとする。

(但し、会社で費用処理したものは、費用額を証する書類の添付は不要)

(2) 受験料等の負担…全額会社負担とする。

(3) 受験のための時間、旅費の扱い

時　間…業務上扱いとし、時間外又は休日にかかる場合は、教育手当支払規程を適用する。

旅　費…交通費の実費とし、旅費規程を適用する。

(4) 報奨金…取得した場合は、第8条の報奨金の五〇％を支給する。

〔会社の施設を利用して受験準備をする場合（技能検定）も同様とする。〕

(実施日)

第10条 ○○年○月○日から実施する。

(制定・△△・○・○)

資 格 一 覧 表

(別表)

資　格　名	必要度	難易度	報奨金　(円)
技　術　士	B	A	10,000
電気主任技術者　1種	B	A	10,000
電気主任技術者　2・3種	A	B	10,000
電気工事士	A	B	10,000
公害防止管理者（国家）	C	A	8,000
公害防止管理者（自治体）1・2級	A	C	8,000
公害防止管理者（自治体）3級	B	C	5,000
衛生管理者	A	B	10,000
衛生工学衛生管理者	A	B	10,000
防火管理者	A	C	8,000
消防設備点検資格者第1・2種	A	B	10,000
自家用発電設備専門技術者第1・2種	B	C	5,000
消防設備士	B	B	5,000
ボイラー技士　特級	B	A	10,000
ボイラー技士　1級	A	B	10,000
ボイラー技士　2級	B	C	5,000
クレーン運転士	A	C	5,000
ホークリフト運転者	A	C	5,000
危険物取扱主任者，甲・乙種	A	C	5,000
技能士　1級	B	A	10,000
技能士　2級	B	B	8,000
プレス機械作業主任者	A	C	5,000
有機溶剤作業主任者	A	C	5,000
乾燥設備作業主任者	A	C	5,000
はい作業主任者	B	C	5,000
酸素欠乏危険作業主任者	B	C	5,000
鉛作業主任者	B	C	5,000
冷凍機械設備主任者	B	B	8,000
建築物環境衛生管理技術者	A	B	8,000
作業環境測定士	A	B	8,000
圧力容器取扱主任者	B	C	5,000
高圧電気工事技術者	A	B	10,000
公認会計士	C	A	10,000

資　格　名	必要度	難易度	報奨金（円）
税　理　士	B	A	10,000
弁　理　士	A	A	10,000
中小企業診断士	C	A	10,000
職業訓練指導員	B	B	10,000
社会保険労務士	B	A	10,000
ＭＴＰインストラクター	B	A	10,000
ＴＷＩトレーナー	B	B	10,000
司法書士	B	A	10,000
情報処理技術者　特種・1種	B	A	10,000
情報処理技術者　2種	B	B	8,000
職務分析士	A	B	8,000
原価管理士	B	C	5,000
商業英語検定　A級	B	B	8,000
商業英語検定　B級	B	B	5,000
実用英語検定　1級	A	B	10,000
実用英語検定　2級	B	B	8,000
簿記検定　1級	C	B	8,000
簿記検定　2級	C	B	5,000
日本語ワードプロセッサ技能認定　1級	B	A	10,000
日本語ワードプロセッサ技能認定　2級	B	B	8,000
日本語ワードプロセッサ技能認定　3級	B	C	5,000

必要度　　A　業務上必要
　　　　　B　業務上あれば望ましい
　　　　　C　自己啓発に有効
難易度　　A　特に難しい
　　　　　B　試験を受ける
　　　　　C　講習会等を受ければ良い

公的資格取得報奨規程

公的資格取得報奨規程による届出書

（申請日）　　　年　　月　　日
（報告日）　　　年　　月　　日

勤労課長　殿

課　長	係　長	届出者

① 取　得　事　由	A．社命　　　B．任意　　（該当を○で囲む）			
② 取　得　者　名		人名コード		
③ 取 得 者 所 属		部 　　　　　課 　　　　　係		
④-1 取 得 資 格 名		④-2 免許，登録等の記号・番号		
⑤ 取 得 年 月 日	年　　　　　月　　　　　日			
⑥ 資格交付・認定機関名				
⑦	受　験　料　等			
⑦-1	受　　験	⑦-2	受験のための講習会，通信教育	
受験日	年　月　日～　年　月　日（　日間）	期　間	年　月　日～　年　月　日（　日間）	
試験場所		場　所		
試験名		名　称		
受験料		費　用	円	
備　考				

注）　1．事前申請する場合は，①～④-1及び⑦-1欄に記入し，受験料を証する書類の写1部を添付すること。
　　　2．すでに取得した場合は，すべての欄に記入し，取得した資格を証する書類並びに受験等に要した費用額を証する書類の写各1部を添付すること。

事前申請した場合の結果報告

課　長	係　長	報告者

⑧ 結　　　　果	A．取得できた　B．取得できなかった　C．受験しなかった　（該当を○で囲む）
⑨ 受験できなかった　理　由（⑧-Cを○で囲んだ場合）	A．私事都合　B．会社都合　　（該当を○で囲む）
	その理由（具体的に）

注）　1．⑧-Aの場合は，上記④-2～⑥，⑦-2欄に追加記入し，取得した資格を証する書類の写1部を添付すること。
　　　2．⑧-Cの場合で，⑨-Aに該当する場合は，会社補助分を速やかに勤労課へ返却すること。

（勤労課記入欄）

受験料	申請時	円	受領印
	取得後	円	
講習会費等		円	
報奨金		円	
合計額		円	

領　収　書
　　　　　　　　年　　月　　日
金　　　　　円也
公的資格取得報奨規定により上記金額を領収致しました
氏名　　　　　　　　　　㊞

自己啓発援助制度

(制定・○○年○月○日)

(ST電機 電気機器製造業・従業員 六、五〇〇人)

一 主旨

(1) 全社各層社員に自己啓発、相互研鑽の気風を確立し、これにより資質・能力の向上を促進するために、職務上もその効果の反映が期待できる教育について、機会を提供し、必要経費の一部を補助する。

(2) 「教育研修参加者の取扱」との関連 本取扱は「教育研修参加者の取扱」のうちの「三 業務外扱」とする教育研修に対し適用する。

二 内容

事業部(場)ごとに教育担当課が次の方法で行う。

(1) コース、教材、資格試験の紹介 社外コース(主として通信教育)および社内コース(シリーズあるいは単発)などのうち、自己啓発に適しているコースおよび教材を積極的に紹介する。

(2) グループ編成 援助の対象たる自己啓発は原則として「グループ研修」とする。

(3) 自己啓発活動の援助

・社員の資質能力の向上に役立つテーマについてコースを設定する。

・職場ぐるみ訓練などについては、標準プログラムを作成し、教材教具を提供するなど実質的な援助をする。

・講師等の適任者の推薦希望があれば、社内外から紹介する。

(4) この活動を主体的に進めるため自己啓発プロモーター(○○キャンプ研修村インストラクター、OJT推薦者、自己啓発活動リーダーなどを総称したもの)を設ける。

(5) 費用の一部補助 補助を受けようとするグループは事前に活動計画を提出して承認をうけなければならない。承認をうければ別に定める「補助基準」により一部を補助する。

会社施設の提供 自己啓発活動に対しては、特に支障のないかぎり会社施設(教室、会議室等)を無償で提供する。

三 補助の適用する活動の種類と補助基準

(1) 社外コース
① 原則として教育担当課紹介の通信教育をうけ、半期合計二五時間以上の自主スクーリングをもつこと。
② 補助額は受講料(スクーリング費を含む)三分の一以内とする。ただし、一人半期六、○○○円を限度とする。

(2) 社内コース
① 社内(教育担当課企画あるいは参加者の自主企画のいずれを問わず)で実施するものでシリーズコースと単発コースに分ける。
② シリーズコース
 a 一回の時間が三時間以下で一定のスケジュールの下にシリーズで続けられるコース。(英会話勉強会など)半期合計二五時間以上のグループ活動をもつこと。
 b 補助額は「施設利用料+講師謝礼+資料代」の合計額の三分の一以内とする。ただし、一人半期一〇、○○○円を限度とする。
③ 単発コース
 a 一回完結的に行われるコース(ケース・スタディ、職場の問題解決討議、ファミリー・トレーニング、集団宿泊研修など)
 b 一回の実質活動時間が三時間以上の活動をもつこと。
 c 補助額は「交通費+食費+宿泊費+施設利用料+講師謝礼+資料代」の三分の一以内の金額に一日に付六〇〇円(半日の場合三〇〇円)を加

自己啓発援助制度

(3) 発表会
各種活動事務局の承認したもので「施設利用料＋講師謝礼＋資料代」は会社負担とする。

(4) 資格試験
① 教育担当課（職能別教育も含め）の推奨したものに対して合格者に受験料の全額（実習、スクーリング費用は除去する）を支給する。
② 同じ資格試験であっても、級（ランク）が異なれば別の試験として扱う。

四　補助額の算定基礎
① 交通費……実費（グリーン車、船一等は除く）
② 食費……通常の食事費
③ 宿泊費……事業場外の施設利用の場合に限るが、社内施設の場合でもその実費（保養所利用料を含む）
④ 施設利用料……会場費、器具使用料、グラウンド使用料など。
⑤ 講師謝礼
　(イ) 社外講師……講師謝礼（税込）、交通費、食事費、宿泊費

d　一人半期の累積額は一〇、〇〇〇円を限度とする。

② その他の経費については、一回三〇〇円を限度に実費を補助する。

⑥ 資料代
　(イ) グループ活動に使用する図書、テキストの購入経費……ただし、個人所有を希望するものについては、本人負担とする。
　(ロ) 作成した資料……コピー等

五　支給方法
(1) 支給時期
① 原則として終了時に支給する。
② 教育担当課が紹介する通信教育等、予め補助の条件が明確で、かつ多額の出費を必要とするものについては事前に補助する。ただし、本人の責任により中途で脱落する場合には返済させる。

(2) 支給手続
おおむね次の手順による。
　(イ) 予め活動計画を所属上長経由、教育担当課まで提出する。
　(ロ) グループ責任者を定めて、計画遂行の状況および参加者各人の出欠の有無を記録する。
　(ハ) 研修終了時、もしくは途中経過）報告書とグループ単位の経費計算書および領収書を添えて提出する。

　(ロ) 社内講師……「社内講師の謝礼基準」により算定する。
　(ニ) それにより基準になる補助額を算出し支給する。

——教育研修参加者の取扱い——

一　業務上扱いとするもの
　(例) ① 玉掛講習会等法規により資格取得のために実施するもの。
　② 製造長候補者教育、セールスセミナー等そのニーズ、目的、内容、緊急性等から業務遂行上必要不可欠なもの。

(1) 受講者を会社が指名する場合。
　【勤務・給与取扱】
　(1) 勤務……無事故・有給（通常勤務）
　(2) 時間外……通常時間外扱い
　(3) テキスト代、資料代、講師謝礼……会社負担
　(4) 出張時
　① 往復路……出張旅費規定にもとづく
　② 教育実施中……月額旅費にもとづく
　(イ) 宿泊
　(ロ) 朝夕食〕現物支給
　(ハ) 日当

二　特別取扱い
特別な事情により一部の特定者または特定のグループについて、教育研修参加に関

XIV 能力開発等に関する規程

し上長の助言、勧奨が伴う場合は個々にその事情を認定の上で特別に取扱う。

〔例〕 組班長教育、生産管理教育、ZD・QC教育等の階層別職能別等の自主研修のうち、その参加に関し、上長の助言、勧奨が伴うもの。

〔勤務・給与取扱〕
(1) 勤務…無事故・有給（通常勤務）
(2) 時間外…通常時間外扱い
(3) 社負担
  テキスト代、資料代、講師謝礼…会
(4) 出張時
  ① 往復路…出張旅費規定にもとづく
  ② 教育実施中…出張旅費にもとづく
    (イ) 宿泊
    (ロ) 朝夕食 ｝現物支給
    (ハ) 日当

三、業務外扱いとするもの
(1) 本人の自由意思に基づくもの
  本人の自由意思に基づき、本人から参加の希望、援助の申し入れがあり、会社が自己啓発の機会を提供援助する教育研修の場合。
  〔例〕
  ① 教養講座、英会話勉強会、技能検定準備講座等。
  ② ZD・QCサークル活動のうち、本人またはそのグループが自主的に企画し、自主的に運営を行う教育研修。
  ③ レクリエーション、キャンプ、

ハイキング等本人の全く自由意思で参加する文化体育活動。

(2) 本人の資質、能力の向上に寄与し、職務上もその効果の反映を期待できる教育研修。
  この取扱いをするものについては、本人またはグループ代表者から署名捺印のある申込書を提出させる等の手続きを明確にする。

〔勤務・給与取扱〕
(注)
  ① 自己啓発援助制度による援助
    事故・無給
  ② コース・教材・資格試験の紹介
  ③ グループ編成
  ④ プログラム作りの援助と講師の紹介
  ⑤ 活動計画を事前に提出し、承認を受けた場合に費用の一部補助
  ⑥ 会社施設の提供

自己啓発援助規程

（TR食品・食料品製造販売・従業員 三五〇人）

（目 的）
第1条 この規程は、社員および嘱託社員の自己啓発を中心とした業務知識、および技術の修得に対し機会の提供、時間的・金銭的援助を行うことを目的とする。

（内 容）
第2条 会社は、社員および嘱託社員が行う下記自己啓発活動についてその援助を行う。
  1 通信教育受講
  2 資格取得活動
  3 外部講習会参加
  4 学習勉強会、および講習会の開催
  5 リサーチ活動
  ② 前項のほか会社が必要と認めた自己啓発活動についてもその援助を行う。

（申 請）
第3条 自己啓発に対する援助を希望するものは別に定める申請書によりあら

504

自己啓発援助規程

（援　助）

第4条　会社は、それぞれの自己啓発活動とその業務との関連等を考慮し、活動内容別にその援助を定める。

（通信教育受講）

第5条　会社が推薦する通信教育の参加者に対し、以下の援助を行う。なお、援助対象者に準社員を含むこととする。

支給条件	援助内容	就業時間内参加
1人1期1講座を原則とする	コース修了者に対し20千円を限度として受講料の半額を援助する。	認めない 注 スクーリング等はあらかじめ有給休暇手続きをとっておくこと

（資格取得活動）

第6条　会社が奨励する資格取得、および認定試験に向けてその活動を行う者に対して以下のとおり援助を行う。

② 前項以外で業務に関連のある資格取得および認定試験に対しては援助内容を個別に定める。

（外部講習会参加）

第7条　会社は業務知識、技術の修得のために外部団体が主催する講習会等への参加者に対し、以下のとおり援助を行う。

区分	援助内容			
	受験料		旅費交通費	就業時間内参加
	受験者	合格者		
会社が奨励する資格取得	半額援助 ただし同一科目初回受験のみ	残額補助	支給する日当は支給しない	認めない 特に必要がある場合はあらかじめ有給休暇手続をとっておくこと。

（学習勉強会、および講習会の開催）

第8条　会社が自己啓発活動として認めた学習勉強会、および講習会に対し、以下のとおり援助を行う。

支給条件	援助内容		
	受講料	旅費交通費	就業時間内参加
外部セミナー等で業務関連度の高いもの	全額会社負担	旅費規程の研修旅費規程を適用する。 日当、宿泊費も支給する	認める

認定基準	援助内容
業務知識、技術修得を目的とした学習勉強会、および講習会であること。	講師謝礼、教材費、会場費、旅費交通費の範囲で一部または全額を個別に決定 会社施設等の利用援助

XIV 能力開発等に関する規程

（リサーチ活動）

第9条　会社が自己啓発活動として認めたりサーチ活動に対して、以下の援助を行う。

認定基準	援助内容
業務に関連した研究・検討課題で職場計画課題に含まれないもの。	・試薬、器具等の購入費用 ・会社施設、設備、機器等の使用援助 ・学術顧問等による指導・助言の斡旋

（その他の助言）

第10条　前条までの各援助の他にその必要に応じて、次の援助を行う。
1　社外講習会の斡旋紹介
2　講師の斡旋
3　教材、資料の貸与
4　テキストの斡旋

付　則

（施行日）

第1条　本規程は△△年○月○日より施行する。

② 本規程は○○年○月○日より改正施行する。

自己申告制度運営要領

（YS電機・電気機器製造・従業員　八〇〇人）

一　自己申告の目的

1　適材適所配置の資料とする。
適正な人事配置は少数精鋭主義による経営に不可欠であるのみならず、モラールの向上、定着性の確保のためにも必要であり、自己申告により的確な適性を把握して、適正な人事配置の資料とする。ただし本人の申告内容が必ずしもいつもそのまま正しいとはいえず、個人面接を通じて充分な話合いによる結論を出すことに注意を要する。

2　能力の活用、開発の資料とする。
各人の特性、かくれた能力を発掘し活用するとともに能力の一層の伸長をはかる。

3　上司、部下間の意思疎通、相互理解をはかる。
各人の希望や意向を申告し個人面接を行うことにより、上司、部下間に意志疎通をはかり、相互理解により、よい人間関係をつくる。

4　自己反省、自己啓発の機会を与える。
申告書を作成させることにより、自己反省させ今後の自己の目標や計画を樹てる機会を与える。

5　モラールの向上をはかる。
勤務についての個人の希望や意向を把握して、働きよい環境づくりを行うことによりモラールの向上をはかる。

二　申告者

次の者を除く第一種社員から第四種社員まで、嘱託社員全員
1　参事、主事である課長
2　勤続一年以内の者（ただし、申告の必要ありと認めた者に対しては実施する）

三　申告書提出先

係制のある部署　　係長
係制のない部署　　課長
部長直轄部署　　　部長

四　実施時期

毎年一回　一月〜二月

五　申告書記入上の注意

1　申告書を記入させる前に自己申告の趣旨を充分説明すること。
2　申告者が正直に申告するかどうかがこの制度の成否の鍵であるから、どんなことを書いても本人に不利になることはない旨充分説明し、自由な申告のできるムードをつくること。
3　鉛筆は使わず黒のボールペンまたは黒インクでていねいに記入させること。
4　各項目とももれなく記入させること。

六　個人面接要領

1　申告書が提出されたならば個人面接を実施する。個人面接の目的は申告の不充分な点を補い、申告のさせっぱなしをやめて、申告の内容についての認識を深めるとともに面接を通じて部下との意思疎通をはかることにある。
2　面接を行う者
　原則として三の申告書提出先にあたる者。人員の非常に多い係にあっては係長、チーフが分担して行っても差支えない。
3　面接場所
　できるだけ静かな、話の内容がもれない場所をえらぶこと。
4　面接時間
　一人に対する所要時間は機械的にきめることなく、相手によって三〇分から一時間の範囲内が適当である。あまり時間が短いとおざなりだとか形式的だとかの悪い印象を与えかえって逆効果となる。
5　面接における話合い事項
　原則として自己申告書の記述範囲内で話合い、面接の結果についての所見を自己申告書の面接記録欄に記載すること。とくに本人にとって問題の多い項目（例えば人間関係がうまくいっていないと申告した場合など）については時間をかけて話合うこと。
6　面接にあたっての注意事項
　① 事前の準備
　　(1) 本人の性格やタイプについて知識をえておくこと。相手により面接のやり方を工夫して、よりよい話合いのふん囲気をつくる必要がある。
　　(2) 申告書で提起されている問題点については事前に検討し、もし解決できる点があればその解答を用意しておくことが望ましい。
　② 話合い前に伝える事項
　　(1) 面接の場は交渉や苦情処理の場ではない。お互いの立場や気持を理解し合うことが目的なので、気軽に楽しく話合いをしたいということ。
　　(2) 面接の場で話されたことは職制と人事課以外一切もらすことはない。必要ならば全くこの場限りということにしてもいいので遠慮しないで話してもらいたい、ということ。
　　(3) 話合いの内容は原則として申告書の範囲内とし、プライバシーを侵したり思想を調べたりすることは絶対にしないということ。
　　(4) 面接で話されたことを人事考課には結びつけないということ。
　　(5) できるだけ希望や意見を生かすようにしたいが、全体との関連から考えて必ずしもそれが実現するとは限らないので、その点承知しておいてほしいということ。
　③ 面接の場における基本的態度
　　(1) よい聞き手であること。相手の立場に立って充分話を聞いてやること。自分だけでしゃべってしまうことは慎まねばならない。
　　(2) 感情的にならないこと。職制自身の欠点を指摘された場合でも、それが妥当なものであれば率直に受け入れるぐらいの心の広さを持つように心がけること。感情的になると相手は心の扉を閉ざしてしまうものである。
　　(3) 上司的観念を捨てること。

自 己 申 告 書（主事用）

年　月　日

部長	課長

面　接　記　録

所属	役氏資名生年月日	職格名	今までに習得した技術, 資格, 免許及び過去1年間に受けた研修（セミナー）

性格	自分の性格, 長所, 短所についてなるべく具体的に書いて下さい。（例えば「非常に積極性があるが, 他人の意見を素直に受け入れる雅量に乏しい」等）
人間関係	上司, 部下との人間関係はうまくいっていますか。（上司との関係は左側, 部下との関係は右側に○をつけて下さい） □非常にうまくいっている　　　□ □大体うまくいっている　　　　□　　（うまくいっていない場合問題点を説明して下さい） □普通　　　　　　　　　　　　□ □あまりうまくいっていない　　□ □うまくいっていない　　　　　□
現在の職務	1. 過去1年間に職務遂行上特に意を用いたのはどういう点ですか。（仕事に対して, 上司, 部下に対して等） 2. 過去1年間に担当している仕事についてうまく行った点, 思うようにいかなかった点, 苦心した点等について説明して下さい。 3. (A)今後1年位の間に特に重点的にやりたい仕事は何ですか。 　 (B)そのために指導上で上司に希望することまたは受けたい教育等がありますか。 　 (A)　　　　　　　　　　　　　　　(B) 4. 現職遂行上あなたに欠けている知識, 能力, 性格, 態度等は何ですか。 5. 現在の職務を継続したいと思いますか。（該当個所に○をつけて下さい） 　A 現職を継続したい。 　　□現職が適している。 　　□現職で更に能力を伸ばしたい。 　　□他に適職がない。 　　□もう少し現職を続けてみないと何ともいえない。 　　□その他（　　　　　　　　　　　　　　　） 　B 別の職務にかわりたい。やってみたい職務。 　　□将来のため他の職務を経験したい。 　　□現職がながい。 　　□適職でない。 　　□現場環境の違うところを望む。 　　□その他（　　　　　　　　　　　　　　　） （説　明）
将来の職務	自分の能力をより伸ばすためには将来どのような方面で活躍したいと考えますか。（第1順位は1, 第2順位は2と該当個所に記入して下さい） □製造　□生産管理　□資材　□営業　□営業管理　□販売促進 □システム企画　□商品企画　□人事　□総務　□経理 （説　明）
自己啓発	A 仕事と直接関係があるなしにかかわらず, あなたが自発的に勉強しているもの。 B またこれから勉強したいと思うもの。
自己評価	過去1年間の仕事の結果をあなたはどう思いますか。（該当個所に○をつけて下さい） 　(1)□満足できる　(2)□ほぼ満足　(3)□やや不満足　(4)□不満足 （説　明）
身上	会社及び上司に知ってもらいたい現在の一身上の事情及び今後1年間に予想される一身上の変化（妻出産, 転居, 新築など）を記入して下さい。（もしあれば）
希望事項	どんなことでもいいですから会社に対する希望事項があれば記入して下さい。

自己申告制度運営要領

自　己　申　告　書（一般用）

（該当個所に○をつけること）　　　　　年　月　日

部長	課長	係長

所属 役職 資格 氏名 生年月日	今までに習得した技能，資格，免許及び過去1年間に受けた（セミナー）	面　接　記　録

健康状況	1. 健康 2. 健康だが無理できない 3. 弱い方だが欠勤するほどではない（主病名　　　　　　　　　　） 4. 病気がちのため欠勤多し　　　　　　　（主病名　　　　　　　　　　）	
性格	あなたは左右どちらのタイプに近いですか a(1)話をするのは比較的好き　　　　　　(2)話をするのはあまり得意ではない b(1)誰とでもうまくつきあえる　　　　　(2)どちらかというとつきあいはうまくない c(1)一つのことをじっくりやる　　　　　(2)どちらかというと変化のある仕事に向く d(1)割合行動が慎重　　　　　　　　　　(2)思ったらすぐに行動する e(1)割合神経が繊細　　　　　　　　　　(2)あまりものごとにこだわらない f(1)新たな分野をきりひらいていく　　　(2)ものごとを整理統合するのがうまい g(1)ものごとを理論的に考える　　　　　(2)理屈っぽいことはあまり好まない h(1)どちらかというと人の先頭に立っ　　(2)人からアドバイスされて動く 　　てリードしていく	
職場	あなたの職場の雰囲気はどうですか。 a(1)協力的である。　(2)お互いに協力しようとしない。　(3)どちらともいえない。 b(1)なごやか。　(2)固苦しい。　(3)どちらともいえない。 c(1)やる気が満ちている。　(2)沈滞している。　(3)どちらともいえない。 d(1)働きやすい。　(2)働きにくい。　(3)どちらともいえない。	
人間関係	上司および同僚との人間関係はうまくいっていますか。（上司との関係は左側，同僚との関係は右側に○をつけて下さい） 　　　　　　　　　　　　　　　〔うまくいっていない場合問題点を説明して下さい〕 □非常にうまくいっている。　□ □大体うまくいっている。　　□ □普通　　　　　　　　　　　□ □あまりうまくいっていない。□ □うまくいっていない。　　　□	
現在の仕事	仕事についてどのような希望をもっていますか。 1. いまの仕事を続けたい。 2. いまの仕事を離れてもよい。 3. できるだけ早く課（係）内の別の仕事をしたい。 4. できるだけ早く他の課（係）に移りたい。 　前問2.3.4.に○をした者のみ記入 変わってしたい仕事は＿＿＿＿＿＿＿＿＿＿＿＿＿＿ 仕事を変わりたい理由は何ですか。 1. 自分の適性や技能を伸ばしたい。 2. 健康上の理由。 3. いまの仕事は充分熟練した。 4. いまの職場の環境がいやだから。 5. その他（　　　　　　　　　　　）	
適職性	あなたは現在の職務が自分に適していると思いますか。 質的に 　a(1)むずかしすぎる。(2)ややむずかしい。(3)適当である。(4)やさしいと思う。 　　(5)やさしすぎる。 量的に 　b(1)多すぎて負担が重い。(2)少し多すぎると思う。(3)適当である。 　　(4)やや少ないと思う。(5)少なすぎて負担が軽すぎる。 あなたの性格に 　c(1)ぴったり合っている。(2)大体合っている。(3)普通。(4)あまり合っていない。 　　(5)全く合わない。 あなた自身興味が 　d(1)大いにある。(2)一応ある。(3)普通。(4)あまりない。(5)全くない。	
自己評価	現在の仕事においてあなたの能力はどの程度活用できていますか。 1. 充分に活用している。　2. まあまあ活用している。　3. 普通。 4. あまり活用できない。　5. ほとんど活用できない。 活用できていない能力は何ですか。また活用している場合でも他の仕事において活用できる能力が別にあれば記入して下さい。 （　　　　　　　　　　　　　　　　　） この一年間仕事に対する態度は自分で判断してどうでしたか。 1. 一生懸命やった。　2. ほぼ一生懸命やった。　3. 普通。 4. やや不充分だった。　5. 不充分だった。	

XIV 能力開発等に関する規程

個人面接そのものは職制による制度的な運営の一形式ではあるが、面接にあたっては努めて上司的観念を捨て、言葉づかいに注意し、威圧的態度をとってはならない。

七　申告書の処理

個人面接が終了したら申告書面接記録欄に所見を記入し、面接者が係長、チーフのときは課長を経て部長に、面接者が課長のときは部長に提出する。

部長はコピーを一部とり手許に保管し、原本を総務部長に提出する。

総務部長は各部ごとに統括して分析し、意見書を作成して社長に提出する。

申告書の原本は総務部長が保管する。

付　則

（制定）　△△年○月○日
（改訂）　○○年○月○日

外国留学規程

（TS製鋼・鉄鋼業・従業員　一五、〇〇〇人）

第1条（総則）　この規程は、会社が社員を外国の大学・大学院、研究機関等（以下「大学等」という。）に留学派遣する場合の取り扱いについて定める。

第2条（目的）　外国留学は、社員が広く海外の知識を吸収して、業務知識の向上および技術技能の研修、習得をはかるとともに、国際的視野をひろめ、もって社業の発展に寄与することを目的とする。

第3条（留学先）　留学する大学等は、会社が適当と認めたものにかぎる。

第4条（留学期間等）　留学期間は、原則として六か月以上二年以内とする。なお、大学院に派遣するにあたっては原則としてマスターコースを修了するものとする。

第5条（留学資格）　留学の有資格者は、次の各号に該当する者とする。
① 留学年度の四月一日現在において満三五歳未満であること。
② 留学年度の四月一日現在において勤続満二年以上であること。

第6条（留学者の選考手続）　留学者の選考手続は、次の各号によることとする。
① 所属部長は、留学目的・研修内容を明示して、部内の留学候補者を労務部長（人事課扱い）に推薦する。
② 会社は語学試験、面接および論文審査を経て、稟議決裁により留学者を決定する。

第7条（語学補修）　留学者は、会社が必要と判断した場合には、会社負担により国内外で語学補修を受けることができる。

第8条（単身留学）　留学は単身留学を原則とする。

第9条（留学中の取り扱い）　留学中の取り扱いは、次の各号によるものとする。
① 留学者は労政部能力開発室付とする。ただし、語学研修を目的とする一年未満の短期留学については現所属のままとする。
② 留学中の昇給、賞与および昇格については、通常勤務をしたものとして取り扱う。

第10条（留学費用）　留学に要する費用は、次の各号により貸与する。
ただし、日本または外国の政府、大学、財団等の機関から旅費、滞在費、学資、奨学金等が支給される場合には、これに相当
③ 留学に必要な語学に堪能であること。
④ 勤務成績優秀で身体強健であること。

提案規程

（制定　△△・○・○日）

```
MB事務器
事務用品製造
・従業員　八〇〇人
```

第1章　日常の提案活動

（目的）

第1条　この規程は新製品の開発、業務の改善等に関する社員・販売会社社員およびその家族の創意工夫を積極的に助長奨励することによって企業経営の向上に資し、もって社業発展の一助とすることを目的とする。

（提案資格者）

第2条　社員・販売会社社員およびその家族はすべて個人又は共同で提案することができる。

（提案の内容）

第3条　この規程における提案とは建設的な創意工夫や提言で次の各号にあたるものをいう。

① 製品に関する事項
　(1) 新製品開発に関するもの
　(2) 在来製品の改良新用途開発に関するもの
　(3) 製品の品質およびデザインの改良に関するもの
　(4) 現在の流通チャンネルを利用して販売できる商品の導入に関するもの
　(5) 製品の販売方法・広告宣伝・PRの方法に関するもの
　(6) 以上の外製品にまつわる提案に関するもの

② 生産業務に関する事項
　(1) 作業工程および方法の改善に関するもの
　(2) 個有技術の新分野への応用に関するもの
　(3) 労働・物質・資材および時間の節約に関するもの
　(4) 不良品および廃品の防止ならびに活用に関するもの
　(5) 安全衛生および福利厚生に関するもの
　(6) 材料装置設備器具および工具の考案に関するもの
　(7) 以上の外生産業務にまつわる提案に関するもの

③ 事務に関する事項
　(1) 業務能率の向上に関するもの

する金額を控除する。
① 留学者の入学金、授業料およびその他会社が必要と認める調査研究費用。
② 駐在手当の八割（一般留学）ないしは五割（語学研修）の留学手当。
③ 往復旅費。

第11条（外国駐在員取扱規程の準用）この規程に定めのない事項については外国駐在員取扱規程を準用する。

第12条（留学経過、結果の報告留学費の精算、返済）留学者は、留学期間中、三か月毎に留学に関する経過を労政部長（能力開発室扱い）に報告しなければならない。

2　留学者は、帰国後、その結果を労政部長に総括報告しなければならない。

3　留学者は、帰国後、留学費の精算を行なわなければならない。

4　留学者はその他の貸付金にならい別途定めるところにより、留学費用の返済をしなければならない。

第13条（留学費の免除）留学者が留学中または帰国後五年以内に自己の都合によって退職するか、または懲戒解雇に処せられた場合を除いて、留学費の全部または一部を免除することがある。

第14条（規程の改廃）この規程の改廃は、稟議手続によりこれを行なう。ただし、軽易な改正は、労政部長がこれを行なう。

第15条　この規程は○○年○月○日より施行する。

XIV 能力開発等に関する規程

の通り定め、提案の受付、記録、保管、および採否通知等、提案に関する一切の業務を処理する。

(2) 事務手続の簡素化に関するもの
(3) 職場規律士気向上に関するもの
(4) その他事務上技術上の改善に関するもの

① 新製品および開発に関する提案　　　　商品企画部
② 生産業務に関する提案　　　　　　　　商品企画部
③ 事務手続、職場規律、士気向上に関する提案　　　　　　　　　　　　　総　務　部

（提案審査委員会）
第7条　提案を審査するための機関として提案内容により、三つの提案審査委員会を設置し、毎月一回又はそれ以上開催する。

第6条の①に関する提案　　提案審査第一委員会
第6条の②に関する提案　　提案審査第二委員会
第6条の③に関する提案　　提案審査第三委員会

（提案審査委員会の構成）
第8条　提案審査委員会の構成は次の通りとする。

① 委員長　提案審査第一委員会　　　商品企画部長
　　　　　　提案審査第二委員会　　　機械技術部長
　　　　　　提案審査第三委員会　　　総　務　部　長

② 委　員　各委員会とも委員は委員長が任命する。

（提案審査委員会の任務）
第9条　提案審査委員会は、次の事項について審査する。
① 提案の処理区分
② 提案費の等級区分
③ 提案に関する苦情
④ 提案制度の推進に関する事項

（提案の受付および処理）
第10条　提出された提案は、原則として毎月月末をもって締切り事務担当者は、委員長に提出する。

第11条　提案について、提案者は所属長の許可なくして事前に試作または実施してはならない。

（提案に関する試作および実施）
第12条　提案の処理区分は次の通りとする。
① 採用　有益な創意工夫で実施出来るもの及び可能性の多いもの
② 不採用　①に該当しないもの
但し、不採用の場合も、その提案は整理保存し、必要に応じて一年一度の再見直しを行うこととする。

（採否の通知）
第13条　提案の採否結果は事務担当者を通じ

提案の審査にあたり必要があるときは、委員長は臨時に委員を委嘱し、または関係者の意見を求めることが出来る。

(2) 指摘提案に関するもの
指摘提案とは前記各号の提案が具体的であるのに対し、自らは具体的アイデアを持っていないが不便を感じているような事項

(3)、(4) 次の各号に当る種類の提案
(1) 或る商品に対する不便
(2) 或る業務の非能率に対する意見等

（提案の対象とならない事項）
第4条　次の各号の一にあたる提案は原則として受理しない。
① 職務遂行の結果に基づいて当然若しくは容易に発明又は考案できる程度のものと部長、課長が判断したもの
② 単なる批判、不平不満又は苦情に関するもの
③ 類似若しくは、同一の改善がすでに提案又は採用されているもの

（提案の方法）
第5条　提案は所定の提案用紙にその提案内容を具体的に記入し、職制上の所属長又は直接当該委員会事務局を経由して提出する。

（事務担当部課）
第6条　提案内容により、事務担当部課を次

提案規程

てただちに提案者に通知する。
（提案参加賞）
第14条　提案の努力を表彰するため提案者全員に対して参加賞（記念品）を贈る。
（提案の審査基準）
第15条　提出された提案（除く指摘提案）は次の基準により審査する。
但し当該提案を行なうに当り、提案者が特別の努力をしたと認められるものについ

予想効果＼実施の可能性	A	B	C	D	E
A	95～100点	80～94	60～79	40～59	39以下
B	80～94	60～79	40～59	39以下	〃
C	60～79	40～59	39以下	〃	〃
D	40～59	39以下	〃	〃	〃
E	39以下	〃	〃	〃	〃

ては一〇点以下の加点を、職務行為等に間接的関係をもつ提案でその提案をするに至った過程に於いて会社が寄与した部分を無視できないと判断されるものについては二〇点以下の減点を行うことが出来る。
実施の可能性についての評価は次の基準により五段階に分ける。

A　比較的少額の投資又は危険率の小さい確実な投資で実施できるもの
B　比較的多額の投資を必要とし又は相当の研究期間を要するが成功率が高いという予測の出来るもの
C　提案の内容が具体性を欠き且つ直ちに実施することは困難であるが着想に新規性があり、充分検討する価値のあるもの
D　提案に記述する内容について目的達成が疑わしいもの
E　提案の内容が自然の法則に反するなど実施が全く不可能なもの

予想効果とは会社がその提案を採用して実施した場合に生み出される効果を予想し、その評価は次の基準により五段階に分ける。

A　効果が非常に大きく期待出来業績の向上に寄与することが特に顕著と予想されるもの
B　相当に大きな効果が期待出来業績の向上に役立つもの
C　提案を実施した効果としては普通程度

と見なされるもの
D　多少の効果しか期待出来ないもの
E　殆ど効果が期待出来ないもの
指摘提案については、下記の基準により審査する。
審査は着想度、実施の可能度、実施の効果の三要素につき各五段階評点法により行う。
指摘提案審査基準
A級　一三点以上
B級　一〇～一二点
C級　九～七点（六点以下不採用）
※「実施の可能度」とはその提案を実施するにあたってどの程度スムーズに実施できるかを評価することです。
（提案賞および表彰状の授与）
第16条　採用提案には次の等級区分によって提案賞を授与する。

特級　九〇点以上　三〇、〇〇〇円
一級　八〇～八九　一〇、〇〇〇円
二級　七〇～七九　五、〇〇〇円
三級　六〇～六九　三、〇〇〇円
四級　五〇～五九　二、〇〇〇円
五級　四〇～四九　一、〇〇〇円

一級以上の評価を受けた提案に対してはその事実を公式な人事記録に記載する。
尚、指摘提案については下記の通りとする。

○着想度

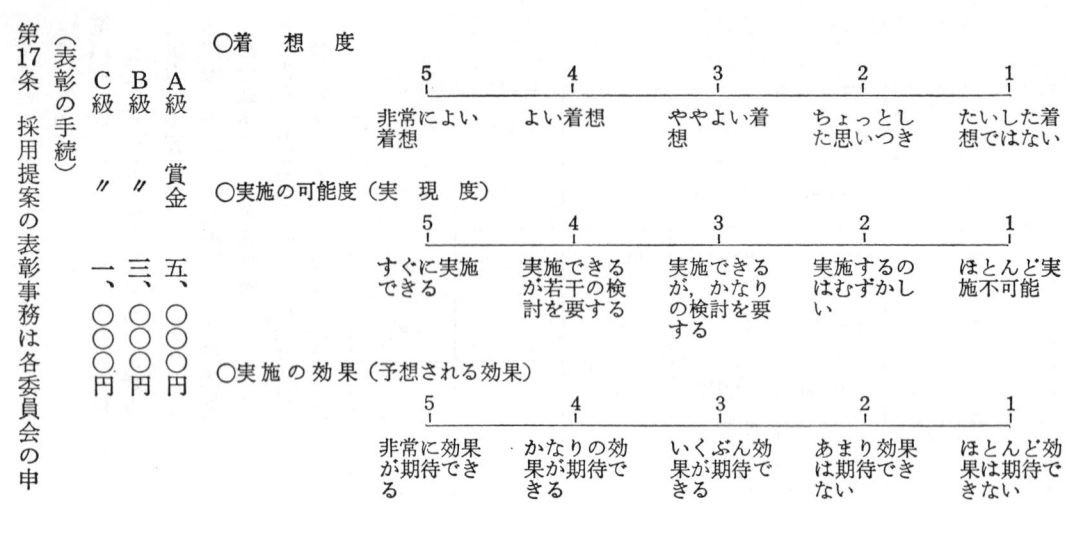

5	4	3	2	1
非常によい着想	よい着想	ややよい着想	ちょっとした思いつき	たいした着想ではない

○実施の可能度（実現度）

5	4	3	2	1
すぐに実施できる	実施できるが若干の検討を要する	実施できるが、かなりの検討を要する	実施するのはむずかしい	ほとんど実施不可能

○実施の効果（予想される効果）

5	4	3	2	1
非常に効果が期待できる	かなりの効果が期待できる	いくぶん効果が期待できる	あまり効果は期待できない	ほとんど効果は期待できない

級	賞金
A級	五、〇〇〇円
B級	三、〇〇〇円
C級	一、〇〇〇円

（表彰の手続）
第17条　採用提案の表彰事務は各委員会の申請により総務部にて行う。

（共同提案の処理）
第18条　共同提案に対しては、提案賞は提案一件につき授与する。

（採用提案の処理）
第19条　採用された提案は職制を通じて速かに実施措置を講じ、その結果を一年目に所轄の提案委員会に報告する。

（工業所有権取得の提案の処理）
第20条　採用された提案に関してはその特許等を受ける権利を会社が承継しその賞金をもって出願時の対価とみなす。

（採用提案の公示）
第21条　採用された提案は、社内に掲示または、その他の方法によって公示する。

（記録の保存）
第22条　提案はその内容によって分類し、事務担当課で保存する。

（提案に関する苦情）
第23条　社員が提案について苦情のあるときは、職制上の所属長、又は提案事務担当者を通じて、提案審査委員会に申し出ることが出来る。苦情のあったものについては再審査を行うが再審査後の苦情は受けつけない。

（提案の推進）
第24条　所属長または提案事務担当者は、社員が積極的に提案するように指導するとともに正当な理由なく提案を却下または保留

してはならない。

（提案の総括責任者）
第25条　提案に関する総括責任者として総務担当役員又は総務部長がこれに当る。

第2章　年次優秀提案

（年次優秀提案）
第26条　年次優秀提案とは日常の提案活動によって採用された中から、実施後満一年を経過し、実施効果の顕著な提案があるときはこの規程に基づいて表彰する。

（表彰の対象）
第27条　この規程によって表彰を受けるものは、次の各号の一に当るものとする。
① 原案提案者
② その提案を実施するに当って主たる役割を果したもの

（対象とする提案）
第28条　前年の十二月末で実施後満一年以上を経過した提案のすべてを対象とする。

（年次優秀提案審査委員会）
第29条　実施後満一年以上を経過して実施効果の顕著な提案があるときは、提案審査委員会の申請に基づき毎年一回三月に年次優秀提案審査委員会（以下審査委員会という）を開催する。

（審査委員会の構成と年次優秀提案の選考）
第30条　審査委員会の構成を次の通りとし表

彰の決定に当っては、審査委員会の案を取締役会で審議し決定する。

（審査委員）
第31条　審査委員会は提案審査委員長全員

（事務局）
審査委員会の事務局を総務部に置き、提案の受付、記録保管、採否通知及び表彰等一切の業務を処理する。

（表彰の時期）
第32条　表彰は毎年一回五月の朝礼時に行う。

（賞金）
第33条　年次優秀提案に対しては実施効果に応じて第一章の規程とは別に次の区分により賞金及び表彰状を授与する。

区分	賞金
金賞	五〇〇、〇〇〇
銀賞	三〇〇、〇〇〇
銅賞	一〇〇、〇〇〇
一級	二〇、〇〇〇
二級	一〇、〇〇〇
三級	三〇、〇〇〇

賞金は年間純利益金額により決定し、年間純利益金額は、その提案を起案した部課で算出を行ない各提案委員会において審議決定するものとする。一件についての賞金の受賞者が二人以上の場合は、金額の配分は審査委員会に於て定めるものとする。

第34条　

付　則

第35条　この規程は〇〇年〇月〇日から施行する。
（制定　△△・〇・〇）
（施行期日）
この規程の改廃は役員会の審議を経て行う。

提案規程

KW機器
（冷暖房機器製造
・従業員　三八〇人）

（目的）
第1条　提案制度は、業務上有益な提案により、業績の向上をはかるとともに、職場参加の推進による好ましい職場風土の醸成と、社員の創意工夫力の開発をはかることを目的とする。

（提案資格）
第2条　当社社員、嘱託社員、準社員、またはそのグループとする。

（提案事項）
第3条　業務上有益な効果が見込まれる工夫、改善などの提案を対象とする。

②　前項の提案は、部・課の業務課題をテーマとするものであっても、また業務時間中の作業によるものであってもさしつかえない。

（運営）
第4条　提案制度の運営は、提案制度運営事務局がこれにあたる。

（審査）
第5条　受理された提案は、その内容に応じて当該部所長、または当該部署の担当役員が審査する。

②　内容により、提案審査委員会がこれを審査する。

③　採用提案については表1の審査基準したがって配点する。

（表彰）
第6条　審査を経た提案は、得点合計により表2の表彰基準にしたがい表彰する。

（報奨金）
第7条　業務活動による提案で、完成度が高く、実施効果の著しいものは、実施担当部門の推薦により、実施後6か月間の効果測定を行い、表3にしたがい報奨金を支給する。

（権利の帰属）
第8条　受理提案に関する一切の権利は、会社に帰属する。

XIV 能力開発等に関する規程

提案委員会規程

（PS化成 化学製品製造・従業員 二五〇人）

第1条（目的）
本規程は、提案制度取扱規程に基づき提案委員会に関する基本事項を定め、会社の提案制度を維持推進することを目的とする。

第2条（構成）
提案委員会は、会社が任命した委員若干名をもって構成する。
① 委員長は委員のなかから会社役員会が指名する。
② 委員長は委員会の議長として議事を主催する。

第3条（任期）
委員長及び委員の任期は一か年として毎年〇月に改選する。
ただし、再任することもある。

第4条（任務）
提案委員会は、前条の目的を達成するため、次の事項を行う。
① 提案の受理、審査
② 提案者への援助活動

付　則

（施行）
第9条　本規程は〇〇年〇月〇日より改正施行する。

表1　審査基準

A．経済効果または同等以上の寄与（見込）

評語	特	S	A	B	C	D
配点	20	16	12	8	4	
年間利益・費用削減	百万円以上	30百万円以上	10百万円以上	3百万円以上	1百万円以上	1百万円未満
		3百万円未満	10百万円未満	30百万円未満		

B．着想・技術・努力・完成度

評語	特	S	A	B	C	D
水準	非常にすぐれている	すぐれている	普通	ややおとる	おとる	

配点	着想	技術	努力	完成度
	5 4 3 2 1	5 4 3 2 1	5 4 3 2 1	5 4 3 2 1

表2　表彰基準

評定	等級	個人	グループ	賞状
合計点数	特賞	個別決定	個別決定	あり
32～39	1	一〇〇千円	一〇〇千円	
24～31	2	七〇千円	個別決定	
16～23	3	五〇千円		
10～15	4	二〇千円	二〇千円	なし
その他	5	一〇千円	一〇千円	

努力賞　五千円
アイデア賞　五千円
参加賞　図書券

表3　報奨金支給基準

対象	支給金額
・半年間の利益をつぎの区分ごとに乗率をかけ、合計金額を報奨金として支給する。ただし最高金額を三〇〇千円とする。 ・報奨金は完成度の度合により減額する。 ・勤務時間外の成果であって、完成度が高いものを対象とする。	・五〇〇千円迄は　3% ・五〇〇千円を越え一百万円迄は　2% ・一百万円を超える部分には　1%

開発規程

US鉄工
（金属製品製造・従業員 七〇〇人）

（目的）
第1条　此の規程は当社に於ける製品開発の業務及び手順を定めたもので、開発業務を効率良く運営することにより、当社経営基盤の確立と安定を図るを目的とする。

（開発の定義）
第2条　此の規程に於ける開発とは「会社の経営方針に沿い良く売れて良く儲り、且つ当社の業態にマッチした新しい製品を作り出すこと」を云い開発の内容により次のように分類する。

製品＼市場	既存市場	新市場
既存製品	改良	用途拡大
新製品	新製品又は新機種	異質業界進出

（開発の業務）
第3条　開発業務は原則として次の通りとし、これらの内容及び担当所管部門は次下に示す。
① 情報の収集、管理
② 開発申請

③ 提案の具体的実施方法の立案
④ 実施された提案の評価
⑤ 提案制度の調査、研究
⑥ 提案制度の普及に関する事項
⑦ 委員会の運営に要する費用の予算審議
⑧ その他提案制度の目的達成に必要な事項

第5条（開催）
委員会は次の場合に委員長の召集によって開催される。
① 毎月一回以上定期開催
② その他委員長が必要と認めたとき

第6条（関係者の意見聴取）
委員会は必要に応じ提案事項に関係ある者の意見を聴取するものとする。

第7条（専門会議）
① 委員会は提案の種類に応じ、臨時に関係者を含めた専門会議を編成し召集することができる。
② 専門会議における検討結果は更に提案委員会に付議するものとする。

第8条（資格者の認否）
委員会は提案資格者について認否を決定することができる。

第9条（審査の方法と処理）
① 委員会は効果がありかつ実施可能と認めた提案を採用する。
② 採用提案は、委員の過半数以上の採点により決定する。

③ 採点の方法は別に定められた審査基準による。
④ 採用提案は審査された実施の具体案を添付して人事部長経由担当役員に提出する。

第10条（実施提案の評価）
委員会は実施後の提案について、六か月ごとに評価を行い、人事部長経由担当役員に報告しなければならない。

第11条（事務局）
委員会の事務局は総務部におく。

第12条
本規程は〇〇年〇月〇日より実施する。

（制定・△△・〇・〇）

XIV 能力開発等に関する規程

③ 申請書の審議、決定
④ 開発の着手、指示
⑤ 開発グループ
⑥ 成果の集計、報告
⑦ 評価
⑧ 製品化

（情報の収集、管理）
第4条　当社の社員は常に新しい情報（客先の動向、競合業者の研究、市場の要求等、又はカタログ、文献、刊行物等）の収集、及び新規着想に心掛け、これらを会社の利益に役立たしめるため次の要領により技術部開発課に提出するものとす。

2 提出要領
資料に次の項目を附記する。
① 提出者、部課氏名
② 資料の出所
③ 重要度
④ 返却の要否
⑤ その他

3 提出された情報、アイディアは研究、調査資料として開発課に於て分類、整理、保管する。

（開発申請）
第5条　営業部及び技術部は毎年一月、七月の二回、開発すべき製品を申請するものとする。

2 定期的な申請の外に随時、開発の必要を認める製品についてもその都度申請を行

う。

3 申請書は次の要領で作成し所属部長経由、開発課に提出する。

4 申請要領
① 申請部課、起案者氏名
② 開発の目的
③ 用途
④ 製品の名称
⑤ 具体的な市場性、採算性、需要予測等
⑥ 商品化希望時期
⑦ 開発予算
⑧ 開発担当課
⑨ その他

5 申請書類は社用箋を使用し、コピー可能な書式とする。

6 開発課は関連部・課長会議を開き意見調整後担当取締役を経て幹部会に提出する。

7 既存製品にて重大なる改造、変更を行う場合についても上記に準じて申請しなければならない。

8 日常業務にて容易に行い得る開発、改造は担当課長以上の判断により申請の必要は無い。

9 緊急を要する開発については、手順を一部省略して直接常務会の決裁を受けることが出来る。

（開発申請書の審議、決定）
第6条　開発申請書は幹部会の審議を経て常務会により決定する。

2 審議、決定に当っては、次の項目につい

て討議する。
① 経営方針に対する適応性
② 可能性
③ 市場性、採算性
④ 開発着手、製品化時期
⑤ 開発担当課
⑥ 開発グループの編成
⑦ 開発予算
⑧ 試作、試販の必要性
⑨ その他

3 決定された目標を変更、延期又は中止する場合は、理由書を作成し幹部会の審議を経て常務会の決裁を受けるものとする。

（開発の着手指示）
第7条　開発目標決定後、着手指示は社長が行う。

2 開発課は関連営業課はすみやかに製造指図書を発行する。

業務の遂行に当っては、各関連部課は密接な連携を保って此れの早期実現に努力するものとす。

（製造指図書）
第8条　担当営業課はすみやかに製造指図書を発行する。

2 指図書番号のイニシャルは、開発製品の性質により次の通り区分する。
① 研　基礎研究又は応用研究のための試験装置部品。
② 仕　仕込製品として開発するもの
③ 試　試作又は試販するもの
④ 受　受注開発は本製番とする。

開発規程

3　指図書の検印、配布先及び経路は別に定めた規程による。

(開発グループ)

第9条　重要な目標のため技術各課に於て開発業務を担当することが困難なときは常務会の決定により、開発グループを編成する。

2　開発グループの長は原則として開発課長が担当し必要に応じて主任担当者を置くことが出来る。

(開発グループ長の権限、任務)

第10条　開発グループ長は当該目標の完了まで社長直属としグループ員を統轄して次の業務を行う。

① グループ員の任命、解任の申請
② 実施計画案の作成、提出
③ 市場調査
④ 予算案の作成、提出
⑤ 進行状況の報告
⑥ 技術検討会、説明会の開催
⑦ 実施計画の進捗
⑧ 特許の申請
⑨ 鋳造、加工、組立、検査、荷造等の方案指示
⑩ 成果の集計、報告
⑪ 開発グループの解散申請
⑫ 生産ラインへの移行準備、引継ぎ

(開発グループ員の構成、任務)

第11条　当該目標を達成するために必要な人員とし、営業、資材、技術各部及び工場各部又はその他より選出し、幹部会の審議を経て社長が任命する。

2　グループ員は当該期間中、グループ長の指示に従うものとする。

3　日常開発業務の無いグループ員は所属部課に於て通常業務を執行する。

(成果の集計、報告)

第12条　担当技術課又は開発グループは開発製品が所期の目標に達したか否かをあらゆる角度から検討し、次に示す項目にもとづいて調査集計し技術課は担当部長に、開発グループは社長に報告するものとする。

2　報告要領

① 担当技術課又は開発グループ名
② 製品の名称
③ 開発着手及び終了年月日
④ 簡単な開発の進捗状況
⑤ 所期の目標又は仕様との対比
⑥ 製造原価実績
⑦ 製品についての問題点
⑧ 生産ラインへ移行する場合の意見
⑨ 特許申請事項
⑩ 開発経費及び製品の処分案
⑪ その他特記事項

3　報告書類は社用箋を使用しコピー可能な書式とする。

(開発の完了)

第13条　開発の完了は成果の報告時点とする。

2　開発の進捗中、重大なトラブルにより事後の計画の遂行困難な場合は常務会の決裁を得て事後の計画を中止し、それまでの成果を報告して開発の完了とする。

(評価)

第14条　成果報告書により今後の方針決定のための資料として開発製品の評価を行う。

2　評価の担当は幹部会とする。

3　評価項目は次の通りとし、各項目別に評点と意見を記入して集計する。

4　評価項目

① 性能
② 機能
③ 採算性
④ 市場性
⑤ 商品価値
⑥ 保全取扱
⑦ 荷造、輸送
⑧ 生産ラインへの移行性
⑨ その他

(製品化)

第15条　評価に基づき製品化の決定は常務会が行う。

(付則)

第16条　開発に関するあらゆる事項は社外秘とし、機密の保持に注意しなければならない。

開発手順

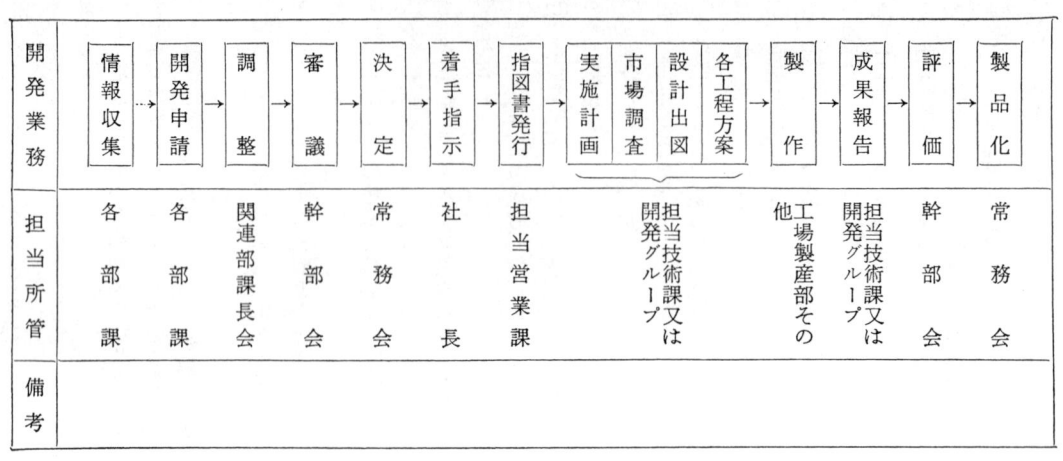

開発業務	情報収集 →	開発申請 →	調整 →	審議 →	決定 →	着手指示 →	指図書発行 →	実施計画 市場調査	設計出図 各工程方案	製作 →	成果報告 →	評価 →	製品化
担当所管	各部課	各部課	関連部課長会	幹部会	常務会	社長	担当営業課	担当技術課又は開発グループ	担当技術課又は開発グループ 工場製産部その他	幹部会	常務会	常務会	
備考													

発明考案取扱規程

（US鉄工
・金属製品製造
・従業員 七〇〇人）

（目的）
第1条　この規程は従業員の発明及び考案の取扱いについて規定し発明及び考案を奨励すると共に発明者及び考案者の功績を尊重することを目的とする。

（用語の定義）
第2条　発明又は考案の内容が会社業務の範囲に属しかつその発明又は考案をするに至った行為がその従業員の現在又は過去の職務に属するものを職務発明又は職務考案（以下両者を「職務発明」という）という。

（届出義務）
第3条　職務発明者（以下単に「発明者」という）は必ず発明の内容、その他を記載した文書を所属上長を通じ、会社に届け出なければならない。

2　職務発明以外の発明又は考案であっても、それが会社業務の範囲に属するものは前項を準用する。

（権利の承継）
第4条　職務発明による特許権又は実用新案権（以下両者を「特許権」という）出願の権利はすべて会社が承継する。但し会社がその権利を承継する意志のない時はこの限りではない。

2　第3条第2項により届出された発明又は考案についても本条以下の取扱いに準ずる。

（出願及び取得表彰）
第5条　会社が承継した権利により出願した場合及び出願して特許権を取得した場合、会社はその発明者に対し次の通り表彰する。

（出願表彰）　　（取得表彰）
特許権一件につき
　　　　二〇、〇〇〇円　二〇〇、〇〇〇円
実用新案権　〃
　　　　一〇、〇〇〇円　五〇、〇〇〇円

（実績表彰）
第6条　会社は、職務発明により取得した特許権を行使して、顕著な利益を得た時はその発明者に対し実績表彰をすることがある。

（承継及び表彰の決定）
第7条　職務発明の権利の承継及び表彰は幹部会で審査し、社長（常務会）が決定する。

2　本規程の制定、改廃は常務会の決定による。

3　本規程は〇〇年〇月〇日より実施する。
（制定・△△・〇・〇）

工業所有権管理規程

MB事務器
・事務用品製造
・従業員　八〇〇人

（制定・△△・○・○）

（目的）
第1条　この規程は、特許権、実用新案権、意匠権及び商標権（以下、必要に応じて工業所有権と総称する）について、その出願、登録、利用ならびに紛争の処理などに関する手続を定め、併せて社内における創造的活動を助成することを目的とする。

（担当部門）
第2条　工業所有権管理の事務は、社長室で行う。（以下、事務局という）

2　工業所有権管理の総括責任者を技術担当役員とする。（以下、担当役員という）

3　○○事業所、○○工場及び○○工場（以下、各事業所という）に発明考案指導者をおく。

発明考案指導者は、当該事業所内における発明または考案について指導、助言及び奨励にあたり、併せてこの規程によって事務局事務の一部を代行する。

（出願）
第3条　常勤役員、社員、準員、常勤嘱託、雇員（以下、従業者等という）が発明、考案または意匠の創作もしくは商標の登録を出願せんとする標章の作成をしたときは、所属長を通じて事務局に出願の申請をしなければならない。

2　出願の手続は、事務局で行う。

3　前二項に拘らず、各事業所に属する従業者等がなした発明、考案については、出願の申請を当該事業所の発明考案指導者に対して行い、発明考案指導者が出願の事務を代行することができる。

（事務）
第8条　職務発明の届出及び承継決定後の出願手続は各担当部課で行い、特許（又は登録）査定謄本入手後の関係書類の保存及び手続は技術部開発課で行う。

（秘密の厳守）
第9条　発明者及び関係者はその職務発明の内容等について会社が、特許権を出願するまではこれを漏洩してはならない。

（適用）
第10条　この規程は就業規則に定める従業員の他、役員及び社外工にも適用する。

（附則）
この規程は○○年○月○日より実施する。

4　出願の可否を決定（審査請求の有無の決定を含む。以下、同じ）する権限は、事務局の長が有する。但し、前項によって発明考案指導者が出願事務を代行する場合は、その発明考案指導者が出願の可否を決定する。

5　次の各号に該当する場合は、前項に拘らず担当役員の決裁によって出願するものとする。但し、出願に伴う費用が二〇〇万円を超し、もしくは高度の政策的配慮を要するものについては、更に社長の承認をうけなければならない。

①　外国に出願をするとき。
②　従業者等でない者から会社が工業所有権をうける権利を継承して出願するとき。
③　他人との共願になるとき。
④　出願の可否について出願の決定権者とその申請者もしくはその所属長との間で意見の調整が困難なとき。

（出願中の事務処理）
第4条　出願中の願書の補正、意見書または答弁書の作成、拒絶の査定に対する審判の請求は、前条による出願の決定権者が決定し、かつその事務を行う。

第5条　出願に関して次の文書は、発明考案指導者が事務を代行した場合を含めて、すべて事務局がこれを保管する責任を有する。

XIV 能力開発等に関する規程

① 願書の控（補正をした場合を含む）

② この規程の第6条第3項による譲渡証

③ 特許庁に対して、出願に関して提出した意見書、答弁書、審判の請求等の控

④ 特許庁から送達された一切の書類

（職務発明等）

第6条　特許法第35条による職務発明、実用新案法第11条第3項において特許法第35条を準用する考案及び意匠法第15条第3項において特許法第35条を準用する意匠の創作（以下、職務発明等という）については、会社が工業所有権をうける権利を承継する。

2　職務発明等は、会社の許可なく自ら工業所有権をうけるための出願をしてはならない。

3　事務局または発明考案指導者は、職務発明等によって工業所有権をうけるための出願をするときには、その職務発明等をした者から譲渡証をうけ取らねばならない。

（対価）

第7条　職務発明等について前条により会社が工業所有権をうける権利を承継したときは、表1による対価を支払う。

表1

支払の時期	特　許	実用新案または意匠
出願のとき	五、〇〇〇円	三、〇〇〇円
登録されたとき	二〇、〇〇〇円〜一五〇、〇〇〇円	一五、〇〇〇円〜四〇、〇〇〇円

2　前項の対価は、その後において理由の如何によらず、これを返還させることはない。

3　同一の発明、考案または意匠の創作について外国に工業所有権をうけるための出願をなした場合も表1に定める金額に更に追加をしない。

第8条　前条の表1において登録されたときに支払う対価の額は、表2に定める基準にもとづいて担当役員が決定する。但し、一件について一〇万円を超すものについては、予め社長の承認をうけなければならない。

表2

効果＼種別	特　許	実用新案または意匠
当該権利を実施して独占的利益を生じ、その効果が極めて顕著なもの	300,000円〜500,000円	240,000円〜400,000円
当該権利を実施して競合品との差別化を可能にし、もしくは原価の低減に著しく貢献しているもの及び実施していなくても特許政策上極めて重要なもの	200,000円〜400,000円	160,000円〜320,000円
当該権利を実施しているが比較的容易に他の技術を以って代えることができ、もしくは近い将来に陳腐化する見通しのもの	100,000円〜300,000円	80,000円〜240,000円
当該権利を未だ実施していないが将来実施の可能性がありもしくは他社の競争力をある程度制限するに役立っているもの	30,000円〜100,000円	24,000円〜80,000円
当該権利を実施しておらず、将来も実施の見込みは少ないが会社としての権利の保有を必要とするもの	20,000円	15,000円

2　発明、考案または意匠の創作において、その発明、考案または創作に至った過程で従業者等でないものの貢献がいちじるしく大きかったものについては、登録された時に支払う対価の額においてこれらの事情を勘案するものとする。

3　二国以上に対して出願をしたときは、日本国で登録された時期に、登録されたときに支払う対価の額を定め、かつこれを支払う。

4　日本国で登録を拒絶されて確定したものでその日以前に外国で登録されたものについてはその時期に、そうでない場合にはその日以後最初に外国で登録された時期に、登録されたときに支払う対価の額を定め、かつこれを支払う。

5　同一の技術思想に出で、その性質上一発明と見なすことのできる発明、考案または意匠の創作について、工業所有権をうける権利を承継した意匠の創作を二つ以上なし、かつそれらが登録された場合においても、それらを一件に併合して対価の額を査定することができる。

6　工業所有権の登録がなされた発明・考案または意匠の創作について、発明者等がその登録のなされた日以前にうけた「提案規程又は就業規則」による賞金（以下、追加賞という）は、本条による対価の一部または全部の前払いと見なす。但し追加賞の額が表2の基準によって査定さるべき対価の

工業所有権管理規程

額を超した場合においても、その差額の返還を求めない。

(公示)
第9条　従業者等の発明、考案または意匠の創作について、工業所有権の登録がなされた場合には、社内に掲示またはその他の方法によって公示し、その栄誉を称える。

(昇格及び職掌転換参考資料)
第10条　従業者等の発明、考案または意匠の創作について、その登録がなされたものについては、これを人事記録に記載し、昇格及び職掌転換のときの参考資料とする。

(異議申立及び登録無効審判)
第11条　事務局は、会社に利害関係を有する他人の出願にかかる公告について、異議申立の理由あるとき、また工業所有権について無効審判の請求の理由あるときは、関係部門の意見をきき、担当役員の承認を得てその手続を行う。

2　会社の出願になる特許等の公告及び登録に対する他人からの異議申立または登録無効審判の請求の通知をうけたときは、事務局において速やかにその処理を行う。

(紛争の処理)
第13条　工業所有権にかんして他人との紛争が生じたときは、担当役員は速かにこれを社長に報告しその指示をうけて事件の処理に当るものとし、その事務は事務局で行う。

2　会社の所有する工業所有権にかんして他人がこれを侵害し、もしくは侵害の疑のある行為をしたときもまた前項に準じる。

(契約)
第14条　他人との間で工業所有権の譲渡、譲受、実施権または使用権の設定を伴う契約を締結する場合は、社長の承認をうけなければならない。

2　他人の出願中にかかる発明・考案または意匠の創作及び商標で会社がその実施をするために予め契約をしようとするときもまた前項と同じとする。

(工業所有権原簿の作成保存)
第15条　事務局は、工業所有権について出願

毎にその原簿を作成し、当該権利が消滅する日迄保管しなければならない。

2　工業所有権の原簿に記載すべき事項を次の通り定める。

①　発明または考案もしくは創作した意匠の名称もしくは出願商標、出願年月日、出願番号
②　発明または考案もしくは創作をした者の氏名
③　審査及び審判の記録、公告年月日、公告番号
④　登録年月日、登録番号
⑤　権利の分権、移転の記録
⑥　特許料または登録料の納付記録
⑦　出願願書控

(担当役員の定例報告)
第16条　担当役員は、六か月に一回取締役会に工業所有権の管理状況を報告するものとする。

(実施要領の制定)
第17条　この規程の運用に必要な実施要領及びその他の細目は事務局の長が定める。

(規程の改廃)
第18条　この規程の改廃は、事務局が起案して取締役会の議を経て社長の決裁をうけなければならない。

(侵害防止)
第12条　製品の企画または生産もしくは意匠・商標の企画を担当する部門(以下、企画部門という)の長は、その実施が他人の所有する工業所有権を侵害するおそれのある場合においては、事務局にその判定を求め

資格免許取扱規程

TY化学
(化学製品製造
・従業員 六〇〇人)

(制定〇△・〇・〇)

附　則

(施行期日)
第19条　この規程は〇〇年〇月〇日から施行する。
　この規程の発行に伴い「特許等管理規程(××年〇月〇日)」を廃止する。

(適用)
第1条　この規程は、各種資格および免許を取得するための受験および受講など(以下「受験」という。)の取扱いについて定めたものである。

(種目)
第2条　この規程の適用を受ける資格および免許の種目は、原則として別表1(略)に定める。
　ただし、別表1に定める種目のほか、関係法令にもとづき資格取得が必要なもの

で、所属長からの申請により会社が認めたものを含む。

(所属長)
第3条　この規程で所属長とは、直属の課長・部長または工場長をいう。

(担当課)
第4条　この規程で担当課とは、別表2(略)のとおりとする。

(受験の対象者)
第5条　この規程の適用を受ける受験の対象者は、次のとおりとする。
① 業務上必要な資格・免許取得のための受験者として、所属長の推薦があった者
② 本人の希望により受験の申し出をし、所属長が承認した者
　(注)　ただし、希望者が多く業務に支障をきたすおそれがあるときは、所属長があらかじめ該当者を選考することがある。
　(注)　資格、免許に関し、業務上必要なものかどうかは、別表1により決定する。それ以外は本人の申し出によるものとして取扱う。

(受験の通知)
第6条　受験の種目、その日時等については、原則として事前に担当課から関係部門に通知する。

(受験の手続)
第7条　受験該当者は所定の手続きにより、所属長に申し出なければならない。

2　受験に必要な手続きの窓口業務は、担当課が行う。

(勤務の取扱いおよび費用の負担)
第8条　受験に関する勤務の取扱いおよび費用の負担は、別表3のとおりとする。

(努力賞の贈呈)
第9条　資格、免許を取得した者のうち、別表3に該当するものは、別に定める努力賞を贈呈する。

(資格・免許取得者の発表)
第10条　試験の合否については、所属長を通じて本人に通知するとともに、資格免許取得者は社内に掲示し、かつ社内報に掲載する。
　(注)　受験者が直接関係当局から試験の合否の通知を受けたときは、ただちに担当課へ届け出なければならない。

(更新の手続き)
第11条　別表1に定める種目およびその他会社が認めた資格免許所持者に対し、その資格免許を更新する必要があるものについては、その手続きは担当課が行い、手数料等の必要費用は会社が負担する。
　ただし、免許証の書き換え、再申請等の事由が本人の責に帰するときは、手数料等の費用は本人の負担とする。

(付則)
　この規程は〇〇年〇月〇日から施行する。

別表3

	会社が業務上必要と認めたとき	本人の申出によるとき
勤務の取扱い	就業規則4－3－3の1項10号を適用する。 　ただし休日に受験したとき，または交替勤務者が当日の所定勤務（2勤または3勤）があるにも拘らず1勤時に受験したときは，4,000円を支給する。（受験が半日のときは2,000円とする） 　(注)　全・半日の区分は正午を基準とする。	就業規則4－3－3の1項10号は適用しない。
テキスト代	本人負担	本人負担
受験・受講料	会社負担	会社負担
旅　　費	旅費規程により交通費，日当，宿泊料等を支給する。	本人負担

(注)　1.　受験者が業務上以外の理由で受験しなかった場合は，費用は全て本人負担とする。
　　　2.　会社負担は，同一種目について3回を限度とする。

品質管理委員会規程

（KP機械　機械器具製造・従業員　三〇〇人）

第1章　総則

第1条　本委員会はKP機械株式会社品質管理委員会と称す。

第2条　本委員会は委員会活動によって業務上の不良誤作発生を予防し，品質管理の向上をはかると共に，品質管理に関する諮問にこたえることを目的とする。

第3条　本委員会は次の事項を取扱うものとする。
① 品質管理に関する事項の調査並びに研究
② 不良，誤作の発生原因の報告聴取及び防止対策の研究
③ 品質管理に関する知識の普及

第2章　組織

第4条　委員会に委員長一名、幹事一名、委員若干名を置く。

第5条　委員等の選任及びその任期は次の通りとする。
① 委員長は社長が任命する。
② 幹事及び委員は委員長の推選する者，及び労働組合を代表する者一名をそれぞれ社長が任命する。
③ 任期はいずれも一年とする。但し再任を妨げない。
　尚、補充委員は前任者の残任期とする。任期は四月一日より三月三一日までとする。

第6条　委員長は必要を認める場合、委員以外の者に対して委員会に出席を求めることが出来る。

第7条　委員長は委員会を招集し総括する。

第8条　幹事は委員長の命をうけ、下記の事項をつかさどる。
① 委員会の開催に関する事項
② 委員会の議事録の作成
③ 決議事項の実施手配
④ 統計の作成並びに発行
⑤ QC活動サークルよりの報告受理及びその委員会に対する報告
⑥ 委員長不在の際の代行
⑦ その他

第9条　委員は委員会に出席し、品質管理に関する研究討議をするほか委員長の指示に従い次の事項を行う。

① QCサークル並びにQCサークル長会合の指導
② 各QCサークルよりの報告に対する事情聴取と確認
③ 品質管理の知識の啓蒙普及
④ 品質管理に関する情報交換
⑤ 品質管理に関する研修
⑥ その他品質管理向上のため必要と思われる事項

第3章 会議

第10条 委員会は毎月第四水曜日に定例会を開催する。但し委員長が必要と認めた場合は、開催日を変更し、又は臨時委員会を開催することが出来る。

第11条 委員は、委員会に議案を提出しようとする時は、委員会開催前に幹事に提出する。

第12条 委員長は、委員会開催の場所及び日時を定め、開催期日の前日迄に委員及び関係者に通知する。

第13条 委員長は、委員会終了後すみやかに決議事項をとりまとめ、社長の決裁を経て関係部署の実施を促進する。

（○○年○月○日制定）

生産協議会規程

（KB発動機
発動機製造
・従業員 四〇〇人）

第1条 会社と組合は、事業の合理的運営を達成するため、諸設備および生産技術の改善、改良、能率の増進、生産品の改造、発明ならびに事務の能率化および工程管理の強化、資材消耗品の節約等を協議するため生産協議会を設ける。

第2条 生産協議会委員は、会社および組合より各々四名宛選出する。会社および組合が委員を選定したときは、氏名を相手方に通知する。

第3条 生産協議会の議長は、その都度会社側の委員より選出する。生産協議会に書記をもうける。その選出は協議のうえ決定する。

第4条 生産協議会に附議する事項は次の通りとする。

① 説明事項
(1) 経営方針、ならびに業務の概況
(2) 生産計画に関する事項
(3) 重要なる設備の変更に関する事項
(4) その他各項に準ずる事項

② 協議事項
(1) 生産能率の増進、諸経費の節減等コスト引下げに関する事項
(2) 製品の品質向上に関する事項
(3) 生産計画に関連する事項
(4) その他会社、組合が必要と認めた事項

第5条 協議会は議決により委員以外の者の出席を求め、議事に参与させることができる。

第6条 会議の秘密事項は会社、組合双方で確認する。

委員は秘密事項をもらしてはならない。

第7条 協議会で意見の合致した重要協議事項は、成文化し会社および組合に通知すると共に会社、組合はその実現に努力する。

第8条 生産協議会は、原則として毎月一回行なうものとする。

但し、会社、組合の一方より緊急協議事項の申し出ある場合は、その都度これを行なう。

第9条 この規程の改廃は会社、組合のどちらかより申し出があった場合、双方協議のうえ行なうことができる。

第10条 この規程は○○年○月○日から実施する。

事務合理化委員会規則

YSW社
・電気機械製造
・従業員　二、八〇〇人

（目的）
第1条　事務、工務における事務合理化を計画し、これを実現するために、次の合理化委員会を設ける。
（本社）中央委員会
（工場）工場委員会
2　中央委員会の下部機関として幹事会及び本社分科会を設け、幹事会の下部機関として中央推進室を設ける。
3　工場委員会の下部機関として工場分科会及び工場推進室を設ける。

（中央委員会）
第2条　中央委員会は次の事項を付議する。
① 事務合理化の方針を定める。
② 幹事会から提出された事務合理化の大綱を審議決定し、その実施に関し必要な措置を講ずる。
2　委員会は委員長一名、副委員長一名、委員若干名で構成する。

（幹事会）
第3条　幹事会は中央委員会の方針に基づいて次の業務を取扱う。
① 本社分科会及び工場委員会から提出された合理化案を審議、調整する。
② 全般に及ぶ事務合理化案を調査、立案するとともに合理化実施に伴う必要な措置を行う。
2　幹事会は幹事長一名、副幹事長二名、幹事及び幹事補佐各々若干名で構成し、毎月一回定時に開催するが、必要な場合は随時開催することが出来る。

（本社分科会）
第4条　本社分科会は各部に設置し、次の業務を取扱う。
① 当該部の事務分析を実施して合理化案を作成する。
② 中央委員会から提出された合理化案のうち所管の部分について検討し幹事会へ回付する。
③ 幹事会から指示された調査、研究を行う。
2　各部の分科会は分科会長一名、副分科会長一名、分科委員若干名で構成し、必要によっては主査、副主査を置くことが出来る。

（中央推進室）
第5条　中央推進室は次の業務を取扱う。
① 中央委員会及び幹事会の会議に関する事務を行う。
② 幹事会から指示された業務を行う。
③ 事務分析、事務機械化その他事務合理化手法を確立する。
④ 事務合理化に関する教育指導を行う。
⑤ 事務合理化に必要な調査、研究を行う。
2　推進室は室長一名、副室長若干名、室員若干名で構成する。

（工場委員会）
第6条　工場委員会は各工場に設置し、中央委員会の方針に基づいて次の業務を取扱う。
① 工場分科会から提出された合理化を検討して本社委員会へ提出する。
② 中央委員会が決定した合理化対策を審議し、その実施に必要な措置を講ずる。
2　委員会は委員長一名、副委員長一名、委員若干名で構成する。

（工場分科会）
第7条　工場分科会は課単位または数課単位に設置し次の業務を取扱い所管部課の事務分析を実施して合理化案を作成する。
2　工場分科会は分科会長一名、副分科会長一名、分科会委員若干名で構成し、必要によっては主査、副主査を置くことが出来る。

（工場推進室）
第8条　工場推進室は次の業務を取扱う。
① 工場委員会の会議に関する事務を行う。

XIV 能力開発等に関する規程

② 工場委員会から指示された業務を行う。
③ 事務合理化に関する教育指導を行う。
④ 事務合理化に必要な調査、研究をする。

2 推進室は室長一名、室員若干名で構成する。

付　則

この規程は〇〇年〇月〇日から改訂実施する。

（制定・△△・〇・〇）

XV 安全・衛生に関する規程

XV 安全・衛生に関する規程

〈コメント〉

経営者は、単に労働災害の防止のための最低基準を守るだけでなく、快適な作業環境の実現と労働条件の改善を通じて職場における従業員の安全と健康を守らなければならない。

また、機械や器具などの設計者、製造者、輸入者、原材料の製造者、建設物の建設者、設計者はこれらの物が使用されることによる労働災害の発生の防止に努めなければならない。

労働災害防止に必要な事項を守ると同時に、経営者等が実施する労働災害防止措置に協力するよう努めなければならない。それには、つぎの三点があげられる。

① 労働災害防止のための危害防止基準の確立
② 企業における責任体制の明確化
③ 民間における自主的活動の促進

安全衛生管理に関する規程

労働基準法第八九条第六号によれば、安全および衛生に関する事項については、別に規則を定めることができる旨の規定があるので、少なくとも安全衛生管理者の選任を義務づけられている事業場では、自主的安全衛生基準を規程として作成しておく必要がある。

独立した安全衛生管理規程の中に、安全衛生委員会制度、安全衛生教育の規程などが包括されているものも多いが、これを細分化して規程化しているものも多くみられる。企業の種類、規模、設備、作業方法を勘案のうえ、企業の実情に即するよう決定すべきである。どのような規程があるかを参考のためにみてみよう。

① 安全衛生管理規程……安全衛生に関し包括的に規程しているもの
② 安全衛生委員会規程……労働安全衛生法で定められているもの

○安全委員会
規模五〇人以上の林業、建設業、製造業等（法第十七条）。

○衛生委員会
規模五〇人以上の事業場（法第十八条）。

○安全衛生委員会
なお、両委員会を設けなければならないときは、安全衛生委員会一本でもかまわないこととなっている（法第十九条）。

③ 安全衛生推進者
④ 作業主任
⑤ 一〇人以上五〇人未満
⑥ 一人以上……特定化学物質等を使用する事業所および有機溶剤等を使用する事業所
⑦ 安全衛生提案規程……安全衛生の改善のための提案制度
⑧ 安全衛生管理組織規程……安全衛生法第十条～第十九条までの管理体制規定
⑨ 安全衛生教育規程……労働安全衛生法第五十九条～第六十条の二に関する教育規程
⑩ 安全衛生推進員制度……安全衛生活動の推進徹底を図るため
⑪ 健康診断実施規程……労働安全衛生法第六十六条による規程。「雇入れ時健康診断」「定時健康診断」等
⑫ 安全衛生基準……労働安全規則第二編
⑬ 防火管理規則……（労働安全規則第二編第四章）
⑭ 災害補償に関する規程……法定および上積（付加給付）規程
⑮ 車輛管理規程……業務用自動車およびマイカー通勤の管理規程

530

XV 安全・衛生に関する規程

安全衛生管理規程

> MB事務器
> （事務用品・事務用機器製造
> ・従業員　八〇〇人）

第1章　総則

（目的）
第1条　この規程は、業務遂行上発生する災害および疾病を防止するため、就業規則第○条および労働安全衛生法ならびに労働安全衛生規則に基づき、会社の安全管理、衛生管理に関する基本事項を定め、従業員の安全と健康を確保し、快適な作業環境の形成を促進するとともに、あわせて業務遂行の円滑化と生産性の向上に資することを目的とする。

（安全、衛生管理の範囲）
第2条　安全、衛生管理の範囲を、次の通りとする。

① 業務遂行上発生する人的原因（作業行動欠陥によることをいう）による災害の防止
② 業務遂行上発生する物的原因（施設の欠陥によることをいう）による災害の防止
③ 業務遂行上使用する物質による健康障害の防止
④ その他業務遂行に関連して生ずる健康障害の防止

（法令および会社諸規程との関係）
第3条　安全、衛生管理については、関係法令に定めるものの他この規程による。

2　この規程に定めのない事項については、社内諸規程および内規による。

3　この規程に基づく安全、衛生に関する細部事項は、別に定める。

（遵守の義務）
第4条　従業員はこの規程ならびに別に定める安全、衛生基準について安全管理者、衛生管理者、安全指導者、作業主任者の指示に従い、常に職場の安全衛生の向上に努めなければならない。

第2章　安全、衛生管理の基本

（職制と安全、衛生担当部署との関係）
第5条　安全、衛生管理は、職制を通じて行なうことを原則とする。

2　職制の安全、衛生管理を総合的に推進するため、事業場ごとに安全、衛生担当の係を置く。

3　安全、衛生担当の係は、次にかかげる業務を行なう。

① 災害防止対策の研究企画立案
② 災害原因の調査およびその対策の検討
③ 安全、衛生に関する決定事項の実施促進
④ 安全、衛生に関する指導広報活動
⑤ 安全、衛生に関する教育訓練の基本計画立案と実施
⑥ 安全、衛生委員会および専門委員会の運営事務

XV 安全・衛生に関する規程

主務安全衛生管理者は衛生管理者の資格を取得し、他の安全衛生管理者と協力し、総括安全衛生管理者の業務に係る技術的事項の管理を推進する。

(安全・衛生管理者)
第8条 事業所における各部門の長をもって、安全管理者とする。安全管理者のうち、衛生管理者の資格を取得した者を安全衛生管理者とする。

安全衛生管理者は主務安全衛生管理者に協力し、総括安全衛生管理者の業務のうち、安全、衛生に係る技術的事項を管理する。

(産業医)
第9条 事業所ごとに産業医をおく。ただし、専属産業医がいない場合は、非専属産業医を委嘱することが出来る。

2 産業医は次の業務を行ない、必要ある場合は事業所長に勧告し、または衛生管理者に対して指導、助言をしなければならない。

① 健康診断の実施、その他従業員の健康管理に関すること
② 衛生教育、その他従業員の健康保持増進を図るための措置で、医学に関する専門的知識を必要とするものに関すること
③ 従業員の健康障害の原因調査および再発防止のための医学的措置に関すること
（作業主任者）

第10条 政令で定める作業区分に応じて、それぞれの資格ある者のうちから、作業主任者を置く。

作業主任者は当該作業に従事する従業員を指揮して、それぞれの法規に定める事項を行なう。作業主任者をおくべき業務は、次の項目とする。

① ボイラー取扱い業務
② 電気工作物業務
③ 危険物業務
④ 乾燥設備作業業務
⑤ プレス作業
⑥ はい作業業務
⑦ 木工加工業務

(安全衛生委員会)
第11条 総括安全衛生管理者の安全、衛生に関する諮問機関として、安全衛生委員会を設ける。安全衛生委員会の組織運営については、それぞれの安全衛生委員会会規による。

第4章 職制の安全、衛生

(職制の安全・衛生職務)
第12条 職制の長（安全管理者または安全衛生管理者）は、次にかかげる職務をよく把握し、災害を未然に防止するための監督、指導を行なうものとする。

① 安全、衛生に関する官公署、団体、業界等との渉外事務
⑧ 健康診断、疾病予防のための措置の実施
⑨ 災害発生時の救急援助
⑩ 災害統計等の記録、保管
⑪ その他安全、衛生に関する事項

第3章 安全、衛生管理機構

(総括安全衛生管理者)
第6条 事業所長、工場長または総務部長をもって、総括安全衛生管理者とする。総括安全衛生管理者は、各事業場における次の業務を統括管理する。

① 従業員の危険または健康障害を防止するための措置に関すること
② 従業員の安全または衛生のための教育の実施に関すること
③ 健康診断の実施およびその他健康管理に関すること
④ 労働災害の原因調査および再発防止対策に関すること
⑤ 前各号に掲げるものの他、労働災害を防止するために必要な業務

(主務安全衛生管理者)
第7条 安全衛生管理担当の7等級者（課長クラス）または6等級者をもって、主務安全衛生管理者とする。

① 安全、衛生に関する業務計画立案への参画
② 安全、衛生に関する諸規程の実施状況の把握
③ 安全、衛生に関する教育訓練の実施状況の把握
④ 担当する施設、機械または物品の定期点検および整備並びに危険がある場合の応急措置または適当な防護の措置
⑤ 安全装置、保護具の定期点検および整備
⑥ 発生した災害原因の調査および対策樹立への参画、実施
⑦ 労働環境衛生に関する調査
⑧ 作業条件、施設等の衛生上の改善
⑨ 安全指導者、作業主任者の統括
⑩ その他安全、衛生に関する事項

2 安全管理者および安全衛生管理者は、毎月一回合同会議を開き、災害防止対策を検討し、具体的措置を決めるものとする。

(安全指導者)
第13条 各部門の6等級者(係長クラス)、班長をもって安全指導者とする。

2 安全指導者の役割は、別に定めるところによる。

(安全指導者、作業主任者の職務)
第14条 安全指導者、作業主任者の職務は、法令に定めるものの他次の通りとする。
① 担当する施設機械または物品の点検、

設備および異常ある場合の応急措置または適当な防護の措置
② 安全装置および保護具工具等の点検整備
③ 性能検査の準備、立会
④ 作業者の安全保持のための指揮監督
⑤ 事故発生時の応急措置、原因調査の報告
⑥ その他安全、衛生に必要な事項

第5章 安全装置

(安全装置)
第15条 従業員は、次にかかげる機械および器具については、安全装置を有しないものを使用してはならない。また、法に定める検査に合格したものでなければ使用してはならない。
① 堅固な覆いを有しない研磨盤の砥石車
② 安全装置を有しないプレスまたは切断機
③ 性能検査に合格しないボイラー
④ 保護装置のない電気機器
⑤ 性能検査に合格しない起重機
⑥ 巻きこまれる恐れのある覆いのない回転体またはベルト
⑦ その他法令または安全基準で定めるもの

(従業員の遵守事項)

第16条 従業員は安全装置を取りはずし、またはその機能を失わせてはならない。臨時に安全装置を取りはずし、または機能を失わせる場合は、安全管理者または安全指導者あるいは作業主任者の許可を受けねばならない。

第17条 前条の許可をうけて、安全装置を取りはずし、または機能を失わせたときは、もしくはその必要がなくなったときは、直ちにこれを現状に復さねばならない。また、安全装置に異状を発見した場合は、速やかに安全管理者、安全指導者に報告しなければならない。

(使用禁止の明示)
第18条 安全管理者、安全指導者は、安全装置のない機械器具には修理中、使用禁止等の明示をして従業員に使用させてはならない。

第6章 安全点検

(安全点検)
第19条 災害予防措置として法令に定める自主検査を含め、次の区分で点検を行なうものとする。
(イ) 安全状態の点検
① 日常点検 安全指導者または作業主任者が予め定められた箇所を就業の前後に行なう

XV 安全・衛生に関する規程

(ロ) 定期点検

安全管理者または安全衛生管理者が、予め定められた方法により一定の期日に定めて行なう点検なお、法令に定める自主点検の結果は記録の上、三年間保管するものとする。

② 安全行為の点検

(イ) 第1項の点検区分による点検は作業場ごとに定める

(ロ) 安全作業基準による作業の実施状況の点検

第7章 災害発生時の措置および報告

(災害発生時の措置)

第20条 災害事故を発見した者は、負傷者の救護を第一とし適切な措置を取るとともに、直属上司に急報しなければならない。

(災害の報告)

第21条 前条の知らせを受けた上司は、速やかに臨機の処置を指示するとともに、事業所長、工場長または管理課係に報告しなければならない。

(再発防止の措置)

第22条 災害事故および負傷者が発生したときは、安全管理者は事故確認書を事業所長へ報告するとともに、原因の調査と再発防止のための措置を取らねばならない。

(報告)

第23条 総括安全衛生管理者は、次の各号にかかげる災害については、速やかに人事部長に報告するものとする。

① 休業一日以上の災害

② 人に傷害を与える恐れのあった重大な物的事故

③ その他特に報告の必要を認めた災害

第8章 就業制限および禁止

(免許を必要とする業務)

第24条 次の各号にかかげる業務に従事する者は、それぞれ資格免許を有するものでなくてはならない。

① ボイラー取扱い業務
② 電気工作業務
③ 危険物取扱い業務
④ その他法令による免許を要する業務

(特殊業務作業者)

第25条 次の各号にかかげる業務に従事する者は、それぞれ定める技能選考および特別教育を受けたうえ、安全管理者から指名を受けた者でなければならない。

① 電気工作物の施行または高圧並びに低圧電線路およびこれに属する電気機械器具の取扱い業務

② 原動機（七・五キロワット未満の電動機を除き）の運転またはその運転中における掃除、注油または検査の業務

③ 砥石車の取替えおよび試運転業務

④ アーク溶接業務

⑤ ガス溶接業務

⑥ フォークリフト運転業務

⑦ 玉掛け業務

⑧ その他安全管理者の指定する業務

(立入制限)

第26条 従業員は、次にかかげる場所に業務に関連なく、みだりに立入ってはならない。

① 高熱物を取扱う場所

② 著しくガス、蒸気または粉塵を発散し、衛生上有害な場所

③ 有害物を取扱う場所

④ 危険物を取扱う場所

⑤ 立入りを禁止された柵または囲いの中

⑥ その他立入りを禁止されている場所

(就業制限)

第27条 次の各号にかかげる業務に従事する者は、満一八歳以上の者でなければならない。

① 運転中の原動機または原動機から中間軸までの動力伝導装置の掃除、給油、検査、修理またはベルトの掛け替え業務

② 動力によるプレス機械の金型またはシヤーの刃部の調整および掃除業務

③ 動力によるプレス機械、シヤー等を用

いる厚さ八ミリメートル以上の鋼板加工業務
④ 岩石または鉱物の破砕器に材料を供給する業務
⑤ ゴム、ゴム化合物または合成樹脂のロール練り業務
⑥ 危険物を製造し、または取扱う業務で爆発、発火または引火の恐れのあるもの
⑦ 鉛、水銀、クローム、ひ素、黄りん、ふっ素、塩素、青酸、アニリン、その他これに準ずる有害なもののガス、蒸気または粉塵を発散する場所における業務
⑧ 土石、獣毛等の塵埃または粉末を著しく飛散する場所における業務
⑨ ラジウム放射線、エックス線、その他の有害放射線にさらされる業務
⑩ 多量の高熱物体を取扱う業務および著しく暑熱な場所における業務
⑪ 焼却、清掃または屠殺業務
⑫ その他年少者労働基準規則第8条に規定する業務

(妊娠中の女性の就業制限)
第28条 次の各号にかかげる業務に、妊娠中の女性を就業させてはならない。
① 運転中の原動機または原動機から中間軸までの動力伝導装置の掃除、給油、検査、修理またはベルトの掛け替え業務
② 動力によるプレス機械のシャー等を用いる厚さ八ミリメートル以上の鋼板加工業務
③ 岩石または鉱物の破砕器に材料を供給する業務
④ 多量の高熱物体を取扱う業務および著しく暑熱な場所における業務
⑤ 鉛、水銀、クローム、ひ素、黄りん、ふっ素、塩素、青酸、アニリン、その他これに準ずる有害なもののガス、蒸気または粉塵を発散する場所における業務
⑥ その他女性労働基準規則第2条に規程する業務

(就業禁止事項)
第29条 次の各号の一に該当する者は、就業を禁止する。
① 法定伝染病にかかっている者
② 伝染性の病気で他に迷惑をかける恐れのある者
③ 精神病
④ 就業によって病状悪化の恐れのある者および病後健康が回復しない者

(健康上保護を要する者の措置)
第30条 健康上保護の必要を認めたものは就業禁止の他、業務の転換および労働時間の短縮等の措置をとる。

(就業制限および禁止の遵守)
第31条 従業員は、就業制限または就業禁止を受けた場合は、その指示に従わねばならない。

第9章 健康管理

(作業環境の維持管理)
第32条 事業場の長は、事業場における衛生の水準の向上を図るため、作業環境を快適な状態に維持管理するよう、適切な指示をしなければならない。

(作業環境測定)
第33条 有害な業務を行なう屋内作業場、その他の作業場では必要な作業環境測定を行ない、その結果を記録しておかねばならない。
作業環境の測定を行なう作業場は、次の通りとする。
① 土石、岩石または鉱物の粉塵を著しく発散する屋内作業場
② 暑熱、寒冷または多湿の屋内作業場で労働省令で定めるもの
③ 著しい騒音を発する屋内作業場
④ 有機溶剤を製造し、または取扱う業務を行なう屋内作業場

(作業環境測定の実施)
第34条 作業環境の測定については、各事業場の安全、衛生担当の係が作業環境測定士の資格を取得し、これを実施せねばならない。作業環境測定士がいない事業場では、当該作業環境測定を作業環境測定機関に委託しなければならない。

XV 安全・衛生に関する規程

2 作業環境測定の項目、記録の保管については、それぞれの事業場の衛生基準で定めるものとする。

(健康診断等)
第35条 従業員は、会社の行なう定期健康診断および予防接種を正当な理由なくして拒むことは出来ない。ただし、健康診断期間中に他の医師の健康診断を受け、その結果を証明する診断書およびX線写真を提出した場合は、この限りでない。
2 健康診断項目については、別に定める。

(特殊健康診断)
第36条 次の各号の一に該当する者は、定期健康診断の他、特殊健康診断を受けなければならない。
① 多量の高熱物体を取扱う業務または著しく暑熱な場所における業務
② 著しく塵埃または粉末を飛散する場所および強烈な騒音を発する場所における業務
③ 有害物を取扱う業務
④ その他衛生管理者が指定する業務

第10章 防火管理

(防火管理)
第37条 防火管理に関しては、別に定める防火管理規程による。

第11章 安全衛生教育

(教育への参加)
第38条 従業員は、会社が行なう安全衛生に関する教育に進んで参加しなければならない。

(教育の区分)
第39条 安全衛生教育訓練は、次の各号により行なうものとする。
① 新入従業員に対して行なう教育訓練
② 新作業就業者に対して行なう教育訓練
③ 一般従業員に対して行なう教育訓練
④ 安全指導者、作業主任者に対して行なう教育訓練
⑤ 管理職位にある者に対して行なう教育訓練
⑥ 特殊作業者に対して行なう教育訓練
2 前項各号による安全衛生教育訓練の内容方法については、別に定める。

第12章 保護具

(保護具)
第40条 従業員は、次の各号の一に該当する業務に就業する場合は、所定の保護具を使用しなければならない。
① 多量の高熱物体を取扱う業務
② 有害物を取扱う業務
③ 著しくガス、蒸気または粉塵を発散し、安全衛生上有害な場所における業務
④ 強烈な騒音を発する場所における業務
⑤ 感電の恐れのある業務
⑥ その他会社の指定した業務

(保護具の管理)
第41条 従業員は、会社から支給された保護具は使用に注意し、紛失、破損、散逸、不潔にならぬよう心がけなければならない。

(掃除)
第42条 従業員は、会社の行なう大掃除については、所属長の指示に従わねばならない。

(廃棄物の処理)
第43条 従業員は清潔に注意し、廃棄物を定められた場所以外に捨ててはならない。

第13章 安全衛生基準

(安全基準・衛生基準の作成)
第44条 事業場の長は、本規程の効果を上げるため各事業場の特性にあった安全基準、衛生基準を定め災害防止、作業環境の向上に努めなければならない。

付 則

(規程の改廃)
第45条 この規程の改廃は、安全衛生委員会において審議され、人事部長の決裁を経て行なう。

安全衛生委員会規程

US鉄工
（金属製品製造・従業員 七〇〇人）

第1条　本委員会はUS鉄工所安全衛生委員会と称す。

第2条　本委員会は安全衛生に関して労働者の意見をきくため構成し、職場に働く人々を十分に保護する策を講じ、職場は絶対に安全で衛生的であり、明朗な職場であるとの理想に向って努力すると共に全労働者の安全、衛生観念を呼起し安全衛生に対する個人的責任感を養成して労使双方の合意の協力活動を確保せんとする労使双方の合意の活動を目的とす。

第3条　本委員会は第2条の目的を遂行する為に下記事業を行なう。
① 職場の定期的安全衛生計画に関する事項
② 安全衛生対策の実行経過の批判検討に関する事項
③ 災害、疾病原因の分析的研究
④ 安全衛生対策としての改善事項の審議
⑤ 新入労働者の安全衛生教育に関する事項
⑥ その他第2条の目的遂行上必要なる事項

第4条　本委員会には下記の役員を置く。
委員長　　　一名
副委員長　　一名
幹事　　　　若干名
委員　　　　若干名

第5条　委員長は会社副参事以上の者の内より一名之に当り、幹事は安全衛生管理者、危険物取扱主任、医師が之に担当する。

第6条　副委員長並に委員は従業員の内より委員長が指名し、労働組合より組合長他二名を委員として委嘱する。

第7条　本委員会役員の任期は一か年とし再任を妨げない。

第8条　本委員会は毎月一回定例委員会を開催する。但し必要に応じ随時開催する事が出来る。

第9条　本委員会の招集は委員長がこれを行う。

第10条　本委員会は諮問機関にしてその決議は必ず実施するとは限らないが第2条の目的に副う様努力するものとす。

第11条　本規程は〇〇年〇月〇日より実施する。

（実施）
第46条　この規程は〇〇年〇月〇日改定実施する。

（制定・△△・〇・〇）

（免許、技能講習に関する経過措置）
この規程が実施されてから一年の間に、次の各号に該当する業務に従事する者は、資格免許取得および講習を修了しなければならない。ただし、既にこれらの免許を取得している者および講習を修了している者は、この限りでない。

① 第7条に掲げる衛生管理者業務
② 第10条に掲げる
　　ボイラー業務
　　電気工作物取扱い業務
　　危険物取扱い業務
　　乾燥設備作業業務
　　プレス作業業務
　　はい作業運転業務
　　木工加工作業業務
③ 第25条に掲げる
　　砥石車の取替えおよび試運転業務
　　アーク溶接業務
　　ガス溶接取扱い業務
　　フォークリフト運転業務
　　玉掛け業務
④ 第34条に掲げる
　　作業環境測定業務

安全衛生委員会細則

第1条 委員は工場内に於て規程第2条の目的達成のため、本細則の各事項をなすと共に危険なる作業様態を発見したる時は直ちに万全の策を講じ、災害防止のため善良なる指導者たる事につとめるものとす。

第2条 委員会は災害防止のため善良なる指導者たる事につとめるものとす。

第3条 委員会に於て審議決定された事項は幹事を通じ会社職制上の委員に従い極力主旨の実現に努力する。

第4条 委員は災害発生の場合、被害者又は目撃者立合の上、下記各項を調査し現認書を作成、安全管理者を通じ委員長に報告する。

① 被害者の所属氏名
② 被害場所、日時、使用機械工具及び製造品目
③ 負傷せる状態及び身体被害の程度
④ 災害の原因
⑤ 当該場所に於ける安全設備の適否
⑥ 防止対策その他必要な事項

第5条 委員は安全設備の不完全もしくは破損を発見した場合、その場所及程度並に修理の方法等安全設備について自ら考案し又は他よりこれに関する進言を受けた場合はその場所、施設の名称、改良すべき点並び方法等詳細を直上長を通じて部長に申達する。

第6条 委員は災害防止の諸施設を毀損し又は安全に関する諸注意を無視したる行為を発見したる場合、その者の所属氏名、棄損したる施設の名称、場所、その他を直上長を通じ部長に申達するものとす。

第7条 前二条の場合、直上長は部長の指示により事故を未然に防止出来うる様直属の委員を督励し、対策につとめるものとす。

第8条 委員会は事故発生の所属委員より発生状況、原因、被害状況、防止対策を聴取し、各委員は当該所属員に周知徹底せしめ安全意識の高揚を図るものとす。

第9条 委員は第2条の目的達成のため衛生管理者の指示により各所属員の健康管理を援助推進する為下記事項をなす。

① 結核早期発見のため、健康診断完全実施と健康忌避者の絶滅
② 身体の異常発見、特に疲労に対する指導
③ 職業病の早期発見、保護具の整備
④ 夏期高熱作業員並び長時間残業者に対する「ビタミン」補給
⑤ 年少者の健康要監視
⑥ 予防接種の完全実施
⑦ その他目的達成の為必要なる事項

第10条 本細則は○○年○月○日より実施す る。

産業用ロボット安全規則

MBS電機 電気機器製造
（・従業員 一五、〇〇〇人）

第1章 総則

（目的）
第1条 この規則は社内で使用する産業用ロボットならびにその周辺装置で構成されるロボットシステムに係わる災害を未然に防止するため、ロボットの管理、導入計画、保全点検、および操作に関する一般的事項について定める。

（適用範囲）
第2条 この規則は、日本工業規格の産業用ロボット分類の内、生産用として使用するサーボ機構付可変シーケンスロボット、プレイバックロボット、数値制御ロボットおよび知能ロボットの作業に適用する。

（関係法令の遵守）
第3条 この規則と関係法令との間に差異がある場合は関係法令を優先するが明らかに本規則が内容において安全性にすぐれてい

ると判断される場合は本規則を優先する。なお上記法令に定められた条項は本規則に記載されていなくとも遵守しなければならない。また関係法令は最新のものであること。

(用語の意味)
第4条　この規則で用いられる主な用語の意味は次の通りである。
① 周辺装置……ロボット本体の制御に係わる装置
② 作業者……ロボットを操作するなどロボットに係わる作業を行なう指名業務者
③ 作業主任者……ロボットに関連する作業の管理を直接行なう者
④ 被把持物……ロボットによって把持される対象物
⑤ 危険領域……その中に立ち入った場合に危険な状態が起こる怖れがある領域
⑥ 安全手段……安全防護の機能を有する設備・装置および安全防護を実現するための対策・方法
⑦ 自動の状態……直接人が操作することなく決められた順序または、制御命令によって、ロボットが自動的に動作を行なっているかもしくは動作を行ないうる状態
⑧ 手動の状態……直接人が操作を行ないうる状態（教示を含む）
⑨ フェイル・セイフ……システム内で誤動作や異常が発生した場合にシステムが安全側に動作すること。
⑩ 非常停止……ロボットを含むシステムの異常動作に対処するため、人の意志による急速な停止

第2章　管理体制

(作業主任者の選任)
第5条　ロボット使用部門の管理者は、ロボット作業の管理および指導を行なうに当り十分な知識と技能を有すると認めた者のうちから、作業主任者を選任すると共にその職務を明確に指示しなければならない。

(作業主任者の職務)
第6条　作業主任者は、ロボット作業ごとにロボット製造者が保証する仕様範囲および取扱い注意事項を十分考慮の上、作業指導票を作成しこれを作業者に指導して安全作業の周知徹底を図ると共に、ロボット作業の安全防護のために設けられた安全手段が有効に機能するよう次の事項を行なう。
① 非常停止機能が常に有効に動作するよう管理すること。
② 危険領域が確実に防護するよう管理すること。
③ ロボットのプログラムおよび設定速度の管理を行なうこと。
④ 二人以上の作業者によるロボットの操作に関する管理を行なうこと。
⑤ 操作盤にキースイッチを設けたときは、当該キーを保管すること。
⑥ 日常点検、定期点検の管理を行なうこと。

(作業者の指名)
第7条　ロボット使用部門の管理者は、ロボット作業に必要な知識および技能に関する教育過程を終了した者のうちから作業者を指名しなければならない。

(作業主任者の周知)
第8条　ロボット使用部門の管理者は、作業主任者の氏名および職務内容をロボット周辺の見やすい箇所に、掲示しなければならない。

(教育)
第9条　ロボット使用部門の管理者は、作業主任者の選任および作業者の指名に先だち別途定める「ロボット作業教育基準」に基づき、ロボット作業ごとにその作業の実態に即した教育計画を立案し、それを実施しなければならない。主な教育件名を次に示す。
① ロボットの仕様、構造、機能およびその取扱い要領
② ロボットの教示および操作要領
③ 保守点検要領
④ 作業方法および安全（注意）事項
⑤ 異常時の処置

第3章 導入計画

(導入計画)

第10条 ロボット導入計画者は、潜在する危険な状態を想定し万一異常が生じた場合でも、人に対する最大の安全性を図り、かつロボットおよび周辺装置の損傷を最少にするため別途定める「ロボット導入計画基準」に基づき計画しなければならない。

計画に当たっての基本事項を次に示す。

① 基本思想は社内基準「新設設備機械導入計画基準」によること。

② ロボットの外面に鋭利な角および突起等危険な部分がないこと。

③ 必要な強度を有すること。

④ 人間工学的な配慮により作業の安全を確保すること。

⑤ 保全性を確保すること。

⑥ 電圧・油圧または空気圧の変動、停電その他の異常もしくは制御系統に起因するロボットの誤動作の際、ロボットによる危険を防止するためフェイルセイフ等の本質安全化を図ること。

⑦ ロボットの危険領域内に入って教示作業等を行なう場合、ロボットの腕の先端速度は三〇cm／s以内とすること。

第4章 設 置

(機器配置)

第11条 ロボットシステムを構成する機器の配置は、操作性、保全性および安全性を考慮し次の事項を守ること。

① ロボットの動作範囲および操作ならびに保全作業範囲を考慮し、必要な作業空間、作業面積を確保すること。

② ロボットの操作盤はロボットの動作範囲内に設置しないこと。

③ 非常停止ボタンは作業者が容易に操作し得る場所に設置すること。

(据付)

第12条 ロボット作業を行なうに当り、ロボット本体が容易に移動、転倒しないようアンカボルト等で固定すること。

(電源シャ断装置)

第13条 ロボットシステム専用の電源シャ断装置を設けること。ただし、ノイズ等の外乱によりロボットの誤動作を誘発するおそれのある場合を除く。

また、ロボットシステムを構成する各機器は第三種接地を施すこと。

(電気配線)

第14条 ロボットシステムに供給する電気配線を、通路面において使用しないこと。ただし仮設配線または移動配線で当該配線の

上を車両その他が通過すること等による絶縁被覆の損傷のおそれのない状態で使用する場合を除く。

(誤動作防止)

第15条 周囲作業環境からノイズ等の外乱が侵入しないよう、ロボットの誤動作を防止するための装置を講ずること。

(危険領域)

第16条 ロボット作業の形態に応じて危険領域を明確にするとともに、安全防護柵等を設け、ロボットが自動の状態で運転または待機している間、人が容易に危険領域内に入れないようにすること。また危険領域内に入ったらロボットが停止する機能を設けること。

(使用前試験)

第17条 飛来または落下することにより、作業者に危険を及ぼす恐れのある加工物では使用する把持機構が当該加工物を確実に把持できるかを試験し、合格しない場合は当該作業をしてはならない。把持機構の試験は、次に示すいずれかの方法により行なうものとし、いずれの場合でも加工物を安定して保持した場合合格とみなす。

当該ロボット、把持機構、加工物の組合せにて

① 定期運転における速度および加速度による繰返し試験を一〇〇回行なう方法

② 定常運転の一二〇％以上の速度および

加速度による繰返し試験を四〇回行なう方法

第18条 無段可変速のロボットを使用する場合、当該ロボットの最高速度で加工物を安定して把持できない怖れのあるときは、次に示す方法で、使用最高速度および使用最高加速度を求めること。

① 当該ロボット、把持機構、加工物の組合せにて
当該ロボットを安定して加工物を保持しうる最高速度を求めること。ここで加工物を安定に保持しうるとは、第17条の①に定める試験に合格することである。

② ロボットの動作速度を上昇させ、加工物を安定して保持しうる速度を求め、この速度の八〇％を使用最高速度とすること。

ロボットの動作速度を上昇させ、加工物を安定して保持しうる加速度を求め、この加速度の八〇％を使用最高加速度とすること。また、これはマイナスの加速度試験でもよいとする。

第5章 保全・点検

（安全手段の保全）

第19条 ロボット使用部門の管理者は当該ロボットシステムの稼動に先だち安全管理部門による安全確認検査を受け、合格したものでなければ使用してはならない。

（安全確認）

第20条 ロボット作業に係わる危険を防止するために設けられた安全手段の効力を正当な理由なく低減または、失わせないことし、次の事項を守ること。

① 作業者は安全手段を取り外し、またはその機能を失わせた状態で使用しないこと。

② 作業者は臨時に安全手段を取り外し、またはその機能を失わせる必要がある時は、あらかじめ作業主任者の許可を受けること。なお安全手段を取り外し、またはその機能を失わせた時は、その必要がなくなった後、直ちに元の状態に復すこと。

③ 作業主任者は安全手段を失ったことを発見した時は、速やかにその旨を作業主任者に申し出ること。

④ 作業者は安全手段が取り外され、または、その機能を失ったことを発見した時は、作業者からの前号の申し出があった時は速やかに修復すること。

第21条 ロボット使用部門の管理者は、ロボットの改造、改善を行なった場合新しい危険を伴なう怖れがあるので、必要があればこれに対する安全手段を講ずると共に、第19条による安全確認検査を受けること。

（点検）

第22条 作業主任者は、ロボットシステムおよびその安全手段が常に正常に機能するようロボット作業の実態に即した日常点検お

よび定期点検の管理を行なうこと。なお、ロボットを停止させ点検または修理等を行なう場合は、ロボットの起動装置に施錠するかもしくは表示板を取り付けること。

（日常点検）

第23条 作業者は日常点検として、作業を開始する前に少なくとも次に示す始業前点検を行ない、その記録を一か月ごとに作業主任者へ報告すること。

① 作業域内の整理、整頓、清掃状態
② 移動、可動電線の絶縁被覆の損傷の有無
③ 操作盤、可搬型操作箱の損傷の有無
④ ロボットの作動および停止状態の確認
⑤ 各種表示灯の確認
⑥ 非常停止装置および安全手段の各種インターロック機能の確認
⑦ ロボット本体の据付ボルトの締付状態

（定期点検）

第24条 ロボット使用部門の管理者はロボット製造者が推奨する定期点検要領に基づき、点検項目および点検周期を立案し、作業主任者がこれを管理する。

第6章 操 作

（作業服装）

第25条 作業者はロボット作業の実態に即し

XV 安全・衛生に関する規程

た服装および保護具を装着し当該作業に従事すること。

（電源の投入）

第26条　作業者は危険領域内に人がいないことを確認し、主電源もしくはサーボ電源等を投入すること。

（教示）

第27条　作業者はロボットが教示の状態で動作している間はロボットの危険領域内に入ってはならない。ただし教示中に当該ロボットが誤動作してもロボットの腕の先端速度が三〇cm/sを越えない機能が設けられ、その機能が作動中の場合を除く。

第28条　教示作業の安全化を図るための基本事項を次に示す。

① 非常の際の電源停止、被災者の救出等を行なわせるため原則として監視人を置くこと。

② 教示する操作ボタンとロボットの動きを確認して誤操作を防ぎかつロボットから視線をはなさないこと。

③ 誤動作、誤操作による不測の事態を予測し、すぐ身を避けることができるよう足元および周囲に充分注意しておくこと。

④ ロボット製造者が定める操作上の注意事項を遵守すること。

（段取・調整）

第29条　作業者は危険領域内で把持機構等の

交換作業を行なう場合、主電源もしくはサーボ電源等をシャ断してロボットの駆動エネルギーを開放すること。

第30条　作業者は被把持物、被加工物の交換および調整、ならし運転等の作業を手動の状態で行なう場合、ロボットの危険領域内に入ってはならない。

ただし、当該ロボットが誤動作してもロボットの腕の先端速度が三〇cm/sを越えない機能が設けられ、その機能が作動中の場合を除く。

（自動運転）

第31条　作業者はロボットが自動の状態で作動している間は、いかなる場合でもロボットの危険領域内に入ってはならない。なお自動運転中の安全を確保するため次に示す安全手段が設けてあること。

① ロボットが自動の状態にあることを光学的手段等により表示する機能

② 危険領域内に作業者が侵入した場合ロボットが停止する機能

（プログラムの管理）

第32条　作業者は二つ以上のプログラムでロボット作業を行なう場合、作業内容の変更のつど、当該作業とそのプログラムとが合致しているかを確認すること。ただし当該作業とプログラムとがシステム上、インターロックされている場合を除く。

第33条　作業者は当該ロボット作業において設定された速度、加速度および可搬重量を越えて使用してはならない。

（異常時の措置）

第34条　作業者はロボットの異常作動を発見した場合、速やかに非常停止操作等の危険防止措置を行ない、その旨を作業主任者へ申し出ること。

（故障〈事故〉の再発防止）

第35条　作業主任者は故障（事故）または異常が発生した場合、その原因を究明すると共に、この先例を安全防護に生かし、故障（事故）または異常再発防止のに努めること。なおこの結果を別表1の「産業用ロボット故障（事故）記録」に記載すること。

（運転記録）

第36条　作業者はロボット作業の適正な使用およびロボット作業の円滑な安全管理を推進するためロボットの稼動時間および停止時間等を別表2の「産業用ロボット運転記録」に記載し毎月これを作業主任者へ報告すること。

第7章　記　録

（記録の保管）

第37条　ロボット使用部門の管理者は次に示す記録を三年間保管すること。

① 日常点検および定期点検記録
② 故障(事故)および補修記録
③ 運転記録
④ その他必要と思われる記録類

第8章 雑 則

(設計図書類の整備)
第38条 ロボット使用部門の管理者はロボットに関する仕様書、取扱い説明書ならびにロボット作業の作業指導書等を整備保存すること。

(細則等の制定)
第39条 この規則を運用するために必要と認められる場合には別に細則を制定する。

(付則)
第40条 本規程は○○年○月○日より実施する。

(制定・△△・○・○)

●参考資料

別表1 産業ロボット故障(事故)記録

ロボットシステム名称	プラントNO	設置年月

発生日時月・日／時刻	故障(事故)発生状況	故障部位 ロボット	故障部位 周辺	故障部位 部品名	故障原因	修理・措置内容	修理者	修理日時月・日／時刻	ロボット停止時間

● 参考資料

別表2 産業ロボット運転記録

年 月	ロボットシステム名称	プラントNO	設置年月

項目 日付	ON：正常時間(Hr)		OFF：停止時間(Hr)				備考
	稼動時間	準備時間 段取時間 教示時間	計画保全 時　間	異常停止時間			
				3Hr/件以内	3Hr/件を超えるもの		
				チョコ停	故　障	作業環境	
1 ( )							
2 ( )							
3 ( )							
4 ( )							
5 ( )							
6 ( )							
7 ( )							
8 ( )							
9 ( )							
10 ( )							
11 ( )							
12 ( )							
13 ( )							
14 ( )							
15 ( )							
16 ( )							
17 ( )							
18 ( )							
19 ( )							
20 ( )							
21 ( )							
22 ( )							
23 ( )							
24 ( )							
25 ( )							
26 ( )							
27 ( )							
28 ( )							
29 ( )							
30 ( )							
31 ( )							
計							

産業用ロボット『安全マニュアル』

(制定・○○・○・○)

YS電機（電気機器製造・従業員 六、○○○人）

はじめに

ロボットはその空間的柔軟性とともに、ティーチング作業が必要なために一般機械に比較し、危険性を含んだ機械です。そのために、ロボットを扱う前に安全教育が必要です。

本マニュアルは産業用ロボット「モートマン」（以下ロボット）を操作する人および設置、保守を行う人にモートマンを安全に取り扱っていただくための指針です。

安全管理に関する注意事項

一般事項

安全を確保するために、ロボットに関する取扱説明書を熟読し、理解することが必要ですが、下記についても十分に厳守することが必要です。

① 各企業における安全規則
② 労働安全衛生法
③ 労働安全衛生規則
④ 労働安全衛生施行令

ロボットを安全に操作するために、客先におかれましては本マニュアルにより操作および設置、保守をする人の安全教育を行っていただくとともに直接作業にたずさわる人はロボットに関する取扱説明書、操作説明書を十分に理解していただき、安全でかつ能率的作業を行っていただきますようお願いします。

安全管理体制

① ロボット導入の際には、専任作業者の決定と同時に、運営を管理するロボット安全管理者を決めることが必要です。
② ロボットを操作する人および安全管理者はロボットの教育を受けた人を選んでください。

ロボットの危険性の徹底

ロボットは空間的柔軟性およびティーチング作業の必要性により、一般機械に比べて危険性が大きいため、人間側は、より一層厳しい安全への取組みを行う必要があります。この点を社内において十分に徹底してください。

安全管理基準の作成

ロボット運営上の貴社独自の安全管理基準書を作成し、その遵守を徹底してください。

人に関する安全

安全管理者、設置・操作・保守にたずさわる人は、つねに安全第一を心がけ、自分自身はもちろん、関係者以外の人の安全をも守る認識が必要です。

下記の項目について徹底してください。

① 急激な動作を避けること。
② ふざけるような行動を避けること。
〈こうした行為は作業条件を不安全にします〉
③ "火気" "高圧" "危険" "関係者以外立入禁止"などの工場内安全標識を守ること。
④ 動くものに対しては服装の状態が安全に対して非常に大きな要因となり、場合によっては死亡事故につながります。次の事項は安全に対して非常に役立つものです。決められた作業着以外は着用しないこと。

(A) 決められた作業着以外は着用しないこと。
(B) 手袋を着用しないこと。
(C) 下着、ワイシャツは作業着から垂れさがった状態で着ないこと。
(D) 安全靴、ヘルメットなどの安全保護具

XV 安全・衛生に関する規程

を身に付けること。

⑤作業にたずさわる人は健康でなければなりません。

⑥ロボットの設置場所には関係者以外は"近づかない""近づけない"をルール化し、遵守すること。

作業場に関する安全

作業場の環境は重大災害を引き起す要因となります。
以下の事項について十分な管理が必要で、対策を実施してください。

① 作業場は整理、整頓され、つねに清潔であること。
フロア上のオイル、水あるいはパイプ片等の物のちらかりは、人が転倒する要因となり、ロボットの動作領域あるいは治具などに倒れこみ、災害発生を誘発します。

② ロボットの作業場の周囲には安全柵を設け、さらに警告表示を行うようにします。不用意にロボットに接近できる環境では重大災害が発生します。

③ 使用した工具類はきめられた場所に保管します。
工具類を不用意に治具上におき忘れていた場合、トーチとの干渉により、トーチを破損したり、治具を破損する恐れがあります。

④ 危険な要素がある場合、すなわち床が破壊していたり安全柵がこわれていたり、すべりやすい床であったり、警報表示が必要と思われる場合、作業者は安全管理者に報告し、安全管理部門は直ちに修復するか、必要な処置を取ってください。

⑤ オイルミスト、じんあい、ヒュームなどの環境が悪い場合には、換気装置を設けてください。

玉掛け、クレーン作業、運搬に関する安全

玉掛け、クレーン作業、フォークリフト操作は必ず免許保持者でなければならないことは当然ですが、以下の事項について十分確認した上でロボットを取扱う必要があります。不用意な取扱いはロボットを損傷させるばかりでなく、重大災害、死亡事故を誘発します。

① カタログ、取扱説明書により、重量、玉掛け方法を確認してください。フォークリフトでの運搬の場合、安全管理部門の推奨する方法を採用してください。

② クレーンでつり上げられた物の下には絶対に入らないこと、およびつり上げられた物を他人の上に持ってこないようにします。フォークリフトでの運搬の場合、運搬経路にいる他人に対し、警告を出し、安全な位置に退避させます。

③ クレーンでつり上げたり、フォークリフトで運搬する前にロボットを設置する場所に人やフォークリフトが安全に作業できる場所があるかどうかを確認してください。

④ クレーン、あるいはフォークリフトで物が持ち上げられた場合、決して手で触れないでください。

⑤ クレーン、チェーン、ワイヤ、フォークリフト、ホイストなど、物の持ち上げに使用する機器類は十分に点検されたものでなければならないし、安全な負荷容量でなければなりません。疑わしい機器類は絶対に使用しないでください。

⑥ ロボット本体、YASNAC本体および治具に取付けられたアイボルトを使用する場合、運送途中でのゆるみが発生することも考えられるので、十分に締っていることを確認してください。

⑦ アイボルトを準備する場合、穴ねじとアイボルトが同じサイズであることを確認し、十分に締めこんで使用してください。

据付に関する安全

非常時を考慮し、"つまずかないように""はさまれないように""見やすいように""操作しやすいように"据付を計画する事が重要です。

産業用ロボット「安全マニュアル」

据付時、下記の点に注意してください。

① ロボット設置場所は、ロボットがツール付きの状態で腕を一杯に延ばした場合、ロボット先端が側壁や安全柵、制御盤にとどかない場所でなければなりません。

② 一次配線を行う前に接続図を十分に理解して行ってください。
　また、アースも工事要領書通りに行ってください。

③ YASNAC制御盤のドアは完全に閉じておきます。

④ ロボットとYASNAC間、YASNACと溶接機間、治具制御盤および操作盤とYASNAC間、一次配線などのケーブルは操作する人、あるいは他の人々が足でひっかけたり、直接フォークリフトで踏んだりしないようにピット内におさめるか、保護カバーを取付けるなどの対策を実施してください。また、ケーブル上には直接物を乗せないでください。

⑤ 各種ケーブルは互いに交錯させないこと。また、溶接機の下をはわせたりしないようにします。

⑥ YASNAC、治具操作盤などでロボットを操作するので、これらの機器はロボットの動きが十分に見えるように、また安全に操作できる位置に設置します。

操作に関する安全

ロボットは他の機械と異なり、ティーチングという特殊な作業が必要で、それゆえに危険性が増大します。操作にあたっては、下記の点を厳守してください。

① セットアップ、操作を行う前にロボット取扱説明書、操作説明書、一般説明書を読み、十分に理解してください。

② ロボットを操作する前に安全柵、遮光板、種々のカバーおよび治具安全装置などを確認しなければなりません。

③ ロボットに溶接トーチなどのツールを取付ける場合、一次電源が"OFF"されていることを確認し、また警告表示を行います。

④ ロボットを手で無理に動かしたり、ぶらさがったりしてはなりません。
　また、ロボットにより治具を動かしたり、ボルトを締めたり、ゆるめたりなどの作業を行ってはなりません。

⑤ 制御盤にもたれたり、ふざけたりしてはなりません。
　こうした動作は不用意にボタン類を押してしまう結果となります。

⑥ 操作中は関係者以外の人を操作パネル部には近づけないでください。

⑦ 次の作業を行う場合には、安全な領域で操作を行うとともにロボットの動作範囲内に人がいないこと、また治具などが所定の位置以外にないことを確認してください。
　また、作業中に危険を認めたら、直ちに非常停止ボタンを押してください。非常停止ボタンは操作盤面上およびティーチボックス上にありますが、いずれも有効です。

　(a) ロボットの電源をONするとき
　(b) ロボットを原点復帰させるとき
　(c) ティーチボックスでロボットを動かすとき
　(d) チェック運転のとき
　(e) 自動運転のとき

⑧ 基本として自分自身を災害から守るという考え方を徹底してください。
　すなわち、下記のスローガンはロボットに対する安全憲章としてください。動作範囲内でのティーチングを作ったりする場合には、

　"ロボットをつねに正面から見ることに徹する"
　"決められた操作手順に従う"
　"ロボットが自分の方へ向かってきたらという予測暗示を行う"
　"万一を考慮し、退避場所を考慮しておく"

⑨ 安全管理は余裕を持ってティーチング作業を行うように指導してください。ティーチング作業は動作範囲内での作業に

547

XV 安全・衛生に関する規程

なり、特に注意が必要です。操作を行う人に対しては安全第一を指導し、ティーチング時間に制約をつけないようにしてください。

⑩ ティーチボックスは使用後、必ず所定の位置に戻してください。ティーチボックスを不用意に治具上に放置していると、ロボットを動作させた場合干渉し、ロボットツールあるいはティーチボックスの破損につながることになります。

⑪ YASNACの操作盤面上の"START"ボタンの開閉ふたは操作後、必ず閉じておいてください。

⑫ 操作をする人、あるいは作業完了後は必ず、制御盤のPOWERボタンを"OFF"とした後に、一次電源を"OFF"してください。その後、ロボット、治具などの清掃を行ってください。特に環境が悪い所では、作業終了後カバーなどでロボット制御盤を保護してください。

⑬ 自動運転中は安全柵内にみだりに入らないようにしてください。特に関係者以外の人に対しても徹底が必要です。

保守に関する安全

保守の場合、下記事項に注意してください。

① 保守を行う人は、必ずYS電機で教育を受けた人で、ロボットの内容を良く認識している人でなければなりません。

② 保守上疑問点がある場合には、必ずYS電機に相談してください。

③ 保守上、部品交換が必要な場合には、純正部品でなければなりません。客先で部品購入の場合、必ずYS電機指定の部品としてください。

④ 保守を行う場合、必ず電源を"OFF"および配線用遮断器を"OFF"にして行ってください。

また、関係者以外の人が不用意に電源を入れたりしないよう、一次側ナイフスイッチおよび制御盤、操作盤上に何らかの形で警告表示を行ってください。ツールの交換、清掃の場合も同様の処置をとってください。

⑤ 駆動メカニズムを分解する場合、倒れる部分にはサポータで固定しなければなりません。

⑥ ユニットをつり上げる場合、必ずYS電機指定のアイボルトのサイズを使用し、所定のタップ穴を使用してください。

⑦ 保守完了後はカバー締付けボルトが全部締まっているか、工具類をロボットや制御盤、治具内に置き忘れていないか、盤のドアが閉っているかを十分に確認してください。

⑧ 制御盤のドア開閉用キーは、決められた保管者、決められた使用者以外は使用しない

アーク溶接に関する安全

操作する人は、すべての安全規則を認識し、注意深い態度で溶接作業に取り組まねばなりません。

もし、不注意な取組みを行った場合、けがや死亡事故を起こしたり、他の機器類を損傷することになります。

次の事項には十分注意してください。

① アースは完全に行われているかを確認してください。

② ロボットへのトーチの取付けの際は、トーチとロボット本体間の絶縁を必ず行ってください。

③ 溶接用ケーブルについては、損傷がないかどうか必ずチェックし、損傷ある場合には必ず新しいものと交換してください。

④ ケーブル接続ターミナル部は、必ず絶縁保護を行ってください。

⑤ 電源"ON"の状態では、ワイヤおよびワイヤ送給部の活線部には触れないでください。

⑥ 保守の場合、一次電源を"OFF"し、警告表示を行ってください。

⑦ アーク先は直接見ないでください。

でください。

⑨ ケーブル類については、損傷がないか十分に確認してください。

⑧ 遮光板を設置し、作業者や関係者以外の人をアーク焼け、アーク直視から保護してください。

⑨ 安全柵、防壁を設置し、スパッタが作業者および第三者にふりかからないようにしてください。

⑩ 溶接作業場近辺には引火物、燃えやすい物を置いてはいけません。また、グリース塗布、ペインティング、シンナ洗などの火気危険性のある作業をしてはいけません。

圧力ガス関係の機器について

① ガスボンベは注意深く取り扱ってください。
溶接ケーブルあるいは他の電気回路からは離して設置し、ガス名称を確認してください。色分けだけで判断してはいけません。

② ガスホースは所定のホースを使用してください。
もし、傷ついていたり、クラックが入っていれば直ちに新しいものに交換してください。

③ 圧力調整器はガスおよびシリンダに対応した適正な物を使用してください。
故障が疑われる場合には、直ちに新しいものに交換してください。

④ ガスボンベのバルブは圧力調整器の圧力指針がゆるやかに動くように、ゆっくり開いてください。

⑤ ガスボンベは倒れないように固定してください。

快適職場推進委員会規程

HN興産
（金属製品製造 従業員 九〇人）

（目的）
第1条 HN興産株式会社（以下「会社」という）は、快適職場推進のため、会社と各職場の社員代表との間で、快適職場推進の事項について、労使のコンセンサスを得るために「快適職場推進委員会」（以下「委員会」という）を会社内に設置する。

2 前項の委員会は、労働安全衛生法による「安全衛生委員会」を兼ねるものとする。

（構成）
第2条 委員会は、会社を代表する委員4名と社員を代表する委員4名及び衛生管理者1名計9名をもって構成する。

2 会社を代表する委員は、代表取締役社長が役員及び管理職の中より氏名された者とする。

3 社員を代表する者は、各職場より選出された者とする。

4 衛生管理者はその資格のある者。複数の資格者がいる場合は互選による。

（委員の任期）
第3条 委員の任期は3か年とする。委員に欠員を生じた場合は、会社委員、社員委員の区分に従って補充する。
補充された委員の任期は欠員委員の残存期間とする。

2 委員の再選は妨げないものとする。

（議長）
第4条 委員会に議長を置く。議長は会社を代表する委員の筆頭者とする。

2 議長に事故のあるときは、議長の指名した者がこれにあたる。

（開催）
第5条 委員会の開催は次のとおりとする。

① 定例開催 3月、6月、9月、12月
② 臨時開催 緊急を要する案件が生じたとき。

2 前項の委員会の開催は、その期日、場所、付議事項について、5日前までに各委員に通知するものとする。
ただし、緊急を要する場合は口頭連絡で開催することがある。

XV 安全・衛生に関する規程

3 委員会は、会社側委員及び社員側の委員のそれぞれ過半数以上の出席によって成立する。

(付議事項)
第6条 委員会に付議する事項は「説明事項」及び「協議事項」に分ける。
2 説明事項は次のとおりとする。
① 業界における快適職場推進等(社員の安全衛生対策等)の状況
② 職場環境の快適化を図るために会社が講ずべき措置の内容
③ 新入社員の安全衛生教育に関する事項(軽易な場合)
④ 機械器具・工具等の就業前の点検(機会器具・工具一覧表は別表)
⑤ 保護具の使用、防具の装着
⑥ 労働安全衛生法に関すること
⑦ その他快適職場への取組み事例等

3 協議事項は次のとおりとする。
① 安全衛生教育の計画
② 安全衛生対策の改善事項
③ 作業環境の管理
④ 作業方法の改善
⑤ 機械器具、工具等の定期点検(機械器具・工具一覧表は別表)
⑥ 操作担当者が指定されている原動機等の操作
⑦ 消防施設(通路、非常口、消火設備等)、安全装置、衛生設備、などの維持管理
⑧ 火気の使用場所、使用方法
⑨ 廃材、廃棄物等の処理方法
⑩ 社員の健康診断
⑪ 予防接種の完全実施
⑫ 労働安全衛生法に関すること
⑬ その他快適職場達成のため必要な事項

(協議事項の決定)
第7条 協議事項の決定は、出席委員の過半数の賛成による。
2 委員において協議された事項は、会社に報告するものとする。
3 報告を受けた会社は、職制をとおして社員に通知するものとし、極力主旨の実現に努力しなければならない。

(専門委員会)
第8条 前条の付議事項について、専門的な研究、情報収集等を委員会が認めた場合は、専門委員会を設けることができる。
2 専門委員会の委員は、議長が委員の中より委嘱する。

(事務局)
第9条 委員会に事務局を設ける。
2 事務局は総務課におく。
3 総務課委員会の業務に従事する書記1名を配属する。

(議事録)
第10条 委員会の付議事項の議事は、議事録に記載しなければならない。
2 議事録は正確を記するため、出席委員は議事録を点検のうえ、記名、捺印するものとする。
3 議事録の保管は10年とする。

付 則
(施行)
第11条 この規程は○○年○月○日より施行する。
※別表の機械器具・工具一覧表は省略

防火管理規則

（YP機械
機械製造
・従業員 三〇〇人）

第1条 喫煙について
1 喫煙は定められた所で行い、それ以外はたとえ車中でも禁煙とする
2 喫煙許可区域でもくわえ煙草での作業、歩行は禁ずる
3 煙草の吸ガラ、マッチは必ず灰皿に捨て床に捨てないこと
4 灰皿は砂または水を入れておくこと
5 吸ガラ、マッチの軸は必ず水で湿らせてからゴミ箱に捨てること

防火管理規則

第2条 臨時火気使用について（溶接・ガスバーナー・トーチランプ・ストーブ・電熱ヒーター等）

1 臨時火気使用に際しては所定の用紙に必要事項を記入の上、火元責任者、防火担当者を通じて防火管理者に提出すること
2 火気使用の場合は許可証の交付をうけ、必要に応じて消火器を備えること
3 構内でのたき火は一切禁止する
4 焼落とし、焼却は必ず所定の場所で行い必ず見張人をつけること
5 危険物の焼却は少量ずつ行い特に黒煙の激しいときは消防署に連絡すること
6 焼落とし、焼却後は注水して完全に消火すること
7 強風の時は焼落とし、焼却は中止すること
8 火気使用中は近くに危険物を置いたり、危険物を取扱う作業をしないこと

第3条 危険物の貯蔵及び取扱（パーメックは除く）

ここでいう危険物とは消防法でいう危険物第四類をいう、これには各種溶剤類もちろん、ワニス類・エナメル類（溶剤の含んだもの）も入っている

1 危険物はすべて屋内貯蔵所（以下貯蔵所という）または少量危険物取扱所（以下取扱所という）に貯蔵すること
2 貯蔵所、取扱所には無用の者の立入りを禁ずる
3 貯蔵所では詰換え、調合等の作業は出来るだけ行わないこと
4 貯蔵所・取扱所内で溶剤類をこぼした場合はすみやかにふき取り、換気すること
5 危険物は使用中以外のものはすべて密栓すること
6 貯蔵所・取扱所内ではスパークの出る器具・はき物は一切使用しないこと
7 貯蔵所・取扱所内では容器を転倒したり、衝撃を加えないこと
8 貯蔵所の周囲三メートル以内に可燃物その他消火の妨げになるものは置かないこと
9 作業場内には余分な危険物を持込まないこと
10 危険物を取扱う作業場では火気は一切使用しないこと。やむを得ない時は作業を中止し、危険物を安全な場所に移すこと
11 グライダー・サンダー等スパークの出る作業は危険物及び危険物取扱作業所と充分な距離（五メートル以上）を離すこと
12 危険物の近くあるいは作業所ではスパークの出る電気器具は使用しないこと
13 危険物は直射日光下あるいは温度の高い場所に放置しないこと　作業終了後は危険物は必ず所定の場所に返すこと
14 危険物を加熱する時は直火を用いないこと
15 マンホール・その他これに類する容器内部で危険物を取扱う作業を行う場合は出来るだけ下部より行うこと
16 マンホールタンク等で作業する場合は必ず監視人をつけ常に連絡を取ること
17 マンホールタンク内で塗装作業する時は電気器具は必ず防爆器具を用い、ナイフスイッチ、テーブルタップ等は持込まないこと。またスパークの出る器具は使用しないこと
18 マンホールタンク内で塗装中は開口部から少なくとも一〇メートル以内では火気及びスパークの出る器具は使用しないこと
19 中古タンクに入る時は以前に使用していた薬品、ガス等を確かめてから入ること
20 マンホールタンクでは塗装後も少なくとも二時間は換気を行い、また再度入る時もあらかじめ換気すること
21 危険物の廃液は一日一回以上安全な場所で焼却するか、埋めること

XV 安全・衛生に関する規程

23 危険物はミゾ・川・海等に捨てないこと
24 危険物(シンナー・油・パーメック等)のしみこんだウエスは堆積せずすみやかに焼却すること
25 危険物の入っていた空缶は完全に空にして捨てること
26 マンホールタンク内で塗装する時は時々ガス濃度を検知器で測定すること

第4条 パーメックの貯蔵及び取扱について
1 冷暗所に貯蔵し、直射日光及び火気・暖房を避けること
2 他の薬品と同じ場所に置くことはできるだけ避けること
3 酸類・アミン類・重合促進剤・金属等の物質あるいは木・綿・紙・織物・ワラなどとの接触をさけること
4 運送中に転倒、転落その他衝撃を与えない様にし、横置、逆置は絶対にさけること
5 運送に際しては他の危険物との混載をできるだけさけること。ナフテン酸コバルト・アニリンとの同一梱包は絶対さけること
6 容器は常にふたをしておくこと
7 容器はポリエチレン、ステンレス、ガラス、ホーロー製品を使用し、鉄、銅合金、鉛、ゴム等は使用しないこと
8 容器、器具は常に新しいものを使用し、古いものを使用する場合は良く洗い、乾燥させること
9 ナフテン酸コバルト、ジメチルアニリン等の促進剤と直接混合したり接触させないこと。樹脂に混合する場合はまず促進剤を良く混合し、ついでパーメックを混合すること
10 他の薬品と混合する場合はあらかじめ少量で試験し、危険のないことを確かめてから混合すること
11 こぼれた場合は木粉、砂等で吸収させた後、床を水、石ケン水で充分洗浄すること
12 パーメックを吸収した吸収剤またはウエスはすみやかに少量ずつ焼くか土中に埋めること
13 同一のウエスでパーメック及びコバルトをふかないこと
14 パーメック及びコバルトの入ったポリエステルは発熱するから残材は水で冷却するか、完全に冷えてから捨てること

第5条 プロパンガスの貯蔵及び取扱について
1 容器の貯蔵所は不燃材料を用い通風を良くすること
2 電気器具はすべて耐爆構造とする
3 貯蔵所の周囲には境界さくを設け、消火器を設置し、見やすい個所に「火気厳禁」の表示をすること
4 容器は引火栓または発火性物質の近くに置かないこと
5 容器は立てておき、転倒しない様にする事(五〇キロボンベ)
6 容器は直射日光をさけ三五度以下に保つこと
7 運送中は容器は直立させ、転倒しないよう縄がけをすること
8 運送中または横にして転がすときは容器は必ずキャップをつけること
9 容器の積みおろしはていねいに行い、コンクリート、鉄骨等に直接積おろし衝撃を与えないこと
10 容器調整器は屋外の通風の良い場所に置き、かつもれたガスが出入口、窓等から侵入しない距離におくこと
11 調整器、バルブ、コックは不良品を使用しないこと
12 容器の近くで火気を使用しないこと
13 容器弁に調整器を取りつける時は砂等が入らないよう注意すること
14 配管は耐火、耐圧、耐油性材料を使用のこと
常時使用する燃焼器具からのゴムホースは三メートル以内とし、それ以上は金

15 ゴムホースは老化したり損傷したものは使用しないこと また容易にはずれないようホースバンドでしめること

16 配管もれは時々石ケン水で調べること

17 燃焼器具は家屋、建具等の可燃物から三〇センチ以上、上部一メートル以上離すこと（トタン、スレート等の場合は二分の一まで短縮）また不燃性台の場合は置くこと

18 ストーブを使用する場合は適当な不燃性台上におき、可燃物から五〇センチ以上、上部一・五メートル以上離すこと

19 燃焼器具の近くに可燃物、引火性物質をおかないこと

20 風等で炎が消されぬよう、またゴムホースを押しつけてガスを遮断し炎を消さぬよう注意すること

21 使用後は燃焼器具の止栓を完全にしめること。なお長時間外出または夜間、ガス使用終了後は容器弁、配管弁もしめること

第6条 電気器具の取扱について
1 スイッチは確実に取りつけられ、かつ刃の接触部が著しく変色したものまたはとけたものは使用しないこと

2 一相に二本以上の電線を挿入しないこと スイッチに結線する場合は電線はネジで確実に固定し、ヒューズ等にひっかけないこと

3 破損したスイッチ・コンセントは使用しないこと。特に充電部の露出したナイフスイッチは危険である

4 ヒューズは確実に取りつけかつ過大な容量のヒューズを使用しないこと

5 負荷に応じた電線・スイッチを使用すること

6 雨のかかる所、湿気の多い所にスイッチ・コンセントを取りつけないこと

7 白熱電灯の電球線にビニルコードを使用しないこと

8 屋外で使用する移動電線は二種キャプタイヤケーブル以上の絶縁効力のあるものを使用すること

9 移動電線と機械器具との接続は完全にすること

10 コードを固定して使用しないこと

11 可燃性ガスのある場所では防爆器具を使用するとともに配線は金属管工事をすること

12 電球が可燃物に接触したり、破損した場合に近くの可燃性ガスに引火しないよう電源を切ること

13 螢光灯がちらついたり、うなりを生じているものは継続して使用しないこと

14 作業終了後は元スイッチまで切っておくこと

第7条 消火器・消火器具の設置基準及び取扱方法
1 消火器、砂、水、火災警報器等は所定の場所に設置すること

2 防火用水には専用のバケツを三個以上、また消火砂には専用のスコップを一個以上常備すること。専用バケツは作業に使用しないこと

3 消火器は一・五メートル以下の見やすい所、取りやすい所におくこと

4 消火器は通行あるいは作業のじゃまになる所に置かないこと

5 湿気の著しく高い所または低い所に置かないこと

6 湿気の多い所、雨のかかる所に置かないこと

7 消火器は倒れないように支持するとともに容易に取りはずしできること

8 検査票に検査年月日あるいは薬液の詰換え日を記入すること

9 消火器外面の腐触が激しいもの、ホース取付け金具、ノズル等の不良品は早急に修理、詰換えの時、代わりのものを置くこと

10 容器外面の腐触が激しいもの、あるいは付け金具、ノズル等の不良品は早急に修理すること

11 消火粉末の変質したものは取換え、不足のものは補充すること

12 泡消火器は一年一回薬液の取換えを行

XV 安全・衛生に関する規程

うこと
13 消火器は次のように使い分けること
・ABC消火器
　建物火災（木・紙・ワラ）　油火災　電気火災
・粉末消火器
　――　油火災　電気火災
・泡消火器
　建物火災　油火災　――
14 消火器の使い方
① 粉末消火器及びABC消火器……上の安全ピンを取って押しボタンを強打すると耐圧ボンベが破壊し不燃性ガスの圧力で粉末が出てくるから先のノズルを開き放射する。
② 泡消火器（転倒式）……ノズルを押えハンドルをもって転倒させると鉛ぶたが取れ、明バン水と重曹水が反応して炭酸ガスを出し、この圧力で泡が放射する。
③ 泡消火器（押しボタン式）……上のキャップを取って押しボタンを強打すると転倒式と同様に泡が出てくるから逆にして良く振りながら放射する。

15 制　定
△△年○月○日
（○○年○月○日一部改訂）

非常災害防衛規程

（CG化学・化学工業・従業員　七〇〇人）

第1章　総　則

（目的）
第1条　この規程は、天災地変等に際し本社・研究所・工場・支店が事業所を挙げて従事する災害防衛活動（以下防災という）並びに被災従業員の救援に関する事項を定め、被害を初期のうちに最小限に防止することを目的とする。
（事業所の長の任務）
第2条　本社以外の各事業所の長は、天災地変に際して臨機応変の処置を講ずるとともに、すみやかに総務部長あてに状況を報告しなければならない。
（防災対策本部）
第3条　会社は、状況に応じ本社に防災対策本部を設けて対策を決定し、必要があるときは全権を委譲した役員を被災地に派遣する。
（責任者の任務）
第4条　各責任者は、被災の実態をよく把握し、部下を確実に掌握して沈着、冷静に迅速適切な処置を行って防災に遺憾のないよう努めなければならない。
（従業員の任務）
第5条　従業員は、上司の指示に従って行動し、みだりに担当部署を離れず、また人心を動揺させるような言動をつつしみ、一致協力して防災目的の完遂に努めなければならない。
（事業所間の応援）
第6条　被災事業所が他の事業所からの応援を必要とする場合は、総務部長あて依頼する。
（店部ごとの防災）
第7条　工場にあっては、第二章に基づき、本社・研究所及び支店にあっては、第二章に準じて必要な細部事項を定める。
（被災従業員の救援）
第8条　被災従業員に対しては、労働組合の協力を得て第三章に定める救援処置を講ずる。

第2章　工場防災

（防災体制発令）
第9条　工場長は、防災体制を発令する必要があると認めた場合は、防災体制発令の旨と工場防災対策本部の所在位置を公知しな

非常災害防衛規程

けらればならない。工場長は防災及び救援に関する一切の事項を統括する。

（防災、救援の組織）
第10条 工場防災体制下における組織は、次のとおりとする。

```
                    ┌─診療所長──────診療班
                    ├─現場各課長────職場防災班
                    ├─工務課長───────
工場防災──工場長──次長──│  または工作課長─作業班
対策本部          │  及び動力課長
                    ├─人事課長──────給与班
                    │              ├─救援班
                    │              └─警備整理班
                    ├─業務課長──────輸送班
                    │              └─資材補給班
                    └─総務課長──────渉外広報班
         └─連絡伝令班
```

班名	任務
連絡伝令班	防災対策本部につめ、諸般の連絡に任ずる。

（課長の任務）
第11条 各課長は、工場長及び次長を補佐し、前条に定める各班を編成の上、各班の班長を定め、これを統括する。
各班長には主として主査または主任技師をもって当てる。

（各班の任務）
第12条 第10条に定める各班の任務は次のとおりとする。

渉外広報班	各種情報の収集、広報 本社及び関係諸官庁との連絡 渉外及び受付
資材補給班	防災諸資材の調達補給
輸送班	防災物資その他の諸資材連搬輸送
警備整理班	気象内外情報の把握 非常呼出の警備 駆付者及び呼出者の記録整理 従業員その他の避難誘導
救援班	救援必要度の調査 救護者派遣・救護活動 従業員及び家族との連絡 従業員の輸送
給与班	従業員の宿泊斡旋・非常給食・援護物資の購入配付 家屋及び家財の被災状況調査
作業班	構築物・機械類及び諸資材の防災作業
職場防災班	職場防災
診療班	傷病者の応急医療 防疫

（火災その他突発事故の処置）
第13条 火災その他の突発事故については、防火管理規程により対処し、状況に応じてこの規程を適用する。

（駆付者）
第14条 従業員は非常災害の発生を感知した場合は、事情の許す限り駆付け、防災に従事しなければならない。

（被災従業員の連絡義務）
第15条 従業員もしくはその家族が被災し、被害が大きい場合は、すみやかに工場へその旨を連絡しなければならない。

第3章 救援処置

（救援内容）
第16条 従業員もしくは、その家族が被災した場合は、この章に定めるところにより救援者の派遣・非常給食・救援物資・贈与金・金融及び防疫の処置を行うものとする。

（救援者の派遣）
第17条 救援者の派遣は、従業員もしくはその家族の生命身体が危険な場合または住居の被災が甚大な場合に行う。従業員不在等により必要があると認める場合は、救援者の派遣を行うことがある。

（非常給食）
第18条 居住地区一帯にわたる被災で必要があると認める場合は、非常給食を行うことがある。

（救援物資）
第19条 従業員もしくは、その家族が被災により当座の生活に困難を来たすと認める場合は、被災の程度に応じて食料品・医薬品・日用品及び衣料品等の生活必需品を必要の範囲において配付する。

（贈与金）
第20条 災害見舞金の贈与は、従業員贈与金内規に定めるところによる。

XV 安全・衛生に関する規程

贈与は実地調査の上、調査委員会にはかって迅速に行うものとする。ただし、事業所の長（本社においては人事部長）が必要があると認める場合は、決定以前にその一部を仮贈与することがある。

（金融）
第21条　被災に対する金融は、従業員金融規程に定めるところによる。ただし、被害が大きい場合は、別途金融を考慮することがある。

（防疫）
第22条　従業員もしくは、その家族が被災し、住居が汚染され、防疫の必要がある場合は、健康診断・消毒・防疫薬品の支給その他の処置を行う。

第23条　各事業所は重要物件の損失防止、緊急時の連絡確保、被災従業員に対する救援のため、次の事項を準備しなければならない。

① 非常持出を要する物件の指定並びにその搬出順序。
② 従業員の住所並びに連絡方法を明記した住所録の作成及び保管。

第4章　常時準備事項

付　則
この規程は○○年○月○日から実施。

安全衛生標識規程
（△△年○月制定）
（○○年○月一部改定）

RM自動車工場
自動車製造
・従業員　一、三○○人

第1条　本規程はRM自動車工場安全衛生規則第○条により安全衛生標識に関することを規定する。

第2条　安全衛生を目的として、色彩および標識を用いる。

第3条　色彩および標識に用いる色はつぎの八色とする。

（色名）　（表示事項）
赤　　　防火、停止、禁止
黄赤　　危険
黄　　　注意
緑　　　安全、進行、救急救護
青　　　用心
赤紫　　放射能
白　　　通路、整頓
黒　　　一般指示

第4条　つぎの場所および物体には色彩を施さねばならない。

（場所・物体）　（配色）　（備考）

① 消火せん　赤、周囲に白線を引く

② 消火器および防火用具　赤　けい光塗料がよい

③ 非常持出品　赤　「非常持出」とかき、上下に赤線を引く

④ 緊急停止ボタン　赤

⑤ 裸スイッチ台※　黄赤　露出部の場合は側面がよい

⑥ スイッチ箱　（内面）黄赤　（外面）青

⑦ 機械の安全カバー内面　黄赤

⑧ 機械の危険個所　黄赤　全体を黄赤または周囲を黄赤にふちどる

⑨ クレーンのフックおよび運転台ホイストおよびチェーンブロックのアーム　同※※　制限荷重記載のこと

⑩ プレスのラム　黄と黒との交互色※※

⑪ 台車および手押車　黄と黒との交互色※※※

⑫ ピットの縁床面の突起物　黄と黒との交互色※※

⑬ 退避場所および非常口　緑

⑭ 救急箱および保護具箱　緑、白で名称記載のこと

⑮ 救急箱および担架の位置　緑、側面に施すのがよい

⑯ 安全通路　白線

（注）裸スイッチ台は一般に好ましくない。やむをえない時に限り用いること。

※※黄と黒との交互色とは、幅一五〇ミリメートルごと向かって右上四五度の傾斜線状に色彩を施す。

第5条 安全衛生標識の種類をつぎのとおり定める。
 その形状は、JISZ九一〇三（一九六三）の定めるところによる。
 1 防火標識
 2 禁止標識
 3 危険標識
 4 注意標識
 5 救護標識
 6 用心標識
 7 放射能標識
 8 方向標識
 9 指導標識

第6条 つぎに掲げる場所にはそれぞれに適切なる安全衛生標識を掲げなければならない。

設置場所	標識種類
引火性貯蔵所	防火
液体酸素集合場	禁煙
カーバイト置場	火気厳禁
火災危険場所	○m以内火気厳禁
変電所	禁止 立入禁止、係員以外立入禁止
高圧電気設備個所	使用禁止
コンプレッサー室	運転禁止
動力試験場	

場所			
その他立入使用禁止			
変電所	高圧通電個所	危険	高電所送電中
危険物置場			爆発危険
通路面の危険個所			
修理点検物品	修理点検個所	注意	注意工事中
救急箱	救急用	心	救護
修理中			修理中
取扱機器	放射線個所	放射能	放射線使用室
出入口、非常口		方向	放射中
クレンのガーダー等よく見える場所		指導	安全第一

業務災害附加給付規程

（制定・△△・○・○）
（改定・○○・○・○）

TO化学
・化学製品製造
・従業員 四五〇人

（適用）
第1条 この規程は、労働協約第〇条（災害補償）に基づき、従業員の業務上の事由による負傷・疾病または死亡に対する附加給付の支給について定めたものである。

（附加給付の種類）
第2条 附加給付の種類は、次の各号のとおりとする。
 ① 休業附加給付
 ② 障害附加給付
 ③ 遺族附加給付
 ④ 打切附加給付
 ⑤ 特別附加給付

（休業附加給付）
第3条 従業員が業務上負傷し、または疾病にかかり療養のため欠勤したときは次の各号の休業附加給付を行う。ただし、欠勤開始後三年間を限度とする。

① 労災法による休業補償給付（休業特別支給金を含む）が、基準賃金相当額より下廻る場合は、その差額を休業附加給付として支給する。

② 労災法により傷病補償年金を受けることになった場合は、傷病補償年金額（傷病特別年金を含む）が年間の基準賃金および賞与の合計額より下廻る場合は、その差額を支給する。

2 前項において附加給付を支給する場合は、所定の基準賃金および賞与等に係わる所得税相当額を差引いた額とする。

（障害附加給付）
第4条 従業員が業務上負傷し、または疾病にかかり、なおったとき身体に障害があり、労災法により障害補償給付を受けたときは、その障害等級に応じて、次の区分により障害附加給付を行う。

XV 安全・衛生に関する規程

る従業員が、療養開始後三年経過しても負傷または疾病がなおらず、次の各号に該当するときは、その負傷または疾病もしくは障害の程度を考慮し、第4条（障害附加給付）に定める範囲で打切附加給付を行う。

① 療養開始後三年経過した日において、労災法により傷病補償年金を受けているとき、または療養開始後三年を経過した日において労災法による傷病補償年金を受けることとなったとき。ただし、いずれの場合も労働協約第○条の○（解雇）号を適用する。

② 前号にかかわらず、療養を目的として退職するとき。

区分 障害等級	その障害を理由にまたは解雇されたとき	職場に復帰したとき
1	2,000万円	——万円
2	1,850	——
3	1,700	——
4	1,080	1,000
5	880	800
6	680	600
7	530	450
8	330	260
9	280	210
10	220	160
11	160	100
12	140	80
13	100	60
14	80	40

2 前項により障害等級が一等級から三等級に該当したときは原則として労働協約第○条の○（解雇）○号を適用する。

第5条（遺族附加給付）
従業員が業務上死亡したときは、死亡した従業員の遺族に対して、次の遺族附加給付を行う。

① 有扶養者 三、○○○万円
② 独身者 二、○○○万円

2 前項の遺族の範囲および順位は、死亡した従業員の配偶者・子・父母とする。ただし、その遺族がいずれもいない場合、死亡した従業員と同一世帯に祖父母などがいるときは、事情を勘案して決定する。

第6条（打切附加給付）
労災法により、療養補償給付を受け

ないときは附加給付は支給しない。
（第三者の行為による事故）
第9条 会社は附加給付の原因である事故が第三者の行為によって生じた場合において、附加給付をしたときは、その給付の価額の限度で附加給付を受けた従業員が第三者に対して有する損害賠償の請求権を取得する。
（同一事由による第三者からの給付との関係）
第10条 附加給付を受けるべき従業員が第三者から同一の事由について準ずる給付を受けたときは、これに準ずる給付の限度で附加給付をしない。また、会社はその価額の限度で附加給付を差止めることがある。また、その結果がわかるまで附加給付を差止めることがある。

2 前項の保険給付には労災法の保険給付および当該従業員が任意に加入した保険による給付は含まない。
（診断書等の提出）
第11条 会社は附加給付を行うにあたりましては、附加給付を行っている間、必要と認めるときは、医師の診断書または報告書等を提出させることがある。または、会社が指定する医師の診断を受けさせることがある。

2 前項の場合、正当な理由なくして拒んで

条の○（解雇）○号を適用する。

第7条（特別附加給付）
業務上の負傷、疾病または死亡の原因が重大な事故を防止するため、または他人の生命を救うために起こったものであるときは、障害附加給付および遺族附加給付について別に特別附加給付を支給することがある。
（適用の除外）
第8条 業務上の負傷、疾病または死亡の原因が、自己の重大な過失によるときは、附加給付の一部または全部を支給しないことがある。

2 労災法の規定に基づいて保険給付の一部または全部が行われないときは、その範囲において附加給付は支給しない。

において附加給付を受け

通勤災害見舞金支給規程

TC薬品
（製薬・従業員 七五〇人）

（目的）
第1条 社員（試用社員を含む）が通勤途上において死亡し、あるいは、負傷したと行政官庁の認定を受けた場合には、労災保険法により支給される給付金に加え、会社はつぎのとおり、特別弔慰金あるいは特別見舞金を贈る。

（特別弔慰金）
第2条 本人死亡の場合には、遺族に対して一律六六〇万円ならびに基準内賃金の二四か月分を特別弔慰金として贈る。
上記特別弔慰金の合計が一〇八〇万円に満たない場合は一〇八〇万円を贈る。
遺族の範囲および順位については、労災保険法に定める遺族給付に関する規定を準用する。

（特別見舞金）
第3条 身体に障害が残った場合には、行政官庁の認定による障害の程度に応じ、本人に対しつぎの特別見舞金を贈る。

等　級	金　額	等　級	金　額
第 1 級	660万円	第 8 級	222万円
第 2 級	660万円	第 9 級	172万円
第 3 級	660万円	第 10 級	133万円
第 4 級	451万円	第 11 級	97万円
第 5 級	387万円	第 12 級	70万円
第 6 級	329万円	第 13 級	45万円
第 7 級	277万円	第 14 級	26万円

（退職時の特別加算）
第4条 障害等級第一級ないし第七級に該当し、その障害が直接の原因で継続して勤務することが不可能となったもので、直ちに、退職することを申し出た者には、第3条による特別見舞金に、つぎの基準内賃金の月数を加算し贈る。
障害等級一～三級に該当し退職するもので、特別見舞金（第3条）と本条の退職時の特別加算金の総計が、一〇八〇万円に満たない場合には一〇八〇万円を支給する。

（障害附加給付）
第4条から第6条に定める、障害附加給付、遺族附加給付、打切附加給付は、支払いの事由が確定してから七日以内に支給する。

②第3条2号に定める休業附加給付は、労災法の傷病補償年金を受けることになった日から一年経過したときに支給する。

①第3条1号に定める休業附加給付は毎月賃金締切日までのものを賃金支払日に支給する。

（附加給付の支払い）
第13条 附加給付の支払いは、次の各号のとおりとする。

（附加給付を受ける権利）
第12条 附加給付を受ける権利は、当該従業員の退職または解雇によって変更されることはない。ただし、打切附加給付を行ったときは消滅するものとする。

はならない。

（法令等の準用）
第14条 この規程に定めのない事項については、労災法およびその他の法令を準用する。

XV 安全・衛生に関する規程

（遺族年金）
第5条 通勤災害により、死亡した場合は、遺族年金を支給する。
2 支給については、別に定める「遺族年金支給規定」（略）による。
（会社車両による直行直帰の取扱いについて）
第6条 常時外勤を本務とする営業担当者が、会社車両で最初の訪問先に到着する途中（直行）、または最後の訪問先を辞して自宅に帰着する途中（直帰）において被災し、行政官庁から通勤災害と認定された場合には、第2条、第3条、第4条に相当する金額の特別弔慰金あるいは特別見舞金を

等　級	特別加算	等　級	特別加算
第1級	24カ月	第5級	19.2カ月
第2級	24カ月	第6級	16.2カ月
第3級	24カ月	第7級	13.2カ月
第4級	22.2カ月		

贈る。
（実施）
第7条 この規程は〇〇年〇月〇日より実施する。

（制定△△・〇・〇　改定三回）

XVI

自動車に関する規程

XVI 自動車に関する規程

〈コメント〉

1 自動車管理規程の必要性

自動車を保有し、商品や商品サンプルの運搬、取引先の訪問、アフターサービスなど、業務で使用している会社が多い。

自動車は、会社業務の効率化、生産性の向上を図るうえでまことに便利な手段である。だからこそ、広く使用されているわけであるが、管理が適切でないと、業務の効率化を図れない。それどころか、交通事故の発生、管理コストの上昇、個人的な用事での使用など、さまざまな問題を発生させる。

自動車を使用している会社では、自動車の効率的使用と運転者の安全確保のため、保有の実態、業務の使用状況に即した自動車管理規程を作成し、それによって自動車の適切な管理を行っていくことが望ましい。

2 規程に盛り込む内容

(1) 管理担当部門

自動車の管理に責任を持つ部門を明らかにしておく。台数がそれほど多くない会社では、総務部門が全社的な統括を行い、日常の清掃、洗車、キーの保管、点検・整備は、実際に自動車を使用する部門に委ねるのが現実的であろう。

(2) 安全運転管理者・整備管理者

道路交通法は、一定の台数以上の自動車を使用する事業所に、自動車の安全運転に必要な業務を行わせるために、安全運転管理者を選任することを義務付けている。また、道路運送車両法は、整備管理者を置くことを定めている。

安全運転管理者と整備管理者について、選任の基準とその任務を規定しておく。

(3) 自動車保険の取り扱い

自動車保険の取り扱いを規定しておく。

(4) 自動車の運転できる者の資格と運転者の心得

自動車を運転できる者の資格を決めておく。それと同時に、運転者の心得を明確にしておく。最近は、携帯電話を掛けて運転中に事故がおきているため、「運転中は携帯電話を掛けないこと。やむを得ず掛けるときは、安全な場所に停車させてから掛けること」という条項を盛り込んでおく。

(5) 整備・点検の責任

整備・点検は、事故を防ぐ重要な条件である。このため、「自動車を運転する者は、自分が使用する自動車に関し、安全運転ができるよう常に整備・点検を行わなければならない」と規定しておく。

(6) 事故発生時の対応

交通事故を発生させたときの対応を明確にしておく。

3 マイカー通勤規程

公共交通機関が不便であることなどの理由により、社員にマイカー通勤を認めている会社の場合は、その合理的・現実的な取扱基準を規程として取りまとめ、従業員に周知徹底することが望ましい。規程がまったくなかったり、あるいは不備であったりすると、万一事件・事故が発生したときに、従業員と被害者との間でトラブルが生じる。場合によっては、会社の使用者責任が問われる。

562

XVI 自動車に関する規程

車両管理規程

（TB販売　美容機器用品販売・従業員四〇〇人）

第1章　総則

（目的）
第1条　本規程は本社、東京支社および各事業所に配属の車両についてその運行の万全と事故の絶無を期するため、車両全般の管理および運営について定める。

（車両の種類）
第2条　本規程における車両とは、会社の所有する乗用自動車、販売宣伝用自動車、運搬用自動車、アフターサービス用自動車およびフォークリフト車をいう。

（規程および法規の遵守）
第3条　本規程に定める車両関係者は、本規程および道路交通関係法規の他、会社が特に指定した事項を遵守しなければならない。

第2章　管理組織

（総括責任者）
第4条　車両に関する管理業務を推進する為、東日本地区（含、株式会社北海道TB、株式会社東北TB）および西日本地区（含、株式会社北九州TB、北陸TB株式会社）の二ブロック制に分け、その総括責任者として東日本地区は東京支社長、西日本地区は本社総務部長が各々その任に当る。
尚、車両管理に関する本部的業務は東日本地区にあっては東京支社事務管理課、西日本地区にあっては本社総務課が総括管理する。

（車両管理責任者）
第5条　車両の配属を受けた本社各部、東京支社各部、各事業所および各営業所の長は、車両管理責任者として配属車両の具体的管理を行なう。

（運転者）
第6条　運転者は車両管理責任者の指名したものをいい、運転免許証所持者に限る。

（車両管理事務者）
第7条　本社総務部長および東京支社長の任命により、本社・東京支社および必要に応じて第4条による管轄事業所内に車両管理事務者を置く。その任務については本規程による。

第3章　車両管理責任者

（任務）
第8条
① 配属車両の管理につき、運転者が本規程、道路交通関係法規および総括責任者の指定した事項に従って車両の運行および保守等を行なうように指示し、実施せしめ、又、その監督を行なわねばならない。
② 車両の整備、事故の処理、その他車両管理業務の処理に関し必要に応じて運転

第4章　運転者

（車両検査）

第9条　配属車両の定期的検査を実施し、強制賠償保険および任意保険の新規および継続申請を所轄の車両管理事務所内にて行なわねばならない。

ただし、保険に関し各事業所内にて行なっている場合は、加入後ただちにその明細を所轄の車両管理事務者に報告を要する。

（報　告）

第10条
① 車両管理者は次の報告書をただちに所定の形式により、所轄の総括責任者宛提出しなければならない。
(1) 事故報告書（加害・被害を問わず）
(2) 同上始末書（一〇〇％被害の場合は不要）
(3) その他車両の運行に関し、重大な支障を生じた時。
② 車両管理責任者は次の報告および連絡を所轄の車両管理事務者に行なわねばならない。
(1) 車両使用状況
(2) 車両事故発生後、その概略につき、口頭もしくは電話連絡
(3) 配属車両に増減があった場合
(4) 第9条の事項

（任　務）

第11条　運転者は常に関係法規を遵守し、安全運転を心掛け配車を受けた車両の整備に万全を尽さなければならない。

（報　告）

第12条　運転者は下記の場合には、すみやかに車両管理責任者に報告しなければならない。
① 交通事故が発生したとき。
② 交通法規に違反し、刑事行政罰に問われたとき。
③ 車両の故障等により、運行不能となったとき。

（注意事項）

第13条　運転者は下記の事項を遵守しなければならない。
① 運転免許証、車両検査証、その他運転に必要な書類の携帯。
② 交通関係法規の遵守、特に酒気帯もしくは飲酒運転の禁止。
③ 車両管理者の許可なく業務外に車両を用い、又は他部課および第三者に車両を貸与することの禁止。
④ 車両の洗車、清掃を励行し、常に清潔にすること。
⑤ 簡単な仕業点検を励行すること。

第5章　車両管理事務者

（任　務）

第14条　車両管理責任者は総括責任者の委託を受けて次の事項を行なう。
① 所轄事業所における車両の動向を把握すること。
② 所轄事業所における車両の強制賠償保険および任意保険の手続。
③ 事故処理に関する事項。
④ 安全運転教育の実施。

第6章　事故責任

（事故責任）

第15条
① 運転者が無免許、飲酒、酒気帯および私用により運転し、事故をひきおこした場合、会社は一切その責任をとらない。
② 車両管理責任者は運転者に対し、前項の無免許、飲酒、酒気帯および私用による運転を強要し、もしくはこれらの事情を知っていたにもかかわらず認容して運転させその結果、事故をひきおこした場合、運転者とともに連帯して責任を負う。
③ 運転者が事故現場もしくは事故後、独

者とともに行動し、その処理に当らねばならない。
⑥ 車両管理責任者から指示された場所に格納すること。

自動車管理規程

（SK商事
卸売業
・従業員三五〇人）

第1章　総則

（目　的）
第1条　この規程は、会社業務に使用する自動車の管理を定めたもので、自動車の効率的使用と運転者の安全確保を目的とする。

（対象の車両）
第2条　この規程は、会社が保有する自動車のほか、次のものも対象とする。
(1) 原動機付自転車
(2) 会社が借り上げているもの

（遵守義務）
第3条　自動車の管理および運転にかかわる従業員は、この規程を誠実に遵守しなければならない。

第2章　管理組織

（統括管理）
第4条　自動車については、総務部が統括管理を行う。

（一般管理）
第5条　日常の清掃・洗車・キーの保管・点検・整備等については、実際に業務において自動車を使用する部門が責任を持って行うものとする。

（安全運転管理者）
第6条　会社に、法律の定めるところにより安全運転管理者を置き、これを公安委員会に届け出る。

（安全運転管理者の任務）
第7条　安全運転管理者は、自動車の安全な運転に必要な業務全般を行う。

（自動車管理台帳）
第8条　総務部は、「自動車管理台帳」を作成する。

2　「自動車管理台帳」には、自動車ごとに登録番号、車台番号、車名・型式、購入年月日、購入先および自動車保険に関する事項等を記載する。

（自動車保険への加入）
第9条　会社は、保有するすべての自動車に

（事故処理）
第16条
① 交通事故処理の手順、その処理に当る者の分担および必要費用の処理等に関しては別に之を定める。
② 交通事故に関するすみやかな解決をはかる為、当処理の実情を調査し、又、保険補填できない金額についての負担割合を決定する審議機関として、事故処理委員会を設ける。
事故処理委員会の構成運営等については別に之を定める。

第7章　付　則

（準　用）
第17条　下記の一つに該当する場合は、第2条の車両とみなし本規程を適用する。
① 社員の所有車であって、会社より賃貸料を受けて会社業務に使用する場合。
② 社員が会社の援助を受けて車両を購入し、会社の業務に使用する場合。

断で示談を行なった場合、示談内容については会社は一切その責任をとらない。
③ 社員の所有車であって会社より業務上許可された車両でガソリン代又は自賠責保険もしくは任意保険等の援助を受けて会社業務に使用する場合。
④ 前項の1号、2号、3号により会社に損害を及ぼした場合、会社は1号、2号の場合、事故をひきおこした運転者に3号の場合、運転者とその車両管理責任者に各々損害額を求償する。

第18条　本規程は〇〇年〇月〇日より実施する。

XVI 自動車に関する規程

ついて、自動車保険に加入する。

(自動車保険の内容)
第10条 自動車保険の内容は原則として次のとおりとし、加入手続きは総務部において行う。

(1) 自動車損害賠償責任保険

(2) 自動車任意保険
　① 対人賠償保険　　無制限
　② 対物賠償保険　　無制限

(自動車税)
第11条 自動車に関する税金の納付は、総務部において行う。

第3章　運転者

(運転資格)
第12条 会社の自動車を運転できるのは、業務遂行上自動車を必要とし、かつ、安全運転ができる者として、会社が認めた者に限る。それ以外の者は、会社の自動車を運転してはならない。

(運転者の心得)
第13条 自動車を運転する者は、次の事項を遵守しなければならない。
(1) 交通法規および運転マナーをよく守って安全運転を行うこと
(2) 業務に関係のない者を同乗させないこと
(3) 個人的な用事で使用しないこと

(運転禁止)
第14条 次のいずれかに該当するときは、絶対に運転してはならない。
(1) 酒を飲んだとき
(2) 心身が著しく疲労しているとき
(3) その他正常な運転ができない状態にあるとき

(安全運転管理者の指示命令)
第15条 自動車を運転する者は、自動車の安全運転について安全運転管理者から指示命令を受けたときは、その指示命令に従わなければならない。

(整備・点検)
第16条 自動車を運転する者は、自分が使用する自動車に関し、安全運転ができるよう常に整備・点検を行わなければならない。

(修理)
第17条 自動車を運転する者は、修理を必要とする個所を発見したときは直ちに所属長を通じて総務部長に報告し、その指示を求めなければならない。ただし、緊急を要するときは直ちに修理し、事後速やかに報告するものとする。

(法定整備・点検)
第18条 法律で定められた整備および点検は、会社指定の自動車整備会社で行う。

(給　油)
第19条 給油は、原則として会社指定の給油所で行い、納品書に所属部署名および氏名をサインする。

(運転日報)
第20条 従業員は、自動車を運転したときは運転日報を作成し、会社に提出しなければならない。

(社外の駐車)
第21条 自動車を運転する者は、社外において駐車させるときは、安全な場所に駐車させなければならない。路上に駐車させてはならない。
2 自動車から離れるときは、必ず自動車に施錠しなければならない。

(格　納)
第22条 自動車を運転する者は、運転が終了したときは自動車を車庫に納め、自動車に施錠しなければならない。

(洗車・清掃)
第23条 自動車の洗車および清掃は、自動車を使用した従業員の責任とする。
2 最終使用者は、自動車を洗車、清掃のうえ、返却しなければならない。

(届　出)
第24条 自動車を運転する者は、免許証の記載事項に変更があったときは、速やかに会社に届け出なければならない。

566

第4章 交通事故の対応等

(事故の対応)
第25条 自動車運転中に交通事故を起こしたときは、道路交通法の定めるところにより、速やかに次の措置を講じなければならない。
(1) 負傷者のあるときは、直ちに負傷者を救護する
(2) 道路における危険防止のための措置を講じる
(3) 最寄りの警察に通報する

(会社への連絡)
第26条 前条に定める措置が完了したときは、速やかに会社に連絡しなければならない。

(示談の禁止)
第27条 自動車を運転する者は、自らが発生させた交通事故について、被害者と勝手に示談交渉をしてはならない。
2 従業員が被害者と勝手に示談した場合、会社は、その内容についていっさいその責任を負わない。

(補償)
第28条 自動車を運転した者が故意または重大な過失によって歩行者その他第三者に損害を与えたときは、本人の責任において補償しなければならない。

(求償権の行使)
第29条 従業員が起こした交通事故について会社が賠償責任を履行した場合、本人に重大な過失または法律違反があるときは、会社は本人に対し、会社が負担した賠償金の支払いを請求することがある。

(罰金)
第30条 道路交通法違反による罰金は、原則として自動車を運転した従業員が負担しなければならない。

(損害賠償)
第31条 従業員は、自らの不注意により自動車が盗難または損傷の被害を受けたときは、会社にその損害を賠償しなければならない。

(付則) この規程は、○○年○月○日から施行する。

マイカー通勤規程

> TE精密
> ・製造業
> ・従業員五三〇人

(総則)
第1条 この規程は、マイカー通勤の取り扱いについて定める。

(許可の申請)
第2条 従業員は、マイカー通勤を希望するときは、あらかじめ会社に申請して許可を受けなければならない。

第3条 会社による許可の基準は、次のとおりとする。

(許可の基準)
(1) 運転免許を保有していること
(2) 過去において重大な交通事故を起こしていないこと
(3) 通勤のための公共交通機関がないこと、あるいはきわめて不便であること
(4) 次に掲げる自動車保険に加入していること

対人賠償保険 ―― 無制限
対物賠償保険 ―― 無制限

(5) 会社に駐車スペースがあること

(遵守事項)
第4条 マイカー通勤を許可された者(以下、「マイカー通勤者」という。)は、次に掲げる事項を誠実に遵守しなければならない。
(1) 道路交通法を遵守し、安全運転を行うこと
(2) 飲酒運転、暴走運転をしないこと
(3) 心身が疲労しているときは運転をしないこと
(4) 会社が指定した場所に駐車すること

(届出)
第5条 マイカー通勤者は、次のいずれかに該当するときは、速やかに会社に届け出なければならない。
(1) 車両を変更したとき

XVI 自動車に関する規程

（付則）この規程は、〇〇年〇月〇日から施行する。

通勤車両管理規程

（TC薬品・製薬・従業員七五〇人）

（目 的）
第1条　この規程は、従業員が通勤のために使用する車両の管理に関する事項を定める。
・この制度の根本精神は事故防止に資することにある。

（車両の定義）
第2条　この規程で車両とは、従業員所有のもので、道路交通法にもとづいて運転免許を要する車両をいう。
・「道路交通法」にもとづく運転免許とは、普通免許（大型自動車、特殊自動車、自動二輪車を除く）、二輪免許（自動二輪車）、原付免許（原動機付自転車）をいう。
・車両は、原則として本人所有のものとするが、家族所有のもので本人占有のものは認める。

第3条　この規程で定める事務の取扱いは、各事業所の人事担当課の所管とする。

（使用承認）
第4条　車両で通勤しようとする者は、使用許可申請書および誓約書を所属上長を経て事業所長に提出し、その承認を得なければならない。
なお、申請書記載事項に変更（車種、外形、色など）があった場合には、改めて承認を得るものとする。

（承認の基準）
第5条　会社は、つぎのいずれの場合にも該当した場合、車両通勤を認めるものとする。
① 通勤距離が、原則として二km以上ある場合
② 事業所構内に当分使用する計画のない遊休の土地があるなど、会社が駐車場として認めうる場所がある場合
・駐車場を業務上その他の事情で会社が他の目的に使用する場合には、駐車場を廃止し車両通勤を全面的に禁止する場合もある。
・会社は、駐車場確保のために新規に土地、駐車場の購入、借入は行なわない。

（業務上の使用禁止）
第6条　車両通勤者は、業務のために自己の車両を使用してはならない。

（2）通勤経路を変更したとき
（3）マイカー通勤をやめるとき
（4）交通事故、交通違反を起こしたとき

（会社の免責事項）
第6条　会社は、次に掲げる事項についてはいっさい責任を負わない。
（1）マイカー通勤者が通勤中に起こした事故
（2）駐車中に生じたマイカーの盗難、損傷等

（許可の取り消し）
第7条　会社は、マイカー通勤者が次のいずれかに該当したときは、マイカー通勤の許可を取り消すことがある。
（1）この規程に違反したとき
（2）重大な交通事故を起こしたとき
（3）その他マイカー通勤者として適格でないと認められるとき

（ガソリン代の支給）
第8条　会社は、マイカー通勤者に対してガソリン代の実費を支給する。

（マイカーの業務使用）
第9条　マイカー通勤者は、マイカーを業務で使用してはならない。やむを得ず使用するときは、あらかじめ会社の許可を受けなければならない。

（所 管）
第10条　マイカー通勤に関する事項は、総務部の所管とし、総務部長がこれを統括する。

（所 管）
・自転車は、この規程の対象外とする。
・社命による出張および通勤途上における便宜的な業務も含む。

通勤車両管理規程

・業務上自動車を使用する必要がある場合には、所属上長の指示により会社が手配する。

(禁止事項)
第7条 通勤車両に会社の名称・マークや、これに類するものを書いたり装置したりすることは禁止する。

(車両通勤者の義務)
第8条 車両通勤者は、道路交通安全に関する法令に従って常に安全運転を心掛けるとともに、つぎの義務を負う。
① 事業所内、駐車場においては、所管課の指示に従う。
② 所管警察署や会社の主催する安全運転講習会に出席する。

(運転禁止)
第9条 車両通勤者は、つぎの場合は自己の車両を運転してはならない。
① 飲酒したとき。
② 過労、疾病のために心身が疲労しているとき。
③ 自己の車両が整備不良のとき。
④ その他道路交通法等法令が禁止している事項に該当するとき。
・遅刻や早退時など、就業時間中の構内通行は、制限する場合がある。

(車両通勤許可の取消し)
第10条 車両通勤者は、つぎに該当した場合、許可を取消されることがある。

① 重大な事故を発生させた場合
② 飲酒運転、スピード違反などで再三検挙された場合
③ その他第8条、第9条にたびたび違反した場合

(会社の求償権)
第11条 車両通勤者が事故を起こし、そのため会社が損害を受けたときは、会社は当該本人に対し会社の受けた損害につき賠償を請求する。

(事故の補償)
第12条 車両運転者が通勤中に起こした事故については、会社は一切責任を負わない。また、駐車中における破損、盗難などいかなる事故に対しても会社は一切その補償を行なわない。

(駐車場)
第13条 事業所構内においては、車両通勤者はその車両を会社の指定する駐車場以外に駐車させてはならない。
なお、駐車場の使用管理については、事業所ごとに定める従業員通勤車駐車要領による。

(自動車保険の加入)
第14条 車両通勤者は、自動車損害賠償責任保険のほか、つぎの任意保険に加入しなければならない。
① 対人賠償保険　　無制限
② 対物賠償保険　　無制限

(通勤費の支給)
第15条 会社は、車両通勤者から申出があった場合には、通勤手当支給基準に従って、通勤に要する距離による非課税限度額を支給する。

(車庫証明の不認可)
第16条 会社は、車両通勤者のために車庫証明は発行しない。

(施行)
第17条 この規程は○○年○月○日より改訂施行する。

マイカー業務使用規程

（DM商事　卸売業・従業員四一〇人）

（目的）
第1条　この規程は、社員のマイカーを業務において使用する場合の取り扱いについて定める。

（許可の申請）
第2条　社員は、マイカーを業務において使用することを希望するときは、あらかじめ会社に申請し、その許可を受けなければならない。

（許可の基準）
第3条　会社は、社員からマイカーの業務使用について申請が出されたときは、次に掲げる事項を審査して許可を決定する。
(1) 自動車を業務で使用することの必要性
(2) 申請者の運転技術
(3) 自動車の型式・仕様・外観
(4) 自動車の使用年数
(5) 自動車保険への加入の状況

（自動車保険）
第4条　業務において使用するマイカーは、強制保険のほか、次に掲げる額の自動車保険に加入していなければならない。
(1) 対人賠償保険　　無制限
(2) 対物賠償保険　　無制限

（運転者の心得）
第5条　会社からマイカーを業務で使用することを許可された者（以下、「運転者」という。）は、次の事項を遵守しなければならない。
(1) 道路交通法を遵守し、安全運転を行うこと
(2) 安全運転ができるよう、常に自動車の整備・点検を行うこと
(3) 自動車の内部、外部を常に清潔にしておくこと
(4) 自動車に故障が生じたとき、もしくは異常を発見したときは、直ちに運転を中止して適切な措置を講じること
(5) 業務に関係のない者を同乗させないこと
(6) 運転中は携帯電話を掛けないこと。やむを得ず掛けるときは、安全な場所に停車させてから掛けること
(7) 交通事故が発生したときは、法規に定められた措置をとるとともに、直ちに会社に連絡すること

（運転禁止）
第6条　運転者は、次に掲げるときは、絶対にマイカーを運転してはならない。
(1) 酒を飲んだとき
(2) 心身が著しく疲労しているとき
(3) その他正常な運転ができない状態にあるとき

（運転日報）
第7条　運転者は、マイカーを業務で使用したときは、行き先、目的、出発・帰着時刻および走行距離数などを運転日報に正確に記載し、会社に提出しなければならない。

（会社の費用負担）
第8条　マイカーの業務使用につき、会社は次の費用を負担する。
(1) ガソリン代、オイル代
(2) 駐車料金　　実費の全額
(3) 高速道路通行料　　実費の全額
(4) 車検・定期点検費用　　実費の一部
(5) 修理費（業務で使用中に生じた損傷に限る）　　実費の全額
(6) 自動車保険料　　実費の一部

（実費の請求）
第9条　運転者は、ガソリン代、オイル代等の実費の請求を正確に行わなければならない。

（締切日・支払日）
第10条　会社が負担する費用は、毎月末日で締切り、翌月二五日に支払う。

（補償）
第11条　運転者がマイカーを業務で使用中に発生させた事故につき、マイカーに付された保険を上回る金額を支出したときは、会

駐車場管理規程

EG製薬
製造業・従業員二九〇人

（総則）
第1条　この規程は、駐車場の管理について定める。

（所管）
第2条　駐車場の管理は総務部の業務とし、総務部長がこれを統括する。

（駐車場の区分）
第3条　会社は、駐車場を次の三つに区分して使用する。
(1) 社有車駐車場
(2) 出入り業者車両駐車場
(3) 従業員マイカー駐車場

（許可の申請）
第4条　従業員は、駐車場の使用を希望するときは、会社に申請してその許可を受けなければならない。

（許可の基準）
第5条　会社は、次に掲げる事項を審査して許可を決定する。
(1) 駐車場の収容能力
(2) 申請者の運転技術
(3) 自動車の車種、仕様および外観
(4) 自動車保険への加入状況
(5) その他必要な事項

（許可の有効期間）
第6条　許可の有効期間は二年とする。

（許可の更新）
第7条　従業員は、許可の更新を希望するときは、会社に申請してその許可を受けなければならない。許可の更新については、第5条の規定を準用する。

（駐車場所）
第8条　会社は、従業員に駐車場の使用を許可するときは、駐車場所を指定する。

（利用者心得）
第9条　駐車場を利用する者は、次の事項を遵守しなければならない。
(1) 会社から指定された場所に駐車すること。指定されていない場所には絶対に駐車しないこと。
(2) 駐車場を清潔にすること。ごみを散らかさないこと。
(3) 駐車場への出入りに当たっては、他の車両および歩行者に十分注意すること。
(4) 他の車両に損傷を与えないこと。損傷を発生させたときは、速やかに会社に報告すること。

（免責事項）
第13条　会社は、次に掲げる事件・事故については、いっさい責任を負わない。
(1) 本人の重大な過失で発生した交通事故
(2) 本人の不注意による自動車の盗難、損傷
(3) 社員が会社の許可を受けることなくマイカーを業務で使用して起こした事故

（課金の負担）
第14条　運転者に対して交通事故・交通違反について課せられた罰金・科料・反則金等の課金は、すべて本人の負担とする。

（許可の取り消し）
第15条　運転者が次のいずれかに該当するときは、マイカーの業務使用の許可を取り消すことがある。
(1) 故意または重大な過失によって交通事故を発生させたとき
(2) しばしば交通法規に違反したとき
(3) しばしばこの規程に違反したとき

（所管）
第16条　この制度の管理は総務部の所管とし、総務部長がこれを統括する。

（付則）この規程は、〇〇年〇月〇日から施行する。

社は、その金額が常識的に判断して妥当なものである場合に限り、それと同額の負担を行う。

（補償の対象外）
第12条　前条の規定にかかわらず、社員が第6条の規定に違反して起こした事故による損害については、補償は行わない。

XVI 自動車に関する規程

ること
(5) 駐車場において不審者を見つけたときは、直ちに会社に通報すること
(6) 他人に自己の駐車スペースを利用させないこと
(7) 休日に駐車場を利用しないこと
(会社の免責事項)
第10条 会社は、駐車中に生じた車両の盗難、損傷等についていっさい責任を負わない。
(届出)
第11条 駐車場を使用している者が次のいずれかに該当するときは、速やかに会社に届け出なければならない。
(1) 車両を変更したとき
(2) マイカー通勤を中止するとき
(特別の指示)
第12条 会社は、経営上の都合により、駐車場の使用について特別の指示を出すことがある。従業員は、会社から特別の指示が出されたときは、その指示に従わなければならない。
(廃 止)
第13条 会社は、経営上の都合により、駐車場を廃止することがある。この場合、従業員は無条件で会社の決定に従わなければならない。
(付則) この規程は、○○年○月○日から施行する。

交通事故処理手続規則

（TB販売・美容機器用品販売 従業員四〇〇人）

第1条 当社社員が業務遂行中にひきおこした交通事故に関し、すみやかな解決をはかるため、次の手順により処理に当るものとする。
(交通事故発生時の処理)
1 事故をひきおこした運転者はできる限り冷静につとめ次の手順により、当面の処置を行なう。
① 相手方にけが人が出た場合、ただちに救急車を呼ぶとともに救護にあたること。
② 車を道路脇に移動し他の交通の妨害にならぬようにすること。
③ 所轄の警察に届け出ること。
④ 物損だけの場合でも原則として所轄の警察に届け出ること。
⑤ 次の項目を確認すること。
(1) 事故月日、時間
(2) 事故場所
(3) 相手方のかかった病院名
(4) 届出警察署名又は派出所名
(5) 相手方の住所、氏名、電話および勤務先住所、名称、電話
(6) 相手方の車両名および登録ナンバー
(7) 事故状況
⑥ 車両管理責任者に電話連絡等を行なうこと。
2 事故の報告を受けた車両責任者は次の手順により当面の処理を行なう。
① 車両管理事務者に口頭もしくは電話連絡を行ない相手方に対して当面接渉すべき次の事項に関して打合せをする。
(1) 相手方の治療費、その他の費用について
(2) 相手方の車両修理について
(3) その他
② 車両管理事務者と打合せた後、車両管理責任者は事故をひきおこした運転者のもとにおもむき次の処理を行なう。
(1) 警察に対して運転者の身元引受人となること。
(2) 相手方に対して前項に於ける車両管理事務者とで打合された範囲内での当面の接渉を行なうこと。
尚、相手方の車両修理をみとめた場合は、その修理工場名、電話を確認すること。
③ 前項②の結果につき、車両管理事務者に連絡するとともにただちに車両事故報告書を作成し、総括責任者宛提出すること。

尚、車両事故報告書は加害、被害をとわず又いかなる軽微なるものといえども提出を要する。

（交通事故の事後処理）
第2条　事故をひきおこした運転者は車両管理責任者もしくは車両管理事務者の指示により、次の事項を行なう。
(1) 接渉過程において相手方と休業損害および示談内入金等の金額を支払う約束を行なった場合、相手方に上記金額を持参し支払う。
(2) 相手方の治療費を必要とする場合、病院に対しその治療費を持参し支払う件。

① 相手方の見舞を行なう。
② 保険手続に必要な各種の書類（警察の事故証明、病院の診断書、診療費明細書等）をとりそろえること。
③ 車両管理責任者が示談接渉を行なうについては、車両管理責任者もしくは事故をひきおこした運転者が同行しなければならない。

（示談接渉）
第3条　相手方との示談接渉およびそれから派生する事項については次の手順にて処置する。
① 第1条の2の②によって或は相手方からの要求により、もしくは車両管理責任者の判断により相手方との示談接渉を必要とした場合、車両管理責任者からの依頼を受けて車両管理事務者が接渉の任にあたる。
ただし、軽微な物損の示談接渉は原則として車両管理責任者が行なうこととする。
② 前項①項により、車両管理事務者は当該事故に関しては、その解決まで接渉の任にあたる。
ただし、接渉過程において次の場合は車両管理責任者もしくは事故をひきおこした運転者の方にて処理する。

（必要費用の立替）
第4条
① 当該交通事故に必要な経費は事故をひきおこした運転者名義の仮払にて会社が立替支払する。
② 前項の出金手続および経費の管理は車両管理事務者が之を行なう。
ただし、立替額については一定期間を定めて事故をひきおこした運転者に通知し、確認をとることを要する。
③ 車両管理事務者は当該交通事故に必要な費用を出金せんとする場合は、稟議書に依らねばならない。
ただし、急を要する場合は総括責任者の承認により、出金することができる。

（保険手続）
第5条　車両管理事務者は当該事故の保険手続に関する一切の事項を行なう。

（業務の委任）
第6条
① 当規則における車両管理責任者は交通事故処置を行なうに際し、当該交通事故をひきおこした運転者を除く他の所員にその業務の一部又は全部を委任することができる。
② 示談接渉に関し、車両管理事務者に代って他に示談接渉専任者を置く場合、車両管理事務者は当該交通事故の窓口となり、その者とともに事故処理にあたることとする。

第7条
① 当規則の円滑な運営のための監督調査機関として交通事故処理委員会が之にあたる。
② 当規則は〇〇年〇月〇日より実施する。

付　則

XVI 自動車に関する規程

事故処理委員会規則

（TB販売
・美容機器用品販売
・従業員四〇〇人）

（目 的）
第1条 本規則は会社の社員が会社の業務遂行の為、車両を使用するにあたり、車両管理規程第16条第2項および交通事故処理手続規則第7条第1項にもとづき当規則を定める。

（委員会の設置）
第2条 前項の目的を達成する為、事故処理委員会（以下委員会と称する）を設置する。

（委員会の組織）
第3条 委員会の組織については本社内に本部委員会を設置し、交通事故処理に限り、その下部組織として各分会を設ける。

（委員会の構成）
第4条
① 本部委員会の構成は組合側三名、会社側三名とする。
② 各分会の構成は交通事故発生毎に編成し、その構成メンバーは事故をひきおこした事業部の車両管理責任者、同職場委員および当該事故処理にあたった車両管理事務者の三名とする。

（事務局の設置）
第5条 本部委員会の運営を円滑ならしめるため、同委員会の中に事務局を設ける。

（委員会の招集、定足数）
第6条
① 本部委員会の開催は必要に応じて各構成委員もしくは事務局より招集する。同委員会の定足数は各構成員の過半数以上の出席もしくはその委任を要する。
② 各分会の開催は交通事故の処理完了後、すみやかに事故の処理にあたった車両管理事務者より招集する。

（本部委員会の当務）
第7条
① 車両管理規程および交通事故処理規則の円滑な運営をはかる為当規程、規則の実施状況の調査ならびに問題点とその改善等につき、審議する。
② 安全運転教育の立案
③ 交通事故につき、業務上ひきおこされたか否かに疑義ある場合の審議の決定。ただし、その基準については原則として労災保険にいう基準を適用するものとする。
④ 交通事故に関し、保険補填のできない金額が五万円以上となった時の負担割合の審議。
⑤ 第4条第2項にもとづく各分会で決定できなかった負担割合の審議。
⑥ 交通事故に関し、相手方との示談に際し、五万円以上の保険補填のできない金額を支払わねば示談締結できない場合、その示談締結の可否について審議。

（分会の任務）
第8条
① 交通事故に関し、保険補填のできない金額が五万円以下の場合の負担割合の審議。
② 本部委員会に対し、負担割合の結果を報告すること。ただし、負担割合が決定しない場合は、当該関係者が各々意見を附し、本部委員会に報告すること。

（事務局の任務）
第9条
① 本部委員会開催にともない資料をそろえる。
② 本部委員会招集手続。
③ 本部委員会決定事項に対する事務処理。

（保険金）
第10条
① 保険限度額ならびに免責額については、人身事故・対物事故は無制限で免責なし［ただし、一ナンバーの中大型トラックは免責五万円］、および自己車両は当該車両の時価とし、免責三万円とみなす。

自動車運転免許に関する規程

（SW食品・食品流通業　従業員二五〇人）

（免許取得）

第1条　会社は、従業員が業務上の必要から自動車運転免許（以下免許という）を取得する場合、次の規準に従い援助する。

第2条　この規程の対象者は原則として販売業務にたずさわる者、および車両を管理するものとする。

第3条　免許取得を希望する者は、所属長の許可を必要とする。

第4条　取得しようとする免許の種類は、第一種普通運転免許に限るものとする。

第5条　免許取得に要する時間については、当該教習所までの所要時間を含めて一日につき三時間、合計三〇時間を与える。

第6条　免許取得に要する費用については一〇万円を限度として免許取得に必要な費用の半額を会社が負担する。

第7条　前条の規定の適応を受けた者が、免許取得後六か月以内に退職した場合は、免許取得に際し援助を受けた金額の半額を会社に返納しなければならない。

（免許の更新）

第8条　免許更新に要する時間については、免許所持者全員に対してその時間の勤務を免除する。

第9条　免許更新に要する費用については、第2条の規定に適応する者のみに対して法定更新手数料の全額を会社が負担する。

（付　則）

第10条　本規程の運用、解釈等に疑義がある場合は、労使協議してこれを決定する。

第11条　本規程の適用を受ける従業員は、車両の運転に際しては法令および車両運転規程を順守しなければならない。

第12条　本規程の実施は〇〇年〇月〇日からとし、更新等については労使協議して決定する。

② 当規則にいう保険補填のできない金額とは次の場合をいう。
(1) 保険免責額。
(2) 保険限度内の交通事故であっても示談交渉の状況により保険補填のできない金額を支払わざるをえなかった場合。
(3) 交通事故による刑事罰たる罰金。

（交通事故負担割合の特例）

第11条　各分会に於いて交通事故による保険補填のできない額の負担割合が決定せられても、総合的に勘案して不当と判断した場合、本部委員会は各分会における当該関係者より意見を聴取した上、負担割合を変更し改めて決定を行なうことができる。

（その他）

第12条
① 本規則の改正は各構成委員全員の同意を必要とする。
② 本規則の施行は〇〇年〇月〇日より実施する。

XVII

個人情報の管理に関する規程

XVII 個人情報の管理に関する規程

〈コメント〉

1 個人情報保護法の施行

IT化の進展に伴って、企業経営において、個人情報の利用が著しく拡大している。それとともに、個人情報の不正取得・不正活用・大量漏洩など、不祥事が相次いで生じている。

個人情報は、個人のプライバシーと深くかかわるものである。したがって、それが不正に取得されたり、不正に活用されたり、あるいは外部に漏洩したりすると、個人の権利が著しく損なわれる。

このような状況に対応し、個人の権利と利益を保護することを目的として、平成17年4月から、個人情報保護法が施行されている。

個人情報保護法は、個人情報の取扱いについて、企業が遵守すべき義務を定めている。主な義務は、次のとおりである。

① 利用目的をできる限り特定しなければならない（利用目的の特定）

② あらかじめ本人の同意を得ることなく、特定された利用目的の範囲を超えて、個人情報を取り扱ってはならない（利用目的による制限）

③ 不正な手段で個人情報を取得してはならない（適正な取得）

④ 本人から直接書面で個人情報を取得する場合は、あらかじめ、本人に対し、その利用目的を明示しなければならない（取得に際しての利用目的の通知）

⑤ 利用目的の達成に必要な範囲内において、個人情報を正確かつ最新の内容に保つよう努めなければならない（内容の正確性の確保）

⑥ 個人情報が漏洩したり、滅失したりしないよう、安全管理のために必要な措置を講じなければならない（安全管理措置）

⑦ 個人情報の安全管理が図られるよう、従業員を適切に監督しなければならない（従業員の監督）

⑧ あらかじめ本人の同意を得ることなく、個人情報を第三者に提供してはならない（第三者提供の制限）

⑨ 本人から請求されたときは、個人情報を開示しなければならない（開示）

⑩ 本人から「内容が事実でない」という理由によって、個人情報の内容の訂正等を請求されたときは、訂正等を行わなければならない（訂正等）

2 個人情報管理規程の作成

企業は、個人情報保護法を遵守して、個人情報の管理を適正に行っていくことが必要である。そのためには、個人情報の管理基準を規程として明確にし、その内容を従業員に周知徹底しておくことが重要である。基準が明確になっていないと、結果的に法律違反を犯す可能性がある。

個人情報保護法に違反した場合に、「法律に違反しようとする意図はなかった」と釈明しても通用しない。それどころか、釈明すればするほど、企業の経営姿勢や倫理観が問われる恐れがある。

個人情報の管理規程は、企業における個人情報の利用実態に即して具体的に作成されなければならない。

XVII 個人情報の管理に関する規程

顧客情報管理規程

（KO商事
・小売業
・従業員六七〇人）

第1章　総則

（目的）
第1条　この規程は、会社における顧客情報の管理について定める。
2　顧客情報の管理に関してこの規程に定めのない事項については、個人情報保護法その他の法令の定めるところによる。

（顧客情報の定義）
第2条　この規程において「顧客情報」とは、顧客の氏名、住所、電話番号、性、生年月日、職業、家族構成等、特定の個人を識別することのできる情報をいう。

（社員の義務）
第3条　社員は、この規程を誠実に遵守して顧客情報を管理しなければならない。
2　管理職は、顧客情報の管理に関して、この規程に違反することを部下に指示命令してはならない。
3　社員は、顧客情報の管理について判断に迷うときは、上司の指示を求めるか、または、常識と良識をもって対応しなければならない。

第2章　利用目的および取得

（利用目的の特定）
第4条　会社は、利用目的を特定して顧客情報を取り扱う。

2　会社は、前条の規定によって特定された利用目的の達成に必要な範囲を超えて、顧客情報を利用しない。

（適正な取得）
第5条　会社は、顧客情報を適正な方法で取得する。

（取得しない顧客情報）
第6条　会社は、次に掲げる顧客情報は、取得しないものとする。
(1) 思想、信条および宗教に関する事項
(2) 人種、民族、社会的身分、門地、本籍地（所在都道府県に関する情報は除く）、身体・精神の障害、犯罪歴、その他社会的差別の原因となる事項
(3) その他取得することがふさわしくない事項

（取得に際しての利用目的の明示）
第7条　会社は、顧客本人から直接個人情報を取得するときは、その利用目的を明示するものとする。ただし、人の生命、身体または財産の保護のために緊急に必要がある場合は、この限りではない。

（内容の正確性の確保）
第8条　会社は、利用目的の達成に必要な範囲内において、顧客情報を正確かつ最新の内容に保つよう努めるものとする。

XVII 個人情報の管理に関する規程

第3章 管理体制・管理方法

（安全管理措置）
第9条 会社は、顧客情報を安全に管理するために必要かつ適切な措置を講じる。

（顧客情報管理責任者）
第10条 会社は、顧客情報を安全に管理するため、顧客情報管理責任者（以下、「管理責任者」という。）を選任する。
2 管理責任者は、顧客情報が外部に漏洩したり、滅失したり、あるいは毀損したりすることがないよう、慎重に管理しなければならない。

（社員の監督）
第11条 管理責任者は、顧客情報の管理の安全管理が図られるよう、顧客情報の管理業務に従事する社員に対する必要かつ適切な監督を行う。

（委託先の監督）
第12条 会社は、業務の都合により顧客情報の管理の全部または一部を委託するときは、委託した顧客情報の安全管理が図られるよう、委託先に対する必要かつ適切な監督を行う。

（顧客情報の禁止事項）
第13条 社員は、いかなる事情があれ、顧客情報に関し、次に掲げることをしてはならない。

(1) 不正にアクセスすること
(2) 外部の者に漏洩すること
(3) 業務以外の目的で使用すること
(4) 不正に改ざんすること
(5) その他不正を行うこと

（閲覧等の手続き）
第14条 社員は、顧客情報を閲覧、コピーまたは撮影するときは、あらかじめ管理責任者に申し出て、その許可を得なければならない。

（社外への持ち出しの禁止）
第15条 社員は、顧客情報が記録されている媒体を社外に持ち出してはならない。

（第三者への提供の制限）
第16条 会社は、本人の同意を得ることなく、顧客情報を第三者に提供しない。ただし、次の場合は、この限りではない。

(1) 法令に基づく場合
(2) 人の生命、身体または財産の保護のために必要がある場合であって、本人の同意を得ることが困難であるとき
(3) 公衆衛生の向上または児童の健全な育成の推進のために特に必要がある場合であって、本人の同意を得ることが困難であるとき
(4) 国の機関もしくは地方公共団体またはその委託を受けた者が法令の定める事務を遂行することに対して協力する必要がある場合であって、本人の同意を得ることによりその事務の遂行に支障を及ぼすおそれがあるとき

第4章 開示および訂正等

（本人への開示）
第17条 会社は、顧客から本人の情報の開示を請求されたときは、開示する。ただし、開示することにより次のいずれかに該当する場合は、その全部または一部を開示しないことがある。

(1) 本人または第三者の生命、身体、財産その他の権利利益を害するおそれがある場合
(2) 会社の業務の適正な実施に著しい支障を及ぼすおそれがある場合
(3) 個人情報保護法以外の法令に違反することとなる場合

（顧客情報の訂正等）
第18条 会社は、顧客から本人の情報の内容が事実でないという理由によってその内容の訂正、追加または削除（以下、この条において「訂正等」という。）を求められた場合には、利用目的の達成に必要な範囲内において速やかに必要な調査を行い、その結果に基づき、内容の訂正等を行う。

（利用停止等）
第19条 会社は、顧客から本人の情報の利用の停止または消去（以下、この条において

顧客情報取扱規程

（BMサービス・サービス業・従業員一一〇人）

第1章 総則

（目的）
第1条 この規程は、顧客情報の取扱いについて定める。

2 顧客情報の取扱いに関してこの規程にないことは、個人情報保護法の定めるところによる。

3 この規程において「顧客情報」とは、顧客の氏名、住所、電話番号、性、生年月日、職業、家族構成等、特定の個人を識別することのできる情報をいう。

（個人情報保護法の遵守）
第2条 会社は、個人情報保護法を誠実に遵守して顧客情報を取り扱う。

第2章 利用・取得・管理

（利用目的の特定）
第3条 会社は、利用目的を特定して顧客情報を取り扱う。特定された利用目的の達成に必要な範囲を超えて、顧客情報を利用しない。

（目的外の利用）
第4条 会社は、業務上の都合により顧客情報を当初の利用目的の範囲を超えて利用するときは、あらかじめ本人の同意を得るものとする。ただし、次に掲げる場合は、この限りではない。

(1) 法令に基づく場合

(2) 人の生命、身体または財産の保護のために必要がある場合であって、本人の同意を得ることが困難であるとき

(3) 公衆衛生の向上または児童の健全な育成の推進のために特に必要がある場合であって、本人の同意を得ることが困難であるとき

(4) 国の機関もしくは地方公共団体またはその委託を受けた者が法令の定める事務を遂行することに対して協力する必要がある場合であって、本人の同意を得ることによりその事務の遂行に支障を及ぼすおそれがあるとき

（適正な取得）
第5条 会社は、顧客情報を適正な方法で取得するものとする。

（利用目的の明示）
第6条 会社は、本人から直接顧客情報を取得するときは、その利用目的を明示する。ただし、人の生命、身体または財産の保護のために緊急に必要がある場合は、この限りではない。

2 業務上の都合により利用目的を変更したときは、変更した利用目的を本人に通知するものとする。

（内容の正確性の確保）
第7条 会社は、利用目的の達成に必要な範囲内において、顧客情報を正確かつ最新の内容に保つよう努めるものとする。

（顧客情報管理責任者）
第8条 会社は、顧客情報を安全に管理するため、顧客情報管理責任者（以下、「管理責任者」という。）を選任する。

「利用停止等」という。）を求められた場合であって、その求めに理由があることが判明したときは、速やかに、違反を是正するために必要な限度で、その顧客情報の利用停止等を行う。ただし、利用停止等を行うことが困難な場合であって、本人の権利利益を保護するため必要な代替措置をとるときは、この限りではない。

（苦情の処理）
第20条 会社は、顧客から本人の情報の取扱いに関して苦情が寄せられたときは、誠実に対応する。

（付則）この規程は、〇〇年〇月〇日から施行する。

(社員の監督)
第9条　管理責任者は、顧客情報の安全管理が図られるよう、顧客情報の管理業務に従事する社員に対する必要かつ適切な監督を行う。

2　社員は、顧客情報の管理について、管理責任者の指示命令に従わなければならない。

(委託先の監督)
第10条　会社は、業務の都合により顧客情報の管理の全部または一部を委託するときは、委託した顧客情報の安全管理が図られるよう、委託先に対する必要かつ適切な監督を行うものとする。

(社員の禁止事項)
第11条　社員は、顧客情報に関し、次に掲げることをしてはならない。
(1) 不正にアクセスすること
(2) 外部の者に漏洩すること
(3) 業務に関係のない者に閲覧させること
(4) 業務以外の目的で使用すること
(5) 不正に改ざんすること
(6) 不正に廃棄すること
(7) その他不正を行うこと

(閲覧等の手続き)
第12条　社員は、顧客情報を閲覧、コピーまたは撮影するときは、次の事項をあらかじめ管理責任者に申し出て、その許可を得なければならない。
(1) 利用目的
(2) 閲覧、コピーまたは撮影する顧客の範囲
(3) 閲覧、コピーまたは撮影する顧客情報の範囲
(4) 閲覧、コピーまたは撮影する日時
(5) コピーまたは撮影したものの取り扱い

2　顧客情報をコピーまたは撮影したときは、その管理に十分注意しなければならない。

(社外への持ち出しの禁止)
第13条　社員は、顧客情報が記録されている媒体を社外に持ち出してはならない。

2　やむを得ない事情により持ち出さなければならないときは、次の事項をあらかじめ管理責任者に申し出て、その許可を得なければならない。
(1) 持ち出す目的
(2) 情報を持ち出す顧客の範囲
(3) 持ち出す顧客情報の範囲
(4) 持ち出し日時
(5) 持ち出し先

3　顧客情報が不正に第三者に漏洩することのないよう、十分注意しなければならない。

(第三者への提供の制限)
第14条　会社は、本人の同意を得ることなく、顧客情報を第三者に提供しない。ただし、次の場合は、この限りではない。
(1) 法令に基づく場合
(2) 人の生命、身体または財産の保護のた

めに必要がある場合であって、本人の同意を得ることが困難であるとき
(3) 公衆衛生の向上または児童の健全な育成の推進のために特に必要がある場合であって、本人の同意を得ることが困難であるとき
(4) 国の機関もしくは地方公共団体またはその委託を受けた者が法令の定める事務を遂行することに対して協力する必要がある場合であって、本人の同意を得ることにより当該事務の遂行に支障を及ぼすおそれがあるとき

第3章　開示・訂正等

(本人への開示)
第15条　会社は、顧客から本人の情報の開示を請求されたときは、本人に対して開示する。ただし、開示することにより次のいずれかに該当する場合は、その全部または一部を開示しないことがある。
(1) 本人または第三者の生命、身体、財産その他の権利利益を害するおそれがある場合
(2) 会社の業務の適正な実施に著しい支障を及ぼすおそれがある場合
(3) 個人情報保護法以外の法令に違反することとなる場合

2　開示の請求を受理するに当たり、必要に

顧客情報管理規程

YS電器
（小売業・従業員八〇〇人）

第1章　総則

（目的）
第1条　この規程は、顧客情報を適切に管理する目的で定める。
2　顧客情報の管理に関してこの規程に定めのない事項については、個人情報保護法の定めるところによる。

（顧客情報の定義）
第2条　この規程において「顧客情報」とは、顧客の氏名、住所、電話番号、性、生年月日、職業等、特定の個人を識別することのできる情報をいう。

（個人情報保護法の遵守）
第3条　会社は、個人情報保護法を誠実に遵守して顧客情報を管理することを経営の基本方針とする。

（顧客情報の訂正等）
第16条　会社は、顧客から本人の情報の内容の訂正、追加または削除（以下、この条において「訂正等」という。）を求められた場合には、利用目的の達成に必要な範囲内において速やかに必要な調査を行い、その結果に基づき、内容の訂正等を行う。

（利用停止等）
第17条　会社は、顧客から、本人の情報の利用の停止または消去（以下、この条において「利用停止等」という。）を求められた場合であって、その求めに理由があることが判明したときは、違反を是正するために必要な限度で、速やかに、その顧客情報の利用停止等を行う。ただし、利用停止等を行うことが困難な場合であって、本人の権利利益を保護するため必要な代替措置をとるときは、この限りではない。

（苦情の処理）
第18条　会社は、顧客情報の取扱いに関して苦情が寄せられたときは、誠実に対応する。

第4章　不正行為への対応

（管理責任者への通報義務）
第19条　社員は、他の社員がこの規程に違反する不正行為を行ったことを知ったときは、速やかに管理責任者に通報しなければならない。応じて、本人であることを確認するものの提出を求めるものとする。次の事項を、速やかに管理責任者に通報しなければならない。
(1)　不正行為を行った者の氏名、所属
(2)　不正行為の具体的な内容
(3)　その他知り得た事実
2　通報は、文書、口頭、電話、ファクシミリ、郵便、電子メール等、その方法は問わないものとする。
3　通報は、匿名で行うこともできる。

（事実関係の調査）
第20条　管理責任者は、社員から不正行為の通報があったときは、直ちに事実関係を調査しなければならない。
2　管理責任者は、事実関係の調査に当たり、通報者に対して迷惑がかからないよう、十分配慮しなければならない。

（適切な措置の実施）
第21条　管理責任者は、事実関係の調査の結果事実が確認されたときは、直ちに適切な措置を講じなければならない。

（社長への報告）
第22条　管理責任者は、不正行為について、次の事項を社長に適切に報告しなければならない。
(1)　不正行為の具体的な内容
(2)　不正行為に対して講じた措置の内容
(3)　その他必要な事項

（付則）この規程は、○○年○月○日から施行する。

XVII 個人情報の管理に関する規程

（社員の義務）
第4条　社員は、顧客情報の重要性と重大性を厳しく認識し、この規程を誠実に遵守して顧客情報を管理しなければならない。
2　顧客情報の管理について判断に迷うときは、上司の指示を求めるか、または、常識と良識をもって対応しなければならない。

第2章　顧客情報の取得

（取得目的）
第5条　会社は、次の目的のために顧客情報を取得する。
(1) 注文を受けた商品の発送
(2) 顧客に対する商品情報の提供
(3) 顧客が購入した商品のアフターサービス
(4) 広告物、PR資料作成の参考資料
(5) 営業方針、販売戦略決定の参考資料

（取得の主体）
第6条　会社は、自ら顧客情報を取得する。
2　会社は、顧客情報の取得業務を第三者に委託しない。

（取得の方法）
第7条　会社は、次の方法により、顧客から直接本人の情報を取得する。
(1) 商品の購入申込書への記載内容
(2) 商品の販売・購入契約書への記載内容
(3) 顧客に対するアンケート調査
(4) イベント来場者名簿への記載内容
(5) 懸賞の応募用紙への記載内容
(6) その他適正な方法

（取得しない情報）
第8条　会社は、次に掲げる情報は、取得しない。
(1) 人種、民族、社会的身分、門地、本籍（所在都道府県に関する情報は除く）、身体的・精神的な障害の有無、犯罪歴、その他社会的差別の原因となるおそれのあるもの
(2) 思想、信条、宗教に関するもの

（利用目的の明示）
第9条　会社は、書面によって顧客情報を取得するときは、個人情報保護法の定めるところにより、本人に対し、情報の利用目的を明示する。

第3章　顧客情報管理責任者

（顧客情報管理責任者の設置）
第10条　会社は、顧客情報の管理を適正に行う目的で、顧客情報管理責任者（以下、「管理者」という）を置く。

（管理者の業務）
第11条　管理者の業務は、次のとおりとする。
(1) 取得から廃棄に至るまで、顧客情報の管理に関する企画、立案
(2) 顧客情報の管理
(3) 顧客情報管理予算の管理
(4) 顧客からの顧客情報に関する苦情の処理
(5) 顧客情報に関する訴訟、係争への対応
(6) 顧客情報に関する社員の啓発
(7) 顧客情報に関する社員研修の企画、立案
(8) その他顧客情報に関する重要事項

（管理者の選任基準）
第12条　管理者は、次に該当する者の中から、社長が任命する。
(1) 個人情報保護法に関して専門的な知識を有すること
(2) 法令遵守意識が強いこと
(3) 顧客情報管理業務の経験があること
(4) 課長以上の役職に就いていること

（管理者の任期）
第13条　管理者の任期は2年とする。ただし、再任を妨げない。

（管理者の心得）
第14条　管理者は、個人情報保護法その他の法令および会社の規則・規程を遵守し、その任務を誠実、かつ、積極的に遂行しなければならない。

2　管理者は、必要に応じ、その任務の一部を他の者に代行させることができる。ただし、代行させた場合においても、その最終的な責任は負わなければならない。

（管理者の守秘義務）

第15条 管理者は、在職中はもとより退職後も、職務を通して知り得た顧客情報を他に洩らしてはならない。

（社員の監督義務）
第16条 管理者は、顧客情報の安全管理が図られるよう、社員を適切に監督しなければならない。

（社長への報告義務）
第17条 管理者は、業務の遂行状況を適宜適切に社長に報告しなければならない。

第4章 社員の遵守事項

（顧客情報の禁止事項）
第18条 社員は、いかなる事情があれ、顧客情報に関し、次に掲げることをしてはならない。
(1) 不正にアクセスすること
(2) 外部の者に漏洩すること
(3) 業務以外の目的で使用すること
(4) 不正に改ざんすること
(5) その他不正を行うこと

（閲覧等の手続き）
第19条 社員は、顧客情報を閲覧、コピーまたは撮影するときは、次の事項をあらかじめ管理責任者に申し出て、その許可を得なければならない。
(1) 利用目的
(2) 閲覧、コピーまたは撮影する顧客の範囲
(3) 閲覧、コピーまたは撮影する日時
(4) 閲覧、コピーまたは撮影したものの取り扱い
(5) 社員は、顧客情報をコピーまたは撮影したときは、その管理に十分注意しなければならない。

（社外への持ち出しの禁止）
第20条 社員は、顧客情報が記録されている媒体を社外に持ち出してはならない。
2 やむを得ない事情によって持ち出さなければならないときは、次の事項をあらかじめ管理責任者に申し出て、その許可を得なければならない。
(1) 持ち出す目的
(2) 情報を持ち出す顧客の範囲
(3) 持ち出す顧客情報の範囲
(4) 持ち出し先
(5) 持ち出す日時
3 顧客情報を外部へ持ち出したときは、顧客情報が不正に第三者に漏洩することのないよう、十分注意しなければならない。

（管理責任者への通報義務）
第21条 社員は、他の社員がこの規程に違反する行為を行ったことを知ったときは、次の事項を、速やかに管理責任者に通報しなければならない。
(1) 行った者の氏名、所属
(2) 行った行為の具体的な内容
(3) その他知り得た事実
2 通報は、匿名で行うこともできる。また、通報の方法は問わないものとする。

第5章 開示および訂正等

（本人への開示）
第22条 会社は、顧客から本人の情報の開示を請求されたときは、本人に対して開示する。ただし、開示することにより次のいずれかに該当する場合は、その全部または一部を開示しないことがある。
(1) 本人または第三者の生命、身体、財産その他の権利利益を害するおそれがある場合
(2) 会社の業務の適正な実施に著しい支障を及ぼすおそれがある場合
(3) 個人情報保護法以外の法令に違反することとなる場合
2 開示の請求を受理するに当たり、必要に応じて、本人であることを確認するものの提出を求めるものとする。
3 第1項ただし書きに定めるところにより顧客情報の全部または一部を開示しないことを決定したときは、本人に対し、速やかにその旨を通知する。

（顧客情報の訂正等）
第23条 会社は、顧客から本人の情報の内容

XVII 個人情報の管理に関する規程

が事実でないという理由によってその内容の訂正、追加または削除(以下、この条において「訂正等」という。)を求められた場合には、利用目的の達成に必要な範囲内において速やかに必要な調査を行い、その結果に基づき、内容の訂正等を行う。

2 内容の全部または一部について訂正等を行ったときは、本人に対し、速やかに訂正等を行った旨を通知する。

3 訂正等を行わないことを決定したときは、本人に対し、速やかにその旨を通知する。

(訂正等の内容)
(1) 訂正等の内容
(2) 訂正等を行った年月日

(利用停止等)
第24条 会社は、顧客から本人の情報の利用の停止または消去(以下、この条において「利用停止等」という。)を求められた場合であって、その求めに理由があることが判明したときは、違反を是正するために必要な限度で、速やかに、その顧客情報の利用停止等を行う。ただし、利用停止等を行うことが困難な場合であって、本人の権利利益を保護するため必要な代替措置をとるときは、この限りではない。

2 内容の全部または一部について利用停止等を行ったときは、本人に対し、速やかに次の事項を通知する。
(1) 利用停止等の内容
(2) 利用停止等を行った年月日

3 利用停止等を行わないことを決定したときは、本人に対し、速やかにその旨を通知する。

(苦情の処理)
第25条 会社は、顧客から顧客情報の取扱いに関して苦情が寄せられたときは、誠実に対応する。

(付則) この規程は、○○年○月○日から施行する。

顧客リスト管理規程

TM薬品
・小売業
・従業員四八〇人

(総則)
第1条 この規程は、会社が保有している顧客リストの管理について定める。

(管理の方法)
第2条 会社は、顧客リストをデータベースで管理する。

(管理責任者)
第3条 顧客リストの管理責任者は、業務部長とする。

2 業務部長を欠くとき、または業務部長に事故あるときは、次に掲げる者が次に掲げる順序で管理責任者となる。
(1) 業務部次長
(2) 業務課長

(管理責任者の責務)
第4条 管理責任者は、顧客リストが外部に漏洩したり、不正に使用されたり、あるいは改ざんされたりすることがないよう、慎重に管理しなければならない。

(パスワードの設定)
第5条 顧客リストにパスワードを設定する。

(パスワードの更新)
第6条 会社は、業務遂行上顧客リストを必要とする社員に限ってパスワードを開示する。

(パスワードの開示)
第7条 パスワードの開示を受けていない社員は、顧客リストにアクセスしてはならない。

2 パスワードの開示を受けた社員は、これを他の社員に開示してはならない。

(アクセスの禁止)
第7条 パスワードの開示を受けていない社員は、顧客リストにアクセスしてはならない。

2 業務上の必要によって顧客リストを閲覧、コピーまたは撮影するときは、あらかじめ管理責任者に申し出て、その許可を得なければならない。

(プリントアウト等の手続き)
第8条 パスワードの開示を受けた社員は、顧客リストについて次のことをするときは、あらかじめ管理責任者の許可を得なければ

顧客リスト管理規程

ならない。

(1) プリントアウトするとき
(2) 記録媒体へコピーするとき
(3) 撮影するとき

(保管責任)
第9条　社員は、顧客リストをプリントアウト、コピーまたは撮影したときは、その記録媒体の保管に責任を持たなければならない。

(保管の方法)
第10条　社員は、顧客リストが記録されている媒体は、原則として施錠できる収納庫で保管しなければならない。

(社外への持ち出しの禁止)
第11条　社員は、顧客リストが記録されている媒体を社外に持ち出してはならない。
2　やむを得ない事情によって持ち出さなければならないときは、あらかじめ管理責任者に申し出て、その許可を得なければならない。
3　外部へ持ち出したときは、顧客リストが不正に第三者に漏洩することのないよう、十分注意しなければならない。

(情報漏洩の禁止)
第12条　社員は、在職中はもとより退職後においても、職務上知り得た顧客リストを第三者に洩らしてはならない。

(盗難等の届出)
第13条　社員は、自らが保管している顧客リストの記録媒体について、次に掲げることが生じたときは、速やかに管理責任者に届け出なければならない。
(1) 盗まれたとき
(2) 紛失したとき

(通報の義務)
第14条　社員は、次の場合には、速やかに管理責任者に通報しなければならない。
(1) パスワードの開示を受けていない社員が顧客リストに不正にアクセスしている ことを知ったとき
(2) 他の社員が、会社の許可を受けることなく、顧客リストの記録媒体を社外に持ち出していることを知ったとき
(3) その他顧客リストについて不正が行われていることを知ったとき

(対応措置の実施)
第15条　管理責任者は、社員から顧客リストの不正アクセス等についての通報があったときは、次に掲げる措置を講じなければならない。
(1) 関係社員の聞き取り調査
(2) 関係社員のパソコンの検査
(3) 記録媒体の回収
(4) パスワードの変更
(5) その他必要な措置

(廃棄処分の方法)
第16条　社員は、顧客リストが記録されている媒体を廃棄するときは、次のいずれかの措置を講じなければならない。
(1) シュレッダーによる裁断
(2) 焼却
(3) データ抹消措置

(懲戒処分)
第17条　会社は、顧客リストについて次のいずれかに該当する行為をした社員を懲戒処分に付する。
(1) 不正にアクセスしたとき
(2) 会社に無断でプリントアウト、コピーまたは撮影したとき
(3) 会社に無断で外部に持ち出したとき
(4) 不正に改ざんしたとき
(5) 他に洩らしたとき
(6) 記録されている媒体を不注意によって盗まれたとき、または、紛失したとき
(7) その他この規程に違反する行為をしたとき

(付則)　この規程は、○○年○月○日から施行する。

お客さま個人情報苦情処理規程

（スーパーCO　小売業・従業員四五〇人）

（総　則）

第1条　この規程は、お客さまの個人情報の苦情処理について定める。

2　「お客様の個人情報」とは、お客様の氏名、住所、電話番号、性、生年月日など、特定のお客さま個人を識別することができる情報をいう。

（苦情受付窓口）

第2条　会社においてお客様の個人情報に関する苦情を受け付ける窓口は「お客さま相談室」とし、その責任者は「お客さま相談室長」とする。

（お客さま相談室の責務）

第3条　お客さま相談室（以下、「相談室」という）は、誠実かつ迅速に苦情を処理することに努めなければならない。

（苦情の受付手続き）

第4条　相談室は、個人情報に関する苦情を受け付けるに当たり、申出者に対し、次の事項を申し出ることを求めるものとする。

(1)　本人の氏名、住所、電話番号

(2)　苦情の具体的な内容

2　苦情は、書面のほか、電話、電子メール等でも受け付ける。

（事実関係の調査）

第5条　相談室は、苦情を受け付けたときは、直ちに事実関係を調査するものとする。

（謝　罪）

第6条　相談室は、事実関係の調査の結果、会社の管理に問題があることが確認されたときは、直ちに申出者に謝罪するものとする。

2　謝罪は、電話または書面で行う。

（訂　正）

第7条　相談室は、会社が管理しているお客さまの個人情報の内容に誤りがあるときは、顧客情報管理担当部署に対し、誤りを訂正するよう指示する。

（申出者への通知）

第8条　相談室は、会社が管理しているお客さまの個人情報の内容の誤りを訂正したときは、次の事項を申出者に通知する。

(1)　訂正した内容

(2)　訂正した年月日

（消去の申出への対応）

第9条　相談室は、お客さまから、会社が管理している本人の個人情報の消去の申出を受けたときは、お客さま情報管理担当部署とその対応を協議する。

（申出者への通知）

第10条　相談室は、申出者について、会社が管理している個人情報の消去を決定したときは、次の事項を申出者に通知する。

(1)　個人情報を消去した旨

(2)　個人情報を消去した年月日

2　個人情報を消去しないことを決定したときは、次の事項を申出者に通知する。

(1)　消去しないことを決定した旨

(2)　消去しないことにした理由

（社長への報告）

第11条　相談室長は、社長に対し、お客さまの個人情報に関する苦情処理業務の執行状況を毎月定期的に報告しなければならない。

（付則）この規程は、〇〇年〇月〇日から施行する。

顧客情報廃棄規程

（KK住宅販売　不動産業・従業員六〇人）

（総　則）

第1条　この規程は、会社が管理している顧客情報の廃棄について定める。

（廃棄の基準）

第2条　顧客情報のうち、次のいずれかに該

顧客情報流出対策規程

（KY信用金庫
金融業・従業員三四〇人）

（総則）
第1条　この規程は、会社が保有している顧客の個人情報（以下、「顧客情報」という）が外部へ流出したときの対策について定める。

（事実関係の調査）
第2条　会社は、保有している顧客情報が外部へ流出したことが確認されたときは、直ちに次の事項を調査する。
(1) 廃棄した情報の範囲
(2) 廃棄した年月日
(3) 廃棄した方法

（廃棄の確認）
第6条　総務部長は、顧客情報の廃棄について報告を受けたときは、廃棄が完全に行われたかを確認しなければならない。

（付則）
1　この規程は、〇〇年〇月〇日から施行する。
2　この規程の改廃は、社長の承認を得て行う。

(1) 情報が流出した顧客の氏名
(2) 情報が流出した顧客の人数
(3) 流出した顧客情報の範囲
(4) 顧客情報が流出した日時
(5) 顧客情報が流出した経緯、原因

（被害届・紛失届の提出）
第3条　会社は、事実関係の調査が終了したときは、直ちに警察に被害届を提出する。社員が顧客情報の不注意で紛失したときは、紛失届を本人の不注意で紛失したときは、紛失届を提出する。

（捜査への協力）
第4条　会社は、顧客情報の流出に関する警察の捜査に全面的に協力する。

（流出先の特定）
第5条　会社は、流出先の特定に努める。

（監視）
第6条　会社は、流出した顧客情報が不正に使用されていないか、継続的に監視するものとする。

（返還請求）
第7条　会社は、流出先が特定されたときは、流出先に対し、流出した情報の返還を請求する。

（警告）
第8条　会社は、顧客情報の流出先に対し、その情報を使用しないよう警告する。
2　流出先がその情報を使用したときは、使用を中止するよう警告する。

当するものは廃棄処分とする。
(1) 本人が死亡したことが確認されたとき
(2) 本人が会社の営業区域外へ転居したことが確認されたとき
(3) 収集日から〇年以上を経過し、情報としての価値が低下したとき
(4) 本人が廃棄を請求し、会社がこれを認めたとき
(5) その他廃棄処分とすることが適当であると判断されるとき

（廃棄処分の方法）
第3条　顧客情報の廃棄処分は、次のいずれかの方法によって行う。
(1) シュレッダーによる裁断
(2) 焼却
(3) データ抹消措置

（廃棄処分の手続き）
第4条　従業員は、顧客情報を廃棄処分にするときは、あらかじめ総務部長に次の事項を届け出なければならない。
(1) 廃棄する情報の範囲
(2) 廃棄する理由
(3) 廃棄する年月日
(4) 廃棄する方法

（廃棄処分の報告）
第5条　従業員は、顧客情報を廃棄したときは、総務部長に次の事項を報告しなければならない。
(1) 廃棄した情報の範囲

XVII 個人情報の管理に関する規程

行う。

3 前2項の警告は、内容証明郵便の送付により行う。

(差止め訴訟)
第9条 会社は、流出先が会社の警告に応じないときは、裁判所に対し、顧客情報の使用差止め処分を請求する訴訟を提訴する。

(顧客への説明・謝罪)
第10条 会社は、顧客情報が外部に流出した顧客に対し、次の事項を説明し、かつ謝罪する。
(1) 流出した顧客情報の範囲
(2) 流出先
(3) 流出した経緯
(4) 再発防止策の内容
(5) その他必要事項

2 顧客への説明と謝罪は、書面によって行う。

3 謝罪に際し、必要に応じ、社会的常識の範囲内で金品を贈呈する。

(一般消費者への公表)
第11条 会社は、一般の消費者に対し、次の事項を公表し、謝罪する。
(1) 情報が流出した顧客の人数
(2) 流出した顧客情報の範囲
(3) 顧客情報が流出した日時
(4) 顧客情報が流出した経緯、原因

2 公表と謝罪は、次の方法で行う。
(1) ホームページへの謝罪文の掲載
(2) 新聞への謝罪広告の掲載

(問い合わせへの対応)
第12条 会社は、顧客情報の流出について外部から問い合わせがあったときは、誠実に対応する。

(不当な金銭請求への対応)
第13条 会社は、顧客情報の流出について第三者から不当な金銭を請求されたときは、これを拒否する。

2 不当な金銭の請求が執拗に行われたときは、警察に被害届を提出する。

(再発防止策)
第14条 会社は、顧客情報が流出した原因を究明し、必要な再発防止策を講じる。

(懲戒処分)
第15条 会社は、社員が顧客情報の流出にかかわったときは、その社員を懲戒処分に付する。処分の内容は、その情状により決定する。

(警察への告発)
第16条 会社は、社員が顧客情報を不正に外部に漏洩したときは、その社員を警察に告発する。

(実施の手続き)
第17条 次の事項は、取締役会の決定により行う。
(1) 流出先への警告
(2) 使用の差止め処分を請求する訴訟
(3) 不正行為を行った社員の警察への告発

(付則) この規程は、○○年○月○日から施行する。

社員人事情報取扱規程

FS機械
(建設機械製造業・従業員1,300人)

第1章 総則

(目的)
第1条 この規程は、社員(パートタイマー、嘱託その他の非正社員も含む)の人事情報の取り扱いについて定める。

2 「人事情報」とは、社員の氏名、生年月日、住所その他、個人を識別できる情報をいう。

(法令との関係)
第2条 人事情報の管理についてこの規程に定めのない事項は、個人情報保護法その他の法令の定めるところによる。

第2章 人事情報の利用と取得

(人事情報の利用目的)
第3条 人事情報は次の業務に限って利用

し、それ以外の目的では利用しない。

(1) 人事管理
(2) 給与管理
(3) 税務関係の業務
(4) 社会保険の業務

2 業務上の必要により、人事情報を前項の目的を超えて利用するときは、あらかじめ本人の同意を得るものとする。

(取得する人事情報)
第4条 人事情報は、前条に定める目的を達成するために必要なものに限って取得し、それ以外のものは取得しない。

(取得しない人事情報)
第5条 次に掲げる情報は取得しない。
(1) 人種、民族、社会的身分、門地、本籍地(所在都道府県に関するものは除く)、出生地その他社会的差別の原因となるおそれのあるもの
(2) 思想、信条および宗教に関するもの
(3) その他取得することが適切でないと判断されるもの

(取得方法)
第6条 人事情報は、本人から直接取得する。

(新しい人事情報を取得するとき)
第7条 法令の新設・改正等により、新しい人事情報の取得が必要になったときは、社員に対して次のことを説明する。
(1) 新たに取得する情報の内容
(2) 取得する理由

(内容の変更届)
第8条 社員は、会社に届け出た人事情報の内容に変更が生じたときは、速やかに届け出なければならない。

(役職者による部下の人事情報の取得禁止)
第9条 役職者は、自己の興味や関心で、部下に対して個人的な情報を提供するように命令してはならない。

(第三者への提供)
第10条 人事情報は、法令で定める場合を除き、第三者に提供しない。

第3章 人事情報の安全管理

(管理責任者)
第11条 人事情報の管理は人事部の所管とし、その責任者は人事部長とする。

2 人事部長は、関係法令の定めるところにより、人事情報を適正かつ安全に管理しなければならない。

3 人事情報の中でも次の情報は、特に安全に注意して管理しなければならない。
(1) マイナンバー
(2) 健康情報(健康診断の記録、ストレスチェックの調査表、その他)

(人事担当者の責務)
第12条 人事担当者は、この規程および人事部長の指示を遵守し、人事情報を適正に取り扱わなければならない。

2 人事情報の取り扱いについて判断に迷うときは、独断専行することなく、人事部長に報告し、その指示を求めなければならない。

(人事担当者以外の者の閲覧等の禁止)
第13条 人事担当者以外の者は、人事情報が記録または記載されているパソコンおよび媒体にアクセスまたは閲覧してはならない。

2 業務上の必要により、アクセスまたは閲覧するときは、あらかじめ人事部長に申し出てその許可を得なければならない。

(社外への持ち出しの禁止)
第14条 社員は、人事情報が記録または記載されているパソコン・媒体を社外へ持ち出してはならない。

2 業務上の必要により持ち出すときは、あらかじめ人事部長に申し出て、その許可を得なければならない。

3 持ち出したときは、紛失したり、盗難に遭わないように十分注意しなければならない。

(守秘義務)
第15条 社員は、業務を通じて知り得た人事情報を在職中はもとより退職後においても、他に漏らしてはならない。

第4章 人事情報の保存と廃棄

（記録の保存）

第16条 会社は、次の書類は、労働基準法の定めるところにより、5年間保存する。

(1) 労働者名簿
(2) 賃金台帳
(3) 雇入、解雇、災害補償、賃金に関する書類
(4) その他労働関係に関する重要な書類

（廃棄・消却時の注意事項）

第17条 人事部長は、人事情報が記録または記載されているパソコンまたは媒体を廃棄し、または消却するときは、そこに記録・記載されている情報が社外へ流出することのないよう、十分注意しなければならない。

付則

1 この規程は、○○年○月○日から施行する。
2 この規程の改廃は、人事部長が発議し、社長の承認を得て行うものとする。

社員マイナンバー管理規程

MNシステム開発
（情報処理業・従業員780人）

（総則）

第1条 この規程は、マイナンバーの管理について定める。

2 マイナンバーの管理についてこの規程に定めのない事項は、関係法令の定めるところによる。

（管理責任者）

第2条 マイナンバーの管理は人事部の所管とし、その責任者は人事部長とする。

2 人事部長は、関係法令の定めるところにより、マイナンバーを適正かつ安全に管理しなければならない。

（事務取扱担当者の責務）

第3条 マイナンバーの事務取扱担当者は、人事部長の指示を遵守し、マイナンバーの事務を適正に行わなければならない。

2 マイナンバーの取り扱いについて判断に迷うときは、独断専行することなく、人事部長に報告し、その指示を求めなければならない。

（事務取扱担当者以外の者の閲覧等の禁止）

第4条 マイナンバー事務取扱担当者以外の者は、マイナンバーが記載または記録されている媒体を閲覧し、またはアクセスしてはならない。

2 業務上の必要により、閲覧またはアクセスするときは、あらかじめ人事部長に申し出てその許可を得なければならない。

（マイナンバーの届出）

第5条 会社に採用された者は、採用後2週間以内にマイナンバーを届け出なければならない。

2 配偶者を有する者は、配偶者のマイナンバーを、扶養家族を有する者は、扶養家族のマイナンバーを届け出なければならない。

3 マイナンバーの届出書には、次のうちいずれかを添付しなければならない。

(1) 個人番号カード
(2) 通知カード
(3) 個人番号記載の住民票の写し
(4) 住民票記載事項証明書

（番号の確認）

第6条 会社は、個人番号カード、または通知カード等により、社員が届け出たマイナンバーの真正性を確認する。

（マイナンバーの利用目的）

第7条 マイナンバーは、次の業務に限って利用し、それ以外の業務においては利用し

ない。
(1) 税務関係の業務
(2) 社会保険の業務
（不正漏えいの通報）
第8条　社員は、マイナンバーが不正に社外に漏えいしていることを知ったときは、直ちに会社に通報しなければならない。
2　会社は、社員から通報があったときは、直ちに事実関係を調査する。
3　調査の結果、漏えいしたことが確認されたときは、漏えいした原因を究明するとともに、漏えいした原因を踏まえ、再発防止策を検討し、実施する。
（付則）
この規程は、○○年○月○日から施行する。

（様式）人事情報シート

(作成年月日) ○○年○月○日
(改訂年月日) ○○年○月○日

人事情報シート

1 氏名・採用日等

氏名	
生年月日・性別	○○年○月○日（ ）
採用日	○○年○月○日

2 住所・家族構成等

住所	
電話番号	
最終学歴	
家族構成（氏名・続柄・生年月日）	・配偶者 ・第一子 ・第二子 ・第三子
通勤手段	
通勤経路	
銀行口座	
マイナンバー	マイナンバー一覧表に記載
運転免許の有無	

3 所属・役職等

所属歴	
役職歴	
職業資格	
賞罰	

4 健康

健康状態	

以上

XVIII 働き方の多様化に関する規程

XVIII 働き方の多様化に関する規程

〈コメント〉働き方の多様化に関する規程

1 働き方の多様化の背景

これまでは、すべての社員が同じ施設の中で、始業時刻から終業時刻までいっしょに働くというのが一般的であった。勤務時間や勤務場所について、社員が選択することはできなかった。

また、休暇の種類は、労働基準法に定める休暇（年次有給休暇）と、福利厚生としての慶弔休暇（結婚休暇・忌引休暇）が中心で、それ以外の休暇を制度化している会社はほとんど存在しなかった。このうち、労働基準法によって付与されている年次有給休暇については、その取得に消極的な社員が多かった。職場にも、年休を取得しづらい雰囲気が形成されていた。

しかし、近年、経営環境の変化、働く者の勤労意識の変化、労働法制の改正・新設などにより、働き方が大きく変化している。

2 働き方の変化の例

働き方の多様化は、多岐にわたる。その主な例を示すと、次のとおりである。

・育児休業、介護休業の制度化
・育児短時間勤務、介護短時間勤務の制度化
・育児休暇、看護休暇、介護休暇の制度化
・フレックスタイム制
・勤務時間選択制（セレクティブタイム制）
・年休の計画的付与制
・年休の時季指定による付与の制度化
・リフレッシュ休暇制
・ボランティア休暇、社会貢献休暇、災害復旧支援休暇
・子どもメモリアル休暇
・テレワーク、リモートワーク
・クールビズ、ウォームビズの普及
・旧姓使用の容認
・その他

このうち、育児休業は制度が法制化されてしばらくの間は、取得するのは女性が圧倒的に多かった。現在でも女性の利用が多いが、最近は男性社員の取得が増加している。

また、テレワーク、リモートワークは、周知のとおり、令和2年2月以降、新型コロナウイルスの感染を防止するために、大きく普及した。3密（密閉・密集・密接）を回避するためにはテレワーク、リモートワークが効果的であるとして、実施する会社が大幅に増加した。

3 制度実施の効果

働き方の多様化を推進することは、会社にとって、

・社員の勤労意欲の向上を図れる
・労使の信頼関係を高められる
・会社のイメージアップにより、募集・採用に有利となる

などの効果が期待できる。

働き方の多様化にかかわる制度を実施するときは、その内容について社員の希望を反映すると同時に、その取り扱いの基準を「社内規程」として取りまとめ、公正に運用していくことが必要である。

XVIII 働き方の多様化に関する規程

フレックスタイム規程

> GD薬品工業
> （製造業・従業員3,300人）

（総則）

第1条 この規程は、フレックスタイム制について定める。

（適用対象者の範囲）

第2条 この規程は、次の部門に所属する総合職の社員に適用する。

事務部門／企画部門／営業部門／研究開発部門

（勤務時間の清算期間）

第3条 勤務時間の清算期間は、21日から翌月20日までの1か月間とする。

（標準勤務時間）

第4条 1日の標準勤務時間は、8時間とする。

2 社員が次のいずれかに該当するときは、標準勤務時間勤務したものとみなす。

(1) 年次有給休暇その他の有給休暇を取得したとき

(2) 社外で業務に従事し、勤務時間を算定しがたいとき

（清算期間中の所定勤務時間数）

第5条 清算期間中の所定勤務時間数は、次の算式によって得られる時間とする。

（所定勤務時間数）8時間×清算期間中の所定勤務日数

（コアタイム・休憩時間）

第6条 コアタイムおよび休憩時間は、次のとおりとする。

（コアタイム）午前10時～午後3時

（休憩時間）正午から1時間

2 コアタイム中は、必ず勤務していなければならない。

（フレキシブルタイム）

第7条 フレキシブルタイムは、次のとおりとする。

（始業時間帯）午前8～10時
（終業時間帯）午後3～8時

2 始業時刻および終業時刻は、各人の決定に委ねる。

3 職場への入場および退場に当たっては、他の社員の職務に影響を与えないように配慮しなければならない。

（遅刻・早退・欠勤）

第8条 コアタイムの開始時刻に遅れて始業したときは遅刻、コアタイムの終了時刻の前に終業したときは早退とする。

2 コアタイムにまったく勤務しなかったときは、欠勤とする。

3 遅刻、早退または欠勤をするときは、あらかじめ会社に届け出なければならない。

（休日）

第9条 休日は、次のとおりとする。

(1) 日曜、土曜
(2) 国民の祝日および国民の休日
(3) 年末年始（12月28～1月4日）

（勤務時間の記録・提出）

第10条 社員は、始業・終業時刻および勤務時間数等を日々記録し、これを清算期間終

XVIII 働き方の多様化に関する規程

了後速やかに会社に提出しなければならない。

（勤務時間の単位）
第11条　勤務時間の単位は、15分とする。

（超過時間の取り扱い）
第12条　清算期間中の実勤務時間数が所定勤務時間数を超えたときは、超えた時間数を時間外勤務として取り扱う。

2　社員は、時間外勤務の時間数が、会社と労働組合とで協定した時間数を超えないようにしなければならない。

（不足時間の取り扱い）
第13条　清算期間中の実勤務時間数が所定勤務時間数に不足したときは、不足した時間数を次の清算期間に繰り越すものとする。

2　前項の規定にかかわらず、不足時間が20時間を超えるときは、その超える時間に相応する基本給をカットする。

3　不足時間を発生させたときは、次の清算期間においてその不足時間を解消するよう努めなければならない。

（許可）
第14条　社員は、次の場合には、あらかじめ会社の許可を得なければならない。
(1)　始業時間帯の開始前または終業時間帯の終了後に勤務するとき
(2)　休日に勤務するとき

2　事前に許可を得ていないものについては、原則として勤務時間とはみなさない。

（勤務時間の指定）
第15条　会社は、緊急事態の発生その他業務上必要であると認めるときは、フレックスタイム制度の適用を停止し、特定時刻から特定時刻までの勤務を命令することがある。

（適用解除）
第16条　会社は、次に該当する者については、フレックスタイム制度の適用を解除し、通常の勤務に復するように命令することがある。
(1)　合理的な理由がないにもかかわらず、所定勤務時間数と実勤務時間数との間にしばしば著しい過不足を発生させる者
(2)　遅刻を繰り返す者
(3)　勤務時間の記録がルーズである者
(4)　業務の効率が良くない者
(5)　その他フレックスタイム制の適用になじまないと認められるもの

（付則）
この規程は、〇〇年〇月〇日から施行する。

フレックスタイム規程

（様式）勤務時間記録表

〇〇年〇月〇日

取締役社長殿

〇〇部〇〇課
〇〇〇〇印

勤務時間記録表（〇〇年〇月）

日	曜日	始業時刻	終業時刻	休憩時間	勤務時間数	年休等	備考
21							
22							
23							
24							
25							
26							
27							
28							
29							
30							
31							
1							
2							
3							
4							
5							
6							
7							
8							
9							
10							
11							
12							
13							
14							
15							
16							
17							
18							
19							
20							
計	＊＊	＊＊	＊＊	＊＊		＊＊	＊＊

以上

フレックスタイム規程

KH商事
（総合商社・従業員2,100人）

（目的）
第1条　この規程は、フレックスタイム制について定める。

（適用対象者の範囲）
第2条　社員は、フレックスタイム制によって勤務するものとする。ただし、次に掲げる者は除く。
(1) 総務部所属社員
(2) 課長以上の役職者
(3) 勤続1年未満の者

（勤務時間の清算期間）
第3条　勤務時間の清算期間は、次のとおりとする。
（清算期間）　1～末日の1か月。

（標準勤務時間）
第4条　1日の標準勤務時間は、8時間とする。

2　社員が次のいずれかに該当するときは、標準勤務時間勤務したものとみなす。
(1) 年次有給休暇その他の有給休暇を取得したとき
(2) 社外で業務に従事し、勤務時間を算定しがたいとき

（清算期間中の所定勤務時間数）
第5条　清算期間中の所定勤務時間数は、次の算式によって得られる時間とする。
（所定勤務時間数）8時間×清算期間中の所定勤務日数

（勤務時間帯）
第6条　勤務時間帯は、は、次のとおりとする。
（勤務時間帯）　午前8～午後9時

（休日）
第7条　休日は、次のとおりとする。
(1) 日曜、土曜
(2) 国民の祝日および国民の休日
(3) 年末年始（12月28～1月4日）

（勤務時間の記録・提出）
第8条　社員は、始業・終業時刻および勤務時間数等を日々記録し、これを清算期間終了後速やかに会社に提出しなければならない。

（勤務時間の単位）
第9条　勤務時間の単位は、15分とする。

（超過時間の取り扱い）
第10条　清算期間中の実勤務時間数が所定勤務時間数を超えたときは、超えた時間数を時間外勤務として取り扱う。

（不足時間の取り扱い）
第11条　清算期間中の実勤務時間数が所定勤務時間数に不足したときは、不足した時間数を次の清算期間に繰り越すものとする。

2　前項の規定にかかわらず、不足時間が20時間を超えるときは、その超える時間に相応する基本給をカットする。

（休日等に勤務するとき）
第12条　社員は、次の場合には、あらかじめ会社の許可を得なければならない。
(1) 勤務時間帯の前または後に勤務するとき
(2) 休日に勤務するとき

（勤務時間の指定）
第13条　会社は、業務上必要であると認めるときは、フレックスタイム制度の適用を停止し、特定時刻から特定時刻までの勤務を命令することがある。

（社員の服務心得）
第14条　社員は、次の事項に留意しなければならない。
(1) 勤務時間を有効に活用して業務を効率的に遂行すること
(2) 実際の勤務時間数と所定勤務時間数の間に大きな過不足を発生させないこと
(3) 業務の遂行状況を上司に適切に報告すること
(4) 上司・同僚とのコミュニケーション（情報交換）をおろそかにしないこと
(5) 職場への入場および退場に当たって

選択勤務時間規程

（OS情報開発 情報処理業・従業員210人）

（総則）
第1条　この規程は、選択勤務時間制について定める。

（勤務時間の種類）
第2条　社員は、次のいずれかの勤務時間を自主的に選択して勤務するものとする。
(1) 始業午前8時～終業午後5時
(2) 始業午前9時～終業午後6時
(3) 始業午前10時～終業午後7時
2　休憩時間は、いずれも正午～午後1時とする。

（黒板への書き込み）
第3条　社員は、退社時に翌日の勤務時間を自主的に選択し、職場の所定の場所に書き込まなければならない。

2　この制度を利用して翌日遅く出社するときは、退社時に、翌日の出社予定時刻を職場の所定の場所に書き込まなければならない。

3　社員は、午後10時以降に及ぶ時間外労働が連続しないように努めなければならない。

（出退社時の留意事項）
第4条　社員は、出社したとき、および退社するときは、勤務中の他の社員に迷惑を掛けないように留意しなければならない。

（付則）
この規程は、〇〇年〇月〇日から施行する。

(6) 勤務時間記録表は正しく記載し、所定の期日までに提出すること

（付則）
この規程は、〇〇年〇月〇日から施行する。

勤務時間インターバル規程

（RE経済研究所 調査研究業・従業員80人）

（総則）
第1条　この規程は、勤務時間インターバル制度の取り扱いについて定める。

（適用対象者の範囲）
第2条　この規程は、すべての社員に適用する。

（インターバルの時間数）
第3条　社員は、時間外勤務が午後10時以降に及んだときは、退社時刻と翌日の出社時刻との間に12時間前後のインターバルを置くようにしなければならない。

（遅刻の取り扱い）
第4条　会社は、社員がこの制度を利用したために翌日の出社時刻が始業時刻を経過した場合、始業時刻から出社時刻までの時間を遅刻扱いとはしない。

（制度の利用の奨励）
第5条　役職者は、部下の時間外勤務が長時間にわたらないように配慮するとともに、時間外勤務が午後10時以降に及んだときは、この制度を利用するように奨励しなければならない。

（付則）
この規程は、〇〇年〇月〇日から施行する。

年休計画的付与規程

OK建設

（建設業・従業員240人）

（総則）
第1条　この規程は、年休の計画的付与について定める。

第2条　この規程は、すべての社員に適用する。

（適用者の範囲）

第3条　年休を計画的に付与する時季は、毎年8月とする。

（付与時季）

第4条　計画的に付与する年休の日数は、1人4日とする。

（付与日数）

第5条　会社は、毎年1月中に年休を計画的に付与する日にちを決定し、掲示等により発表する。

（具体的な日にち）

第6条　社員は、会社が計画的に付与した年休を取得しなければならない。

（取得義務）

第7条　年休の保有日数（前年からの繰越分を含む）から計画的付与日数を差し引いた日数が5日に満たない者に対しては、不足する日数の年休を特別に付与する。

（特別付与）

（付則）
この規程は、○○年○月○日から施行する。

失効年休買上規程

SA通信

（広告取扱業・従業員90人）

（総則）
第1条　この規程は、失効年休の買上げについて定める。

第2条　この規程は、すべての社員に適用する。

（適用者の範囲）

第3条　会社は、権利発生後2年の間に取得しなかったために、時効により消滅する年休を買い上げる。

2　社員は、権利発生後2年の間に取得しなかったために、時効により消滅する年休を買い上げる。

（買上日数の限度）

第3条　買い上げる年休の日数は、10日を限度とする。

（買上単価）

第4条　買上単価は、次のとおりとする。

単価＝本人の1日当たり基本給の50％

（支払日）

第5条　会社は、時効日から1か月以内の給与支払日に代金を支払う。

（退職者の取り扱い）

第6条　第3条の規定にかかわらず、退職する者については、退職時に未取得の年休を買い上げる。この場合、買上日数は、20日を限度とする。

（付則）
この規程は、○○年○月○日から施行する。

失効年休積立規程

NK興業

（サービス業・従業員110人）

（総則）
第1条　この規程は、失効年休の積立てについて定める。

2　社員は、権利発生後2年の間に取得しな

失効年休積立規程

第1条 (適用者の範囲)
この規程は、すべての社員に適用する。

第2条 (年間の積立日数の限度)
積み立てることのできる年休の日数は、年間10日を限度とする。

第3条 (総積立日数の限度)
積み立てることのできる年休の総日数は、60日を限度とする。

第4条 (使用目的)
積み立てた年休の使用目的は、次のいずれかとする。
(1) 私傷病の治癒
(2) 家族の看護
(3) 自己啓発
(4) 資格取得
(5) ボランティア活動
(6) 定年退職後の再就職または独立自営の準備（55歳以上の者に限る）

第5条 (取得単位)
積み立てた年休は、原則として5日を単位として取得するものとする。

第6条 (取得手続き)
積み立てた年休を取得するときは、3日前までに会社に届け出なければならない。

第7条 (通常の年休との関係)
かったために、時効で消滅する年休を積み立てておくことができる。

第8条 積み立てた年休の取得は、その時点で保有する通常の年休よりも優先させるものとする。

第9条 (給与の取り扱い)
積み立てた年休の給与上の取り扱いは、通常の年休と同じとする。

(付則)
この規程は、〇〇年〇月〇日から施行する。

（様式）積立年休取得届

　　　　　　　　　　　　　　　　　　年　月　日

取締役社長殿

　　　　　　　　　　　　　　　　　　部　　課
　　　　　　　　　　　　　　　　　（氏名）　　印

積立年休取得届

1	取得年月日	年　月　日〜　年　月　日（　日間）
2	使用目的	
3	その他	

以上

XVIII 働き方の多様化に関する規程

裁判員休暇規程

UY工業
（自動車部品製造業・従業員650人）

（総則）
第1条 この規程は、社員が裁判員候補、裁判員または補充裁判員（以下、単に「裁判員等」という）に選任された場合の休暇について定める。

（適用者の範囲）
第2条 この規程は、すべての社員に適用する。

（届出）
第3条 社員は、裁判員等に選任されたときは、会社に届け出なければならない。

（裁判員休暇の付与）
第4条 会社は、裁判員等に選任された社員から請求があったときは、必要な日数の休暇を与える。

2 休暇の付与単位は、原則として1労働日とする。ただし、職務の状況により、時間単位で付与することがある。

（裁判員休暇取得の手続き）
第5条 社員は、裁判員休暇を取得するときは、あらかじめ会社に届け出なければならない。

（給与の取り扱い）
第6条 裁判員休暇は、無給とする。

（不利益取り扱いの禁止）
第7条 会社は、社員が裁判員等になったこと、若しくは裁判員休暇を請求または取得したことを理由として不利益取り扱いをしない。

（付則）
この規程は、〇〇年〇月〇日から施行する。

リフレッシュ休暇規程

EW商業
（卸売業・従業員460人）

（総則）
第1条 この規程は、リフレッシュ休暇について定める。

2 会社は、勤続が一定年数に達した社員に対して、心身のリフレッシュを図るための休暇を与える。

（適用者の範囲）
第2条 この規程は、すべての社員に適用する。

（付与の時期）
第3条 会社は、毎年4月1日現在において勤続が次の年数に達した者に、リフレッシュ休暇を与える。
満10年、15年、20年、25年、30年、35年、40年

（休暇の日数）
第4条 リフレッシュ休暇の日数は、別表のとおりとする。

（給与の取り扱い）
第5条 リフレッシュ休暇は、有給とする。

（休暇の取り方）
第6条 リフレッシュ休暇は、原則として連続して取得しなければならない。

（休暇の取得期間）
第7条 リフレッシュ休暇は、原則としてその年度の6月1日以降9月30日までの間に取得しなければならない。

2 前項に定める期間に取得しなかったときは、その権利は消滅する。

（取得届）
第8条 リフレッシュ休暇を取得するときは、あらかじめ会社に届け出なければならない。

（付則）
この規程は、〇〇年〇月〇日から施行する。

ボランティア休暇規程

KI銀行
（金融業・従業員1,100人）

（別表）リフレッシュ休暇の日数

勤続年数	休暇日数
10	10
15	5
20	10
25	5
30	10
35	5
40	10

（注）週休日は含まない。

（総則）
第1条　この規程は、ボランティア休暇について定める。

（適用者の範囲）
第2条　この規程は、すべての社員に適用する。

（ボランティア休暇の付与）
第3条　会社は、4月1日現在において勤続満1年以上の社員に対し、ボランティア活動をするための休暇を与える。

（ボランティア休暇の日数）
第4条　ボランティア休暇の日数は、1年度（4月1日〜翌年3月31日）につき12日とする。

（使用目的の範囲）
第5条　ボランティア活動の範囲は、次のとおりとする。
(1) 高齢者や障害者等、介護や世話を必要とする者の介護や世話
(2) 社会福祉施設における奉仕
(3) 青少年の指導、育成
(4) 地域の美化、清掃
(5) 被災地、被災者の支援
(6) 環境保全
(7) その他前各号に準ずる活動

（給与の取り扱い）
第6条　ボランティア休暇は、有給とする。

（ボランティア休暇の有効期限）
第7条　ボランティア休暇の有効期限は、その年度限りとし、翌年度に繰り越すことはできない。

（取得届）
第8条　ボランティア休暇を取得するときは、あらかじめ会社に届け出なければならない。
2　5日以上まとめて取得するときは、10日前までに届け出なければならない。

（付則）
この規程は、○○年○月○日から施行する。

（様式）ボランティア休暇取得届

年　月　日

取締役社長殿

部　　課
（氏名）　　　印

ボランティア休暇取得届

1	取得年月日	年　月　日～　年　月　日（　日間）
2	使用目的	
3	その他	

以上

社会貢献休暇規程

（CH放送　放送業・従業員370人）

（目的）
第1条　本規程は、社会貢献休暇制度の取り扱いを定めるものである。
2　社会貢献休暇とは、次の活動に自主的に従事するための休暇をいう。
(1)　社会福祉活動
(2)　被災地の復興支援
(3)　その他の社会貢献活動

（適用者の範囲）
第2条　本規程は、勤続満1年以上の社員に適用する。

（休暇の日数）
第3条　休暇の日数は、1年度（4月1日～翌年3月31日）につき10日とする。

（給与の取り扱い）
第4条　休暇は、有給とする。

（休暇の有効期限）
第5条　休暇の有効期限は、その年度限りとし、翌年度に繰り越すことはできない。

（取得届）
第6条　休暇を取得するときは、あらかじめ会社に届け出なければならない。

（付則）
本規程は、○○年○月○日から施行する。

災害復旧支援休暇規程

（SS倉庫　倉庫業・従業員280人）

（目的）
第1条　本規程は、地震、津波、豪雨等の自然災害によって被災した地域の復旧を支援するための活動に充当する休暇制度（災害復旧支援休暇制度）の取り扱いを定めるものである。

（災害復旧支援休暇の付与）
第2条　会社は、4月1日現在において勤続満2年以上の者に対して、4月1日付で災害復旧支援休暇（以下「支援休暇」という）を付与する。

（支援休暇の日数）
第3条　支援休暇の日数は、1年度（4月1日～翌年3月31日）につき10日とする。

（支援休暇の有効期間）
第4条　支援休暇は、付与後1年に限って有

子どもメモリアル規程

（TR船舶　・海運業　・従業員850人）

（総則）
第1条　この規程は、子どもメモリアル休暇について定める。
（適用対象者）
第2条　この規程は、すべての社員に適用する。

（メモリアル休暇の種類）
第3条　会社は、小学生以下の子どもを持つ社員に次の休暇を与える。
(1) 子どもの誕生日休暇・・・誕生した日から1週間以内に2日
(2) 子どもの誕生日休暇・・・1歳以降、毎年1日
(3) 幼稚園の入園式、卒園式休暇・・・当日1日
(4) 幼稚園・保育園・小学校の運動会休暇・・・毎年1日
(5) 小学校の入学式、卒業式休暇・・・当日1日

（届出）
第4条　メモリアル休暇を取得するときは、あらかじめ会社に届け出なければならない。
（給与の取り扱い）
第5条　メモリアル休暇は有給とする。
（付則）
この規程は、〇〇年〇月〇日から施行する。

（給与の取り扱い）
第5条　支援休暇は、無給とする。
（取得届）
第6条　支援休暇を取得するときは、あらかじめ会社に届け出なければならない。
（安全への配慮）
第7条　支援活動に当たる者は、安全に十分配慮して支援活動に当たらなければならない。
2　支援活動において傷害を負った場合、会社は責任を負わない。
（付則）　本規程は、〇〇年〇月〇日から施行する。

テレワーク規程

（DS製薬　・製造業　・従業員1,550人）

（総則）
第1条　この規程は、テレワークについて定める。
（テレワークができる社員の範囲）
第2条　企画、調査、分析、設計、デザイン、または営業の業務に従事する社員は、自宅その他社外において業務をすることができる。
（就業場所の選択）
第3条　テレワークをする者は、業務遂行に適した場所をテレワークの場所として選択しなければならない。
2　自宅以外においてテレワークをする場合、次のものは社員の負担とする。
(1) 部屋の使用料　その部屋の使用について使用料が必要である場合、その使用料
(2) その場所への往復に必要な交通費
（職場の決められた場所への記入）
第4条　社員は、テレワークをするときは、あらかじめ職場の決められた場所にテレ

リモートワーク規程

HF電機
（製造業・従業員2,100人）

（目的）
第1条　この規程は、リモートワークの取扱いについて定める。
2　リモートワークとは、自宅その他社外において業務を遂行することをいう。

（リモートワークの申出）
第2条　社員は、会社に申し出ることにより、リモートワークをすることができる。ただし、次に掲げる者は、申出ができない。
(1) リモートワークに適していない業務に従事する者
(2) 課長以上の役職者
(3) 総務部門に所属する者

（リモートワークをする場所）
第3条　リモートワークをする場所は、常識的に判断して業務に適した場所でなければならない。

（届出事項）
第4条　リモートワークをするときは、あらかじめ次の事項を会社に届け出なければな らない。
(1) 業務の内容
(2) リモートワークをする期間
(3) リモートワークをする場所
(4) その他必要事項

（施設使用料の負担）
第5条　自宅以外の場所においてリモートワークをする場合、次の費用は本人の負担とする。
(1) 施設の利用料
(2) 自宅と施設間の交通費

（休暇等の届出）
第6条　社員は、次の場合には、あらかじめ会社に届け出なければならない。
(1) 年次有給休暇その他、就業規則で定められた休暇を取得するとき
(2) 病気、事故その他の事情により、業務をすることができないとき

（勤務時間の算定）
第7条　勤務時間の一部または全部をリモートワークをしたとき

（機密情報の漏洩）
第8条　リモートワークをするときは、機密情報、重要情報が漏洩しないよう、十分注意を払わなければならない。

（出社命令）
第9条　会社は、業務上必要であるときは、リモートワークをしている者に対して出社を命令することがある。

ワークの期間および時間帯を記入しなければならない。
2　予定していた期間または時間帯を変更するときは、会社に連絡しなければならない。

（テレワーク上の心得）
第5条　テレワークをする者は、次のことに留意しなければならない。
(1) 時間を有効に活用して業務を効率的に遂行すること
(2) 重要な情報が漏えいしないようにすること
(3) 業務で使用するパソコン等の置き忘れ、盗難に注意すること

（業務報告）
第6条　テレワークをする社員は、業務の進捗状況を適宜適切に会社に報告しなければならない。

（勤務時間の算定）
第7条　社員がテレワーク勤務をしたときについてテレワークをしたときは、所定勤務時間勤務したものとみなす。

（出社命令）
第8条　会社は、業務上必要であると認めるときは、テレワーク中の者に対して出社を命令することがある。

（付則）
この規程は、○○年○月○日から施行する。

2　社員は、出社を命令されたときは、必ず出社しなければならない。

（業務報告）

第10条　社員は、担当する業務の進捗状況および結果を適宜適切に会社に報告しなければならない。

2　判断に迷うときは、独断専行することなく、会社の指示を求め、その指示に従わなければならない。

（付則）この規程は、○○年○月○日から施行する。

クールビズ・ウォームビズ規程

HGシステム
（情報処理業・従業員150人）

（総則）

第1条　この規程は、クールビズ・ウォームビズについて定める。

（適用者の範囲）

第2条　この規程は、すべての社員に適用する。

（クールビズ・ウォームビズの期間）

第3条　クールビズ・ウォームビズの期間は、次のとおりとする。

(1) クールビズ　6月1日～9月30日

(2) ウォームビズ　12月1日～3月31日

（期間中の服装）

第4条　クールビズ・ウォームビズ期間中の服装は、各自の自由とする。ただし、次に掲げるものは自粛しなければならない。

(1) 業務遂行に支障を与えるもの

(2) 華美に過ぎるもの

(3) 刺激性の強いもの

(4) 周囲の者に違和感、不快感を与えるもの

(5) その他職場の服装としてふさわしくないもの

（ネームプレート）

第5条　クールビズ・ウォームビズ期間中も、ネームプレートは着用していなければならない。

（付則）この規程は、○○年○月○日から施行する。

旧姓使用規程

KK証券
（証券業・従業員320人）

（総則）

第1条　この規程は、旧姓の使用について定める。

（適用者の範囲）

第2条　この規程は、すべての社員に適用する。

（旧姓の使用）

第3条　社員は、結婚等によって戸籍上の姓が変わった場合、希望すれば旧姓を使用することができる。

（届出）

第4条　旧姓の使用を希望する者は、会社に届け出なければならない。

（改名等の取り扱い）

第5条　次のものは、旧姓として取り扱わない。

(1) 私的な改名

(2) 俗称

(3) ペンネーム

(4) その他社会的、常識的に判断して、旧

（旧姓使用の範囲）
第6条　旧姓を使用できる範囲は、次のとおりとする。
(1) ネームプレート
(2) 社員証明書
(3) タイムカード、出勤簿
(4) 社員名簿
(5) 名刺
(6) 対外的呼称
(7) 社内外への発信文書、メール
(8) 日付印、印鑑
(9) 報告書、申請書、届出書、伝票
(10) 辞令

（旧姓使用を認めないもの）
第7条　次のものは、戸籍上の姓名表記のみを認め、旧姓の使用は認めない。
(1) 給与の振込口座
(2) 税務関係の書類
(3) 社会保険関係の書類

第8条　旧姓を使用している者が旧姓の使用を中止するときは、会社に届け出なければならない。
2　中止した場合、その後1年間は、旧姓の使用を申し出ることはできないものとする。

（付則）
この規程は、○○年○月○日から施行する。

（様式）旧姓使用届出書

○○年○月○日

取締役社長殿

○○部○○課
○○○○（旧姓○○○○）印

旧姓使用届

使用開始日	
備考	

以上

フリーアドレス規程

RE不動産販売
（不動産販売業・従業員90人）

（総則）
第1条　この規程は、フリーアドレス制度について定める。

（制度の対象者）
第2条　フリーアドレス制度は、次の部門に所属する社員に適用する（役職者は除く）。
(1) 営業部門
(2) システム開発部門
(3) 市場調査部門

（執務場所）
第3条　前条で定められた社員（以下、単に「社員」という）は、会社が指定したスペース（ワークステーション）において、空いているデスクを自由に使って業務を行う。
2　社員は、ワークステーションでの業務を終えたときは、業務で使用したパソコンおよび資料等をすべて自己のキャビネット等に収容し、デスクを元の状態にしておかなければならない。

（ワークステーション）

第4条　ワークステーションは、部門別に設ける。

（社員の心得）

第5条　社員は、ワークステーションが共同の執務場所であることを認識し、他の社員が快適かつ能率的に業務ができるよう、次のことに留意しなければならない。

(1) 整理整頓に努めること

(2) 他の社員と大きな声で会話をしないこと

(3) 必要以上に広いスペースを占有しないこと

(4) 携帯電話、スマートフォンはマナーモードに設定し、会話は室外ですること

(5) 来客者を入れないこと。来客者への応対は、応接室ですること

（付則）

この規程は、〇〇年〇月〇日から施行する。

改訂 9 版
会社規程総覧

1983年10月 4 日	第 1 版第 1 刷発行
2021年 5 月25日	第 9 版第 1 刷発行
2024年 1 月28日	第 9 版第 2 刷発行

定価はカバーに表示
してあります。

編 者　経営書院
発行者　平　　盛之

発 行 所　㈱産労総合研究所
　　　　　出版部 経営書院

〒100-0014　東京都千代田区永田町1-11-1 三宅坂ビル
　　　　　電話03(5860)9799
　　　　　https://www.e-sanro.net

印刷・製本　藤原印刷株式会社

本書の一部または全部を著作権法で定める範囲を超えて、無断で複製、転載、デジタル化、配信、インターネット上への掲出等をすることは禁じられています。本書を第三者に依頼してコピー、スキャン、デジタル化することは、私的利用であっても一切認められておりません。
落丁・乱丁本はお取替えいたします。

ISBN978-4-86326-312-3　C2034